만렙

만렙은 찰만(滿)과 레벨(Level)의 합성어로, 게임 등에서 지원하는 최대 레벨을 의미한다.

만렙 수학은 "내 수준에 맞는 유형서로 나의 수학 실력을 최대치까지 끌어올려 보자" 라는 의미로 사용되었으며,

두 수준의 유형서 PM, AM으로 구분된다.

상상 그 이상

모두의 새롭고 유익한 즐거움이
비상의 즐거움이기에

아무도 해보지 못한 콘텐츠를 만들어
학교에 새로운 활기를 불어넣고

전에 없던 플랫폼을 창조하여
배움이 더 즐거워지는 자기주도학습 환경을
실현해왔습니다

이제, 비상은
더 많은 이들의 행복한 경험과
성장에 기여하기 위해

글로벌 교육 문화 환경의
상상 그 이상을 실현해 나갑니다

상상을 실현하는 교육 문화 기업 비상

핵심 유형 마스터

만렙
PM

미적분

만렙 PM의 특징

▼

시험 빈출 핵심 유형 최다 수록

☑ 너무 쉬워서 시험에 안 나오는 문제는 NO
☑ 너무 어려워서 시험에 안 나오는 문제도 NO

기초 문제는 필요 없고 시험에 출제되는 상 수준의 문제까지 풀고 싶은 학생에게 최적화된 구성으로, 실속 있게 내 실력을 레벨업할 수 있다.

▼

유형별로 모든 난이도의 문제를 한 번에 배열

☑ 1단계, 2단계, 3단계, …마다 같은 개념의 문제가 반복되는 구성이 지루하다.
☑ 유형별 문제를 한 번에 마스터하기 어렵다.

유형별로 시험에 출제되는 모든 문제를 한 번에 학습하기를 원하는 학생에게 최적화된 구성으로, 유형을 빠르게 마스터할 수 있다.

하
A개념
B개념
C개념

중
A개념
B개념
C개념

상
A개념
B개념
C개념

A개념
하
중
상

B개념
하
중
상

C개념
하
중
상

핵심 유형　핵심 유형 정리와 대표 문제만을 모아서 구성하여 핵심 및 대표 문제를 한눈에 파악하기 쉽다.

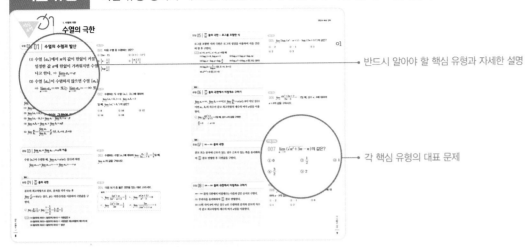

● 반드시 알아야 할 핵심 유형과 자세한 설명

● 각 핵심 유형의 대표 문제

핵심 유형 완성하기　대표 문제를 다시 한 번 풀어보고 다양한 난이도의 문제를 유형별로 풀어볼 수 있다.

구성

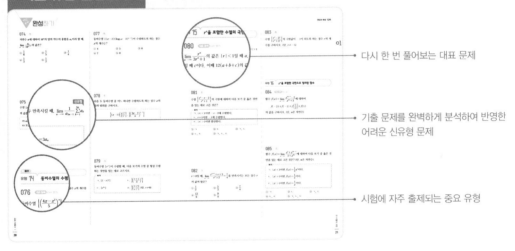

● 다시 한 번 풀어보는 대표 문제

● 기출 문제를 완벽하게 분석하여 반영한
어려운 신유형 문제

● 시험에 자주 출제되는 중요 유형

핵심 유형 최종 점검하기　출제율 높은 핵심 문제로 자신의 실력을 테스트할 수 있다.

만렙 PM의
차례

수열의 극한

Contents

미분법

적분법

01

수열의 극한

수열의 극한

유형 01 | 수열의 수렴과 발산

(1) 수열 $\{a_n\}$에서 n의 값이 한없이 커질 때, 일반항 a_n의 값이 일정한 값 α에 한없이 가까워지면 수열 $\{a_n\}$은 α에 수렴한다고 한다. ➡ $\lim_{n \to \infty} a_n = \alpha$

(2) 수열 $\{a_n\}$이 수렴하지 않으면 수열 $\{a_n\}$은 발산한다고 한다.
➡ $\lim_{n \to \infty} a_n = \infty$ 또는 $\lim_{n \to \infty} a_n = -\infty$ 또는 진동

대표 문제

001 다음 수열 중 수렴하는 것은?

① $\{5n-2\}$ ② $\{1+(-1)^n\}$

③ $\left\{4-\dfrac{1}{n}\right\}$ ④ $\left\{\dfrac{n+1}{3}\right\}$

⑤ $\left\{\log \dfrac{1}{n}\right\}$

유형 02 | 수열의 극한에 대한 성질

수렴하는 두 수열 $\{a_n\}$, $\{b_n\}$에 대하여 $\lim_{n \to \infty} a_n = \alpha$, $\lim_{n \to \infty} b_n = \beta$ (α, β는 실수)일 때

(1) $\lim_{n \to \infty} ka_n = k \lim_{n \to \infty} a_n = k\alpha$ (단, k는 상수)

(2) $\lim_{n \to \infty} (a_n + b_n) = \lim_{n \to \infty} a_n + \lim_{n \to \infty} b_n = \alpha + \beta$

(3) $\lim_{n \to \infty} (a_n - b_n) = \lim_{n \to \infty} a_n - \lim_{n \to \infty} b_n = \alpha - \beta$

(4) $\lim_{n \to \infty} a_n b_n = \lim_{n \to \infty} a_n \times \lim_{n \to \infty} b_n = \alpha\beta$

(5) $\lim_{n \to \infty} \dfrac{a_n}{b_n} = \dfrac{\lim_{n \to \infty} a_n}{\lim_{n \to \infty} b_n} = \dfrac{\alpha}{\beta}$ (단, $b_n \neq 0$, $\beta \neq 0$)

대표 문제

002 수렴하는 두 수열 $\{a_n\}$, $\{b_n\}$에 대하여
$$\lim_{n \to \infty} (a_n + b_n) = 4, \quad \lim_{n \to \infty} a_n b_n = 2$$
일 때, $\lim_{n \to \infty} (a_n^2 + b_n^2)$의 값은?

① 8 ② 10 ③ 12

④ 14 ⑤ 16

유형 03 | $\lim_{n \to \infty} a_n = \lim_{n \to \infty} a_{n+1} = \alpha$의 이용

수열 $\{a_n\}$이 수렴할 때, $\lim_{n \to \infty} a_n = \alpha$ (α는 실수)라 하면
$$\lim_{n \to \infty} a_{n+1} = \lim_{n \to \infty} a_{n+2} = \cdots = \lim_{n \to \infty} a_{2n} = \cdots = \alpha$$

대표 문제

003 수렴하는 수열 $\{a_n\}$에 대하여 $\lim_{n \to \infty} \dfrac{a_n - 2}{3a_{n+1} + 4} = \dfrac{1}{4}$일 때, $\lim_{n \to \infty} a_n$의 값을 구하시오.

★ 중요

유형 04 | $\dfrac{\infty}{\infty}$ 꼴의 극한

분모의 최고차항으로 분모, 분자를 각각 나눈 후
$$\lim_{n \to \infty} \dfrac{c}{n^p} = 0$$
(c는 상수, p는 자연수)임을 이용하여 극한값을 구한다.

예 $\lim_{n \to \infty} \dfrac{n-1}{2n+3} = \lim_{n \to \infty} \dfrac{1 - \dfrac{1}{n}}{2 + \dfrac{3}{n}} = \dfrac{1-0}{2+0} = \dfrac{1}{2}$

참고 (1) (분자의 차수) < (분모의 차수) ➡ 극한값은 0
  (2) (분자의 차수) = (분모의 차수) ➡ 극한값은 최고차항의 계수의 비
  (3) (분자의 차수) > (분모의 차수) ➡ 발산

대표 문제

004 다음 보기 중 옳은 것만을 있는 대로 고르시오.

┌ 보기 ─────────────────────
ㄱ. $\lim_{n \to \infty} \dfrac{5n^2 + n}{2n^2 - n + 3} = \dfrac{5}{2}$ ㄴ. $\lim_{n \to \infty} \dfrac{n(n+5)}{n^2 - 2} = 0$

ㄷ. $\lim_{n \to \infty} \dfrac{\sqrt{n^2 + 2n}}{3n} = \dfrac{1}{3}$ ㄹ. $\lim_{n \to \infty} \dfrac{2n}{\sqrt{4n^2 + 1} + n} = 1$
└───────────────────────────

유형 **05** | $\frac{\infty}{\infty}$ 꼴의 극한 – 로그를 포함한 식

로그를 포함한 식의 극한은 로그의 성질을 이용하여 식을 간단히 한 후 구한다.

참고 $a>0$, $a \neq 1$, $x>0$, $y>0$일 때

(1) $\log_a 1 = 0$, $\log_a a = 1$

(2) $\log_a x + \log_a y = \log_a xy$

(3) $\log_a x - \log_a y = \log_a \frac{x}{y}$

(4) $\log_a x^k = k \log_a x$ (단, k는 실수)

(5) $\log_a b = \frac{1}{\log_b a}$ (단, $b>0$, $b \neq 1$)

(6) $a^{\log_a b} = b$ (단, $b>0$)

대표 문제

005 $\lim\limits_{n \to \infty} \{\log_2(n^2-n+1) - \log_2(2n+3)^2\}$의 값은?

① -2 ② -1 ③ 1

④ 2 ⑤ 3

★중요

유형 **06** | $\frac{\infty}{\infty}$ 꼴의 극한에서 미정계수 구하기

$\lim\limits_{n \to \infty} a_n = \infty$, $\lim\limits_{n \to \infty} b_n = \infty$이고 $\lim\limits_{n \to \infty} \frac{a_n}{b_n} = \alpha$ (α는 0이 아닌 실수)이면 a_n, b_n의 차수가 같고 최고차항의 계수의 비가 α임을 이용한다.

예 $\lim\limits_{n \to \infty} \frac{an^2+1}{2n^2-n+5} = 3$일 때, 상수 a의 값을 구하면

$\frac{a}{2} = 3$ $\therefore a = 6$

대표 문제

006 $\lim\limits_{n \to \infty} \frac{an^2+bn+2}{2n-3} = -2$일 때, 상수 a, b에 대하여 $a+b$의 값을 구하시오.

★중요

유형 **07** | $\infty - \infty$ 꼴의 극한

분모 또는 분자에 근호가 있는 경우 근호가 있는 쪽을 유리화하여 $\frac{\infty}{\infty}$ 꼴로 변형한 후 극한값을 구한다.

대표 문제

007 $\lim\limits_{n \to \infty} (\sqrt{n^2+3n} - n)$의 값은?

① 0 ② $\frac{1}{2}$ ③ 1

④ $\frac{3}{2}$ ⑤ 2

유형 **08** | $\infty - \infty$ 꼴의 극한에서 미정계수 구하기

$\infty - \infty$ 꼴의 극한에서 미정계수는 다음과 같은 순서로 구한다.

(1) 무리식을 유리화하여 $\frac{\infty}{\infty}$ 꼴로 변형한다.

(2) (1)의 식이 0이 아닌 실수 α로 수렴하면 분자와 분모의 차수가 같고 최고차항의 계수의 비가 α임을 이용한다.

대표 문제

008 $\lim\limits_{n \to \infty} \{\sqrt{n^2+n} - (an+b)\} = \frac{3}{2}$일 때, 상수 a, b에 대하여 $a-b$의 값은?

① -2 ② -1 ③ 0

④ 1 ⑤ 2

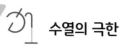 **수열의 극한**

중요

유형 **09** | 일반항 a_n을 포함하는 수열의 극한

$\lim\limits_{n\to\infty}\dfrac{pa_n+q}{ra_n+s}=\alpha\,(\alpha$는 실수)일 때, $\lim\limits_{n\to\infty}a_n$의 값은 다음과 같은 순서로 구한다. (단, $p,\ q,\ r,\ s$는 상수)

(1) $\dfrac{pa_n+q}{ra_n+s}=b_n$으로 놓고 a_n을 b_n에 대한 식으로 나타낸다.

➡ $pa_n+q=b_n(ra_n+s)$, $(p-rb_n)a_n=sb_n-q$

$\therefore a_n=\dfrac{sb_n-q}{p-rb_n}$

(2) $\lim\limits_{n\to\infty}b_n=\alpha$임을 이용하여 $\lim\limits_{n\to\infty}a_n$의 값을 구한다.

➡ $\lim\limits_{n\to\infty}a_n=\lim\limits_{n\to\infty}\dfrac{sb_n-q}{p-rb_n}=\dfrac{s\alpha-q}{p-r\alpha}$

대표 문제

009 수열 $\{a_n\}$에 대하여 $\lim\limits_{n\to\infty}\dfrac{a_n+2}{3a_n+10}=\dfrac{1}{4}$일 때, $\lim\limits_{n\to\infty}a_n$의 값은?

① -2 ② -1 ③ 1

④ 2 ⑤ 3

중요

유형 **10** | 수열의 극한의 대소 관계

수렴하는 두 수열 $\{a_n\}$, $\{b_n\}$에 대하여 $\lim\limits_{n\to\infty}a_n=\alpha$,

$\lim\limits_{n\to\infty}b_n=\beta\,(\alpha,\ \beta$는 실수)일 때

(1) 모든 자연수 n에 대하여 $a_n\leq b_n$이면 ➡ $\alpha\leq\beta$

(2) 수열 $\{c_n\}$이 모든 자연수 n에 대하여 $a_n\leq c_n\leq b_n$이고 $\alpha=\beta$이면 ➡ $\lim\limits_{n\to\infty}c_n=\alpha$

참고 수렴하는 두 수열 $\{a_n\}$, $\{b_n\}$에 대하여 $a_n<b_n$이라고 해서 반드시 $\lim\limits_{n\to\infty}a_n<\lim\limits_{n\to\infty}b_n$인 것은 아니다.

대표 문제

010 수열 $\{a_n\}$이 모든 자연수 n에 대하여

$4n^2-n\leq a_n\leq 4n^2+n$

을 만족시킬 때, $\lim\limits_{n\to\infty}\dfrac{a_n}{2n^2+3}$의 값을 구하시오.

유형 **11** | 수열의 극한에 대한 참, 거짓 판별

수열의 극한에 대한 명제의 참, 거짓은 다음을 이용하여 판별한다.

(1) 극한을 확인해야 하는 수열을 수열의 극한에 대한 성질을 이용하여 수렴하는 수열에 대한 식으로 나타낸다.

(2) 거짓인 명제는 반례를 찾는다.

대표 문제

011 두 수열 $\{a_n\}$, $\{b_n\}$에 대하여 다음 보기 중 옳은 것만을 있는 대로 고르시오.

┌ 보기 ─────────────────────
ㄱ. 두 수열 $\{a_n\}$, $\{a_n-b_n\}$이 모두 수렴하면 수열 $\{b_n\}$도 수렴한다.

ㄴ. $\lim\limits_{n\to\infty}a_n=\infty$, $\lim\limits_{n\to\infty}b_n=0$이면 $\lim\limits_{n\to\infty}a_nb_n=0$이다.

ㄷ. $a_n<b_n$일 때, $\lim\limits_{n\to\infty}a_n=\infty$이면 $\lim\limits_{n\to\infty}b_n=\infty$이다.
└──────────────────────────

유형 **12** | 수열의 극한의 활용

선분의 길이, 점의 좌표 등을 n에 대한 식으로 나타낸 후 수열의 극한에 대한 성질을 이용하여 극한값을 구한다.

대표 문제

012 오른쪽 그림과 같이 자연수 n에 대하여 곡선 $y=x^2+3x$와 직선 $y=x+n$이 만나는 두 점을 각각 P_n, Q_n이라 할 때, $\lim\limits_{n\to\infty}\dfrac{\sqrt{2n+3}}{P_nQ_n}$의 값을 구하시오.

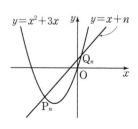

유형 01 수열의 수렴과 발산

013 대표 문제 다시 보기

다음 수열 중 수렴하는 것은?

① $\{3-n^2\}$

② $\left\{\dfrac{(-1)^n}{3}\right\}$

③ $\left\{-1+\dfrac{(-1)^n}{n}\right\}$

④ $\{\log_2(n+1)\}$

⑤ $\left\{(-2)^{n-1}\times\dfrac{1}{n+1}\right\}$

014 중

다음 보기의 수열 중 발산하는 것만을 있는 대로 고른 것은?

> **보기**
>
> ㄱ. $\left\{\dfrac{2n+1}{n}\right\}$ ㄴ. $\left\{\dfrac{1}{n^2}\right\}$
>
> ㄷ. $\left\{\dfrac{1}{4^n}\right\}$ ㄹ. $\left\{\sin\dfrac{2n-1}{2}\pi\right\}$

① ㄱ ② ㄹ ③ ㄱ, ㄷ

④ ㄴ, ㄹ ⑤ ㄴ, ㄷ, ㄹ

015 중

수열 $\{a_n\}$의 일반항이 $a_n=(-1)^n$일 때, 다음 보기의 수열 중 수렴하는 것만을 있는 대로 고른 것은?

> **보기**
>
> ㄱ. $\{a_{2n+1}\}$ ㄴ. $\left\{\dfrac{a_{2n}}{\log 2n}\right\}$ ㄷ. $\{a_{3n}\cos n\pi\}$

① ㄱ ② ㄴ ③ ㄷ

④ ㄱ, ㄴ ⑤ ㄱ, ㄴ, ㄷ

유형 02 수열의 극한에 대한 성질

016 대표 문제 다시 보기

수렴하는 두 수열 $\{a_n\}$, $\{b_n\}$에 대하여

$$\lim_{n\to\infty}(a_n+b_n)=3,\quad \lim_{n\to\infty}a_n b_n=-2$$

일 때, $\lim_{n\to\infty}(a_n{}^3+b_n{}^3)$의 값을 구하시오.

017 하

$\lim\limits_{n\to\infty}\left(1+\dfrac{1}{n}\right)\left(3-\dfrac{5}{n}\right)$의 값은?

① 1 ② 2 ③ 3

④ 4 ⑤ 5

018 하

두 수열 $\{a_n\}$, $\{b_n\}$에 대하여 $\lim\limits_{n\to\infty}a_n=5$, $\lim\limits_{n\to\infty}b_n=-1$일 때, $\lim\limits_{n\to\infty}\dfrac{a_n b_n+1}{3a_n-5b_n}$의 값을 구하시오.

019 중

수렴하는 두 수열 $\{a_n\}$, $\{b_n\}$에 대하여

$$\lim_{n\to\infty}(2a_n+1)=2,\quad \lim_{n\to\infty}\dfrac{2b_n}{3a_n-1}=5$$

일 때, $\lim\limits_{n\to\infty}b_n$의 값은?

① $\dfrac{1}{4}$ ② $\dfrac{1}{2}$ ③ $\dfrac{3}{4}$

④ 1 ⑤ $\dfrac{5}{4}$

유형 03 $\lim\limits_{n\to\infty} a_n = \lim\limits_{n\to\infty} a_{n+1} = \alpha$의 이용

020 대표 문제 다시 보기

수렴하는 수열 $\{a_n\}$에 대하여 $\lim\limits_{n\to\infty}\dfrac{8a_{n+2}+7}{3a_n+1}=3$일 때, $\lim\limits_{n\to\infty} a_n$의 값은?

① 3   ② $\dfrac{7}{2}$ ③ 4

④ $\dfrac{9}{2}$ ⑤ 5

021 중

수렴하는 수열 $\{a_n\}$이
$$a_{n+1}=\sqrt{a_n+12}\ (n=1,\ 2,\ 3,\ \cdots)$$
를 만족시킬 때, $\lim\limits_{n\to\infty} a_n$의 값은?

① 4   ② 6   ③ 8

④ 10   ⑤ 12

022 상

수렴하는 수열 $\{a_n\}$의 모든 항이 양수이고 x에 대한 이차방정식 $x^2-a_n x+a_{n+1}+8=0$이 중근을 가질 때, $\lim\limits_{n\to\infty}\sqrt{a_n+1}$의 값을 구하시오.

★중요
유형 04 $\dfrac{\infty}{\infty}$ 꼴의 극한

023 대표 문제 다시 보기

다음 중 옳지 <u>않은</u> 것은?

① $\lim\limits_{n\to\infty}\dfrac{6n^2+n}{2n^2-3n+10}=3$

② $\lim\limits_{n\to\infty}\dfrac{(3n-2)^2}{(n+1)^2}=9$

③ $\lim\limits_{n\to\infty}\dfrac{7n^2+1}{(n+1)(2n+3)-n^2}=\dfrac{7}{2}$

④ $\lim\limits_{n\to\infty}\dfrac{\sqrt{n^2+2n}+3n}{2n}=2$

⑤ $\lim\limits_{n\to\infty}\dfrac{\sqrt{n}}{\sqrt{n+2}+\sqrt{4n-1}}=\dfrac{1}{3}$

024 중

$\lim\limits_{n\to\infty}\dfrac{5n^2+n}{1+2+3+\cdots+n}$의 값은?

① 5   ② 10   ③ 15

④ 20   ⑤ 25

025 중

$\lim\limits_{n\to\infty}\left(1-\dfrac{1}{2^2}\right)\left(1-\dfrac{1}{3^2}\right)\left(1-\dfrac{1}{4^2}\right)\cdots\left(1-\dfrac{1}{n^2}\right)$의 값을 구하시오.

026 중

x에 대한 이차방정식 $x^2-(3n^2+2n-1)x+2n^2=0$의 두 근을 α_n, β_n이라 할 때, $\lim\limits_{n\to\infty}\left(\dfrac{1}{\alpha_n}+\dfrac{1}{\beta_n}\right)$의 값을 구하시오.

(단, n은 자연수)

027 중

수열 $\{a_n\}$의 일반항이 $a_n=4n+3$일 때,

$\displaystyle \lim_{n\to\infty}\frac{a_1+a_2+a_3+\cdots+a_n}{3n^2-1}$의 값은?

① $\dfrac{1}{3}$ ② $\dfrac{2}{3}$ ③ 1

④ $\dfrac{4}{3}$ ⑤ $\dfrac{5}{3}$

유형 05 $\dfrac{\infty}{\infty}$ 꼴의 극한 – 로그를 포함한 식

028 대표 문제 다시 보기

$\displaystyle \lim_{n\to\infty}\{\log_4(2n+1)+\log_4(2n-1)-\log_4(n^2+3n-2)\}$의

값을 구하시오.

029 중

$a_1=2$, $a_2=3$인 수열 $\{a_n\}$에 대하여

$\log_2 a_n+\log_2 a_{n+1}+\log_2 a_{n+2}=2\,(n=1,\,2,\,3,\,\cdots)$일 때,

$\displaystyle \lim_{n\to\infty}\frac{1}{n}\sum_{k=1}^{n}a_{3k}$의 값은?

① $\dfrac{1}{3}$ ② $\dfrac{2}{3}$ ③ 1

④ 2 ⑤ 3

030 상

수열 $\{a_n\}$의 일반항이 $a_n=\log_3(n+2)-\log_3(n+1)$일 때,

$\displaystyle \lim_{n\to\infty}\frac{5n}{3^{a_1}\times 3^{a_2}\times 3^{a_3}\times\cdots\times 3^{a_n}}$의 값을 구하시오.

유형 06 $\dfrac{\infty}{\infty}$ 꼴의 극한에서 미정계수 구하기

031 대표 문제 다시 보기

$\displaystyle \lim_{n\to\infty}\frac{3n+4}{an^2-bn-3}=\dfrac{1}{3}$일 때, 상수 a, b에 대하여 $a-b$의 값을 구하시오.

032 하

$\displaystyle \lim_{n\to\infty}\frac{3(n+2)(2n+1)}{an^2+3n}=2$일 때, 상수 a의 값을 구하시오.

033 중

$\displaystyle \lim_{n\to\infty}\frac{\sqrt{9n^2-6n-1}}{an^2+n}=b$일 때, $\displaystyle \lim_{n\to\infty}\frac{an^2+12n-3}{\sqrt{b^2n^2+1}}$의 값은?

(단, a, b는 상수이고, $b\neq 0$)

① 1 ② 2 ③ 3

④ 4 ⑤ 5

034 상

$\displaystyle \lim_{n\to\infty}\frac{bn^2-3n+1}{an^2+2n-5}=\dfrac{1}{2}$일 때, 상수 a, b에 대하여

$\displaystyle \lim_{n\to\infty}\frac{3an+b}{4bn-a}$의 값을 구하시오.

★ 중요

유형 07 ∞−∞ 꼴의 극한

035 대표 문제 다시 보기

$\lim\limits_{n \to \infty} \sqrt{4n+1}(\sqrt{2n+1}-\sqrt{2n})$의 값은?

① $\dfrac{\sqrt{2}}{2}$ ② 1 ③ $\sqrt{2}$

④ 2 ⑤ 4

036 중

$\lim\limits_{n \to \infty} \dfrac{\sqrt{n^2+2}-n}{n-\sqrt{n^2-1}}$의 값은?

① $\dfrac{1}{2}$ ② $\dfrac{\sqrt{2}}{2}$ ③ 1

④ $\sqrt{2}$ ⑤ 2

037 중

다음 중 극한값이 가장 큰 것은?

① $\lim\limits_{n \to \infty} (3n-\sqrt{9n^2+n})$ ② $\lim\limits_{n \to \infty} \sqrt{n}(\sqrt{n+4}-\sqrt{n})$

③ $\lim\limits_{n \to \infty} \dfrac{1}{n-\sqrt{n^2+3n}}$ ④ $\lim\limits_{n \to \infty} \dfrac{1}{\sqrt{n^2+n}-n}$

⑤ $\lim\limits_{n \to \infty} \dfrac{\sqrt{n+5}-\sqrt{n}}{\sqrt{n+2}-\sqrt{n}}$

038 중

$\lim\limits_{n \to \infty} \{\sqrt{1+3+5+\cdots+(2n-1)}-\sqrt{2+4+6+\cdots+2n}\}$의 값은?

① -2 ② -1 ③ $-\dfrac{3}{4}$

④ $-\dfrac{1}{2}$ ⑤ $-\dfrac{1}{4}$

039 중

자연수 n에 대하여 $\sqrt{9n^2+5n+1}$의 소수 부분을 a_n이라 할 때, $\lim\limits_{n \to \infty} a_n$의 값을 구하시오.

040 중

첫째항이 3, 공차가 2인 등차수열 $\{a_n\}$의 첫째항부터 제n항까지의 합을 S_n이라 할 때, $\lim\limits_{n \to \infty} (\sqrt{S_{n+1}}-\sqrt{S_n})$의 값을 구하시오.

041 중

수열 $\{a_n\}$이

$$\dfrac{1}{\sqrt{1 \times 3}-1}, \ \dfrac{1}{\sqrt{2 \times 4}-2}, \ \dfrac{1}{\sqrt{3 \times 5}-3}, \ \dfrac{1}{\sqrt{4 \times 6}-4}, \ \cdots$$

일 때, $\lim\limits_{n \to \infty} a_n$의 값을 구하시오.

유형 08 ∞−∞ 꼴의 극한에서 미정계수 구하기

042 대표문제 다시 보기

$\lim\limits_{n \to \infty} \dfrac{1}{\sqrt{an^2+4n}+bn}=3$일 때, 상수 a, b에 대하여 $a+b$의 값을 구하시오.

043 하

$\lim\limits_{n \to \infty}(\sqrt{n^2+kn}-n)=3$일 때, 상수 k의 값은?

① 3   ② 4   ③ 5

④ 6   ⑤ 7

044 중

다음 조건을 모두 만족시키는 상수 a, b에 대하여 $a-b$의 값을 구하시오.

(가) $\lim\limits_{n \to \infty} \dfrac{an^2-bn-3}{2n^2+7}=4$

(나) $\lim\limits_{n \to \infty} \sqrt{n}(\sqrt{an+b}-\sqrt{an-b})=\sqrt{2}$

045 중

수렴하는 수열 $\{a_n\}$의 일반항이
$$a_n=\sqrt{(2n+3)(2n+5)}+kn$$
일 때, $\lim\limits_{n \to \infty}a_n$의 값을 구하시오. (단, k는 상수)

유형 09 일반항 a_n을 포함하는 수열의 극한

046 대표문제 다시 보기

수열 $\{a_n\}$에 대하여 $\lim\limits_{n \to \infty} \dfrac{3+2a_n}{2-3a_n}=2$일 때, $\lim\limits_{n \to \infty}(8a_n+1)$의 값을 구하시오.

047 중

수열 $\{a_n\}$에 대하여 $\lim\limits_{n \to \infty}(2n^2-n)a_n=6$일 때, $\lim\limits_{n \to \infty}n^2a_n$의 값은?

① −3   ② −1   ③ 0

④ 1   ⑤ 3

048 중

두 수열 $\{a_n\}$, $\{b_n\}$에 대하여
$$\lim\limits_{n \to \infty}(2n+1)a_n=3, \quad \lim\limits_{n \to \infty}(n^2-1)b_n=5$$
일 때, $\lim\limits_{n \to \infty} \dfrac{a_n}{(n+2)b_n}$의 값을 구하시오.

049 상

두 수열 $\{a_n\}$, $\{b_n\}$에 대하여
$$\lim\limits_{n \to \infty}a_n=\infty, \quad \lim\limits_{n \to \infty}(2a_n-5b_n)=3$$
일 때, $\lim\limits_{n \to \infty} \dfrac{2a_n+3b_n}{a_n+b_n}$의 값을 구하시오.

유형 10 수열의 극한의 대소 관계

050 대표 문제 다시 보기

수열 $\{a_n\}$이 모든 자연수 n에 대하여
$$3n^2+4n-3<a_n<3n^2+4n+5$$
를 만족시킬 때, $\displaystyle\lim_{n\to\infty}\frac{a_n-3n^2}{5n+1}$의 값을 구하시오.

051 하

수열 $\{a_n\}$이 모든 자연수 n에 대하여
$$\sqrt{9n^2-n}<(n+1)a_n<\sqrt{9n^2+2n}$$
을 만족시킬 때, $\displaystyle\lim_{n\to\infty}a_n$의 값은?

① $\dfrac{1}{9}$ ② $\dfrac{1}{3}$ ③ 1

④ 3   ⑤ 9

052 중

수열 $\{a_n\}$이 모든 자연수 n에 대하여
$$n<a_n<n+1$$
을 만족시킬 때, $\displaystyle\lim_{n\to\infty}\frac{a_1+a_2+a_3+\cdots+a_n}{n^2}$의 값을 구하시오.

053 중

$\displaystyle\lim_{n\to\infty}\frac{2}{n+3}\sin\frac{n\pi}{2}$의 값은?

① -2 ② $-\dfrac{2}{3}$ ③ 0

④ $\dfrac{2}{3}$ ⑤ 2

054 중

수열 $\{a_n\}$에 대하여 곡선 $y=x^2-(n+1)x+a_n$은 x축과 만나고, 곡선 $y=x^2-nx+a_n$은 x축과 만나지 않을 때, $\displaystyle\lim_{n\to\infty}\frac{a_n}{n^2}$의 값을 구하시오.

055 상

$\displaystyle\lim_{n\to\infty}\frac{7}{n+4}\left[\frac{n}{7}\right]$의 값은?

(단, $[x]$는 x보다 크지 않은 최대의 정수)

① $\dfrac{1}{4}$ ② $\dfrac{1}{2}$ ③ 1

④ 2   ⑤ 4

유형 11 수열의 극한에 대한 참, 거짓 판별

056 대표 문제 다시 보기

두 수열 $\{a_n\}$, $\{b_n\}$에 대하여 다음 보기 중 옳은 것만을 있는 대로 고른 것은?

보기

ㄱ. $\displaystyle\lim_{n\to\infty}a_n=\alpha$, $\displaystyle\lim_{n\to\infty}b_n=-\alpha$이면 $\displaystyle\lim_{n\to\infty}a_n{}^2=\lim_{n\to\infty}b_n{}^2$이다.
(단, α는 실수)

ㄴ. 수열 $\{a_n\}$이 수렴하면 수열 $\{|a_n|\}$도 수렴한다.

ㄷ. 두 수열 $\{a_n\}$, $\{b_n\}$이 모두 발산하면 수열 $\{a_n+b_n\}$도 발산한다.

ㄹ. 두 수열 $\{a_n\}$, $\{a_nb_n\}$이 모두 수렴하면 수열 $\{b_n\}$도 수렴한다.

① ㄱ   ② ㄹ   ③ ㄱ, ㄴ

④ ㄷ, ㄹ   ⑤ ㄴ, ㄷ, ㄹ

057 중

두 수열 $\{a_n\}$, $\{b_n\}$에 대하여 다음 중 옳은 것은?

① $\lim\limits_{n\to\infty} a_n=\infty$, $\lim\limits_{n\to\infty} b_n=-\infty$이면 $\lim\limits_{n\to\infty}\dfrac{a_n}{b_n}=-1$이다.

② $\lim\limits_{n\to\infty} a_n b_n=0$이면 $\lim\limits_{n\to\infty} a_n=0$ 또는 $\lim\limits_{n\to\infty} b_n=0$이다.

③ $a_n<b_n$이고 $\lim\limits_{n\to\infty} a_n=\alpha$, $\lim\limits_{n\to\infty} b_n=\beta$이면 $\alpha\leq\beta$이다.
(단, α, β는 실수)

④ 두 수열 $\{a_{2n}\}$, $\{a_{2n-1}\}$이 모두 수렴하면 수열 $\{a_n\}$도 수렴한다.

⑤ $a_n<c_n<b_n$이고 $\lim\limits_{n\to\infty}(a_n-b_n)=0$이면 수열 $\{c_n\}$은 수렴한다.

유형 12 수열의 극한의 활용

058 대표 문제 다시 보기

자연수 n에 대하여 곡선 $y=\dfrac{1}{x}$과 직선 $y=nx$가 만나는 두 점 사이의 거리를 a_n이라 할 때, $\lim\limits_{n\to\infty}(\sqrt{n+1}\,a_{n+1}-\sqrt{n}\,a_n)$의 값은?

① $\dfrac{\sqrt{2}}{2}$ ② 1 ③ $\sqrt{2}$

④ 2 ⑤ $2\sqrt{2}$

059 중

이차함수 $f(x)=3x^2$의 그래프 위의 점 $P_n(n,\ f(n))$에 대하여 선분 P_nP_{n+1}의 길이를 a_n이라 할 때, $\lim\limits_{n\to\infty}\dfrac{a_n}{6n}$의 값을 구하시오. (단, n은 자연수)

---

060 중

오른쪽 그림과 같이 자연수 n에 대하여 원 $x^2+y^2=4$와 직선 $y=nx$가 만나는 점 중에서 제1사분면 위의 점을 P_n이라 하고, 점 P_n에서 x축에 내린 수선의 발을 Q_n이라 하자. 삼각형 P_nOQ_n의 넓이를 S_n이라 할 때, $\lim\limits_{n\to\infty} nS_n$의 값은? (단, O는 원점)

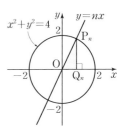

① $\dfrac{1}{2}$ ② $\dfrac{\sqrt{2}}{2}$ ③ 1

④ $\dfrac{3}{2}$ ⑤ 2

061 중

다음 그림과 같이 길이가 1인 성냥개비를 이용하여 한 변의 길이가 n인 정사각형을 만들어 나가려고 한다. 정사각형을 만드는 데 필요한 성냥개비의 개수를 a_n이라 할 때, $\lim\limits_{n\to\infty}\dfrac{a_n}{n^2}$의 값을 구하시오.

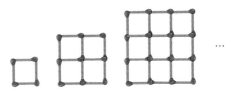

062 상

자연수 n에 대하여 곡선 $y=x^2-\left(3+\dfrac{1}{n}\right)x+\dfrac{3}{n}$과 직선 $y=\dfrac{1}{n}x+1$이 만나는 두 점을 각각 P_n, Q_n이라 하자. 삼각형 OP_nQ_n의 무게중심의 y좌표를 a_n이라 할 때, $\lim\limits_{n\to\infty} a_n$의 값을 구하시오. (단, O는 원점)

수열의 극한

유형 13 │ 등비수열의 극한

수열 $\left\{\dfrac{c^n+d^n}{a^n+b^n}\right\}$ (a, b, c, d는 실수) 꼴의 극한값은 다음과 같은 순서로 구한다.

(1) $|a|>|b|$이면 a^n으로, $|a|<|b|$이면 b^n으로 분모, 분자를 각각 나눈다.

(2) $|r|<1$이면 $\displaystyle\lim_{n\to\infty} r^n=0$임을 이용하여 주어진 수열의 극한값을 구한다.

예 $\displaystyle\lim_{n\to\infty}\frac{3^{n+1}}{2^n-3^n}=\lim_{n\to\infty}\frac{3\times 3^n}{2^n-3^n}=\lim_{n\to\infty}\frac{3}{\left(\frac{2}{3}\right)^n-1}=-3$

유형 14 │ 등비수열의 수렴 조건

(1) 등비수열 $\{r^n\}$이 수렴하기 위한 조건
 ➡ $-1<r\leq 1$

(2) 등비수열 $\{ar^{n-1}\}$이 수렴하기 위한 조건
 ➡ $a=0$ 또는 $-1<r\leq 1$

유형 15 │ r^n을 포함한 수열의 극한

r^n을 포함한 수열의 극한은 r의 값의 범위를
 $|r|<1, r=1, |r|>1, r=-1$
인 경우로 나누고 다음을 이용하여 구한다.

(1) $|r|<1$이면 ➡ $\displaystyle\lim_{n\to\infty} r^n=0$

(2) $r=1$이면 ➡ $\displaystyle\lim_{n\to\infty} r^n=1$

(3) $|r|>1$이면 ➡ $\displaystyle\lim_{n\to\infty} \frac{1}{r^n}=0$

유형 16 │ x^n을 포함한 극한으로 정의된 함수

x^n을 포함한 극한으로 정의된 함수는 x의 값의 범위를
 $|x|<1, x=1, |x|>1, x=-1$
인 경우로 나누어 함수의 식을 구하거나 등비수열의 극한을 이용하여 각각의 함숫값을 구한다.

유형 17 │ 등비수열의 극한의 활용

선분의 길이, 점의 좌표, 넓이 등을 n에 대한 식으로 나타낸 후 수열의 극한에 대한 성질을 이용하여 극한값을 구한다.

대표 문제

063 $\displaystyle\lim_{n\to\infty}\frac{2\times 5^n+2^{n+1}}{5^{n+1}-2^n}$의 값은?

① $-\dfrac{5}{2}$ ② -2 ③ $\dfrac{1}{5}$

④ $\dfrac{2}{5}$ ⑤ 2

대표 문제

064 등비수열 $\left\{\left(\dfrac{2x-1}{3}\right)^{n-1}\right\}$이 수렴하도록 하는 모든 정수 x의 값의 합을 구하시오.

대표 문제

065 $\displaystyle\lim_{n\to\infty}\frac{2r^n-4}{r^n+1}$의 값은 $|r|<1$일 때 a, $r=1$일 때 b, $|r|>1$일 때 c이다. 이때 $a+b+c$의 값을 구하시오.

대표 문제

066 함수 $f(x)=\displaystyle\lim_{n\to\infty}\frac{1+3x-x^{n-1}}{2+x^n}$에 대하여
$$f(-2)+f\left(\frac{1}{3}\right)+f(1)+f\left(\frac{4}{3}\right)$$
의 값을 구하시오.

대표 문제

067 오른쪽 그림과 같이 자연수 n에 대하여 두 함수 $y=2^x$, $y=4^x$의 그래프와 직선 $x=n$이 만나는 점을 각각 P_n, Q_n이라 할 때, $\displaystyle\lim_{n\to\infty}\frac{\overline{\mathrm{P}_{n+1}\mathrm{Q}_{n+1}}}{\overline{\mathrm{P}_n\mathrm{Q}_n}}$의 값을 구하시오.

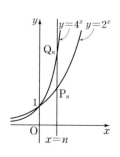

★중요

유형 13 등비수열의 극한

068 대표 문제 다시 보기

$\lim\limits_{n \to \infty} \dfrac{2^{2n+2}-3^{n+1}}{4^{n-1}+3^n}$의 값은?

① 12   ② 14   ③ 16

④ 18   ⑤ 20

069 하

다음 보기의 수열 중 수렴하는 것만을 있는 대로 고르시오.

보기
ㄱ. $\{1+0.5^n\}$ ㄴ. $\left\{3+\left(-\dfrac{1}{5}\right)^n\right\}$

ㄷ. $\left\{\left(\dfrac{3}{\sqrt{5}}\right)^n-2\right\}$ ㄹ. $\{3^{-n}-4^{-n}\}$

070 중

수렴하는 수열 $\{a_n\}$에 대하여 $\lim\limits_{n \to \infty} \dfrac{5^{n+1} \times a_n - 3^{n+1}}{3^n \times a_n + 5^n}=20$일 때,

$\lim\limits_{n \to \infty} a_n$의 값을 구하시오.

071 중

첫째항이 2, 공비가 $\dfrac{3}{2}$인 등비수열 $\{a_n\}$의 첫째항부터 제n항

까지의 합을 S_n이라 할 때, $\lim\limits_{n \to \infty} \dfrac{a_n}{S_n}$의 값을 구하시오.

072 중

이차방정식 $x^2-6x+4=0$의 두 근을 a, b라 할 때,

$\lim\limits_{n \to \infty} \dfrac{a^n+b^n}{a^{n-1}+b^{n-1}}$의 값은?

① $3-\sqrt{5}$ ② 3   ③ $3+\sqrt{5}$

④ 6   ⑤ $3+2\sqrt{5}$

073 중

수열 $\{a_n\}$이 모든 자연수 n에 대하여

$$3 \times 4^n - 3^n < (2^{n+1}+4^{n-1})a_n < 2^n + 3 \times 4^n$$

을 만족시킬 때, $\lim\limits_{n \to \infty} a_n$의 값은?

① 3   ② 6   ③ 9

④ 12   ⑤ 15

074 상

자연수 n에 대하여 10^n의 양의 약수의 총합을 a_n이라 할 때, $\lim\limits_{n\to\infty} \dfrac{a_n}{10^{n+1}}$의 값은?

① $\dfrac{1}{6}$　　　　② $\dfrac{1}{5}$　　　　③ $\dfrac{1}{4}$

④ $\dfrac{1}{3}$　　　　⑤ $\dfrac{1}{2}$

075 상 　　　　　　　　　　　신유형

수열 $\{a_n\}$이 다음 조건을 모두 만족시킬 때, $\lim\limits_{n\to\infty} \dfrac{1}{a_{3n-1}} \sum\limits_{k=1}^{3n} a_k$ 의 값을 구하시오.

> (가) $a_1=1$, $a_2=4$, $a_3=9$
> (나) 모든 자연수 n에 대하여 $a_{n+3}=3a_n$

★ 중요

유형 14　등비수열의 수렴 조건

076 　대표 문제 다시 보기

등비수열 $\left\{\left(\dfrac{4x-x^2}{5}\right)^n\right\}$이 수렴하도록 하는 정수 x의 개수를 구하시오.

077 하

등비수열 $\{(x-2)(\log_2 x-2)^{n-1}\}$이 수렴하도록 하는 정수 x의 개수는?

① 4　　　　② 5　　　　③ 6
④ 7　　　　⑤ 8

078 중

다음 두 등비수열 중 어느 하나만 수렴하도록 하는 실수 x의 값의 범위를 구하시오.

$$\left\{(x-1)\left(\dfrac{x}{2}\right)^n\right\}, \quad \left\{\left(\dfrac{3x-2}{4}\right)^{n-1}\right\}$$

079 상

등비수열 $\{r^n\}$이 수렴할 때, 다음 보기의 수열 중 항상 수렴하는 것만을 있는 대로 고르시오.

> 보기
> ㄱ. $\{(-r)^n\}$　　　　ㄴ. $\left\{\left(\dfrac{r+1}{3}\right)^n\right\}$
> ㄷ. $\{r^{2n}\}$　　　　ㄹ. $\left\{\left(\dfrac{1}{r}\right)^n\right\}$ (단, $r\neq 0$)

유형 **15** r^n을 포함한 수열의 극한

080 대표 문제 다시 보기

$\lim\limits_{n \to \infty} \dfrac{r^n}{3r^n+1}$의 값은 $|r|<1$일 때 a, $r=1$일 때 b, $|r|>1$일 때 c이다. 이때 $12(a+b+c)$의 값을 구하시오.

081 중

수열 $\left\{ \dfrac{r^n - r - 2}{r^n + 1} \right\}$의 극한에 대하여 다음 보기 중 옳은 것만을 있는 대로 고른 것은?

┌ 보기 ────────────
ㄱ. $|r|<1$이면 $-r-2$에 수렴한다.
ㄴ. $r=1$이면 -1에 수렴한다.
ㄷ. $|r|>1$이면 발산한다.
└─────────────────

① ㄱ   ② ㄷ   ③ ㄱ, ㄴ
④ ㄴ, ㄷ   ⑤ ㄱ, ㄴ, ㄷ

082 중

$r>0$일 때, $\lim\limits_{n \to \infty} \dfrac{r^{n+1}+r+3}{r^n+2} = \dfrac{7}{4}$을 만족시키는 모든 실수 r의 값의 합은?

① $\dfrac{1}{2}$ ② $\dfrac{5}{3}$ ③ $\dfrac{7}{4}$

④ $\dfrac{13}{6}$ ⑤ $\dfrac{9}{4}$

083 상

수열 $\left\{ \dfrac{r^n - 5^n}{r^n + 5^n} \right\}$의 극한값이 -1이 되도록 하는 정수 r의 개수를 구하시오. (단, $r \neq -5$)

유형 **16** x^n을 포함한 극한으로 정의된 함수

084 대표 문제 다시 보기

함수 $f(x) = \lim\limits_{n \to \infty} \dfrac{x^{2n+1}-2}{x^{2n}+3}$에 대하여

$$f(-2) + f(-1) + f\left(\dfrac{1}{2}\right) + f(1)$$

의 값을 구하시오. (단, n은 자연수)

085 중

함수 $f(x) = \lim\limits_{n \to \infty} \dfrac{x^2 + x^{2n-1}}{3 + x^{2n}}$에 대하여 다음 보기 중 옳은 것만을 있는 대로 고른 것은? (단, n은 자연수)

┌ 보기 ────────────
ㄱ. $|x|<1$이면 $f(x) = \dfrac{1}{3}x^2$이다.
ㄴ. $|x|=1$이면 $f(x) = \dfrac{1}{2}$이다.
ㄷ. $|x|>1$이면 $f(x) = \dfrac{1}{x}$이다.
└─────────────────

① ㄱ   ② ㄴ   ③ ㄱ, ㄷ
④ ㄴ, ㄷ   ⑤ ㄱ, ㄴ, ㄷ

086 중

오른쪽 그림과 같이 곡선 $y=f(x)$는
점 $(4, 8)$을 지나고, 곡선 $y=f(x)$와
직선 $y=g(x)$는 원점과 점 $(6, 6)$에
서 만난다.

$$h(x)=\lim_{n \to \infty} \frac{\{f(x)\}^{n+1}+\{g(x)\}^{n+1}}{\{f(x)\}^{n}+\{g(x)\}^{n}}$$

일 때, $h(4)-h(6)$의 값을 구하시오. (단, n은 자연수)

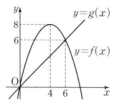

087 상

$x \neq -1$에서 정의된 함수 $f(x)=\lim_{n \to \infty} \dfrac{1-x^n}{2+x^n}$에 대하여 함수
$y=f(x)$의 그래프와 원 $x^2+y^2=1$의 교점의 개수를 구하시
오. (단, n은 자연수)

088 상 · 신유형

함수 $f(x)=\lim_{n \to \infty} \dfrac{x^{n+3}+ax^2+bx}{x^n+1}$ $(x>0)$가 양의 실수 전체
의 집합에서 미분가능할 때, 상수 a, b에 대하여 a^2-b^2의 값
은? (단, n은 자연수)

① 1   ② 3   ③ 5
④ 7   ⑤ 9

유형 12 **등비수열의 극한의 활용**

089 대표 문제 다시 보기

오른쪽 그림과 같이 자연수 n에
대하여 곡선 $y=\sqrt{x}$가 두 직선
$x=4^n$, $x=4^{n+1}$과 만나는 점을 각
각 P_n, P_{n+1}이라 하자. 선분
P_nP_{n+1}의 길이를 l_n이라 할 때,
$\lim_{n \to \infty} \dfrac{l_{n+1}}{l_n}$의 값을 구하시오.

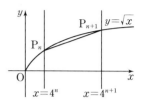

090 중

자연수 n에 대하여 두 직선 $2x+y=4^n$, $x-2y=2^n$이 만나
는 점의 좌표를 (a_n, b_n)이라 할 때, $\lim_{n \to \infty} \dfrac{b_n}{a_n}$의 값은?

① $\dfrac{1}{4}$ ② $\dfrac{1}{2}$ ③ $\dfrac{3}{4}$

④ 1   ⑤ $\dfrac{5}{4}$

091 중

다음 그림과 같이 자연수 n에 대하여 두 곡선 $y=\log_2 x$,
$y=\log_3 x-1$과 직선 $y=n$이 만나는 두 점을 각각 A_n, B_n이
라 하고, 두 점 A_n, B_n에서 x축에 내린 수선의 발을 각각 C_n,
D_n이라 하자. 사각형 $A_nC_nD_nB_n$의 넓이를 S_n이라 할 때,
$\lim_{n \to \infty} \dfrac{S_{n+1}}{S_n}$의 값을 구하시오.

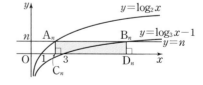

092

유형 01

다음 수열 중 수렴하는 것은?

① $\{10-3n\}$
② $\{2\times(-1)^n\}$
③ $\left\{\dfrac{n^2-1}{3n+2}\right\}$
④ $\left\{\dfrac{n}{\sqrt{n}+1}\right\}$
⑤ $\left\{\dfrac{1}{n}-\dfrac{5}{n^2}\right\}$

093

유형 02

두 수열 $\{a_n\}$, $\{b_n\}$에 대하여
$$\lim_{n\to\infty}(a_n+b_n)=3,\ \lim_{n\to\infty}(a_n-b_n)=2$$
일 때, $\lim_{n\to\infty}a_nb_n$의 값을 구하시오.

094

유형 03

수열 $\{a_n\}$이 0이 아닌 실수에 수렴하고
$$\dfrac{1}{a_{n+1}}=4-4a_n\,(n=1,\,2,\,3,\,\cdots)$$
을 만족시킬 때, $\lim_{n\to\infty}a_n$의 값은?

① -1
② $-\dfrac{1}{2}$
③ $\dfrac{1}{2}$
④ 1
⑤ 2

095

유형 04

$\lim_{n\to\infty}\dfrac{2^2+4^2+6^2+\cdots+(2n)^2}{2n^3-3n}$의 값을 구하시오.

096

유형 04

수열 $\{a_n\}$의 첫째항부터 제n항까지의 합 S_n이 $S_n=2n^2-3n$
일 때, $\lim_{n\to\infty}\dfrac{a_{2n}}{a_n-2n}$의 값을 구하시오.

097

유형 05

$\lim_{n\to\infty}(\log_2\sqrt{2n^2+n-3}-\log_2\sqrt{4n^2-n+1})$의 값은?

① -2
② -1
③ $-\dfrac{1}{2}$
④ $-\dfrac{1}{4}$
⑤ 2

098

유형 06

수열 $\{a_n\}$에 대하여 $\lim_{n\to\infty}\dfrac{a_n}{n}=1$이고
$\lim_{n\to\infty}\dfrac{2a_n+an^2+bn}{a_n+3n}=2$일 때, 상수 a, b에 대하여 $b-a$의
값을 구하시오.

099

유형 07

$\lim_{n\to\infty}\dfrac{\sqrt{n+3}-\sqrt{n}}{\sqrt{n+2}-\sqrt{n-1}}$의 값은?

① $\dfrac{1}{2}$
② 1
③ $\dfrac{3}{2}$
④ 2
⑤ $\dfrac{5}{2}$

100
유형 08

$\displaystyle\lim_{n \to \infty} \dfrac{1}{\sqrt{n^2+n}-\sqrt{an^2+bn}} = \dfrac{1}{2}$일 때, 상수 a, b에 대하여 $a-b$의 값을 구하시오.

101
유형 09

두 수열 $\{a_n\}$, $\{b_n\}$에 대하여

$$\lim_{n \to \infty} a_n = \infty, \quad \lim_{n \to \infty}(a_n-b_n)=2$$

일 때, $\displaystyle\lim_{n \to \infty} \dfrac{a_n+b_n}{a_n-2b_n}$의 값은?

① -3 ② -2 ③ -1

④ 1 ⑤ 2

102
유형 10

수열 $\{a_n\}$이 모든 자연수 n에 대하여

$$(a_n-n^2)(a_n-n^2+n) < 0$$

을 만족시킨다. 수열 $\{a_n\}$의 첫째항부터 제n항까지의 합을 S_n이라 할 때, $\displaystyle\lim_{n \to \infty} \dfrac{S_n}{n^3}$의 값을 구하시오.

103
유형 11

두 수열 $\{a_n\}$, $\{b_n\}$에 대하여 다음 보기 중 옳은 것만을 있는 대로 고르시오.

> **보기**
>
> ㄱ. $\displaystyle\lim_{n \to \infty} a_n = \alpha$ (α는 실수)이고 $\displaystyle\lim_{n \to \infty}(a_n-b_n)=0$이면 $\displaystyle\lim_{n \to \infty} b_n = \alpha$이다.
>
> ㄴ. 수열 $\{a_n b_n\}$이 수렴하면 두 수열 $\{a_n\}$, $\{b_n\}$ 중 적어도 하나는 수렴한다.
>
> ㄷ. 수열 $\{|a_n|\}$이 수렴하면 수열 $\{a_n\}$도 수렴한다.
>
> ㄹ. $|a_n| < |b_n|$이고 $\displaystyle\lim_{n \to \infty} b_n = 0$이면 $\displaystyle\lim_{n \to \infty} a_n = 0$이다.

104
유형 12

자연수 n에 대하여 곡선 $y=x^2$과 직선 $y=nx+n$이 만나는 두 점의 y좌표를 각각 p_n, q_n이라 하자. $a_n=|p_n-q_n|$일 때, $\displaystyle\lim_{n \to \infty}\left(\dfrac{a_{n+1}}{n+1}-\dfrac{a_n}{n}\right)$의 값은?

① 1 ② 2 ③ 4

④ 6 ⑤ 8

105
유형 12

오른쪽 그림과 같이 자연수 n에 대하여 두 직선 $x+y=3$, $y=\dfrac{2n}{n+2}x$가 만나는 점을 P_n, 직선 $x+y=3$이 x축과 만나는 점을 A라 하자. 삼각형 $P_n OA$의 넓이를 S_n이라 할 때, $\displaystyle\lim_{n \to \infty} S_n$의 값을 구하시오. (단, O는 원점)

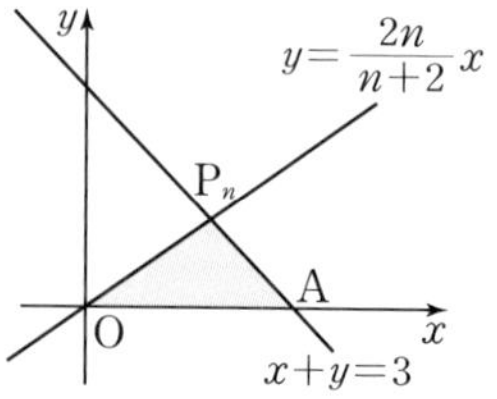

106
유형 13

두 수열 $\{a_n\}$, $\{b_n\}$에 대하여

$$2a_n+b_n=3^n, \ a_n+2b_n=2^n$$

일 때, $\displaystyle\lim_{n\to\infty}\frac{a_n}{b_n}$의 값은?

① -2 ② $-\dfrac{1}{2}$ ③ 0

④ $\dfrac{1}{2}$ ⑤ 2

107
유형 13

공비가 3인 등비수열 $\{a_n\}$의 첫째항부터 제n항까지의 합 S_n에 대하여 $\displaystyle\lim_{n\to\infty}\frac{3^{n+1}}{S_n}=15$일 때, a_1의 값을 구하시오.

108
유형 14

두 등비수열 $\left\{\left(\dfrac{x-1}{4}\right)^n\right\}$, $\{(-1+\log_3 x)^n\}$이 모두 수렴하도록 하는 모든 정수 x의 값의 합을 구하시오.

109
유형 15

$\displaystyle\lim_{n\to\infty}\frac{2+\left(\dfrac{r}{4}\right)^{2n+1}}{1+\left(\dfrac{r}{4}\right)^{2n}}=2$를 만족시키는 정수 r의 개수를 구하시오.

110
유형 16

자연수 x에 대하여 함수 $f(x)=\displaystyle\lim_{n\to\infty}\frac{4^{n+1}-x^{n+1}}{4^n+x^n}$일 때, $\displaystyle\sum_{x=1}^{10}f(x)$의 값은? (단, n은 자연수)

① -33 ② -28 ③ -23

④ -18 ⑤ -13

111
유형 16

두 함수 $f(x)=\displaystyle\lim_{n\to\infty}\frac{x^{2n+1}}{x^{2n}+1}$, $g(x)=x^2+k$에 대하여 $y=f(x)$, $y=g(x)$의 그래프가 서로 다른 네 점에서 만나도록 하는 실수 k의 값을 구하시오. (단, n은 자연수)

112
유형 17

오른쪽 그림과 같이 자연수 n에 대하여 두 곡선 $y=2^x$, $y=3^x$과 직선 $x=n$이 만나는 점을 각각 A_n, B_n이라 하자. 원점 O와 점 $C(0, 1)$에 대하여 사각형 OA_nB_nC의 넓이를 S_n, 삼각형 A_nB_nC의 넓이를 T_n이라 할 때, $\displaystyle\lim_{n\to\infty}\frac{T_n}{S_n}$의 값을 구하시오.

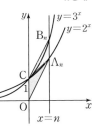

I. 수열의 극한

02

급수

급수

유형 01 | 급수의 합

급수 $\sum\limits_{n=1}^{\infty} a_n$의 첫째항부터 제$n$항까지의 부분합 S_n으로 이루어진 수열 $\{S_n\}$에 대하여

$$\lim_{n \to \infty} S_n = \lim_{n \to \infty} \sum_{k=1}^{n} a_k = S \, (S는 \ 실수)$$

일 때, 급수 $\sum\limits_{n=1}^{\infty} a_n$은 S에 수렴한다고 하고, S를 급수의 합이라 한다.

참고 급수 $\sum\limits_{n=1}^{\infty} a_n$에서 a_n이 $\dfrac{1}{AB} \, (A \neq B)$ 꼴로 주어진 경우에는

$\dfrac{1}{AB} = \dfrac{1}{B-A}\left(\dfrac{1}{A} - \dfrac{1}{B}\right)$임을 이용하여 부분합 S_n을 구한다.

대표 문제

001 급수 $\dfrac{1}{1 \times 3} + \dfrac{1}{2 \times 4} + \dfrac{1}{3 \times 5} + \dfrac{1}{4 \times 6} + \cdots$의 합은?

① $\dfrac{3}{4}$ ② 1 ③ $\dfrac{5}{4}$

④ $\dfrac{3}{2}$ ⑤ $\dfrac{7}{4}$

유형 02 | 로그를 포함한 급수

로그를 포함한 급수 $\sum\limits_{n=1}^{\infty} \log a_n$의 합은 로그의 성질과

$\sum\limits_{n=1}^{\infty} \log a_n = \lim\limits_{n \to \infty} \sum\limits_{k=1}^{n} \log a_k$임을 이용하여 구한다.

대표 문제

002 급수 $\sum\limits_{n=2}^{\infty} \log_2 \dfrac{n^2-1}{n^2}$의 합은?

① -2 ② -1 ③ 0

④ 1 ⑤ 2

유형 03 | 항의 부호가 교대로 바뀌는 급수

급수 $\sum\limits_{n=1}^{\infty} a_n$에 대하여 홀수 번째 항까지의 부분합을 S_{2n-1}, 짝수 번째 항까지의 부분합을 S_{2n}이라 할 때

(1) $\lim\limits_{n \to \infty} S_{2n-1} = \lim\limits_{n \to \infty} S_{2n} = \alpha \, (\alpha는 \ 실수)$이면 급수 $\sum\limits_{n=1}^{\infty} a_n$은 α에 수렴한다.

(2) $\lim\limits_{n \to \infty} S_{2n-1} \neq \lim\limits_{n \to \infty} S_{2n}$이면 급수 $\sum\limits_{n=1}^{\infty} a_n$은 발산한다.

대표 문제

003 다음 보기의 급수 중 수렴하는 것만을 있는 대로 고르시오.

보기
ㄱ. $1 - 1 + 1 - 1 + 1 - 1 + \cdots$
ㄴ. $1 - \dfrac{1}{2} + \dfrac{1}{2} - \dfrac{1}{3} + \dfrac{1}{3} - \dfrac{1}{4} + \cdots$
ㄷ. $1 - 2 + 3 - 4 + 5 - 6 + \cdots$

유형 04 | 급수와 수열의 극한값 사이의 관계

급수 $\sum\limits_{n=1}^{\infty} a_n$이 수렴하면 $\Rightarrow \lim\limits_{n \to \infty} a_n = 0$

대표 문제

004 수열 $\{a_n\}$에 대하여 $\sum\limits_{n=1}^{\infty}\left(\dfrac{2n-1}{n+1} + a_n\right) = 5$일 때, $\lim\limits_{n \to \infty}(3 - 2a_n)$의 값을 구하시오.

유형 **05** 급수의 수렴과 발산

급수 $\sum\limits_{n=1}^{\infty} a_n$에서

(1) $\lim\limits_{n \to \infty} a_n \neq 0$이면 급수 $\sum\limits_{n=1}^{\infty} a_n$은 발산한다.

(2) $\lim\limits_{n \to \infty} a_n = 0$이면 부분합 S_n을 구한 다음 $\lim\limits_{n \to \infty} S_n$의 수렴, 발산을 조사한다.

대표 문제

005 다음 보기의 급수 중 수렴하는 것만을 있는 대로 고르시오.

┌─ 보기 ──────────────────────────────┐
ㄱ. $\sum\limits_{n=1}^{\infty} \dfrac{n+1}{2n-1}$ ㄴ. $\sum\limits_{n=1}^{\infty} \dfrac{1}{(3n-1)(3n+2)}$

ㄷ. $\sum\limits_{n=1}^{\infty} \dfrac{1}{\sqrt{n+1}+\sqrt{n}}$
└────────────────────────────────────┘

02

★ 중요

유형 **06** 급수의 성질

$\sum\limits_{n=1}^{\infty} a_n = S$, $\sum\limits_{n=1}^{\infty} b_n = T$ $(S, T$는 실수$)$일 때

(1) $\sum\limits_{n=1}^{\infty} k a_n = k \sum\limits_{n=1}^{\infty} a_n = kS$ (단, k는 상수)

(2) $\sum\limits_{n=1}^{\infty} (a_n + b_n) = \sum\limits_{n=1}^{\infty} a_n + \sum\limits_{n=1}^{\infty} b_n = S + T$

(3) $\sum\limits_{n=1}^{\infty} (a_n - b_n) = \sum\limits_{n=1}^{\infty} a_n - \sum\limits_{n=1}^{\infty} b_n = S - T$

대표 문제

006 두 급수 $\sum\limits_{n=1}^{\infty} a_n$, $\sum\limits_{n=1}^{\infty} b_n$이 모두 수렴하고

$$\sum\limits_{n=1}^{\infty} (2a_n + 3b_n) = 13, \quad \sum\limits_{n=1}^{\infty} (4a_n - b_n) = 5$$

일 때, 급수 $\sum\limits_{n=1}^{\infty} (3a_n - 5b_n)$의 합을 구하시오.

유형 **07** 급수의 수렴, 발산에 대한 참, 거짓 판별

급수의 수렴, 발산에 대한 명제의 참, 거짓은 다음을 이용하여 판별한다.

(1) 합을 확인해야 하는 급수를 급수의 성질을 이용하여 수렴하는 급수에 대한 식으로 나타낸다.

(2) 거짓인 명제는 반례를 찾는다.

대표 문제

007 두 수열 $\{a_n\}$, $\{b_n\}$에 대하여 다음 보기 중 옳은 것만을 있는 대로 고르시오.

┌─ 보기 ──────────────────────────────┐
ㄱ. $\sum\limits_{n=1}^{\infty} a_n$과 $\sum\limits_{n=1}^{\infty} b_n$이 수렴하면 $\lim\limits_{n \to \infty} a_n b_n = 0$이다.

ㄴ. $\sum\limits_{n=1}^{\infty} a_n$과 $\sum\limits_{n=1}^{\infty} (a_n - b_n)$이 수렴하면 $\sum\limits_{n=1}^{\infty} b_n$도 수렴한다.

ㄷ. $\sum\limits_{n=1}^{\infty} a_n b_n$이 수렴하고, $\lim\limits_{n \to \infty} a_n \neq 0$이면 $\lim\limits_{n \to \infty} b_n = 0$이다.
└────────────────────────────────────┘

유형 **08** 급수의 활용

도형의 여러 가지 성질을 이용하여 급수의 부분합을 식으로 나타낸 후 부분합의 극한값을 구한다.

대표 문제

008 $n \geq 2$인 자연수 n에 대하여 원점 O에서 원 $(x-n)^2 + (y-n)^2 = 2$에 그은 두 접선이 원과 만나는 두 점을 각각 H, H'이라 할 때, $a_n = \overline{\mathrm{OH}} + \overline{\mathrm{OH'}}$이다. 이때 급수 $\sum\limits_{n=2}^{\infty} \dfrac{8}{a_n^{\ 2}}$의 합을 구하시오.

★ 중요

유형 01 급수의 합

009 대표 문제 다시 보기

급수 $\dfrac{3}{1+2}+\dfrac{3}{1+2+3}+\dfrac{3}{1+2+3+4}+\cdots$의 합은?

① 3 ② 4 ③ 5

④ 6 ⑤ 7

010 하

수열 $\{a_n\}$에 대하여 $\sum\limits_{k=1}^{n}a_k=\sqrt{n^2+3n}-n$일 때, 급수 $\sum\limits_{n=1}^{\infty}a_n$의 합을 구하시오.

011 중

수열 $\{a_n\}$에 대하여 $a_1=3$이고, $\lim\limits_{n\to\infty}a_n=8$일 때, 급수 $\sum\limits_{n=1}^{\infty}(a_{n+1}-a_n)$의 합을 구하시오.

012 중

첫째항이 3, 공차가 3인 등차수열 $\{a_n\}$에 대하여 첫째항부터 제n항까지의 합을 S_n이라 할 때, 급수 $\sum\limits_{n=1}^{\infty}\dfrac{1}{S_n}$의 합은?

① $\dfrac{2}{3}$ ② 1 ③ $\dfrac{5}{3}$

④ 2 ⑤ $\dfrac{7}{3}$

013 중

수열 $\{a_n\}$의 일반항이 $a_n=\sum\limits_{k=1}^{n}k(k+1)$일 때, 급수 $\sum\limits_{n=1}^{\infty}\dfrac{n+1}{a_n}$의 합은?

① $\dfrac{3}{2}$ ② $\dfrac{7}{4}$ ③ 2

④ $\dfrac{9}{4}$ ⑤ $\dfrac{5}{2}$

014 중

수열 $\{a_n\}$에 대하여 다항식 $a_nx^2-a_n-6$이 $x-2n$으로 나누 어떨어질 때, 급수 $\sum\limits_{n=1}^{\infty}a_n$의 합을 구하시오.

015 상

자연수 n에 대하여 x에 대한 이차방정식

$$\{n(n+1)\}^2x^2-(4n+2)x-3=0$$

의 두 근을 α_n, β_n이라 할 때, 급수 $\sum\limits_{n=1}^{\infty}(\alpha_n+\beta_n)$의 합은?

① $\dfrac{1}{2}$ ② 1 ③ $\dfrac{3}{2}$

④ 2 ⑤ $\dfrac{5}{2}$

016 상

수열 $\{a_n\}$이 $a_1=4$이고, 모든 자연수 n에 대하여

$$a_1+2a_2+3a_3+\cdots+na_n=3n+1$$

을 만족시킬 때, 급수 $\sum\limits_{n=1}^{\infty}a_na_{n+1}$의 합을 구하시

유형 02 로그를 포함한 급수

017 대표 문제 다시 보기

급수 $\displaystyle\sum_{n=1}^{\infty} \log \frac{n^2+2n}{n^2+2n+1}$ 의 합은?

① $-\log 4$ ② $-\log 2$ ③ 0

④ 1 ⑤ 2

018 하

수열 $\{a_n\}$에 대하여

$$a_1 a_2 a_3 \cdots a_n = \frac{n+1}{4n-3} \ (n=1,\ 2,\ 3,\ \cdots)$$

이 성립할 때, 급수 $\displaystyle\sum_{n=1}^{\infty} \log_2 a_n$의 합을 구하시오.

019 중

급수 $\displaystyle\sum_{n=1}^{\infty} (\log_{n+1} 4 - \log_{n+2} 4)$의 합은?

① 0 ② 1 ③ $\log_2 3$

④ 2 ⑤ $\log_2 5$

유형 03 항의 부호가 교대로 바뀌는 급수

020 대표 문제 다시 보기

다음 보기의 급수 중 수렴하는 것만을 있는 대로 고르시오.

보기
ㄱ. $1-2+2-3+3-4+\cdots$

ㄴ. $\left(\dfrac{1}{2}-\dfrac{1}{3}\right)+\left(\dfrac{1}{3}-\dfrac{1}{4}\right)+\left(\dfrac{1}{4}-\dfrac{1}{5}\right)+\cdots$

ㄷ. $\dfrac{1}{2}-\dfrac{2}{3}+\dfrac{2}{3}-\dfrac{3}{4}+\dfrac{3}{4}-\dfrac{4}{5}+\cdots$

ㄹ. $1-\dfrac{1}{2}+\dfrac{1}{2}-\dfrac{1}{4}+\dfrac{1}{4}-\dfrac{1}{6}+\cdots$

021 중

다음 보기의 급수 중 발산하는 것만을 있는 대로 고르시오.

보기
ㄱ. $2-2+2-2+2-2+\cdots$

ㄴ. $(2-2)+(2-2)+(2-2)+\cdots$

ㄷ. $2+(-2+2)+(-2+2)+(-2+2)+\cdots$

022 중

두 수열 $\{a_n\}$, $\{b_n\}$이 다음과 같을 때, 두 급수 $\displaystyle\sum_{n=1}^{\infty} a_n$, $\displaystyle\sum_{n=1}^{\infty} b_n$ 에 대한 설명으로 옳은 것은?

$$\{a_n\}:\ 1,\ -\frac{1}{3},\ \frac{1}{3},\ -\frac{1}{5},\ \frac{1}{5},\ -\frac{1}{7},\ \frac{1}{7},\ -\frac{1}{9},\ \cdots$$

$$\{b_n\}:\ \left(1-\frac{1}{3}\right),\ \left(\frac{1}{3}-\frac{1}{5}\right),\ \left(\frac{1}{5}-\frac{1}{7}\right),\ \left(\frac{1}{7}-\frac{1}{9}\right),\ \cdots$$

① $\displaystyle\sum_{n=1}^{\infty} a_n = \sum_{n=1}^{\infty} b_n = 1$ ② $\displaystyle\sum_{n=1}^{\infty} a_n = 1$, $\displaystyle\sum_{n=1}^{\infty} b_n = 0$

③ $\displaystyle\sum_{n=1}^{\infty} a_n = 1$, $\displaystyle\sum_{n=1}^{\infty} b_n$은 발산 ④ $\displaystyle\sum_{n=1}^{\infty} a_n$은 발산, $\displaystyle\sum_{n=1}^{\infty} b_n = 1$

⑤ $\displaystyle\sum_{n=1}^{\infty} a_n$, $\displaystyle\sum_{n=1}^{\infty} b_n$ 모두 발산

★ 중요

유형 04 급수와 수열의 극한값 사이의 관계

023 대표 문제 다시 보기

수열 $\{a_n\}$에 대하여 $\sum\limits_{n=1}^{\infty}\left(a_n-\dfrac{n^2}{1+2+3+\cdots+n}\right)=3$일 때, $\lim\limits_{n\to\infty}a_n$의 값은?

① $\dfrac{1}{4}$ ② $\dfrac{1}{2}$ ③ 1

④ 2 ⑤ 4

024 하

수열 $\{a_n\}$에 대하여 $\sum\limits_{n=1}^{\infty}(3a_n-2)=5$일 때, $\lim\limits_{n\to\infty}\dfrac{a_n+6}{3a_n+2}$의 값을 구하시오.

025 하

두 수열 $\{a_n\}$, $\{b_n\}$에 대하여 $\lim\limits_{n\to\infty}\dfrac{a_n}{n^2}=5$이고, $\sum\limits_{n=1}^{\infty}\dfrac{b_n}{n^2}=8$일 때, $\lim\limits_{n\to\infty}\dfrac{a_n+n}{b_n+4n^2-3}$의 값은?

① 1 ② $\dfrac{5}{4}$ ③ $\dfrac{8}{5}$

④ $\dfrac{5}{3}$ ⑤ 2

026 중

수열 $\{a_n\}$에 대하여 $\sum\limits_{n=1}^{\infty}a_n=\dfrac{2}{3}$이고, $S_n=a_1+a_2+a_3+\cdots+a_n$이라 할 때, $\lim\limits_{n\to\infty}\dfrac{3a_n-9S_n}{2a_n+6S_n}$의 값을 구하시오.

027 중

수열 $\{a_n\}$에 대하여 급수
$$(a_1-1)+\left(\dfrac{a_2}{2}-1\right)+\left(\dfrac{a_3}{3}-1\right)+\left(\dfrac{a_4}{4}-1\right)+\cdots$$
이 수렴할 때, $\lim\limits_{n\to\infty}\dfrac{2n+3a_n}{4n+a_n}$의 값은?

① 0 ② $\dfrac{1}{2}$ ③ 1

④ $\dfrac{3}{2}$ ⑤ 2

028 중

수열 $\{a_n\}$에 대하여 $\sum\limits_{n=1}^{\infty}\dfrac{4a_n-1}{2a_n+3}=2$일 때, $\lim\limits_{n\to\infty}a_n$의 값을 구하시오.

029 중

수열 $\{a_n\}$에 대하여 $\sum\limits_{n=1}^{\infty}a_n=24$일 때,
$$\lim_{n\to\infty}\dfrac{a_1+a_2+a_3+\cdots+a_{2n-1}+10a_{2n}}{a_n-6}$$
의 값을 구하시오.

030 중

수열 $\{a_n\}$에 대하여 $\lim\limits_{n\to\infty}\dfrac{3n^2}{2-5a_n}=\dfrac{1}{2}$이고 $\sum\limits_{n=1}^{\infty}\left(\dfrac{a_n}{n^2}-\alpha\right)=12$일 때, 상수 α의 값을 구하시오.

031 (상)

첫째항이 $\dfrac{1}{3}$인 수열 $\{a_n\}$에 대하여 $\displaystyle\sum_{n=1}^{\infty} a_n = \dfrac{2}{3}$이고 급수 $\displaystyle\sum_{n=1}^{\infty} na_n$이 수렴할 때, 급수 $\displaystyle\sum_{n=1}^{\infty}(n+1)(a_n - a_{n+1})$의 합을 구하시오.

유형 05 급수의 수렴과 발산

032 [대표 문제] 다시 보기

다음 보기의 급수 중 수렴하는 것만을 있는 대로 고른 것은?

> **보기**
>
> ㄱ. $\displaystyle\sum_{n=1}^{\infty} \dfrac{n}{2n+1}$
>
> ㄴ. $\displaystyle\sum_{n=1}^{\infty} \dfrac{1}{(n+2)(n+3)}$
>
> ㄷ. $\displaystyle\sum_{n=1}^{\infty} \log_2 \dfrac{n+1}{2n+5}$
>
> ㄹ. $\displaystyle\sum_{n=1}^{\infty} \left(\dfrac{2}{\sqrt{n}} - \dfrac{2}{\sqrt{n+1}} \right)$

① ㄱ   ② ㄴ   ③ ㄴ, ㄷ

④ ㄴ, ㄹ   ⑤ ㄷ, ㄹ

033 (중)

다음 급수 중 수렴하는 것은?

① $1 + \dfrac{1}{2} + \dfrac{1}{3} + \dfrac{1}{4} + \cdots$

② $\dfrac{1}{3} + \dfrac{2}{7} + \dfrac{3}{11} + \dfrac{4}{15} + \cdots$

③ $2 + \dfrac{5}{4} + \dfrac{10}{9} + \dfrac{17}{16} + \cdots$

④ $\dfrac{1}{\sqrt{2}-1} + \dfrac{1}{\sqrt{3}-\sqrt{2}} + \dfrac{1}{\sqrt{4}-\sqrt{3}} + \dfrac{1}{\sqrt{5}-\sqrt{4}} + \cdots$

⑤ $1 + \dfrac{1}{1+2} + \dfrac{1}{1+2+3} + \dfrac{1}{1+2+3+4} + \cdots$

★ 중요

유형 06 급수의 성질

034 [대표 문제] 다시 보기

두 급수 $\displaystyle\sum_{n=1}^{\infty} a_n$, $\displaystyle\sum_{n=1}^{\infty} b_n$이 모두 수렴하고

$$\sum_{n=1}^{\infty}(3a_n - 2b_n) = 11, \quad \sum_{n=1}^{\infty}(a_n - 3b_n) = -1$$

일 때, 급수 $\displaystyle\sum_{n=1}^{\infty}(a_n + 2b_n)$의 합을 구하시오.

035 (중)

두 급수 $\displaystyle\sum_{n=1}^{\infty} a_n$, $\displaystyle\sum_{n=1}^{\infty} b_n$에 대하여

$$\sum_{n=1}^{\infty} a_n = 6, \quad \sum_{n=1}^{\infty}(4a_n - 3b_n) = 30$$

일 때, 급수 $\displaystyle\sum_{n=1}^{\infty}(2a_n - 5b_n)$의 합은?

① 16   ② 18   ③ 20

④ 22   ⑤ 24

036 (중)

두 급수 $\displaystyle\sum_{n=1}^{\infty} \log a_n$, $\displaystyle\sum_{n=1}^{\infty} \log b_n$이 모두 수렴하고

$$\sum_{n=1}^{\infty} \log a_n b_n = 2, \quad \sum_{n=1}^{\infty} \log \dfrac{a_n^2}{b_n^3} = 9$$

일 때, 급수 $\displaystyle\sum_{n=1}^{\infty} \log \dfrac{a_n}{b_n}$의 합을 구하시오.

유형 07 급수의 수렴, 발산에 대한 참, 거짓 판별

037 대표 문제 다시 보기

두 수열 $\{a_n\}$, $\{b_n\}$에 대하여 다음 보기 중 옳은 것만을 있는 대로 고르시오.

보기

ㄱ. $\sum\limits_{n=1}^{\infty} a_n$, $\sum\limits_{n=1}^{\infty} b_n$이 수렴하면 $\lim\limits_{n\to\infty}(a_n+b_n)=0$이다.

ㄴ. $\sum\limits_{n=1}^{\infty}(a_n-b_n)$이 수렴하고 수열 $\{a_n\}$이 수렴하면
   $\lim\limits_{n\to\infty}a_n=\lim\limits_{n\to\infty}b_n$이다.

ㄷ. $\sum\limits_{n=1}^{\infty}(a_n+2b_n)$, $\sum\limits_{n=1}^{\infty}(2a_n-b_n)$이 수렴하면 $\sum\limits_{n=1}^{\infty}a_n$, $\sum\limits_{n=1}^{\infty}b_n$
   도 모두 수렴한다.

ㄹ. $\sum\limits_{n=1}^{\infty}a_n$이 수렴하고 $\lim\limits_{n\to\infty}b_n=\infty$이면 $\lim\limits_{n\to\infty}a_nb_n=0$이다.

038 중

수열 $\{a_n\}$에 대하여 다음 보기 중 옳은 것만을 있는 대로 고르시오.

보기

ㄱ. $\sum\limits_{n=1}^{\infty}a_n$이 수렴하면 $\lim\limits_{n\to\infty}a_n=0$이다.

ㄴ. $\lim\limits_{n\to\infty}a_n=0$이면 $\sum\limits_{n=1}^{\infty}a_n$은 수렴한다.

ㄷ. $\sum\limits_{n=1}^{\infty}a_n$이 수렴하면 $\sum\limits_{n=1}^{\infty}a_n^2$도 수렴한다.

039 중

두 급수 $\sum\limits_{n=1}^{\infty}(a_n+2)$, $\sum\limits_{n=1}^{\infty}(b_n-2)$가 수렴할 때, 다음 보기 중 옳은 것만을 있는 대로 고른 것은?

보기

ㄱ. $\lim\limits_{n\to\infty}a_nb_n=-4$

ㄴ. $\sum\limits_{n=1}^{\infty}a_n$은 발산한다.

ㄷ. $\sum\limits_{n=1}^{\infty}(a_n+b_n)$은 수렴한다.

① ㄱ ② ㄷ ③ ㄱ, ㄴ
④ ㄴ, ㄷ ⑤ ㄱ, ㄴ, ㄷ

유형 08 급수의 활용

040 대표 문제 다시 보기

자연수 n에 대하여 원 $(x-2n)^2+y^2=1$이 원점을 지나는 직선과 제1사분면에서 접할 때, 이 직선의 기울기를 a_n이라 하자. 이때 급수 $\sum\limits_{n=1}^{\infty}a_n^2$의 합은?

① $\dfrac{1}{4}$ ② $\dfrac{1}{2}$ ③ $\dfrac{2}{3}$

④ 1 ⑤ 2

041 중

자연수 n에 대하여 직선 $(n+1)x+ny=1$과 x축, y축으로 둘러싸인 도형의 넓이를 S_n이라 할 때, 급수 $\sum\limits_{n=1}^{\infty}S_n$의 합을 구하시오.

042 상

자연수 n에 대하여 두 함수 $y=\dfrac{|x|}{n}$, $y=|\sin \pi x|$의 그래프의 교점의 개수를 a_n이라 할 때, 급수 $\sum\limits_{n=1}^{\infty}\dfrac{3}{a_na_{n+1}}$의 합을 구하시오.

급수

정답과 해설 **24**쪽

중요

유형 09 | 등비급수의 합

등비급수 $\sum\limits_{n=1}^{\infty} ar^{n-1} (a \neq 0)$은 $-1 < r < 1$일 때 수렴하고, 그 합은 $\dfrac{a}{1-r}$이다.

대표 문제

043 급수 $\sum\limits_{n=1}^{\infty} \dfrac{2^{n-1}+(-3)^{n+1}}{12^n}$의 합은?

① $-\dfrac{1}{2}$ ② $-\dfrac{3}{10}$ ③ $\dfrac{1}{10}$

④ $\dfrac{2}{5}$ ⑤ $\dfrac{7}{10}$

유형 10 | 합이 주어진 등비급수

등비급수 $\sum\limits_{n=1}^{\infty} ar^{n-1} (a \neq 0)$의 합이 α (α는 실수)이면

$\dfrac{a}{1-r} = \alpha$ ($-1 < r < 1$)임을 이용한다.

대표 문제

044 등비수열 $\{a_n\}$에 대하여 $\sum\limits_{n=1}^{\infty} a_n = \sqrt{2}$, $\sum\limits_{n=1}^{\infty} a_n{}^2 = \dfrac{1}{2}$일 때, a_1의 값을 구하시오.

중요

유형 11-12 | 등비급수의 수렴 조건

(1) 등비급수 $\sum\limits_{n=1}^{\infty} r^n$이 수렴하기 위한 조건
   ➡ $-1 < r < 1$

(2) 등비급수 $\sum\limits_{n=1}^{\infty} ar^{n-1}$이 수렴하기 위한 조건
   ➡ $a=0$ 또는 $-1 < r < 1$

예 등비급수 $\sum\limits_{n=1}^{\infty} \left(-\dfrac{x}{3}\right)^{n-1}$이 수렴하도록 하는 실수 x의 값의 범위는

$-1 < -\dfrac{x}{3} < 1$ ∴ $-3 < x < 3$

주의 첫째항이 a ($a \neq 0$), 공비가 1인 등비수열 $\{a_n\}$은 $\lim\limits_{n \to \infty} a_n = a$이므로 수렴하지만 첫째항이 a, 공비가 1인 등비급수 $a+a+a+\cdots$는 발산한다.

대표 문제

045 급수 $\sum\limits_{n=1}^{\infty} (2x-1)(x-4)^n$이 수렴하도록 하는 실수 x의 값의 범위를 구하시오.

대표 문제

046 등비급수 $\sum\limits_{n=1}^{\infty} r^n$이 수렴할 때, 다음 보기의 급수 중 항상 수렴하는 것만을 있는 대로 고르시오.

> **보기**
> ㄱ. $\sum\limits_{n=1}^{\infty} r^{2n-1}$ ㄴ. $\sum\limits_{n=1}^{\infty} \left(\dfrac{1}{r}\right)^n (r \neq 0)$
> ㄷ. $\sum\limits_{n=1}^{\infty} \left(\dfrac{r}{2}-1\right)^n$ ㄹ. $\sum\limits_{n=1}^{\infty} \left(\dfrac{r-1}{2}\right)^n$

유형 13 | 순환소수와 등비급수

등비급수를 이용하여 순환소수를 분수로 나타낼 수 있다.

예 $0.\dot{1} = 0.111\cdots = 0.1+0.01+0.001+\cdots = \dfrac{1}{10}+\dfrac{1}{10^2}+\dfrac{1}{10^3}+\cdots$

즉, 첫째항이 $\dfrac{1}{10}$이고 공비가 $\dfrac{1}{10}$인 등비급수이므로

$0.\dot{1} = \dfrac{\dfrac{1}{10}}{1-\dfrac{1}{10}} = \dfrac{1}{9}$

대표 문제

047 등비급수를 이용하여 순환소수 $0.4\dot{2}$를 분수로 나타내시오.

유형 **14** 등비급수의 활용 – 좌표

규칙적으로 움직이는 점이 한없이 가까워지는 점의 좌표는 다음과 같은 순서로 구한다.

(1) x좌표와 y좌표가 움직이는 일정한 규칙을 각각 찾는다.

(2) 첫째항과 공비를 구한다.

(3) 등비급수의 합을 이용하여 한없이 가까워지는 점의 좌표를 구한다.

대표 문제

048 오른쪽 그림과 같이 좌표평면 위에서 원점 O를 출발한 점 P가 x축 또는 y축과 평행하게 점 P_1, P_2, P_3, $\cdots$으로 움직인다. $\overline{OP_1}=1$,

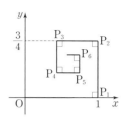

$\overline{P_1P_2}=\dfrac{3}{4}\overline{OP_1}$, $\overline{P_2P_3}=\dfrac{3}{4}\overline{P_1P_2}$, $\cdots$

일 때, 점 P가 한없이 가까워지는 점의 좌표를 구하시오.

중요

유형 **15** 등비급수의 활용 – 길이

닮은꼴이 한없이 반복되는 도형에서 선분의 길이의 합 또는 둘레의 길이의 합은 다음과 같은 순서로 구한다.

(1) 주어진 조건을 이용하여 선분의 길이 또는 둘레의 길이가 따르는 일정한 규칙을 찾는다.

(2) 첫째항과 공비를 구한다.

(3) 등비급수의 합을 이용하여 선분의 길이의 합 또는 둘레의 길이의 합을 구한다.

대표 문제

049 오른쪽 그림과 같이 한 변의 길이가 8인 정사각형 ABCD의 각 변의 중점을 이어서 만든 정사각형 $A_1B_1C_1D_1$의 둘레의 길이를 l_1, 정사각형 $A_1B_1C_1D_1$의 각 변의 중점을

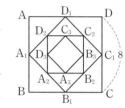

이어서 만든 정사각형 $A_2B_2C_2D_2$의 둘레의 길이를 l_2라 하자. 이와 같은 과정을 한없이 반복하여 n번째 얻은 정사각형 $A_nB_nC_nD_n$의 둘레의 길이를 l_n이라 할 때, 급수 $\displaystyle\sum_{n=1}^{\infty} l_n$의 합을 구하시오.

중요

유형 **16** 등비급수의 활용 – 넓이

닮은꼴이 한없이 반복되는 도형에서 도형의 넓이의 합은 주어진 조건을 이용하여 도형의 넓이가 변하는 일정한 규칙을 찾은 후 등비급수의 합을 이용하여 구한다.

참고 두 도형의 닮음비가 $m:n$이면 넓이의 비는 $m^2:n^2$이다.

대표 문제

050 오른쪽 그림과 같이 $\overline{AC}=\overline{BC}=6$인 직각이등변삼각형 ABC에서 점 C와 각 변의 중점을 꼭짓점으로 하는 정사각형 $A_1B_1CC_1$을 만든다. 또 직각이등변삼각형 A_1BB_1에서 점 B_1과 각 변의 중점을 꼭짓점

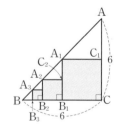

으로 하는 정사각형 $A_2B_2B_1C_2$를 만든다. 이와 같은 과정을 한없이 반복할 때, 모든 정사각형의 넓이의 합을 구하시오.

유형 **17** 등비급수의 활용 – 실생활

실생활에서 어떤 과정이 한없이 반복될 때는 값이 변하는 일정한 규칙을 찾은 후 등비급수의 합을 이용하여 구한다.

대표 문제

051 어느 회사에서 생산된 종이의 80%가 폐지로 수거되고 그중 75%가 종이로 재생산된다고 한다. 처음 $500\,\mathrm{kg}$의 종이를 생산한 후 위와 같은 수거와 재생산 과정을 한없이 반복할 때, 재생산되는 종이는 총 몇 kg인지 구하시오.

★중요

유형 09 등비급수의 합

052 대표 문제 다시 보기

급수 $\displaystyle\sum_{n=1}^{\infty}\dfrac{2^{2n+1}-5^{n}}{10^{n-1}}$의 합은?

① $-\dfrac{10}{3}$ ② $-\dfrac{5}{3}$ ③ $\dfrac{5}{3}$

④ $\dfrac{10}{3}$ ⑤ 4

053 중

수열 $\{a_n\}$의 일반항이 $a_n=\dfrac{(-1)^n}{5}$일 때, 급수

$\dfrac{a_1}{3}+\dfrac{a_2}{3^2}+\dfrac{a_3}{3^3}+\dfrac{a_4}{3^4}+\cdots$의 합은?

① $-\dfrac{1}{4}$ ② $-\dfrac{1}{5}$ ③ $-\dfrac{1}{20}$

④ $\dfrac{1}{5}$ ⑤ $\dfrac{1}{4}$

054 중

급수 $\displaystyle\sum_{n=1}^{\infty}\left\{\left(-\dfrac{1}{2}\right)^{n}\cos n\pi+\left(\dfrac{1}{3}\right)^{n}\sin\dfrac{n\pi}{2}\right\}$의 합을 구하시오.

055 중

수열 $\{a_n\}$에 대하여

$$a_1=1,\ a_na_{n+1}=\left(\dfrac{1}{3}\right)^{n}\ (n=1,\ 2,\ 3,\ \cdots)$$

일 때, 급수 $\displaystyle\sum_{n=1}^{\infty}a_{2n-1}$의 합을 구하시오.

056 중

수열 $\{a_n\}$의 첫째항부터 제n항까지의 합을 S_n이라 할 때, $\log_2(S_n+1)=2n$이다. 이때 급수 $\displaystyle\sum_{n=1}^{\infty}\dfrac{1}{a_n}$의 합은?

① $\dfrac{2}{9}$ ② $\dfrac{1}{3}$ ③ $\dfrac{4}{9}$

④ $\dfrac{5}{9}$ ⑤ $\dfrac{2}{3}$

057 중

자연수 n에 대하여 x에 대한 이차방정식

$2^n x^2+2\sqrt{5}\,x+\dfrac{1}{2^n}=0$의 두 근을 α_n, β_n이라 할 때, 급수

$\displaystyle\sum_{n=1}^{\infty}|\alpha_n-\beta_n|$의 합을 구하시오.

058 중

자연수 n에 대하여 9^n의 일의 자리의 숫자를 a_n이라 할 때, 급수 $\displaystyle\sum_{n=1}^{\infty}\dfrac{a_n}{5^n}$의 합은?

① $\dfrac{11}{6}$ ② $\dfrac{23}{12}$ ③ 2

④ $\dfrac{25}{12}$ ⑤ $\dfrac{13}{6}$

059 상

1보다 큰 자연수 n에 대하여 방정식 $x^n=(-3)^{n-1}$의 실근의 개수를 a_n이라 할 때, 급수 $\displaystyle\sum_{n=2}^{\infty}\dfrac{a_n}{2^n}$의 합을 구하시오.

유형 10 합이 주어진 등비급수

060 대표 문제 다시 보기

등비수열 $\{a_n\}$에 대하여 $\sum\limits_{n=1}^{\infty} a_n = 1$, $\sum\limits_{n=1}^{\infty} {a_n}^2 = 2$일 때, 급수 $\sum\limits_{n=1}^{\infty} {a_n}^3$의 합을 구하시오.

061 중

첫째항이 $\dfrac{1}{2}$인 등비수열 $\{a_n\}$에 대하여 $\sum\limits_{n=1}^{\infty} a_n = 2$일 때, 급수 $\sum\limits_{n=1}^{\infty} a_{2n}$의 합을 구하시오.

062 중

$\sum\limits_{n=1}^{\infty} \dfrac{x^n + (-x)^n}{4^n} = \dfrac{2}{3}$일 때, 실수 x의 값은? (단, $0 < x < 4$)

① 2 ② 3 ③ 4
④ 5 ⑤ 6

063 상

공비가 양수인 등비수열 $\{a_n\}$에 대하여
$$a_1 + a_2 = 20, \quad \sum\limits_{n=1}^{\infty} a_{n+2} = \dfrac{4}{3}$$
일 때, a_1의 값을 구하시오.

유형 11 등비급수의 수렴 조건

064 대표 문제 다시 보기

급수 $\sum\limits_{n=1}^{\infty} (x+2)\left(\dfrac{x-1}{3}\right)^n$이 수렴하도록 하는 정수 x의 개수는?

① 3 ② 4 ③ 5
④ 6 ⑤ 7

065 중

수열 $\{(x-2)(4x-3)^{n-1}\}$과 급수 $\sum\limits_{n=1}^{\infty} (x^2+x-1)^n$이 모두 수렴하도록 하는 실수 x의 값의 범위를 구하시오.

066 중

급수
$$2 + 2^2 \log_9 (x+2) + 2^3 \{\log_9 (x+2)\}^2$$
$$+ 2^4 \{\log_9 (x+2)\}^3 + \cdots$$
이 수렴하도록 하는 모든 정수 x의 값의 합은?

① -2 ② -1 ③ 0
④ 1 ⑤ 2

유형 **12** $\sum_{n=1}^{\infty} r^n$이 수렴할 때 수렴하는 급수

067 대표 문제 다시 보기

등비급수 $\sum_{n=1}^{\infty} r^n$이 수렴할 때, 다음 급수 중 항상 수렴하는 것이 <u>아닌</u> 것은?

① $\sum_{n=1}^{\infty} r^{n+2}$　　② $\sum_{n=1}^{\infty} r^{2n}$　　③ $\sum_{n=1}^{\infty} \left(\dfrac{r+2}{3}\right)^n$

④ $\sum_{n=1}^{\infty} \left(\dfrac{r}{2}+1\right)^n$　　⑤ $\sum_{n=1}^{\infty} \{r^n + (-r)^n\}$

068 중

두 등비수열 $\{a_n\}$, $\{b_n\}$에 대하여 다음 보기 중 항상 옳은 것만을 있는 대로 고른 것은?

보기
ㄱ. 등비급수 $\sum_{n=1}^{\infty} a_n$이 수렴하면 $\sum_{n=1}^{\infty} a_{2n}$도 수렴한다.

ㄴ. 두 등비급수 $\sum_{n=1}^{\infty} a_n$, $\sum_{n=1}^{\infty} b_n$이 수렴하면 $\sum_{n=1}^{\infty} a_n b_n$도 수렴한다.

ㄷ. 두 등비급수 $\sum_{n=1}^{\infty} a_n$, $\sum_{n=1}^{\infty} b_n$이 발산하면 $\lim_{n \to \infty} (a_n + b_n) \neq 0$이다.

① ㄱ　　② ㄷ　　③ ㄱ, ㄴ

④ ㄴ, ㄷ　　⑤ ㄱ, ㄴ, ㄷ

069 상

등비급수 $\sum_{n=1}^{\infty} r^n$이 수렴할 때, 다음 중 급수 $\sum_{n=1}^{\infty} r^n$의 합이 될 수 <u>없는</u> 것은?

① $-\dfrac{1}{2}$　　② $-\dfrac{1}{3}$　　③ 0

④ $\dfrac{1}{3}$　　⑤ $\dfrac{1}{2}$

유형 **13** 순환소수와 등비급수

070 대표 문제 다시 보기

등비급수를 이용하여 순환소수 $0.1\dot{6}$을 분수로 나타내시오.

071 중

모든 항이 양수인 등비수열 $\{a_n\}$에 대하여 $a_1 = 0.0\dot{4}$, $a_3 = 0.0\dot{1}$일 때, 급수 $\sum_{n=1}^{\infty} a_n$의 합을 분수로 나타내면?

① $\dfrac{2}{45}$　　② $\dfrac{4}{45}$　　③ $\dfrac{2}{15}$

④ $\dfrac{8}{45}$　　⑤ $\dfrac{2}{9}$

072 중

등비수열 $\{a_n\}$의 공비가 $0.\dot{3}$이고 $\sum_{n=1}^{\infty} a_n = 0.\dot{2}1\dot{6}$일 때, a_1의 값은?

① $0.1\dot{4}\dot{0}$　　② $0.1\dot{4}\dot{4}$　　③ $0.1\dot{4}\dot{8}$

④ $0.1\dot{5}\dot{2}$　　⑤ $0.1\dot{5}\dot{6}$

073   대표 문제 다시 보기

오른쪽 그림과 같이 좌표평면 위에서 원점 O를 출발한 점 P가 x축 또는 y축과 평행하게 점 P_1, P_2, P_3, …으로 움직인다.

$$\overline{OP_1}=1, \quad \overline{P_1P_2}=\frac{4}{5}\overline{OP_1},$$

$$\overline{P_2P_3}=\frac{4}{5}\overline{P_1P_2}, \cdots$$

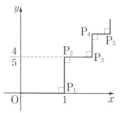

일 때, 점 P가 한없이 가까워지는 점의 좌표를 (a, b)라 하자. 이때 $a+b$의 값을 구하시오.

074   중

자연수 n에 대하여 원 $x^2+y^2=\left(\dfrac{1}{4}\right)^n$의 접선 중 기울기가 -1이고 제1사분면을 지나는 접선이 x축과 만나는 점의 좌표를 $(a_n, 0)$이라 할 때, 급수 $\displaystyle\sum_{n=1}^{\infty}a_n$의 합을 구하시오.

075   중

오른쪽 그림에서 자연수 n에 대하여 좌표평면 위의 점 P_n이

$$\overline{OP_1}=3, \quad \overline{P_1P_2}=\frac{2}{3}\overline{OP_1},$$

$$\overline{P_2P_3}=\frac{2}{3}\overline{P_1P_2}, \cdots,$$

$$\angle P_1OA=45°, \quad \angle OP_1P_2=\angle P_1P_2P_3=\cdots=90°$$

를 만족시킬 때, 점 P_n이 한없이 가까워지는 점의 좌표를 구하시오. (단, O는 원점, A는 x축 위의 점)

076   상

오른쪽 그림에서 자연수 n에 대하여 좌표평면 위의 점 P_n이

$$\overline{OP_1}=1, \quad \overline{P_1P_2}=\frac{1}{2}\overline{OP_1},$$

$$\overline{P_2P_3}=\frac{1}{2}\overline{P_1P_2}, \cdots,$$

$$\angle OP_1P_2=\angle P_1P_2P_3=\cdots=60°$$

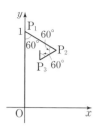

를 만족시킬 때, 점 P_n이 한없이 가까워지는 점의 y좌표를 구하시오. (단, O는 원점)

077   대표 문제 다시 보기

오른쪽 그림과 같이 한 변의 길이가 3인 정삼각형 AB_1C_1이 있다. 점 A에서 선분 B_1C_1에 내린 수선의 발을 B_2라 할 때, 선분 AB_2를 한 변으로 하는 정삼각형 AB_2C_2를 그린다. 점 A에서 선분 B_2C_2에 내린 수선의 발을 B_3이라 할 때, 선분 AB_3을 한 변으로 하는 정삼각형 AB_3C_3을 그린다. 이와 같은 과정을 한없이 반복하여 n번째 얻은 정삼각형 AB_nC_n의 둘레의 길이를 l_n이라 할 때, 급수 $\displaystyle\sum_{n=1}^{\infty}l_n$의 합을 구하시오.

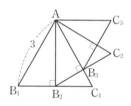

078   중

길이가 1인 선분 AB_1에 대하여 $\overline{AB_1}$을 $4:1$로 외분하는 점을 B_2, $\overline{B_1B_2}$를 $4:1$로 외분하는 점을 B_3, $\overline{B_2B_3}$을 $4:1$로 외분하는 점을 B_4라 하자. 이와 같은 과정을 한없이 반복할 때, $\overline{B_1B_2}+\overline{B_2B_3}+\overline{B_3B_4}+\cdots$의 값을 구하시오.

079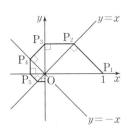

오른쪽 그림과 같이 점 $P_1(1, 0)$에 대하여 점 P_1에서 직선 $y=x$에 내린 수선의 발을 P_2, 점 P_2에서 y축에 내린 수선의 발을 P_3, 점 P_3에서 직선 $y=-x$에 내린 수선의 발을 P_4, 점 P_4에서 x축에 내린 수선의 발을 P_5라 하자. 이와 같은 과정을 한없이 반복할 때, 급수 $\sum\limits_{n=1}^{\infty} \overline{P_nP_{n+1}}$의 합을 구하시오. (단, O는 원점)

중요

유형 16 등비급수의 활용 – 넓이

080 대표 문제 다시 보기

오른쪽 그림과 같이 한 변의 길이가 2인 정삼각형 R_1에 내접하는 원 C_1을 그리고, 원 C_1에 내접하는 정삼각형 R_2를 그린다. 또 정삼각형 R_2에 내접하는 원 C_2를 그리고 원 C_2에 내접하는 정삼각형 R_3을 그린다. 이와 같은 과정을 한없이 반복할 때, 내접하는 원 C_1, C_2, C_3, $\cdots$의 넓이의 합을 구하시오.

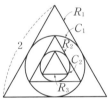

081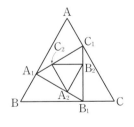

오른쪽 그림과 같이 넓이가 1인 정삼각형 ABC의 각 변을 $2:1$로 내분하는 점을 꼭짓점으로 하는 정삼각형 $A_1B_1C_1$을 그리고, 정삼각형 $A_1B_1C_1$의 각 변을 $2:1$로 내분하는 점을 꼭짓점으로 하는 정삼각형 $A_2B_2C_2$를 그린다. 이와 같은 과정을 한없이 반복하여 n번째 얻은 정삼각형 $A_nB_nC_n$의 넓이를 S_n이라 할 때, 급수 $\sum\limits_{n=1}^{\infty} S_n$의 합을 구하시오.

082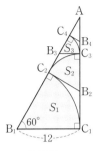

오른쪽 그림과 같이 $\angle C_1 = 90°$인 직각삼각형 AB_1C_1에서 $\angle B_1 = 60°$, $\overline{B_1C_1} = 12$이다. 이때 점 B_1을 중심, $\overline{B_1C_1}$을 반지름으로 하는 원을 그려 $\overline{AB_1}$과 만나는 점을 C_2, 부채꼴 $B_1C_1C_2$의 넓이를 S_1이라 하자. 또 점 C_2를 지나면서 $\overline{AB_1}$에 수직인 직선이 $\overline{AC_1}$과 만나는 점을 B_2라 하고 점 B_2를 중심, $\overline{B_2C_2}$를 반지름으로 하는 원을 그려 $\overline{AC_1}$과 만나는 점을 C_3, 부채꼴 $B_2C_2C_3$의 넓이를 S_2라 하자. 이와 같은 과정을 한없이 반복할 때, $S_1+S_2+S_3+\cdots$의 값은?

① 8π ② 16π ③ 24π

④ 32π ⑤ 36π

083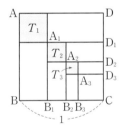

오른쪽 그림과 같이 한 변의 길이가 1인 정사각형 ABCD에서 선분 AB와 선분 AD를 각각 $r:(1-r)$로 내분하는 점을 지나는 두 직선을 그어 만들어지는 4개의 사각형 중 윗부분의 정사각형을 T_1, 아랫부분의 정사각형을 $A_1B_1CD_1$이라 하자. 또 정사각형 $A_1B_1CD_1$에서 선분 A_1B_1과 선분 A_1D_1을 각각 $r:(1-r)$로 내분하는 점을 지나는 두 직선을 그어 만들어지는 4개의 사각형 중 윗부분의 정사각형을 T_2, 아랫부분의 정사각형을 $A_2B_2CD_2$라 하자. 이와 같은 과정을 한없이 반복하여 n번째 얻은 정사각형 T_n의 넓이를 S_n이라 할 때, $\sum\limits_{n=1}^{\infty} S_n = \dfrac{1}{7}$이 되도록 하는 실수 r의 값을 구하시오. (단, $0<r<1$)

084 `중`

오른쪽 그림과 같이 길이가 6인 선분 AB를 지름으로 하는 반원이 있다. 선분 AB를 2 : 1로 내분하여 각각을 지름으로 하는 반원을 만들고 이 두 반원의 넓이의 합을 S_1이라 하자. 만들어진 두 반원 중 큰 반원에 대하여 이와 같은 과정을 한없이 반복하여 n번째 얻은 두 반원의 넓이의 합을 S_n이라 할 때, 급수 $\sum\limits_{n=1}^{\infty} S_n$의 합을 구하시오.

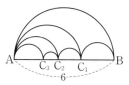

085 `상`

다음 그림과 같이 한 변의 길이가 8인 정삼각형 $A_1B_1C_1$의 세 선분 A_1B_1, B_1C_1, C_1A_1의 중점을 각각 D_1, E_1, F_1이라 하고, 세 선분 A_1D_1, B_1E_1, C_1F_1의 중점을 각각 G_1, H_1, I_1, 세 선분 G_1D_1, H_1E_1, I_1F_1의 중점을 각각 A_2, B_2, C_2라 하자. 세 사각형 $A_2C_2F_1G_1$, $B_2A_2D_1H_1$, $C_2B_2E_1I_1$에 모두 색칠하여 얻은 그림을 R_1이라 하자. 또 삼각형 $A_2B_2C_2$에 그림 R_1을 얻은 것과 같은 방법으로 세 사각형 $A_3C_3F_2G_2$, $B_3A_3D_2H_2$, $C_3B_3E_2I_2$에 모두 색칠하여 얻은 그림을 R_2라 하자. 이와 같은 과정을 한없이 반복하여 n번째 얻은 그림 R_n에 색칠되어 있는 부분의 넓이를 S_n이라 할 때, $\lim\limits_{n \to \infty} S_n$의 값을 구하시오.

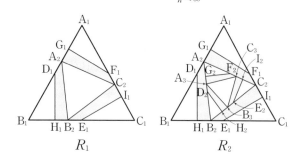

R_1 $\qquad$ R_2

유형 17 등비급수의 활용 – 실생활

086 `대표 문제` 다시 보기

A 회사에서 생산된 비닐의 60 %가 폐비닐로 수거되고, 그 중 60 %가 비닐로 재생산된다고 한다. 처음 10000 kg의 비닐을 생산한 후 위와 같은 수거와 재생산 과정을 한없이 반복할 때, 재생산되는 비닐은 총 몇 kg인지 구하시오.

087 `하`

오른쪽 그림과 같이 끈에 매달려 있는 추를 A 위치에서 놓으면 처음에 16 cm만큼 움직였다가 방향을 바꾸어 12 cm만큼 움직인다. 이와 같이 추가 앞에서 움직인 거리의 $\frac{3}{4}$만큼 방향을 바꾸어 움직이는 과정을 한없이 반복할 때, 이 추가 멈출 때까지 움직인 거리를 구하시오.

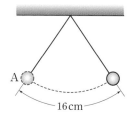

088 `중`

어떤 약을 복용하면 24시간이 지날 때마다 체내에 남아 있는 약의 양이 절반으로 줄어든다고 한다. 이 약은 24시간마다 한 번씩 일정한 양만큼 장기간 복용해야 하고, 체내에 남아 있는 약의 양이 120 mg이 넘지 않도록 해야 한다. 매회 최대로 복용할 수 있는 약의 양을 구하시오.

089 `중`

어느 장학 재단에서 20억 원의 기금을 조성하였다. 매년 초에 기금을 운용하여 연말까지 20 %의 이익을 내고, 기금과 이익을 합한 금액의 50 %를 매년 말에 장학금으로 지급하려고 한다. 장학금으로 지급하고 남은 금액을 기금으로 하여 매년 같은 방법으로 기금을 운용하고 장학금을 지급할 때, 해마다 지급하는 장학금의 총액을 구하시오.

090 유형 01

급수 $\dfrac{4}{3^2-1}+\dfrac{4}{5^2-1}+\dfrac{4}{7^2-1}+\dfrac{4}{9^2-1}+\cdots$ 의 합은?

① $\dfrac{1}{3}$ ② $\dfrac{1}{2}$ ③ 1

④ 2 ⑤ 3

091 유형 01

수열 $\{a_n\}$의 첫째항부터 제n항까지의 합 S_n이 $S_n=2n^2+n$ 일 때, 급수 $\displaystyle\sum_{n=1}^{\infty}\dfrac{1}{a_n a_{n+1}}$의 합은?

① $-\dfrac{1}{6}$ ② $-\dfrac{1}{12}$ ③ $\dfrac{1}{12}$

④ $\dfrac{1}{6}$ ⑤ $\dfrac{1}{3}$

092 유형 02

급수 $\displaystyle\sum_{n=1}^{\infty}(\log_{2n+1}\sqrt{3}-\log_{2n+3}\sqrt{3})$의 합은?

① $\dfrac{1}{4}\log 3$ ② $\dfrac{1}{2}\log 3$ ③ $\dfrac{1}{4}$

④ $\log 3$ ⑤ $\dfrac{1}{2}$

093 유형 03

다음 급수 중 발산하는 것은?

① $3-\dfrac{1}{4}+\dfrac{1}{4}-\dfrac{1}{6}+\dfrac{1}{6}-\dfrac{1}{8}+\dfrac{1}{8}-\cdots$

② $3+\left(-\dfrac{1}{4}+\dfrac{1}{4}\right)+\left(-\dfrac{1}{6}+\dfrac{1}{6}\right)+\left(-\dfrac{1}{8}+\dfrac{1}{8}\right)+\cdots$

③ $\left(\dfrac{1}{2}-\dfrac{1}{4}\right)+\left(\dfrac{1}{4}-\dfrac{1}{6}\right)+\left(\dfrac{1}{6}-\dfrac{1}{8}\right)+\cdots$

④ $3-\dfrac{3}{4}+\dfrac{3}{4}-\dfrac{5}{6}+\dfrac{5}{6}-\dfrac{7}{8}+\dfrac{7}{8}-\cdots$

⑤ $3-\left(\dfrac{3}{4}-\dfrac{3}{4}\right)-\left(\dfrac{5}{6}-\dfrac{5}{6}\right)-\left(\dfrac{7}{8}-\dfrac{7}{8}\right)-\cdots$

094 유형 04

수열 $\{a_n\}$에 대하여 급수 $\displaystyle\sum_{n=1}^{\infty}\dfrac{3n-a_n}{n}$이 수렴할 때,

$\displaystyle\lim_{n\to\infty}\dfrac{na_n}{n^2+a_n^2}$의 값을 구하시오.

095 유형 05

다음 보기 중 수열 $\{a_n\}$의 일반항 a_n에 대하여 급수 $\displaystyle\sum_{n=1}^{\infty}a_n$이 수렴하는 깃만을 있는 대로 고른 것은?

보기
ㄱ. $a_n=\dfrac{1-n^2}{n^2+1}$ ㄴ. $a_n=\dfrac{1}{(2n-1)(2n+1)}$

ㄷ. $a_n=\dfrac{n}{4n-3}$ ㄹ. $a_n=\dfrac{1}{\sqrt{n+3}+\sqrt{n+2}}$

① ㄱ   ② ㄴ   ③ ㄷ

④ ㄱ, ㄹ   ⑤ ㄴ, ㄷ

096

유형 06

두 급수 $\sum\limits_{n=1}^{\infty} a_n$, $\sum\limits_{n=1}^{\infty} b_n$에 대하여

$$\sum_{n=1}^{\infty} a_n = \frac{5}{2}, \quad \sum_{n=1}^{\infty}\left(3a_n - \frac{b_n}{2}\right) = 7$$

일 때, 급수 $\sum\limits_{n=1}^{\infty} b_n$의 합은?

① 1
② 2
③ 3
④ 4
⑤ 5

097

유형 07

두 수열 $\{a_n\}$, $\{b_n\}$에 대하여 다음 보기 중 옳은 것만을 있는 대로 고른 것은?

> 보기
> ㄱ. $\sum\limits_{n=1}^{\infty}|a_n|$이 수렴하면 $\lim\limits_{n\to\infty} a_n = 0$이다.
>
> ㄴ. $\sum\limits_{n=1}^{\infty} a_n$과 $\sum\limits_{n=1}^{\infty} b_n$이 발산하면 $\sum\limits_{n=1}^{\infty}(a_n + b_n)$도 발산한다.
>
> ㄷ. $\sum\limits_{n=1}^{\infty}(a_n + b_n)$과 $\sum\limits_{n=1}^{\infty}(a_n - b_n)$이 수렴하면 $\sum\limits_{n=1}^{\infty} a_n$과 $\sum\limits_{n=1}^{\infty} b_n$도 모두 수렴한다.
>
> ㄹ. $\sum\limits_{n=1}^{\infty} a_n = \alpha$, $\sum\limits_{n=1}^{\infty} b_n = \beta$ (α, β는 실수)이고, $\alpha > \beta$이면 $\lim\limits_{n\to\infty} a_n > \lim\limits_{n\to\infty} b_n$이다.

① ㄱ
② ㄴ
③ ㄱ, ㄷ
④ ㄷ, ㄹ
⑤ ㄱ, ㄴ, ㄹ

098

유형 08

자연수 n에 대하여 직선 $(2n-1)x + (2n+1)y = 3$이 x축, y축과 만나는 점을 각각 P_n, Q_n이라 하자. 삼각형 OP_nQ_n의 넓이를 S_n이라 할 때, 급수 $\sum\limits_{n=1}^{\infty} S_n$의 합을 구하시오.

(단, O는 원점)

099

유형 09

수열 $\{a_n\}$이

$$5a_1 + 5^2 a_2 + 5^3 a_3 + \cdots + 5^n a_n = 2^n - 1$$

을 만족시킬 때, 급수 $\sum\limits_{n=1}^{\infty} \dfrac{a_n}{2^{n-1}}$의 합은?

① $\dfrac{1}{4}$
② $\dfrac{2}{5}$
③ $\dfrac{3}{4}$
④ $\dfrac{4}{5}$
⑤ 1

100

유형 10

등비수열 $\{a_n\}$에 대하여 $\sum\limits_{n=1}^{\infty} a_n = 3$, $\sum\limits_{n=1}^{\infty} a_{2n} = \dfrac{3}{4}$일 때, 급수 $\sum\limits_{n=1}^{\infty} a_n^2$의 합은?

① $\dfrac{9}{4}$
② 3
③ $\dfrac{9}{2}$
④ $\dfrac{81}{16}$
⑤ $\dfrac{36}{5}$

101

유형 10

첫째항이 2인 두 등비수열 $\{a_n\}$, $\{b_n\}$에 대하여

$$\sum_{n=1}^{\infty} a_n = 5, \quad \sum_{n=1}^{\infty} b_n = 3$$

일 때, 급수 $\dfrac{b_1}{a_1} + \dfrac{b_2}{a_2} + \dfrac{b_3}{a_3} + \dfrac{b_4}{a_4} + \cdots$의 합을 구하시오.

102

유형 11

수열 $\{(1 - \log_2 x)^n\}$과 급수 $1 + \dfrac{x}{3} + \left(\dfrac{x}{3}\right)^2 + \left(\dfrac{x}{3}\right)^3 + \cdots$이 모두 수렴하도록 하는 실수 x의 값의 범위를 구하시오.

103
유형 12

두 등비급수 $\sum\limits_{n=1}^{\infty}a^{n}$, $\sum\limits_{n=1}^{\infty}b^{n-1}$이 수렴할 때, 다음 보기의 급수 중 항상 수렴하는 것만을 있는 대로 고르시오.

보기

ㄱ. $\sum\limits_{n=1}^{\infty}(a+b)^{n}$ ㄴ. $\sum\limits_{n=1}^{\infty}(ab)^{n}$

ㄷ. $\sum\limits_{n=1}^{\infty}\left(\dfrac{a}{b}\right)^{n}$ (단, $b\neq0$)

104
유형 13

$0.0\dot{2}$를 소수로 나타낼 때, 소수점 아래 n번째 자리의 숫자를 a_n이라 하자. 이때 급수 $\sum\limits_{n=1}^{\infty}\dfrac{a_n}{3^n}$의 합은?

① $\dfrac{1}{4}$ ② $\dfrac{1}{3}$ ③ $\dfrac{1}{2}$

④ 1 ⑤ 2

105
유형 14

오른쪽 그림에서 자연수 n에 대하여 좌표평면 위의 점 P_n이

$\overline{OP_1}=1$, $\overline{P_1P_2}=\dfrac{1}{3}\overline{OP_1}$,

$\overline{P_2P_3}=\dfrac{1}{3}\overline{P_1P_2}$, $\cdots$,

$\angle P_1OA=30°$,

$\angle OP_1P_2=\angle P_1P_2P_3=\cdots=60°$

를 만족시킨다. 점 P_n이 한없이 가까워지는 점의 좌표를 $(a,\ b)$라 할 때, a^2+b^2의 값을 구하시오.

(단, O는 원점, A는 x축 위의 점)

106
유형 15

오른쪽 그림과 같이 원점을 A_1이라 할 때, 점 A_1에서 직선 $y=x+2$에 내린 수선의 발을 B_1, 점 B_1에서 x축에 내린 수선의 발을 A_2, 점 A_2에서 직선 $y=x+2$에 내린 수선의 발을 B_2라 하자.

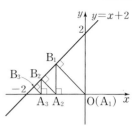

이와 같은 과정을 한없이 반복할 때, 급수 $\sum\limits_{n=1}^{\infty}\overline{A_nB_n}$의 합을 구하시오.

107
유형 16

오른쪽 그림과 같이 한 변의 길이가 1인 정사각형 A_1이 있다. 이 정사각형의 내부에 한 변을 공유하는 정삼각형 B_1을 그린 다음 이 정삼각형의 내부에 정사각형 A_2를 내접하게 그린다. 이와 같은 과정을 한없이 반복하여 얻은 정사각형 A_n의 넓이를 S_n, 정삼각형 B_n의 넓이를 T_n이라 하자. 이때 급수 $\sum\limits_{n=1}^{\infty}(S_n-T_n)$의 합을 구하시오.

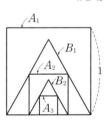

108
유형 17

어떤 공을 지면으로부터 높이가 h m인 곳에서 수직으로 떨어뜨리면 떨어진 높이의 $\dfrac{1}{2}$만큼 수직으로 튀어 오른다고 한다. 이 공을 지면으로부터 32 m 높이에서 수직으로 땅에 떨어뜨릴 때, 공이 정지할 때까지 움직인 거리는 몇 m인지 구하시오.

03

지수함수와
로그함수의 미분

II. 미분법

지수함수와 로그함수의 미분

유형 01 | 지수함수의 극한

지수함수 $y=a^x$ $(a>0,\ a\neq1)$에서

(1) $a>1$이면 $\Rightarrow \displaystyle\lim_{x\to\infty}a^x=\infty,\ \lim_{x\to-\infty}a^x=0$

(2) $0<a<1$이면 $\Rightarrow \displaystyle\lim_{x\to\infty}a^x=0,\ \lim_{x\to-\infty}a^x=\infty$

참고 $\dfrac{\infty}{\infty}$ 꼴의 극한은 분모에서 밑이 가장 큰 항으로 분모, 분자를 각각 나눈다.

대표 문제

001 $\displaystyle\lim_{x\to\infty}\dfrac{3^{x+1}+2^x}{3^x-2^{x+1}}$의 값은?

① 2   ② $2\sqrt{2}$ ③ 3

④ $3\sqrt{3}$ ⑤ 9

유형 02 | 로그함수의 극한

로그함수 $y=\log_a x$ $(a>0,\ a\neq1)$에서

(1) $a>1$이면 $\Rightarrow \displaystyle\lim_{x\to\infty}\log_a x=\infty,\ \lim_{x\to0+}\log_a x=-\infty$

(2) $0<a<1$이면 $\Rightarrow \displaystyle\lim_{x\to\infty}\log_a x=-\infty,\ \lim_{x\to0+}\log_a x=\infty$

참고 함수 $f(x)$에 대하여 $\displaystyle\lim_{x\to\infty}f(x)$의 값이 존재하고 $f(x)>0$, $\displaystyle\lim_{x\to\infty}f(x)>0$이면

$\Rightarrow \displaystyle\lim_{x\to\infty}\{\log_a f(x)\}=\log_a\{\lim_{x\to\infty}f(x)\}$ (단, $a>0,\ a\neq1$)

대표 문제

002 $\displaystyle\lim_{x\to2}(\log_2|x^3-8|-\log_2|3x-6|)$의 값은?

① -2 ② -1 ③ 0

④ 1   ⑤ 2

★ 중요

유형 03 | $\displaystyle\lim_{x\to0}(1+x)^{\frac{1}{x}}$ 꼴의 극한

(1) $\displaystyle\lim_{x\to0}(1+x)^{\frac{1}{x}}=e$

(2) $\displaystyle\lim_{x\to0}(1+ax)^{\frac{b}{x}}=\lim_{x\to0}\{(1+ax)^{\frac{1}{ax}}\}^{ab}=e^{ab}$

(단, $a,\ b$는 0이 아닌 상수)

대표 문제

003 $\displaystyle\lim_{x\to0}(1+2x)^{\frac{3}{x}}+\lim_{x\to0}(1-3x)^{\frac{1}{x}}$의 값은?

① $3e$ ② $6e+\dfrac{1}{3e}$ ③ e^3

④ $e^6+\dfrac{1}{e^3}$ ⑤ e^9

★ 중요

유형 04 | $\displaystyle\lim_{x\to\infty}\left(1+\dfrac{1}{x}\right)^x$ 꼴의 극한

(1) $\displaystyle\lim_{x\to\infty}\left(1+\dfrac{1}{x}\right)^x=e$

(2) $\displaystyle\lim_{x\to\infty}\left(1+\dfrac{1}{ax}\right)^{bx}=\lim_{x\to\infty}\left\{\left(1+\dfrac{1}{ax}\right)^{ax}\right\}^{\frac{b}{a}}=e^{\frac{b}{a}}$

(단, $a,\ b$는 0이 아닌 상수)

대표 문제

004 $\displaystyle\lim_{x\to\infty}\left\{\left(1+\dfrac{1}{2x}\right)\left(1-\dfrac{1}{4x}\right)\right\}^x=e^a$일 때, 상수 a의 값을 구하시오.

★중요

유형 05 | $\lim\limits_{x \to 0} \dfrac{\ln(1+x)}{x}$ 꼴의 극한

(1) $\lim\limits_{x \to 0} \dfrac{\ln(1+x)}{x} = 1$

(2) $\lim\limits_{x \to 0} \dfrac{\ln(1+ax)}{x} = \lim\limits_{x \to 0} \dfrac{\ln(1+ax)}{ax} \times a = a$

(단, a는 0이 아닌 상수)

대표 문제

005 $\lim\limits_{x \to 0} \dfrac{\ln(1+6x)}{2x^2+3x}$ 의 값은?

① -1 ② 0 ③ $\dfrac{1}{2}$

④ 1 ⑤ 2

유형 06 | $\lim\limits_{x \to 0} \dfrac{\log_a(1+x)}{x}$ 꼴의 극한

$a > 0$, $a \neq 1$일 때

(1) $\lim\limits_{x \to 0} \dfrac{\log_a(1+x)}{x} = \dfrac{1}{\ln a}$

(2) $\lim\limits_{x \to 0} \dfrac{\log_a(1+bx)}{x} = \lim\limits_{x \to 0} \dfrac{\log_a(1+bx)}{bx} \times b = \dfrac{b}{\ln a}$

(단, b는 0이 아닌 상수)

대표 문제

006 $\lim\limits_{x \to 1} \dfrac{\log_2 x}{x-1}$ 의 값은?

① $\dfrac{1}{\ln 2}$ ② $\dfrac{2}{\ln 2}$ ③ 1

④ $\ln 2$ ⑤ $2\ln 2$

★중요

유형 07 | $\lim\limits_{x \to 0} \dfrac{e^x-1}{x}$ 꼴의 극한

(1) $\lim\limits_{x \to 0} \dfrac{e^x-1}{x} = 1$

(2) $\lim\limits_{x \to 0} \dfrac{e^{ax}-1}{x} = \lim\limits_{x \to 0} \dfrac{e^{ax}-1}{ax} \times a = a$ (단, a는 0이 아닌 상수)

대표 문제

007 $\lim\limits_{x \to 0} \dfrac{e^{3x}-1}{\ln(1+4x)}$ 의 값을 구하시오.

유형 08 | $\lim\limits_{x \to 0} \dfrac{a^x-1}{x}$ 꼴의 극한

$a > 0$, $a \neq 1$일 때

(1) $\lim\limits_{x \to 0} \dfrac{a^x-1}{x} = \ln a$

(2) $\lim\limits_{x \to 0} \dfrac{a^{bx}-1}{x} = \lim\limits_{x \to 0} \dfrac{a^{bx}-1}{bx} \times b = b\ln a$

(단, b는 0이 아닌 상수)

대표 문제

008 $\lim\limits_{x \to 0} \dfrac{e^x-2^{-x}}{x}$ 의 값은?

① $-\ln 2$ ② $1-\ln 2$ ③ $\ln 2$

④ $1+\ln 2$ ⑤ $2\ln 2$

유형 09 | 지수함수와 로그함수의 극한을 이용하여 미정계수 구하기

분수 꼴인 함수의 극한에서

(1) (분모) → 0이고 극한값이 존재하면 ➡ (분자) → 0

(2) (분자) → 0이고 0이 아닌 극한값이 존재하면 ➡ (분모) → 0

대표 문제

009 $\lim\limits_{x \to 0} \dfrac{ax+b}{\ln(1+x)} = 3$일 때, 상수 a, b에 대하여 $a+b$의 값은?

① 3 ② 4 ③ 5

④ 6 ⑤ 7

중요

유형 **10** **지수함수와 로그함수의 연속을 이용하여 미정계수 구하기**

$x \neq a$인 모든 실수 x에서 연속인 함수 $g(x)$에 대하여

$$f(x) = \begin{cases} g(x) & (x \neq a) \\ b & (x=a) \end{cases}$$

일 때, 함수 $f(x)$가 모든 실수 x에서 연속이면

$$\Rightarrow \lim_{x \to a} g(x) = b$$

대표 문제

010 함수 $f(x) = \begin{cases} \dfrac{e^{3x}+a}{x} & (x \neq 0) \\ b & (x=0) \end{cases}$ 가 $x=0$에서 연속일 때,

상수 a, b에 대하여 $a+b$의 값을 구하시오.

유형 **11** **지수함수와 로그함수의 극한의 활용**

구하는 선분의 길이, 도형의 넓이, 점의 좌표 등을 지수함수 또는 로그함수에 대한 식으로 나타낸 후 극한의 성질을 이용하여 극한값을 구한다.

대표 문제

011 오른쪽 그림과 같이 곡선 $y = \ln(1+4x)$ 위의 점 A에서 x축에 내린 수선의 발을 H라 하자. 점 A가 이 곡선을 따라 원점 O에 한없이 가까워질 때, $\dfrac{\overline{\text{AH}}}{\overline{\text{OH}}}$의 극한값을 구하시오. (단, 점 A는 제1사분면 위의 점이다.)

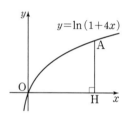

중요

유형 **12** **지수함수의 도함수**

(1) $y = e^x$이면 $\Rightarrow y' = e^x$

(2) $y = a^x$이면 $\Rightarrow y' = a^x \ln a$ (단, $a > 0$, $a \neq 1$)

대표 문제

012 함수 $f(x) = (4x^2+1)e^x$에 대하여 $f'(0)$의 값을 구하시오.

중요

유형 **13** **로그함수의 도함수**

(1) $y = \ln x$이면 $\Rightarrow y' = \dfrac{1}{x}$

(2) $y = \log_a x$이면 $\Rightarrow y' = \dfrac{1}{x \ln a}$ (단, $a > 0$, $a \neq 1$)

대표 문제

013 함수 $f(x) = x^2 \ln x$에 대하여

$\displaystyle\lim_{h \to 0} \dfrac{f(1+2h)-f(1-h)}{h}$의 값을 구하시오.

유형 **14** **지수함수와 로그함수의 미분가능성**

함수 $f(x) = \begin{cases} g(x) & (x \geq a) \\ h(x) & (x < a) \end{cases}$ 가 $x=a$에서 미분가능하면

(1) 함수 $f(x)$가 $x=a$에서 연속이다.

$\Rightarrow \displaystyle\lim_{x \to a+} g(x) = \lim_{x \to a-} h(x) = f(a)$

(2) $f'(a)$가 존재한다.

$\Rightarrow \displaystyle\lim_{x \to a+} g'(x) = \lim_{x \to a-} h'(x)$

대표 문제

014 함수 $f(x) = \begin{cases} \ln ax & (x \geq 1) \\ bx+1 & (x < 1) \end{cases}$ 이 $x=1$에서 미분가능할 때, 상수 a, b에 대하여 ab의 값은?

① e ② $2e$ ③ $3e$

④ e^2 ⑤ $2e^2$

완성하기

유형 01   지수함수의 극한

015 대표 문제 다시 보기

$\lim\limits_{x \to \infty} \dfrac{7^{x+2}-2^{2x}}{7^x+2^{x+1}}$ 의 값을 구하시오.

016 하

$\lim\limits_{x \to \infty} (5^x-4^x)^{\frac{1}{x}}$ 의 값은?

① 1　　　　　　② 3　　　　　　③ 5

④ 7　　　　　　⑤ 9

017 중

$\lim\limits_{x \to \infty} \dfrac{a \times 9^x+1}{9^{x-1}-2^x}=18$ 일 때, 상수 a의 값을 구하시오.

018 중

$\lim\limits_{x \to -\infty} \dfrac{2^x-2^{-x}}{2^x+2^{-x}}$ 의 값은?

① -1　　　　② $-\dfrac{1}{2}$　　　　③ $-\dfrac{1}{3}$

④ $\dfrac{1}{2}$　　　　⑤ 1

019 상

다음 보기 중 극한값이 존재하는 것만을 있는 대로 고르시오.

보기
ㄱ. $\lim\limits_{x \to \infty} \dfrac{2^{x+1}-4^x}{5^x}$　　　　ㄴ. $\lim\limits_{x \to -\infty} \dfrac{3^x}{2^x-3^{-x}}$

ㄷ. $\lim\limits_{x \to -\infty} \dfrac{1}{4^x-1}$　　　　ㄹ. $\lim\limits_{x \to 0} \dfrac{7^{\frac{1}{x}}}{7^{\frac{1}{x}}-7^{-\frac{1}{x}}}$

유형 02   로그함수의 극한

020 대표 문제 다시 보기

$\lim\limits_{x \to 1} (\log_4 |x^2+4x-5|-\log_4 |x^2+x-2|)$ 의 값은?

① -1　　　　② $-\dfrac{1}{2}$　　　　③ 0

④ $\dfrac{1}{2}$　　　　⑤ 1

021 하

$\lim\limits_{x \to \infty} (\log_{\frac{1}{2}} \sqrt{4x^2+x}-\log_{\frac{1}{2}} x)$ 의 값을 구하시오.

022 중

$\lim\limits_{x \to \infty} \{\log_3 (ax+2)-\log_3 (3x+1)\}=2$ 일 때, 상수 a의 값을 구하시오.

023 중

$\lim\limits_{x \to \infty} \dfrac{1}{x} \log_2 (8^x + 3^x)$의 값은?

① 1   ② 2   ③ 3

④ 4   ⑤ 5

★ 중요

유형 03 $\lim\limits_{x \to 0}(1+x)^{\frac{1}{x}}$ 꼴의 극한

024   대표 문제 다시 보기

$\lim\limits_{x \to 0}(1+4x)^{\frac{1}{2x}} + \lim\limits_{x \to 0}\left(1 - \dfrac{x}{3}\right)^{\frac{9}{x}} = e^m + \dfrac{1}{e^n}$ 일 때, 자연수 m, n에 대하여 $m+n$의 값은?

① 2   ② 3   ③ 4

④ 5   ⑤ 6

025 하

$\lim\limits_{x \to 0}\{(1+x)(1-x)\}^{\frac{2}{x}}$의 값은?

① $\dfrac{1}{e^4}$ ② $\dfrac{1}{e^2}$ ③ 1

④ e^2 ⑤ e^4

026 중

$\lim\limits_{x \to 1} x^{\frac{2}{x-1}}$의 값을 구하시오.

---

027 중

$\lim\limits_{x \to 0}\{(1+x)(1+2x)(1+3x)\cdots(1+nx)\}^{\frac{2}{x}} = e^{56}$일 때, 자연수 n의 값을 구하시오.

★ 중요

유형 04 $\lim\limits_{x \to \infty}\left(1 + \dfrac{1}{x}\right)^x$ 꼴의 극한

028   대표 문제 다시 보기

$\lim\limits_{x \to \infty}\left\{\left(1 - \dfrac{1}{3x}\right)\left(1 + \dfrac{1}{2x}\right)\right\}^{6x}$ 의 값을 구하시오.

029 중

$\lim\limits_{x \to -\infty}\left(1 - \dfrac{a}{x}\right)^{3x} = \dfrac{1}{e^9}$일 때, 상수 a의 값은?

① 3   ② 4   ③ 5

④ 6   ⑤ 7

030 중

함수 $f(x) = \left(\dfrac{x}{x-1}\right)^x$ $(x > 1)$에 대하여 $\lim\limits_{x \to \infty} f(2x)$의 값은?

① $\dfrac{1}{\sqrt{e}}$ ② 1   ③ $\sqrt{e}$

④ e ⑤ e^2

031 〈중〉

$\displaystyle\lim_{n \to \infty}\left\{\frac{1}{4}\left(1+\frac{1}{n}\right)\left(1+\frac{1}{n+1}\right)\left(1+\frac{1}{n+2}\right)\cdots\left(1+\frac{1}{4n}\right)\right\}^{2n}$의 값을 구하시오.

032 〈중〉

다음 보기 중 극한값이 e인 것만을 있는 대로 고른 것은?

┌── 보기 ──────────────────────────
ㄱ. $\displaystyle\lim_{x \to 2}(x-1)^{\frac{1}{2-x}}$　　　ㄴ. $\displaystyle\lim_{x \to \infty}\left(\frac{x+2}{x}\right)^{\frac{x}{2}}$

ㄷ. $\displaystyle\lim_{x \to \infty}\left(\frac{x+1}{x-1}\right)^{x}$　　　ㄹ. $\displaystyle\lim_{x \to -\infty}\left(1+\frac{1}{x}\right)^{x}$
└──────────────────────────────

① ㄱ, ㄷ　　　　② ㄴ, ㄹ　　　　③ ㄷ, ㄹ

④ ㄱ, ㄴ, ㄷ　　　⑤ ㄱ, ㄴ, ㄹ

중요

유형 05　$\displaystyle\lim_{x \to 0}\frac{\ln(1+x)}{x}$ 꼴의 극한

033　대표 문제 다시 보기

$\displaystyle\lim_{x \to 0}\frac{x^2-2x}{\ln(1+5x)}$의 값은?

① -2　　　　② -1　　　　③ $-\dfrac{3}{4}$

④ $-\dfrac{1}{2}$　　　⑤ $-\dfrac{2}{5}$

034 〈중〉

$\displaystyle\lim_{x \to 0}\frac{\ln(1+x)(1+2x)(1+3x)}{x}$의 값은?

① 2　　　　② 4　　　　③ 6

④ 8　　　　⑤ 10

035 〈중〉

$\displaystyle\lim_{x \to 0}\frac{ax}{\ln(1+4x)}=2$일 때, $\displaystyle\lim_{x \to 0}\frac{\ln(1+7x)}{\ln(1+ax)}$의 값을 구하시오. (단, a는 상수)

036 〈중〉

함수 $f(x)=e^{\frac{x}{5}}-1$의 역함수를 $g(x)$라 할 때, $\displaystyle\lim_{x \to 0}\frac{g(x)}{x}$의 값은?

① 2　　　　② 3　　　　③ 4

④ 5　　　　⑤ 6

037 〈중〉

$\displaystyle\lim_{x \to \infty}x\{\ln(x+2)-\ln x\}$의 값을 구하시오.

유형 06 $\lim\limits_{x \to 0} \dfrac{\log_a (1+x)}{x}$ 꼴의 극한

038 대표 문제 다시 보기

$\lim\limits_{x \to 1} \dfrac{\log_5 (2x-1)}{x-1}$ 의 값은?

① $-\dfrac{2}{\ln 5}$ ② $-\dfrac{1}{\ln 5}$ ③ $\dfrac{1}{2\ln 5}$

④ $\dfrac{1}{\ln 5}$ ⑤ $\dfrac{2}{\ln 5}$

039 중

$\lim\limits_{x \to 0} \dfrac{\log_4 (1+4x)}{\log_3 (1-2x)}$ 의 값은?

① $-\dfrac{\ln 3}{\ln 2}$ ② $-\dfrac{2\ln 2}{\ln 3}$ ③ $-\dfrac{\ln 2}{\ln 3}$

④ $\dfrac{\ln 2}{\ln 3}$ ⑤ $\dfrac{\ln 3}{\ln 2}$

040 중

$\lim\limits_{x \to 0} \dfrac{\log_2 (5+x) - \log_2 5}{x}$ 의 값은?

① $\dfrac{1}{5\ln 2}$ ② $\dfrac{2}{5\ln 2}$ ③ $\dfrac{3}{5\ln 2}$

④ $\dfrac{4}{5\ln 2}$ ⑤ $\dfrac{1}{\ln 2}$

041 중

$\lim\limits_{x \to \infty} x \log_9 \left(1 - \dfrac{4}{x}\right)$ 의 값을 구하시오.

중요
유형 07 $\lim\limits_{x \to 0} \dfrac{e^x - 1}{x}$ 꼴의 극한

042 대표 문제 다시 보기

$\lim\limits_{x \to 0} \dfrac{\ln (2x+1)}{e^{6x}-1}$ 의 값은?

① $\dfrac{1}{4}$ ② $\dfrac{1}{3}$ ③ $\dfrac{1}{2}$

④ 1 ⑤ 2

043 중

$\lim\limits_{x \to 0} \dfrac{e^{4x} - e^{2x}}{x}$ 의 값은?

① 2 ② 3 ③ 4

④ 5 ⑤ 6

044 중

$\lim\limits_{x \to 2} \dfrac{e^{2-x} - (x-1)^2}{x-2}$ 의 값을 구하시오.

045 중

함수 $f(x)$가 $x > -\dfrac{1}{3}$인 모든 실수 x에 대하여

$$\ln(1+3x) \le f(x) \le e^{3x} - 1$$

을 만족시킬 때, $\displaystyle\lim_{x \to 0} \dfrac{f(x)}{x}$의 값을 구하시오.

046 상

자연수 n에 대하여 $f(n) = \displaystyle\lim_{x \to 0} \dfrac{x}{e^x + e^{2x} + e^{3x} + \cdots + e^{nx} - n}$

일 때, 급수 $\displaystyle\sum_{n=1}^{\infty} f(n)$의 합은?

① 1   ② 2   ③ 3

④ 4   ⑤ 5

유형 08 $\displaystyle\lim_{x \to 0} \dfrac{a^x - 1}{x}$ 꼴의 극한

047 대표 문제 다시 보기

$\displaystyle\lim_{x \to 0} \dfrac{6^x - 3^x}{2x - x^2}$의 값은?

① $\dfrac{\ln 2}{4}$ ② $\dfrac{\ln 2}{2}$ ③ 1

④ $\ln 2$ ⑤ $2\ln 2$

---

048 하

$\displaystyle\lim_{x \to 0} \dfrac{(9^x - 1)\log_3(1+x)}{x^2}$의 값을 구하시오.

049 중

$\displaystyle\lim_{x \to 0} \dfrac{(a+4)^x - a^x}{x} = \ln 3$일 때, 양수 a의 값을 구하시오.

050 중

$\displaystyle\lim_{x \to 0} \dfrac{6^x - 3^x - 2^x + 1}{x^2} = \ln a \times \ln b$일 때, 자연수 a, b에 대하여 $a - b$의 값은? (단, $a < b$)

① -5 ② -4 ③ -3

④ -2 ⑤ -1

051 중

$\displaystyle\lim_{x \to -2} \dfrac{2^{x+2} - 1}{x^2 - 4}$의 값은?

① $-\dfrac{\ln 2}{4}$ ② $-\dfrac{\ln 2}{2}$ ③ $\ln 2$

④ $\dfrac{\ln 2}{4}$ ⑤ $\dfrac{\ln 2}{2}$

유형 **09** 지수함수와 로그함수의 극한을 이용하여 미정계수 구하기

052 대표 문제 다시 보기

$\lim\limits_{x \to 0} \dfrac{\sqrt{ax+b}-2}{e^x-1}=5$일 때, 상수 a, b에 대하여 $a+b$의 값은?

① 16 ② 18 ③ 20

④ 22 ⑤ 24

053 중

$\lim\limits_{x \to 0} \dfrac{\ln (a+6x)}{4^x-1}=\dfrac{b}{\ln 2}$일 때, 상수 a, b에 대하여 ab의 값은?

① $\dfrac{3}{2}$ ② 2 ③ $\dfrac{5}{2}$

④ 3 ⑤ $\dfrac{7}{2}$

054 중

$\lim\limits_{x \to 0} \dfrac{\ln (1+ax)}{e^{bx+c}-1}=3$일 때, 상수 a, b, c에 대하여 $\dfrac{a+c}{b}$의 값을 구하시오. (단, $b \neq 0$)

055 중

$\lim\limits_{x \to 2} \dfrac{e^{x-2}-a}{x^2-4}=b$일 때, 상수 a, b에 대하여 $a+b$의 값을 구하시오.

유형 **10** 지수함수와 로그함수의 연속을 이용하여 미정계수 구하기

056 대표 문제 다시 보기

함수 $f(x)=\begin{cases} \dfrac{e^{2x}-e^{a+1}}{ax} & (x \neq 0) \\ b & (x=0) \end{cases}$가 $x=0$에서 연속일 때, 상수 a, b에 대하여 $a+b$의 값을 구하시오.

057 중

구간 $\left(-\dfrac{1}{3}, \infty\right)$에서 정의된 함수

$$f(x)=\begin{cases} \dfrac{ax}{\ln (1+3x)} & (x \neq 0) \\ 3 & (x=0) \end{cases}$$

이 주어진 구간에서 연속일 때, 상수 a의 값을 구하시오.

058 중

함수 $f(x)=\begin{cases} \dfrac{\ln (2x-3)}{e^{x-2}-1} & (x>2) \\ ax^2+x+4 & (x \leq 2) \end{cases}$가 모든 실수 x에서 연속일 때, 상수 a의 값은?

① -2 ② -1 ③ 1

④ 2 ⑤ 3

059 중

$x>0$인 모든 실수 x에서 연속인 함수 $f(x)$가

$(2x-1)f(x)=\ln 2x$를 만족시킬 때, $f\left(\dfrac{1}{2}\right)$의 값은?

① $\dfrac{1}{4}$ ② $\dfrac{1}{2}$ ③ 1

④ 2   ⑤ 4

유형 11 **지수함수와 로그함수의 극한의 활용**

060 대표 문제 다시 보기

오른쪽 그림과 같이 곡선 $y=2^x-1$ 위
의 점 P에서 y축에 내린 수선의 발을
Q라 하자. 점 P가 이 곡선을 따라 원
점 O에 한없이 가까워질 때, $\dfrac{\overline{\mathrm{PQ}}}{\overline{\mathrm{OQ}}}$의

극한값을 구하시오.

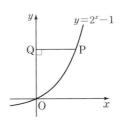

(단, 점 P는 제1사분면 위의 점이다.)

061 중

오른쪽 그림과 같이 두 곡선 $y=e^x$,
$y=e^{-x}$과 직선 $x=t\,(t>0)$가 만나는
점을 각각 P, Q라 하자. 점 R$(0, 1)$에
대하여 삼각형 PRQ의 넓이를 $S(t)$라

할 때, $\displaystyle\lim_{t\to 0+}\dfrac{S(t)}{t^2}$의 값을 구하시오.

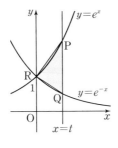

062 중

양의 실수 t에 대하여 $y=2^{x-t}$, $y=\left(\dfrac{1}{2}\right)^{x-t}$이 y축과 만나는 점
을 각각 A, B라 하고 두 곡선의 교점을 C라 하자. 선분 AB
의 길이를 $f(t)$, 점 C의 x좌표를 $g(t)$라 할 때, $\displaystyle\lim_{t\to 0+}\dfrac{f(t)}{g(t)}$
의 값은?

① $\ln 2$ ② $\ln 3$ ③ $2\ln 2$

④ $2\ln 3$ ⑤ $4\ln 2$

063 중

오른쪽 그림과 같이 곡선 $y=\ln x$ 위
의 점 P$(t, \ln t)\,(t>1)$와 세 점
A$(e, 0)$, B$(1, 0)$, C$(1, 1)$에 대
하여 삼각형 PBA, 삼각형 PCB의
넓이를 각각 $S_1(t)$, $S_2(t)$라 할 때,

$\displaystyle\lim_{t\to 1+}\dfrac{S_1(t)}{S_2(t)}$의 값을 구하시오.

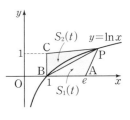

064 상

오른쪽 그림과 같이 점 A$(1, 0)$과
곡선 $y=3\log x$ 위의 점
B$(t, 3\log t)\,(t>1)$가 있다. 선분
AB의 수직이등분선이 y축과 만나
는 점의 y좌표를 $f(t)$라 할 때,

$\displaystyle\lim_{t\to 1+}f(t)$의 값을 구하시오.

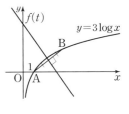

★ 중요
유형 12 지수함수의 도함수

065 [대표 문제] 다시 보기

함수 $f(x)=(e^x+3x)(x^2-e^x)$에 대하여 $f'(0)$의 값은?

① -5 ② -3 ③ 0

④ 3 ⑤ 5

066 하

함수 $f(x)=3^x(2x+1)$에 대하여 $f'(1)=a\ln 3+b$일 때, 정수 a, b에 대하여 $\dfrac{2a}{b}$의 값을 구하시오.

067 중

곡선 $y=2^{x+1}$ 위의 점 $(1, 4)$에서의 접선의 기울기는?

① $\ln 2$ ② $2\ln 2$ ③ $3\ln 2$

④ $4\ln 2$ ⑤ $5\ln 2$

068 중

함수 $f(x)=(x+a)e^x+bx$에 대하여 $f(0)=5$, $f'(0)=2$일 때, 상수 a, b에 대하여 $a-b$의 값은?

① 6 ② 7 ③ 8

④ 9 ⑤ 10

069 중

함수 $f(x)=3^x+3^{2x}$에 대하여 $\displaystyle\lim_{h\to 0}\dfrac{f(1+h)-f(1-h)}{h}$의 값은?

① $24\ln 3$ ② $30\ln 3$ ③ $36\ln 3$

④ $42\ln 3$ ⑤ $48\ln 3$

070 중

미분가능한 함수 $f(x)$에 대하여 함수 $g(x)$를 $g(x)=(5^x+1)f(x)$라 하자. $\displaystyle\lim_{x\to 1}\dfrac{f(x)-2}{x-1}=3$일 때, $g'(1)$의 값을 구하시오.

★ 중요
유형 **13** 로그함수의 도함수

071 (대표 문제) 다시 보기

함수 $f(x)=(x+2)\ln x$에 대하여 $\lim\limits_{x \to 1}\dfrac{f(x^2)-f(1)}{x-1}$의 값은?

① 4　　　　　② 5　　　　　③ 6

④ 7　　　　　⑤ 8

072 하

두 함수 $f(x)=x^2+3\ln x$, $g(x)=2x\log_2 x$에 대하여 $f'(3)+g'(1)$의 값을 구하시오.

073 중

함수 $f(x)=x^2\log_3 2x$에 대하여 $f'(1)=\log_3 a$일 때, 상수 a의 값을 구하시오.

074 중

함수 $f(x)=a\ln x+bx$에 대하여 $\lim\limits_{x \to 1}\dfrac{f(x)-1}{x-1}=4$일 때, 상수 a, b에 대하여 $a-b$의 값을 구하시오.

유형 **14** 지수함수와 로그함수의 미분가능성

075 (대표 문제) 다시 보기

함수 $f(x)=\begin{cases} e^x+a & (x \geq 0) \\ bx+5 & (x<0) \end{cases}$가 $x=0$에서 미분가능할 때, 상수 a, b에 대하여 $a+b$의 값은?

① 2　　　　　② 3　　　　　③ 4

④ 5　　　　　⑤ 6

076 중

함수 $f(x)=\begin{cases} 2x+3\ln x & (x \geq 1) \\ ax^2+bx & (x<1) \end{cases}$가 모든 실수 x에서 미분가능할 때, 상수 a, b에 대하여 ab의 값은?

① -3　　　　② -2　　　　③ -1

④ 1　　　　　⑤ 2

077 중

함수 $f(x)=\begin{cases} a\ln x & (x \geq 1) \\ e^x+b & (x<1) \end{cases}$가 모든 실수 x에서 미분가능할 때, 상수 a, b에 대하여 $a+b$의 값은?

① -2　　　　② -1　　　　③ 0

④ 1　　　　　⑤ 2

078

$\displaystyle\lim_{x\to\infty}\frac{5^{x+1}-3^{x+1}}{5^x+3^x}=\alpha$, $\displaystyle\lim_{x\to\infty}(9^x-7^x)^{\frac{1}{2x}}=\beta$일 때, $\alpha\beta$의 값을 구하시오.

079

$\displaystyle\lim_{x\to\infty}\{\log_2(4x+1)-\log_2(x^2+2)+\log_2(2x-1)\}$의 값을 구하시오.

080

$\displaystyle\lim_{x\to0}(1+ax)^{\frac{b}{x}}=e^5$일 때, 상수 a, b에 대하여 ab의 값을 구하시오.

081

다음 중 극한값이 e가 <u>아닌</u> 것은?

① $\displaystyle\lim_{x\to0}(1-x)^{-\frac{1}{x}}$

② $\displaystyle\lim_{x\to0}\left(\frac{3+x}{3}\right)^{\frac{3}{x}}$

③ $\displaystyle\lim_{x\to\infty}\left(\frac{x+1}{x}\right)^x$

④ $\displaystyle\lim_{x\to-\infty}\left(1-\frac{1}{x}\right)^{-x}$

⑤ $\displaystyle\lim_{x\to1}x^{\frac{1}{1-x}}$

082

$\displaystyle\lim_{x\to1}\frac{\ln x}{x^3-1}$의 값은?

① $\dfrac{1}{3}$ ② $\dfrac{1}{2}$ ③ 1

④ $\dfrac{3}{2}$ ⑤ 3

083

$\displaystyle\lim_{x\to0}\frac{\log_2(1+6x)}{\ln(1+2x)}=\frac{a}{\ln 2}$일 때, 상수 a의 값을 구하시오.

084

함수 $f(x)=\dfrac{1}{2}\ln(x+3)$의 역함수를 $g(x)$라 할 때,

$\displaystyle\lim_{x\to0}\frac{g(x)+2}{f(x-2)}$의 값을 구하시오.

085

$\displaystyle\lim_{x\to0}\frac{2^x+3^x+4^x-3}{x}=\ln a$일 때, 상수 a의 값은?

① 6 ② 9 ③ 18

④ 24 ⑤ 36

086

유형 09

$\lim\limits_{x \to 0} \dfrac{a^x + b}{\ln(2x+1)} = \ln 4$일 때, 상수 a, b에 대하여 $a+b$의 값은? (단, $a>0$, $a \neq 1$)

① 15　　　　　② 16　　　　　③ 17

④ 18　　　　　⑤ 19

087

유형 10

함수 $f(x) = \begin{cases} \dfrac{e^{ax}-b}{x} & (x>0) \\ 3x+5 & (x \leq 0) \end{cases}$ 가 $x=0$에서 연속일 때, 양수 a, b에 대하여 ab의 값은?

① 1　　　　　② 2　　　　　③ 3

④ 4　　　　　⑤ 5

088

유형 11

오른쪽 그림과 같이 함수 $y=|1-\ln x|$의 그래프와 직선 $y=t\,(t>0)$가 만나는 두 점을 P, Q라 하자. 삼각형 POQ의 넓이를 $S(t)$라 할 때, $\lim\limits_{t \to 0+} \dfrac{S(t)}{t^2}$의 값을 구하시오. (단, O는 원점)

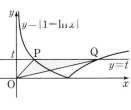

089

유형 12

$\lim\limits_{x \to 1} \dfrac{2^x + 4^x - 6}{x-1}$의 값은?

① $2\ln 2$　　　　② $4\ln 2$　　　　③ $6\ln 2$

④ $8\ln 2$　　　　⑤ $10\ln 2$

090

유형 13

함수 $f(x) = x^2 + x\ln x$에 대하여 $\lim\limits_{h \to 0} \dfrac{f(e+3h)-f(e-h)}{h}$의 값을 구하시오.

091

유형 14

함수 $f(x) = \begin{cases} ae^{x-1} & (x \geq 1) \\ \ln bx & (0<x<1) \end{cases}$ 가 모든 양수 x에서 미분가능할 때, 상수 a, b에 대하여 ab의 값은?

① 1　　　　　② e　　　　　③ $2e$

④ e^2　　　　⑤ $3e$

04

삼각함수의 미분

삼각함수의 미분

유형 01 | 삼각함수 $\csc\theta$, $\sec\theta$, $\cot\theta$

중심이 원점 O이고 반지름의 길이가 r 인 원 위의 임의의 점 $P(x,\ y)$에 대하여 동경 OP가 나타내는 일반각의 크기를 θ라 하면

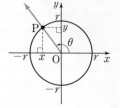

$$\csc\theta=\frac{r}{y}\ (y\neq0)$$

$$\sec\theta=\frac{r}{x}\ (x\neq0)$$

$$\cot\theta=\frac{x}{y}\ (y\neq0)$$

참고 $\csc\theta=\dfrac{1}{\sin\theta}$, $\sec\theta=\dfrac{1}{\cos\theta}$, $\cot\theta=\dfrac{1}{\tan\theta}$

대표 문제

001 θ가 제2사분면의 각이고 $\cos\theta=-\dfrac{3}{5}$일 때, $\csc\theta+\cot\theta$의 값은?

① $\dfrac{1}{4}$ ② $\dfrac{1}{2}$ ③ $\dfrac{3}{4}$

④ 1 ⑤ $\dfrac{5}{4}$

유형 02 | 삼각함수 사이의 관계

(1) $1+\tan^2\theta=\sec^2\theta$

(2) $1+\cot^2\theta=\csc^2\theta$

참고 (1) $1+\tan^2\theta=1+\dfrac{\sin^2\theta}{\cos^2\theta}=\dfrac{\cos^2\theta+\sin^2\theta}{\cos^2\theta}=\dfrac{1}{\cos^2\theta}=\sec^2\theta$

(2) $1+\cot^2\theta=1+\dfrac{\cos^2\theta}{\sin^2\theta}=\dfrac{\sin^2\theta+\cos^2\theta}{\sin^2\theta}=\dfrac{1}{\sin^2\theta}=\csc^2\theta$

대표 문제

002 $\dfrac{\csc\theta}{\sec\theta-\tan\theta}+\dfrac{\csc\theta}{\sec\theta+\tan\theta}$ 를 간단히 하면?

① $\sin\theta$ ② $\cos\theta$ ③ $2\sec\theta$

④ $2\csc\theta$ ⑤ $2\csc\theta\sec\theta$

★ 중요

유형 03 | 삼각함수의 덧셈정리

(1) $\sin(\alpha+\beta)=\sin\alpha\cos\beta+\cos\alpha\sin\beta$

$\sin(\alpha-\beta)=\sin\alpha\cos\beta-\cos\alpha\sin\beta$

(2) $\cos(\alpha+\beta)=\cos\alpha\cos\beta-\sin\alpha\sin\beta$

$\cos(\alpha-\beta)=\cos\alpha\cos\beta+\sin\alpha\sin\beta$

(3) $\tan(\alpha+\beta)=\dfrac{\tan\alpha+\tan\beta}{1-\tan\alpha\tan\beta}$

$\tan(\alpha-\beta)=\dfrac{\tan\alpha-\tan\beta}{1+\tan\alpha\tan\beta}$

대표 문제

003 $0<\alpha<\dfrac{\pi}{2}$, $\dfrac{\pi}{2}<\beta<\pi$이고 $\sin\alpha=\dfrac{1}{3}$, $\cos\beta=-\dfrac{\sqrt{3}}{3}$ 일 때, $\cos(\alpha+\beta)$의 값은?

① $-\dfrac{\sqrt{6}}{3}$ ② $-\dfrac{\sqrt{6}}{2}$ ③ $-\sqrt{6}$

④ $\dfrac{\sqrt{6}}{2}$ ⑤ $\sqrt{6}$

유형 04 | 삼각함수의 덧셈정리의 활용 – 방정식

이차방정식의 두 근이 삼각함수로 주어지면 이차방정식의 근과 계수의 관계를 이용하여 삼각함수에 대한 식을 세운다.

참고 이차방정식 $ax^2+bx+c=0$의 두 근이 α, β일 때,

$$\alpha+\beta=-\frac{b}{a},\ \alpha\beta=\frac{c}{a}$$

대표 문제

004 이차방정식 $3x^2-x-5=0$의 두 근이 $\tan\alpha$, $\tan\beta$일 때, $\tan(\alpha+\beta)$의 값을 구하시오.

★ 중요

유형 05 │ 삼각함수의 덧셈정리의 활용
─ 두 직선이 이루는 각의 크기

두 직선 l, m이 x축의 양의 방향과 이루는 각의 크기가 각각 α, β일 때, 두 직선 l, m이 이루는 예각의 크기를 θ라 하면

➡ $\tan\theta=|\tan(\alpha-\beta)|=\left|\dfrac{\tan\alpha-\tan\beta}{1+\tan\alpha\tan\beta}\right|$

참고 직선 $y=ax+b$가 x축의 양의 방향과 이루는 각의 크기를 θ라 하면
➡ $\tan\theta=a$

대표 문제

005 두 직선 $y=x+3$, $y=-2x+6$이 이루는 예각의 크기를 θ라 할 때, $\tan\theta$의 값을 구하시오.

04

★ 중요

유형 06 │ 삼각함수의 덧셈정리의 활용 ─ 도형

주어진 도형에서 삼각함수의 값을 구할 때는 삼각함수의 값을 구할 수 있는 적당한 각을 문자로 놓은 후 삼각함수의 덧셈정리를 이용한다.

대표 문제

006 오른쪽 그림과 같이 $\overline{AB}=3$, $\overline{BC}=6$, $\angle B=90°$인 직각삼각형 ABC에서 변 BC 위의 점 D에 대하여 $\overline{BD}=2$이다. $\angle CAD=\theta$라 할 때, $\tan\theta$의 값을 구하시오.

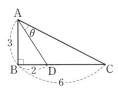

유형 07 │ 배각의 공식

(1) $\sin 2\alpha=2\sin\alpha\cos\alpha$

(2) $\cos 2\alpha=\cos^2\alpha-\sin^2\alpha=2\cos^2\alpha-1=1-2\sin^2\alpha$

(3) $\tan 2\alpha=\dfrac{2\tan\alpha}{1-\tan^2\alpha}$

참고 삼각함수의 덧셈정리 중 $\sin(\alpha+\beta)$, $\cos(\alpha+\beta)$, $\tan(\alpha+\beta)$에 β 대신 α를 대입하면 배각의 공식을 얻을 수 있다.

대표 문제

007 $\sin\theta+\cos\theta=\dfrac{1}{2}$일 때, $\sin 2\theta$의 값은?

① -1　　　　② $-\dfrac{3}{4}$　　　　③ $-\dfrac{1}{3}$

④ $\dfrac{1}{2}$　　　　⑤ $\dfrac{2}{3}$

유형 08 │ 삼각함수의 합성

$a\sin\theta+b\cos\theta=\sqrt{a^2+b^2}\sin(\theta+\alpha)$

$\left(\text{단, }\sin\alpha=\dfrac{b}{\sqrt{a^2+b^2}},\ \cos\alpha=\dfrac{a}{\sqrt{a^2+b^2}}\right)$

➡ 함수 $y=a\sin\theta+b\cos\theta$의 최댓값은 $\sqrt{a^2+b^2}$, 최솟값은 $-\sqrt{a^2+b^2}$이다.

대표 문제

008 함수 $y=2\sin\left(x+\dfrac{\pi}{6}\right)+3\cos x+1$의 최댓값을 M, 최솟값을 m이라 할 때, Mm의 값을 구하시오.

유형 01 삼각함수 $\csc\theta$, $\sec\theta$, $\cot\theta$

009 대표 문제 다시 보기

θ가 제3사분면의 각이고 $\sin\theta=-\dfrac{1}{3}$일 때, $\sec\theta+\cot\theta$의 값을 구하시오.

010 하

$\sin\theta-\cos\theta=\dfrac{1}{4}$일 때, $\sec\theta-\csc\theta$의 값은?

① $\dfrac{2}{15}$ ② $\dfrac{4}{15}$ ③ $\dfrac{8}{15}$

④ $\dfrac{15}{8}$ ⑤ $\dfrac{15}{4}$

011 중

$\tan\theta+\cot\theta=3$일 때, $|\sin\theta-\cos\theta|$의 값을 구하시오.

012 상

이차방정식 $x^2-kx-3=0$의 두 근이 $\csc\theta$, $\sec\theta$일 때, 양수 k의 값을 구하시오.

유형 02 삼각함수 사이의 관계

013 대표 문제 다시 보기

$\dfrac{\tan\theta}{1+\sec\theta}+\dfrac{1+\sec\theta}{\tan\theta}$를 간단히 하면?

① $2\sin\theta$ ② $2\cos\theta$ ③ $2\sec\theta$

④ $2\csc\theta$ ⑤ $2\cot\theta$

014 하

θ가 제3사분면의 각이고 $\cot\theta=\dfrac{3}{4}$일 때, $\sin\theta$의 값을 구하시오.

015 하

$\dfrac{1-\tan^2\theta}{\sec^2\theta}=\dfrac{1}{3}$일 때, $\csc^2\theta$의 값을 구하시오.

016 중

다음 보기 중 옳은 것만을 있는 대로 고른 것은?

보기

ㄱ. $(1-\sin^2\theta)(1+\tan^2\theta)=1$

ㄴ. $(1+\cot\theta)^2+(1-\cot\theta)^2=\csc^2\theta$

ㄷ. $\dfrac{1}{1+\sin\theta}+\dfrac{1}{1-\sin\theta}=2\sec^2\theta$

ㄹ. $\dfrac{\sec\theta}{\csc\theta-\cot\theta}+\dfrac{\sec\theta}{\csc\theta+\cot\theta}=\sec\theta\cot\theta$

① ㄱ, ㄴ ② ㄱ, ㄷ ③ ㄴ, ㄷ

④ ㄴ, ㄹ ⑤ ㄷ, ㄹ

017 _중

$\dfrac{1}{1+\cos\theta}+\dfrac{1}{1-\cos\theta}=\dfrac{5}{2}$일 때, $\tan\theta-\cot\theta$의 값은?

$\left(단, \dfrac{\pi}{2}<\theta<\pi\right)$

① $-\dfrac{3}{2}$ ② $-\dfrac{1}{2}$ ③ $\dfrac{1}{2}$

④ $\dfrac{3}{2}$ ⑤ $\dfrac{5}{2}$

★ 중요

유형 03 **삼각함수의 덧셈정리**

018 대표 문제 다시 보기

$0<\alpha<\dfrac{\pi}{2}$, $\dfrac{3}{2}\pi<\beta<2\pi$이고 $\sin\alpha=\dfrac{5}{13}$, $\cos\beta=\dfrac{4}{5}$일 때, $\cos(\alpha-\beta)$의 값을 구하시오.

019 _하

$\dfrac{\sin 145°\cos 25°-\cos 145°\sin 25°}{\cos 55°\cos 10°+\sin 55°\sin 10°}$의 값은?

① $\dfrac{\sqrt{2}}{3}$ ② $\dfrac{\sqrt{2}}{2}$ ③ $\dfrac{\sqrt{6}}{3}$

④ $\dfrac{\sqrt{3}}{2}$ ⑤ $\dfrac{\sqrt{6}}{2}$

020 _중

$\alpha+\beta=\dfrac{\pi}{4}$일 때, $(1+\tan\alpha)(1+\tan\beta)$의 값은?

① $\dfrac{1}{4}$ ② $\dfrac{1}{2}$ ③ 1

④ 2 ⑤ 4

021 _중

$\sin\alpha+\cos\beta=1$, $\cos\alpha+\sin\beta=\dfrac{1}{2}$일 때, $\sin(\alpha+\beta)$의 값을 구하시오.

022 _중

$\sin(\alpha+\beta)=\dfrac{3}{4}$, $\sin(\alpha-\beta)=\dfrac{2}{3}$일 때, $\dfrac{\tan\beta}{\tan\alpha}$의 값을 구하시오.

023 _상

$(\tan\alpha+2)(\tan\beta-2)=-5$일 때,
$\cos(\alpha-\beta)+\sin(\alpha-\beta)$의 값을 구하시오.

$\left(단, 0<\alpha<\dfrac{\pi}{2},\ 0<\beta<\dfrac{\pi}{2}\right)$

04

핵심 유형 완성하기

024 대표 문제 다시 보기

이차방정식 $x^2+2x-5=0$의 두 근이 $\tan\alpha$, $\tan\beta$일 때, $\sec^2(\alpha+\beta)$의 값은?

① $\dfrac{10}{9}$ ② $\dfrac{11}{9}$ ③ $\dfrac{4}{3}$

④ $\dfrac{13}{9}$ ⑤ $\dfrac{14}{9}$

025 중

이차방정식 $x^2-4x+a=0$의 두 근이 $\tan\alpha$, $\tan\beta$이고 $\tan(\alpha+\beta)=-4$일 때, 상수 a의 값을 구하시오. (단, $a<4$)

026 중

이차방정식 $2x^2-5x+2=0$의 두 근이 $\tan\alpha$, $\tan\beta$일 때, $\tan(\alpha-\beta)$의 값을 구하시오. (단, $\tan\alpha>\tan\beta$)

027 상

이차방정식 $x^2-10x-4=0$의 두 근이 $\tan\alpha$, $\tan\beta$일 때, $\cos^2(\alpha+\beta)-\cos(\alpha+\beta)\sin(\alpha+\beta)+\dfrac{1}{2}\sin^2(\alpha+\beta)$의 값을 구하시오.

★ 중요

028 대표 문제 다시 보기

두 직선 $y=\dfrac{1}{2}x+1$, $y=2x+1$이 이루는 예각의 크기를 θ라 할 때, $\cos\theta$의 값을 구하시오.

029 중

두 직선 $x-2y+1=0$, $3x-y-2=0$이 이루는 예각의 크기를 구하시오.

030 중

두 직선 $ax-y+2=0$, $2x+y-2=0$이 이루는 예각의 크기가 $\dfrac{\pi}{4}$일 때, 양수 a의 값은?

① 2   ② 3   ③ 4

④ 5   ⑤ 6

031 상

오른쪽 그림과 같이 직선 $y=\dfrac{1}{2}x+1$을 이 직선 위의 한 점을 중심으로 양의 방향으로 $45°$만큼 회전하여 얻은 직선의 방정식이 $y=ax-2$일 때, 상수 a의 값을 구하시오.

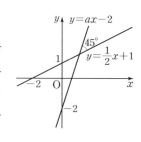

★ 중요
유형 06　삼각함수의 덧셈정리의 활용 – 도형

032 대표 문제 다시 보기

오른쪽 그림과 같이 빗변이 아닌 두 변의 길이가 각각 2, 3인 두 직각삼각형 ABC와 ADE에 대하여 $\angle CAE = \theta$라 할 때, $\cot \theta$의 값을 구하시오.
(단, 점 B는 $\overline{AD}$ 위에 있다.)

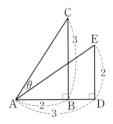

033 중

오른쪽 그림과 같이 $\angle A = 45°$인 삼각형 ABC의 꼭짓점 A에서 변 BC에 내린 수선의 발을 H라 할 때, $\overline{AH} = 8$, $\overline{BH} = 2$이다. 이때 선분 CH의 길이를 구하시오.

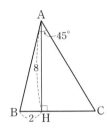

034 중

오른쪽 그림과 같이 정삼각형 ABC의 $\overline{CD} = 4$이고 $\angle ACD = \dfrac{\pi}{4}$인 점 D가 있다. 점 D와 직선 BC 사이의 거리는? (단, 선분 CD는 삼각형 ABC의 내부를 지나지 않는다.)

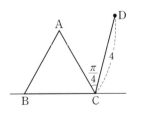

① $\dfrac{\sqrt{6} - \sqrt{2}}{4}$
② $\dfrac{\sqrt{6} + \sqrt{2}}{4}$
③ $\sqrt{6} - \sqrt{2}$

④ $\dfrac{\sqrt{6} + \sqrt{2}}{2}$
⑤ $\sqrt{6} + \sqrt{2}$

035 상

오른쪽 그림과 같이 한 변의 길이가 8인 정사각형 ABCD에서 $\overline{BE} = 6$이 되도록 하는 변 BC 위의 점 E와 변 CD 위의 한 점 P에 대하여 $\angle BPE = \theta$라 할 때, $\tan \theta$의 최댓값을 구하시오.

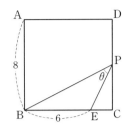

유형 07　배각의 공식

036 대표 문제 다시 보기

$\sin \theta - \cos \theta = \dfrac{\sqrt{3}}{3}$일 때, $\cos^2 2\theta$의 값은?

① $\dfrac{1}{3}$
② $\dfrac{4}{9}$
③ $\dfrac{5}{9}$

④ $\dfrac{2}{3}$
⑤ $\dfrac{7}{9}$

037 하

$3\sin \theta - 2\cos \theta = 0$일 때, $\tan 2\theta$의 값을 구하시오.
$\left(\text{단, } 0 < \theta < \dfrac{\pi}{2}\right)$

038 ㉗

$\tan\theta=2$일 때, $\sin 2\theta-\cos 2\theta$의 값을 구하시오.

$\left(\text{단, } 0<\theta<\dfrac{\pi}{2}\right)$

039 ㉗

함수 $f(x)=8\sin x+2\cos 2x+k$의 최댓값이 8일 때, 상수 k의 값을 구하시오.

040 ㉗

직선 $y=mx$가 x축의 양의 방향과 이루는 예각을 직선 $y=\dfrac{1}{3}x$가 이등분할 때, 상수 m의 값은?

① $\dfrac{1}{4}$ ② $\dfrac{3}{8}$ ③ $\dfrac{1}{2}$

④ $\dfrac{5}{8}$ ⑤ $\dfrac{3}{4}$

041 ㉗

오른쪽 그림과 같이 $\overline{AB}:\overline{AC}=5:3$ 이고 $\angle C=90°$인 직각삼각형 ABC 에서 $\angle ABD=\angle BAD$가 되도록 변 BC 위에 점 D를 잡을 때, $\cos(\angle ADC)$의 값은?

① $\dfrac{7}{25}$ ② $\dfrac{2}{5}$ ③ $\dfrac{13}{25}$

④ $\dfrac{3}{5}$ ⑤ $\dfrac{18}{25}$

유형 08   삼각함수의 합성

042   대표 문제 다시 보기

함수 $y=4\cos\left(x-\dfrac{\pi}{3}\right)+4\sqrt{3}\sin x+3$의 최댓값을 M, 최솟값을 m이라 할 때, $M-m$의 값을 구하시오.

043 ㉗

$\sin\theta-\sqrt{3}\cos\theta=\dfrac{3}{4}$일 때, $\cos\left(\theta-\dfrac{\pi}{3}\right)$의 값을 구하시오.

$\left(\text{단, } 0<\theta<\dfrac{\pi}{2}\right)$

044 ㉗

함수 $y=\sqrt{3}a\sin x+a\cos x-2$의 최댓값이 4일 때, 양수 a의 값을 구하시오.

045 ㉑

오른쪽 그림과 같이 길이가 $\sqrt{2}$인 선분 AB를 지름으로 하는 반원이 있다. 이 반원의 호 위의 A, B가 아닌 임의의 점 P에 대하여 $\overline{AP}+\overline{BP}$의 최댓값을 구하시오.

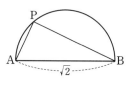

삼각함수의 미분

유형 **09** | 삼각함수의 극한

삼각함수 사이의 관계를 이용하여 주어진 식을 간단히 한 후 다음을 이용하여 극한값을 구한다.

(1) 실수 a에 대하여

$$\lim_{x \to a} \sin x = \sin a, \quad \lim_{x \to a} \cos x = \cos a$$

(2) $a \neq n\pi + \dfrac{\pi}{2}$ (n은 정수)인 실수 a에 대하여

$$\lim_{x \to a} \tan x = \tan a$$

참고 $\lim\limits_{x \to \infty} \sin x$, $\lim\limits_{x \to \infty} \cos x$, $\lim\limits_{x \to \frac{\pi}{2}} \tan x$, $\lim\limits_{x \to -\frac{\pi}{2}} \tan x$의 값은 존재하지 않는다.

대표 문제

046 $\lim\limits_{x \to \frac{\pi}{4}} \dfrac{\sin x - \cos x}{1 - \tan x}$의 값은?

① $-\dfrac{\sqrt{2}}{2}$ ② $-\dfrac{\sqrt{2}}{4}$ ③ $\dfrac{\sqrt{2}}{4}$

④ $\dfrac{\sqrt{2}}{2}$ ⑤ 1

★ 중요

유형 **10** | $\lim\limits_{x \to 0} \dfrac{\sin x}{x}$ 꼴의 극한

x의 단위가 라디안일 때

(1) $\lim\limits_{x \to 0} \dfrac{\sin x}{x} = 1$

(2) $\lim\limits_{x \to 0} \dfrac{\sin bx}{ax} = \lim\limits_{x \to 0} \dfrac{\sin bx}{bx} \times \dfrac{b}{a} = \dfrac{b}{a}$

(단, a, b는 0이 아닌 상수)

대표 문제

047 $\lim\limits_{x \to 0} \dfrac{\sin(2x^3 + 3x^2 + 4x)}{3x^3 + 2x^2 + x}$의 값은?

① $\dfrac{2}{3}$ ② 1 ③ $\dfrac{4}{3}$

④ $\dfrac{3}{2}$ ⑤ 4

유형 **11** | $\lim\limits_{x \to 0} \dfrac{\tan x}{x}$ 꼴의 극한

x의 단위가 라디안일 때

(1) $\lim\limits_{x \to 0} \dfrac{\tan x}{x} = 1$

(2) $\lim\limits_{x \to 0} \dfrac{\tan bx}{ax} = \lim\limits_{x \to 0} \dfrac{\tan bx}{bx} \times \dfrac{b}{a} = \dfrac{b}{a}$

(단, a, b는 0이 아닌 상수)

참고 $\lim\limits_{x \to 0} \dfrac{\tan x}{x} = \lim\limits_{x \to 0} \left(\dfrac{1}{\cos x} \times \dfrac{\sin x}{x} \right) = 1 \times 1 = 1$

대표 문제

048 $\lim\limits_{x \to 0} \dfrac{\tan(\tan 3x)}{\tan 2x}$의 값은?

① $\dfrac{1}{2}$ ② 1 ③ $\dfrac{3}{2}$

④ 2 ⑤ $\dfrac{5}{2}$

04 삼각함수의 미분

중요

유형 12 | $\lim\limits_{x \to 0} \dfrac{1-\cos x}{x}$ 꼴의 극한

$\lim\limits_{x \to 0} \dfrac{1-\cos x}{x}$ 꼴로 주어진 극한값은 다음과 같은 순서로 구한다.

(1) 분모, 분자에 $1+\cos x$를 각각 곱한다.

(2) $1-\cos^2 x = \sin^2 x$임을 이용한다.

(3) 여러 가지 삼각함수의 극한을 이용한다.

대표 문제

049 $\lim\limits_{x \to 0} \dfrac{1-\cos x}{4x \sin x}$의 값은?

① $\dfrac{1}{8}$　　　② $\dfrac{1}{4}$　　　③ $\dfrac{1}{2}$

④ 1　　　⑤ 2

유형 13 | 치환을 이용한 삼각함수의 극한

$x \to a \, (a \neq 0)$이면 $x-a=t$로 놓고 $t \to 0$일 때의 극한으로 나타낸 후 $\lim\limits_{t \to 0} \dfrac{\sin t}{t}=1$, $\lim\limits_{t \to 0} \dfrac{\tan t}{t}=1$임을 이용하여 극한값을 구한다.

참고 (1) $\sin(2n\pi+x)=\sin x$, $\cos(2n\pi+x)=\cos x$,
$\tan(2n\pi+x)=\tan x$ (단, n은 정수)

(2) $\sin(-x)=-\sin x$, $\cos(-x)=\cos x$, $\tan(-x)=-\tan x$

(3) $\sin(\pi \pm x)=\mp\sin x$, $\cos(\pi \pm x)=-\cos x$,
$\tan(\pi \pm x)=\pm\tan x$ (복부호 동순)

(4) $\sin\left(\dfrac{\pi}{2} \pm x\right)=\cos x$, $\cos\left(\dfrac{\pi}{2} \pm x\right)=\mp\sin x$,
$\tan\left(\dfrac{\pi}{2} \pm x\right)=\mp\cot x$ (복부호 동순)

대표 문제

050 $\lim\limits_{x \to \pi} \dfrac{\tan 2x}{x-\pi}$의 값은?

① -2　　　② -1　　　③ 0

④ 1　　　⑤ 2

유형 14 | $\lim\limits_{x \to \infty} x\sin\dfrac{1}{x}$, $\lim\limits_{x \to \infty} x\tan\dfrac{1}{x}$ 꼴의 극한

$\dfrac{1}{x}=t$로 놓으면 $x \to \infty$일 때 $t \to 0$이므로

(1) $\lim\limits_{x \to \infty} x\sin\dfrac{1}{x}=\lim\limits_{t \to 0} \dfrac{\sin t}{t}=1$

(2) $\lim\limits_{x \to \infty} x\tan\dfrac{1}{x}=\lim\limits_{t \to 0} \dfrac{\tan t}{t}=1$

대표 문제

051 $\lim\limits_{x \to \infty} \dfrac{x}{2}\left(\sin\dfrac{1}{x}+\tan\dfrac{3}{x}\right)$의 값은?

① $\dfrac{1}{2}$　　　② 1　　　③ $\dfrac{3}{2}$

④ 2　　　⑤ $\dfrac{5}{2}$

중요

유형 15 | 삼각함수의 극한을 이용하여 미정계수 구하기

분수 꼴인 함수의 극한에서

(1) (분모) $\to 0$이고 극한값이 존재하면 ➡ (분자) $\to 0$

(2) (분자) $\to 0$이고 0이 아닌 극한값이 존재하면 ➡ (분모) $\to 0$

대표 문제

052 $\lim\limits_{x \to 0} \dfrac{3-5\cos x+a}{bx \sin x}=\dfrac{5}{2}$일 때, 상수 a, b에 대하여 $a+b$의 값은?

① 1　　　② 3　　　③ 5

④ 7　　　⑤ 9

유형 16 | 삼각함수의 연속을 이용하여 미정계수 구하기

$x{\neq}a$인 모든 실수 x에서 연속인 함수 $g(x)$에 대하여

$$f(x)=\begin{cases} g(x) & (x{\neq}a) \\ b & (x=a) \end{cases}$$

일 때, 함수 $f(x)$가 모든 실수 x에서 연속이면

➡ $\displaystyle\lim_{x \to a} g(x)=b$

대표 문제

053 함수 $f(x)=\begin{cases} \dfrac{\sin 4(x-2)}{x-2} & (x{\neq}2) \\ k & (x=2) \end{cases}$ 가 $x=2$에서 연

속일 때, 상수 k의 값은?

① $\dfrac{1}{4}$　　　② $\dfrac{1}{2}$　　　③ 1

④ 2　　　⑤ 4

04

중요

유형 17 | 삼각함수의 극한의 활용

구하는 선분의 길이 또는 도형의 넓이를 삼각함수에 대한 식으로 나타낸 후 극한의 성질을 이용하여 극한값을 구한다.

참고 ∠C=90°인 직각삼각형 ABC에서 ∠B=θ일 때
$$\overline{AC}=\overline{AB}\sin\theta=\overline{BC}\tan\theta$$
$$\overline{BC}=\overline{AB}\cos\theta$$

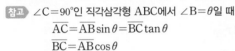

대표 문제

054 오른쪽 그림과 같이 $\overline{BC}=6$, $\angle A=\dfrac{\pi}{2}$인 직각삼각형 ABC가 있다. 꼭짓점 A에서 변 BC에 내린 수선의 발을 H, $\angle B=\theta$라 할 때, $\displaystyle\lim_{\theta \to 0+} \dfrac{\overline{CH}}{\theta^2}$의 값을 구하시오.

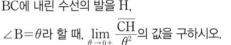

중요

유형 18 | 삼각함수의 도함수

(1) $y=\sin x$이면 ➡ $y'=\cos x$

(2) $y=\cos x$이면 ➡ $y'=-\sin x$

대표 문제

055 함수 $f(x)=2e^x(1+2\cos x)$에 대하여 $f'(0)$의 값을 구하시오.

유형 19 | 삼각함수의 미분가능성

함수 $f(x)=\begin{cases} g(x) & (x{\geq}a) \\ h(x) & (x<a) \end{cases}$ 가 $x=a$에서 미분가능하면

(1) 함수 $f(x)$가 $x=a$에서 연속이다.

➡ $\displaystyle\lim_{x \to a+} g(x)=\lim_{x \to a-} h(x)=f(a)$

(2) $f'(a)$가 존재한다.

➡ $\displaystyle\lim_{x \to a+} g'(x)=\lim_{x \to a-} h'(x)$

대표 문제

056 함수 $f(x)=\begin{cases} a\sin x+3 & (x{\geq}0) \\ e^x+b & (x<0) \end{cases}$ 가 모든 실수 x에서

미분가능할 때, 상수 a, b에 대하여 $a+b$의 값은?

① 3　　　② 4　　　③ 5

④ 6　　　⑤ 7

유형 09 삼각함수의 극한

057 대표 문제 다시 보기

$\lim\limits_{x \to \frac{\pi}{4}} \dfrac{\tan^2 x - 1}{\sin x - \cos x}$의 값을 구하시오.

058 중

$\lim\limits_{x \to \frac{\pi}{2}} \dfrac{\sin 2x - 2\cos x}{\cos^2 x}$의 값은?

① -2 ② -1 ③ 0

④ 1 ⑤ 2

059 중

$\lim\limits_{x \to 0} \dfrac{\csc x - \cot x}{\sin x}$의 값을 구하시오.

060 중

$\lim\limits_{x \to \frac{\pi}{2}} (\sec x - \tan x)$의 값은?

① $-\dfrac{1}{2}$ ② 0 ③ $\dfrac{1}{2}$

④ 1 ⑤ 2

★ 중요

유형 10 $\lim\limits_{x \to 0} \dfrac{\sin x}{x}$ 꼴의 극한

061 대표 문제 다시 보기

$\lim\limits_{x \to 0} \dfrac{\sin(\sin 3x)}{\sin 4x}$의 값은?

① $\dfrac{1}{4}$ ② $\dfrac{1}{2}$ ③ $\dfrac{3}{4}$

④ 1 ⑤ $\dfrac{5}{4}$

062 하

$\lim\limits_{x \to 0} \dfrac{x + \sin 2x}{\sin 3x}$의 값은?

① $\dfrac{1}{6}$ ② $\dfrac{1}{3}$ ③ $\dfrac{2}{3}$

④ 1 ⑤ $\dfrac{4}{3}$

063 하

$\lim\limits_{x \to 0} \dfrac{e^{2x} - 1}{\sin 4x}$의 값을 구하시오.

064 중

두 함수 $f(x) = 4x$, $g(x) = \sin x$에 대하여 $\lim\limits_{x \to 0} \dfrac{f(g(x))}{g(f(x))}$의 값은?

① $\dfrac{1}{4}$ ② $\dfrac{1}{2}$ ③ 1

④ 2 ⑤ 4

065 _상

자연수 n에 대하여

$$f(n)=\lim_{x \to 0}\frac{3x}{\sin x+\sin 2x+\cdots+\sin nx}$$

일 때, 급수 $\sum_{n=1}^{\infty}f(n)$의 합은?

① 2　　　　　② 4　　　　　③ 6

④ 8　　　　　⑤ 10

유형 11　$\lim_{x \to 0}\dfrac{\tan x}{x}$ 꼴의 극한

066 대표 문제 다시 보기

$\lim_{x \to 0}\dfrac{\tan(3x^2+x)}{x^2-x}$ 의 값은?

① -2　　　　② -1　　　　③ 0

④ 1　　　　　⑤ 2

067 _중

$\lim_{x \to 0}\dfrac{\tan 4x}{\ln(1+8x)}$ 의 값을 구하시오.

068 _중

$\lim_{x \to 0}\dfrac{\tan(\sin 2x)}{\tan(\tan 5x)}$ 의 값은?

① $\dfrac{1}{5}$　　　　② $\dfrac{2}{5}$　　　　③ $\dfrac{3}{5}$

④ $\dfrac{4}{5}$　　　　⑤ 1

---

069 _중

$\lim_{x \to 0}\dfrac{6\tan^2 x+2\tan x}{k\tan(6x^2+2x)}=\dfrac{1}{2}$ 일 때, 상수 k의 값을 구하시오.

★ 중요

유형 12　$\lim_{x \to 0}\dfrac{1-\cos x}{x}$ 꼴의 극한

070 대표 문제 다시 보기

$\lim_{x \to 0}\dfrac{2x^2}{1-\cos 3x}$ 의 값은?

① $\dfrac{2}{9}$　　　　② $\dfrac{1}{3}$　　　　③ $\dfrac{4}{9}$

④ $\dfrac{5}{9}$　　　　⑤ $\dfrac{2}{3}$

071 _중

$\lim_{x \to 0}\dfrac{1-\cos kx}{\sin^2 x}=8$ 일 때, 양수 k의 값은?

① 2　　　　　② 3　　　　　③ 4

④ 5　　　　　⑤ 6

072 _중

$\lim_{x \to 0}\dfrac{x^3}{\tan x-\sin x}$ 의 값을 구하시오.

04

073 상

모든 실수 x에서 연속인 함수 $f(x)$가

$$\lim_{x \to 0} \frac{f(x)}{1-\cos x^3} = 4$$

를 만족시킬 때, $\lim_{x \to 0} \frac{f(x)}{x^p} = q$이다. 이때 양수 p, q에 대하여 $p+q$의 값을 구하시오.

유형 13 치환을 이용한 삼각함수의 극한

074 대표 문제 다시 보기

$\lim\limits_{x \to \frac{\pi}{2}} \dfrac{\cos x}{x - \dfrac{\pi}{2}}$의 값은?

① -2 ② -1 ③ 0

④ 1 ⑤ 2

075 중

$\lim\limits_{x \to \frac{\pi}{2}} \left(x - \dfrac{\pi}{2} \right) \tan x$의 값을 구하시오.

076 중

$\lim\limits_{x \to 2} \dfrac{x^2 - 4}{\sin \pi x}$의 값은?

① $-\dfrac{4}{\pi}$ ② $\dfrac{1}{\pi}$ ③ 1

④ $\dfrac{4}{\pi}$ ⑤ 4

077 중

$\lim\limits_{x \to \pi} \dfrac{1 + \cos x}{(x - \pi) \sin x}$의 값을 구하시오.

078 중

$\lim\limits_{x \to 1} \dfrac{\sin \left(\cos \dfrac{\pi}{2} x \right)}{x - 1}$의 값을 구하시오.

유형 14 $\lim\limits_{x \to \infty} x \sin \dfrac{1}{x}$, $\lim\limits_{x \to \infty} x \tan \dfrac{1}{x}$ 꼴의 극한

079 대표 문제 다시 보기

$\lim\limits_{x \to \infty} \sin \left(\tan \dfrac{1}{x} \right) \csc \dfrac{1}{x}$의 값을 구하시오.

080 중

$\lim\limits_{x \to \infty} x^\circ \sin \dfrac{2}{x}$의 값은?

① $\dfrac{\pi}{180}$ ② $\dfrac{\pi}{90}$ ③ $\dfrac{1}{\pi}$

④ $\dfrac{90}{\pi}$ ⑤ $\dfrac{180}{\pi}$

081 _중

$\lim\limits_{x \to \infty} 2x^2 \left(1 - \cos \dfrac{3}{x}\right)$의 값을 구하시오.

082 _상

$\lim\limits_{x \to \infty} x^2 \sin \dfrac{1}{2x^2 + 1}$의 값은?

① $\dfrac{1}{2}$ ② 1 ③ $\dfrac{3}{2}$

④ 2 ⑤ $\dfrac{5}{2}$

★중요

유형 15 삼각함수의 극한을 이용하여 미정계수 구하기

083 대표 문제 다시 보기

$\lim\limits_{x \to 0} \dfrac{1 - \cos x}{x \sin ax + b} = \dfrac{1}{6}$일 때, 상수 a, b에 대하여 $a + b$의 값을 구하시오.

084 _중

$\lim\limits_{x \to 0} \dfrac{\ln(a + 2x)}{\sin x} = b$일 때, 상수 a, b에 대하여 ab의 값은?

① $\dfrac{1}{4}$ ② $\dfrac{1}{2}$ ③ 0

④ 1 ⑤ 2

085 _중

$\lim\limits_{x \to 0} \dfrac{\sqrt{ax + b} - 1}{\sin 4x} = 1$일 때, 상수 a, b에 대하여 $a + b$의 값을 구하시오.

086 _중

$\lim\limits_{x \to 0} \dfrac{a - b \cos x}{x^2} = 2$일 때, 상수 a, b에 대하여 ab의 값은?

① 4 ② 8 ③ 12

④ 16 ⑤ 24

087 _중

$\lim\limits_{x \to a} \dfrac{3^x - 1}{4 \tan(x - a)} = b \ln 3$일 때, 상수 a, b에 대하여 $b - a$의 값을 구하시오.

088 _상

일차함수 $f(x)$에 대하여 $\lim\limits_{x \to -\pi} \dfrac{\sin(\pi + x)}{f(x)} = 1$일 때, $f(\pi)$의 값을 구하시오.

유형 16   삼각함수의 연속을 이용하여 미정계수 구하기

089 《대표 문제》 다시 보기

함수 $f(x)=\begin{cases} \dfrac{\tan 2(x+1)}{x+1} & (x\neq -1) \\ k & (x=-1) \end{cases}$ 가 $x=-1$에서 연속

일 때, 상수 k의 값은?

① $\dfrac{1}{4}$ ② $\dfrac{1}{2}$ ③ 1

④ 2 ⑤ 4

090 〈중〉

함수 $f(x)=\begin{cases} \dfrac{e^{ax}-b}{\sin x} & (x\neq 0) \\ 5 & (x=0) \end{cases}$ 가 구간 $\left(-\dfrac{\pi}{2},\ \dfrac{\pi}{2}\right)$에서 연속

일 때, 상수 a, b에 대하여 ab의 값을 구하시오.

091 〈상〉

모든 실수 x에서 연속인 함수 $f(x)$가
$$x^2 f(x)=a-5\cos 3x$$
를 만족시킬 때, $f(0)$의 값을 구하시오. (단, a는 상수)

⭐중요

유형 17   삼각함수의 극한의 활용

092 《대표 문제》 다시 보기

오른쪽 그림과 같이 $\overline{AC}=4$, $\angle C=\dfrac{\pi}{2}$ 인 직각삼각형 ABC가 있다. 꼭짓점 C 에서 변 AB에 내린 수선의 발을 H, $\angle A=\theta$라 할 때, $\displaystyle\lim_{\theta \to 0+} \dfrac{\overline{BH}}{\theta^2}$의 값을 구하시오.

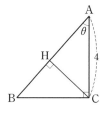

093 〈중〉

오른쪽 그림과 같이 중심각의 크기 가 θ이고 반지름의 길이가 3인 부채 꼴 OAB가 있다. 점 B에서 선분 OA 에 내린 수선의 발을 H라 하고, 삼 각형 ABH의 넓이를 $S(\theta)$라 할 때, $\displaystyle\lim_{\theta \to 0+} \dfrac{S(\theta)}{\theta^3}$의 값은?

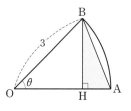

① 1 ② $\dfrac{9}{4}$ ③ $\dfrac{5}{2}$

④ 3 ⑤ $\dfrac{9}{2}$

094 〈중〉

오른쪽 그림과 같이 반지름의 길이가 1이고 중심각의 크기가 $\dfrac{\pi}{2}$인 부채꼴 OAB가 있다. 호 AB 위의 점 P에서 선분 OA에 내린 수선의 발을 H, 선 분 AB와 선분 PH의 교점을 Q라 하 자. $\angle POH=\theta$, 삼각형 AQH의 둘 레의 길이를 $L(\theta)$라 할 때, $\displaystyle\lim_{\theta \to 0+} \dfrac{2L(\theta)}{\theta^2}$의 값을 구하시오.

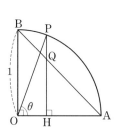

$$\left(\text{단, } 0<\theta<\dfrac{\pi}{2}\right)$$

095 ^상

오른쪽 그림과 같이 중심이 O이고 길이가 2인 선분 AB를 지름으로 하는 반원의 호 위의 점 P에 대하여 ∠PAB=θ라 하자.

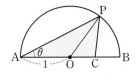

∠APO=∠OPC를 만족시키는 선분 OB 위의 점 C에 대하여 삼각형 PAC의 넓이를 $S(\theta)$라 할 때, $\lim\limits_{\theta \to 0+} \dfrac{S(\theta)}{\theta}$의 값을 구하시오. $\left(\text{단, } 0<\theta<\dfrac{\pi}{2}\right)$

096 ^상

오른쪽 그림과 같이 반지름의 길이가 1이고 중심각의 크기가 $\dfrac{\pi}{2}$인 부채꼴 OAB가 있다. 호 AB 위의 점 P에서 선분 OB에 내린 수선의 발을 H, 점 P에서 호 AB에 접하는 직선과 직선 OB의 교점을 Q라 하고, 점 Q를 중심으로 하고 반지름의 길이가 $\overline{QB}$인 원과 선분 PQ의 교점을 R라 하자. ∠POB=θ일 때, 부채꼴 QBR의 넓이를 $f(\theta)$, 삼각형 OPH의 넓이를 $g(\theta)$라 하자. 이때 $\lim\limits_{\theta \to 0+} \dfrac{\sqrt{f(\theta)}}{20 \times g(\theta)}$의 값은? $\left(\text{단, } 0<\theta<\dfrac{\pi}{2}\right)$

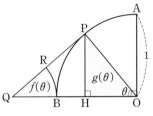

① $\dfrac{\sqrt{\pi}}{4}$ ② $\dfrac{\pi}{2}$ ③ $\sqrt{\pi}$

④ π ⑤ π^2

중요

유형 **18** 삼각함수의 도함수

097 _{대표 문제} 다시 보기

함수 $f(x)=e^x(\sin x - \cos x)$에 대하여 $f'(\pi)$의 값을 구하시오.

098 ^중

함수 $f(x)=\sin x + \cos x$에 대하여 $f'(a)=0$을 만족시키는 모든 a의 값의 합은? (단, $0 \le a \le 2\pi$)

① $\dfrac{3}{4}\pi$ ② π ③ $\dfrac{5}{4}\pi$

④ $\dfrac{3}{2}\pi$ ⑤ $\dfrac{7}{4}\pi$

099 ^중

함수 $f(x)=a\sin x + \dfrac{\pi}{2}\cos x + bx$에 대하여 $f(\pi)=\dfrac{\pi}{2}$, $f'(0)=0$일 때, 상수 a, b에 대하여 $b-a$의 값을 구하시오.

100 ^중

함수 $f(x)=x\cos x$에 대하여 $\lim\limits_{h \to 0} \dfrac{f(\pi+2h)-f(\pi-h)}{h}$의 값을 구하시오.

101 중

함수 $f(x)=\sin^2 x$에 대하여 $\lim\limits_{x \to \pi} \dfrac{f'(x)}{x-\pi}$의 값을 구하시오.

102 중

함수 $f(x)=a\sin x+b\cos x$에 대하여 $\lim\limits_{x \to \frac{\pi}{2}} \dfrac{f(x)-1}{x-\dfrac{\pi}{2}}=3$일

때, $f\left(\dfrac{\pi}{4}\right)$의 값은? (단, a, b는 상수)

① $-2\sqrt{2}$ ② $-\sqrt{2}$ ③ 1

④ $\sqrt{2}$ ⑤ $2\sqrt{2}$

103 중

함수 $f(x)=\lim\limits_{h \to 0} \dfrac{x\sin(x+h)-x\sin x}{2h}$에 대하여 $f'(\pi)$의

값을 구하시오.

104 상

함수 $f(x)=\cos x-\sin x$에 대하여 $\lim\limits_{x \to 0} \dfrac{f(\sin x)-1}{x}$의 값

은?

① -2 ② -1 ③ $-\dfrac{1}{2}$

④ 1 ⑤ 2

유형 19   삼각함수의 미분가능성

105 대표 문제 다시 보기

함수 $f(x)=\begin{cases} 3+ax\cos x & (x \geq 0) \\ b+5\sin x & (x < 0) \end{cases}$가 모든 실수 x에서 미분

가능할 때, 상수 a, b에 대하여 $a-b$의 값은?

① 2 ② 3 ③ 4

④ 5 ⑤ 6

106 중

함수 $f(x)=\begin{cases} a\sin x+\cos x & (x \geq 0) \\ be^{x-1} & (x < 0) \end{cases}$이 $x=0$에서 미분가능

할 때, 상수 a, b에 대하여 ab의 값을 구하시오.

107 상

함수 $f(x)=\begin{cases} -3\ln x & (x \geq 1) \\ ax^3+bx^2+cx & (0 \leq x < 1) \\ 4\sin x & (x < 0) \end{cases}$가 모든 실수 x에

서 미분가능할 때, 상수 a, b, c에 대하여 $a-b+c$의 값을 구

하시오.

108
유형 01

θ가 제2사분면의 각이고 $\csc\theta=\dfrac{5}{3}$일 때, $\cot\theta-\sec\theta$의 값은?

① $-\dfrac{1}{3}$ ② $-\dfrac{1}{12}$ ③ $\dfrac{1}{12}$

④ $\dfrac{1}{3}$ ⑤ $\dfrac{3}{4}$

109
유형 02

$(\tan\theta+\cot\theta)^2-(\sin\theta+\csc\theta)^2-(\cos\theta+\sec\theta)^2$을 간단히 하면?

① -5 ② -3 ③ -1

④ 0 ⑤ 1

110
유형 03

$\sin\alpha+\sin\beta=\dfrac{1}{2}$, $\cos\alpha+\cos\beta=\dfrac{\sqrt{2}}{2}$일 때, $\cos(\alpha-\beta)$이 값은?

① $-\dfrac{5}{8}$ ② $-\dfrac{3}{8}$ ③ $-\dfrac{1}{8}$

④ $\dfrac{1}{8}$ ⑤ $\dfrac{3}{8}$

111
유형 04

이차방정식 $2x^2+2ax+a=0$의 두 근이 $\tan\alpha$, $\tan\beta$이고 $\alpha+\beta=\dfrac{\pi}{4}$일 때, 상수 a의 값은? (단, $a<0$)

① -3 ② $-\dfrac{5}{2}$ ③ -2

④ $-\dfrac{3}{2}$ ⑤ -1

112
유형 05

두 직선 $x-y-2=0$, $ax-y+2=0$이 이루는 예각의 크기를 θ라 할 때, $\tan\theta=\dfrac{1}{4}$이 되도록 하는 모든 상수 a의 값의 합을 구하시오.

113
유형 06

오른쪽 그림과 같이 $\overline{AB}=6$, $\overline{BC}=4$인 직사각형 ABCD에서 선분 AB를 2 : 1로 내분하는 점을 E, 선분 AD의 중점을 F라 하자. $\angle EFC=\theta$라 할 때, $\tan\theta$의 값을 구하시오.

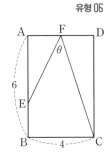

114
유형 07

$\sin\theta=\dfrac{2}{3}$일 때, $\sin 2\theta$의 값은? $\left(단,\ 0<\theta<\dfrac{\pi}{2}\right)$

① $\dfrac{2}{9}$　　　　② $\dfrac{2\sqrt{5}}{9}$　　　　③ $\dfrac{4\sqrt{5}}{9}$

④ $\dfrac{2\sqrt{5}}{3}$　　　　⑤ $\dfrac{4\sqrt{5}}{3}$

115
유형 08

함수 $y=2\cos\left(x-\dfrac{\pi}{3}\right)-2\cos x-1$의 최댓값을 M, 최솟값을 m이라 할 때, $M-m$의 값을 구하시오.

116
유형 09

$\displaystyle\lim_{x\to\frac{\pi}{2}}\dfrac{\cos 2x+1}{1-\sin x}$의 값은?

① 0　　　　② $\dfrac{1}{2}$　　　　③ 1

④ 2　　　　⑤ 4

117
유형 10

$\displaystyle\lim_{x\to 0}\dfrac{\sec x-\cos x}{2x^2}$의 값은?

① -1　　　　② $-\dfrac{1}{2}$　　　　③ 0

④ $\dfrac{1}{2}$　　　　⑤ 1

118
유형 11

함수 $f(x)=x^2-2x$에 대하여 $\displaystyle\lim_{x\to 0}\dfrac{\sin f(x)}{f(\tan x)}$의 값은?

① $\dfrac{1}{2}$　　　　② 1　　　　③ $\dfrac{3}{2}$

④ 2　　　　⑤ $\dfrac{5}{2}$

119
유형 12

$\displaystyle\lim_{x\to 0}\dfrac{2\cos^2 x+3\cos x-5}{x^2}$의 값을 구하시오.

120
유형 13

$\displaystyle\lim_{x\to-\frac{\pi}{2}}\dfrac{1+\sin x}{(2x+\pi)\cos x}$의 값을 구하시오.

121

$\lim\limits_{x \to \infty} \tan \dfrac{1}{2x} \csc \dfrac{4}{x}$ 의 값을 구하시오.

122

$\lim\limits_{x \to 0} \dfrac{\cos x - b}{ax \sin x - x^2} = \dfrac{1}{4}$ 일 때, 상수 a, b 에 대하여 $a-b$ 의 값은?

① -3 ② -2 ③ -1

④ 0 ⑤ 1

123

함수 $f(x) = \begin{cases} \dfrac{\sin 3x - 5e^x + a}{2x} & (x \neq 0) \\ b & (x = 0) \end{cases}$ 가 $x=0$ 에서 연속일 때, 상수 a, b 에 대하여 $a+b$ 의 값은?

① 2 ② 3 ③ 4

④ 5 ⑤ 6

124

오른쪽 그림과 같이 중심이 O이고 반지름의 길이가 1인 반원의 호 위의 점 P에서 지름 AB에 내린 수선의 발을 H라 하고 $\angle \mathrm{PAH} = \theta$ 라 할 때, $\lim\limits_{\theta \to 0+} \dfrac{\overline{\mathrm{BH}}}{\theta^2}$ 의 값은? (단, $0 < \theta < \dfrac{\pi}{2}$)

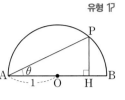

① $\dfrac{3}{2}$ ② 2 ③ $\dfrac{5}{2}$

④ 3 ⑤ $\dfrac{7}{2}$

125

함수 $f(x) = x^2 \sin x$ 에 대하여 $\lim\limits_{h \to 0} \dfrac{f\left(\dfrac{\pi}{2} - 2h\right) - f\left(\dfrac{\pi}{2}\right)}{h}$ 의 값은?

① -4π ② -2π ③ π

④ 2π ⑤ 4π

126

함수 $f(x) = \begin{cases} (2x+a)\cos x & (x \geq 0) \\ b\sin x & (x < 0) \end{cases}$ 가 모든 실수 x 에서 미분가능할 때, $f\left(-\dfrac{\pi}{2}\right) - f(\pi)$ 의 값을 구하시오.

(단, a, b 는 상수)

05

여러 가지 미분법

여러 가지 미분법

★중요

유형 01 | 함수의 몫의 미분법

두 함수 $f(x)$, $g(x)$ $(g(x)\neq 0)$가 미분가능할 때

(1) $y=\dfrac{1}{g(x)}$이면 $\Rightarrow y'=-\dfrac{g'(x)}{\{g(x)\}^2}$

(2) $y=\dfrac{f(x)}{g(x)}$이면 $\Rightarrow y'=\dfrac{f'(x)g(x)-f(x)g'(x)}{\{g(x)\}^2}$

대표 문제

001 함수 $f(x)=\dfrac{x^2+1}{e^x}$에 대하여 $f'(-1)$의 값은?

① $-4e$ ② $-2e$ ③ $-\dfrac{4}{e}$

④ $-\dfrac{2}{e}$ ⑤ $-\dfrac{1}{e}$

유형 02 | 삼각함수의 도함수

(1) $y=\tan x$이면 $\Rightarrow y'=\sec^2 x$

(2) $y=\sec x$이면 $\Rightarrow y'=\sec x\tan x$

(3) $y=\csc x$이면 $\Rightarrow y'=-\csc x\cot x$

(4) $y=\cot x$이면 $\Rightarrow y'=-\csc^2 x$

참고 $(\sin x)'=\cos x$, $(\cos x)'=-\sin x$

대표 문제

002 함수 $f(x)=\sec x\tan x$에 대하여 $\lim\limits_{x\to 0}\dfrac{f(x)-f(0)}{x}$의 값은?

① $\dfrac{\sqrt{2}}{2}$ ② $\dfrac{\sqrt{3}}{2}$ ③ 1

④ $\sqrt{2}$ ⑤ $\sqrt{3}$

★중요

유형 03 | 합성함수의 미분법

두 함수 $y=f(u)$, $u=g(x)$가 미분가능할 때, 합성함수 $y=f(g(x))$의 도함수는

$$\dfrac{dy}{dx}=\dfrac{dy}{du}\times\dfrac{du}{dx} \text{ 또는 } y'=f'(g(x))g'(x)$$

참고 미분가능한 함수 $f(x)$에 대하여 $\lim\limits_{x\to a}\dfrac{f(x)-b}{x-a}=c$ (c는 실수)이면
$\Rightarrow f(a)=b$, $f'(a)=c$

대표 문제

003 미분가능한 두 함수 $f(x)$, $g(x)$가
$$\lim\limits_{x\to 0}\dfrac{f(x)+1}{x}=3, \quad \lim\limits_{x\to -1}\dfrac{g(x)-1}{x+1}=5$$
를 만족시킬 때, 함수 $y=(g\circ f)(x)$의 $x=0$에서의 미분계수를 구하시오.

★중요

유형 04 | 합성함수의 미분법 - $f(ax+b)$, $\{f(x)\}^n$ 꼴

함수 $f(x)$가 미분가능할 때

(1) $y=f(ax+b)$이면 $\Rightarrow y'=af'(ax+b)$ (단, a, b는 상수)

(2) $y=\{f(x)\}^n$이면 $\Rightarrow y'=n\{f(x)\}^{n-1}f'(x)$ (단, n은 정수)

대표 문제

004 함수 $f(x)=(x^3+x+1)^5$에 대하여 $\lim\limits_{h\to 0}\dfrac{f(h)-1}{h}$의 값은?

① 3 ② 4 ③ 5

④ 6 ⑤ 7

⭐ 중요

유형 **05** | 합성함수의 미분법 – 지수함수, 삼각함수

함수 $f(x)$가 미분가능할 때

(1) $y=e^{f(x)}$이면 ➡ $y'=e^{f(x)}f'(x)$

(2) $y=a^{f(x)}$이면 ➡ $y'=a^{f(x)}\ln a \times f'(x)$ (단, $a>0$, $a\neq1$)

(3) $y=\sin f(x)$이면 ➡ $y'=\cos f(x) \times f'(x)$

(4) $y=\cos f(x)$이면 ➡ $y'=-\sin f(x) \times f'(x)$

참고 $y=\sin^n f(x)$이면 ➡ $y'=n\sin^{n-1}f(x) \times \cos f(x) \times f'(x)$

(단, n은 정수)

대표 문제

005 두 함수 $f(x)=2e^x$, $g(x)=\sin\dfrac{x}{2}$에 대하여 함수 $h(x)=(f \circ g)(x)$일 때, $h'(2\pi)$의 값을 구하시오.

05

유형 **06** | 합성함수의 미분법 – 로그함수

$a>0$, $a\neq1$이고 함수 $f(x)(f(x)\neq0)$가 미분가능할 때

(1) $y=\ln|x|$이면 ➡ $y'=\dfrac{1}{x}$

(2) $y=\log_a|x|$이면 ➡ $y'=\dfrac{1}{x\ln a}$

(3) $y=\ln|f(x)|$이면 ➡ $y'=\dfrac{f'(x)}{f(x)}$

(4) $y=\log_a|f(x)|$이면 ➡ $y'=\dfrac{f'(x)}{f(x)\ln a}$

대표 문제

006 함수 $f(x)=\ln|\sin x|$에 대하여 $f'\left(\dfrac{\pi}{6}\right)$의 값은?

① $-\sqrt{3}$ ② $-\dfrac{\sqrt{3}}{3}$ ③ $\dfrac{\sqrt{3}}{3}$

④ 1 ⑤ $\sqrt{3}$

유형 **07** | 로그함수의 미분의 응용

(1) 밑과 지수에 변수가 있는 함수의 도함수는 양변에 자연로그를 취한 후 양변을 x에 대하여 미분하여 구한다.

➡ $y=\{f(x)\}^{g(x)}(f(x)>0)$에서 $\ln y=g(x)\ln f(x)$

∴ $\dfrac{y'}{y}=g'(x)\ln f(x)+g(x)\times\dfrac{f'(x)}{f(x)}$

(2) 복잡한 유리함수의 도함수는 양변의 절댓값에 자연로그를 취한 후 양변을 x에 대하여 미분하여 구한다.

➡ $y=\dfrac{f(x)}{g(x)}$에서 $\ln|y|=\ln|f(x)|-\ln|g(x)|$

∴ $\dfrac{y'}{y}=\dfrac{f'(x)}{f(x)}-\dfrac{g'(x)}{g(x)}$

대표 문제

007 함수 $f(x)=x^{\ln x}$에 대하여 $\dfrac{f'(e)}{f(e)}$의 값은?

① $\dfrac{1}{e}$ ② $\dfrac{2}{e}$ ③ 1

④ e ⑤ $2e$

유형 **08** | 함수 $y=x^n$(n은 실수)의 도함수

n이 실수일 때, $y=x^n$이면 ➡ $y'=nx^{n-1}$

참고 (1) 함수 $y=\dfrac{1}{x^k}$(k는 자연수)은 $y=x^{-k}$ 꼴로 변형한 후 도함수를 구한다.

(2) 무리함수는 $y=\{f(x)\}^n$(n은 실수) 꼴로 변형한 후 도함수를 구한다.

대표 문제

008 함수 $f(x)=(x+2)\sqrt{2x^2+1}$에 대하여 $f'(-1)$의 값은?

① $\dfrac{\sqrt{3}}{3}$ ② $\dfrac{\sqrt{3}}{2}$ ③ $\dfrac{2\sqrt{3}}{3}$

④ $\sqrt{3}$ ⑤ $\dfrac{3\sqrt{3}}{2}$

★중요

유형 **09** | 매개변수로 나타낸 함수의 미분법

두 함수 $x=f(t)$, $y=g(t)$가 t에 대하여 미분가능하고 $f'(t) \neq 0$이면

$$\frac{dy}{dx} = \frac{\frac{dy}{dt}}{\frac{dx}{dt}} = \frac{g'(t)}{f'(t)}$$

★중요

유형 **10** | 음함수의 미분법

음함수 표현 $f(x, y)=0$에서 y를 x에 대한 함수로 보고 각 항을 x에 대하여 미분하여 $\frac{dy}{dx}$를 구한다.

예 $x^2-y^2=3$의 각 항을 x에 대하여 미분하면

$$2x-2y\frac{dy}{dx}=0 \qquad \therefore \frac{dy}{dx} = \frac{x}{y} \text{ (단, } y \neq 0)$$

참고 n이 정수일 때

(1) $\dfrac{d}{dx}x^n = nx^{n-1}$ (2) $\dfrac{d}{dx}y^n = ny^{n-1} \times \dfrac{dy}{dx}$

★중요

유형 **11** | 역함수의 미분법

(1) $x=f(y)$ 꼴로 주어진 함수에서 $\dfrac{dy}{dx}$를 구할 때는 x를 y에 대하여 미분한 후 역함수의 미분법을 이용한다.

$$\Rightarrow \frac{dy}{dx} = \frac{1}{\frac{dx}{dy}} \left(\text{단, } \frac{dx}{dy} \neq 0 \right)$$

(2) 함수 $f(x)$의 역함수가 $g(x)$이고 $f(a)=b$, 즉 $g(b)=a$이면

$$g'(b) = \frac{1}{f'(g(b))} = \frac{1}{f'(a)} \text{ (단, } f'(a) \neq 0)$$

참고 y를 x에 대하여 직접 미분하기 어려운 경우에 역함수의 미분법을 이용한다.

유형 **12** | 이계도함수

함수 $y=f(x)$의 도함수 $f'(x)$가 미분가능할 때, $f'(x)$의 도함수를 $f(x)$의 이계도함수라 한다.

$$\Rightarrow f''(x), y'', \frac{d^2y}{dx^2}, \frac{d^2}{dx^2}f(x)$$

참고 $f''(x) = \lim\limits_{\Delta x \to 0} \dfrac{f'(x+\Delta x)-f'(x)}{\Delta x}$

대표 문제

009 매개변수 t로 나타낸 함수 $x=t-\dfrac{1}{t}$, $y=t+\dfrac{1}{t}$에 대하여 $t=2$일 때, $\dfrac{dy}{dx}$의 값을 구하시오.

대표 문제

010 곡선 $x^3-xy^2+y=7$ 위의 점 $(2, 1)$에서의 접선의 기울기를 구하시오.

대표 문제

011 함수 $f(x)=x^3+3x-3$의 역함수를 $g(x)$라 할 때, $g'(1)$의 값은?

① $\dfrac{1}{6}$ ② $\dfrac{1}{3}$ ③ 1

④ 3 ⑤ 6

대표 문제

012 함수 $f(x)=xe^{ax+2}$에 대하여 $f''(0)=30e^2$일 때, 상수 a의 값은?

① 11 ② 13 ③ 15

④ 17 ⑤ 19

유형 01   함수의 몫의 미분법

013 대표 문제 다시 보기

함수 $f(x)=\dfrac{\cos x}{1+\sin x}$ 에 대하여 $f'\left(\dfrac{\pi}{2}\right)$ 의 값은?

① $-\dfrac{\sqrt{2}}{2}$ ② $-\dfrac{1}{2}$ ③ $\dfrac{1}{2}$

④ $\dfrac{\sqrt{2}}{2}$ ⑤ 1

014 하

함수 $f(x)=\dfrac{1}{3x-1}$ 에 대하여 $f'\left(\dfrac{2}{3}\right)$ 의 값은?

① -3 ② -1 ③ 1

④ 3   ⑤ 5

015 중

함수 $f(x)=\dfrac{3x-4}{x^2+1}$ 에 대하여 $\displaystyle\lim_{h\to0}\dfrac{f(1+h)-f(1-h)}{h}$ 의 값을 구하시오.

016 중

함수 $f(x)=\dfrac{x}{x^2+x+4}$ 에 대하여 부등식 $f'(x)>0$ 의 해가 $\alpha<x<\beta$ 일 때, $\beta-\alpha$ 의 값을 구하시오.

017 중

함수 $f(x)=\dfrac{ax^2-3x+2}{x-2}$ 에 대하여 $\displaystyle\lim_{x\to1}\dfrac{f(x)-f(1)}{x^2-1}=-1$ 일 때, 상수 a의 값은?

① -2 ② -1 ③ 1

④ 2   ⑤ 3

018 중

미분가능한 함수 $f(x)$에 대하여 함수 $g(x)$를 $g(x)=\dfrac{f(x)-3}{2x}$ 이라 하자. $f'(1)-f(1)=3$일 때, $g'(1)$ 의 값을 구하시오.

019 상

미분가능한 함수 $f(x)$에 대하여 함수 $g(x)$를 $g(x)=\dfrac{f(x)\cos x}{e^x}$ 라 하자. $g'(\pi)=-e^\pi g(\pi)$일 때, $f'(\pi)=kf(\pi)$를 만족시키는 상수 k의 값은?

① e^π ② $1-e^{-2\pi}$ ③ $1-e^{-\pi}$

④ $1-e^\pi$ ⑤ $1-e^{2\pi}$

유형 02 삼각함수의 도함수

020 【대표 문제】 다시 보기

함수 $f(x)=(2e^x-1)\tan x$에 대하여 $\displaystyle\lim_{h\to 0}\frac{f(2h)}{h}$의 값은?

① -2 ② -1 ③ 0

④ 1 ⑤ 2

021 하

함수 $f(x)=(2+\csc x)\cot x$에 대하여 $f'\left(\dfrac{\pi}{6}\right)$의 값은?

① -24 ② -22 ③ -20

④ -18 ⑤ -16

022 중

함수 $f(x)=\dfrac{1+\tan x}{\sec x}$에 대하여 $f'(a)=0$을 만족시키는 모든 a의 값의 합을 구하시오. (단, $0<a<2\pi$)

★ 중요

유형 03 합성함수의 미분법

023 【대표 문제】 다시 보기

미분가능한 두 함수 $f(x)$, $g(x)$가
$$\lim_{x\to 1}\frac{f(x)-2}{x-1}=4,\ \lim_{x\to 2}\frac{g(x)-1}{x-2}=-3$$
을 만족시킬 때, 함수 $y=(g\circ f)(x)$의 $x=1$에서의 미분계수를 구하시오.

024 중

미분가능한 두 함수 $f(x)$, $g(x)$에 대하여
$$f(3)=-1,\ f'(3)=1,\ g(2)=3,\ g'(2)=-2$$
일 때, $\displaystyle\lim_{x\to 2}\frac{f(g(x))+1}{x-2}$의 값을 구하시오.

025 중

함수 $f(x)=x^2+3x+1$과 미분가능한 함수 $g(x)$가 모든 실수 x에 대하여
$$f(g(x))=f(x)g(x)-3x^2+2x+2$$
를 만족시킨다. $g(1)=2$일 때, $g'(1)$의 값은?

① 1 ② 2 ③ 3

④ 4 ⑤ 5

026 중

미분가능한 두 함수 $f(x)$, $g(x)$에 대하여 함수 $h(x)=(f\circ g)(x)$이고 $g(2)=3$, $g'(2)=5$, $\displaystyle\lim_{x\to 2}\frac{h(x)-3}{x-2}=10$일 때, $f(3)\times f'(3)$의 값을 구하시오.

중요

유형 **04**　　합성함수의 미분법 – $f(ax+b)$, $\{f(x)\}^n$ 꼴

027 대표 문제 다시 보기

함수 $f(x)=\left(\dfrac{x+1}{2x+1}\right)^3$에 대하여 $f'(0)$의 값은?

① -5　　　　② -3　　　　③ -1

④ 3　　　　⑤ 5

028 중

미분가능한 함수 $f(x)$에 대하여 $f(1)=1$, $f'(1)=2$일 때, 함수 $y=\{xf(x)\}^2$의 $x=1$에서의 미분계수는?

① 3　　　　② 4　　　　③ 5

④ 6　　　　⑤ 7

029 중

함수 $f(x)=\dfrac{x+1}{x^2+1}$에 대하여 $g(x)=f(2x-3)$일 때, $g'(1)$의 값을 구하시오.

030 상　　　　　　　　　　　　　　　　신유형

미분가능한 함수 $f(x)$가

$$f(\tan x + x - 1) = x^3 - 3x^2 + 9x + 4 \left(0 < x < \dfrac{\pi}{2}\right)$$

를 만족시킬 때, $f'(0)$의 값을 구하시오.

중요

유형 **05**　　합성함수의 미분법 – 지수함수, 삼각함수

031 대표 문제 다시 보기

두 함수 $f(x)=\tan 2x \left(-\dfrac{\pi}{4}<x<\dfrac{\pi}{4}\right)$, $g(x)=\dfrac{x}{x^2+1}$에 대하여 함수 $h(x)=g(f(x))$일 때, $h'\left(\dfrac{\pi}{6}\right)$의 값을 구하시오.

032 중

함수 $f(x)=\sec\left(\pi x + \dfrac{\pi}{3}\right)$에 대하여 $f'(1)$의 값은?

① $-2\sqrt{3}\pi$　　　② -2π　　　③ $-\sqrt{3}\pi$

④ 2π　　　　⑤ $2\sqrt{3}\pi$

033 중

함수 $f(x)=(x-1)e^{3x+a}$에 대하여 $\lim\limits_{x\to 1}\dfrac{f(x)}{x-1}=e^2$일 때, $f'(0)$의 값을 구하시오. (단, a는 상수)

034 중

함수 $f(x)=\begin{cases} e^{ax+b} & (x\geq 0) \\ x^2+3x+1 & (x<0) \end{cases}$ 이 $x=0$에서 미분가능할 때, $f'(2)$의 값을 구하시오.

035 중

함수 $f(x)=\sin^2 x\cos x$에 대하여

$\displaystyle\lim_{x\to 0}\dfrac{f\left(\dfrac{\pi}{2}-\sin x\right)-f\left(\dfrac{\pi}{2}\right)}{x}$의 값을 구하시오.

036 상

이차 이상의 다항함수 $f(x)$와 함수 $g(x)=2^{\tan x}$에 대하여

$\quad (f\circ g)(0)=1,\ (f\circ g)'(0)=\ln 4$

이다. 이때 다항식 $f(x)$를 $(x-1)^2$으로 나누었을 때의 나머지를 구하시오.

037 상   신유형

이차함수 $f(x)$에 대하여 $f(0)=3$이고, 함수 $g(x)$를
$g(x)=\dfrac{e^{f(x)}}{x-1}$이라 하자. 방정식 $g'(x)=0$의 해가 $x=-1$ 또는 $x=3$일 때, $f(4)$의 값은?

① 3   ② 4   ③ 5
④ 6   ⑤ 7

유형 06   합성함수의 미분법 – 로그함수

038 대표 문제 다시 보기

함수 $f(x)=\log_2|x^2-5|$에 대하여 $f'(3)$의 값은?

① $\dfrac{1}{2\ln 2}$ ② $\dfrac{3}{4\ln 2}$ ③ $\dfrac{1}{\ln 2}$

④ $\dfrac{5}{4\ln 2}$ ⑤ $\dfrac{3}{2\ln 2}$

039 하

함수 $y=\ln(x^2+2)$의 도함수를 구하시오.

040 중

함수 $f(x)=\ln\sqrt{\dfrac{1-\sin x}{1+\sin x}}$에 대하여 $x=\dfrac{\pi}{4}$에서의 미분계수는?

① $-\sqrt{2}$ ② -1 ③ $-\dfrac{\sqrt{2}}{2}$

④ $\dfrac{1}{2}$ ⑤ $\dfrac{\sqrt{2}}{2}$

041 중

함수 $f(x)=\ln|x^2+x|$ 에 대하여 급수 $\displaystyle\sum_{n=1}^{\infty}\frac{f'(n)}{2n+1}$ 의 합은?

① $\dfrac{1}{2}$ ② 1 ③ $\dfrac{3}{2}$

④ 2 ⑤ $\dfrac{5}{2}$

042 중

$-\dfrac{\pi}{2}<x<\dfrac{\pi}{2}$ 에서 정의된 함수 $f(x)=\ln(\sqrt{2}\cos x)$ 에 대하여 $\displaystyle\lim_{n\to\infty}n\left\{f\left(\dfrac{\pi}{4}+\dfrac{2}{n}\right)\right\}$ 의 값은?

① -2 ② -1 ③ $-\dfrac{\sqrt{3}}{2}$

④ $-\dfrac{\sqrt{2}}{2}$ ⑤ $-\dfrac{1}{2}$

043 상

$\displaystyle\lim_{x\to0}\frac{1}{x}\log_2\frac{2^x+2^{2x}+2^{3x}+\cdots+2^{9x}}{9}$ 의 값은?

① 3 ② 4 ③ 5

④ 6 ⑤ 7

---

044 대표 문제 다시 보기

함수 $f(x)=x^{\sin x}\,(x>0)$ 에 대하여 $f'(\pi)$ 의 값은?

① $-\dfrac{1}{\ln\pi}$ ② $-\dfrac{3}{\ln\pi}$ ③ $-\dfrac{5}{\ln\pi}$

④ $-\ln\pi$ ⑤ $-2\ln\pi$

045 중

함수 $f(x)=\dfrac{(x+1)^3}{x^2(x-3)}$ 에 대하여 $f'(2)$ 의 값은?

① -7 ② $-\dfrac{27}{4}$ ③ $-\dfrac{13}{2}$

④ $-\dfrac{25}{4}$ ⑤ -6

046 중

$x>0$ 에서 정의된 두 함수 $f(x)=x^x$, $g(x)=2x\ln x$ 에 대하여 $f'(2)+g'(e^2)$ 의 값을 구하시오.

유형 08 함수 $y=x^n$ (n은 실수)의 도함수

047 대표 문제 다시 보기

함수 $f(x)=\dfrac{x-1}{\sqrt{x^2+1}}$에 대하여 $f'(1)$의 값은?

① $-\dfrac{\sqrt{2}}{2}$ ② $-\dfrac{1}{2}$ ③ $\dfrac{1}{2}$

④ $\dfrac{\sqrt{2}}{2}$ ⑤ 1

048 하

함수 $f(x)=\dfrac{2x^4+3x+2}{x^2}$에 대하여 $f'(-1)+f'(1)$의 값을 구하시오.

049 중

함수 $f(x)=\dfrac{1}{x}+\dfrac{1}{x^2}+\dfrac{1}{x^3}+\cdots+\dfrac{1}{x^{10}}$에 대하여

$\displaystyle\lim_{h\to0}\dfrac{f(1+h)-f(1-h)}{h}$의 값을 구하시오.

050 중

함수 $f(x)=(x-\sqrt{x^2+2})^4$에 대하여 $f'(2)=a$, $f'(-2)=b$일 때, ab의 값을 구하시오.

★중요 유형 09 매개변수로 나타낸 함수의 미분법

051 대표 문제 다시 보기

매개변수 t로 나타낸 함수 $x=\dfrac{2-2t^2}{1+t^2}$, $y=\dfrac{4t}{1+t^2}$에 대하여 $t=2$일 때, $\dfrac{dy}{dx}$의 값을 구하시오.

052 하

매개변수 θ로 나타낸 함수 $x=\sin\theta+2$, $y=3-\cos\theta$에 대하여 $\dfrac{dy}{dx}$는? $\left(\text{단, } -\dfrac{\pi}{2}<\theta<\dfrac{\pi}{2}\right)$

① $\sin\theta$ ② $\cos\theta$ ③ $\tan\theta$
④ $\cot\theta$ ⑤ $\csc\theta$

053 중

매개변수 t로 나타낸 함수 $x=(t^2+1)e^t$, $y=e^{2t+1}$이 나타내는 곡선 위의 $t=0$에 대응하는 점에서의 접선의 기울기를 구하시오.

054 중

매개변수 t로 나타낸 함수

$$x=\dfrac{1}{3}t^3+\dfrac{1}{2}t^2+t, \quad y=a\sin(t-1)$$

에 대하여 $t=1$일 때, $\dfrac{dy}{dx}$의 값이 $\dfrac{2}{9}$가 되도록 하는 상수 a의 값을 구하시오.

055 중

매개변수 t로 나타낸 함수 $x=3t+1$, $y=t^2$에 대하여 $y=f(x)$로 나타낼 때, $\displaystyle\lim_{h\to 0}\frac{f(4+h)-f(4-h)}{2h}$의 값은?

① $\dfrac{1}{2}$ ② $\dfrac{2}{3}$ ③ $\dfrac{3}{4}$

④ 1 ⑤ $\dfrac{3}{2}$

056 중

매개변수 θ로 나타낸 함수 $x=\sec\theta+\cos\theta$, $y=\tan\theta$가 나타내는 곡선 위의 점 $\left(\dfrac{5}{2},\ \sqrt{3}\right)$에서의 접선의 기울기를 구하시오. $\left(\text{단, } 0<\theta<\dfrac{\pi}{2}\right)$

★중요

유형 **10**   음함수의 미분법

057 대표문제 다시보기

곡선 $x^3+y^3-3x^2y=1$ 위의 점 $(-1,\ 2)$에서의 접선의 기울기는?

① $-\dfrac{5}{3}$ ② -1 ③ $-\dfrac{1}{3}$

④ $\dfrac{1}{3}$ ⑤ 1

058 하

음함수 표현 $e^x\ln y=e$에 대하여 $\dfrac{dy}{dx}$를 구하시오.

059 중

곡선 $\dfrac{\pi}{2}x=y+\sin xy$ 위의 점 $(2,\ \pi)$에서의 $\dfrac{dy}{dx}$의 값은?

① $-\dfrac{\pi}{6}$ ② $\dfrac{\pi}{6}$ ③ $\dfrac{\pi}{3}$

④ 1 ⑤ $\dfrac{\pi}{2}$

060 중

곡선 $3x^2+5y^2+axy-2x+b=0$ 위의 점 $(1,\ 1)$에서의 접선의 기울기가 $-\dfrac{1}{2}$일 때, 상수 a, b에 대하여 $a-b$의 값을 구하시오.

061 중

곡선 $(x^2+1)y^3=-x^2+2x+1$에 대하여 $\dfrac{dy}{dx}>0$이 되도록 하는 정수 x의 개수를 구하시오.

유형 11 역함수의 미분법

062 대표문제 다시 보기

함수 $f(x)=\dfrac{e^x-e^{-x}}{2}$ 의 역함수를 $g(x)$라 할 때, $g'(0)$의 값을 구하시오.

063 하

함수 $x=\sqrt{y^2+1}\ (y>0)$에 대하여 $\dfrac{dy}{dx}$는?

① $\dfrac{1}{\sqrt{y^2+1}}$ ② $\dfrac{y}{\sqrt{y^2+1}}$ ③ $\dfrac{y+1}{\sqrt{y^2+1}}$

④ $\dfrac{\sqrt{y^2+1}}{y}$ ⑤ $\dfrac{\sqrt{y^2+1}}{y+1}$

064 하

미분가능한 함수 $f(x)$에 대하여 $f(3)=5$, $f'(3)=\dfrac{3}{4}$이다. 함수 $f(x)$의 역함수를 $g(x)$라 할 때, $g(5)g'(5)$의 값을 구하시오.

065 중

미분가능한 함수 $f(x)$의 역함수를 $g(x)$라 할 때, $\displaystyle\lim_{x\to3}\dfrac{g(x)+2}{x-3}=\dfrac{1}{5}$이다. 이때 $f'(-2)$의 값을 구하시오.

066 중

함수 $f(x)=x^3+x-3$의 역함수를 $g(x)$라 할 때, $\displaystyle\lim_{x\to-1}\dfrac{f(x)g(x)+5}{x+1}$의 값을 구하시오.

067 중

실수 전체의 집합에서 증가하고 미분가능한 함수 $f(x)$에 대하여 곡선 $y=f(x)$ 위의 점 $(3,\ 1)$에서의 접선의 기울기가 1이다. 함수 $f(3x)$의 역함수를 $g(x)$라 할 때, 곡선 $y=g(x)$ 위의 점 $(1,\ a)$에서의 접선의 기울기는 b이다. 이때 $a+3b$의 값을 구하시오.

068 중

미분가능한 함수 $f(x)$에 대하여 $f'(x)=-3+\dfrac{\{f(x)\}^2}{2}$이고, 함수 $f(x)$의 역함수를 $g(x)$라 할 때, $g(4)=-1$이다. 미분가능한 함수 $h(x)$에 대하여 $(h\circ g)'(4)=1$일 때, $h'(-1)$의 값을 구하시오.

069 상

함수 $f(x)=(x^2+3)e^x$과 미분가능한 함수 $g(x)$가 $g\left(\dfrac{9-2x}{4}\right)=f^{-1}(x)$를 만족시킨다. $g(2)=0$일 때, $g'(2)$의 값을 구하시오.

유형 12 이계도함수

070 [대표 문제] 다시 보기

함수 $f(x)=x\sin ax$에 대하여 $f''(0)=6$일 때, 상수 a의 값은?

① 1   ② 2   ③ 3

④ 4   ⑤ 5

071 하

함수 $f(x)=\sqrt{2x+1}$에 대하여 $f''(0)$의 값은?

① -1 ② $-\dfrac{1}{2}$ ③ $-\dfrac{1}{4}$

④ $\dfrac{1}{2}$ ⑤ 1

072 중

함수 $f(x)=x(a+b\ln x)$에 대하여 $f'(1)=5$, $f''(2)=1$일 때, 상수 a, b에 대하여 $a-b$의 값을 구하시오.

073 중

함수 $f(x)=\sqrt{2}\cos x-\cot x\,(0<x<\pi)$에 대하여 $\displaystyle\lim_{x\to\frac{\pi}{4}}\dfrac{f'(x)-1}{4x-\pi}$의 값을 구하시오.

074 중

함수 $f(x)=e^{x-x^2}$에 대하여 $f''(a)=0$을 만족시키는 모든 상수 a의 값의 합을 구하시오.

075 중

함수 $y=e^{2x}\cos x$에 대하여 등식 $y''-ay'-by=0$이 x의 값에 관계없이 항상 성립할 때, 상수 a, b에 대하여 $a-b$의 값은?

① 5   ② 6   ③ 7

④ 8   ⑤ 9

076 상   신유형

이계도함수를 갖는 두 함수 $f(x)$, $g(x)$가 다음 조건을 모두 만족시킬 때, $\displaystyle\lim_{x\to 0}\dfrac{f'(g(x))-2}{x}$의 값을 구하시오.

> (가) 모든 실수 x에 대하여 $(f\circ g)(x)=x+\ln(x^2+1)$
>
> (나) $g(0)=3$, $g'(0)=\dfrac{1}{2}$, $g''(0)=-1$

077 유형 01

함수 $f(x)=\dfrac{e^x}{x+1}$에 대하여 $\displaystyle\lim_{h\to 0}\dfrac{f(1+h)-f(1-3h)}{h}$의 값은?

① $-2e$ ② $-e$ ③ e

④ $2e$ ⑤ $3e$

078 유형 02

함수 $f(x)=\dfrac{1}{a+\cot x}$에 대하여 $f'\left(\dfrac{\pi}{4}\right)=\dfrac{1}{2}$일 때, 양수 a의 값을 구하시오.

079 유형 03

미분가능한 두 함수 $f(x)$, $g(x)$가 모든 실수 x에 대하여
$$f(g(x))=-3x^2+4x-2$$
를 만족시키고 $f'(1)=2$, $g(-1)=1$일 때, $g'(-1)$의 값을 구하시오.

080 유형 04

미분가능한 함수 $f(x)$와 함수 $g(x)=\dfrac{\cos x}{(x+1)^2}$에 대하여 함수 $h(x)=(f\circ g)(x)$이고 $h'(0)=12$일 때, $f'(1)$의 값은?

① -8 ② -6 ③ -4

④ -2 ⑤ 0

081 유형 04

함수 $f(x)=\left(\dfrac{4x+a}{x+1}\right)^3$에 대하여 $f'(0)=0$일 때, 양수 a의 값은?

① 1 ② 2 ③ 3

④ 4 ⑤ 5

082 유형 05

두 함수 $f(x)=e^{2x}$, $g(x)=\sin^2 x$에 대하여 함수 $h(x)=(f\circ g)(x)$일 때, $h'\left(\dfrac{\pi}{4}\right)$의 값을 구하시오.

083 유형 06

함수 $f(x)=\ln(\tan x)\left(0<x<\dfrac{\pi}{2}\right)$에 대하여 $f'\left(\dfrac{\pi}{12}\right)$의 값은?

① 3 ② 4 ③ 5

④ 6 ⑤ 7

084 유형 07

함수 $f(x)=\dfrac{(x-1)(x+2)^2}{(x+1)^4}$에 대하여 $x=0$에서의 미분계수는?

① 12 ② 14 ③ 16

④ 18 ⑤ 20

085

유형 08

함수 $f(x)=\dfrac{1}{\sqrt[3]{2x-1}}$에 대하여 함수 $g(x)$가

$$f'(x)=f(x)g(x)$$

를 만족시킬 때, $g(1)$의 값을 구하시오.

086

유형 09

매개변수 θ로 나타낸 함수 $x=1-\cos\theta$, $y=\theta-\sin\theta$에 대하여 $\theta=\dfrac{\pi}{3}$일 때, $\dfrac{dy}{dx}$의 값은?

① $\dfrac{1}{2}$ ② $\dfrac{\sqrt{3}}{3}$ ③ $\dfrac{\sqrt{2}}{2}$

④ $\dfrac{\sqrt{3}}{2}$ ⑤ 1

087

유형 10

곡선 $e^{3x}-3e^{2y}+2e^6=0$ 위의 점 $(2,\ a)$에서의 접선의 기울기가 b일 때, $2(a+b)$의 값을 구하시오.

088

유형 11

함수 $f(x)=\sin x\left(-\dfrac{\pi}{2}<x<\dfrac{\pi}{2}\right)$의 역함수를 $g(x)$라 할 때, $g'\left(\dfrac{1}{2}\right)g'\left(\dfrac{\sqrt{3}}{2}\right)$의 값을 구하시오.

089

유형 11

미분가능한 함수 $f(x)$가 다음 조건을 모두 만족시킨다. 함수 $f(x)$의 역함수를 $g(x)$라 할 때, $g'(-3)$의 값을 구하시오.

> (가) 모든 실수 x에 대하여 $f(-x)=-f(x)$
>
> (나) $\displaystyle\lim_{x\to 1}\dfrac{f(x)-3}{x-1}=2$

090

유형 12

함수 $f(x)=x^2\ln x$에 대하여 $\displaystyle\lim_{h\to 0}\dfrac{f'(e+h)-f'(e-h)}{h}$의 값은?

① 6 ② 7 ③ 8

④ 9 ⑤ 10

091

유형 12

실수 전체의 집합에서 이계도함수를 갖는 함수 $f(x)$가 $\displaystyle\lim_{x\to 1}\dfrac{f'(f(x))-3}{x-1}=5$를 만족시키고 $f(1)=3$, $f'(1)=2$일 때, $f''(3)$의 값을 구하시오.

도함수의 활용 (1)

도함수의 활용 (1)

★중요
유형 01 | 접점이 주어진 접선의 방정식

곡선 $y=f(x)$ 위의 점 $(a, f(a))$에서의 접선의 방정식은 다음과 같은 순서로 구한다.

(1) 접선의 기울기 $f'(a)$를 구한다.

(2) 접선의 방정식 $y-f(a)=f'(a)(x-a)$를 구한다.

참고 곡선 $y=f(x)$ 위의 점 $(a, f(a))$에서의 접선에 수직인 직선의 방정식은 ➡ $y-f(a)=-\dfrac{1}{f'(a)}(x-a)$ (단, $f'(a)\neq0$)

대표 문제

001 곡선 $y=\dfrac{2x+6}{x+1}$ 위의 점 $(1, 4)$에서의 접선의 방정식이 $y=ax+b$일 때, 상수 a, b에 대하여 $a-b$의 값은?

① -6 ② -4 ③ -2

④ 0 ⑤ 2

유형 02 | 기울기가 주어진 접선의 방정식

곡선 $y=f(x)$에 접하고 기울기가 m인 접선의 방정식은 다음과 같은 순서로 구한다.

(1) 접점의 좌표를 $(t, f(t))$로 놓는다.

(2) $f'(t)=m$임을 이용하여 접점의 좌표를 구한다.

(3) 접선의 방정식 $y-f(t)=m(x-t)$를 구한다.

대표 문제

002 곡선 $y=x\ln x+x$에 접하고 직선 $3x-y+7=0$에 평행한 직선의 y절편을 구하시오.

★중요
유형 03 | 곡선 밖의 한 점에서 그은 접선의 방정식

곡선 $y=f(x)$ 밖의 한 점 (x_1, y_1)에서 곡선에 그은 접선의 방정식은 다음과 같은 순서로 구한다.

(1) 접점의 좌표를 $(t, f(t))$로 놓는다.

(2) 접선의 방정식 $y-f(t)=f'(t)(x-t)$에 $x=x_1, y=y_1$을 대입하여 t의 값을 구한다.

(3) t의 값을 $y-f(t)=f'(t)(x-t)$에 대입하여 접선의 방정식을 구한다.

대표 문제

003 원점에서 곡선 $y=2e^{x-1}$에 그은 접선이 점 $(2, a)$를 지날 때, a의 값은?

① 2 ② e ③ 3

④ 4 ⑤ $2e$

유형 04 | 곡선 밖의 한 점에서 그은 접선의 개수

곡선 $y=f(x)$ 밖의 한 점에서 곡선에 그은 접선의 개수는 다음과 같은 순서로 구한다.

(1) 접점의 좌표를 $(t, f(t))$로 놓고 접선의 방정식을 세운다.

(2) 곡선 밖의 점의 좌표를 접선의 방정식에 대입하여 t에 대한 방정식을 얻는다.

(3) 실근 t의 개수를 이용하여 접선의 개수를 구한다.

참고 계수가 실수인 이차방정식 $ax^2+bx+c=0$의 판별식을 D라 할 때

(1) $D>0$이면 서로 다른 두 실근을 갖는다.

(2) $D=0$이면 중근을 갖는다.

(3) $D<0$이면 서로 다른 두 허근을 갖는다.

대표 문제

004 점 $(k, 0)$에서 곡선 $y=3xe^{-x}$에 서로 다른 두 개의 접선을 그을 수 있을 때, k의 값의 범위를 구하시오.

유형 05 | 두 곡선의 공통인 접선

두 곡선 $y=f(x)$, $y=g(x)$가 $x=t$인 점에서 공통인 접선을 가지면

(1) $x=t$인 점에서 두 곡선이 만난다.

　➡ $f(t)=g(t)$

(2) $x=t$인 점에서의 두 곡선의 접선의 기울기가 같다.

　➡ $f'(t)=g'(t)$

대표 문제

005 두 곡선 $y=ax^2+e^{x-1}$과 $y=2\ln x+b$가 $x=1$인 점에서 공통인 접선을 가질 때, 상수 a, b에 대하여 $a+b$의 값은?

① 1　　　　② $\dfrac{3}{2}$　　　　③ 2

④ $\dfrac{5}{2}$　　　　⑤ 3

★ **중요**

유형 06 | 매개변수로 나타낸 곡선의 접선의 방정식

매개변수로 나타낸 곡선 $x=f(t)$, $y=g(t)$에서 $t=a$에 대응하는 점에서의 접선의 방정식은 다음과 같은 순서로 구한다.

(1) $\dfrac{g'(t)}{f'(t)}$를 구한다.

(2) $f(a)$, $g(a)$, $\dfrac{g'(a)}{f'(a)}$의 값을 구한다.

(3) 접선의 방정식 $y-g(a)=\dfrac{g'(a)}{f'(a)}\{x-f(a)\}$를 구한다.

대표 문제

006 매개변수 t로 나타낸 곡선 $x=\cos t$, $y=\sin t$에서 $t=\dfrac{\pi}{3}$에 대응하는 점에서의 접선의 방정식이 $y=ax+b$일 때, 상수 a, b에 대하여 ab의 값을 구하시오.

★ **중요**

유형 07 | 음함수로 나타낸 곡선의 접선의 방정식

곡선 $f(x,\ y)=0$ 위의 점 $(a,\ b)$에서의 접선의 방정식은 다음과 같은 순서로 구한다.

(1) 음함수의 미분법을 이용하여 $\dfrac{dy}{dx}$를 구한다.

(2) $\dfrac{dy}{dx}$에 $x=a$, $y=b$를 대입하여 접선의 기울기 m을 구한다.

(3) 접선의 방정식 $y-b=m(x-a)$를 구한다.

대표 문제

007 곡선 $x^2+2xy+2y^2=1$ 위의 점 $(1,\ 0)$에서의 접선의 방정식을 구하시오.

유형 08 | 역함수의 그래프의 접선의 방정식

함수 $f(x)$의 역함수를 $g(x)$라 할 때, 곡선 $y=g(x)$ 위의 $x=a$인 점에서의 접선의 방정식은 다음과 같은 순서로 구한다.

(1) $g(a)=b$라 하면 $f(b)=a$임을 이용하여 b의 값을 구한다.

(2) $g'(a)=\dfrac{1}{f'(b)}$임을 이용하여 접선의 기울기를 구한다.

(3) 접선의 방정식 $y-b=g'(a)(x-a)$를 구한다.

대표 문제

008 함수 $f(x)=\cos x\ (0<x<\pi)$의 역함수를 $g(x)$라 할 때, 곡선 $y=g(x)$ 위의 $x=0$인 점에서의 접선의 x절편을 구하시오.

★ 중요

유형 01 접점이 주어진 접선의 방정식

009 대표 문제 다시 보기

곡선 $y=\sqrt{x^2+5}$ 위의 점 $(-2, 3)$에서의 접선의 방정식이 $y=ax+b$일 때, 상수 a, b에 대하여 $a+b$의 값은?

① -2 ② -1 ③ 0
④ 1 ⑤ 2

010 하

곡선 $y=x^2 e^{1-x}+1$ 위의 점 $(1, 2)$에서의 접선의 x절편을 구하시오.

011 중

곡선 $y=x\ln x-3x$ 위의 $x=e$인 점에서의 접선이 점 $(a, -3e)$를 지날 때, a의 값은?

① e ② 3 ③ $2e$
④ 6 ⑤ $3e$

012 중

곡선 $y=\dfrac{1-x}{1+x^2}$ 위의 점 $(-1, 1)$을 지나고 이 점에서의 접선에 수직인 직선의 방정식이 $ax+by+1=0$일 때, 상수 a, b에 대하여 $a+b$의 값을 구하시오.

013 중

곡선 $y=(x-1)e^x$ 위의 점 $(1, 0)$에서의 접선과 x축 및 y축으로 둘러싸인 도형의 넓이는?

① $\dfrac{e}{2}$ ② e ③ $\dfrac{3}{2}e$
④ $2e$ ⑤ $\dfrac{5}{2}e$

014 상

곡선 $y=\cos x \left(0<x<\dfrac{\pi}{2}\right)$ 위의 점 $(t, \cos t)$에서의 접선의 x절편을 $f(t)$라 할 때, $\lim\limits_{t \to 0+} tf(t)$의 값은?

① -2 ② -1 ③ 0
④ 1 ⑤ 2

유형 02 기울기가 주어진 접선의 방정식

015 대표 문제 다시 보기

곡선 $y=\sqrt{2x+3}$ 에 접하고 직선 $y=x+5$ 에 평행한 직선의 x 절편은?

① -3 ② -2 ③ -1

④ 1 ⑤ 2

016 중

곡선 $y=e^{2x}-2$ 에 접하고 직선 $x+2y-5=0$ 에 수직인 직선이 점 $(3,\ k)$ 를 지날 때, k 의 값은?

① 1 ② 3 ③ 5

④ 7 ⑤ 9

017 중

곡선 $y=\sin 2x\left(0<x<\dfrac{\pi}{2}\right)$ 에 접하는 직선이 x 축의 양의 방향과 이루는 각의 크기가 $45°$ 일 때, 이 직선의 y 절편을 구하시오.

018 중

곡선 $y=ke^{x-1}$ 과 직선 $y=2x$ 가 서로 접할 때, 접점의 y 좌표는 α 이다. 이때 $k+\alpha$ 의 값을 구하시오. (단, k 는 상수)

019 중

곡선 $y=\ln(x+2)$ 에 접하고 기울기가 $\dfrac{1}{2}$ 인 직선과 x 축 및 y 축으로 둘러싸인 도형의 넓이를 구하시오.

020 중

곡선 $y=\ln x$ 위의 점과 직선 $y=x+3$ 사이의 거리의 최솟값은?

① 1 ② $\sqrt{2}$ ③ 2

④ $2\sqrt{2}$ ⑤ 3

★ 중요

유형 03 곡선 밖의 한 점에서 그은 접선의 방정식

021 대표 문제 다시 보기

점 $(0, -2)$에서 곡선 $y = 2x \ln x$에 그은 접선이 점 $(a, 4)$를 지날 때, a의 값은?

① $\dfrac{2}{e}$ ② 1 ③ $\dfrac{e}{2}$

④ e ⑤ 3

022 중

점 $(-1, 3)$에서 곡선 $y = \sqrt{x} + 3$에 그은 접선의 x절편은?

① -7 ② -5 ③ -3

④ -1 ⑤ 1

023 중

점 $P(-2, 0)$에서 곡선 $y = e^{\frac{1}{2}x}$에 그은 접선이 y축과 만나는 점을 Q라 할 때, 삼각형 POQ의 넓이는? (단, O는 원점)

① $\dfrac{1}{2}$ ② 1 ③ $\dfrac{e}{2}$

④ 2 ⑤ e

024 중

점 $(2, 1)$에서 곡선 $y = xe^{2x} + 1$에 그은 두 접선의 기울기를 각각 m_1, m_2라 할 때, $m_1 m_2$의 값을 구하시오.

025 중

원점에서 곡선 $y = \ln x$에 그은 접선이 곡선 $y = x^2 + k$에 접할 때, 상수 k의 값은?

① $\dfrac{1}{4e^2}$ ② $\dfrac{1}{2e^2}$ ③ $\dfrac{1}{e^2}$

④ e^2 ⑤ $2e^2$

026 중

곡선 $y = x - \ln x$에 대하여 점 $(0, 1 + \ln 3)$에서 곡선에 그은 접선과 점 $(a, 1)$에서 곡선에 그은 접선이 서로 수직일 때, a의 값은?

① $\ln 2$ ② $\ln 3$ ③ $2\ln 2$

④ $3\ln 2$ ⑤ $2\ln 3$

유형 04   곡선 밖의 한 점에서 그은 접선의 개수

027   대표 문제 다시 보기

점 $(k, 0)$에서 곡선 $y=(x-3)e^x$에 서로 다른 두 개의 접선을 그을 수 있을 때, 양의 정수 k의 최솟값은?

① 2   ② 3   ③ 4

④ 5   ⑤ 6

028   하

점 $(3, 3)$에서 곡선 $y=\dfrac{x-2}{x}$에 그을 수 있는 접선의 개수를 구하시오.

029   중

점 $(2, 0)$에서 곡선 $y=xe^{ax}$에 오직 하나의 접선을 그을 수 있을 때, 상수 a의 값은? (단, $a\neq0$)

① -5 ② -4 ③ -3

④ -2 ⑤ -1

유형 05   두 곡선의 공통인 접선

030   대표 문제 다시 보기

두 곡선 $y=e^{x+1}$과 $y=\sqrt{ax+b}$가 $x=-1$인 점에서 공통인 접선을 가질 때, 상수 a, b에 대하여 $a+b$의 값은? (단, $a>0$)

① 3   ② 4   ③ 5

④ 6   ⑤ 7

031   중

두 곡선 $y=\ln 4x$와 $y=8x^2+a$가 한 점에서 공통인 접선을 가질 때, 상수 a의 값은?

① $-\dfrac{1}{8}$ ② $-\dfrac{1}{4}$ ③ $-\dfrac{1}{2}$

④ $\dfrac{1}{8}$ ⑤ $\dfrac{1}{4}$

032   상

두 곡선 $y=a+\cos^2 x$, $y=-\sin x$가 서로 접할 때, 모든 상수 a의 값의 합을 구하시오.

유형 **06** 매개변수로 나타낸 곡선의 접선의 방정식

033 대표 문제 다시 보기

매개변수 t로 나타낸 곡선 $x=\dfrac{2t}{1+t^2}$, $y=\dfrac{1-t^2}{1+t^2}$에서 $t=2$에 대응하는 점에서의 접선의 방정식이 $y=ax+b$일 때, 상수 a, b에 대하여 $a-b$의 값은?

① 2 ② $\dfrac{5}{2}$ ③ 3

④ $\dfrac{7}{2}$ ⑤ 4

034 ㉟

매개변수 t로 나타낸 곡선 $x=\sqrt{t}+1$, $y=t^2-6t$에서 $t=4$에 대응하는 점에서의 접선이 점 $(a, 8)$을 지날 때, a의 값은?

① 1 ② 3 ③ 5

④ 7 ⑤ 9

035 ㉟

매개변수 t로 나타낸 곡선 $x=t^2-4t+2$, $y=t^3-kt-1$에서 $t=1$에 대응하는 점에서의 접선의 기울기가 -4일 때, 이 점에서의 접선의 방정식을 구하시오. (단, k는 상수)

036 ㉟

매개변수 t로 나타낸 곡선 $x=e^t-e^{-t}$, $y=e^t+e^{-t}$에서 $t=\ln 2$에 대응하는 점에서의 접선과 x축 및 y축으로 둘러싸인 도형의 넓이를 구하시오.

037 ㉟

매개변수 θ로 나타낸 곡선 $x=2\tan\theta$, $y=4\sec\theta$ 위의 점 $(2\sqrt{3}, 8)$을 지나고, 이 점에서의 접선에 수직인 직선의 y절편은? $\left(\text{단, } 0<\theta<\dfrac{\pi}{2}\right)$

① 2 ② 4 ③ 6

④ 8 ⑤ 10

유형 **07** 음함수로 나타낸 곡선의 접선의 방정식

038 대표 문제 다시 보기

곡선 $y^3=\ln(5-x^2)+3xy+5$ 위의 점 $(2, -1)$에서의 접선의 방정식이 $y=ax+b$일 때, 상수 a, b에 대하여 $a-b$의 값은?

① -2 ② 2 ③ 4

④ 6 ⑤ 8

039 중

곡선 $xy+e^y=e$ 위의 점 $(0, 1)$에서의 접선의 x절편은?

① $-e$ ② $\dfrac{1}{e}$ ③ 1

④ e ⑤ $2e$

040 중

곡선 $x^2-\cos y+xy=0$ 위의 점 $\left(0, \dfrac{\pi}{2}\right)$에서의 접선이 점 $(1, a)$를 지날 때, a의 값은?

① 0 ② 1 ③ 2

④ 3 ⑤ 4

041 중

곡선 $x^2+2xy-y^3=1$ 위의 점 $(1, 0)$에서의 접선과 원점 사이의 거리는?

① $\dfrac{1}{2}$ ② $\dfrac{\sqrt{2}}{2}$ ③ $\dfrac{\sqrt{3}}{2}$

④ 1 ⑤ $\dfrac{\sqrt{5}}{2}$

042 중

곡선 $3x^2+5y^2+2xy-10=0$ 위의 점 $(1, 1)$에서의 접선과 수직이고 점 $(4, 3)$을 지나는 직선이 x축, y축과 만나는 점을 각각 A, B라 할 때, 삼각형 AOB의 넓이를 구하시오.

(단, O는 원점)

유형 08   역함수의 그래프의 접선의 방정식

06

043 대표 문제 다시 보기

함수 $f(x)=2\sin x\left(-\dfrac{\pi}{2}<x<\dfrac{\pi}{2}\right)$의 역함수를 $g(x)$라 할 때, 곡선 $y=g(x)$ 위의 $x=\sqrt{2}$인 점에서의 접선의 y절편을 구하시오.

044 중

함수 $f(x)=\ln(3x-2)$의 역함수를 $g(x)$라 할 때, 곡선 $y=g(x)$ 위의 $x=0$인 점에서의 접선의 방정식은?

① $y=\dfrac{1}{3}x+1$ ② $y=\dfrac{1}{3}x+\dfrac{4}{3}$

③ $y=\dfrac{1}{2}x+1$ ④ $y=\dfrac{1}{2}x+\dfrac{3}{2}$

⑤ $y=x+1$

도함수의 활용 (1)

유형 09 | 함수의 증가와 감소

함수 $f(x)$가 어떤 열린구간에서 미분가능하고 이 구간의 모든 x에 대하여

(1) $f'(x) > 0$이면 ➡ $f(x)$는 이 구간에서 증가한다.

(2) $f'(x) < 0$이면 ➡ $f(x)$는 이 구간에서 감소한다.

대표 문제

045 다음 중 함수 $f(x) = 2x - \ln x$가 감소하는 구간은?

① $\left(0, \dfrac{1}{2}\right]$ 　② $(0, 1]$ 　③ $[1, 2]$

④ $[1, e]$ 　⑤ $[2, 3]$

유형 10 | 실수 전체의 집합에서 함수가 증가 또는 감소하기 위한 조건

미분가능한 함수 $f(x)$가 실수 전체의 집합에서

(1) 증가하면 ➡ 모든 실수 x에 대하여 $f'(x) \geq 0$

(2) 감소하면 ➡ 모든 실수 x에 대하여 $f'(x) \leq 0$

대표 문제

046 함수 $f(x) = (x^2 - ax + 2)e^{-x}$이 실수 전체의 집합에서 감소하도록 하는 정수 a의 개수는?

① 5 　② 6 　③ 7

④ 8 　⑤ 9

유형 11 | 주어진 구간에서 함수가 증가 또는 감소하기 위한 조건

열린구간 (a, b)에서 미분가능한 함수 $f(x)$가 이 구간에서

(1) 증가하면 ➡ $a < x < b$에서 $f'(x) \geq 0$

(2) 감소하면 ➡ $a < x < b$에서 $f'(x) \leq 0$

대표 문제

047 함수 $f(x) = ax + 5 - 2\ln x$가 구간 $(1, 3)$에서 증가하도록 하는 상수 a의 값의 범위는?

① $a \leq -2$ 　② $a \leq 0$ 　③ $-2 \leq a \leq 0$

④ $0 \leq a \leq 2$ 　⑤ $a \geq 2$

★중요 유형 12 | 함수의 극대와 극소 – 유리함수, 무리함수

(1) 미분가능한 함수 $f(x)$에 대하여 $f'(a) = 0$일 때, $x = a$의 좌우에서 $f'(x)$의 부호가

① 양에서 음으로 바뀌면 $f(x)$는 $x = a$에서 극대이다.

② 음에서 양으로 바뀌면 $f(x)$는 $x = a$에서 극소이다.

(2) 이계도함수를 갖는 함수 $f(x)$에 대하여 $f'(a) = 0$일 때

① $f''(a) < 0$이면 $f(x)$는 $x = a$에서 극대이다.

② $f''(a) > 0$이면 $f(x)$는 $x = a$에서 극소이다.

대표 문제

048 함수 $f(x) = \dfrac{3 - x^2}{x + 2}$의 극댓값을 M, 극솟값을 m이라 할 때, $M - m$의 값을 구하시오.

★중요
유형 **13** | 함수의 극대와 극소 – 지수함수, 로그함수, 삼각함수

지수함수, 로그함수, 삼각함수를 포함한 함수 $f(x)$의 극값은
$f'(x)=0$인 x의 값을 구하여 증가, 감소를 이용하거나 이계도
함수를 이용하여 구한다.

대표 문제

049 함수 $f(x)=2x+4\sin x\,(0<x<2\pi)$의 극댓값을
M, 극솟값을 m이라 할 때, $M+m$의 값을 구하시오.

★중요
유형 **14** | 함수의 극대, 극소를 이용하여 미정계수 구하기

미분가능한 함수 $f(x)$가 $x=a$에서 극값 β를 가지면
$$f'(a)=0,\ f(a)=\beta$$
임을 이용하여 미정계수를 구한다.

대표 문제

050 함수 $f(x)=\dfrac{ax+b}{x^2+3}$가 $x=1$에서 극솟값 -1을 가질
때, 상수 a, b에 대하여 ab의 값을 구하시오.

유형 **15** | 극값을 가질 조건 – 판별식을 이용하는 경우

미분가능한 함수 $f(x)$에 대하여 $f'(x)=g(x)h(x)$에서 $g(x)$
가 이차식이고 모든 실수 x에 대하여 $h(x)>0$일 때
(1) $f(x)$가 극값을 가지면
  ➡ 이차방정식 $g(x)=0$이 서로 다른 두 실근을 갖는다.
  ➡ 이차방정식 $g(x)=0$의 판별식 $D>0$이다.
(2) $f(x)$가 극값을 갖지 않으면
  ➡ 이차방정식 $g(x)=0$이 중근 또는 허근을 갖는다.
  ➡ 이차방정식 $g(x)=0$의 판별식 $D\le0$이다.

대표 문제

051 함수 $f(x)=(x^2+kx+5)e^x$이 극댓값과 극솟값을 모
두 갖도록 하는 상수 k의 값의 범위가 $k<\alpha$ 또는 $k>\beta$일 때,
$\alpha\beta$의 값은?

① -25 ② -16 ③ -9

④ -4 ⑤ -1

유형 **16** | 극값을 가질 조건 – 판별식을 이용하지 않는 경우

미분가능한 함수 $f(x)$에 대하여
(1) $f(x)$가 극값을 가지면
  ➡ $f'(x)=0$이 실근을 갖고, 실근의 좌우에서 $f'(x)$의 부
    호가 바뀐다.
(2) $f(x)$가 극값을 갖지 않으면
  ➡ 정의역의 모든 실수 x에 대하여 $f'(x)\le0$ 또는
    $f'(x)\ge0$이다.

대표 문제

052 함수 $f(x)=ax+\sin x$가 극값을 갖지 않도록 하는 자
연수 a의 최솟값은?

① 1 ② 2 ③ 3

④ 4 ⑤ 5

유형 09 함수의 증가와 감소

053 대표 문제 다시 보기

함수 $f(x)=x+\sqrt{16-x^2}$이 증가하는 구간에 속하는 모든 정수 x의 값의 합은? (단, $x>0$)

① 1 ② 3 ③ 6
④ 10 ⑤ 15

054 중

함수 $f(x)=\dfrac{2x}{x^2+1}$가 구간 $(-\infty,\ a]$, $[b,\ \infty)$에서 감소하고 구간 $[a,\ b]$에서 증가할 때, 상수 a, b에 대하여 $a+b$의 값을 구하시오.

055 중

함수 $f(x)=(x^2-8)e^x$이 감소하는 x의 값의 범위가 $a\leq x\leq b$일 때, ab의 값은?

① -8 ② -6 ③ -4
④ 6 ⑤ 8

유형 10 실수 전체의 집합에서 함수가 증가 또는 감소하기 위한 조건

056 대표 문제 다시 보기

함수 $f(x)=\ln{(x^2+a)}+x$가 실수 전체의 집합에서 증가하도록 하는 양수 a의 최솟값을 구하시오.

057 중

함수 $f(x)=ax-\cos 2x$가 구간 $(-\infty,\ \infty)$에서 감소하도록 하는 상수 a의 값의 범위는?

① $a\leq-2$ ② $-2\leq a\leq 0$ ③ $a\geq 0$
④ $0\leq a\leq 2$ ⑤ $a\geq 2$

058 중

함수 $f(x)=\ln{(x^2+2)}-kx$가 $x_1<x_2$인 임의의 두 실수 x_1, x_2에 대하여 $f(x_1)>f(x_2)$가 성립하도록 하는 상수 k의 최솟값을 구하시오.

059 중

함수 $f(x)=(x^2+ax+5)e^x$의 역함수가 존재하도록 하는 상수 a의 최댓값을 구하시오.

유형 11 주어진 구간에서 함수가 증가 또는 감소하기 위한 조건

060 대표 문제 다시 보기

함수 $f(x)=\ln x-2ax$가 구간 $(1,\infty)$에서 감소하도록 하는 상수 a의 값의 범위를 구하시오.

061 중

함수 $f(x)=ax-3\sin x$가 구간 $\left(0,\dfrac{\pi}{2}\right)$에서 증가하도록 하는 상수 a의 최솟값을 구하시오.

062 중

함수 $f(x)=a^2\ln x-4x$가 구간 $(4,\infty)$에서 감소하도록 하는 정수 a의 개수를 구하시오.

063 중

함수 $f(x)=(a-x^2)e^{2x}$이 구간 $(-2,0)$에서 증가하도록 하는 상수 a의 최솟값은?

① -2 ② -1 ③ 1
④ 2 ⑤ 3

유형 12 함수의 극대와 극소 – 유리함수, 무리함수

064 대표 문제 다시 보기

함수 $f(x)=x+\dfrac{4}{x-1}$의 극댓값과 극솟값의 차를 구하시오.

065 중

함수 $f(x)=\dfrac{x+1}{x^2+3}$이 $x=\alpha$에서 극대이고 $x=\beta$에서 극소일 때, $\alpha+2\beta$의 값을 구하시오.

066 중

함수 $f(x)=\dfrac{x^2-6x+10}{x-3}$의 그래프에서 극대인 점을 A, 극소인 점을 B라 할 때, 선분 AB의 길이는?

① $2\sqrt{3}$ ② 4 ③ $2\sqrt{5}$
④ $2\sqrt{6}$ ⑤ $2\sqrt{7}$

067 중

함수 $f(x)=x+\sqrt{4-x^2}$이 $x=a$에서 극댓값 b를 가질 때, ab의 값을 구하시오. (단, $x>0$)

068 중

함수 $f(x)=\sqrt{x-2}+\sqrt{8-x}$에 대하여 다음 보기 중 옳은 것만을 있는 대로 고르시오.

> 보기
> ㄱ. 정의역은 $\{x\,|\,2\leq x\leq 8\}$이다.
> ㄴ. 극댓값은 3이다.
> ㄷ. 구간 $[2,\,5]$에서 증가한다.

★ 중요

유형 **13** 함수의 극대와 극소
        – 지수함수, 로그함수, 삼각함수

069 대표 문제 다시 보기

함수 $f(x)=x\sin x+\cos x\,(0<x<2\pi)$의 극댓값을 M, 극솟값을 m이라 할 때, $M-m$의 값을 구하시오.

070 하

함수 $f(x)=\dfrac{e^x}{x}$의 극솟값은?

① $\dfrac{1}{e}$ ② 1 ③ 2

④ e ⑤ $2e$

071 하

함수 $f(x)=x\ln x-3x$가 $x=a$에서 극솟값을 가질 때, a의 값은?

① $\dfrac{1}{e}$ ② 1 ③ e

④ e^2 ⑤ e^3

072 중

함수 $f(x)=2x-\tan x\left(0<x<\dfrac{\pi}{2}\right)$가 $x=a$에서 극댓값 b를 가질 때, $a+b$의 값을 구하시오.

073 중

함수 $f(x)=(x^2-8)e^{-x}$의 극댓값과 극솟값의 곱을 구하시오.

074 중

함수 $f(x)=x(\ln x)^2$에 대하여 다음 보기 중 옳은 것만을 있는 대로 고르시오.

> 보기
> ㄱ. 극댓값과 극솟값을 모두 갖는다.
> ㄴ. 극솟값은 $\dfrac{1}{e}$이다.
> ㄷ. 구간 $\left[\dfrac{1}{e^2},\,1\right]$에서 증가한다.

075 ⓒ

매개변수 θ로 나타낸 함수 $x=\theta-\sin\theta$, $y=1+\cos\theta$의 극솟값은? (단, $0<\theta<2\pi$)

① 0   ② $\dfrac{1}{4}$ ③ $\dfrac{1}{2}$

④ 1   ⑤ 2

076 ⓢ

함수 $f(x)=\sin(\pi\ln x)$ $(x>1)$가 극값을 갖는 x의 값을 작은 수부터 차례대로 a_1, a_2, a_3, $\cdots$이라 할 때, 급수 $\displaystyle\sum_{n=1}^{\infty}\dfrac{1}{a_n}$의 합을 구하시오.

077 ⓢ

함수 $f(x)=\dfrac{\cos x}{e^{2x}}$ $(0<x<2\pi)$가 $x=k$에서 극댓값을 가질 때, $\cos k$의 값은?

① $\dfrac{\sqrt{5}}{5}$ ② $\dfrac{1}{2}$ ③ $\dfrac{\sqrt{3}}{3}$

④ $\dfrac{\sqrt{2}}{2}$ ⑤ $\dfrac{2\sqrt{5}}{5}$

★ 중요

유형 14   함수의 극대, 극소를 이용하여 미정계수 구하기

078 대표문제 다시 보기

함수 $f(x)=\dfrac{4x^2+ax+b}{x^2+1}$가 $x=1$에서 극댓값 5를 가질 때, 상수 a, b에 대하여 $a-b$의 값은?

① -2 ② -1 ③ 0

④ 1   ⑤ 2

079 ⓒ

함수 $f(x)=(x^2+ax+a)e^{-x}$이 $x=1$에서 극댓값 b를 가질 때, $\dfrac{b}{a}$의 값을 구하시오. (단, a는 상수)

080 ⓒ

함수 $f(x)=a\sin x+b\cos x$ $(0<x<2\pi)$가 $x=\dfrac{4}{3}\pi$에서 극솟값 -2를 가질 때, $f(x)$의 극댓값은? (단, a, b는 상수)

① $\dfrac{1}{2}$ ② $\dfrac{\sqrt{3}}{2}$ ③ 1

④ $\sqrt{3}$ ⑤ 2

081 ⓐ

함수 $f(x)=ax^2+bx+\ln x$가 $x=\dfrac{1}{2}$, $x=1$에서 극값을 가질 때, 함수 $g(x)=a\sin x-\dfrac{b}{3}\cos x+x$ $(0<x<2\pi)$의 극솟값은? (단, a, b는 상수)

① $\dfrac{1}{2}-\pi$ ② $1-\pi$ ③ $-1+\pi$

④ $-\dfrac{1}{2}+\pi$ ⑤ π

유형 15   극값을 가질 조건 – 판별식을 이용하는 경우

082   대표 문제 다시 보기

함수 $f(x)=\dfrac{3x+a}{x^2-4}$가 극댓값과 극솟값을 모두 갖도록 하는 상수 a의 값의 범위를 구하시오.

083 ⓐ

함수 $f(x)=(3x-a)e^{2x^2}$이 극값을 갖지 않도록 하는 정수 a의 개수는?

① 4   ② 5   ③ 6

④ 7   ⑤ 8

---

084 ⓐ

함수 $f(x)=x-3\ln x-\dfrac{a}{x}$가 극댓값과 극솟값을 모두 갖도록 하는 모든 정수 a의 값의 합은?

① -1 ② 0 ③ 1

④ 2 ⑤ 3

유형 16   극값을 가질 조건 – 판별식을 이용하지 않는 경우

085   대표 문제 다시 보기

함수 $f(x)=kx+4\cos x$가 극값을 갖지 않도록 하는 상수 k의 값의 범위가 $k\le\alpha$ 또는 $k\ge\beta$일 때, $\alpha\beta$의 값은?

① -16 ② -9 ③ -4

④ -1 ⑤ 4

086 ⓐ

함수 $f(x)=(x^3-4x^2+a)e^{-x}$이 극댓값과 극솟값을 모두 갖도록 하는 정수 a의 개수는?

① 15   ② 16   ③ 17

④ 18   ⑤ 19

087
유형 01

곡선 $y=\ln(x-2)+1$ 위의 점 $(3, 1)$에서의 접선의 방정식이 $y=ax+b$일 때, 상수 a, b에 대하여 $a+b$의 값은?

① -2 ② -1 ③ 1

④ 2 ⑤ 3

088
유형 01

곡선 $y=2e^x$ 위의 점 $(1, 2e)$에서의 접선이 곡선 $y=2\sqrt{x-k}$에 접할 때, 상수 k의 값을 구하시오.

089
유형 02

두 직선 $y=4x+a$, $y=4x+b$가 곡선 $y=\dfrac{x-1}{x+3}$에 접할 때, 상수 a, b에 대하여 $a-b$의 값을 구하시오. (단, $a>b$)

090
유형 02

곡선 $y=e^x+ax$가 x축에 접할 때, 상수 a의 값을 구하시오.

091
유형 03

원점에서 곡선 $y=e^{-x-1}$에 그은 접선이 점 $(-2, a)$를 지날 때, a의 값은?

① -2 ② -1 ③ 0

④ 1 ⑤ 2

092
유형 04

점 $(a, 0)$에서 곡선 $y=\dfrac{1}{x^2+1}$에 서로 다른 두 개의 접선을 그을 수 있을 때, a의 값의 범위를 구하시오.

093
유형 05

두 곡선 $y=2\cos^2 x+k$, $y=2\cos x$가 한 점에서 공통인 접선을 가질 때, 상수 k의 값은? $\left(\text{단}, 0<x<\dfrac{\pi}{2}\right)$

① -1 ② $-\dfrac{1}{2}$ ③ $\dfrac{1}{2}$

④ 1 ⑤ $\dfrac{3}{2}$

094

유형 06

매개변수 θ로 나타낸 곡선 $x=2\sqrt{3}\cos\theta$, $y=2\sin\theta$ 위의 점에서의 접선의 기울기가 -1일 때, 이 접선과 x축, y축이 만나는 점을 각각 A, B라 하자. 이때 선분 AB의 길이를 구하시오. $\left(\text{단, } 0<\theta<\dfrac{\pi}{2}\right)$

095

유형 07

곡선 $\sqrt{x}+\sqrt{y}=4$ 위의 $x=9$인 점에서의 접선과 x축 및 y축으로 둘러싸인 도형의 넓이는?

① 20   ② 22   ③ 24
④ 26   ⑤ 28

096

유형 08

함수 $f(x)=x^3+2x+1$의 역함수를 $g(x)$라 할 때, 곡선 $y=g(x)$ 위의 점 $(-2, g(-2))$에서의 접선의 방정식이 $y=ax+b$이다. 이때 상수 a, b에 대하여 $a+b$의 값을 구하시오.

097

유형 09

함수 $f(x)=x^2e^{-x}$이 증가하는 x의 값의 범위가 $a\leq x\leq b$일 때, $b-a$의 값은?

① -2 ② -1 ③ 0
④ 1 ⑤ 2

098

유형 10

함수 $f(x)=(1+ax^2)e^{-x}$이 실수 전체의 집합에서 감소하도록 하는 정수 a의 개수는?

① 1 ② 2 ③ 3
④ 4 ⑤ 5

099

유형 11

함수 $f(x)=\dfrac{x^2+2x+a}{x^2+1}$가 구간 $(-1, 1)$에서 증가하도록 하는 상수 a의 값을 구하시오.

100
유형12

함수 $f(x)=\dfrac{x+1}{\sqrt{x-2}}$의 극솟값은?

① $\sqrt{3}$　　　② 2　　　③ $2\sqrt{2}$

④ $2\sqrt{3}$　　　⑤ 4

101
유형13

함수 $f(x)=e^x(\sin x+\cos x)\,(0<x<2\pi)$의 극댓값과 극솟값의 곱은?

① $-e^{2\pi}$　　　② $-e^{\pi}$　　　③ 1

④ e^{π}　　　⑤ $e^{2\pi}$

102
유형13

함수 $f(x)=n\ln x+\dfrac{n+1}{x}-n\,(n$은 자연수$)$의 극솟값을 a_n
이라 할 때, $\lim\limits_{n\to\infty}a_n$의 값을 구하시오.

103
유형14

함수 $f(x)=\dfrac{x^2+ax+b}{x+1}$가 $x=1$에서 극솟값 -2를 가질 때,
상수 a, b에 대하여 ab의 값은?

① -4　　　② -2　　　③ 1

④ 2　　　⑤ 4

104
유형15

함수 $f(x)=\dfrac{a}{x}-2x+a\ln x$가 극댓값과 극솟값을 모두 갖도
록 하는 정수 a의 최솟값은?

① 6　　　② 7　　　③ 8

④ 9　　　⑤ 10

105
유형16

함수 $f(x)=x+a\sin x$가 극값을 갖지 않도록 하는 상수 a
의 값의 범위를 구하시오.

07

도함수의 활용 (2)

도함수의 활용 (2)

유형 01 | 곡선의 오목과 볼록

이계도함수를 갖는 함수 $f(x)$에 대하여 어떤 구간에서

(1) $f''(x)>0$이면

➡ 곡선 $y=f(x)$는 이 구간에서 아래로 볼록하다.

(2) $f''(x)<0$이면

➡ 곡선 $y=f(x)$는 이 구간에서 위로 볼록하다.

대표 문제

001 곡선 $y=x-2\sin x\,(0<x<2\pi)$가 위로 볼록한 구간은?

① $(0,\pi)$ ② $\left(\dfrac{\pi}{4},\dfrac{\pi}{2}\right)$ ③ $\left(\dfrac{\pi}{3},\pi\right)$

④ $\left(\dfrac{\pi}{2},\dfrac{3}{2}\pi\right)$ ⑤ $(\pi,2\pi)$

★ 중요

유형 02 | 변곡점

이계도함수를 갖는 함수 $f(x)$에 대하여

(ⅰ) $f''(a)=0$이고

(ⅱ) $x=a$의 좌우에서 $f''(x)$의 부호가 바뀌면

➡ 점 $(a,f(a))$는 곡선 $y=f(x)$의 변곡점이다.

대표 문제

002 곡선 $y=\ln(x^2+1)$의 모든 변곡점의 x좌표의 합은?

① -2 ② -1 ③ 0

④ 1 ⑤ 2

★ 중요

유형 03 | 변곡점을 이용하여 미정계수 구하기

이계도함수를 갖는 함수 $f(x)$에 대하여 점 (a,b)가 곡선 $y=f(x)$의 변곡점이면

➡ $f(a)=b$, $f''(a)=0$

참고 함수 $f(x)$가 $x=a$에서 극값 b를 가지면

➡ $f(a)=b$, $f'(a)=0$

대표 문제

003 함수 $f(x)=x^2+ax+b\ln x$가 $x=4$에서 극값을 갖고 곡선 $y=f(x)$의 변곡점의 x좌표가 2일 때, 상수 a, b에 대하여 $b-a$의 값을 구하시오.

유형 04 | 도함수를 이용한 그래프의 해석

(1) 함수 $f(x)$에 대하여 $f'(a)=0$일 때, $x=a$의 좌우에서 $f'(x)$의 부호가

① 양에서 음으로 바뀌면 $f(x)$는 $x=a$에서 극대이다.

② 음에서 양으로 바뀌면 $f(x)$는 $x=a$에서 극소이다.

(2) 함수 $f(x)$에 대하여

① $f''(x)>0$인 구간에서 곡선 $y=f(x)$는 아래로 볼록하다.

② $f''(x)<0$인 구간에서 곡선 $y=f(x)$는 위로 볼록하다.

③ $f''(a)=0$이고 $x=a$의 좌우에서 $f''(x)$의 부호가 바뀌면 점 $(a,f(a))$는 곡선 $y=f(x)$의 변곡점이다.

참고 $f''(x)$의 부호는 $y=f'(x)$의 그래프 위의 점에서의 접선의 기울기를 조사한다.

대표 문제

004 미분가능한 함수 $f(x)$의 도함수 $y=f'(x)$의 그래프가 오른쪽 그림과 같을 때, 다음 보기 중 옳은 것만을 있는 대로 고르시오.

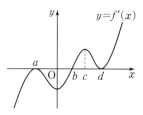

보기

ㄱ. $f(x)$가 극값을 갖는 x의 값은 4개이다.

ㄴ. $y=f(x)$의 그래프의 변곡점은 4개이다.

ㄷ. $y=f(x)$의 그래프는 구간 $(0,c)$에서 아래로 볼록하다.

★중요

유형 **05** | 함수의 그래프

다음을 조사하여 $y=f(x)$의 그래프의 성질을 파악할 수 있다.

(1) 함수의 정의역과 치역

(2) 곡선과 좌표축의 교점

(3) 곡선의 대칭성과 주기

(4) 함수의 증가와 감소, 극대와 극소

(5) 곡선의 오목과 볼록, 변곡점

(6) $\lim\limits_{x \to \infty} f(x)$, $\lim\limits_{x \to -\infty} f(x)$, 점근선

대표 문제

005 함수 $f(x)=e^{-x^2}$에 대하여 다음 보기 중 옳은 것만을 있는 대로 고르시오.

┌ 보기 ┐
ㄱ. 치역은 $\{y \mid y \leq 1\}$이다.

ㄴ. $y=f(x)$의 그래프의 변곡점은 2개이다.

ㄷ. $y=f(x)$의 그래프는 y축에 대하여 대칭이다.

ㄹ. $y=f(x)$의 그래프는 구간 $\left(-\dfrac{\sqrt{2}}{2}, \dfrac{\sqrt{2}}{2}\right)$에서 위로 볼록하다.

유형 **06** | 함수의 최대와 최소

닫힌구간 $[a, b]$에서 연속인 함수 $f(x)$에 대하여 극댓값, 극솟값, $f(a)$, $f(b)$ 중 가장 큰 값이 최댓값, 가장 작은 값이 최솟값이다.

참고 함수 $f(x)$의 식에 공통부분이 있을 때는 공통부분을 t로 치환하여 t에 대한 함수 $g(t)$로 나타낸 후 t의 값의 범위에서 함수 $g(t)$의 최댓값과 최솟값을 구한다.

대표 문제

006 구간 $[-2, 2]$에서 함수 $f(x)=\dfrac{x-1}{x^2+x+2}$의 최댓값과 최솟값의 차를 구하시오.

07

★중요

유형 **07** | 함수의 최대, 최소를 이용하여 미정계수 구하기

함수 $f(x)$의 최댓값 또는 최솟값이 주어지면

➡ 최댓값 또는 최솟값을 미정계수가 포함된 식으로 나타낸 후 주어진 값과 비교하여 미정계수를 구한다.

대표 문제

007 구간 $\left[0, \dfrac{\pi}{2}\right]$에서 함수 $f(x)=ax-a\sin 2x$의 최댓값이 $\dfrac{7}{2}\pi$일 때, 양수 a의 값을 구하시오.

★중요

유형 **08** | 함수의 최대, 최소의 활용

도형의 길이, 넓이, 부피 등에 대한 최대, 최소 문제는 구하는 값을 한 문자에 대한 함수로 나타낸 후 도함수를 이용하여 최댓값 또는 최솟값을 구한다.

대표 문제

008 오른쪽 그림과 같이 두 곡선 $y=\dfrac{1}{2}e^x$, $y=\dfrac{1}{2}e^{-x}$ 위의 두 점을 꼭짓점으로 하고 한 변이 x축 위에 있는 직사각형의 넓이의 최댓값을 구하시오.

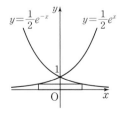

완성하기

핵심 유형

유형 01 곡선의 오목과 볼록

009 대표 문제 다시 보기

곡선 $y=2x\ln x-x^2$이 아래로 볼록한 구간은?

① $(0,\ 1)$
② $\left(0,\ \dfrac{3}{2}\right)$
③ $\left(\dfrac{1}{2},\ \dfrac{3}{2}\right)$
④ $\left(1,\ \dfrac{3}{2}\right)$
⑤ $\left(\dfrac{3}{2},\ 2\right)$

010 중

곡선 $y=\sin^2 x\,(0<x<\pi)$가 위로 볼록한 x의 값의 범위가 $a<x<b$일 때, $b-a$의 값을 구하시오.

011 중

함수 $f(x)=\ln(x^2+4)$의 그래프가 구간 $(a,\ a+1)$에서 아래로 볼록하도록 하는 정수 a에 대하여 $f'(a)$의 최댓값과 최솟값의 합을 구하시오.

012 중

곡선 $y=(ax^2+3)e^x$이 구간 $(-\infty,\ \infty)$에서 아래로 볼록할 때, 상수 a의 최댓값은?

① 0
② $\dfrac{1}{2}$
③ 1
④ $\dfrac{3}{2}$
⑤ 2

013 중

다음 보기의 함수 중 $0<x<1$에 속하는 임의의 실수 $a,\ b\,(a<b)$에 대하여 부등식
$$f(b)<f'(a)(b-a)+f(a)$$
를 만족시키는 것만을 있는 대로 고르시오.

보기

ㄱ. $f(x)=\dfrac{1}{x}$
ㄴ. $f(x)=e^x-e^{-x}$
ㄷ. $f(x)=\ln x$
ㄹ. $f(x)=x+\cos x$

★중요

유형 02 변곡점

014 대표 문제 다시 보기

곡선 $y=(x^2+1)e^{-x}$의 모든 변곡점의 x좌표의 합은?

① -4
② -2
③ 0
④ 2
⑤ 4

015 하

곡선 $y=x^4-6x^2+3x$의 변곡점의 개수를 구하시오.

016 (중)

곡선 $y=2x^2+\ln x$의 변곡점에서의 접선의 기울기는?

① 2   ② 3   ③ 4
④ 5   ⑤ 6

017 (중)

곡선 $y=\dfrac{1}{x^2+3}$의 두 변곡점을 각각 A, B라 할 때, 삼각형 OAB의 넓이를 구하시오. (단, O는 원점)

018 (중)

최고차항의 계수가 1인 삼차함수 $f(x)$에 대하여
$$f(2)=f'(2)=0, \ f''(1)=12$$
일 때, 곡선 $y=f(x)$의 변곡점의 y좌표를 구하시오.

019 (상)

곡선 $y=e^{-x}\cos x \ (x>0)$의 변곡점의 좌표를 x좌표가 작은 것부터 차례대로 $(x_1, y_1), (x_2, y_2), (x_3, y_3), \cdots, (x_n, y_n),$ $\cdots$이라 할 때, 급수 $\displaystyle\sum_{n=1}^{\infty} y_{2n}$의 합은?

① $-\dfrac{e^\pi}{e^{2\pi}+1}$ ② $-\dfrac{1}{e^{2\pi}+1}$ ③ $\dfrac{1}{e^{2\pi}+1}$
④ $\dfrac{1}{e^{2\pi}-1}$ ⑤ $\dfrac{e^\pi}{e^{2\pi}-1}$

★중요
유형 03 변곡점을 이용하여 미정계수 구하기

020 대표 문제 다시 보기

함수 $f(x)=a\sin x+\cos x+bx$가 $x=\dfrac{\pi}{6}$에서 극대이고 곡선 $y=f(x)$의 변곡점의 x좌표가 $\dfrac{\pi}{2}$일 때, 상수 a, b에 대하여 $a+b$의 값을 구하시오.

021 (중)

함수 $f(x)=x^3+ax^2+bx+c$에 대하여 곡선 $y=f(x)$ 위의 $x=1$인 점에서의 접선의 기울기가 4이고, 변곡점의 좌표가 $(-1, 12)$일 때, 상수 a, b, c에 대하여 $a+b+c$의 값은?

① -3 ② -1 ③ 1
④ 3   ⑤ 5

022 (중)

곡선 $y=(\ln ax)^2$의 변곡점이 직선 $y=2x-3$ 위에 있을 때, 양수 a의 값을 구하시오.

023 (상)

곡선 $y=ax^2+6\sin x+3$이 변곡점을 갖도록 하는 정수 a의 개수를 구하시오.

유형 04 도함수를 이용한 그래프의 해석

024 대표 문제 다시 보기

미분가능한 함수 $f(x)$의 도함수 $y=f'(x)$의 그래프가 오른쪽 그림과 같을 때, 다음 보기 중 옳은 것만을 있는 대로 고르시오.

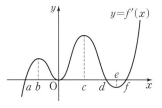

┌─ 보기 ─────────────────────────────
ㄱ. $f(x)$는 구간 (d, f)에서 감소한다.
ㄴ. $f(x)$가 극대가 되는 x의 값은 2개이다.
ㄷ. $y=f(x)$의 그래프의 변곡점은 4개이다.
ㄹ. $y=f(x)$의 그래프는 구간 (c, e)에서 위로 볼록하다.
└──────────────────────────────────

025 중

실수 전체의 집합에서 연속인 함수 $f(x)$의 도함수 $y=f'(x)$의 그래프가 다음 그림과 같을 때, 곡선 $y=f(x)$의 변곡점의 개수를 구하시오.

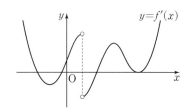

026 중

삼차함수 $y=f(x)$의 그래프가 오른쪽 그림과 같을 때, $f'(x)f''(x)>0$인 점을 모두 고르시오. (단, D는 변곡점, B는 극소인 점, E는 극대인 점이다.)

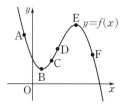

유형 05 함수의 그래프

027 대표 문제 다시 보기

함수 $f(x)=\dfrac{2x}{x^2+1}$에 대하여 다음 보기 중 옳은 것만을 있는 대로 고르시오.

┌─ 보기 ─────────────────────────────
ㄱ. $x=1$에서 극대이다.
ㄴ. $y=f(x)$의 그래프의 변곡점은 2개이다.
ㄷ. $y=f(x)$의 그래프는 원점에 대하여 대칭이다.
ㄹ. $y=f(x)$의 그래프의 점근선의 방정식은 $y=0$이다.
└──────────────────────────────────

028 중

함수 $f(x)=(1-x)e^x$에 대하여 다음 보기 중 옳은 것만을 있는 대로 고르시오.

┌─ 보기 ─────────────────────────────
ㄱ. 치역은 $\{y | y \leq 1\}$이다.
ㄴ. $y=f(x)$의 그래프의 변곡점의 좌표는 $(0, 1)$이다.
ㄷ. $y=f(x)$의 그래프의 점근선은 x축이다.
└──────────────────────────────────

029 중

함수 $f(x)=\dfrac{\ln x}{x}$에 대한 설명으로 옳지 않은 것은?

① 극댓값은 $\dfrac{1}{e}$이다.

② 치역은 $\left\{y \middle| y \leq \dfrac{1}{e}\right\}$이다.

③ $y=f(x)$의 그래프의 변곡점은 1개이다.

④ $y=f(x)$의 그래프는 구간 $(0, \infty)$에서 위로 볼록하다.

⑤ $y=f(x)$의 그래프의 점근선의 방정식은 $x=0$, $y=0$이다.

유형 **06** 함수의 최대와 최소

030 대표 문제 다시 보기

구간 $[1, e^2]$에서 함수 $f(x)=2x\ln x-4x$의 최댓값과 최솟값의 합은?

① $-2e$ ② $-e$ ③ 0

④ e ⑤ $2e$

031 중

함수 $f(x)=\dfrac{x^2}{x-2}\ (x>2)$이 $x=a$에서 최솟값 m을 가질 때, $\dfrac{m}{a}$의 값을 구하시오.

032 중

구간 $[0, 4]$에서 함수 $f(x)=(x^2-3)e^{-x}$은 $x=\alpha$에서 최댓값을 갖고, $x=\beta$에서 최솟값을 갖는다. 이때 $\alpha+\beta$의 값은?

① 3 ② 4 ③ 5

④ 6 ⑤ 7

033 중

함수 $f(x)=\sqrt{x}+\sqrt{6-x}$의 최댓값을 M, 최솟값을 m이라 할 때, Mm의 값은?

① $2\sqrt{2}$ ② $3\sqrt{2}$ ③ $4\sqrt{2}$

④ $5\sqrt{2}$ ⑤ $6\sqrt{2}$

034 중

함수 $f(x)=\dfrac{\ln x-1}{x}$이 $x=a$에서 최댓값 M을 가질 때, aM의 값은?

① $\dfrac{1}{2}$ ② 1 ③ $\dfrac{3}{2}$

④ 2 ⑤ $\dfrac{5}{2}$

035 중

구간 $[0, 2\pi]$에서 함수 $f(x)=\cos x+x\sin x$이 치댓값을 M, 최솟값을 m이라 할 때, $M-m$의 값은?

① $\dfrac{\pi}{2}$ ② π ③ $\dfrac{3}{2}\pi$

④ 2π ⑤ $\dfrac{5}{2}\pi$

036 중

함수 $f(x)=3\cos^3 x+9\sin^2 x+5$의 최댓값을 M, 최솟값을 m이라 할 때, $M+m$의 값은?

① 10   ② 12   ③ 14
④ 16   ⑤ 18

037 상

실수 전체의 집합에서 정의된 두 함수

$$f(x)=e^{-x^2},\ g(x)=\sin x+\sqrt{3}\cos x$$

에 대하여 합성함수 $(f\circ g)(x)$의 최댓값과 최솟값의 곱을 구하시오.

★ 중요

유형 **07**   **함수의 최대, 최소를 이용하여 미정계수 구하기**

038 대표 문제 다시 보기

함수 $f(x)=x\ln x+2x+a$의 최솟값이 0일 때, 상수 a의 값은?

① $\dfrac{1}{e^3}$ ② $\dfrac{1}{e^2}$ ③ $\dfrac{1}{e}$
④ e ⑤ e^2

039 중

구간 $[-1, 2]$에서 함수 $f(x)=axe^{-x}$의 최댓값과 최솟값의 곱이 -4일 때, 양수 a의 값은?

① 2   ② 3   ③ 4
④ 5   ⑤ 6

040 중

함수 $f(x)=x\sqrt{a-x^2}$의 최댓값을 M, 최솟값을 m이라 하자. $M-m=8$일 때, 양수 a의 값은?

① 5   ② 6   ③ 7
④ 8   ⑤ 9

041 중

구간 $\left[0, \dfrac{\pi}{2}\right]$에서 함수 $f(x)=ax+2a\cos x$의 최솟값이 π일 때, $f(x)$의 최댓값을 구하시오. (단, $a>0$)

유형 08 **함수의 최대, 최소의 활용**

042 대표문제 다시 보기

오른쪽 그림과 같이 곡선 $y=\sqrt{x+3}$ 위를 움직이고 제2사분면에 있는 점 A에서 x축, y축에 내린 수선의 발을 각각 B, C라 할 때, 직사각형 ABOC의 넓이의 최댓값을 구하시오. (단, O는 원점)

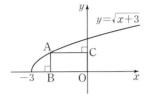

043 중

오른쪽 그림과 같이 직선 $y=x$와 곡선 $y=\ln 2x$가 직선 $x=a$와 만나는 점을 각각 P, Q라 할 때, 선분 PQ의 길이의 최솟값을 구하시오.
(단, $a>0$)

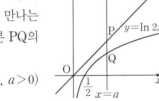

044 중

어느 회사에서 만든 상품의 가격을 1 kg에 x만 원으로 정하면 $\sqrt{30-x}$ kg이 팔린다고 한다. 이 상품 1 kg을 만드는 데 3만 원이 들 때, 이 상품을 팔아서 생기는 최대 이익은?
(단, $0<x<30$)

① 51만 원   ② 54만 원   ③ 57만 원
④ 60만 원   ⑤ 63만 원

045 중

곡선 $y=3e^{-x}$ 위의 점 $(t, 3e^{-t})$ $(t>0)$에서의 접선이 x축, y축과 만나는 점을 각각 P, Q라 할 때, 삼각형 OPQ의 넓이의 최댓값은? (단, O는 원점)

① $\dfrac{3}{e}$ ② $\dfrac{6}{e}$ ③ e

④ $3e$ ⑤ $6e$

046 중

오른쪽 그림과 같이 지름의 길이가 2인 반원에 내접하는 사다리꼴 ABCD의 넓이의 최댓값을 구하시오.

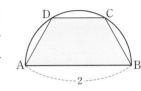

047 상   신유형

오른쪽 그림과 같이 $\overline{AB}=3$, $\overline{BC}=5$, $\angle B=\dfrac{\pi}{2}$인 직각삼각형 ABC의 빗변 AC 위의 한 점 D에서 변 BC에 내린 수선의 발을 E라 하자. $\overline{AE}+\overline{DE}$의 값이 최소가 되도록 하는 $\angle AED$의 크기를 θ라 할 때, $\sin\theta$의 값을 구하시오. $\left(\text{단, } 0<\theta<\dfrac{\pi}{4}\right)$

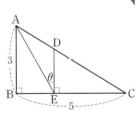

도함수의 활용 (2)

★중요

유형 09 | 방정식 $f(x)=k$의 실근의 개수

(1) 방정식 $f(x)=0$의 서로 다른 실근의 개수
 $\iff$ 함수 $y=f(x)$의 그래프와 x축의 교점의 개수

(2) 방정식 $f(x)=k$의 서로 다른 실근의 개수
 $\iff$ 함수 $y=f(x)$의 그래프와 직선 $y=k$의 교점의 개수

참고 방정식 $f(x)=0$의 실근은 함수 $y=f(x)$의 그래프와 x축의 교점의 x좌표와 같다.

대표 문제

048 방정식 $x-e^x+5-k=0$이 서로 다른 두 실근을 갖도록 하는 자연수 k의 개수를 구하시오.

유형 10 | 방정식 $f(x)=g(x)$의 실근의 개수

방정식 $f(x)=g(x)$의 서로 다른 실근의 개수
 $\iff$ 두 함수 $y=f(x)$, $y=g(x)$의 그래프의 교점의 개수

참고 방정식 $f(x)=g(x)$의 실근은 두 함수 $y=f(x)$, $y=g(x)$의 그래프의 교점의 x좌표와 같다.

대표 문제

049 방정식 $e^x=kx$가 실근을 갖지 않도록 하는 정수 k의 개수를 구하시오.

★중요

유형 11 | 부등식에의 활용 − $f(x)>0$ 꼴

$x>a$에서 부등식 $f(x)>0$이 성립하려면

(1) 함수 $f(x)$의 최솟값이 존재할 때
 ➡ $x>a$에서 ($f(x)$의 최솟값)>0

(2) 함수 $f(x)$의 최솟값이 존재하지 않고, $x>a$에서 함수 $f(x)$가 증가할 때
 ➡ $f(a)\geq0$

대표 문제

050 $x>0$인 모든 실수 x에 대하여 부등식
$x\ln x-4x+k\geq0$이 성립하도록 하는 상수 k의 최솟값은?

① e ② 4 ③ $3e$
④ $2e^2$ ⑤ e^3

유형 12 | 부등식에의 활용 − $f(x)>g(x)$ 꼴

열린구간 (a, b)에서 부등식 $f(x)>g(x)$가 성립하려면
 ➡ 열린구간 (a, b)에서 함수 $y=f(x)$의 그래프가 함수 $y=g(x)$의 그래프보다 항상 위쪽에 있어야 한다.

대표 문제

051 $0<x<\dfrac{\pi}{4}$인 모든 실수 x에 대하여 부등식 $\sin2x<ax$가 성립하도록 하는 상수 a의 값의 범위는?

① $a\leq-2$ ② $a\leq-1$ ③ $-1\leq a<0$
④ $0<a\leq1$ ⑤ $a\geq2$

유형 **13** | 직선 운동에서의 속도와 가속도

수직선 위를 움직이는 점 P의 시각 t에서의 위치 x가 $x=f(t)$일 때, 시각 t에서의 점 P의 속도 v와 가속도 a는

(1) $v=\dfrac{dx}{dt}=f'(t)$

(2) $a=\dfrac{dv}{dt}=f''(t)$

참고 위치 $\xrightarrow{\text{미분}}$ 속도 $\xrightarrow{\text{미분}}$ 가속도

대표 문제

052 수직선 위를 움직이는 점 P의 시각 t에서의 위치 x가 $x=t-a\sin t$이다. $t=\pi$에서 점 P의 속도가 3일 때, 상수 a의 값은?

① $\dfrac{1}{2}$　　　② 1　　　③ $\dfrac{3}{2}$

④ 2　　　⑤ $\dfrac{5}{2}$

중요
유형 **14** | 평면 운동에서의 속도

좌표평면 위를 움직이는 점 P의 시각 t에서의 위치 (x,y)가 $x=f(t)$, $y=g(t)$일 때, 시각 t에서의 점 P의 속도와 속력은

(1) 속도: $\left(\dfrac{dx}{dt},\dfrac{dy}{dt}\right)$ 또는 $(f'(t),g'(t))$

(2) 속력: $\sqrt{\left(\dfrac{dx}{dt}\right)^2+\left(\dfrac{dy}{dt}\right)^2}$ 또는 $\sqrt{\{f'(t)\}^2+\{g'(t)\}^2}$

참고 속도의 크기를 속력이라 한다.

대표 문제

053 좌표평면 위를 움직이는 점 P의 시각 t에서의 위치 (x,y)가 $x=t^2+t$, $y=\dfrac{1}{2}t^2+3t$이다. 점 P의 속력이 $5\sqrt{2}$일 때의 시각은?

① 1　　　② 2　　　③ 3

④ 4　　　⑤ 5

중요
유형 **15** | 평면 운동에서의 가속도

좌표평면 위를 움직이는 점 P의 시각 t에서의 위치 (x,y)가 $x=f(t)$, $y=g(t)$일 때, 시각 t에서의 점 P의 가속도와 가속도의 크기는

(1) 가속도: $\left(\dfrac{d^2x}{dt^2},\dfrac{d^2y}{dt^2}\right)$ 또는 $(f''(t),g''(t))$

(2) 가속도의 크기:
$\sqrt{\left(\dfrac{d^2x}{dt^2}\right)^2+\left(\dfrac{d^2y}{dt^2}\right)^2}$ 또는 $\sqrt{\{f''(t)\}^2+\{g''(t)\}^2}$

대표 문제

054 좌표평면 위를 움직이는 점 P의 시각 t에서의 위치 (x,y)가 $x=\sqrt{3}t$, $y=-t^3+3t$이다. 점 P의 속력이 $\sqrt{3}$일 때, 가속도의 크기는?

① 5　　　② 6　　　③ 7

④ 8　　　⑤ 9

★중요

유형 **09** **방정식 $f(x)=k$의 실근의 개수**

055 대표 문제 다시 보기

방정식 $\ln x + \dfrac{1}{x} - a = 0$이 오직 한 실근만을 갖도록 하는 상수 a의 값은?

① -2 ② -1 ③ 1

④ 2 ⑤ 3

056 중

방정식 $x^2 e^{-x} = k$가 서로 다른 세 실근을 갖도록 하는 상수 k의 값의 범위가 $\alpha < k < \beta$일 때, $\beta - \alpha$의 값은?

① $\dfrac{1}{2e^2}$ ② $\dfrac{2}{e^2}$ ③ $\dfrac{4}{e^2}$

④ $\dfrac{e^2}{4}$ ⑤ e^2

057 중

$0 \le x \le \pi$에서 방정식 $x \sin x + \cos x + k = 0$이 서로 다른 두 실근을 갖도록 하는 상수 k의 값의 범위를 구하시오.

058 중

방정식 $2\sqrt{x+1} - x - k = 0$에 대하여 다음 보기 중 옳은 것만을 있는 대로 고른 것은?

> 보기
> ㄱ. $k=1$일 때, 서로 다른 실근의 개수는 2이다.
> ㄴ. $k=2$일 때, 서로 다른 실근의 개수는 1이다.
> ㄷ. $k=3$일 때, 실근은 존재하지 않는다.

① ㄱ   ② ㄴ   ③ ㄷ

④ ㄴ, ㄷ   ⑤ ㄱ, ㄴ, ㄷ

059 상

임의의 실수 t에 대하여 $0 \le x \le 2\pi$에서 두 곡선 $y = \sin x - \cos x$, $y = te^{-x}$의 서로 다른 교점의 개수를 $f(t)$라 할 때, 함수 $f(t)$의 불연속인 t의 값의 개수를 구하시오.

유형 **10** **방정식 $f(x)=g(x)$의 실근의 개수**

060 대표 문제 다시 보기

방정식 $x^2 = k \ln x$가 서로 다른 두 실근을 갖도록 하는 양수 k의 값의 범위를 구하시오.

061 중

$-\pi \leq x \leq \pi$에서 방정식 $\sin x = kx$가 서로 다른 세 실근을 갖도록 하는 상수 k의 값의 범위가 $\alpha \leq k < \beta$일 때, $\alpha + \beta$의 값은?

① 0　　　　　② $\dfrac{1}{2}$　　　　　③ 1

④ $\dfrac{\pi}{2}$　　　　　⑤ π

★중요

유형 11 부등식에의 활용 − $f(x) > 0$ 꼴

062 대표 문제 다시 보기

$x > 0$인 모든 실수 x에 대하여 부등식 $x + \dfrac{4}{x} - k \geq 0$이 성립하도록 하는 상수 k의 최댓값은?

① 3　　　　　② 4　　　　　③ 5

④ 6　　　　　⑤ 7

063 중

모든 실수 x에 대하여 부등식 $e^x - 2x \geq k$가 성립하도록 하는 상수 k의 값의 범위를 구하시오.

064 중

$x > 0$인 모든 실수 x에 대하여 부등식 $(\ln x)^2 - 2\ln x \geq k$가 성립하도록 하는 상수 k의 최댓값은?

① -2　　　　　② -1　　　　　③ 0

④ 1　　　　　⑤ 2

065 중

$x \geq 0$인 모든 실수 x에 대하여 부등식 $\sin x - 2x + a < 0$이 성립하도록 하는 상수 a의 값의 범위를 구하시오.

066 상

$-\sqrt{2} \leq x \leq \sqrt{2}$인 모든 실수 x에 대하여 부등식
$$ae^{-x} \leq \sqrt{2 - x^2} \leq be^{-x}$$
이 성립할 때, $b - a$의 최솟값은? (단, a, b는 상수)

① $\dfrac{1}{e}$　　　　　② $\dfrac{2}{e}$　　　　　③ 1

④ e　　　　　⑤ $2e$

유형 12 부등식에의 활용 – $f(x)>g(x)$ 꼴

067 대표 문제 다시 보기

$0<x<\dfrac{\pi}{2}$인 모든 실수 x에 대하여 $\tan x>ax$가 성립하도록 하는 상수 a의 최댓값은?

① 1 　　　　② 2 　　　　③ 3
④ 4 　　　　⑤ 5

068 중

모든 실수 x에 대하여 $e^{-2x}\geq kx$가 성립하도록 하는 상수 k의 최솟값은?

① $-2e$ 　　　　② $-e$ 　　　　③ 0
④ e 　　　　⑤ $2e$

069 중

$x>0$인 모든 실수 x에 대하여 $\sqrt{x}>k\ln x$가 성립하도록 하는 양수 k의 값의 범위를 구하시오.

유형 13 직선 운동에서의 속도와 가속도

070 대표 문제 다시 보기

수직선 위를 움직이는 점 P의 시각 t에서의 위치 x가 $x=k\cos\dfrac{t}{2}+2$이다. $t=\pi$에서 점 P의 속도가 4일 때, 상수 k의 값을 구하시오.

071 중

수직선 위를 움직이는 점 P의 시각 t에서의 위치 x가 $x=(t^2-t-1)e^t$일 때, 점 P가 운동 방향을 바꾸는 시각은?

① 1 　　　　② $\dfrac{3}{2}$ 　　　　③ 2
④ $\dfrac{5}{2}$ 　　　　⑤ 3

072 중

수직선 위를 움직이는 점 P의 시각 $t\,(t>0)$에서의 위치 x가 $x=pt+q\ln t-3$이다. $t=1$에서 점 P의 속도가 5, 가속도가 2일 때, 상수 p, q에 대하여 $p-q$의 값은?

① 5 　　　　② 6 　　　　③ 7
④ 8 　　　　⑤ 9

073 ⟨중⟩

수직선 위를 움직이는 두 점 P, Q의 시각 t에서의 위치가 각각 $x_P=t(t-a)$, $x_Q=e^t(t-3)$이다. 두 점 P, Q가 서로 반대 방향으로 움직이는 시각 t의 범위가 $1<t<2$일 때, 상수 a의 값을 구하시오.

유형 14 　평면 운동에서의 속도

074 　대표 문제 다시 보기

좌표평면 위를 움직이는 점 P의 시각 t에서의 위치 (x, y)가 $x=6t-1$, $y=6t-3t^2$이다. 점 P의 속력이 $6\sqrt{5}$일 때의 시각은?

① 2　　　　② 3　　　　③ 4

④ 5　　　　⑤ 6

075 ⟨하⟩

좌표평면 위를 움직이는 점 P의 시각 t에서의 위치 (x, y)가 $x=2\sin t$, $y=\cos t$일 때, $t=\dfrac{\pi}{3}$에서 점 P의 속력은?

① $\dfrac{1}{2}$　　　　② $\dfrac{\sqrt{3}}{2}$　　　　③ 1

④ $\dfrac{\sqrt{5}}{2}$　　　　⑤ $\dfrac{\sqrt{7}}{2}$

076 ⟨중⟩

좌표평면 위를 움직이는 점 P의 시각 t에서의 위치 (x, y)가 $x=t^2-5t$, $y=\dfrac{1}{2}t^2+2$일 때, 점 P의 속력의 최솟값은?

① 1　　　　② 2　　　　③ $\sqrt{5}$

④ $2\sqrt{2}$　　　　⑤ 3

077 ⟨중⟩

좌표평면 위를 움직이는 점 P의 시각 t에서의 위치 (x, y)가 $x=at^2-t$, $y=\dfrac{4}{3}t\sqrt{t}$이다. $t=4$에서 점 P의 속력이 5일 때, 양수 a의 값은?

① $\dfrac{1}{4}$　　　　② $\dfrac{1}{2}$　　　　③ 1

④ 2　　　　⑤ 4

078 ⟨중⟩

오른쪽 그림과 같이 자동차가 직선 도로 위를 20 m/s의 속도로 달리고 있다. 도로에서 30 m 떨어진 곳에서 자동차를 바라보고 있는 관찰자의 정면을 통과하고 2초가 지난 후에 자동차가 관찰자로부터 멀어지는 속도를 구하시오.

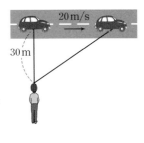

079 상

좌표평면 위를 움직이는 점 P의 시각 t에서의 위치 (x, y)가 $x=e^t+e^{-t}$, $y=e^t-e^{-t}$이다. 점 P의 속력이 최소일 때, 점 P의 속도를 구하시오.

★ 중요

유형 15 평면 운동에서의 가속도

080 대표 문제 다시 보기

좌표평면 위를 움직이는 점 P의 시각 t에서의 위치 (x, y)가 $x=2t$, $y=t-\dfrac{1}{3}t^3$이다. 점 P의 속력이 $\sqrt{13}$일 때, 가속도의 크기는?

① 2　　　　② 3　　　　③ 4

④ 5　　　　⑤ 6

081 하

좌표평면 위를 움직이는 점 P의 시각 t에서의 위치 (x, y)가 $x=2t+\dfrac{1}{3}e^{3t}$, $y=2t-\dfrac{1}{3}e^{3t}$일 때, $t=1$에서 점 P의 가속도의 크기를 구하시오.

082 중

좌표평면 위를 움직이는 점 P의 시각 $t\,(t>0)$에서의 위치 (x, y)가 $x=t^2$, $y=k\ln t$이다. $t=1$에서 점 P의 가속도의 크기가 $2\sqrt{5}$일 때, 양수 k의 값을 구하시오.

083 중

좌표평면 위를 움직이는 점 P의 시각 t에서의 위치 (x, y)가 $x=2\sin 2t$, $y=4\cos 2t\left(0\le t\le\dfrac{\pi}{2}\right)$이다. 점 P의 위치가 $(\sqrt{3}, 2)$일 때, 점 P의 가속도의 크기는?

① $4\sqrt{2}$　　　② 6　　　③ $3\sqrt{5}$

④ 8　　　⑤ $4\sqrt{7}$

084 중

좌표평면 위를 움직이는 점 P의 시각 t에서의 위치 (x, y)가 $x=\cos t$, $y=t-\sin t$일 때, 다음 보기 중 옳은 것만을 있는 대로 고른 것은?

보기
ㄱ. $t=2\pi$에서 점 P의 위치는 $(1, 2\pi)$이다.
ㄴ. 점 P의 속력의 최댓값은 4이다.
ㄷ. 점 P의 가속도의 크기는 항상 일정하다.

① ㄱ　　　② ㄴ　　　③ ㄱ, ㄷ

④ ㄴ, ㄷ　　　⑤ ㄱ, ㄴ, ㄷ

085
유형 01

곡선 $y=x^2+4\sin x\,(0<x<2\pi)$가 위로 볼록한 구간은?

① $\left(0,\,\dfrac{\pi}{6}\right)$ 　　　　② $\left(0,\,\dfrac{\pi}{4}\right)$ 　　　　③ $\left(\dfrac{\pi}{6},\,\dfrac{5}{6}\pi\right)$

④ $\left(\dfrac{\pi}{4},\,\pi\right)$ 　　　　⑤ $(\pi,\,2\pi)$

086
유형 02

곡선 $y=1+\cos^2 x\left(-\dfrac{\pi}{2}<x<\dfrac{\pi}{2}\right)$의 두 변곡점 사이의 거리를 구하시오.

087
유형 02

곡선 $y=(x-1)e^{4-x}$의 변곡점에서의 접선이 x축, y축과 만나는 점을 각각 A, B라 할 때, 삼각형 OAB의 넓이를 구하시오. (단, O는 원점)

088
유형 03

함수 $f(x)=ax^2+bx+2-\ln x$가 $x=\dfrac{1}{4}$에서 극소이고 곡선 $y=f(x)$의 변곡점의 x좌표가 $\dfrac{1}{2}$일 때, $f(x)$의 극댓값을 구하시오. (단, a, b는 상수)

089
유형 03

곡선 $y=2x^2+2a\cos x+x$가 변곡점을 갖지 않도록 하는 정수 a의 개수를 구하시오. (단, $a\neq 0$)

090
유형 04

미분가능한 함수 $f(x)$의 도함수 $y=f'(x)$의 그래프가 다음 그림과 같다. $f(x)$가 극값을 갖는 x의 값의 개수를 m, 곡선 $y=f(x)$의 변곡점의 개수를 n이라 할 때, $m+n$의 값을 구하시오.

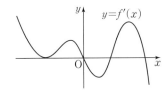

091
유형 05

함수 $f(x)=\ln(2x^2+1)$에 대한 설명으로 옳지 <u>않은</u> 것은?

① 치역은 $\{y\,|\,y\geq 0\}$이다.

② 극솟값은 0이다.

③ $y=f(x)$의 그래프는 y축에 대하여 대칭이다.

④ $y=f(x)$의 그래프의 변곡점은 2개이다.

⑤ $y=f(x)$의 그래프는 구간 $(-1,\,1)$에서 아래로 볼록하다.

092
유형 06

함수 $f(x)=x+\sqrt{1-x^2}\,(x>0)$이 $x=a$에서 최댓값 M을 가질 때, aM의 값은?

① $\dfrac{1}{2}$
② $\dfrac{\sqrt{2}}{2}$
③ 1

④ $\sqrt{2}$
⑤ 2

093
유형 06

함수 $f(x)=e^x(x^2+ax+1)$에 대하여 $f'(2)=0$이고, 구간 $[-2,\ 2]$에서 $f(x)$는 $x=b$일 때 최댓값을 갖는다. 이때 $a+b$의 값은? (단, a는 상수)

① -5
② -4
③ -3

④ -2
⑤ -1

094
유형 07

구간 $[0,\ 2\pi]$에서 함수 $f(x)=a+2x\sin x+2\cos x$의 최댓값이 5π일 때, $f(x)$의 최솟값을 구하시오. (단, a는 상수)

095
유형 08

오른쪽 그림과 같이 곡선 $y=-\ln x$ 위의 점 $\mathrm{P}(t,\ -\ln t)\,(0<t<1)$에서 x축에 내린 수선의 발을 A라 하고, 점 P에서의 접선이 x축과 만나는 점을 B라 할 때, 삼각형 PAB의 넓이의 최댓값을 구하시오.

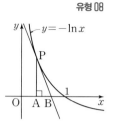

096
유형 09

$-\dfrac{\pi}{2}<x<\dfrac{\pi}{2}$에서 방정식 $\tan x-4x=k$가 서로 다른 세 실근을 갖도록 하는 상수 k의 값의 범위를 구하시오.

097
유형 09

곡선 $y=|x-1|e^x$과 직선 $y=n\,(n$은 자연수$)$의 교점의 개수를 a_n이라 할 때, $\sum\limits_{n=1}^{20}a_n$의 값은?

① 20
② 21
③ 22

④ 23
⑤ 24

098

유형 10

다음 중 방정식 $\ln x = ax^2$이 서로 다른 두 실근을 갖도록 하는 상수 a의 값이 될 수 있는 것은?

① $\dfrac{1}{3e}$　　　② $\dfrac{1}{2e}$　　　③ $\dfrac{1}{e}$

④ $\dfrac{2}{e}$　　　⑤ e

099

유형 11

모든 실수 x에 대하여 부등식 $e^{x-3} - x + a \geq 0$이 성립하도록 하는 상수 a의 최솟값은?

① 2　　　② 3　　　③ 4

④ 5　　　⑤ 6

100

유형 11

$x > 0$인 모든 실수 x에 대하여 부등식 $\cos x > k - x^2$이 성립하도록 하는 상수 k의 값의 범위를 구하시오.

101

유형 13

수직선 위를 움직이는 점 P의 시각 t에서의 위치 x가 $x = (t + k)e^{2t}$이다. $t = 1$에서 점 P가 운동 방향을 바꿀 때, $t = 1$에서 점 P의 가속도는? (단, k는 상수)

① e^2　　　② $\dfrac{3}{2}e^2$　　　③ $2e^2$

④ $\dfrac{5}{2}e^2$　　　⑤ $3e^2$

102

유형 14

좌표평면 위를 움직이는 점 P의 시각 t에서의 위치 (x, y)가 $x = t^2 + 2$, $y = t^2 - 4t$이다. 점 P의 속력이 최소일 때, 점 P의 위치를 구하시오.

103

유형 15

좌표평면 위를 움직이는 점 P의 시각 t에서의 위치 (x, y)가 $x = e^t \cos t$, $y = e^t \sin t$이다. 점 P의 속력이 $\sqrt{2}e$일 때, 가속도의 크기는?

① e　　　② $2e$　　　③ $3e$

④ $4e$　　　⑤ $5e$

08

여러 가지 함수의
부정적분

여러 가지 함수의 부정적분

중요

유형 01 | 함수 $y=x^n$ (n은 실수)의 부정적분

(1) $n \neq -1$일 때,
$$\int x^n \, dx = \frac{1}{n+1} x^{n+1} + C$$

(2) $n=-1$일 때,
$$\int x^{-1} \, dx = \int \frac{1}{x} \, dx = \ln|x| + C$$

대표 문제

001 함수 $f(x) = \displaystyle\int \frac{(x-1)(x-2)}{x^2} \, dx$에 대하여

$f(e) = e - \dfrac{2}{e}$일 때, $f(1)$의 값을 구하시오.

유형 02 | 밑이 e인 지수함수의 부정적분

$$\int e^x \, dx = e^x + C$$

참고 $\displaystyle\int e^{x+a} \, dx = \int e^x \times e^a \, dx = e^a \int e^x \, dx$
$$= e^a \times e^x + C = e^{x+a} + C \ (\text{단, } a \neq 0)$$

대표 문제

002 함수 $f(x) = \displaystyle\int \frac{e^{2x} - x^2}{e^x + x} \, dx$에 대하여 $f(0)=3$일 때, $f(2)$의 값을 구하시오.

유형 03 | 밑이 e가 아닌 지수함수의 부정적분

$$\int a^x \, dx = \frac{a^x}{\ln a} + C \ (\text{단, } a > 0, \ a \neq 1)$$

참고 $\displaystyle\int a^{nx} \, dx = \int (a^n)^x \, dx = \frac{(a^n)^x}{\ln a^n} + C$
$$= \frac{a^{nx}}{n \ln a} + C \ (\text{단, } a > 0, \ a \neq 1, \ n \neq 0)$$

대표 문제

003 $\displaystyle\int \frac{27^x - 1}{9^x + 3^x + 1} \, dx = \frac{3^x}{a} + bx + C$일 때, 상수 a, b에 대하여 ab의 값은? (단, C는 적분상수)

① $-3\ln 3$ ② -3 ③ $-\ln 3$

④ -1 ⑤ $-\dfrac{1}{3}$

중요

유형 04 | 삼각함수의 부정적분

(1) $\displaystyle\int \sin x \, dx = -\cos x + C$

(2) $\displaystyle\int \cos x \, dx = \sin x + C$

(3) $\displaystyle\int \sec^2 x \, dx = \tan x + C$

(4) $\displaystyle\int \csc^2 x \, dx = -\cot x + C$

(5) $\displaystyle\int \sec x \tan x \, dx = \sec x + C$

(6) $\displaystyle\int \csc x \cot x \, dx = -\csc x + C$

참고 삼각함수를 포함한 함수는 삼각함수 사이의 관계와 삼각함수의 덧셈 정리, 배각의 공식을 이용하여 적분하기 쉬운 형태로 식을 변형한 후 부정적분을 구한다.

대표 문제

004 함수 $f(x)$에 대하여
$$f'(x) = \frac{\sin^2 x}{1 - \cos x}, \ f(\pi) = 0$$
일 때, $f(0)$의 값은?

① $-\pi$ ② $-\dfrac{\pi}{2}$ ③ 0

④ $\dfrac{\pi}{2}$ ⑤ π

유형 05 | 치환적분법 – 유리함수

미분가능한 함수 $g(t)$에 대하여 $x=g(t)$로 놓으면

$$\int f(x)\,dx=\int f(g(t))g'(t)\,dt$$

이때 $\int f(g(x))g'(x)\,dx$ 꼴인 경우에는 $g(x)=t$로 놓으면

$\dfrac{dt}{dx}=g'(x)$이므로

$$\int f(g(x))g'(x)\,dx=\int f(t)\,dt$$

참고 치환적분법으로 구한 부정적분은 그 결과를 처음의 변수로 바꾸어 나타낸다.

대표 문제

005 부정적분 $\displaystyle\int 2x(x^2+1)^4\,dx$를 구하면?
(단, C는 적분상수)

① $\dfrac{1}{5}x^5+C$ ② $\dfrac{2}{5}x^5+C$

③ $\dfrac{1}{5}x^{10}+C$ ④ $\dfrac{1}{5}(x^2+1)^5+C$

⑤ $\dfrac{2}{5}(x^2+1)^5+C$

유형 06 | 치환적분법 – 무리함수

다항함수 $f(x)$에 대하여 $\sqrt{f(x)}$ 꼴이 포함된 함수의 부정적분은 $f(x)=t$ 또는 $\sqrt{f(x)}=t$로 놓고 치환적분법을 이용하여 구한다.

대표 문제

006 $\displaystyle\int \dfrac{4x}{\sqrt{9-2x^2}}\,dx=a\sqrt{9-2x^2}+C$일 때, 상수 a의 값을 구하시오. (단, C는 적분상수)

유형 07 | 치환적분법 – 지수함수

함수 $f(x)$에 대하여 $e^{f(x)}$ 또는 $f(e^x)$ 꼴이 포함된 함수의 부정적분은 $f(x)=t$ 또는 $e^x=t$로 놓고 치환적분법을 이용하여 구한다.

대표 문제

007 함수 $f(x)=\displaystyle\int 3xe^{x^2-1}\,dx$에 대하여 $f(1)=\dfrac{1}{2}$일 때, $f(0)$의 값을 구하시오.

유형 08 | 치환적분법 – 로그함수

$f(\ln x)$ 꼴이 포함된 함수의 부정적분은 $\ln x=t$로 놓고 치환적분법을 이용하여 구한다.

대표 문제

008 함수 $f(x)=\displaystyle\int \dfrac{3(\ln x)^2}{x}\,dx$에 대하여 $f(e)=1$일 때, $f(x)$를 구하시오.

유형 09 | 치환적분법 – 삼각함수(1)

$\sin ax$ 또는 $\cos ax$ 꼴이 포함된 함수의 부정적분은 다음과 같이 구한다.

(1) $\displaystyle\int \sin(ax+b)\,dx=-\dfrac{1}{a}\cos(ax+b)+C$

(2) $\displaystyle\int \cos(ax+b)\,dx=\dfrac{1}{a}\sin(ax+b)+C$

대표 문제

009 함수 $f(x)$에 대하여
$$f'(x)=5-2\sin^2 x,\quad f(0)=0$$
일 때, $f\left(\dfrac{\pi}{2}\right)$의 값을 구하시오.

유형 **10** | 치환적분법 – 삼각함수 (2)

(1) $\sin f(x)$ 또는 $\cos f(x)$ 꼴이 포함된 함수의 부정적분은 $f(x)=t$로 놓고 치환적분법을 이용하여 구한다.

(2) $f(\sin x)$ 또는 $f(\cos x)$ 꼴이 포함된 함수의 부정적분은 $\sin x=t$ 또는 $\cos x=t$로 놓고 치환적분법을 이용하여 구한다.

대표 문제

010 $\displaystyle \int \frac{\sin^3 x}{1-\cos x}dx=a(1+b\cos x)^2+C$일 때, 상수 a, b에 대하여 $a+b$의 값을 구하시오. (단, C는 적분상수)

★ 중요

유형 **11** | $\dfrac{f'(x)}{f(x)}$ 꼴인 함수의 부정적분

$$\int \frac{f'(x)}{f(x)}dx=\ln|f(x)|+C$$

대표 문제

011 부정적분 $\displaystyle \int \frac{2x+1}{x^2+x-1}dx$를 구하면?

(단, C는 적분상수)

① $\ln|2x+1|+C$
② $2\ln|2x+1|+C$
③ $\ln|x^2+x-1|+C$
④ $2\ln|x^2+x-1|+C$
⑤ $\ln|x^2+3x+1|+C$

유형 **12** | $\dfrac{f'(x)}{f(x)}$ 꼴이 아닌 유리함수의 부정적분

$\dfrac{f'(x)}{f(x)}$ 꼴이 아닌 유리함수의 부정적분은

(1) (분자의 차수)≥(분모의 차수)인 경우
➡ 분자를 분모로 나누어 몫과 나머지로 나타낸 후 적분한다.

(2) (분자의 차수)<(분모의 차수)이고 분모가 인수분해되는 경우
➡ $\dfrac{1}{AB}=\dfrac{1}{B-A}\left(\dfrac{1}{A}-\dfrac{1}{B}\right)$임을 이용하여 주어진 식을 변형한 후 적분한다.

대표 문제

012 곡선 $y=f(x)$ 위의 임의의 점 (x, y)에서의 접선의 기울기가 $\dfrac{3x+5}{x^2+2x-3}$이고 곡선 $y=f(x)$가 점 $(-1, 4\ln 2)$를 지날 때, $f(5)$의 값은?

① $4\ln 2$
② $5\ln 2$
③ $6\ln 2$
④ $7\ln 2$
⑤ $8\ln 2$

★ 중요

유형 **13** | 부분적분법

두 함수 $f(x)$, $g(x)$가 미분가능할 때,
$$\int f(x)g'(x)dx=f(x)g(x)-\int f'(x)g(x)\,dx$$

참고 미분하기 쉬운 순서, 즉 로그함수, 다항함수, 삼각함수, 지수함수의 순서로 $f(x)$를 택하면 편리하다.

대표 문제

013 함수 $f(x)=\displaystyle \int (x-2)e^{2x}dx$에 대하여 $f(0)=-\dfrac{5}{4}$일 때, $f\left(\dfrac{1}{2}\right)$의 값을 구하시오.

유형 **14** | 부분적분법 – 여러 번 적용하는 경우

부분적분법을 한 번 적용하여 부정적분을 구할 수 없을 때는 부분적분법을 여러 번 적용한다.

대표 문제

014 함수 $f(x)=\displaystyle \int x^2\sin x\,dx$에 대하여 $f(0)=2$일 때, $f(x)$를 구하시오.

유형 01 함수 $y=x^n$ (n은 실수)의 부정적분

015 대표 문제 다시 보기

함수 $f(x)=\int \dfrac{(\sqrt{x}-1)^2}{x}\,dx$에 대하여 $f(1)=1$일 때, $f(x)$를 구하시오.

016 중

함수 $f(x)$에 대하여

$$f'(x)=\sqrt[3]{x}(x^2+1),\ f(1)=\frac{3}{2}$$

일 때, $f(0)$의 값은?

① $\dfrac{1}{20}$ ② $\dfrac{3}{20}$ ③ $\dfrac{1}{4}$

④ $\dfrac{7}{20}$ ⑤ $\dfrac{9}{20}$

017 중

함수 $f(x)=\dfrac{x-1}{\sqrt{x}+1}$ 의 한 부정적분을 $F(x)$라 할 때, $F(9)-F(4)$의 값은?

① 7 ② $\dfrac{22}{3}$ ③ $\dfrac{23}{3}$

④ 8 ⑤ $\dfrac{25}{3}$

018 중

$x>0$에서 정의된 미분가능한 함수 $f(x)$의 한 부정적분을 $F(x)$라 할 때,

$$F(x)=xf(x)-\frac{1+x\ln x}{x}$$

가 성립한다. $f(1)=0$일 때, $f\left(\dfrac{1}{2}\right)$의 값은?

① 0 ② $\dfrac{1}{4}$ ③ $\dfrac{1}{3}$

④ $\dfrac{1}{2}$ ⑤ 1

유형 02 밑이 e인 지수함수의 부정적분

019 대표 문제 다시 보기

함수 $f(x)=\int \dfrac{e^{3x}+1}{e^{2x}-e^x+1}\,dx$에 대하여 $f(0)=2$일 때, $f(1)$의 값은?

① $e-2$ ② $e-1$ ③ $e+1$

④ $e+2$ ⑤ $e+3$

020 하

부정적분 $\displaystyle\int (e^x+1)^2\,dx-\int (e^x-1)^2\,dx$를 구하시오.

021 중

실수 전체의 집합에서 연속인 함수 $f(x)$에 대하여

$$f'(x) = \begin{cases} x + 2e & (x > 0) \\ e^x - 3 & (x < 0) \end{cases}$$

이고 $f(1) = \dfrac{1}{2}$일 때, $f(-1)$의 값을 구하시오.

022 중

미분가능한 함수 $f(x)$가

$$f'(x) = e^{x+1} + k, \ \lim_{x \to 0} \frac{f(x)}{x} = 2k$$

를 만족시킬 때, $k + f(-1)$의 값은? (단, k는 상수)

① $1 - 2e$ ② $1 - e$ ③ $1 - \dfrac{2}{e}$

④ $1 + \dfrac{2}{e}$ ⑤ $1 + e$

유형 03   **밑이 e가 아닌 지수함수의 부정적분**

023 대표 문제 다시 보기

$\displaystyle\int \dfrac{8^x - 2^x}{2^x - 1} dx = \dfrac{4^x}{a} + \dfrac{2^x}{b} + C$일 때, 상수 a, b에 대하여 $a + b$의 값은? (단, C는 적분상수)

① $\dfrac{1}{2 \ln 2}$ ② $\dfrac{1}{\ln 2}$ ③ $\ln 2$

④ $2 \ln 2$ ⑤ $3 \ln 2$

024 중

함수 $f(x) = \displaystyle\int 3^x (3^x - 2) dx$에 대하여 $f(0) = \dfrac{3}{2 \ln 3}$일 때, $f(1)$의 값은?

① $\dfrac{1}{2 \ln 3}$ ② $\dfrac{1}{\ln 3}$ ③ $\dfrac{3}{2 \ln 3}$

④ $2 \ln 3$ ⑤ $3 \ln 3$

025 중

함수 $f(x) = \log x + 2$의 역함수를 $g(x)$라 할 때, $\displaystyle\int g(x) dx = \dfrac{10^{x-2}}{a} + C$이다. 이때 상수 a의 값을 구하시오.

(단, C는 적분상수)

026 중

함수 $f(x)$에 대하여

$$f'(x) = 2^{x+1}, \ f(1) = \frac{4}{\ln 2}$$

일 때, 급수 $\displaystyle\sum_{n=1}^{\infty} \dfrac{1}{f(n)}$의 합은?

① $\dfrac{\ln 2}{4}$ ② $\dfrac{\ln 2}{2}$ ③ $\dfrac{\ln 3}{3}$

④ $\ln 2$ ⑤ $2 \ln 2$

⭐ 중요
유형 04 삼각함수의 부정적분

027 대표 문제 다시 보기

함수 $f(x)$에 대하여

$$f'(x)=\frac{\cos^2 x}{1+\sin x},\ f(0)=1$$

일 때, $f(\pi)$의 값은?

① $\pi-1$ ② $\pi-\dfrac{1}{2}$ ③ π

④ $\pi+\dfrac{1}{2}$ ⑤ $\pi+1$

028 중

부정적분 $\displaystyle\int (\tan x+\cot x)^2 dx$를 구하시오.

029 중

함수 $f(x)=\displaystyle\int \frac{1-\cos x}{\sin^2 x}dx$에 대하여 $f\left(\dfrac{\pi}{3}\right)-f\left(-\dfrac{\pi}{3}\right)$의 값은?

① $\dfrac{\sqrt{3}}{3}$ ② $\dfrac{2\sqrt{3}}{3}$ ③ $\sqrt{3}$

④ $\dfrac{4\sqrt{3}}{3}$ ⑤ $\dfrac{5\sqrt{3}}{3}$

030 중

함수 $f(x)=\displaystyle\int \left(\sin \frac{x}{2}+\cos \frac{x}{2}\right)^2 dx$에 대하여 $f(0)=1$일 때, $f(\pi)$의 값은?

① $\pi-1$ ② π ③ $\pi+1$

④ $\pi+2$ ⑤ $\pi+3$

031 중

곡선 $y=f(x)$ 위의 임의의 점 $(x,\ y)$에서의 접선의 기울기가 $a\csc^2 x+b\sec^2 x$이고 곡선 $y=f(x)$가 두 점 $\left(\dfrac{\pi}{4},\ \dfrac{1}{2}\right)$, $\left(-\dfrac{\pi}{4},\ \dfrac{3}{2}\right)$을 지날 때, 상수 a, b에 대하여 $a-b$의 값은?

① -1 ② $-\dfrac{1}{2}$ ③ 0

④ $\dfrac{1}{2}$ ⑤ 1

032 상

정수 n에 대하여 $x\neq n\pi+\dfrac{\pi}{2}$인 실수 전체의 집합에서 미분가능한 함수 $f(x)$가

$$\lim_{h\to 0}\frac{f(x+h)-f(x-h)}{h}=\frac{4}{\cos 2x+1}$$

를 만족시키고 $f(0)=1$일 때, $f\left(\dfrac{\pi}{4}\right)$의 값을 구하시오.

유형 05 치환적분법 - 유리함수

033 대표문제 다시 보기

$\displaystyle\int(2x-4)(x^2-4x+2)^4\,dx=\frac{1}{a}(x^2-4x+2)^b+C$일 때, 상수 a, b에 대하여 $a+b$의 값을 구하시오.

(단, C는 적분상수)

034 중

함수 $f(x)=\displaystyle\int(3x-1)^6\,dx$에 대하여 $f(0)=-\dfrac{1}{21}$일 때, $f\!\left(\dfrac{2}{3}\right)$의 값은?

① $-\dfrac{1}{7}$ ② $-\dfrac{1}{21}$ ③ $\dfrac{1}{21}$

④ $\dfrac{1}{7}$ ⑤ $\dfrac{1}{3}$

035 중

함수 $f(x)=\displaystyle\int x^2(x^3-2)^5\,dx$에 대하여 $f(1)=\dfrac{5}{9}$일 때, 다항식 $f(x)$를 $x+1$로 나누었을 때의 나머지는?

① 39   ② $\dfrac{79}{2}$ ③ 40

④ $\dfrac{81}{2}$ ⑤ 41

036 중

어떤 함수 $f(x)$의 부정적분을 구해야 하는데 잘못하여 미분하였더니 $\dfrac{1}{(2x-7)^2}$이 되었다. $f(3)=-\dfrac{3}{2}$일 때, $f(4)$의 값을 구하시오.

037 중

함수 $f(x)=\displaystyle\int(ax+3)^7\,dx$의 최고차항의 계수가 $\sqrt{2}$일 때, 상수 a의 값을 구하시오.

038 상

다음 조건을 모두 만족시키는 두 함수 $f(x)$, $g(x)$에 대하여 곡선 $y=g(x)$가 x축과 두 점 A, B에서 만날 때, 선분 AB의 길이는?

> (가) $f'(x)=3x^2+2x-8$, $f(0)=-12$
>
> (나) $g(x)=\displaystyle\int f(x)f'(x)\,dx$, $g(3)=0$

① 3   ② 4   ③ 5

④ 6   ⑤ 7

★ 중요

유형 06 치환적분법 − 무리함수

039 대표 문제 다시 보기

함수 $f(x)=\displaystyle\int \frac{x}{\sqrt{3x^2-7}}dx$에 대하여 $f(3)-f(2)$의 값을 구하시오.

040 중

함수 $f(x)=\displaystyle\int x\sqrt{x^2+4}\,dx$에 대하여 $f(0)=\dfrac{2}{3}$일 때, $f(\sqrt{5})$의 값을 구하시오.

041 중

$0\leq x\leq 7$에서 함수 $f(x)=\displaystyle\int \frac{x-3}{\sqrt{x^2-6x+11}}dx$의 최댓값을 M, 최솟값을 m이라 할 때, $M-m$의 값은?

① 1   ② $\sqrt{2}$ ③ 2

④ $2\sqrt{2}$ ⑤ $3\sqrt{2}$

042 중

함수 $f(x)$에 대하여

$$f'(x)=2x\sqrt{x-1},\ f(1)=2$$

일 때, $f(2)$의 값을 구하시오.

유형 07 치환적분법 − 지수함수

043 대표 문제 다시 보기

함수 $f(x)=\displaystyle\int (x-1)e^{x^2-2x}dx$에 대하여 $f(2)=\dfrac{1}{2}$일 때, $f(1)$의 값은?

① $\dfrac{1}{2e^2}$ ② $\dfrac{1}{e^2}$ ③ $\dfrac{1}{2e}$

④ $\dfrac{1}{e}$ ⑤ $\dfrac{1}{2}$

044 중

함수 $f(x)=2e^x(e^x+3)$의 한 부정적분 $F(x)$에 대하여 $F(0)=12$일 때, $F(\ln 2)$의 값을 구하시오.

045 중

곡선 $y=f(x)$ 위의 임의의 점 $(x,\ y)$에서의 접선의 기울기가 $\dfrac{e^x}{\sqrt{e^x+1}}$이고 곡선 $y=f(x)$가 점 $(0,\ 3\sqrt{2})$를 지날 때, $f(\ln 7)$의 값을 구하시오.

046 중

미분가능한 함수 $f(x)$가

$$f'(x)=3ae^{3x},\ \lim_{x\to 0}\frac{f(x)-2}{x}=6$$

을 만족시킬 때, $f'(1)-f(1)$의 값은?

(단, a는 0이 아닌 상수)

① e^3 ② $2e^3$ ③ $2e^3+2$

④ $4e^3$ ⑤ $4e^3+2$

유형 08 치환적분법 – 로그함수

047 대표 문제 다시 보기

함수 $f(x)=\int \dfrac{1}{x(\ln x)^2}\,dx$에 대하여 $f(e)=0$일 때, $f(e^2)$의 값은?

① -1 ② $-\dfrac{1}{2}$ ③ $\dfrac{1}{2}$

④ 1 ⑤ $\dfrac{3}{2}$

048 중

함수 $f(x)=\dfrac{\ln 2x+1}{x}$의 한 부정적분 $F(x)$에 대하여 $F\left(\dfrac{1}{2}\right)=2$일 때, $F\left(\dfrac{e}{2}\right)$의 값을 구하시오.

049 중

함수 $f(x)$에 대하여
$$f'(x)=\dfrac{1}{x\sqrt{\ln x}},\ f(e)=1$$
일 때, 방정식 $f(x)=3$을 만족시키는 x의 값을 구하시오.

050 중

함수 $f(x)$가
$$\dfrac{f'(x)}{x}=\dfrac{\ln(x^2+1)}{x^2+1}$$
을 만족시키고 $f(0)=\dfrac{3}{4}$일 때, $f(\sqrt{e-1})$의 값은?

① $\dfrac{1}{4}$ ② $\dfrac{1}{2}$ ③ $\dfrac{3}{4}$

④ 1 ⑤ $\dfrac{5}{4}$

유형 09 치환적분법 – 삼각함수 (1)

051 대표 문제 다시 보기

함수 $f(x)$에 대하여
$$f'(x)=\cos^2 x-\sin^2 x,\ f(0)=1$$
일 때, $f(x)$를 구하시오.

052 중

곡선 $y=f(x)$ 위의 임의의 점 $(x,\ y)$에서의 접선의 기울기가 $2\sin\dfrac{x}{2}$일 때, $f(\pi)-f(2\pi)$의 값은?

① -4 ② $-2\sqrt{3}$ ③ -1

④ $2\sqrt{3}$ ⑤ 4

053 중

함수 $f(x)=\int(2\sin^2 x-\sin x)\,dx$에 대하여 $f(\pi)=\pi$일 때, $f\left(\dfrac{\pi}{2}\right)$의 값은?

① $\dfrac{\pi}{4}-1$ ② $\dfrac{\pi}{4}$ ③ $\dfrac{\pi}{2}$

④ $\dfrac{\pi}{4}+1$ ⑤ $\dfrac{\pi}{2}+1$

054 상

$0<x<\dfrac{3}{2}\pi$에서 정의된 함수 $f(x)$에 대하여 $f'(x)=\sin 2x+\cos x$이고 $f(x)$의 극댓값이 2일 때, $f(x)$의 극솟값은?

① $-\dfrac{3}{2}$ ② $-\dfrac{1}{4}$ ③ 0

④ $\dfrac{1}{2}$ ⑤ $\dfrac{5}{4}$

유형 **10** 치환적분법 − 삼각함수 (2)

055 대표 문제 다시 보기

$\int\cos^3 x\,dx=a\sin x+b\sin^3 x+C$일 때, 상수 a, b에 대하여 $a-b$의 값을 구하시오. (단, C는 적분상수)

056 중

함수 $f(x)=\int\csc^2 x\cot x\,dx$에 대하여 $f\left(\dfrac{\pi}{6}\right)=1$일 때, $f\left(\dfrac{\pi}{4}\right)$의 값은?

① 1 ② $\dfrac{3}{2}$ ③ 2

④ $\dfrac{5}{2}$ ⑤ 3

057 중

함수 $f(x)$에 대하여
$$f'(x)=\sin x\cos 2x,\quad f\left(\dfrac{\pi}{2}\right)=1$$
일 때, $f(\pi)$의 값은?

① $\dfrac{2}{3}$ ② 1 ③ $\dfrac{4}{3}$

④ $\dfrac{5}{3}$ ⑤ 2

058 중

$x>0$에서 정의된 함수
$$f(x)=\begin{cases}\displaystyle\int\dfrac{\sin(\ln x)}{2x}\,dx & (x\neq 1)\\[2mm] 2 & (x=1)\end{cases}$$
가 $x=1$에서 연속일 때, $f(e^\pi)$의 값을 구하시오.

핵심유형 완성하기

유형 11 $\dfrac{f'(x)}{f(x)}$ 꼴인 함수의 부정적분

059 대표 문제 다시 보기

다항함수 $f(x)$가

$$\int \frac{3x^2-6x}{x^3-3x^2+5}\,dx=\ln|f(x)|+C$$

를 만족시킬 때, $f(1)$의 값은? (단, C는 적분상수)

① -5 ② -3 ③ -1

④ 1 ⑤ 3

060 중

함수 $f(x)=\displaystyle\int \frac{4e^{4x}}{e^{4x}+3}\,dx$에 대하여 $f(0)=0$일 때, $f(\ln 3)$의 값은?

① $\ln 9$ ② $\ln 10$ ③ $\ln 16$

④ $\ln 21$ ⑤ $\ln 25$

061 중

두 함수

$$f(x)=\int \frac{x+1}{x^2+2x-\cos x}\,dx,$$
$$g(x)=\int \frac{\sin x}{x^2+2x-\cos x}\,dx$$

에 대하여 $h(x)=2f(x)+g(x)$라 하자. $h(0)=3$일 때, 함수 $h(x)$를 구하시오.

062 중

함수 $f(x)$에 대하여

$$f'(x)=\frac{x-1}{x^2-2x-2},\ f(1)=\frac{\ln 3}{2}$$

일 때, 방정식 $f(x)=0$을 만족시키는 자연수 x의 값을 구하시오.

063 중

함수 $f(x)$가 $f'(x)=f(x)$를 만족시킬 때, $\dfrac{f(2)}{f(1)}$의 값은?
(단, $f(x)>0$)

① $\dfrac{1}{e^2}$ ② $\dfrac{1}{e}$ ③ 1

④ e ⑤ e^2

유형 12 $\dfrac{f'(x)}{f(x)}$ 꼴이 아닌 유리함수의 부정적분

064 대표 문제 다시 보기

함수 $f(x)$에 대하여

$$f'(x)=\frac{x}{x^2-5x+6},\ f(1)=2\ln 2$$

일 때, $f(4)$의 값을 구하시오.

065 _하

부정적분 $\int \dfrac{1}{x^2-1}dx$를 구하면? (단, C는 적분상수)

① $\ln\left|\dfrac{x-1}{x+1}\right|+C$ ② $\dfrac{1}{2}\ln\left|\dfrac{x-1}{x+1}\right|+C$

③ $\dfrac{1}{2}\ln\left|\dfrac{x+1}{x-1}\right|+C$ ④ $\ln\left|\dfrac{x+1}{x-1}\right|+C$

⑤ $2\ln\left|\dfrac{x-1}{x+1}\right|+C$

066 _중

함수 $f(x)=\int \dfrac{2x^2+3x+2}{x+1}dx$에 대하여 $f(0)=1$일 때, $f(1)$의 값을 구하시오.

067 _중

$\int \dfrac{x^2+2}{x^2-x-2}dx=px+q\ln|x+1|+r\ln|x-2|+C$일 때, 상수 p, q, r에 대하여 $p+q+r$의 값은? (단, C는 적분상수)

① -2 ② -1 ③ 0

④ 1 ⑤ 2

068 _중

함수 $f(x)=\int \dfrac{3}{9x^2-3x-2}dx$에 대하여 $f(0)=\ln 2$일 때, $\displaystyle\sum_{k=1}^{n}f(k)=-6\ln 2$를 만족시키는 자연수 n의 값을 구하시오.

069 _상

$x>0$에서 정의된 미분가능한 함수 $f(x)$의 한 부정적분을 $F(x)$라 할 때, $xf(x)=F(x)-\dfrac{1}{x+1}$이 성립한다.

$f(1)=\ln 2+\dfrac{1}{2}$일 때, $f(3)$의 값을 구하시오.

중요
유형 **13** 부분적분법

070 대표 문제 다시 보기

함수 $f(x)=\int (2x+1)e^{x-1}dx$에 대하여 $f(1)=2$일 때, $f(x)$는?

① $f(x)=(2x-1)e^{x-1}-1$ ② $f(x)=(2x-1)e^{x-1}$

③ $f(x)=(2x-1)e^{x-1}+1$ ④ $f(x)=(2x+1)e^{x-1}-1$

⑤ $f(x)=(2x+1)e^{x-1}+1$

071 중

함수 $f(x)$에 대하여

$$f'(x)=x\ln x, \quad f(1)=-\frac{1}{4}$$

일 때, $f(e)$의 값을 구하시오.

072 중

함수 $f(x)=\int(2x+a)e^x\,dx$에 대하여 $f'(2)=0$, $f(0)=0$

일 때, $a+f(\ln 2)$의 값은? (단, a는 상수)

① $2\ln 2-10$ ② $2\ln 2-4$ ③ $4\ln 2-10$

④ $4\ln 2-4$ ⑤ $4\ln 2+2$

073 중

함수 $f(x)=\int x\sec^2 x\,dx$에 대하여 $y=f(x)$의 그래프가 두 점 $(0, 1)$, $\left(\frac{\pi}{4}, k\right)$를 지날 때, k의 값을 구하시오.

074 상

$x>0$에서 정의된 미분가능한 함수 $f(x)$가

$$xf(x)=\int f(x)\,dx+x^2\sin x$$

를 만족시키고 $f(2\pi)=1$일 때, $f(\pi)$의 값은?

① -1 ② 0 ③ 1

④ 2 ⑤ 3

유형 **14**   **부분적분법 – 여러 번 적용하는 경우**

075 대표 문제 다시 보기

함수 $f(x)=\int x^2\cos x\,dx$에 대하여 $f(0)=1$일 때, $f\left(\frac{\pi}{2}\right)$의 값을 구하시오.

076 중

다항함수 $f(x)$가

$$\int(x^2-2x+3)e^x\,dx=e^xf(x)+C$$

를 만족시킬 때, $f(1)$의 값은? (단, C는 적분상수)

① 1 ② 2 ③ e

④ 4 ⑤ $2e$

077 중

곡선 $y=f(x)$ 위의 임의의 점 (x, y)에서의 접선의 기울기가 $(\ln x)^2$일 때, 두 점 $(1, f(1))$, $(e, f(e))$를 지나는 직선의 기울기를 구하시오.

078 상

두 함수 $f(x)$, $g(x)$에 대하여

$$\frac{f(x)}{g(x)}=\frac{e^x}{4}, \quad f'(x)=e^x\sin x$$

이고 $f\left(\frac{\pi}{4}\right)=0$일 때, $g(\pi)$의 값을 구하시오.

079
유형 01

함수 $f(x)=\displaystyle\int\dfrac{3x+\sqrt{x}}{x}dx$에 대하여 $f(1)=3$일 때, $f(4)$의 값은?

① 11   ② 12   ③ 13

④ 14   ⑤ 15

080
유형 02

함수 $f(x)=\ln x-2$의 역함수를 $g(x)$라 할 때, 부정적분 $\displaystyle\int g(x)\,dx$를 구하시오.

081
유형 03

함수 $f(x)=\displaystyle\int\dfrac{8^x+1}{2^x+1}dx$에 대하여 $f(0)=0$이다. $f(x)$의 한 부정적분을 $F(x)$라 할 때, $\displaystyle\lim_{h\to0}\dfrac{F(-1+2h)-F(-1)}{h}$의 값을 구하시오.

082
유형 04

$\displaystyle\int\dfrac{1}{1+\sin x}dx=a\tan x+b\sec x+C$일 때, 상수 a, b에 대하여 ab의 값은? (단, C는 적분상수)

① -1 ② $-\dfrac{1}{2}$ ③ $\dfrac{1}{2}$

④ 1   ⑤ $\dfrac{3}{2}$

083
유형 04

함수 $f(x)$에 대하여
$$f'(x)=\cos^4\dfrac{x}{2}-\sin^4\dfrac{x}{2}$$
일 때, $f(a)=f(0)$을 만족시키는 상수 a의 값은?

(단, $0<a<2\pi$)

① $\dfrac{\pi}{4}$ ② $\dfrac{\pi}{3}$ ③ $\dfrac{\pi}{2}$

④ π ⑤ $\dfrac{3}{2}\pi$

084
유형 05

함수 $f(x)$에 대하여
$$f'(x)=x(x+4)(x^3+6x^2-4)^4,\ f(-1)=\dfrac{1}{15}$$
일 때, $f(1)$의 값을 구하시오.

085
유형 05

함수 $f(x)=\displaystyle\int\dfrac{1}{(4x-1)^2}dx$에 대하여 $f(0)=\dfrac{1}{4}$일 때, 방정식 $f(x)=1$을 만족시키는 x의 값은?

① $\dfrac{1}{16}$ ② $\dfrac{1}{8}$ ③ $\dfrac{3}{16}$

④ $\dfrac{1}{4}$ ⑤ $\dfrac{5}{16}$

086
유형 06

함수 $f(x)=\displaystyle\int \frac{2x-1}{\sqrt{2x+1}}dx$에 대하여 $f\left(\dfrac{5}{2}\right)=0$일 때, $f(x)$의 극솟값은?

① $-\dfrac{8\sqrt{2}}{3}$ ② $-\dfrac{4\sqrt{2}}{3}$ ③ $-\dfrac{\sqrt{2}}{3}$

④ $\dfrac{2\sqrt{2}}{3}$ ⑤ $\dfrac{5\sqrt{2}}{3}$

087
유형 07

곡선 $y=f(x)$ 위의 임의의 점 (x, y)에서의 접선의 기울기가 e^{1-2x}일 때, $f(0)-f(1)$의 값은?

① $2\left(\dfrac{1}{e}-e\right)$ ② $-\dfrac{1}{2}\left(e+\dfrac{1}{e}\right)$ ③ $\dfrac{1}{2}\left(\dfrac{1}{e}-e\right)$

④ $\dfrac{1}{2}\left(e-\dfrac{1}{e}\right)$ ⑤ $\dfrac{1}{2}\left(e+\dfrac{1}{e}\right)$

088
유형 07

함수 $f(x)$에 대하여
$$f'(x)=e^x\sqrt{e^x-1}, \quad f(0)=\sqrt{2}$$
일 때, $f(\ln 3)$의 값을 구하시오.

089
유형 08

함수 $f(x)=\displaystyle\int \frac{1}{x\sqrt{\ln x+3}}dx$에 대하여 $f(e)=5$일 때, $f(x)$를 구하시오.

090
유형 09

함수
$$f(x)=\int 2\sin 4x \cos^2 2x\,dx+\int 4\sin^3 2x \cos 2x\,dx$$
에 대하여 $f(\pi)=\dfrac{1}{2}$일 때, $f\left(\dfrac{\pi}{4}\right)$의 값은?

① -1 ② $-\dfrac{1}{2}$ ③ $\dfrac{1}{2}$

④ 1 ⑤ $\dfrac{3}{2}$

091
유형 10

함수 $f(x)=\displaystyle\int (1+\sin x)^3 \cos x\,dx$에 대하여 $y=f(x)$의 그래프가 두 점 $\left(\pi, \dfrac{1}{4}\right)$, $\left(\dfrac{\pi}{2}, a\right)$를 지날 때, a의 값은?

① 2 ② $\dfrac{5}{2}$ ③ 3

④ $\dfrac{7}{2}$ ⑤ 4

092

유형 11

함수 $f(x) = \int \dfrac{4^x \ln 2 + x}{4^x + x^2} dx$에 대하여 $f(0) = \dfrac{\ln 5}{2}$일 때, $f(-1) = \ln \dfrac{q}{p}$이다. 이때 서로소인 자연수 p, q에 대하여 pq의 값은?

① 2   ② 5   ③ 10

④ 12   ⑤ 15

093

유형 12

함수 $f(x)$에 대하여
$$f'(x) = \frac{1-2x}{x+1}, \quad f(0) = 3$$
일 때, $f(-2)$의 값을 구하시오.

094

유형 10+12

부정적분 $\int \csc x \, dx$를 구하면? (단, C는 적분상수)

① $\ln \dfrac{1}{1+\cos x} + C$

② $\dfrac{1}{2} \ln \dfrac{1-\cos x}{1+\cos x} + C$

③ $\ln \dfrac{1-\cos x}{1+\cos x} + C$

④ $\dfrac{1}{2} \ln (1-\cos x)(1+\cos x) + C$

⑤ $\ln (1-\cos x)(1+\cos x) + C$

095

유형 13

함수 $f(x) = \int x \sin 3x \, dx$에 대하여 $f\left(\dfrac{\pi}{3}\right) = 0$일 때, $f(\pi)$의 값을 구하시오.

096

유형 07+13

함수 $f(x)$에 대하여
$$f'(x) = x^3 e^{2x^2} + 3, \quad f(0) = 2$$
일 때, $f(-1)$의 값을 구하시오.

097

유형 14

함수 $f(x) = \int e^{-x} \cos 2x \, dx$에 대하여 $f(0) = -\dfrac{1}{5}$일 때, $f\left(\dfrac{\pi}{4}\right)$의 값은?

① $\dfrac{1}{5} e^{-\frac{\pi}{4}}$ ② $\dfrac{2}{5} e^{-\frac{\pi}{4}}$ ③ $\dfrac{3}{5} e^{-\frac{\pi}{2}}$

④ $\dfrac{4}{5} e^{-\frac{\pi}{2}}$ ⑤ $e^{-\pi}$

09

여러 가지 함수의 정적분

Ⅲ. 적분법

여러 가지 함수의 정적분

★ 중요

유형 01 │ 유리함수, 무리함수의 정적분

함수 $f(x)$가 닫힌구간 $[a, b]$에서 연속일 때, 함수 $f(x)$의 한 부정적분을 $F(x)$라 하면

$$\int_a^b f(x)\,dx = \Big[F(x)\Big]_a^b = F(b) - F(a)$$

대표 문제

001 $\int_0^2 \dfrac{x^2 - x}{x+1}\,dx$의 값은?

① $2\ln 3 - 2$ ② $2\ln 3 - 1$ ③ $2\ln 3$
④ $\ln 3 + 1$ ⑤ $\ln 3 + 2$

유형 02 │ 지수함수의 정적분

지수함수를 포함한 함수는 지수법칙을 이용하여 전개하거나 인수분해하여 적분하기 쉬운 형태로 식을 변형한 후 정적분의 값을 구한다.

대표 문제

002 $\int_0^{\ln 2} \dfrac{e^{2x} - 1}{e^x + 1}\,dx = a - b\ln 2$일 때, 정수 a, b에 대하여 $a+b$의 값을 구하시오.

★ 중요

유형 03 │ 삼각함수의 정적분

삼각함수를 포함한 함수는 삼각함수 사이의 관계, 삼각함수의 덧셈정리, 배각의 공식 등을 이용하여 적분하기 쉬운 형태로 식을 변형한 후 정적분의 값을 구한다.

대표 문제

003 $\int_0^{\frac{\pi}{2}} \dfrac{2\sin^2 x}{1 + \cos x}\,dx$의 값을 구하시오.

★ 중요

유형 04 │ 구간에 따라 다르게 정의된 함수의 정적분

구간에 따라 다르게 정의된 함수의 정적분은 적분 구간을 나누어 계산한다.

➡ 함수 $f(x) = \begin{cases} g(x) \ (x \geq c) \\ h(x) \ (x \leq c) \end{cases}$ 가 닫힌구간 $[a, b]$에서 연속이고 $a < c < b$일 때,

$$\int_a^b f(x)\,dx = \int_a^c h(x)\,dx + \int_c^b g(x)\,dx$$

참고 절댓값 기호를 포함한 함수의 정적분은 절댓값 기호 안의 식의 값이 0이 되게 하는 x의 값을 경계로 적분 구간을 나누어 계산한다.

대표 문제

004 함수 $f(x) = \begin{cases} \dfrac{2}{x+1} \ (x \geq 0) \\ e^x + 1 \ (x \leq 0) \end{cases}$에 대하여 $\int_{-1}^1 f(x)\,dx$

의 값은?

① $-\dfrac{1}{e} + 2\ln 2$ ② $2 - \dfrac{1}{e}$
③ $\dfrac{1}{e} + 2\ln 2$ ④ $2 - \dfrac{1}{e} + 2\ln 2$
⑤ $e - \dfrac{1}{e} + 2\ln 2$

유형 05 │ 그래프가 대칭인 함수의 정적분

함수 $f(x)$가 닫힌구간 $[-a, a]$에서 연속일 때
(1) $f(-x) = f(x)$이면 ◀ 함수 $y = f(x)$의 그래프가 y축에 대하여 대칭

$$\int_{-a}^a f(x)\,dx = 2\int_0^a f(x)\,dx$$

(2) $f(-x) = -f(x)$이면 ◀ 함수 $y = f(x)$의 그래프가 원점에 대하여 대칭

$$\int_{-a}^a f(x)\,dx = 0$$

대표 문제

005 $\int_{-\frac{\pi}{4}}^{\frac{\pi}{4}} (x^2 \tan x + 2\sec^2 x)\,dx$의 값은?

① -4 ② -2 ③ 0
④ 2 ⑤ 4

유형 06 | 주기함수의 정적분

함수 $f(x)$가 실수 전체의 집합에서 연속이고 주기가 p (p는 0 이 아닌 상수)인 주기함수이면 정적분의 값은 다음을 이용하여 구한다.

(1) $\displaystyle\int_a^b f(x)\,dx = \int_{a+p}^{b+p} f(x)\,dx$

(2) $\displaystyle\int_a^{a+p} f(x)\,dx = \int_b^{b+p} f(x)\,dx$

참고 주기가 p인 주기함수 $f(x)$는 $f(x+p)=f(x)$를 만족시킨다.

대표 문제

006 $\displaystyle\int_0^{6\pi} \left|\cos\frac{x}{2}\right|\,dx$의 값은?

① 10   ② 11   ③ 12

④ 13   ⑤ 14

중요

유형 07 | 치환적분법을 이용한 정적분 – 유리함수, 무리함수

닫힌구간 $[a,\,b]$에서 연속인 함수 $f(x)$에 대하여 미분가능한 함수 $x=g(t)$의 도함수 $g'(t)$가 닫힌구간 $[\alpha,\,\beta]$에서 연속이고 $a=g(\alpha)$, $b=g(\beta)$이면

$$\int_a^b f(x)\,dx = \int_\alpha^\beta f(g(t))g'(t)\,dt$$

참고 치환하는 변수에 따라 적분 구간이 변함에 유의한다.

대표 문제

007 $\displaystyle\int_2^3 (x+1)\sqrt{x-2}\,dx = \frac{q}{p}$일 때, 서로소인 자연수 p, q 에 대하여 $p+q$의 값은?

① 9   ② 11   ③ 13

④ 15   ⑤ 17

중요

유형 08 | 치환적분법을 이용한 정적분 – 지수함수, 로그함수

지수함수 또는 로그함수를 포함한 함수는 적당한 부분을 한 문자로 치환한 후 정적분의 값을 구한다.

대표 문제

008 $\displaystyle\int_1^{e^2} \frac{2\ln x}{x}\,dx$의 값을 구하시오.

중요

유형 09 | 치환적분법을 이용한 정적분 – 삼각함수

삼각함수를 포함한 함수는 치환할 수 있는 형태로 식을 변형한 후 적당한 부분을 한 문자로 치환하여 정적분의 값을 구한다.

대표 문제

009 $\displaystyle\int_0^{\frac{\pi}{2}} \cos^3 x\,dx$의 값을 구하시오.

유형 10 | 삼각함수를 이용한 치환적분법

(1) $\sqrt{a^2-x^2}$ ($a>0$) 꼴을 포함한 함수

  ➡ $x=a\sin\theta \left(-\dfrac{\pi}{2} \le \theta \le \dfrac{\pi}{2}\right)$로 치환한 후

    $\sin^2\theta + \cos^2\theta = 1$임을 이용하여 정적분의 값을 구한다.

(2) $\dfrac{1}{x^2+a^2}$ ($a>0$) 꼴을 포함한 함수

  ➡ $x=a\tan\theta \left(-\dfrac{\pi}{2} < \theta < \dfrac{\pi}{2}\right)$로 치환한 후

    $1+\tan^2\theta = \sec^2\theta$임을 이용하여 정적분의 값을 구한다.

대표 문제

010 $\displaystyle\int_0^1 \frac{1}{x^2+1}\,dx$의 값은?

① $\dfrac{\pi}{4}$ ② $\dfrac{\pi}{2}$ ③ $\dfrac{3}{4}\pi$

④ π ⑤ $\dfrac{5}{4}\pi$

★ 중요

유형 **01**   유리함수, 무리함수의 정적분

011   대표 문제   다시 보기

$\displaystyle\int_1^5 \frac{x-3}{x+3}\,dx = a\ln 2 + b$일 때, 정수 a, b에 대하여 $b-a$의 값은?

① -10 ② -6 ③ -2

④ 6 ⑤ 10

012   하

$\displaystyle\int_1^4 \frac{(\sqrt{x}+1)^2}{x}\,dx$의 값은?

① $2\ln 2 - 5$ ② $2\ln 2 - 3$ ③ $2\ln 2$

④ $2\ln 2 + 5$ ⑤ $2\ln 2 + 7$

013   중

함수 $f(x) = 3\sqrt{x}\,(x+1)$에 대하여

$$\int_0^3 f(x)\,dx - \int_4^3 f(x)\,dx + \int_4^1 f(x)\,dx$$

의 값을 구하시오.

014   중

$\displaystyle\int_0^a \frac{3}{x^2+5x+4}\,dx = \ln\frac{5}{2}$일 때, 양수 a의 값은?

① 2 ② 3 ③ 4

④ 5 ⑤ 6

015   중

함수 $f(x) = \dfrac{1}{2\sqrt{x}} + 1$에 대하여

$$\sum_{k=1}^{n} \int_k^{k+1} f(x)\,dx = 4$$

를 만족시키는 자연수 n의 값을 구하시오.

016   상

$x > 0$에서 정의된 미분가능한 함수 $f(x)$가

$$f(x) + xf'(x) = \frac{1}{\sqrt{x}} - \frac{4}{x^2}$$

를 만족시키고 $f(1) = 6$일 때, $\displaystyle\int_1^4 f(x)\,dx$의 값은?

① 2 ② 4 ③ 7

④ $2\ln 2$ ⑤ $4\ln 2$

유형 02 지수함수의 정적분

017 대표 문제 다시 보기

$\displaystyle\int_0^{\ln 3} \frac{(e^x+1)^2-(e^x+1)}{e^x}dx$의 값은?

① $1-\ln 3$ ② $2-\ln 3$ ③ $1+\ln 3$

④ $2+\ln 3$ ⑤ $3+\ln 3$

018 중

$\displaystyle\int_0^1 \sqrt{4^x-2^{x+1}+1}\,dx$의 값은?

① $\dfrac{1}{\ln 2}-1$ ② $\dfrac{2}{\ln 2}-1$ ③ $\dfrac{1}{\ln 2}+1$

④ $\ln 2-1$ ⑤ $\ln 2+1$

019 중

$\displaystyle\int_0^2 \frac{e^{2x}}{e^x+x}dx+\int_2^0 \frac{t^2}{e^t+t}dt$의 값을 구하시오.

020 중

$\displaystyle\int_0^1 (3^x-2^x)(9^x+6^x+4^x)\,dx=\dfrac{a}{3\ln 3}-\dfrac{b}{3\ln 2}$ 일 때, 자연수 a, b에 대하여 $a+b$의 값을 구하시오.

중요
유형 03 삼각함수의 정적분

021 대표 문제 다시 보기

$\displaystyle\int_0^{\frac{\pi}{4}} \frac{2\cos^2 x-1}{\sin x+\cos x}dx$의 값은?

① $\sqrt{2}-1$ ② $\sqrt{2}$ ③ $2\sqrt{2}-1$

④ $\sqrt{2}+1$ ⑤ $2\sqrt{2}+1$

022 중

$\displaystyle\int_0^{\frac{\pi}{4}} \frac{1-\cos^2 x}{1-\sin^2 x}dx=a+b\pi$ 일 때, 유리수 a, b에 대하여 $a+b$의 값은?

① $\dfrac{1}{4}$ ② $\dfrac{1}{2}$ ③ $\dfrac{3}{4}$

④ 1 ⑤ $\dfrac{5}{4}$

023 중

$\displaystyle\int_{\frac{\pi}{4}}^{\frac{\pi}{3}} \frac{\csc^4 x}{1+\cot^2 x}dx$의 값을 구하시오.

024 중

$\displaystyle\int_0^{\frac{\pi}{2}} \left(\sin\frac{x}{2}+\cos\frac{x}{2}\right)^2 dx+\int_{\frac{\pi}{2}}^0 \left(\sin\frac{x}{2}-\cos\frac{x}{2}\right)^2 dx$의 값을 구하시오.

★ 중요

유형 **04** **구간에 따라 다르게 정의된 함수의 정적분**

025 대표 문제 다시 보기

함수 $f(x)=\begin{cases} x^2+3\sqrt{x} & (x\geq 0) \\ e^x-1 & (x\leq 0) \end{cases}$ 에 대하여 $\displaystyle\int_{-1}^{3} f(x)\,dx$ 의 값을 구하시오.

026 중

$\displaystyle\int_{0}^{3} |2^x-4|\,dx$ 의 값을 구하시오.

027 중

$\displaystyle\int_{\frac{3}{4}\pi}^{\frac{5}{4}\pi} (|\sin x|+|\cos x|)\,dx$ 의 값은?

① $\dfrac{1}{2}$ ② 1 ③ $\sqrt{2}$

④ 2 ⑤ 4

028 상

$0\leq a\leq 2$ 인 실수 a에 대하여 $f(a)=\displaystyle\int_{0}^{2} |e^x-e^a|\,dx$ 라 할 때, $f(a)$의 극솟값은?

① e^2-2e-1 ② e^2-2e+1 ③ e^2-2e+2
④ e^2+2e-1 ⑤ e^2+2e+1

유형 **05** **그래프가 대칭인 함수의 정적분**

029 대표 문제 다시 보기

$\displaystyle\int_{-\frac{\pi}{2}}^{\frac{\pi}{2}} (x\sin^2 x+\cos x+x)\,dx$ 의 값은?

① -2 ② -1 ③ 0
④ 1 ⑤ 2

030 하

$\displaystyle\int_{-2}^{2} x^2(e^x-e^{-x})\,dx$ 의 값은?

① 0 ② $\dfrac{1}{e^2}$ ③ $\dfrac{2}{e^2}$
④ e^2 ⑤ $2e^2$

031 중

모든 실수 x에 대하여 연속인 함수 $f(x)$가 $f(-x)=f(x)$ 를 만족시키고, $\displaystyle\int_{0}^{\pi} f(x)\,dx=2$일 때, $\displaystyle\int_{-\pi}^{\pi} (\sin x-x+3)f(x)\,dx$ 의 값을 구하시오.

032 상

모든 실수 x에 대하여 연속인 함수 $f(x)$가 $f(-x)=-f(x)$ 를 만족시킬 때, 다음 보기 중 정적분의 값이 항상 0인 것만을 있는 대로 고르시오. (단, $f(x)\neq 0$)

보기
ㄱ. $\displaystyle\int_{-1}^{1} \dfrac{f(x)+f(-x)}{2}\,dx$ ㄴ. $\displaystyle\int_{-\pi}^{\pi} f(x)\cos x\,dx$

ㄷ. $\displaystyle\int_{-2}^{2} (2^x-2^{-x})f(x)\,dx$ ㄹ. $\displaystyle\int_{-\frac{\pi}{2}}^{\frac{\pi}{2}} \sin f(x)\,dx$

유형 06 주기함수의 정적분

033 대표 문제 다시 보기

$\int_0^{2\pi} |\sin 3x|\, dx$의 값은?

① 2   ② 4   ③ 6

④ 8   ⑤ 10

034 중

임의의 실수 k에 대하여 $\int_k^{k+8} \cos\dfrac{\pi}{2}x\, dx$의 값을 구하시오.

035 중

함수 $f(x)$가 다음 조건을 모두 만족시킬 때,

$\int_{-1}^1 f(x)\, dx + \int_3^5 f(x)\, dx + \int_7^9 f(x)\, dx$의 값은?

> ㈎ 모든 실수 x에 대하여 $f(x+2)=f(x)$
>
> ㈏ $-1 \le x \le 1$에서 $f(x) = \dfrac{e^x + e^{-x}}{2}$

① $e - \dfrac{1}{e}$ ② $2\left(e - \dfrac{1}{e}\right)$ ③ $2\left(e + \dfrac{1}{e}\right)$

④ $3\left(e - \dfrac{1}{e}\right)$ ⑤ $3\left(e + \dfrac{1}{e}\right)$

유형 07 치환적분법을 이용한 정적분 – 유리함수, 무리함수

036 대표 문제 다시 보기

$\int_1^3 \dfrac{4x}{(x^2+1)\sqrt{x^2+1}}\, dx = a\sqrt{2} - b\sqrt{10}$일 때, 유리수 a, b에 대하여 $a+5b$의 값을 구하시오.

037 중

$\int_{-1}^2 \dfrac{x+1}{x^2+2x+2}\, dx$의 값은?

① $\dfrac{1}{2}\ln 2$ ② $\ln 2$ ③ $\dfrac{1}{2}\ln 5$

④ $\dfrac{3}{2}\ln 2$ ⑤ $\dfrac{1}{2}\ln 10$

038 중

$\int_0^3 \dfrac{x^2-x+3}{\sqrt{x+1}}\, dx$의 값을 구하시오.

039 중

$\int_0^a \dfrac{3x^2}{x^3+8}\, dx = 2\ln 3$일 때, 양수 a의 값을 구하시오.

040 상

모든 실수 x에서 연속인 함수 $f(x)$가 다음 조건을 모두 만족시킬 때, $\displaystyle\int_0^1 f(x)\,dx - f(2)$의 값을 구하시오.

> (가) 모든 실수 x에 대하여 $f(-x)=f(x)$
>
> (나) $\displaystyle\int_0^2 f(1-x)\,dx = 2f(2)+6$

★ 중요

유형 **08** 치환적분법을 이용한 정적분
－ 지수함수, 로그함수

041 대표 문제 다시 보기

$\displaystyle\int_e^{e^2} \frac{1}{x(\ln x)^3}\,dx$의 값은?

① $\dfrac{1}{4}$ ② $\dfrac{3}{8}$ ③ $\dfrac{1}{2}$

④ $\dfrac{5}{8}$ ⑤ $\dfrac{3}{4}$

042 하

$\displaystyle\int_0^3 \frac{2^x \ln 2}{2^x+1}\,dx$의 값은?

① $\ln \dfrac{5}{2}$ ② $\ln 3$ ③ $\ln \dfrac{7}{2}$

④ $2\ln 2$ ⑤ $\ln \dfrac{9}{2}$

043 중

$\displaystyle\int_1^2 \left(x+\frac{1}{2}\right)e^{x^2-1}\,dx - \int_2^1 \left(x-\frac{1}{2}\right)e^{x^2-1}\,dx$의 값은?

① $1-e^3$ ② $1-e$ ③ 1

④ $e-1$ ⑤ e^3-1

044 중

$\displaystyle\int_1^{e^3}\left(\frac{\sqrt{\ln x+1}}{x}+\frac{1}{x\sqrt{\ln x+1}}\right)dx=\frac{q}{p}$일 때, 서로소인 자연수 p, q에 대하여 $p+q$의 값을 구하시오.

045 중

수열 $\{a_n\}$에 대하여 $a_n=\displaystyle\int_1^e \frac{(\ln x-1)^n}{x}\,dx$일 때, 급수 $\displaystyle\sum_{n=1}^{\infty} a_n a_{n+2}$의 합은?

① $\dfrac{1}{12}$ ② $\dfrac{1}{6}$ ③ $\dfrac{1}{4}$

④ $\dfrac{1}{3}$ ⑤ $\dfrac{5}{12}$

09

중요

유형 09 치환적분법을 이용한 정적분 – 삼각함수

046 대표문제 다시 보기

$\displaystyle\int_{\frac{\pi}{2}}^{\pi} \sin^5 x \, dx$의 값은?

① $\dfrac{2}{15}$ ② $\dfrac{4}{15}$ ③ $\dfrac{2}{5}$

④ $\dfrac{8}{15}$ ⑤ $\dfrac{2}{3}$

047 중

$\displaystyle\int_{0}^{\frac{\pi}{4}} \dfrac{1}{\cos^2 x \,(1+\tan x)} dx$의 값을 구하시오.

048 중

함수 $f(x)=e^x$에 대하여 $\displaystyle\int_{0}^{\pi} f(\cos x)\sin x \, dx$의 값을 구하시오.

049 중

$\displaystyle\int_{0}^{\frac{\pi}{2}} \cos 2x \cos x \, dx$의 값은?

① $\dfrac{1}{3}$ ② $\dfrac{2}{3}$ ③ 1

④ $\dfrac{4}{3}$ ⑤ $\dfrac{5}{3}$

유형 10 삼각함수를 이용한 치환적분법

050 대표문제 다시 보기

$\displaystyle\int_{2}^{2\sqrt{3}} \dfrac{1}{x^2+4} dx$의 값은?

① $\dfrac{\pi}{24}$ ② $\dfrac{\pi}{20}$ ③ $\dfrac{\pi}{16}$

④ $\dfrac{\pi}{12}$ ⑤ $\dfrac{\pi}{8}$

051 중

$\displaystyle\int_{1}^{\sqrt{2}} \dfrac{1}{\sqrt{4-x^2}} dx$의 값을 구하시오.

052 중

$\displaystyle\int_{0}^{a} \dfrac{1}{a^2+x^2} dx=\dfrac{\pi}{8}$일 때, 양수 a의 값은?

① $\dfrac{1}{4}$ ② $\dfrac{1}{2}$ ③ 1

④ 2 ⑤ 4

053 중

$\displaystyle\int_{0}^{\frac{1}{4}} \sqrt{1-4x^2} \, dx=\dfrac{\pi}{a}+\dfrac{\sqrt{3}}{b}$일 때, 정수 a, b에 대하여 $a-b$의 값을 구하시오.

Ⅲ. 적분법

여러 가지 함수의 정적분

★중요

유형 **11** | 부분적분법을 이용한 정적분

두 함수 $f(x)$, $g(x)$가 미분가능하고 $f'(x)$, $g'(x)$가 닫힌구 간 $[a, b]$에서 연속일 때,

$$\int_a^b f(x)g'(x)\,dx = \Big[f(x)g(x) \Big]_a^b - \int_a^b f'(x)g(x)\,dx$$

대표 문제

054 $\displaystyle\int_0^3 (x-1)e^{2x}\,dx$의 값은?

① $\dfrac{3}{4}e^3 - \dfrac{1}{4}$ ② $\dfrac{3}{4}e^3 + \dfrac{1}{4}$ ③ $\dfrac{3}{4}e^6 + \dfrac{3}{4}$

④ $\dfrac{5}{4}e^6 + \dfrac{1}{4}$ ⑤ $\dfrac{5}{4}e^6 + \dfrac{3}{4}$

유형 **12** | 부분적분법을 이용한 정적분 – 여러 번 적용하는 경우

부분적분법을 한 번 적용하여 정적분의 값을 구할 수 없을 때는 부분적분법을 여러 번 적용한다.

대표 문제

055 $\displaystyle\int_0^{\frac{\pi}{2}} e^x \cos x\,dx = ae^{\frac{\pi}{2}} + b$일 때, 유리수 a, b에 대하여 ab의 값을 구하시오.

★중요

유형 **13** | 적분 구간이 상수인 정적분을 포함한 등식

$f(x) = g(x) + \displaystyle\int_a^b f(t)\,dt\,(a,\ b$는 상수) 꼴의 등식이 주어지면 $f(x)$는 다음과 같은 순서로 구한다.

(1) $\displaystyle\int_a^b f(t)\,dt = k\,(k$는 상수)로 놓는다.

(2) $f(x) = g(x) + k$를 (1)의 식에 대입하여
$\displaystyle\int_a^b \{g(t) + k\}\,dt = k$를 만족시키는 k의 값을 구한다.

(3) k의 값을 $f(x) = g(x) + k$에 대입하여 $f(x)$를 구한다.

대표 문제

056 함수 $f(x)$가
$$f(x) = 4e^x - \int_0^1 f(t)\,dt$$
를 만족시킬 때, $f(\ln 2)$의 값을 구하시오.

★중요

유형 **14** | 적분 구간에 변수가 있는 정적분을 포함한 등식

$\displaystyle\int_a^x f(t)\,dt = g(x)\,(a$는 상수) 꼴의 등식이 주어지면

➡ 양변을 x에 대하여 미분하여 $f(x)$를 구한다.

이때 함수 $g(x)$에 미정계수가 있으면 $\displaystyle\int_a^a f(t)\,dt = 0$임을 이용한다.

대표 문제

057 모든 실수 x에 대하여 연속인 함수 $f(x)$가
$$\int_0^x f(t)\,dt = \cos x + x + a$$
를 만족시킬 때, $a + f(\pi)$의 값은? (단, a는 상수)

① -2 ② -1 ③ 0
④ 1 ⑤ 2

Ⅲ. 적분법

168

⭐ 중요

유형 15 | 적분 구간과 적분하는 함수에 변수가 있는 정적분을 포함한 등식

$\int_a^x (x-t)f(t)\,dt = g(x)$ (a는 상수) 꼴의 등식이 주어지면

➡ $x\int_a^x f(t)\,dt - \int_a^x tf(t)\,dt = g(x)$와 같이 변형한 후 양변을 x에 대하여 미분한다.

이때 함수 $g(x)$에 미정계수가 있으면 $\int_a^a f(t)\,dt = 0$임을 이용한다.

대표 문제

058 모든 양수 x에 대하여 연속인 함수 $f(x)$가

$$\int_1^x (x-t)f(t)\,dt = x\ln x + ax + 1$$

을 만족시킬 때, $a \times f(1)$의 값을 구하시오. (단, a는 상수)

09

유형 16 | 정적분으로 정의된 함수의 극대, 극소

$f(x) = \int_a^x g(t)\,dt$와 같이 정의된 함수 $f(x)$의 극값은 다음과 같은 순서로 구한다.

(1) 양변을 x에 대하여 미분한다. ➡ $f'(x) = g(x)$
(2) $f'(x) = 0$을 만족시키는 실수 x의 값을 구한다.
(3) (2)에서 구한 x의 값을 주어진 식에 대입하여 극값을 구한다.

대표 문제

059 $0 < x < 2\pi$에서 함수 $f(x) = \int_0^x (2\cos t - \sqrt{3})\,dt$의 극댓값을 M, 극솟값을 m이라 할 때, $M + m$의 값을 구하시오.

유형 17 | 정적분으로 정의된 함수의 최대, 최소

$f(x) = \int_a^x g(t)\,dt$와 같이 정의된 함수 $f(x)$의 최댓값과 최솟값은 $f(x)$의 극값과 주어진 구간의 양 끝 값에서의 함숫값을 비교하여 구한다.

대표 문제

060 $0 < x < \pi$일 때, 함수 $f(x) = \int_0^x (3 + 2\sin t)\cos t\,dt$는 $x = a$에서 최댓값 b를 갖는다. 이때 ab의 값을 구하시오.

유형 18 | 정적분으로 정의된 함수의 극한

함수 $f(x)$의 한 부정적분을 $F(x)$라 할 때

(1) $\displaystyle\lim_{x\to 0} \frac{1}{x}\int_a^{x+a} f(t)\,dt = \lim_{x\to 0} \frac{F(x+a) - F(a)}{x}$
$\qquad\qquad\qquad\qquad = F'(a) = f(a)$

(2) $\displaystyle\lim_{x\to a} \frac{1}{x-a}\int_a^x f(t)\,dt = \lim_{x\to a} \frac{F(x) - F(a)}{x-a}$
$\qquad\qquad\qquad\qquad = F'(a) = f(a)$

대표 문제

061 함수 $f(x) = \dfrac{e^x + e^{-x}}{2}$에 대하여 $\displaystyle\lim_{h\to 0} \frac{1}{h}\int_{1-h}^{1+h} f(t)\,dt$의 값은?

① $\dfrac{1}{2}$ ② 1 ③ $e - \dfrac{1}{e}$

④ e ⑤ $e + \dfrac{1}{e}$

★ 중요
유형 11   부분적분법을 이용한 정적분

062 대표 문제 다시 보기

$\int_0^1 2xe^{-x}dx = a + \dfrac{b}{e}$ 일 때, 정수 a, b에 대하여 $a-b$의 값
을 구하시오.

063 하

$\int_1^e \dfrac{\ln x}{x^2}dx$의 값은?

① $1 - \dfrac{2}{e}$　　　② $1 - \dfrac{1}{e}$　　　③ 1

④ $1 + \dfrac{1}{e}$　　　⑤ $1 + \dfrac{2}{e}$

064 중

함수 $y=f(x)$의 그래프가 오른쪽
그림과 같을 때,
$$\int_{-\pi}^{\pi} f(x)\sin x\,dx$$
의 값은?

① -2π　　　② $-\pi$　　　③ 0

④ π　　　⑤ 2π

065 상

$\int_0^1 (e^x - 3ax)^2\,dx$의 값이 최소가 되도록 하는 상수 a의 값
을 구하시오.

066 상

$x > -1$에서 정의된 함수 $f(x)$에 대하여 $f'(x) = \dfrac{1}{(1+x^3)^2}$
이고, 함수 $g(x) = x^2$일 때, $\int_0^1 f(x)g'(x)\,dx = \dfrac{1}{2}$이다. 이
때 $f(1)$의 값을 구하시오.

유형 12   부분적분법을 이용한 정적분
　　　　 – 여러 번 적용하는 경우

067 대표 문제 다시 보기

$\int_0^\pi e^{-x}\sin 2x\,dx$의 값은?

① $-\dfrac{2}{5e^\pi} - \dfrac{2}{5}$　　　② $-\dfrac{2}{5e^\pi} + \dfrac{2}{5}$　　　③ $\dfrac{1}{5e^\pi} - \dfrac{1}{5}$

④ $\dfrac{1}{5e^\pi} + \dfrac{1}{5}$　　　⑤ $\dfrac{2}{5e^\pi} + \dfrac{2}{5}$

068 중

$\int_{-1}^{1} x(x-1)e^x dx = ae + \dfrac{b}{e}$일 때, 정수 a, b에 대하여 $a-b$의 값은?

① 2   ② 4   ③ 6

④ 8   ⑤ 10

069 중

$\int_0^{\frac{\pi}{2}} (x+1)^2 \cos x\, dx + \int_0^{\frac{\pi}{2}} (x-1)^2 \cos x\, dx = a\pi^2 + b$일 때, 유리수 a, b에 대하여 ab의 값을 구하시오.

★중요

유형 13   **적분 구간이 상수인 정적분을 포함한 등식**

070 대표 문제 다시 보기

함수 $f(x)$가

$$f(x) = e^x + x + \int_0^2 f(t)\, dt$$

를 만족시킬 때, $f(2)$의 값은?

① 1   ② 2   ③ e

④ 4   ⑤ $2e$

071 중

함수 $f(x)$가

$$f(x) = \sin x + 2\int_0^{\frac{\pi}{2}} f(t) \cos t\, dt$$

를 만족시킬 때, $f(x)$를 구하시오.

072 중

$x > 0$에서 미분가능한 함수 $f(x)$가

$$f(x) = x + \frac{1}{x} + \int_1^3 f'(t)\, dt$$

를 만족시킬 때, $\int_1^3 f(x)\, dx = a + \ln b$이다. 이때 유리수 a, b에 대하여 ab의 값은?

① 20   ② 22   ③ 24

④ 26   ⑤ 28

073 상

$x > 0$에서 정의된 함수 $f(x)$가

$$f(x) = \ln x - \int_1^{e^2} \frac{f(t)}{x}\, dt$$

를 만족시킬 때, $f(1)$의 값을 구하시오.

중요

유형 14 적분 구간에 변수가 있는 정적분을 포함한 등식

074 대표 문제 다시 보기

모든 실수 x에 대하여 연속인 함수 $f(x)$가

$$\int_\pi^x f(t)\,dt = x\sin x + kx - \pi$$

를 만족시킬 때, $f\left(\dfrac{\pi}{2}\right)$의 값은? (단, k는 상수)

① 1   ② 2   ③ π

④ 4   ⑤ 2π

075 중

$x>0$에서 미분가능한 함수 $f(x)$가

$$f(x) = x\ln x + \int_1^x t f(t)\,dt$$

를 만족시킬 때, $f'(1)$의 값을 구하시오.

076 중

미분가능한 함수 $f(x)$가

$$f(x) = e^x - \int_0^x f'(t)e^t\,dt$$

를 만족시킬 때, $e^{f(1)}$의 값은?

① $\dfrac{e(e-1)}{2}$ ② $\dfrac{e^2}{2}$ ③ $e(e-1)$

④ $\dfrac{e(e+1)}{2}$ ⑤ $e(e+1)$

077 상

$x>0$에서 미분가능한 두 함수 $f(x)$, $g(x)$가 다음 조건을 모두 만족시킬 때, $\displaystyle\int_1^2 x g(x)\,dx$의 값을 구하시오.

> (가) 모든 양수 x에 대하여 $g(x) = \displaystyle\int_1^x \dfrac{f(t^2)}{t}\,dt$
>
> (나) $\displaystyle\int_1^4 f(x)\,dx = 12$, $g(2) = 4$

중요

유형 15 적분 구간과 적분하는 함수에 변수가 있는 정적분을 포함한 등식

078 대표 문제 다시 보기

모든 실수 x에 대하여 연속인 함수 $f(x)$가

$$\int_0^x (x-t)f(t)\,dt = e^x - x - k$$

를 만족시킬 때, $k + f(2)$의 값을 구하시오. (단, k는 상수)

079 하

모든 실수 x에 대하여 연속인 함수 $f(x)$가

$$\int_0^x (x-t)f(t)\,dt = x\cos x - x$$

를 만족시킬 때, $f(\pi)$의 값을 구하시오.

080 중

모든 양수 x에 대하여 연속인 함수 $f(x)$가

$$\int_1^x (x+t)f(t)\,dt = e^x(\ln x+1)-e$$

를 만족시킬 때, $f(1)$의 값은?

① $\dfrac{1-e}{2}$ ② $\dfrac{2-e}{2}$ ③ $\dfrac{1+e}{2}$

④ $\dfrac{2+e}{2}$ ⑤ e

081 중

모든 양수 x에 대하여 연속인 함수 $f(x)$가

$$\int_1^x (x-t)f(t)\,dt = x^2\ln x+ax+b$$

를 만족시킬 때, $a-b+f(e)$의 값을 구하시오.

(단, a, b는 상수)

082 상

모든 실수 x에 대하여 미분가능한 함수 $f(x)$가

$$\int_0^x (t-x)f'(t)\,dt = e^{2x}+ae^x+1$$

을 만족시키고 $f(0)=\dfrac{2}{e^4}$일 때, 상수 a에 대하여 $f(a)$의 값은?

① $\dfrac{1}{e^2}$ ② $\dfrac{2}{e^2}$ ③ $\dfrac{1}{e}$

④ $\dfrac{3}{e^2}$ ⑤ $\dfrac{2}{e}$

유형 **16**　정적분으로 정의된 함수의 극대, 극소

083 대표 문제 다시 보기

$0<x<\pi$에서 함수 $f(x)=\displaystyle\int_0^x (\cos 2t-\sin t)\,dt$의 극댓값을 M, 극솟값을 m이라 할 때, $M-m$의 값은?

① $\dfrac{3\sqrt{3}}{4}-1$ ② $\dfrac{3\sqrt{3}}{4}$ ③ $\dfrac{3\sqrt{3}}{2}-1$

④ 2 ⑤ $\dfrac{3\sqrt{3}}{2}$

084 하

$x>0$일 때, 함수 $f(x)=\displaystyle\int_1^x \dfrac{4-t^2}{t}\,dt$의 극댓값은?

① $2\ln 2-2$ ② $2\ln 2-\dfrac{3}{2}$ ③ $4\ln 2-\dfrac{3}{2}$

④ $2\ln 2+2$ ⑤ $4\ln 2+2$

085 중

함수 $f(x)=\displaystyle\int_0^x (2t+1)e^{t^2+t}\,dt$의 극솟값이 e^a+b일 때, 유리수 a, b에 대하여 ab의 값을 구하시오.

유형 **17**　정적분으로 정의된 함수의 최대, 최소

086 대표 문제 다시 보기

$0<x<\dfrac{\pi}{2}$일 때, 함수 $f(x)=\displaystyle\int_0^x \sin t\,(2\cos t-1)\,dt$의 최댓값은?

① $\dfrac{1}{4}$　　　② $\dfrac{1}{\pi}$　　　③ 1

④ 2　　　⑤ π

087 하

함수 $f(x)=\displaystyle\int_0^x (e^t-3)\,dt$는 $x=a$에서 최솟값 b를 갖는다. 이때 $3a+b$의 값을 구하시오.

088 중

$x>0$일 때, 함수 $f(x)=\displaystyle\int_2^x (t+1)\ln t\,dt$의 최솟값을 구하시오.

유형 **18**　정적분으로 정의된 함수의 극한

089 대표 문제 다시 보기

함수 $f(x)=\dfrac{e(\ln x+x)}{3x^2}$에 대하여 $\displaystyle\lim_{h\to 0}\dfrac{1}{h}\int_{e-h}^{e+2h} f(t)\,dt$의 값은?

① $\dfrac{e-2}{2e}$　　　② $\dfrac{e-1}{e}$　　　③ $\dfrac{e+1}{2e}$

④ $\dfrac{e+3}{3e}$　　　⑤ $\dfrac{e+1}{e}$

090 중

함수 $f(t)=(t^2+1)e^{2t}$에 대하여 $\displaystyle\lim_{x\to 1}\dfrac{1}{x-1}\int_1^{x^2} f(t)\,dt$의 값을 구하시오.

091 중

$\displaystyle\lim_{x\to 0}\dfrac{1}{2x}\int_{\frac{\pi}{2}}^{x+\frac{\pi}{2}}(t\cos t+a)\,dt=4$일 때, 상수 a의 값을 구하시오.

092 상 신유형

$x>1$에서 정의된 함수 $f(x)=x^{\ln x}$의 역함수를 $g(x)$라 할 때, $\displaystyle\lim_{h\to 0}\dfrac{1}{h}\int_{e-h}^{e+h} g'(t)\,dt$의 값은?

① 1　　　② 2　　　③ e

④ 3　　　⑤ $2e$

093 유형 01

함수 $f(x)=\dfrac{2x^2}{x+2}$에 대하여

$$\int_{-1}^{e-2} f(x)\,dx = e^2 + ae + b$$

일 때, 정수 a, b에 대하여 $a+b$의 값을 구하시오.

094 유형 02

$\displaystyle\int_0^1 \left(ae^x + \dfrac{b}{e^x}\right)dx = e + \dfrac{2}{e} - 3$일 때, 정수 a, b에 대하여 ab

의 값은?

① -2 ② -1 ③ 0

④ 1 ⑤ 2

095 유형 03

$\displaystyle\int_0^{\frac{\pi}{4}} \dfrac{1}{\sin x + 1}\,dx + \int_{\frac{\pi}{4}}^0 \dfrac{1}{\sin x - 1}\,dx$의 값은?

① $\dfrac{1}{4}$ ② $\dfrac{1}{2}$ ③ 1

④ 2 ⑤ 4

096 유형 04

$\displaystyle\int_0^3 \left|\dfrac{x-1}{x+1}\right| dx$의 값을 구하시오.

097 유형 04

함수 $f(x)=\begin{cases} e^{-x} & (x \geq 1) \\ -x + \dfrac{1}{e} + 1 & (x \leq 1) \end{cases}$에 대하여

$S(n) = \displaystyle\int_0^n f(x)\,dx$일 때, $\displaystyle\lim_{n \to \infty} S(n)$의 값을 구하시오.

(단, $n > 1$)

098 유형 05

$\displaystyle\int_{-1}^1 (2^x + 3^x - 2^{-x} + 3^{-x})\,dx$의 값은?

① $\dfrac{8}{3\ln 3}$ ② $\dfrac{16}{5\ln 3}$ ③ $\dfrac{4}{\ln 3}$

④ $\dfrac{16}{3\ln 3}$ ⑤ $\dfrac{8}{\ln 3}$

099 유형 04+06

함수 $f(x)$가 모든 실수 x에 대하여 $f\left(x+\dfrac{\pi}{2}\right)=f(x)$를 만

족시키고 $0 \leq x \leq \dfrac{\pi}{2}$에서

$$f(x)=\begin{cases} 3\sin x & \left(0 \leq x \leq \dfrac{\pi}{6}\right) \\ \sqrt{3}\cos x & \left(\dfrac{\pi}{6} \leq x \leq \dfrac{\pi}{2}\right) \end{cases}$$

일 때, $\displaystyle\int_{-\pi}^{\pi} f(x)\,dx$의 값을 구하시오.

100

유형 07

함수 $f(x)=2x^2-x+2$에 대하여 $\displaystyle\int_0^2 \frac{f'(x)}{\sqrt{f(x)}}dx$의 값을 구하시오.

101

유형 04+08

함수 $f(x)=\begin{cases} 2x & (x \geq 0) \\ -x & (x \leq 0) \end{cases}$에 대하여

$$\int_{-1}^2 e^{x^2} f(x)\,dx = e^4 + ae + b$$

일 때, 유리수 a, b에 대하여 $a+b$의 값은?

① $-\dfrac{3}{2}$ ② -1 ③ $-\dfrac{1}{2}$

④ 0 ⑤ $\dfrac{1}{2}$

102

유형 09

수열 $\{a_n\}$에 대하여 $a_n=\displaystyle\int_0^{\frac{\pi}{2}} \sin^n x \cos x\,dx$일 때, $\displaystyle\sum_{n=1}^{10} a_n a_{n+1}$의 값을 구하시오.

103

유형 10

$\displaystyle\int_0^3 \sqrt{9-x^2}\,dx = a\pi$일 때, 상수 a의 값은?

① $\dfrac{9}{5}$ ② $\dfrac{9}{4}$ ③ 3

④ $\dfrac{9}{2}$ ⑤ 9

104

유형 11

자연수 n에 대하여

$$f(n)=\int_n^{n+1} xe^x\,dx$$

일 때, $\dfrac{f(1)+f(2)+f(3)+\cdots+f(6)}{f(1)+f(2)+f(3)}$의 값은?

① $2e^2$ ② $3e^2$ ③ $2e^3$

④ $3e^3$ ⑤ $6e^3$

105

유형 12

함수 $f(x)=(4x+1)(\ln x)^2$에 대하여

$$\int_1^{e^2} f(x)\,dx - \int_e^{e^2} f(x)\,dx$$의 값을 구하시오.

106

유형 13

함수 $f(x)$가

$$f(x) = \frac{x+1}{\sqrt{x}} + \int_1^4 f(t)\,dt$$

를 만족시킬 때, $f(1)$의 값은?

① -2　　　② $-\dfrac{5}{3}$　　　③ $-\dfrac{4}{3}$

④ -1　　　⑤ $-\dfrac{2}{3}$

107

유형 14

$x>0$에서 미분가능한 함수 $f(x)$가

$$xf(x) = x^2 e^x + \int_1^x f(t)\,dt$$

를 만족시킬 때, $f(2)$의 값은?

① $3e^2 - e$　　　② $3e^2$　　　③ $3e^2 + e$

④ $4e^3 - 2e$　　　⑤ $4e^3 + 2e$

108

유형 15

모든 실수 x에 대하여 미분가능한 함수 $f(x)$가

$$\int_0^x f(t)\,dt = \int_0^x (x-t)f(t)\,dt + 3x$$

를 만족시킬 때, $f(\ln 3)$의 값을 구하시오. (단, $f(x)>0$)

109

유형 16

$x>0$일 때, 함수 $f(x) = \displaystyle\int_{\frac{1}{e^2}}^{x} \frac{3\ln t}{t}\,dt$의 극솟값을 구하시오.

110

유형 17

$x>0$일 때, 함수 $f(x) = \displaystyle\int_x^{x+1} \left(t + \frac{12}{t}\right)dt$의 최솟값은?

① $\dfrac{7}{2} + 3\ln\dfrac{4}{3}$　　　② $3 + 6\ln\dfrac{4}{3}$　　　③ $\dfrac{7}{2} + 6\ln\dfrac{4}{3}$

④ $3 + 12\ln\dfrac{4}{3}$　　　⑤ $\dfrac{7}{2} + 12\ln\dfrac{4}{3}$

111

유형 18

$\displaystyle\lim_{h\to 0} \frac{1}{2h} \int_{\pi-h}^{\pi+3h} \left| \frac{t}{\pi} \tan\left(\frac{t}{2} + \frac{\pi}{4}\right) \right| dt$의 값은?

① -2　　　② $-\dfrac{1}{2}$　　　③ $\dfrac{1}{2}$

④ 1　　　⑤ 2

정적분의 활용

10

Ⅲ. 적분법

정적분의 활용

유형 01 | 정적분과 급수의 합 사이의 관계

함수 $f(x)$가 닫힌구간 $[a, b]$에서 연속일 때,

$$\lim_{n \to \infty} \sum_{k=1}^{n} f(x_k) \Delta x = \int_a^b f(x)\,dx$$

$$\left(\text{단, } \Delta x = \frac{b-a}{n},\ x_k = a + k\Delta x\right)$$

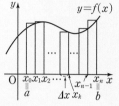

➡ 이를 이용하여 복잡한 급수의 합을 다음과 같이 정적분으로 나타낼 수 있다.

(1) $\displaystyle \lim_{n \to \infty} \sum_{k=1}^{n} f\left(\frac{p}{n}k\right) \times \frac{p}{n} = \int_0^p f(x)\,dx$

(2) $\displaystyle \lim_{n \to \infty} \sum_{k=1}^{n} f\left(a + \frac{p}{n}k\right) \times \frac{p}{n} = \int_a^{a+p} f(x)\,dx = \int_0^p f(a+x)\,dx$

참고 어떤 도형의 넓이나 부피를 구할 때, 주어진 도형을 작은 기본 도형으로 잘게 나누어 그 기본 도형의 넓이 또는 부피의 합의 극한값으로 구하는 방법을 구분구적법이라 한다.

대표 문제

001 정적분을 이용하여

$$\lim_{n \to \infty} \frac{1}{n}\left\{\left(2+\frac{1}{n}\right)^3 + \left(2+\frac{2}{n}\right)^3 + \left(2+\frac{3}{n}\right)^3 + \cdots + \left(2+\frac{n}{n}\right)^3\right\}$$

의 값을 구하면?

① 5
② $\dfrac{35}{4}$
③ $\dfrac{25}{2}$

④ $\dfrac{65}{4}$
⑤ 20

유형 02 | 곡선과 x축 사이의 넓이

함수 $f(x)$가 닫힌구간 $[a, b]$에서 연속일 때, 곡선 $y=f(x)$와 x축 및 두 직선 $x=a$, $x=b$로 둘러싸인 도형의 넓이 S는

$$S = \int_a^b |f(x)|\,dx$$

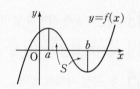

대표 문제

002 오른쪽 그림과 같이 곡선 $y = -\dfrac{2x}{x^2+2}$와 x축 및 두 직선 $x=-2$, $x=1$로 둘러싸인 도형의 넓이는?

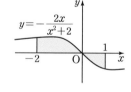

① $\ln \dfrac{5}{2}$
② $\ln 3$
③ $\ln \dfrac{7}{2}$

④ $\ln 4$
⑤ $\ln \dfrac{9}{2}$

유형 03 | 곡선과 y축 사이의 넓이

함수 $g(y)$가 닫힌구간 $[c, d]$에서 연속일 때, 곡선 $x=g(y)$와 y축 및 두 직선 $y=c$, $y=d$로 둘러싸인 도형의 넓이 S는

$$S = \int_c^d |g(y)|\,dy$$

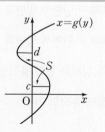

대표 문제

003 곡선 $y = \ln(x+2)$와 x축, y축 및 직선 $y = \ln 4$로 둘러싸인 도형의 넓이는?

① $\ln 2$
② 1
③ $2\ln 2$

④ 2
⑤ $4\ln 2$

⭐중요

유형 **04-05** 두 곡선 사이의 넓이

(1) 두 함수 $f(x)$, $g(x)$가 닫힌구 간 $[a, b]$에서 연속일 때, 두 곡선 $y=f(x)$, $y=g(x)$ 및 두 직선 $x=a$, $x=b$로 둘러싸인 도형의 넓이 S는

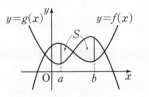

$$S=\int_a^b |f(x)-g(x)|\, dx$$

참고 두 곡선 사이의 넓이를 구할 때는 두 곡선의 교점의 x좌표를 구하 여 적분 구간을 정한 후 적분 구간 내에서 두 곡선의 위치 관계를 파악한다.

(2) 두 함수 $f(y)$, $g(y)$가 닫힌구간 $[c, d]$에서 연속일 때, 두 곡선 $x=f(y)$, $x=g(y)$ 및 두 직선 $y=c$, $y=d$로 둘러싸인 도형의 넓이 S는

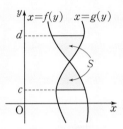

$$S=\int_c^d |f(y)-g(y)|\, dy$$

대표 문제

004 오른쪽 그림과 같이 곡선 $y=\dfrac{x}{x^2+1}$와 직선 $y=\dfrac{1}{2}x$로 둘러 싸인 도형의 넓이를 구하시오.

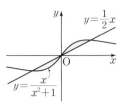

대표 문제

005 두 곡선 $y=\dfrac{1}{x}$, $y=\sqrt{x}$와 직선 $x=4$로 둘러싸인 도형 의 넓이는?

① $\dfrac{11}{3}-2\ln 2$ ② $\dfrac{11}{3}-\ln 3$ ③ $\dfrac{14}{3}-2\ln 2$

④ $\dfrac{14}{3}+\ln 3$ ⑤ $\dfrac{14}{3}+2\ln 2$

유형 **06** 곡선과 접선으로 둘러싸인 도형의 넓이

곡선 $y=f(x)$ 위의 점 $(a, f(a))$에서의 접선의 기울기는 $f'(a)$임을 이용하여 접선의 방정식을 구한 후 곡선과 접선의 위치 관계를 파악하여 도형의 넓이를 구한다.

참고 곡선 $y=f(x)$ 위의 점 $(a, f(a))$에서의 접선의 방정식은
$$y-f(a)=f'(a)(x-a)$$

대표 문제

006 곡선 $y=\ln x$와 이 곡선 위의 점 $(e, 1)$에서의 접선 및 x축으로 둘러싸인 도형의 넓이는?

① $\dfrac{e}{2}-1$ ② $\dfrac{e}{4}$ ③ $\dfrac{e}{4}+1$

④ $e-1$ ⑤ $\dfrac{e}{2}+1$

10 정적분의 활용

★중요

유형 07 | 두 도형의 넓이가 같을 조건

(1) 곡선 $y=f(x)$와 x축으로 둘러싸인 두 도형의 넓이 S_1, S_2에 대하여 $S_1=S_2$이면

$$\int_a^b f(x)\,dx=0$$

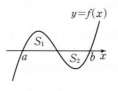

(2) 두 곡선 $y=f(x)$, $y=g(x)$로 둘러싸인 두 도형의 넓이 S_1, S_2에 대하여 $S_1=S_2$이면

$$\int_a^b \{f(x)-g(x)\}\,dx=0$$

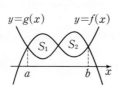

대표 문제

007 오른쪽 그림과 같이 $0 \le x \le 1$에서 곡선 $y=\cos\dfrac{\pi}{2}x$와 y축 및 두 직선 $y=ax$, $x=1$로 둘러싸인 두 도형의 넓이가 서로 같을 때, 양수 a의 값을 구하시오.

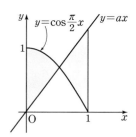

★중요

유형 08 | 도형의 넓이를 이등분하는 경우

곡선 $y=f(x)$와 x축으로 둘러싸인 도형의 넓이 S가 곡선 $y=g(x)$에 의하여 이등분되면

$$\Rightarrow \int_0^a |f(x)-g(x)|\,dx=\frac{1}{2}S$$

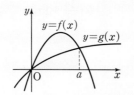

대표 문제

008 곡선 $y=e^x$과 x축, y축 및 직선 $x=\ln 4$로 둘러싸인 도형의 넓이가 직선 $x=k$에 의하여 이등분될 때, 상수 k의 값은? (단, $0<k<\ln 4$)

① $\ln\dfrac{3}{2}$ ② $\ln 2$ ③ $\ln\dfrac{5}{2}$

④ $\ln 3$ ⑤ $\ln\dfrac{7}{2}$

★중요

유형 09 | 함수와 그 역함수의 그래프로 둘러싸인 도형의 넓이

함수 $y=f(x)$의 그래프와 그 역함수 $y=g(x)$의 그래프는 직선 $y=x$에 대하여 대칭이므로 두 곡선 $y=f(x)$, $y=g(x)$로 둘러싸인 도형의 넓이는 곡선 $y=f(x)$와 직선 $y=x$로 둘러싸인 도형의 넓이의 2배와 같다.

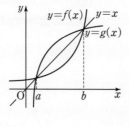

$$\Rightarrow \int_a^b |f(x)-g(x)|\,dx=2\int_a^b |f(x)-x|\,dx$$

참고 두 곡선 $y=f(x)$, $y=g(x)$의 교점의 x좌표는 곡선 $y=f(x)$와 직선 $y=x$의 교점의 x좌표와 같다.

대표 문제

009 함수 $f(x)=\sqrt{5x-4}$의 역함수를 $g(x)$라 할 때, 두 곡선 $y=f(x)$, $y=g(x)$로 둘러싸인 도형의 넓이는?

① $\dfrac{8}{5}$ ② $\dfrac{9}{5}$ ③ 2

④ $\dfrac{11}{5}$ ⑤ $\dfrac{12}{5}$

유형 01 정적분과 급수의 합 사이의 관계

010 대표 문제 다시 보기

정적분을 이용하여

$$\lim_{n \to \infty} \frac{1}{n}\left\{\left(\frac{n+2}{n}\right)^2 + \left(\frac{n+4}{n}\right)^2 + \left(\frac{n+6}{n}\right)^2 + \cdots + \left(\frac{3n}{n}\right)^2\right\}$$

의 값을 구하시오.

011 중

$\lim_{n \to \infty} \dfrac{1}{n} \displaystyle\sum_{k=1}^{n} \sin\left(2 + \dfrac{3k}{n}\right) = a\displaystyle\int_{b}^{c} \sin x\, dx$일 때, 유리수 a, b, c에 대하여 abc의 값을 구하시오. (단, $a > 0$)

012 중

다음 보기 중 $\lim\limits_{n \to \infty} \displaystyle\sum_{k=1}^{n} \dfrac{1}{n}\left(2 + \dfrac{k}{n}\right)^5$을 정적분으로 나타낸 것으로 옳은 것만을 있는 대로 고르시오.

보기
ㄱ. $\displaystyle\int_{0}^{1} x^5\, dx$ ㄴ. $\displaystyle\int_{2}^{3} x^5\, dx$
ㄷ. $\displaystyle\int_{0}^{1} (x+2)^5\, dx$ ㄹ. $\displaystyle\int_{3}^{4} (x-5)^5\, dx$

013 중

정적분을 이용하여

$$\lim_{n \to \infty} \frac{1}{n}\left\{\ln\left(1 + \frac{1}{n}\right) + \ln\left(1 + \frac{2}{n}\right) + \ln\left(1 + \frac{3}{n}\right)\right.$$
$$\left. + \cdots + \ln\left(1 + \frac{n}{n}\right)\right\}$$

의 값을 구하시오.

014 중

함수 $f(x) = e^x$에 대하여

$$\lim_{n \to \infty} \frac{1}{n^2}\left\{f\left(\frac{2}{n}\right) + 2f\left(\frac{4}{n}\right) + 3f\left(\frac{6}{n}\right) + \cdots + nf\left(\frac{2n}{n}\right)\right\}$$

의 값은?

① $\dfrac{e^2 - 1}{4}$ ② $\dfrac{1}{4}e^2$ ③ $\dfrac{e^2 + 1}{4}$

④ $\dfrac{e^2 - 1}{2}$ ⑤ $\dfrac{e^2 + 1}{2}$

015 중

함수 $f(x) = ax - 3\sqrt{x}$가 $\lim\limits_{n \to \infty} \dfrac{1}{n} \displaystyle\sum_{k=1}^{n} f\left(1 + \dfrac{3k}{n}\right) = \dfrac{16}{3}$을 만족시킬 때, 상수 a의 값은?

① 3 ② 4 ③ 5
④ 6 ⑤ 7

016 상

오른쪽 그림과 같이 반지름의 길이가 1이고 중심각의 크기가 $\dfrac{\pi}{2}$인 부채꼴 OAB에서 $\overline{\text{OA}}$를 n 등분 한 점을 점 O에서 가까운 점부터 차례대로 A_1, A_2, A_3, $\cdots$, A_{n-1}이라 하고, 각 점에서 $\overline{\text{OB}}$에 평행하게 직선을 그어 호 AB와 만나는 점을 각각 B_1, B_2, B_3, $\cdots$, B_{n-1}이라 하자. 이때 $\lim\limits_{n \to \infty} \dfrac{2}{n} \displaystyle\sum_{k=1}^{n-1} \overline{\text{A}_k\text{B}_k}^2$의 값을 구하시오.

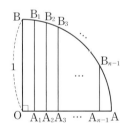

유형 02   곡선과 x축 사이의 넓이

017 대표 문제 다시 보기

오른쪽 그림과 같이 곡선 $y=e^{-x}-1$과 x축 및 두 직선 $x=-1$, $x=2$로 둘러싸인 도형의 넓이를 구하시오.

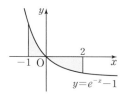

018 하

오른쪽 그림과 같이 곡선 $y=\dfrac{\ln x}{x}$와 x축 및 직선 $x=e^2$으로 둘러싸인 도형의 넓이는?

① 1   ② 2

③ 3   ④ 4

⑤ 5

019 중

$0 \leq x \leq \dfrac{5}{3}\pi$에서 곡선 $y=\sin x+\sqrt{3}\cos x$와 x축 및 y축으로 둘러싸인 도형의 넓이는?

① 4   ② 5   ③ 6

④ 7   ⑤ 8

020 중

오른쪽 그림과 같이 미분가능한 함수 $y=f(x)$의 그래프가 점 $(2, 5)$를 지나고 곡선 $y=f(x)$와 x축, y축 및 직선 $x=2$로 둘러싸인 도형의 넓이가 7일 때, $\displaystyle\int_0^2 xf'(x)\,dx$의 값을 구하시오.

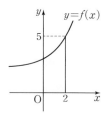

021 중

2보다 큰 자연수 n에 대하여 곡선 $y=\dfrac{1}{x+1}$과 x축 및 두 직선 $x=n+2$, $x=2n$으로 둘러싸인 도형의 넓이를 S_n이라 할 때, $\displaystyle\lim_{n\to\infty} S_n$의 값은?

① 0   ② $\ln 2$ ③ 1

④ $\ln 3$ ⑤ $\ln 5$

022 중

곡선 $y=\sqrt{x}-a$와 x축, y축 및 직선 $x=4$로 둘러싸인 도형의 넓이가 2일 때, 유리수 a의 값은? (단, $0<a<2$)

① $\dfrac{1}{4}$ ② $\dfrac{1}{2}$ ③ 1

④ $\dfrac{3}{2}$ ⑤ $\dfrac{7}{4}$

유형 03 곡선과 y축 사이의 넓이

023 대표문제 다시 보기

곡선 $y=-\ln(x+1)+1$과 x축, y축 및 직선 $y=2$로 둘러싸인 도형의 넓이는?

① $e-\dfrac{1}{e}-2$ ② $e-\dfrac{1}{e}-1$ ③ $e+\dfrac{1}{e}-2$

④ $e+\dfrac{1}{e}-1$ ⑤ $e+\dfrac{1}{e}$

024 중

곡선 $y=\dfrac{1}{x}$과 y축 및 두 직선 $y=k$, $y=2k$로 둘러싸인 도형의 넓이는 k의 값에 관계없이 항상 일정하다. 이때 이 도형의 넓이는? (단, $k>0$)

① $\ln 2$ ② $\ln 3$ ③ $2\ln 2$

④ 2 ⑤ 4

025 중

곡선 $y=(x+2)^2\,(x\geq-2)$과 x축, y축 및 직선 $y=8$로 둘러싸인 도형의 넓이는?

① $\dfrac{28}{3}(\sqrt{2}-1)$ ② $10(\sqrt{2}-1)$ ③ $\dfrac{32}{3}(\sqrt{2}-1)$

④ $10(\sqrt{2}+1)$ ⑤ $\dfrac{32}{3}(\sqrt{2}+1)$

026 중

곡선 $y=\sqrt{x+1}-1$과 y축 및 두 직선 $y=-1$, $y=1$로 둘러싸인 도형의 넓이를 구하시오.

027 중

곡선 $y=\ln(x+a)$와 y축 및 직선 $y=\ln 2$로 둘러싸인 도형의 넓이가 2일 때, 상수 a의 값을 구하시오. (단, $a>2$)

★중요

유형 04 곡선과 직선 사이의 넓이

028 대표문제 다시 보기

오른쪽 그림과 같이 곡선 $y=\dfrac{2x}{x^2+2}$와 직선 $y=\dfrac{1}{3}x$로 둘러싸인 도형의 넓이가 $a\ln 3+b$일 때, 유리수 a, b에 대하여 $a+b$의 값을 구하시오.

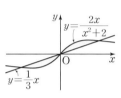

029 중

오른쪽 그림과 같이 곡선 $x=y^2+1$과 직선 $y=x-3$으로 둘러싸인 도형의 넓이를 구하시오.

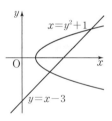

030 중

곡선 $y=\dfrac{2}{x}\,(x>0)$와 두 직선 $y=2x$, $y=\dfrac{1}{2}x$로 둘러싸인 도형의 넓이가 $\ln a$일 때, 상수 a의 값은?

① 2 ② 3 ③ 4

④ 5 ⑤ 6

031 중

오른쪽 그림과 같이 $0 \leq x \leq \pi$에서 곡선 $y = x \sin x$와 직선 $y = -x + \pi$ 및 y축으로 둘러싸인 두 도형의 넓이를 각각 S_1, S_2라 할 때, $S_1 - S_2$의 값을 구하시오.

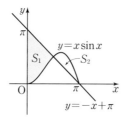

★중요

유형 05 두 곡선 사이의 넓이

032 대표문제 다시 보기

두 곡선 $y = \ln x$, $y = \ln \dfrac{1}{x}$과 직선 $x = e^2$으로 둘러싸인 도형의 넓이를 구하시오.

033 중

두 곡선 $y = \dfrac{1}{x}$, $y = -\dfrac{2}{x}$와 두 직선 $y = 1$, $y = k$로 둘러싸인 도형의 넓이가 6일 때, 상수 k의 값은? (단, $k > 1$)

① $\dfrac{e}{2}$ ② e ③ $2e$

④ e^2 ⑤ e^3

034 중

$0 \leq x \leq \pi$에서 두 곡선 $y = \sqrt{2} \sin x$, $y = \sin 2x$로 둘러싸인 도형의 넓이는?

① 1 ② $\sqrt{2}$ ③ 2

④ $2\sqrt{2}$ ⑤ 3

유형 06 곡선과 접선으로 둘러싸인 도형의 넓이

035 대표문제 다시 보기

곡선 $y = \sqrt{1-x}$와 이 곡선 위의 점 $(0, 1)$에서의 접선 및 x축으로 둘러싸인 도형의 넓이를 구하시오.

036 중

곡선 $y = e^{2x}$과 이 곡선 위의 점 $\left(\dfrac{1}{2}, e \right)$에서의 접선 및 y축으로 둘러싸인 도형의 넓이는?

① $\dfrac{e-2}{8}$ ② $\dfrac{e-2}{4}$ ③ $\dfrac{e-1}{8}$

④ $\dfrac{e-1}{4}$ ⑤ $\dfrac{e}{4}$

037 _중

곡선 $y=e^x$과 이 곡선 위의 점 $(1,\ e)$에서의 접선 및 이 접선에 수직이고 점 $\left(-1,\ \dfrac{1}{e}\right)$을 지나는 직선으로 둘러싸인 도형의 넓이를 구하시오.

038 _중

오른쪽 그림과 같이 곡선 $y=\dfrac{\ln x}{x}$와 원점에서 이 곡선에 그은 접선 및 x축으로 둘러싸인 도형의 넓이는?

① $\dfrac{1}{16}$ ② $\dfrac{1}{8}$

③ $\dfrac{1}{e^2}$ ④ $\dfrac{1}{2e}$

⑤ $\dfrac{1}{4}$

★ 중요

유형 07 두 도형의 넓이가 같을 조건

039 _{대표 문제} 다시 보기

오른쪽 그림과 같이 곡선 $y=\sqrt{3x}$와 두 직선 $y=ax$, $x=9$로 둘러싸인 두 도형의 넓이가 서로 같을 때, 상수 a의 값을 구하시오. $\left(\text{단, } a>\dfrac{\sqrt{3}}{3}\right)$

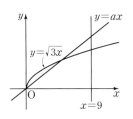

040 _중

오른쪽 그림과 같이 곡선 $y=4\sqrt{x}-2x$와 x축 및 직선 $x=k$로 둘러싸인 두 도형의 넓이가 서로 같을 때, 상수 k의 값은? (단, $k>4$)

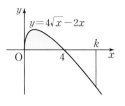

① 7 ② $\dfrac{64}{9}$

③ $\dfrac{65}{9}$ ④ $\dfrac{22}{3}$

⑤ $\dfrac{67}{9}$

041 _중

오른쪽 그림과 같이 곡선 $y=\sqrt{x}$와 y축 및 두 직선 $x=4$, $y=a$로 둘러싸인 두 도형의 넓이가 서로 같을 때, 상수 a의 값은? (단, $0<a<2$)

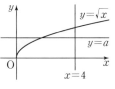

① $\dfrac{3}{4}$ ② 1 ③ $\dfrac{4}{3}$

④ $\dfrac{3}{2}$ ⑤ $\dfrac{5}{3}$

042 _종

오른쪽 그림과 같이 두 곡선 $y=xe^x$, $y=e^x+1$과 y축 및 직선 $x=k$로 둘러싸인 두 도형의 넓이가 서로 같을 때, 상수 k의 값을 구하시오. $\left(\text{단, } k>\dfrac{3}{2}\right)$

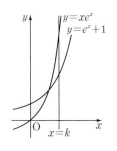

중요

유형 08 도형의 넓이를 이등분하는 경우

043 대표 문제 다시 보기

곡선 $y=\dfrac{2}{x}$와 x축 및 두 직선 $x=1$, $x=e$로 둘러싸인 도형의 넓이가 직선 $x=k$에 의하여 이등분될 때, 상수 k의 값을 구하시오. (단, $1<k<e$)

044 중

곡선 $y=\sqrt{x}$와 x축 및 직선 $x=4$로 둘러싸인 도형의 넓이가 곡선 $y=\sqrt{ax}$에 의하여 이등분될 때, 상수 a의 값은?

(단, $0<a<1$)

① $\dfrac{1}{8}$ ② $\dfrac{1}{4}$ ③ $\dfrac{3}{8}$

④ $\dfrac{1}{2}$ ⑤ $\dfrac{5}{8}$

045 중

오른쪽 그림과 같이 곡선 $y=e^x$과 y축 및 직선 $y=e$로 둘러싸인 도형의 넓이가 점 $(1, e)$를 지나는 직선 l에 의하여 이등분될 때, 직선 l의 y절편은 k이다. 이때 k의 값을 구하시오. (단, $1<k<e$)

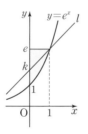

046 상

오른쪽 그림과 같이 $0\le x\le\dfrac{\pi}{2}$에서 곡선 $y=2\sin x\cos x$와 x축으로 둘러싸인 도형의 넓이가 곡선 $y=a\sin x$에 의하여 이등분될 때, 상수 a의 값을 구하시오.

(단, $0<a<\sqrt{2}$)

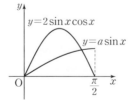

중요

유형 09 함수와 그 역함수의 그래프로 둘러싸인 도형의 넓이

047 대표 문제 다시 보기

함수 $f(x)=\sqrt{4x-3}$의 역함수를 $g(x)$라 할 때, 두 곡선 $y=f(x)$, $y=g(x)$로 둘러싸인 도형의 넓이는?

① $\dfrac{1}{3}$ ② $\dfrac{2}{3}$ ③ 1

④ $\dfrac{4}{3}$ ⑤ 2

048 중

함수 $f(x)=e^x$의 역함수를 $g(x)$라 할 때,

$\displaystyle\int_0^1 f(x)\,dx+\int_1^e g(x)\,dx$의 값은?

① e ② $e+1$ ③ $2e$

④ e^2 ⑤ $2e^2$

049 상

함수 $f(x)=\tan x\left(0\le x\le\dfrac{\pi}{3}\right)$의 역함수를 $g(x)$라 할 때,

$\displaystyle\int_{\frac{\pi}{6}}^{\frac{\pi}{3}} f(x)\,dx+\int_{\frac{\sqrt{3}}{3}}^{\sqrt{3}} g(x)\,dx$의 값은?

① $\dfrac{\sqrt{3}}{9}\pi$ ② $\dfrac{\sqrt{3}}{6}\pi$ ③ $\dfrac{2\sqrt{3}}{9}\pi$

④ $\dfrac{5\sqrt{3}}{18}\pi$ ⑤ $\dfrac{\sqrt{3}}{3}\pi$

핵심유형 10 정적분의 활용

유형 10 │ 입체도형의 부피 – 단면이 밑면과 평행한 경우

밑면으로부터 높이가 x인 지점에서 밑면과 평행한 평면으로 자른 단면의 넓이가 $S(x)$인 입체도형의 높이가 a일 때의 부피 V는

➡ $V=\displaystyle\int_0^a S(x)\,dx$

대표 문제

050 높이가 4인 용기를 밑면으로부터 높이가 x인 지점에서 밑면과 평행한 평면으로 자른 단면이 한 변의 길이가 $\sqrt{e^x+1}$ 인 정사각형일 때, 이 용기의 부피를 구하시오.

★중요
유형 11 │ 입체도형의 부피 – 단면이 밑면과 수직인 경우

밑면의 도형의 방정식이 주어진 입체도형의 부피를 구할 때는 밑면을 좌표평면 위에 나타내고, 입체도형을 밑면에 수직인 평면으로 자른 단면의 넓이를 식으로 나타낸 후 정적분을 이용한다.

대표 문제

051 오른쪽 그림과 같이 곡선 $y=\sqrt{2\sin x}\,(0\le x\le\pi)$와 x축으로 둘러싸인 도형을 밑면으로 하는 입체도형을 x축에 수직인 평면으로 자른 단면이 항상 정삼각형일 때, 이 입체도형의 부피를 구하시오.

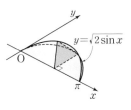

유형 12 │ 직선 위의 점의 위치와 점이 움직인 거리

수직선 위를 움직이는 점 P의 시각 t에서의 속도가 $v(t)$이고 시각 $t=a$에서의 위치가 x_0일 때

(1) 시각 t에서의 점 P의 위치 x는 $x=x_0+\displaystyle\int_a^t v(t)\,dt$

(2) $t=a$에서 $t=b$까지 점 P의 위치의 변화량은 $\displaystyle\int_a^b v(t)\,dt$

(3) $t=a$에서 $t=b$까지 점 P가 움직인 거리는 $\displaystyle\int_a^b |v(t)|\,dt$

대표 문제

052 수직선 위를 움직이는 점 P의 시각 t에서의 속도가 $v(t)=2\pi\cos\pi t$일 때, 시각 $t=0$에서 $t=1$까지 점 P가 움직인 거리는?

① 2 　　　　② 3 　　　　③ π

④ 4 　　　　⑤ 2π

★중요
유형 13 │ 평면 위에서 점이 움직인 거리

좌표평면 위를 움직이는 점 P의 시각 t에서의 위치 $(x,\,y)$가 $x=f(t)$, $y=g(t)$일 때, 시각 $t=a$에서 $t=b$까지 점 P가 움직인 거리 s는 ➡ $s=\displaystyle\int_a^b \sqrt{\{f'(t)\}^2+\{g'(t)\}^2}\,dt$

대표 문제

053 좌표평면 위를 움직이는 점 P의 시각 t에서의 위치 $(x,\,y)$가
$$x=3\sin t-4\cos t,\ y=3\cos t+4\sin t$$
일 때, 시각 $t=0$에서 $t=\pi$까지 점 P가 움직인 거리를 구하시오.

★중요
유형 14 │ 곡선의 길이

(1) $a\le t\le b$에서 곡선 $x=f(t)$, $y=g(t)$의 겹치는 부분이 없을 때, 곡선의 길이 l은
➡ $l=\displaystyle\int_a^b \sqrt{\{f'(t)\}^2+\{g'(t)\}^2}\,dt$

(2) $a\le x\le b$에서 곡선 $y=f(x)$의 길이 l은
➡ $l=\displaystyle\int_a^b \sqrt{1+\{f'(x)\}^2}\,dx$

대표 문제

054 $2\le x\le 4$에서 곡선 $y=\dfrac{2}{3}(x-2)\sqrt{x-2}$의 길이를 구하시오.

유형 10 입체도형의 부피 – 단면이 밑면과 평행한 경우

055 대표 문제 다시 보기

높이가 2인 입체도형을 밑면으로부터 높이가 x인 지점에서 밑면과 평행한 평면으로 자른 단면이 한 변의 길이가 $\sqrt{\dfrac{2x+3}{x+1}}$인 정사각형일 때, 이 입체도형의 부피는?

① $\ln 3$ ② $\ln 2 + 2$ ③ $\ln 3 + 2$

④ $\ln 2 + 4$ ⑤ $\ln 3 + 4$

056 중

어떤 입체도형에 깊이가 $x\,\mathrm{cm}\,(0 \le x \le 3)$가 되도록 물을 부으면 그때의 수면은 반지름의 길이가 $\sqrt{\sin\dfrac{\pi}{4}x}\,\mathrm{cm}$인 반원이다. 물의 깊이가 $2\,\mathrm{cm}$일 때, 이 입체도형에 담긴 물의 부피는?

① $\dfrac{\pi}{4}\,\mathrm{cm}^3$ ② $\dfrac{\pi}{2}\,\mathrm{cm}^3$ ③ $2\,\mathrm{cm}^3$

④ $\pi\,\mathrm{cm}^3$ ⑤ $4\,\mathrm{cm}^3$

057 중

어떤 그릇에 담긴 물의 깊이가 $x\,\mathrm{cm}$일 때 수면의 넓이는 $(e^{-x}+x)\,\mathrm{cm}^2$이다. 이 그릇에 담긴 물의 깊이가 $a\,\mathrm{cm}$일 때의 물의 부피가 $\left(-\dfrac{1}{e^4}+9\right)\mathrm{cm}^3$일 때, 유리수 a의 값을 구하시오.

유형 11 입체도형의 부피 – 단면이 밑면과 수직인 경우

058 대표 문제 다시 보기

오른쪽 그림과 같이 곡선 $y=\sqrt{\cos 2x}\left(0 \le x \le \dfrac{\pi}{4}\right)$와 x축 및 y축으로 둘러싸인 도형을 밑면으로 하는 입체도형을 x축에 수직인 평면으로 자른 단면이 항상 정사각형일 때, 이 입체도형의 부피를 구하시오.

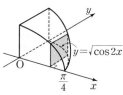

059 중

오른쪽 그림과 같이 곡선 $y=2\sqrt{e^x+2}$와 x축, y축 및 직선 $x=\ln 3$으로 둘러싸인 도형을 밑면으로 하는 입체도형을 x축에 수직인 평면으로 자른 단면이 항상 반원일 때, 이 입체도형의 부피가 $\pi(a+\ln b)$이다. 이때 자연수 a, b에 대하여 $a+b$의 값은?

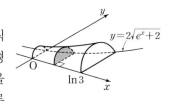

① 3   ② 4   ③ 5

④ 6   ⑤ 7

060 중

곡선 $y=3^{\frac{x}{2}}$ 위의 점 P에서 x축에 내린 수선의 발을 H라 하고 선분 PH를 한 변으로 하는 정사각형을 x축에 수직인 평면 위에 그린다. 점 P의 x좌표가 -1에서 2까지 변할 때, 이 정사각형이 만드는 입체도형의 부피를 구하시오.

061 상

오른쪽 그림과 같이 밑면의 반지름의 길이가 3, 높이가 6인 원기둥이 있다. 이 원기둥을 밑면의 중심을 지나고 밑면과 45°의 각을 이루는 평면으로 자를 때 생기는 두 입체도형 중 작은 쪽의 부피를 구하시오.

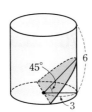

유형 12 직선 위의 점의 위치와 점이 움직인 거리

062 대표문제 다시 보기

수직선 위를 움직이는 점 P의 시각 t에서의 속도가 $v(t) = \sin \pi t$일 때, 시각 $t=0$에서 $t=\dfrac{3}{2}$까지 점 P가 움직인 거리는?

① $\dfrac{1}{\pi}$ 　　② $\dfrac{2}{\pi}$ 　　③ $\dfrac{3}{\pi}$

④ $\dfrac{4}{\pi}$ 　　⑤ $\dfrac{5}{\pi}$

063 하

원점을 출발하여 수직선 위를 움직이는 점 P의 시각 t에서의 속도가 $v(t) = te^t$일 때, 시각 $t=2$에서의 점 P의 위치는?

① $e-1$ 　　② $e+1$ 　　③ $2e$

④ e^2-1 　　⑤ e^2+1

064 중

수직선 위를 움직이는 점 P의 시각 t에서의 속도가 $v(t) = \cos t - \cos 2t$일 때, 점 P가 출발한 후 처음으로 운동 방향을 바꿀 때까지 움직인 거리는?

① $\dfrac{\sqrt{3}}{4}$ 　　② $\dfrac{\sqrt{3}}{2}$ 　　③ $\dfrac{3\sqrt{3}}{4}$

④ $\sqrt{3}$ 　　⑤ $\dfrac{5\sqrt{3}}{4}$

065 중

원점을 출발하여 수직선 위를 움직이는 두 점 P, Q의 시각 t에서의 속도가 각각

$$v_P(t) = 2t, \quad v_Q(t) = \frac{3}{2}\sqrt{t} + t$$

이다. 두 점 P, Q가 동시에 출발한 후 처음으로 다시 만날 때의 위치를 구하시오.

★중요
유형 13 평면 위에서 점이 움직인 거리

066 대표문제 다시 보기

좌표평면 위를 움직이는 점 P의 시각 t에서의 위치 (x, y)가

$$x = \frac{e^t + e^{-t}}{2}, \quad y = t$$

일 때, 시각 $t=0$에서 $t=\ln 2$까지 점 P가 움직인 거리를 구하시오.

067 중

좌표평면 위를 움직이는 점 P의 시각 t에서의 위치 (x, y)가

$$x=\frac{1}{2}t^2-t, \quad y=\frac{4}{3}t\sqrt{t}$$

이다. 시각 $t=1$에서 $t=a$까지 점 P가 움직인 거리가 $\frac{5}{2}$일 때, 상수 a의 값은? (단, $a>1$)

① $\sqrt{2}$　　　　② 2　　　　③ $2\sqrt{2}$

④ 3　　　　⑤ $3\sqrt{2}$

068 중

좌표평면 위를 움직이는 점 P의 시각 t에서의 위치 (x, y)가

$$x=\frac{1}{2}e^{2t}-at, \quad y=2\sqrt{a}\,e^t$$

이다. 시각 $t=0$에서 $t=2$까지 점 P가 움직인 거리가 $\frac{e^4}{2}+3$일 때, 양수 a의 값을 구하시오.

069 상

좌표평면 위를 움직이는 점 P의 시각 t에서의 위치 (x, y)가

$$x=\cos^3 t, \quad y=\sin^3 t$$

이다. $0\le t\le\frac{\pi}{2}$일 때, 점 P가 출발한 후 속력이 최대가 될 때까지 움직인 거리는?

① $\frac{1}{4}$　　　　② $\frac{1}{2}$　　　　③ $\frac{3}{4}$

④ 1　　　　⑤ $\frac{5}{4}$

★ 중요

유형 14　곡선의 길이

070 대표 문제 다시 보기

$1\le x\le 3$에서 곡선 $y=\frac{1}{3}x^3+\frac{1}{4x}$의 길이는?

① $\frac{51}{6}$　　　　② $\frac{26}{3}$　　　　③ $\frac{53}{6}$

④ 9　　　　⑤ $\frac{55}{6}$

071 중

$0\le t\le\ln 3$에서 곡선 $x=e^t+e^{-t}$, $y=2t$의 길이를 구하시오.

072 중

$1\le x\le a$에서 곡선 $y=\frac{1}{8}x^2-\ln x$의 길이가 $\frac{15}{8}+2\ln 2$일 때, 유리수 a의 값은? (단, $a>1$)

① 2　　　　② $\frac{5}{2}$　　　　③ 3

④ $\frac{7}{2}$　　　　⑤ 4

073
유형 01

정적분을 이용하여

$$\lim_{n \to \infty} \frac{1+\sqrt{2}+\sqrt{3}+\cdots+\sqrt{n}}{n\sqrt{n}}$$

의 값을 구하면?

① $\dfrac{2}{3}$ ② 1 ③ $\dfrac{4}{3}$

④ $\dfrac{5}{3}$ ⑤ 2

074
유형 02

오른쪽 그림과 같이 $0 \leq x \leq \dfrac{3}{2}\pi$에서 곡선 $y=x\cos x$와 x축으로 둘러싸인 도형의 넓이를 구하시오.

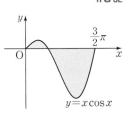

075
유형 03

곡선 $y=\dfrac{1}{1-x}$과 y축 및 직선 $y=a$로 둘러싸인 도형의 넓이가 $2-\ln 3$일 때, 정수 a의 값을 구하시오. (단, $a>1$)

076
유형 04

곡선 $y=\dfrac{1}{2x+1}\left(x>-\dfrac{1}{2}\right)$과 직선 $y=\dfrac{1}{3}x$ 및 y축으로 둘러싸인 도형의 넓이를 구하시오.

077
유형 05

$0 \leq x \leq \dfrac{4}{3}\pi$에서 두 곡선 $y=\cos x$, $y=\cos 2x$로 둘러싸인 도형의 넓이는?

① $\dfrac{1}{2}$ ② $\dfrac{\sqrt{3}}{2}$ ③ $\sqrt{3}$

④ $\dfrac{3\sqrt{3}}{2}$ ⑤ $\dfrac{9\sqrt{3}}{4}$

078
유형 06

곡선 $y=ke^{x-1}$과 이 곡선에 접하는 직선 $y=2x$ 및 y축으로 둘러싸인 도형의 넓이는? (단, k는 상수)

① $1-\dfrac{2}{e}$ ② $\dfrac{1}{3}$ ③ $\dfrac{1}{e}$

④ $\dfrac{2}{e}$ ⑤ 1

079
유형 07

오른쪽 그림과 같이 곡선 $y=\dfrac{2\ln x}{x}$와 x축 및 두 직선 $x=\dfrac{1}{e}$, $x=a$로 둘러싸인 두 도형의 넓이가 서로 같을 때, 상수 a의 값을 구하시오. (단, $a>1$)

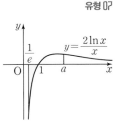

10

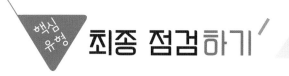

080
유형 08

곡선 $y=e^x$과 x축, y축 및 직선 $x=\ln 2$로 둘러싸인 도형의
넓이가 곡선 $y=ae^{3x}$에 의하여 이등분될 때, 유리수 a의 값은?

$$\left(\text{단, } 0<a<\frac{1}{4}\right)$$

① $\dfrac{1}{14}$ ② $\dfrac{3}{28}$ ③ $\dfrac{1}{7}$

④ $\dfrac{5}{28}$ ⑤ $\dfrac{3}{14}$

081
유형 09

함수 $f(x)=\sin\dfrac{\pi}{2}x\ (-1\le x\le 1)$의 역함수를 $g(x)$라 할 때,
두 곡선 $y=f(x)$, $y=g(x)$로 둘러싸인 도형의 넓이는?

① $\dfrac{4}{\pi}-1$ ② $\dfrac{8}{\pi}-2$ ③ $\dfrac{2}{\pi}+\dfrac{1}{2}$

④ $\dfrac{4}{\pi}+1$ ⑤ $\dfrac{8}{\pi}+2$

082
유형 10

높이가 $4\,\mathrm{cm}$인 물통에 채워진 물의 높이가 $x\,\mathrm{cm}$일 때의 수
면은 한 변의 길이가 $\sqrt{xe^x+1}\,\mathrm{cm}$인 정사각형이다. 이 물통
의 부피가 $(ae^4+b)\,\mathrm{cm}^3$일 때, 유리수 a, b에 대하여 $a+b$
의 값을 구하시오.

083
유형 11

오른쪽 그림과 같이 두 곡선
$y=\dfrac{1}{\sqrt{x}}$, $y=-\dfrac{1}{\sqrt{x}}$ 및 두 직선 $x=1$,
$x=e$로 둘러싸인 도형을 밑면으로 하
는 입체도형을 x축에 수직인 평면으
로 자른 단면이 항상 빗변이 밑면에
놓인 직각이등변삼각형일 때, 이 입체
도형의 부피를 구하시오.

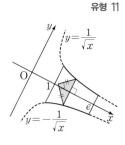

084
유형 12

수직선 위를 움직이는 점 P의 시각 t에서의 속도가
$v(t)=e-e^t$일 때, 점 P가 출발한 후 처음으로 운동 방향을
바꿀 때까지 움직인 거리는?

① 1 ② 2 ③ e

④ 3 ⑤ $e+1$

085
유형 13

좌표평면 위를 움직이는 점 P의 시각 t에서의 위치 (x, y)가
$$x=e^t\cos t, \quad y=e^t\sin t$$
이다. 점 P가 시각 $t=0$에서 $t=\ln 6$까지 움직인 거리와 시
각 $t=\ln 6$에서 $t=\ln a$까지 움직인 거리가 같을 때, 상수 a
의 값을 구하시오. (단, $a>6$)

086
유형 14

$-\dfrac{1}{4}\le x\le\dfrac{1}{4}$에서 곡선 $y=\ln(1-x^2)$의 길이가 k일 때,
$e^{k+\frac{1}{2}}$의 값을 구하시오.

빠른답 체크

01 수열의 극한 ——————— 8~25쪽

001 ③ 002 ③ 003 12 004 ㄱ, ㄷ
005 ① 006 −4 007 ④ 008 ⑤
009 ④ 010 2 011 ㄱ, ㄷ 012 $\frac{1}{2}$
013 ③ 014 ② 015 ⑤ 016 45
017 ③ 018 $-\frac{1}{5}$ 019 ⑤ 020 ③
021 ① 022 3 023 ③ 024 ②
025 $\frac{1}{2}$ 026 $\frac{3}{2}$ 027 ② 028 1
029 ② 030 10 031 9 032 3
033 ④ 034 $\frac{3}{2}$ 035 ① 036 ⑤
037 ⑤ 038 ④ 039 $\frac{5}{6}$ 040 1
041 1 042 30 043 ④ 044 4
045 4 046 2 047 ⑤ 048 $\frac{3}{10}$
049 $\frac{16}{7}$ 050 $\frac{4}{5}$ 051 ④ 052 $\frac{1}{2}$
053 ③ 054 $\frac{1}{4}$ 055 ③ 056 ③
057 ③ 058 ④ 059 1 060 ⑤
061 2 062 $\frac{2}{3}$ 063 ④ 064 3
065 −3 066 $\frac{7}{4}$ 067 4 068 ③
069 ㄱ, ㄴ, ㄹ 070 4 071 $\frac{1}{3}$ 072 ③
073 ④ 074 ③ 075 $\frac{21}{4}$ 076 5
077 ④ 078 $-2<x\le-\frac{2}{3}$ 079 ㄴ, ㄷ
080 7 081 ③ 082 ⑤ 083 9
084 $-\frac{11}{3}$ 085 ③ 086 2 087 3
088 ② 089 4 090 ② 091 3
092 ⑤ 093 $\frac{5}{4}$ 094 ③ 095 $\frac{2}{3}$
096 4 097 ③ 098 6 099 ②
100 4 101 ② 102 $\frac{1}{3}$ 103 ㄱ, ㄹ
104 ① 105 3 106 ① 107 $\frac{2}{5}$
108 14 109 8 110 ① 111 $-\frac{1}{2}$
112 1

02 급수 ——————— 28~45쪽

001 ① 002 ② 003 ㄴ 004 7
005 ㄴ 006 −9 007 ㄱ, ㄴ 008 $\frac{3}{4}$
009 ① 010 $\frac{3}{2}$ 011 5 012 ①
013 ④ 014 3 015 ④ 016 $\frac{21}{2}$
017 ② 018 −2 019 ④ 020 ㄴ, ㄹ
021 ㄱ 022 ① 023 ④ 024 $\frac{5}{3}$
025 ② 026 $-\frac{3}{2}$ 027 ③ 028 $\frac{1}{4}$
029 −4 030 $-\frac{6}{5}$ 031 1 032 ④
033 ⑤ 034 9 035 ④ 036 4
037 ㄱ, ㄴ, ㄷ 038 ㄱ 039 ⑤ 040 ②
041 $\frac{1}{2}$ 042 $\frac{1}{4}$ 043 ⑤ 044 $\frac{2\sqrt{2}}{5}$
045 $x=\frac{1}{2}$ 또는 $3<x<5$ 046 ㄱ, ㄹ 047 $\frac{19}{45}$
048 $\left(\frac{16}{25}, \frac{12}{25}\right)$ 049 $32(\sqrt{2}+1)$
050 12 051 750 kg 052 ④ 053 ③
054 $\frac{13}{10}$ 055 $\frac{3}{2}$ 056 ③ 057 4
058 ② 059 $\frac{1}{6}$ 060 $\frac{16}{7}$ 061 $\frac{6}{7}$
062 ① 063 16 064 ④ 065 $\frac{1}{2}<x<1$
066 ② 067 ④ 068 ③ 069 ①
070 $\frac{1}{6}$ 071 ② 072 ② 073 5
074 $\sqrt{2}$ 075 $\left(\frac{9\sqrt{2}}{2}, \frac{9\sqrt{2}}{10}\right)$ 076 $\frac{5}{7}$
077 $18(2+\sqrt{3})$ 078 $\frac{1}{2}$ 079 $\sqrt{2}+1$
080 $\frac{4}{9}\pi$ 081 $\frac{1}{2}$ 082 ⑤ 083 $\frac{1}{4}$
084 $\frac{9}{2}\pi$ 085 $\frac{112\sqrt{3}}{15}$ 086 5625 kg 087 64 cm
088 60 mg 089 30억 원 090 ③ 091 ③
092 ⑤ 093 ④ 094 $\frac{3}{10}$ 095 ②
096 ① 097 ③ 098 $\frac{9}{4}$ 099 ①
100 ③ 101 $\frac{9}{4}$ 102 $1\le x<3$ 103 ㄴ
104 ① 105 $\frac{63}{64}$ 106 $2\sqrt{2}$ 107 $\frac{11+7\sqrt{3}}{32}$
108 96 m

03 지수함수와 로그함수의 미분 ——— 48~61쪽

001 ③	002 ⑤	003 ④	004 $\frac{1}{4}$
005 ⑤	006 ①	007 $\frac{3}{4}$	008 ④
009 ①	010 2	011 4	012 1
013 3	014 ④	015 49	016 ③
017 2	018 ①	019 ㄱ, ㄴ	020 ④
021 −1	022 27	023 ③	024 ④
025 ③	026 e^2	027 7	028 e
029 ①	030 ④	031 $\sqrt{e}$	032 ②
033 ⑤	034 ③	035 $\frac{7}{8}$	036 ④
037 2	038 ⑤	039 ①	040 ①
041 $-\frac{2}{\ln 3}$	042 ②	043 ①	044 −3
045 3	046 ②	047 ②	048 2
049 2	050 ⑤	051 ②	052 ⑤
053 ④	054 3	055 $\frac{5}{4}$	056 −3
057 9	058 ②	059 ③	060 $\frac{1}{\ln 2}$
061 1	062 ③	063 $e-1$	064 $\frac{1}{3}\ln 10$
065 ①	066 3	067 ④	068 ④
069 ④	070 $10\ln 5+18$		071 ③
072 $7+\frac{2}{\ln 2}$	073 $4e$	074 2	075 ④
076 ①	077 ③	078 15	079 3
080 5	081 ⑤	082 ①	083 3
084 4	085 ④	086 ①	087 ⑤
088 e	089 ⑤	090 $8e+8$	091 ②

04 삼각함수의 미분 ——— 64~83쪽

001 ②	002 ⑤	003 ①	004 $\frac{1}{8}$
005 3	006 $\frac{4}{7}$	007 ②	008 −18
009 $\frac{5\sqrt{2}}{4}$	010 ③	011 $\frac{\sqrt{3}}{3}$	012 $\sqrt{3}$
013 ④	014 $-\frac{4}{5}$	015 3	016 ②
017 ①	018 $\frac{33}{65}$	019 ⑤	020 ④
021 $-\frac{3}{8}$	022 $\frac{1}{17}$	023 $\frac{3\sqrt{5}}{5}$	024 ①
025 2	026 $\frac{3}{4}$	027 $\frac{1}{5}$	028 $\frac{4}{5}$
029 $\frac{\pi}{4}$	030 ②	031 3	032 $\frac{12}{5}$
033 $\frac{24}{5}$	034 ⑤	035 $\frac{3}{4}$	036 ③
037 $\frac{12}{5}$	038 $\frac{7}{5}$	039 2	040 ⑤
041 ①	042 $8\sqrt{7}$	043 $\frac{\sqrt{55}}{8}$	044 3
045 2	046 ①	047 ⑤	048 ③
049 ①	050 ⑤	051 ④	052 ②
053 ⑤	054 6	055 6	056 ①
057 $2\sqrt{2}$	058 ③	059 $\frac{1}{2}$	060 ②
061 ③	062 ④	063 $\frac{1}{2}$	064 ③
065 ③	066 ②	067 $\frac{1}{2}$	068 ②
069 2	070 ③	071 ③	072 2
073 8	074 ②	075 −1	076 ④
077 $-\frac{1}{2}$	078 $-\frac{\pi}{2}$	079 1	080 ②
081 9	082 ①	083 3	084 ⑤
085 9	086 ④	087 $\frac{1}{4}$	088 2π
089 ④	090 5	091 $\frac{45}{2}$	092 4
093 ②	094 $2+\sqrt{2}$	095 $\frac{4}{3}$	096 ①
097 0	098 ④	099 2	100 −3
101 2	102 ②	103 $-\frac{1}{2}$	104 ②
105 ①	106 e	107 10	108 ②
109 ①	110 ①	111 ③	112 $\frac{34}{15}$
113 1	114 ③	115 4	116 ⑤
117 ④	118 ②	119 $-\frac{7}{2}$	120 $\frac{1}{4}$
121 $\frac{1}{8}$	122 ②	123 ③	124 ②
125 ②	126 $2\pi-2$		

05 여러 가지 미분법 — 86~99쪽

001 ①　　002 ③　　003 15　　004 ③

005 −1　　006 ⑤　　007 ②　　008 ①

009 $\dfrac{3}{5}$　　010 $\dfrac{11}{3}$　　011 ①　　012 ③

013 ②　　014 ①　　015 4　　016 4

017 ④　　018 3　　019 ④　　020 ⑤

021 ②　　022 $\dfrac{3}{2}\pi$　　023 −12　　024 −2

025 ③　　026 6　　027 ②　　028 ④

029 1　　030 3　　031 −1　　032 ①

033 $-\dfrac{2}{e}$　　034 $3e^6$　　035 1　　036 $2x-1$

037 ②　　038 ⑤　　039 $y'=\dfrac{2x}{x^2+2}$

040 ①　　041 ②　　042 ①　　043 ③

044 ④　　045 ②　　046 $4\ln 2+10$

047 ④　　048 −6　　049 −110　　050 $\dfrac{128}{3}$

051 $\dfrac{3}{4}$　　052 ③　　053 $2e$　　054 $\dfrac{2}{3}$

055 ②　　056 $\dfrac{8\sqrt{3}}{9}$　　057 ①

058 $\dfrac{dy}{dx}=-y\ln y$　　059 ①　　060 10

061 3　　062 1　　063 ④　　064 4

065 5　　066 $\dfrac{11}{4}$　　067 2　　068 5

069 $-\dfrac{2}{3}$　　070 ③　　071 ①　　072 1

073 $-\dfrac{5}{4}$　　074 1　　075 ⑤　　076 8

077 ③　　078 1　　079 5　　080 ②

081 ④　　082 $2e$　　083 ②　　084 ③

085 $-\dfrac{2}{3}$　　086 ②　　087 7　　088 $\dfrac{4\sqrt{3}}{3}$

089 $\dfrac{1}{2}$　　090 ⑤　　091 $\dfrac{5}{2}$

06 도함수의 활용 (1) — 102~119쪽

001 ①　　002 $-e$　　003 ④

004 $k<0$ 또는 $k>4$　　005 ③　　006 $-\dfrac{2}{3}$

007 $y=-x+1$　　008 $\dfrac{\pi}{2}$　　009 ④

010 −1　　011 ③　　012 3　　013 ①

014 ④　　015 ②　　016 ③　　017 $\dfrac{\sqrt{3}}{2}-\dfrac{\pi}{6}$

018 4　　019 $(\ln 2)^2$　　020 ④　　021 ⑤

022 ①　　023 ②　　024 e^4　　025 ①

026 ③　　027 ③　　028 2　　029 ④

030 ③　　031 ③　　032 $-\dfrac{5}{4}$　　033 ③

034 ③　　035 $y=-4x+1$　　036 $\dfrac{32}{15}$

037 ⑤　　038 ⑤　　039 ④　　040 ①

041 ②　　042 3　　043 $\dfrac{\pi}{4}-1$　　044 ①

045 ①　　046 ①　　047 ⑤　　048 −4

049 4π　　050 4　　051 ②　　052 ①

053 ②　　054 0　　055 ①　　056 1

057 ①　　058 $\dfrac{\sqrt{2}}{2}$　　059 4　　060 $a\ge\dfrac{1}{2}$

061 3　　062 9　　063 ④　　064 8

065 −5　　066 ③　　067 4　　068 ㄱ, ㄷ

069 2π　　070 ④　　071 ④　　072 $\dfrac{3}{4}\pi-1$

073 $-\dfrac{32}{e^2}$　　074 ㄱ　　075 ①　　076 $\dfrac{\sqrt{e}}{e-1}$

077 ①　　078 ①　　079 $\dfrac{3}{e}$　　080 ⑤

081 ③　　082 $a<-6$ 또는 $a>6$　　083 ④

084 ⑤　　085 ①　　086 ④　　087 ②

088 $\dfrac{1}{4e^2}$　　089 16　　090 $-e$　　091 ⑤

092 $a<-\sqrt{3}$ 또는 $a>\sqrt{3}$　　093 ③　　094 $4\sqrt{2}$

095 ③　　096 $-\dfrac{2}{5}$　　097 ⑤　　098 ②

099 1　　100 ④　　101 ①　　102 1

103 ⑤　　104 ④　　105 $-1\le a\le 1$

07 도함수의 활용 (2) ――――― 122~139쪽

001 ⑤ 002 ③ 003 18 004 ㄴ, ㄷ

005 ㄴ, ㄷ, ㄹ 006 $\dfrac{9}{8}$ 007 7 008 $\dfrac{1}{e}$

009 ① 010 $\dfrac{\pi}{2}$ 011 $-\dfrac{1}{10}$ 012 ④

013 ㄷ, ㄹ 014 ⑤ 015 2 016 ③

017 $\dfrac{1}{4}$ 018 54 019 ④ 020 $\dfrac{1}{2}$

021 ④ 022 $\dfrac{e}{2}$ 023 5 024 ㄱ, ㄷ, ㄹ

025 3 026 C, F 027 ㄱ, ㄷ, ㄹ 028 ㄱ, ㄷ

029 ④ 030 ① 031 2 032 ①

033 ⑤ 034 ② 035 ④ 036 ④

037 $\dfrac{1}{e^4}$ 038 ① 039 ① 040 ④

041 $\dfrac{\pi}{3}+2\sqrt{3}$ 042 2 043 $1-\ln 2$ 044 ②

045 ② 046 $\dfrac{3\sqrt{3}}{4}$ 047 $\dfrac{3}{5}$ 048 3

049 3 050 ⑤ 051 ② 052 ④

053 ② 054 ② 055 ③ 056 ③

057 $-\dfrac{\pi}{2}<k\leq -1$ 058 ⑤ 059 3

060 $k>2e$ 061 ③ 062 ②

063 $k\leq 2-2\ln 2$ 064 ② 065 $a<0$

066 ④ 067 ① 068 ① 069 $0<k<\dfrac{e}{2}$

070 -8 071 ① 072 ⑤ 073 2

074 ② 075 ⑤ 076 ③ 077 ②

078 16 m/s 079 $(0, 2)$ 080 ③ 081 $3\sqrt{2}e^3$

082 4 083 ⑤ 084 ④ 085 ③

086 $\dfrac{\pi}{2}$ 087 $\dfrac{25}{2}e$ 088 5 089 4

090 7 091 ⑤ 092 ③ 093 ②

094 π 095 $\dfrac{2}{e^2}$ 096 $\sqrt{3}-\dfrac{4}{3}\pi<k<-\sqrt{3}+\dfrac{4}{3}\pi$

097 ② 098 ① 099 ① 100 $k\leq 1$

101 ③ 102 $(3, -3)$ 103 ②

08 여러 가지 함수의 부정적분 ――――― 142~157쪽

001 2 002 e^2 003 ③ 004 ①

005 ④ 006 -2 007 $\dfrac{3}{2e}-1$

008 $f(x)=(\ln x)^3$ 009 2π 010 $\dfrac{1}{2}$

011 ③ 012 ⑤ 013 $-e$

014 $f(x)=(2-x^2)\cos x+2x\sin x$

015 $f(x)=x-4\sqrt{x}+\ln|x|+4$ 016 ⑤

017 ③ 018 ④ 019 ④ 020 $4e^x+C$

021 $\dfrac{1}{e}-2e+2$ 022 ② 023 ⑤ 024 ③

025 $\ln 10$ 026 ② 027 ①

028 $\tan x-\cot x+C$ 029 ② 030 ⑤

031 ④ 032 2 033 10 034 ③

035 ⑤ 036 $-\dfrac{5}{2}$ 037 $\sqrt{2}$ 038 ③

039 $\dfrac{\sqrt{5}}{3}$ 040 7 041 ④ 042 $\dfrac{62}{15}$

043 ③ 044 21 045 $5\sqrt{2}$ 046 ④

047 ③ 048 $\dfrac{7}{2}$ 049 e^4 050 ④

051 $f(x)=\dfrac{1}{2}\sin 2x+1$ 052 ① 053 ⑤

054 ② 055 $\dfrac{4}{3}$ 056 ③ 057 ①

058 3 059 ⑤ 060 ④

061 $h(x)=\ln|x^2+2x-\cos x|+3$ 062 3

063 ④ 064 $-3\ln 2$ 065 ② 066 $\ln 2+3$

067 ⑤ 068 21 069 $\ln 3+\dfrac{1}{4}$ 070 ③

071 $\dfrac{e^2}{4}$ 072 ③ 073 $\dfrac{\pi}{4}-\dfrac{\ln 2}{2}+1$

074 ⑤ 075 $\dfrac{\pi^2}{4}-1$ 076 ④ 077 $\dfrac{e-2}{e-1}$

078 2 079 ④ 080 $e^{x+2}+C$ 081 $\dfrac{1}{4\ln 2}-2$

082 ① 083 ④ 084 $\dfrac{81}{5}$ 085 ③

086 ② 087 ③ 088 $\dfrac{7\sqrt{2}}{3}$

089 $f(x)=2\sqrt{\ln x+3}+1$ 090 ⑤ 091 ⑤

092 ③ 093 7 094 ② 095 $\dfrac{2}{9}\pi$

096 $\dfrac{1}{8}(e^2-7)$ 097 ②

여러 가지 함수의 정적분 ═══════════ 160~177쪽

001 ①　　002 2　　003 $\pi-2$　　004 ④

005 ⑤　　006 ③　　007 ⑤　　008 4

009 $\dfrac{2}{3}$　　010 ①　　011 ⑤　　012 ⑤

013 $\dfrac{16}{5}$　　014 ③　　015 3　　016 ③

017 ④　　018 ①　　019 e^2-3　　020 33

021 ①　　022 ③　　023 $1-\dfrac{\sqrt{3}}{3}$　　024 2

025 $9+6\sqrt{3}-\dfrac{1}{e}$　　026 $\dfrac{1}{\ln 2}+4$　　027 ④

028 ②　　029 ⑤　　030 ①　　031 12

032 ㄱ, ㄴ, ㄹ　　033 ②　　034 0　　035 ④

036 4　　037 ⑤　　038 $\dfrac{42}{5}$　　039 4

040 3　　041 ②　　042 ⑤　　043 ⑤

044 23　　045 ⑤　　046 ④　　047 $\ln 2$

048 $e-\dfrac{1}{e}$　　049 ①　　050 ①　　051 $\dfrac{\pi}{12}$

052 ④　　053 8　　054 ③　　055 $-\dfrac{1}{4}$

056 $10-2e$　　057 ③　　058 -1　　059 $-2\sqrt{3}\pi$

060 2π　　061 ⑤　　062 6　　063 ①

064 ②　　065 1　　066 $\dfrac{2}{3}$　　067 ②

068 ④　　069 -1　　070 ①

071 $f(x)=\sin x-1$　　072 ①　　073 $-\dfrac{e^2+1}{3}$

074 ②　　075 1　　076 ④　　077 5

078 e^2+1　　079 π　　080 ⑤　　081 3

082 ②　　083 ⑤　　084 ③　　085 $\dfrac{1}{4}$

086 ①　　087 2　　088 $\dfrac{7}{4}-4\ln 2$　　089 ⑤

090 $4e^2$　　091 8　　092 ①　　093 7

094 ①　　095 ④　　096 1　　097 $\dfrac{1}{2}+\dfrac{2}{e}$

098 ④　　099 $12-4\sqrt{3}$　　100 $2\sqrt{2}$　　101 ②

102 $\dfrac{5}{12}$　　103 ②　　104 ③　　105 e^2+e-3

106 ③　　107 ①　　108 9　　109 -6

110 ⑤　　111 ⑤

정적분의 활용 ═══════════ 180~194쪽

001 ④　　002 ⑤　　003 ②　　004 $\ln 2-\dfrac{1}{2}$

005 ③　　006 ①　　007 $\dfrac{4}{\pi}$　　008 ③

009 ②　　010 $\dfrac{13}{3}$　　011 $\dfrac{10}{3}$　　012 ㄴ, ㄷ

013 $2\ln 2-1$　　014 ③　　015 ②　　016 $\dfrac{4}{3}$

017 $e+\dfrac{1}{e^2}-1$　　018 ②　　019 ④　　020 3

021 ②　　022 ③　　023 ③　　024 ①

025 ③　　026 2　　027 $2e$　　028 $\dfrac{2}{3}$

029 $\dfrac{9}{2}$　　030 ③　　031 $\dfrac{\pi^2}{2}-\pi$　　032 $2e^2+2$

033 ④　　034 ⑤　　035 $\dfrac{1}{3}$　　036 ②

037 $\dfrac{e}{2}-\dfrac{3}{2e}$　　038 ②　　039 $\dfrac{4\sqrt{3}}{9}$　　040 ②

041 ③　　042 2　　043 $\sqrt{e}$　　044 ②

045 $e-1$　　046 $2-\sqrt{2}$　　047 ②　　048 ①

049 ④　　050 e^4+3　　051 $\sqrt{3}$　　052 ④

053 5π　　054 $2\sqrt{3}-\dfrac{2}{3}$　　055 ⑤　　056 ③

057 4　　058 $\dfrac{1}{2}$　　059 ②　　060 $\dfrac{26}{3\ln 3}$

061 18　　062 ③　　063 ⑤　　064 ④

065 16　　066 $\dfrac{3}{4}$　　067 ②　　068 $\dfrac{7}{4}$

069 ③　　070 ③　　071 $\dfrac{8}{3}$　　072 ⑤

073 ①　　074 $\dfrac{5}{2}\pi-1$　　075 3　　076 $\dfrac{1}{2}\ln 3-\dfrac{1}{6}$

077 ⑤　　078 ①　　079 e　　080 ⑤

081 ②　　082 8　　083 1　　084 ①

085 11　　086 $\dfrac{25}{9}$

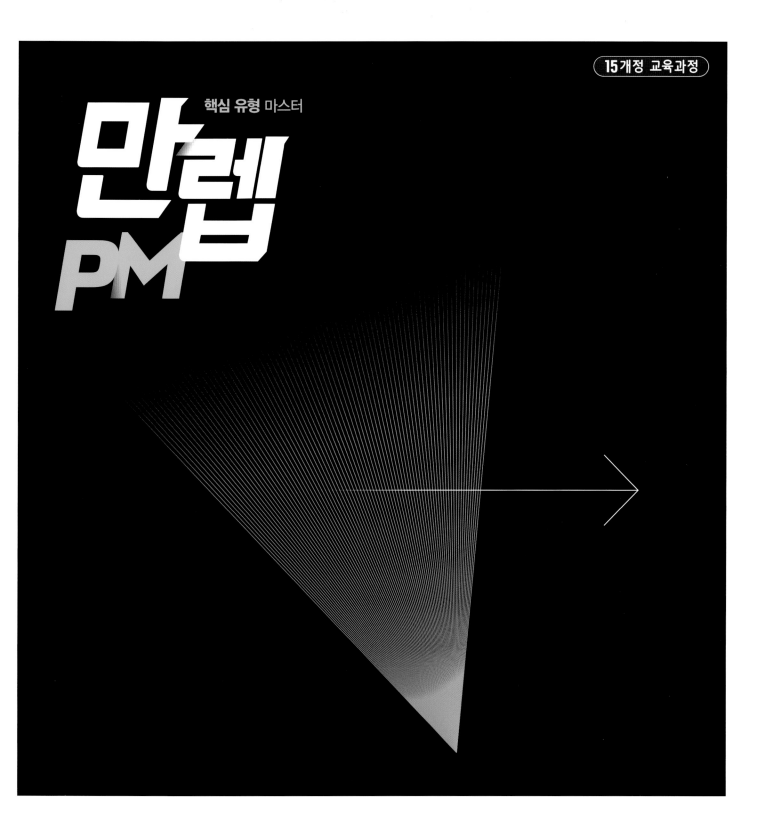

핵심 유형 마스터

만렙 PM

15개정 교육과정

미적분

정답과 해설

우리는 남다른 상상과 혁신으로
교육 문화의 새로운 전형을 만들어
모든 이의 행복한 경험과 성장에 기여한다

ABOVE IMAGINATION

우리는 남다른 상상과 혁신으로
교육 문화의 새로운 전형을 만들어
모든 이의 행복한 경험과 성장에 기여한다

핵심 유형 마스터

만렙 PM

정답과 해설
미적분

01 수열의 극한

001 답 ③

① 주어진 수열의 일반항을 a_n이라 하면
$a_n=5n-2$
오른쪽 그림에서 n의 값이 한없이
커질 때, a_n의 값도 한없이 커지므로
이 수열은 양의 무한대로 발산한다.

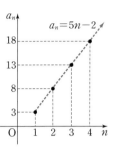

② 주어진 수열의 일반항을 a_n이라 하면
$a_n=1+(-1)^n$
오른쪽 그림에서 n의 값이 한없이
커질 때, a_n의 값은 수렴하지도 않고
양의 무한대나 음의 무한대로 발산
하지도 않으므로 이 수열은 발산(진
동)한다.

③ 주어진 수열의 일반항을 a_n이라 하면
$a_n=4-\dfrac{1}{n}$
오른쪽 그림에서 n의 값이 한없이
커질 때, a_n의 값은 4에 한없이 가까
워지므로 이 수열은 4에 수렴한다.

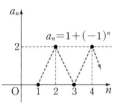

④ 주어진 수열의 일반항을 a_n이라 하
면 $a_n=\dfrac{n+1}{3}$
오른쪽 그림에서 n의 값이 한없이
커질 때, a_n의 값도 한없이 커지므
로 이 수열은 양의 무한대로 발산
한다.

⑤ 주어진 수열의 일반항을 a_n이라 하
면 $a_n=\log\dfrac{1}{n}=-\log n$
오른쪽 그림에서 n의 값이 한없이
커질 때, a_n의 값은 음수이면서 그
절댓값이 한없이 커지므로 이 수열
은 음의 무한대로 발산한다.

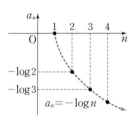

002 답 ③

$\lim_{n\to\infty}(a_n^2+b_n^2)=\lim_{n\to\infty}\{(a_n+b_n)^2-2a_nb_n\}$
$=\lim_{n\to\infty}(a_n+b_n)\times\lim_{n\to\infty}(a_n+b_n)-2\lim_{n\to\infty}a_nb_n$
$=4\times4-2\times2=12$

003 답 12

수열 $\{a_n\}$이 수렴하므로 $\lim_{n\to\infty}a_n=\alpha$ (α는 실수)라 하면
$\lim_{n\to\infty}a_{n+1}=\alpha$

$\lim_{n\to\infty}\dfrac{a_n-2}{3a_{n+1}+4}=\dfrac{1}{4}$에서 $\dfrac{\lim_{n\to\infty}a_n-2}{3\lim_{n\to\infty}a_{n+1}+4}=\dfrac{1}{4}$

$\dfrac{\alpha-2}{3\alpha+4}=\dfrac{1}{4}$, $4\alpha-8=3\alpha+4$

$\therefore \alpha=12$

004 답 ㄱ, ㄷ

ㄱ. $\lim_{n\to\infty}\dfrac{5n^2+n}{2n^2-n+3}=\lim_{n\to\infty}\dfrac{5+\dfrac{1}{n}}{2-\dfrac{1}{n}+\dfrac{3}{n^2}}=\dfrac{5}{2}$

ㄴ. $\lim_{n\to\infty}\dfrac{n(n+5)}{n^2-2}=\lim_{n\to\infty}\dfrac{n^2+5n}{n^2-2}=\lim_{n\to\infty}\dfrac{1+\dfrac{5}{n}}{1-\dfrac{2}{n^2}}=1$

ㄷ. $\lim_{n\to\infty}\dfrac{\sqrt{n^2+2n}}{3n}=\lim_{n\to\infty}\dfrac{\sqrt{1+\dfrac{2}{n}}}{3}=\dfrac{1}{3}$

ㄹ. $\lim_{n\to\infty}\dfrac{2n}{\sqrt{4n^2+1}+n}=\lim_{n\to\infty}\dfrac{2}{\sqrt{4+\dfrac{1}{n^2}}+1}=\dfrac{2}{3}$

따라서 보기 중 옳은 것은 ㄱ, ㄷ이다.

005 답 ①

$\lim_{n\to\infty}\{\log_2(n^2-n+1)-\log_2(2n+3)^2\}$
$=\lim_{n\to\infty}\log_2\dfrac{n^2-n+1}{(2n+3)^2}$
$=\lim_{n\to\infty}\log_2\dfrac{n^2-n+1}{4n^2+12n+9}$
$=\lim_{n\to\infty}\log_2\dfrac{1-\dfrac{1}{n}+\dfrac{1}{n^2}}{4+\dfrac{12}{n}+\dfrac{9}{n^2}}$
$=\log_2\dfrac{1}{4}=\log_2 2^{-2}=-2$

006 답 -4

$a\neq0$이면 $\lim_{n\to\infty}\dfrac{an^2+bn+2}{2n-3}=\infty$(또는 $-\infty$)이므로 $a=0$

$\therefore \lim_{n\to\infty}\dfrac{an^2+bn+2}{2n-3}=\lim_{n\to\infty}\dfrac{bn+2}{2n-3}$
$=\lim_{n\to\infty}\dfrac{b+\dfrac{2}{n}}{2-\dfrac{3}{n}}=\dfrac{b}{2}$

따라서 $\dfrac{b}{2}=-2$이므로 $b=-4$

$\therefore a+b=-4$

007 답 ④

$\lim_{n\to\infty}(\sqrt{n^2+3n}-n)=\lim_{n\to\infty}\dfrac{(\sqrt{n^2+3n}-n)(\sqrt{n^2+3n}+n)}{\sqrt{n^2+3n}+n}$
$=\lim_{n\to\infty}\dfrac{3n}{\sqrt{n^2+3n}+n}$
$=\lim_{n\to\infty}\dfrac{3}{\sqrt{1+\dfrac{3}{n}}+1}=\dfrac{3}{2}$

008 답 ⑤

$a \le 0$이면 $\lim_{n \to \infty} \{\sqrt{n^2+n} - (an+b)\} = \infty$이므로 $a > 0$

$\therefore \lim_{n \to \infty} \{\sqrt{n^2+n} - (an+b)\}$

$= \lim_{n \to \infty} \dfrac{\{\sqrt{n^2+n} - (an+b)\}\{\sqrt{n^2+n} + (an+b)\}}{\sqrt{n^2+n} + (an+b)}$

$= \lim_{n \to \infty} \dfrac{(1-a^2)n^2 + (1-2ab)n - b^2}{\sqrt{n^2+n} + an+b}$

이때 $1-a^2 \ne 0$이면 극한값이 존재하지 않으므로

$1-a^2 = 0$ $\quad \therefore a = 1 \ (\because a > 0)$

$\therefore \lim_{n \to \infty} \dfrac{(1-a^2)n^2 + (1-2ab)n - b^2}{\sqrt{n^2+n} + an+b} = \lim_{n \to \infty} \dfrac{(1-2b)n - b^2}{\sqrt{n^2+n} + n+b}$

$= \lim_{n \to \infty} \dfrac{(1-2b) - \dfrac{b^2}{n}}{\sqrt{1 + \dfrac{1}{n}} + 1 + \dfrac{b}{n}}$

$= \dfrac{1-2b}{2}$

따라서 $\dfrac{1-2b}{2} = \dfrac{3}{2}$이므로 $1-2b = 3$ $\quad \therefore b = -1$

$\therefore a - b = 1 - (-1) = 2$

009 답 ④

$\dfrac{a_n + 2}{3a_n + 10} = b_n$으로 놓으면 $a_n + 2 = 3a_n b_n + 10b_n$

$(1 - 3b_n)a_n = 10b_n - 2$ $\quad \therefore a_n = \dfrac{10b_n - 2}{1 - 3b_n}$

이때 $\lim_{n \to \infty} b_n = \dfrac{1}{4}$이므로

$\lim_{n \to \infty} a_n = \lim_{n \to \infty} \dfrac{10b_n - 2}{1 - 3b_n} = \dfrac{10 \times \dfrac{1}{4} - 2}{1 - 3 \times \dfrac{1}{4}} = 2$

010 답 2

$4n^2 - n \le a_n \le 4n^2 + n$에서

$\dfrac{4n^2 - n}{2n^2 + 3} \le \dfrac{a_n}{2n^2 + 3} \le \dfrac{4n^2 + n}{2n^2 + 3}$

이때 $\lim_{n \to \infty} \dfrac{4n^2 - n}{2n^2 + 3} = \lim_{n \to \infty} \dfrac{4n^2 + n}{2n^2 + 3} = 2$이므로 수열의 극한의 대소

관계에 의하여 $\lim_{n \to \infty} \dfrac{a_n}{2n^2 + 3} = 2$

011 답 ㄱ, ㄷ

ㄱ. $\lim_{n \to \infty} a_n = \alpha$, $\lim_{n \to \infty} (a_n - b_n) = \beta$ (α, β는 실수)라 하면

　$\lim_{n \to \infty} b_n = \lim_{n \to \infty} \{a_n - (a_n - b_n)\} = \lim_{n \to \infty} a_n - \lim_{n \to \infty} (a_n - b_n)$

　$= \alpha - \beta$

　따라서 수열 $\{b_n\}$도 수렴한다.

ㄴ. [반례] $a_n = n$, $b_n = \dfrac{1}{n}$이라 하면 $\lim_{n \to \infty} a_n = \infty$이고 $\lim_{n \to \infty} b_n = 0$

　이지만 $a_n b_n = 1$이므로 $\lim_{n \to \infty} a_n b_n = 1$

ㄷ. $a_n < b_n$이므로 $\lim_{n \to \infty} a_n \le \lim_{n \to \infty} b_n$

　이때 $\lim_{n \to \infty} a_n = \infty$이므로 $\lim_{n \to \infty} b_n = \infty$

따라서 보기 중 옳은 것은 ㄱ, ㄷ이다.

012 답 $\dfrac{1}{2}$

곡선 $y = x^2 + 3x$와 직선 $y = x + n$이 만나는 두 점의 x좌표는

$x^2 + 3x = x + n$에서 $x^2 + 2x - n = 0$ $\quad \therefore x = -1 \pm \sqrt{n+1}$

따라서 $P_n(-1 - \sqrt{n+1}, \ -1 - \sqrt{n+1} + n)$,

$Q_n(-1 + \sqrt{n+1}, \ -1 + \sqrt{n+1} + n)$이므로

$\overline{P_n Q_n} = \sqrt{(2\sqrt{n+1})^2 + (2\sqrt{n+1})^2}$

$= \sqrt{4(n+1) + 4(n+1)} = \sqrt{8n+8}$

$\therefore \lim_{n \to \infty} \dfrac{\sqrt{2n+3}}{\overline{P_n Q_n}} = \lim_{n \to \infty} \dfrac{\sqrt{2n+3}}{\sqrt{8n+8}} = \lim_{n \to \infty} \dfrac{\sqrt{2 + \dfrac{3}{n}}}{\sqrt{8 + \dfrac{8}{n}}} = \dfrac{1}{2}$

013 답 ③

① 주어진 수열의 일반항을 a_n이라 하면 $a_n = 3 - n^2$

오른쪽 그림에서 n의 값이 한없이 커질 때, a_n의 값은 음수이면서 그 절댓값이 한없이 커지므로 이 수열은 음의 무한대로 발산한다.

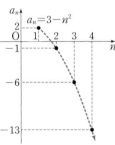

② 주어진 수열의 일반항을 a_n이라 하면 $a_n = \dfrac{(-1)^n}{3}$

오른쪽 그림에서 n의 값이 한없이 커질 때, a_n의 값은 수렴하지도 않고 양의 무한대나 음의 무한대로 발산하지도 않으므로 이 수열은 발산(진동)한다.

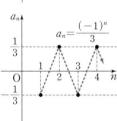

③ 주어진 수열의 일반항을 a_n이라 하면 $a_n = -1 + \dfrac{(-1)^n}{n}$

오른쪽 그림에서 n의 값이 한없이 커질 때, a_n의 값은 -1에 한없이 가까워지므로 이 수열은 -1에 수렴한다.

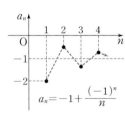

④ 주어진 수열의 일반항을 a_n이라 하면 $a_n = \log_2 (n+1)$

오른쪽 그림에서 n의 값이 한없이 커질 때, a_n의 값도 한없이 커지므로 주어진 수열은 양의 무한대로 발산한다.

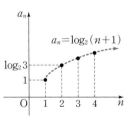

⑤ 주어진 수열의 일반항을 a_n이라 하면 $a_n = (-2)^{n-1} \times \dfrac{1}{n+1}$

오른쪽 그림에서 n의 값이 한없이 커질 때, a_n의 절댓값은 한없이 커지고 그 부호는 양과 음이 교대로 나타나므로 주어진 수열은 발산(진동)한다.

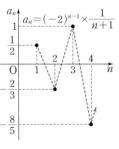

014 답 ②

ㄱ. $\dfrac{2n+1}{n}$에 $n=1,\ 2,\ 3,\ 4,\ \cdots$를 차례대로 대입하면

$3,\ \dfrac{5}{2},\ \dfrac{7}{3},\ \dfrac{9}{4},\ \cdots$

즉, n의 값이 한없이 커질 때 $\dfrac{2n+1}{n}$의 값은 2에 한없이 가까

워지므로 수열 $\left\{\dfrac{2n+1}{n}\right\}$은 2에 수렴한다.

ㄴ. $\dfrac{1}{n^2}$에 $n=1,\ 2,\ 3,\ 4,\ \cdots$를 차례대로 대입하면

$1,\ \dfrac{1}{4},\ \dfrac{1}{9},\ \dfrac{1}{16},\ \cdots$

즉, n의 값이 한없이 커질 때 $\dfrac{1}{n^2}$의 값은 0에 한없이 가까워지

므로 수열 $\left\{\dfrac{1}{n^2}\right\}$은 0에 수렴한다.

ㄷ. $\dfrac{1}{4^n}$에 $n=1,\ 2,\ 3,\ 4,\ \cdots$를 차례대로 대입하면

$\dfrac{1}{4},\ \dfrac{1}{16},\ \dfrac{1}{64},\ \dfrac{1}{256},\ \cdots$

즉, n의 값이 한없이 커질 때 $\dfrac{1}{4^n}$의 값은 0에 한없이 가까워지

므로 수열 $\left\{\dfrac{1}{4^n}\right\}$은 0에 수렴한다.

ㄹ. $\sin\dfrac{2n-1}{2}\pi$에 $n=1,\ 2,\ 3,\ 4,\ \cdots$를 차례대로 대입하면

$1,\ -1,\ 1,\ -1,\ \cdots$

즉, 수열 $\left\{\sin\dfrac{2n-1}{2}\pi\right\}$는 발산(진동)한다.

따라서 보기의 수열 중 발산하는 것은 ㄹ이다.

015 답 ⑤

ㄱ. $a_{2n+1}=(-1)^{2n+1}$에 $n=1,\ 2,\ 3,\ 4,\ \cdots$를 차례대로 대입하면

$-1,\ -1,\ -1,\ -1,\ \cdots$

즉, 수열 $\{a_{2n+1}\}$은 -1에 수렴한다.

ㄴ. $\dfrac{a_{2n}}{\log 2n}=\dfrac{(-1)^{2n}}{\log 2n}$에 $n=1,\ 2,\ 3,\ 4,\ \cdots$를 차례대로 대입하면

$\dfrac{1}{\log 2},\ \dfrac{1}{\log 4},\ \dfrac{1}{\log 6},\ \dfrac{1}{\log 8},\ \cdots$

즉, 수열 $\left\{\dfrac{a_{2n}}{\log 2n}\right\}$은 0에 수렴한다.

ㄷ. $a_{3n}\cos n\pi=(-1)^{3n}\cos n\pi$에 $n=1,\ 2,\ 3,\ 4,\ \cdots$를 차례대로

대입하면 $1,\ 1,\ 1,\ 1,\ \cdots$

즉, 수열 $\{a_{3n}\cos n\pi\}$는 1에 수렴한다.

따라서 보기의 수열 중 수렴하는 것은 ㄱ, ㄴ, ㄷ이다.

016 답 45

$\displaystyle\lim_{n\to\infty}(a_n{}^3+b_n{}^3)=\lim_{n\to\infty}\{(a_n+b_n)^3-3a_nb_n(a_n+b_n)\}$

$\qquad\qquad\qquad=\displaystyle\lim_{n\to\infty}(a_n+b_n)^3-3\lim_{n\to\infty}a_nb_n\times\lim_{n\to\infty}(a_n+b_n)$

$\qquad\qquad\qquad=3^3-3\times(-2)\times3=45$

017 답 ③

$\displaystyle\lim_{n\to\infty}\left(1+\dfrac{1}{n}\right)\left(3-\dfrac{5}{n}\right)=\lim_{n\to\infty}\left(1+\dfrac{1}{n}\right)\times\lim_{n\to\infty}\left(3-\dfrac{5}{n}\right)$

$\qquad\qquad\qquad\qquad\qquad\quad=1\times3=3$

018 답 $-\dfrac{1}{5}$

$\displaystyle\lim_{n\to\infty}\dfrac{a_nb_n+1}{3a_n-5b_n}=\dfrac{\lim\limits_{n\to\infty}(a_nb_n+1)}{\lim\limits_{n\to\infty}(3a_n-5b_n)}=\dfrac{\lim\limits_{n\to\infty}a_n\times\lim\limits_{n\to\infty}b_n+1}{3\lim\limits_{n\to\infty}a_n-5\lim\limits_{n\to\infty}b_n}$

$\qquad\qquad\qquad\quad=\dfrac{5\times(-1)+1}{3\times5-5\times(-1)}=-\dfrac{1}{5}$

019 답 ⑤

$\displaystyle\lim_{n\to\infty}(2a_n+1)=2$에서 $2\lim_{n\to\infty}a_n=1$ $\quad\therefore\ \lim_{n\to\infty}a_n=\dfrac{1}{2}$

$\displaystyle\lim_{n\to\infty}\dfrac{2b_n}{3a_n-1}=5$에서 $\dfrac{2\lim\limits_{n\to\infty}b_n}{3\lim\limits_{n\to\infty}a_n-1}=5$

$\dfrac{2\lim\limits_{n\to\infty}b_n}{3\times\dfrac{1}{2}-1}=5$, $4\lim\limits_{n\to\infty}b_n=5$

$\therefore\ \displaystyle\lim_{n\to\infty}b_n=\dfrac{5}{4}$

020 답 ③

수열 $\{a_n\}$이 수렴하므로 $\displaystyle\lim_{n\to\infty}a_n=\alpha$ (α는 실수)라 하면

$\displaystyle\lim_{n\to\infty}a_{n+2}=\alpha$

$\displaystyle\lim_{n\to\infty}\dfrac{8a_{n+2}+7}{3a_n+1}=3$에서 $\dfrac{8\lim\limits_{n\to\infty}a_{n+2}+7}{3\lim\limits_{n\to\infty}a_n+1}=3$

$\dfrac{8\alpha+7}{3\alpha+1}=3$, $8\alpha+7=9\alpha+3$

$\therefore\ \alpha=4$

021 답 ①

수열 $\{a_n\}$이 수렴하므로 $\displaystyle\lim_{n\to\infty}a_n=\alpha$ (α는 실수)라 하면

$\displaystyle\lim_{n\to\infty}a_{n+1}=\alpha$

$a_{n+1}=\sqrt{a_n+12}$에서 $\displaystyle\lim_{n\to\infty}a_{n+1}=\lim_{n\to\infty}\sqrt{a_n+12}$이므로

$\alpha=\sqrt{\alpha+12}$, $\alpha^2=\alpha+12$

$\alpha^2-\alpha-12=0$, $(\alpha+3)(\alpha-4)=0$

$\therefore\ \alpha=-3$ 또는 $\alpha=4$

그런데 $\alpha=\sqrt{\alpha+12}>0$이므로 $\alpha=4$

022 답 3

이차방정식 $x^2-a_nx+a_{n+1}+8=0$이 중근을 가지므로 이 이차방

정식의 판별식을 D라 하면

$D=(-a_n)^2-4(a_{n+1}+8)=0$ $\quad\therefore\ a_n{}^2-4a_{n+1}-32=0$

즉, $\displaystyle\lim_{n\to\infty}(a_n{}^2-4a_{n+1}-32)=0$이고 수열 $\{a_n\}$이 수렴하므로

$\displaystyle\lim_{n\to\infty}a_n=\lim_{n\to\infty}a_{n+1}=\alpha$ (α는 실수)라 하면

$\alpha^2-4\alpha-32=0$, $(\alpha+4)(\alpha-8)=0$

$\therefore\ \alpha=-4$ 또는 $\alpha=8$

이때 수열 $\{a_n\}$의 모든 항이 양수이므로 $\alpha=8$

$\therefore\ \displaystyle\lim_{n\to\infty}\sqrt{a_n+1}=\sqrt{8+1}=3$

023 답 ③

① $\displaystyle\lim_{n\to\infty}\frac{6n^2+n}{2n^2-3n+10}=\lim_{n\to\infty}\frac{6+\dfrac{1}{n}}{2-\dfrac{3}{n}+\dfrac{10}{n^2}}=3$

② $\displaystyle\lim_{n\to\infty}\frac{(3n-2)^2}{(n+1)^2}=\lim_{n\to\infty}\frac{9n^2-12n+4}{n^2+2n+1}=\lim_{n\to\infty}\frac{9-\dfrac{12}{n}+\dfrac{4}{n^2}}{1+\dfrac{2}{n}+\dfrac{1}{n^2}}=9$

③ $\displaystyle\lim_{n\to\infty}\frac{7n^2+1}{(n+1)(2n+3)-n^2}=\lim_{n\to\infty}\frac{7n^2+1}{n^2+5n+3}$

$\displaystyle\qquad\qquad=\lim_{n\to\infty}\frac{7+\dfrac{1}{n^2}}{1+\dfrac{5}{n}+\dfrac{3}{n^2}}=7$

④ $\displaystyle\lim_{n\to\infty}\frac{\sqrt{n^2+2n}+3n}{2n}=\lim_{n\to\infty}\frac{\sqrt{1+\dfrac{2}{n}}+3}{2}=2$

⑤ $\displaystyle\lim_{n\to\infty}\frac{\sqrt{n}}{\sqrt{n+2}+\sqrt{4n-1}}=\lim_{n\to\infty}\frac{1}{\sqrt{1+\dfrac{2}{n}}+\sqrt{4-\dfrac{1}{n}}}=\frac{1}{3}$

024 답 ②

$1+2+3+\cdots+n=\dfrac{n(n+1)}{2}$

$\therefore \displaystyle\lim_{n\to\infty}\frac{5n^2+n}{1+2+3+\cdots+n}=\lim_{n\to\infty}\frac{n(5n+1)}{\dfrac{n(n+1)}{2}}=\lim_{n\to\infty}\frac{2(5n+1)}{n+1}$

$\displaystyle\qquad\qquad=\lim_{n\to\infty}\frac{10n+2}{n+1}=\lim_{n\to\infty}\frac{10+\dfrac{2}{n}}{1+\dfrac{1}{n}}=10$

025 답 $\dfrac{1}{2}$

$\left(1-\dfrac{1}{2^2}\right)\left(1-\dfrac{1}{3^2}\right)\left(1-\dfrac{1}{4^2}\right)\cdots\left(1-\dfrac{1}{n^2}\right)$

$=\left(1-\dfrac{1}{2}\right)\left(1+\dfrac{1}{2}\right)\left(1-\dfrac{1}{3}\right)\left(1+\dfrac{1}{3}\right)\left(1-\dfrac{1}{4}\right)\left(1+\dfrac{1}{4}\right)$

$\displaystyle\qquad\qquad\cdots\left(1-\dfrac{1}{n}\right)\left(1+\dfrac{1}{n}\right)$

$=\dfrac{1}{2}\times\dfrac{3}{2}\times\dfrac{2}{3}\times\dfrac{4}{3}\times\dfrac{3}{4}\times\dfrac{5}{4}\times\cdots\times\dfrac{n-1}{n}\times\dfrac{n+1}{n}$

$=\dfrac{n+1}{2n}$

$\therefore \displaystyle\lim_{n\to\infty}\left(1-\dfrac{1}{2^2}\right)\left(1-\dfrac{1}{3^2}\right)\left(1-\dfrac{1}{4^2}\right)\cdots\left(1-\dfrac{1}{n^2}\right)=\lim_{n\to\infty}\frac{n+1}{2n}$

$\displaystyle\qquad\qquad=\lim_{n\to\infty}\frac{1+\dfrac{1}{n}}{2}=\frac{1}{2}$

026 답 $\dfrac{3}{2}$

이차방정식의 근과 계수의 관계에 의하여

$\alpha_n+\beta_n=3n^2+2n-1,\ \alpha_n\beta_n=2n^2$

$\therefore \displaystyle\lim_{n\to\infty}\left(\frac{1}{\alpha_n}+\frac{1}{\beta_n}\right)=\lim_{n\to\infty}\frac{\alpha_n+\beta_n}{\alpha_n\beta_n}=\lim_{n\to\infty}\frac{3n^2+2n-1}{2n^2}$

$\displaystyle\qquad\qquad=\lim_{n\to\infty}\frac{3+\dfrac{2}{n}-\dfrac{1}{n^2}}{2}=\frac{3}{2}$

027 답 ②

$a_1+a_2+a_3+\cdots+a_n=\displaystyle\sum_{k=1}^{n}(4k+3)$

$\displaystyle\qquad\qquad=4\times\frac{n(n+1)}{2}+3n$

$\displaystyle\qquad\qquad=2n^2+5n$

$\therefore \displaystyle\lim_{n\to\infty}\frac{a_1+a_2+a_3+\cdots+a_n}{3n^2-1}=\lim_{n\to\infty}\frac{2n^2+5n}{3n^2-1}$

$\displaystyle\qquad\qquad=\lim_{n\to\infty}\frac{2+\dfrac{5}{n}}{3-\dfrac{1}{n^2}}=\frac{2}{3}$

028 답 1

$\displaystyle\lim_{n\to\infty}\{\log_4(2n+1)+\log_4(2n-1)-\log_4(n^2+3n-2)\}$

$=\displaystyle\lim_{n\to\infty}\log_4\frac{(2n+1)(2n-1)}{n^2+3n-2}$

$=\displaystyle\lim_{n\to\infty}\log_4\frac{4n^2-1}{n^2+3n-2}$

$=\displaystyle\lim_{n\to\infty}\log_4\frac{4-\dfrac{1}{n^2}}{1+\dfrac{3}{n}-\dfrac{2}{n^2}}=\log_4 4=1$

029 답 ②

$\log_2 a_n+\log_2 a_{n+1}+\log_2 a_{n+2}=2$에서

$\log_2 a_n a_{n+1} a_{n+2}=2$ $\therefore a_n a_{n+1} a_{n+2}=4$

이때 $a_1=2$, $a_2=3$이므로

$a_3=\dfrac{2}{3}$, $a_4=2$, $a_5=3$, $a_6=\dfrac{2}{3}$, $\cdots$

즉, 수열 $\{a_n\}$은 $2,\ 3,\ \dfrac{2}{3}$가 이 순서대로 반복되므로

$\displaystyle\sum_{k=1}^{n}a_{3k}=\frac{2}{3}n$

$\therefore \displaystyle\lim_{n\to\infty}\frac{1}{n}\sum_{k=1}^{n}a_{3k}=\lim_{n\to\infty}\frac{\dfrac{2}{3}n}{n}=\frac{2}{3}$

030 답 10

$a_n=\log_3(n+2)-\log_3(n+1)=\log_3\dfrac{n+2}{n+1}$이므로

$a_1+a_2+a_3+\cdots+a_n$

$=\log_3\dfrac{3}{2}+\log_3\dfrac{4}{3}+\log_3\dfrac{5}{4}+\cdots+\log_3\dfrac{n+2}{n+1}$

$=\log_3\left(\dfrac{3}{2}\times\dfrac{4}{3}\times\dfrac{5}{4}\times\cdots\times\dfrac{n+2}{n+1}\right)$

$=\log_3\dfrac{n+2}{2}$

$\therefore 3^{a_1}\times 3^{a_2}\times 3^{a_3}\times\cdots\times 3^{a_n}=3^{a_1+a_2+a_3+\cdots+a_n}$

$\displaystyle\qquad\qquad=3^{\log_3\frac{n+2}{2}}=\frac{n+2}{2}$

$\therefore \displaystyle\lim_{n\to\infty}\frac{5n}{3^{a_1}\times 3^{a_2}\times 3^{a_3}\times\cdots\times 3^{a_n}}=\lim_{n\to\infty}\frac{5n}{\dfrac{n+2}{2}}=\lim_{n\to\infty}\frac{10n}{n+2}$

$\displaystyle\qquad\qquad=\lim_{n\to\infty}\frac{10}{1+\dfrac{2}{n}}=10$

031 답 9

$a \neq 0$이면 $\displaystyle\lim_{n \to \infty} \frac{3n+4}{an^2-bn-3}=0$이므로 $a=0$

$\therefore \displaystyle\lim_{n \to \infty} \frac{3n+4}{an^2-bn-3}=\lim_{n \to \infty} \frac{3n+4}{-bn-3}$

$\qquad\qquad\qquad\qquad = \displaystyle\lim_{n \to \infty} \frac{3+\dfrac{4}{n}}{-b-\dfrac{3}{n}}=-\dfrac{3}{b}$

따라서 $-\dfrac{3}{b}=\dfrac{1}{3}$이므로 $b=-9$

$\therefore a-b=9$

032 답 3

$\displaystyle\lim_{n \to \infty} \frac{3(n+2)(2n+1)}{an^2+3n}=\lim_{n \to \infty} \frac{6n^2+15n+6}{an^2+3n}$

$\qquad\qquad\qquad\qquad = \displaystyle\lim_{n \to \infty} \frac{6+\dfrac{15}{n}+\dfrac{6}{n^2}}{a+\dfrac{3}{n}}=\dfrac{6}{a}$

따라서 $\dfrac{6}{a}=2$이므로 $a=3$

033 답 ④

$a \neq 0$이면 $\displaystyle\lim_{n \to \infty} \frac{\sqrt{9n^2-6n-1}}{an^2+n}=0$이므로 $a=0$

$\therefore \displaystyle\lim_{n \to \infty} \frac{\sqrt{9n^2-6n-1}}{an^2+n}=\lim_{n \to \infty} \frac{\sqrt{9n^2-6n-1}}{n}$

$\qquad\qquad\qquad\qquad = \displaystyle\lim_{n \to \infty} \frac{\sqrt{9-\dfrac{6}{n}-\dfrac{1}{n^2}}}{1}=3$

따라서 $b=3$이므로

$\displaystyle\lim_{n \to \infty} \frac{an^2+12n-3}{\sqrt{b^2n^2+1}}=\lim_{n \to \infty} \frac{12n-3}{\sqrt{9n^2+1}}=\lim_{n \to \infty} \frac{12-\dfrac{3}{n}}{\sqrt{9+\dfrac{1}{n^2}}}=4$

034 답 $\dfrac{3}{2}$

(ⅰ) $a \neq 0$, $b=0$이면

$\qquad \displaystyle\lim_{n \to \infty} \frac{bn^2-3n+1}{an^2+2n-5}=\lim_{n \to \infty} \frac{-3n+1}{an^2+2n-5}=0$

(ⅱ) $a=0$, $b \neq 0$이면

$\qquad \displaystyle\lim_{n \to \infty} \frac{bn^2-3n+1}{an^2+2n-5}=\lim_{n \to \infty} \frac{bn^2-3n+1}{2n-5}=\infty$ (또는 $-\infty$)

(ⅲ) $a=0$, $b=0$이면

$\qquad \displaystyle\lim_{n \to \infty} \frac{bn^2-3n+1}{an^2+2n-5}=\lim_{n \to \infty} \frac{-3n+1}{2n-5}=\lim_{n \to \infty} \frac{-3+\dfrac{1}{n}}{2-\dfrac{5}{n}}=-\dfrac{3}{2}$

(ⅰ), (ⅱ), (ⅲ)에서 $a \neq 0$, $b \neq 0$

$\therefore \displaystyle\lim_{n \to \infty} \frac{bn^2-3n+1}{an^2+2n-5}=\lim_{n \to \infty} \frac{b-\dfrac{3}{n}+\dfrac{1}{n^2}}{a+\dfrac{2}{n}-\dfrac{5}{n^2}}=\dfrac{b}{a}$

따라서 $\dfrac{b}{a}=\dfrac{1}{2}$이므로

$\displaystyle\lim_{n \to \infty} \frac{3an+b}{4bn-a}=\lim_{n \to \infty} \frac{3a+\dfrac{b}{n}}{4b-\dfrac{a}{n}}=\dfrac{3a}{4b}=\dfrac{3}{4} \times 2 = \dfrac{3}{2}$

035 답 ①

$\displaystyle\lim_{n \to \infty} \sqrt{4n+1}\,(\sqrt{2n+1}-\sqrt{2n}\,)$

$= \displaystyle\lim_{n \to \infty} \frac{\sqrt{4n+1}\,(\sqrt{2n+1}-\sqrt{2n}\,)(\sqrt{2n+1}+\sqrt{2n}\,)}{\sqrt{2n+1}+\sqrt{2n}}$

$= \displaystyle\lim_{n \to \infty} \frac{\sqrt{4n+1}}{\sqrt{2n+1}+\sqrt{2n}}=\lim_{n \to \infty} \frac{\sqrt{4+\dfrac{1}{n}}}{\sqrt{2+\dfrac{1}{n}}+\sqrt{2}}=\dfrac{1}{\sqrt{2}}=\dfrac{\sqrt{2}}{2}$

036 답 ⑤

$\displaystyle\lim_{n \to \infty} \frac{\sqrt{n^2+2}-n}{n-\sqrt{n^2-1}}=\lim_{n \to \infty} \frac{(\sqrt{n^2+2}-n)(\sqrt{n^2+2}+n)(n+\sqrt{n^2-1})}{(n-\sqrt{n^2-1})(n+\sqrt{n^2-1})(\sqrt{n^2+2}+n)}$

$\qquad\qquad\qquad\qquad = \displaystyle\lim_{n \to \infty} \frac{2(n+\sqrt{n^2-1})}{\sqrt{n^2+2}+n}$

$\qquad\qquad\qquad\qquad = \displaystyle\lim_{n \to \infty} \frac{2\left(1+\sqrt{1-\dfrac{1}{n^2}}\right)}{\sqrt{1+\dfrac{2}{n^2}}+1}=2$

037 답 ⑤

① $\displaystyle\lim_{n \to \infty} (3n-\sqrt{9n^2+n}\,)$

$= \displaystyle\lim_{n \to \infty} \frac{(3n-\sqrt{9n^2+n}\,)(3n+\sqrt{9n^2+n}\,)}{3n+\sqrt{9n^2+n}}$

$= \displaystyle\lim_{n \to \infty} \frac{-n}{3n+\sqrt{9n^2+n}}=\lim_{n \to \infty} \frac{-1}{3+\sqrt{9+\dfrac{1}{n}}}=-\dfrac{1}{6}$

② $\displaystyle\lim_{n \to \infty} \sqrt{n}\,(\sqrt{n+4}-\sqrt{n}\,)$

$= \displaystyle\lim_{n \to \infty} \frac{\sqrt{n}\,(\sqrt{n+4}-\sqrt{n}\,)(\sqrt{n+4}+\sqrt{n}\,)}{\sqrt{n+4}+\sqrt{n}}$

$= \displaystyle\lim_{n \to \infty} \frac{4\sqrt{n}}{\sqrt{n+4}+\sqrt{n}}=\lim_{n \to \infty} \frac{4}{\sqrt{1+\dfrac{4}{n}}+1}=2$

③ $\displaystyle\lim_{n \to \infty} \frac{1}{n-\sqrt{n^2+3n}}$

$= \displaystyle\lim_{n \to \infty} \frac{n+\sqrt{n^2+3n}}{(n-\sqrt{n^2+3n}\,)(n+\sqrt{n^2+3n}\,)}$

$= \displaystyle\lim_{n \to \infty} \frac{n+\sqrt{n^2+3n}}{-3n}=\lim_{n \to \infty} \frac{1+\sqrt{1+\dfrac{3}{n}}}{-3}=-\dfrac{2}{3}$

④ $\displaystyle\lim_{n \to \infty} \frac{1}{\sqrt{n^2+n}-n}$

$= \displaystyle\lim_{n \to \infty} \frac{\sqrt{n^2+n}+n}{(\sqrt{n^2+n}-n)(\sqrt{n^2+n}+n)}$

$= \displaystyle\lim_{n \to \infty} \frac{\sqrt{n^2+n}+n}{n}=\lim_{n \to \infty} \left(\sqrt{1+\dfrac{1}{n}}+1\right)=2$

⑤ $\displaystyle\lim_{n \to \infty} \frac{\sqrt{n+5}-\sqrt{n}}{\sqrt{n+2}-\sqrt{n}}$

$= \displaystyle\lim_{n \to \infty} \frac{(\sqrt{n+5}-\sqrt{n}\,)(\sqrt{n+5}+\sqrt{n}\,)(\sqrt{n+2}+\sqrt{n}\,)}{(\sqrt{n+2}-\sqrt{n}\,)(\sqrt{n+2}+\sqrt{n}\,)(\sqrt{n+5}+\sqrt{n}\,)}$

$= \displaystyle\lim_{n \to \infty} \frac{5(\sqrt{n+2}+\sqrt{n}\,)}{2(\sqrt{n+5}+\sqrt{n}\,)}=\lim_{n \to \infty} \frac{5\left(\sqrt{1+\dfrac{2}{n}}+1\right)}{2\left(\sqrt{1+\dfrac{5}{n}}+1\right)}=\dfrac{5}{2}$

038 답 ④

$$1+3+5+\cdots+(2n-1)=\sum_{k=1}^{n}(2k-1)=2\times\frac{n(n+1)}{2}-n=n^2$$

$$2+4+6+\cdots+2n=\sum_{k=1}^{n}2k=2\times\frac{n(n+1)}{2}=n^2+n$$

$$\therefore \lim_{n\to\infty}\{\sqrt{1+3+5+\cdots+(2n-1)}-\sqrt{2+4+6+\cdots+2n}\}$$

$$=\lim_{n\to\infty}(n-\sqrt{n^2+n})=\lim_{n\to\infty}\frac{(n-\sqrt{n^2+n})(n+\sqrt{n^2+n})}{n+\sqrt{n^2+n}}$$

$$=\lim_{n\to\infty}\frac{-n}{n+\sqrt{n^2+n}}=\lim_{n\to\infty}\frac{-1}{1+\sqrt{1+\frac{1}{n}}}=-\frac{1}{2}$$

039 답 $\frac{5}{6}$

$(3n)^2<9n^2+5n+1<(3n+1)^2$이므로

$3n<\sqrt{9n^2+5n+1}<3n+1$

$\therefore a_n=\sqrt{9n^2+5n+1}-3n$

$$\therefore \lim_{n\to\infty}a_n=\lim_{n\to\infty}(\sqrt{9n^2+5n+1}-3n)$$

$$=\lim_{n\to\infty}\frac{(\sqrt{9n^2+5n+1}-3n)(\sqrt{9n^2+5n+1}+3n)}{\sqrt{9n^2+5n+1}+3n}$$

$$=\lim_{n\to\infty}\frac{5n+1}{\sqrt{9n^2+5n+1}+3n}$$

$$=\lim_{n\to\infty}\frac{5+\frac{1}{n}}{\sqrt{9+\frac{5}{n}+\frac{1}{n^2}}+3}=\frac{5}{6}$$

040 답 1

$S_n=\dfrac{n\{2\times3+(n-1)\times2\}}{2}=\dfrac{n(2n+4)}{2}=n^2+2n$이므로

$S_{n+1}=(n+1)^2+2(n+1)=n^2+4n+3$

$$\therefore \lim_{n\to\infty}(\sqrt{S_{n+1}}-\sqrt{S_n})$$

$$=\lim_{n\to\infty}(\sqrt{n^2+4n+3}-\sqrt{n^2+2n})$$

$$=\lim_{n\to\infty}\frac{(\sqrt{n^2+4n+3}-\sqrt{n^2+2n})(\sqrt{n^2+4n+3}+\sqrt{n^2+2n})}{\sqrt{n^2+4n+3}+\sqrt{n^2+2n}}$$

$$=\lim_{n\to\infty}\frac{2n+3}{\sqrt{n^2+4n+3}+\sqrt{n^2+2n}}$$

$$=\lim_{n\to\infty}\frac{2+\frac{3}{n}}{\sqrt{1+\frac{4}{n}+\frac{3}{n^2}}+\sqrt{1+\frac{2}{n}}}=1$$

041 답 1

수열 $\{a_n\}$의 일반항 a_n은

$$a_n=\frac{1}{\sqrt{n(n+2)}-n}=\frac{1}{\sqrt{n^2+2n}-n}$$

$$\therefore \lim_{n\to\infty}a_n=\lim_{n\to\infty}\frac{1}{\sqrt{n^2+2n}-n}$$

$$=\lim_{n\to\infty}\frac{\sqrt{n^2+2n}+n}{(\sqrt{n^2+2n}-n)(\sqrt{n^2+2n}+n)}$$

$$=\lim_{n\to\infty}\frac{\sqrt{n^2+2n}+n}{2n}=\lim_{n\to\infty}\frac{\sqrt{1+\frac{2}{n}}+1}{2}=1$$

042 답 30

$b\geq0$이면 $\lim\limits_{n\to\infty}\dfrac{1}{\sqrt{an^2+4n}+bn}=0$이므로 $b<0$

$$\therefore \lim_{n\to\infty}\frac{1}{\sqrt{an^2+4n}+bn}$$

$$=\lim_{n\to\infty}\frac{\sqrt{an^2+4n}-bn}{(\sqrt{an^2+4n}+bn)(\sqrt{an^2+4n}-bn)}$$

$$=\lim_{n\to\infty}\frac{\sqrt{an^2+4n}-bn}{(a-b^2)n^2+4n}$$

이때 $a-b^2\neq0$이면 극한값이 0이므로

$a-b^2=0$ $\therefore a=b^2$ $\cdots\cdots$ ㉠

$$\therefore \lim_{n\to\infty}\frac{\sqrt{an^2+4n}-bn}{(a-b^2)n^2+4n}=\lim_{n\to\infty}\frac{\sqrt{an^2+4n}-bn}{4n}$$

$$=\lim_{n\to\infty}\frac{\sqrt{a+\frac{4}{n}}-b}{4}=\frac{\sqrt{a}-b}{4}$$

따라서 $\dfrac{\sqrt{a}-b}{4}=3$이므로 $\sqrt{a}=b+12$ $\cdots\cdots$ ㉡

㉠을 ㉡에 대입하면 $b<0$이므로

$-b=b+12$, $-2b=12$ $\therefore b=-6$

이를 ㉠에 대입하면 $a=(-6)^2=36$

$\therefore a+b=36-6=30$

043 답 ④

$$\lim_{n\to\infty}(\sqrt{n^2+kn}-n)=\lim_{n\to\infty}\frac{(\sqrt{n^2+kn}-n)(\sqrt{n^2+kn}+n)}{\sqrt{n^2+kn}+n}$$

$$=\lim_{n\to\infty}\frac{kn}{\sqrt{n^2+kn}+n}$$

$$=\lim_{n\to\infty}\frac{k}{\sqrt{1+\frac{k}{n}}+1}=\frac{k}{2}$$

따라서 $\dfrac{k}{2}=3$이므로 $k=6$

044 답 4

㈎에서 $\lim\limits_{n\to\infty}\dfrac{an^2-bn-3}{2n^2+7}=\lim\limits_{n\to\infty}\dfrac{a-\dfrac{b}{n}-\dfrac{3}{n^2}}{2+\dfrac{7}{n^2}}=\dfrac{a}{2}$

따라서 $\dfrac{a}{2}=4$이므로 $a=8$

㈏에서

$$\lim_{n\to\infty}\sqrt{n}(\sqrt{an+b}-\sqrt{an-b})$$

$$=\lim_{n\to\infty}\sqrt{n}(\sqrt{8n+b}-\sqrt{8n-b})$$

$$=\lim_{n\to\infty}\frac{\sqrt{n}(\sqrt{8n+b}-\sqrt{8n-b})(\sqrt{8n+b}+\sqrt{8n-b})}{\sqrt{8n+b}+\sqrt{8n-b}}$$

$$=\lim_{n\to\infty}\frac{2b\sqrt{n}}{\sqrt{8n+b}+\sqrt{8n-b}}$$

$$=\lim_{n\to\infty}\frac{2b}{\sqrt{8+\frac{b}{n}}+\sqrt{8-\frac{b}{n}}}=\frac{b}{2\sqrt{2}}$$

따라서 $\dfrac{b}{2\sqrt{2}}=\sqrt{2}$이므로 $b=4$

$\therefore a-b=8-4=4$

045 답 4

$k \geq 0$이면 $\lim\limits_{n \to \infty} a_n = \infty$이므로 $k < 0$

$a_n = \sqrt{(2n+3)(2n+5)} + kn = \sqrt{4n^2 + 16n + 15} + kn$

$\therefore \lim\limits_{n \to \infty} a_n = \lim\limits_{n \to \infty} \{\sqrt{4n^2 + 16n + 15} + kn\}$

$= \lim\limits_{n \to \infty} \dfrac{\{\sqrt{4n^2 + 16n + 15} + kn\}\{\sqrt{4n^2 + 16n + 15} - kn\}}{\sqrt{4n^2 + 16n + 15} - kn}$

$= \lim\limits_{n \to \infty} \dfrac{(4-k^2)n^2 + 16n + 15}{\sqrt{4n^2 + 16n + 15} - kn}$

이때 수열 $\{a_n\}$이 수렴하므로 $4 - k^2 = 0$ $\quad \therefore k = -2 \ (\because k < 0)$

$\therefore \lim\limits_{n \to \infty} a_n = \lim\limits_{n \to \infty} \dfrac{(4-k^2)n^2 + 16n + 15}{\sqrt{4n^2 + 16n + 15} - kn}$

$= \lim\limits_{n \to \infty} \dfrac{16n + 15}{\sqrt{4n^2 + 16n + 15} + 2n}$

$= \lim\limits_{n \to \infty} \dfrac{16 + \dfrac{15}{n}}{\sqrt{4 + \dfrac{16}{n} + \dfrac{15}{n^2}} + 2} = 4$

046 답 2

$\dfrac{3 + 2a_n}{2 - 3a_n} = b_n$으로 놓으면 $3 + 2a_n = 2b_n - 3a_n b_n$

$(2 + 3b_n)a_n = 2b_n - 3$ $\quad \therefore a_n = \dfrac{2b_n - 3}{2 + 3b_n}$

이때 $\lim\limits_{n \to \infty} b_n = 2$이므로

$\lim\limits_{n \to \infty} a_n = \lim\limits_{n \to \infty} \dfrac{2b_n - 3}{2 + 3b_n} = \dfrac{2 \times 2 - 3}{2 + 3 \times 2} = \dfrac{1}{8}$

$\therefore \lim\limits_{n \to \infty} (8a_n + 1) = 8 \times \dfrac{1}{8} + 1 = 2$

047 답 ⑤

$(2n^2 - n)a_n = b_n$으로 놓으면 $a_n = \dfrac{b_n}{2n^2 - n}$

이때 $\lim\limits_{n \to \infty} b_n = 6$이므로

$\lim\limits_{n \to \infty} n^2 a_n = \lim\limits_{n \to \infty} \left(n^2 \times \dfrac{b_n}{2n^2 - n}\right)$

$= \lim\limits_{n \to \infty} \dfrac{n^2}{2n^2 - n} \times \lim\limits_{n \to \infty} b_n = \dfrac{1}{2} \times 6 = 3$

048 답 $\dfrac{3}{10}$

$(2n+1)a_n = c_n$으로 놓으면 $a_n = \dfrac{c_n}{2n+1}$

$(n^2 - 1)b_n = d_n$으로 놓으면 $b_n = \dfrac{d_n}{n^2 - 1}$

이때 $\lim\limits_{n \to \infty} c_n = 3$, $\lim\limits_{n \to \infty} d_n = 5$이므로

$\lim\limits_{n \to \infty} \dfrac{a_n}{(n+2)b_n} = \lim\limits_{n \to \infty} \dfrac{\dfrac{c_n}{2n+1}}{(n+2) \times \dfrac{d_n}{n^2 - 1}}$

$= \lim\limits_{n \to \infty} \left(\dfrac{n^2 - 1}{2n^2 + 5n + 2} \times \dfrac{c_n}{d_n}\right)$

$= \lim\limits_{n \to \infty} \dfrac{n^2 - 1}{2n^2 + 5n + 2} \times \lim\limits_{n \to \infty} \dfrac{c_n}{d_n}$

$= \dfrac{1}{2} \times \dfrac{3}{5} = \dfrac{3}{10}$

049 답 $\dfrac{16}{7}$

$2a_n - 5b_n = c_n$으로 놓으면 $-5b_n = c_n - 2a_n$

$\therefore b_n = \dfrac{2a_n - c_n}{5}$

이때 $\lim\limits_{n \to \infty} c_n = 3$이고, $\lim\limits_{n \to \infty} a_n = \infty$이므로 $\lim\limits_{n \to \infty} \dfrac{c_n}{a_n} = 0$

$\therefore \lim\limits_{n \to \infty} \dfrac{2a_n + 3b_n}{a_n + b_n} = \lim\limits_{n \to \infty} \dfrac{2a_n + 3 \times \dfrac{2a_n - c_n}{5}}{a_n + \dfrac{2a_n - c_n}{5}}$

$= \lim\limits_{n \to \infty} \dfrac{10a_n + 6a_n - 3c_n}{5a_n + 2a_n - c_n}$

$= \lim\limits_{n \to \infty} \dfrac{16a_n - 3c_n}{7a_n - c_n}$

$= \lim\limits_{n \to \infty} \dfrac{16 - 3 \times \dfrac{c_n}{a_n}}{7 - \dfrac{c_n}{a_n}} = \dfrac{16}{7}$

050 답 $\dfrac{4}{5}$

$3n^2 + 4n - 3 < a_n < 3n^2 + 4n + 5$에서

$\dfrac{4n - 3}{5n + 1} < \dfrac{a_n - 3n^2}{5n + 1} < \dfrac{4n + 5}{5n + 1}$

이때 $\lim\limits_{n \to \infty} \dfrac{4n - 3}{5n + 1} = \lim\limits_{n \to \infty} \dfrac{4n + 5}{5n + 1} = \dfrac{4}{5}$이므로 수열의 극한의 대소

관계에 의하여

$\lim\limits_{n \to \infty} \dfrac{a_n - 3n^2}{5n + 1} = \dfrac{4}{5}$

051 답 ④

$\sqrt{9n^2 - n} < (n+1)a_n < \sqrt{9n^2 + 2n}$에서

$\dfrac{\sqrt{9n^2 - n}}{n + 1} < a_n < \dfrac{\sqrt{9n^2 + 2n}}{n + 1}$

이때 $\lim\limits_{n \to \infty} \dfrac{\sqrt{9n^2 - n}}{n + 1} = \lim\limits_{n \to \infty} \dfrac{\sqrt{9n^2 + 2n}}{n + 1} = 3$이므로 수열의 극한의 대

소 관계에 의하여

$\lim\limits_{n \to \infty} a_n = 3$

052 답 $\dfrac{1}{2}$

$n < a_n < n + 1$에서 $\sum\limits_{k=1}^{n} k < \sum\limits_{k=1}^{n} a_k < \sum\limits_{k=1}^{n} (k+1)$

$\dfrac{n(n+1)}{2} < \sum\limits_{k=1}^{n} a_k < \dfrac{n(n+1)}{2} + n$

$\dfrac{n^2 + n}{2} < \sum\limits_{k=1}^{n} a_k < \dfrac{n^2 + 3n}{2}$

$\therefore \dfrac{n^2 + n}{2n^2} < \dfrac{a_1 + a_2 + a_3 + \cdots + a_n}{n^2} < \dfrac{n^2 + 3n}{2n^2}$

이때 $\lim\limits_{n \to \infty} \dfrac{n^2 + n}{2n^2} = \lim\limits_{n \to \infty} \dfrac{n^2 + 3n}{2n^2} = \dfrac{1}{2}$이므로 수열의 극한의 대소

관계에 의하여

$\lim\limits_{n \to \infty} \dfrac{a_1 + a_2 + a_3 + \cdots + a_n}{n^2} = \dfrac{1}{2}$

053 답 ③

$-1 \le \sin\dfrac{n\pi}{2} \le 1$이므로 $-\dfrac{2}{n+3} \le \dfrac{2}{n+3}\sin\dfrac{n\pi}{2} \le \dfrac{2}{n+3}$

이때 $\displaystyle\lim_{n\to\infty}\left(-\dfrac{2}{n+3}\right) = \lim_{n\to\infty}\dfrac{2}{n+3} = 0$이므로 수열의 극한의 대소

관계에 의하여

$\displaystyle\lim_{n\to\infty}\dfrac{2}{n+3}\sin\dfrac{n\pi}{2} = 0$

054 답 $\dfrac{1}{4}$

곡선 $y = x^2 - (n+1)x + a_n$이 x축과 만나므로 이차방정식

$x^2 - (n+1)x + a_n = 0$의 판별식을 D_1이라 하면

$D_1 = (n+1)^2 - 4a_n \ge 0$

$\therefore a_n \le \dfrac{(n+1)^2}{4}$ ...... ㉠

곡선 $y = x^2 - nx + a_n$이 x축과 만나지 않으므로 이차방정식

$x^2 - nx + a_n = 0$의 판별식을 D_2라 하면

$D_2 = n^2 - 4a_n < 0$

$\therefore a_n > \dfrac{n^2}{4}$ ...... ㉡

㉠, ㉡에 의하여 $\dfrac{n^2}{4} < a_n \le \dfrac{(n+1)^2}{4}$

$\therefore \dfrac{1}{4} < \dfrac{a_n}{n^2} \le \dfrac{(n+1)^2}{4n^2}$

이때 $\displaystyle\lim_{n\to\infty}\dfrac{1}{4} = \lim_{n\to\infty}\dfrac{(n+1)^2}{4n^2} = \dfrac{1}{4}$이므로 수열의 극한의 대소 관계

에 의하여

$\displaystyle\lim_{n\to\infty}\dfrac{a_n}{n^2} = \dfrac{1}{4}$

055 답 ③

$\dfrac{n}{7} - 1 < \left[\dfrac{n}{7}\right] \le \dfrac{n}{7}$이므로 $n > 0$일 때,

$\dfrac{7}{n+4}\left(\dfrac{n}{7} - 1\right) < \dfrac{7}{n+4}\left[\dfrac{n}{7}\right] \le \dfrac{7}{n+4}\times\dfrac{n}{7}$

이때 $\displaystyle\lim_{n\to\infty}\dfrac{7}{n+4}\left(\dfrac{n}{7} - 1\right) = \lim_{n\to\infty}\left(\dfrac{7}{n+4}\times\dfrac{n}{7}\right) = 1$이므로 수열의 극

한의 대소 관계에 의하여

$\displaystyle\lim_{n\to\infty}\dfrac{7}{n+4}\left[\dfrac{n}{7}\right] = 1$

056 답 ③

ㄱ. $\displaystyle\lim_{n\to\infty}a_n = \alpha$, $\lim_{n\to\infty}b_n = -\alpha$이면 $\lim_{n\to\infty}a_n{}^2 = \lim_{n\to\infty}b_n{}^2 = \alpha^2$

ㄴ. $\displaystyle\lim_{n\to\infty}a_n = \beta$ (β는 실수)라 하면 $\lim_{n\to\infty}|a_n| = |\beta|$이므로 수열
$\{|a_n|\}$도 수렴한다.

ㄷ. [반례] $a_n = (-1)^n$, $b_n = (-1)^{n+1}$이면 두 수열 $\{a_n\}$, $\{b_n\}$이
모두 발산(진동)하지만 수열 $\{a_n + b_n\}$은 0으로 수렴한다.

ㄹ. [반례] $a_n = \dfrac{1}{n}$, $b_n = n$이면 $\displaystyle\lim_{n\to\infty}a_n = 0$, $\lim_{n\to\infty}a_n b_n = 1$이지만
$\displaystyle\lim_{n\to\infty}b_n = \infty$이므로 수열 $\{b_n\}$은 발산한다.

따라서 보기 중 옳은 것은 ㄱ, ㄴ이다.

057 답 ③

① [반례] $a_n = n$, $b_n = -n^2$이면 $\displaystyle\lim_{n\to\infty}a_n = \infty$, $\lim_{n\to\infty}b_n = -\infty$이지만

$\displaystyle\lim_{n\to\infty}\dfrac{a_n}{b_n} = 0$

② [반례] $\{a_n\}$: 1, 0, 1, 0, 1, 0, $\cdots$

$\qquad\quad \{b_n\}$: 0, 1, 0, 1, 0, 1, $\cdots$

이면 $\displaystyle\lim_{n\to\infty}a_n b_n = 0$이지만 $\lim_{n\to\infty}a_n \ne 0$, $\lim_{n\to\infty}b_n \ne 0$이다.

③ $a_n < b_n$이면 $\displaystyle\lim_{n\to\infty}a_n \le \lim_{n\to\infty}b_n$이므로 $\alpha \le \beta$

④ [반례] $a_n = (-1)^n$이면 $\displaystyle\lim_{n\to\infty}a_{2n} = 1$, $\lim_{n\to\infty}a_{2n-1} = -1$이므로 두
수열 $\{a_{2n}\}$, $\{a_{2n-1}\}$은 모두 수렴하지만 수열 $\{a_n\}$은 발산(진동)
한다.

⑤ [반례] $a_n = n - \dfrac{1}{n}$, $b_n = n + \dfrac{1}{n}$, $c_n = n$이면 $a_n < c_n < b_n$이고

$\displaystyle\lim_{n\to\infty}(a_n - b_n) = 0$이지만 $\lim_{n\to\infty}c_n = \infty$이므로 수열 $\{c_n\}$은 발산
한다.

058 답 ④

곡선 $y = \dfrac{1}{x}$과 직선 $y = nx$가 만나는 두 점의 x좌표는

$nx = \dfrac{1}{x}$에서 $x^2 = \dfrac{1}{n}$

$\therefore x = -\dfrac{\sqrt{n}}{n}$ 또는 $x = \dfrac{\sqrt{n}}{n}$

따라서 만나는 두 점의 좌표는 $\left(-\dfrac{\sqrt{n}}{n}, -\sqrt{n}\right)$, $\left(\dfrac{\sqrt{n}}{n}, \sqrt{n}\right)$이므로
두 점 사이의 거리 a_n은

$a_n = \sqrt{\left(\dfrac{2\sqrt{n}}{n}\right)^2 + (2\sqrt{n})^2} = \sqrt{\dfrac{4}{n} + 4n} = 2\sqrt{\dfrac{1}{n} + n}$

$\sqrt{n}\,a_n = 2\sqrt{n^2 + 1}$이므로

$\sqrt{n+1}\,a_{n+1} = 2\sqrt{(n+1)^2 + 1} = 2\sqrt{n^2 + 2n + 2}$

$\therefore \displaystyle\lim_{n\to\infty}(\sqrt{n+1}\,a_{n+1} - \sqrt{n}\,a_n)$

$= \displaystyle\lim_{n\to\infty}2(\sqrt{n^2 + 2n + 2} - \sqrt{n^2 + 1})$

$= 2\displaystyle\lim_{n\to\infty}\dfrac{(\sqrt{n^2+2n+2} - \sqrt{n^2+1})(\sqrt{n^2+2n+2} + \sqrt{n^2+1})}{\sqrt{n^2+2n+2} + \sqrt{n^2+1}}$

$= 2\displaystyle\lim_{n\to\infty}\dfrac{2n+1}{\sqrt{n^2+2n+2} + \sqrt{n^2+1}}$

$= 2\displaystyle\lim_{n\to\infty}\dfrac{2 + \dfrac{1}{n}}{\sqrt{1 + \dfrac{2}{n} + \dfrac{2}{n^2}} + \sqrt{1 + \dfrac{1}{n^2}}}$

$= 2 \times 1 = 2$

059 답 1

$P_n(n, 3n^2)$, $P_{n+1}(n+1, 3(n+1)^2)$에서

$a_n = \overline{P_n P_{n+1}} = \sqrt{1^2 + \{3(n+1)^2 - 3n^2\}^2}$

$= \sqrt{36n^2 + 36n + 10}$

$\therefore \displaystyle\lim_{n\to\infty}\dfrac{a_n}{6n} = \lim_{n\to\infty}\dfrac{\sqrt{36n^2 + 36n + 10}}{6n}$

$= \displaystyle\lim_{n\to\infty}\dfrac{\sqrt{36 + \dfrac{36}{n} + \dfrac{10}{n^2}}}{6} = 1$

060 답 ⑤

$y=nx$를 $x^2+y^2=4$에 대입하면

$x^2+(nx)^2=4$, $x^2=\dfrac{4}{n^2+1}$

$\therefore x=-\dfrac{2}{\sqrt{n^2+1}}$ 또는 $x=\dfrac{2}{\sqrt{n^2+1}}$

그런데 점 P_n은 제1사분면 위의 점이므로

$P_n\left(\dfrac{2}{\sqrt{n^2+1}},\ \dfrac{2n}{\sqrt{n^2+1}}\right)$, $Q_n\left(\dfrac{2}{\sqrt{n^2+1}},\ 0\right)$

따라서 $\triangle P_nOQ_n$의 넓이 S_n은

$S_n=\dfrac{1}{2}\times\overline{OQ_n}\times\overline{P_nQ_n}=\dfrac{1}{2}\times\dfrac{2}{\sqrt{n^2+1}}\times\dfrac{2n}{\sqrt{n^2+1}}=\dfrac{2n}{n^2+1}$

$\therefore \displaystyle\lim_{n\to\infty}nS_n=\lim_{n\to\infty}\dfrac{2n^2}{n^2+1}=\lim_{n\to\infty}\dfrac{2}{1+\dfrac{1}{n^2}}=2$

061 답 2

$a_1=4$, $a_2=4+8$, $a_3=4+8+12$, $\cdots$에서

$a_n=4+8+12+\cdots+4n=\displaystyle\sum_{k=1}^{n}4k$

$\quad=4\times\dfrac{n(n+1)}{2}=2n^2+2n$

$\therefore \displaystyle\lim_{n\to\infty}\dfrac{a_n}{n^2}=\lim_{n\to\infty}\dfrac{2n^2+2n}{n^2}=\lim_{n\to\infty}\left(2+\dfrac{2}{n}\right)=2$

062 답 $\dfrac{2}{3}$

$P_n\left(\alpha_n,\ \dfrac{\alpha_n}{n}+1\right)$, $Q_n\left(\beta_n,\ \dfrac{\beta_n}{n}+1\right)$이라 하면 α_n, β_n은 이차방정식

$x^2-\left(3+\dfrac{1}{n}\right)x+\dfrac{3}{n}=\dfrac{1}{n}x+1$, 즉 $x^2-\left(3+\dfrac{2}{n}\right)x+\dfrac{3}{n}-1=0$의

두 근이므로 이차방정식의 근과 계수의 관계에 의하여

$\alpha_n+\beta_n=3+\dfrac{2}{n}$ $\quad\cdots\cdots$ ㉠

$\triangle OP_nQ_n$의 무게중심의 y좌표 a_n은

$a_n=\dfrac{1}{3}\left\{0+\left(\dfrac{\alpha_n}{n}+1\right)+\left(\dfrac{\beta_n}{n}+1\right)\right\}$

$\quad=\dfrac{1}{3}\left(\dfrac{\alpha_n+\beta_n}{n}+2\right)=\dfrac{1}{3}\left(\dfrac{3+\dfrac{2}{n}}{n}+2\right)$ ($\because$ ㉠)

$\quad=\dfrac{1}{3}\left(\dfrac{3}{n}+\dfrac{2}{n^2}+2\right)$

$\therefore \displaystyle\lim_{n\to\infty}a_n=\lim_{n\to\infty}\dfrac{1}{3}\left(\dfrac{3}{n}+\dfrac{2}{n^2}+2\right)$

$\qquad=\dfrac{1}{3}\displaystyle\lim_{n\to\infty}\left(\dfrac{3}{n}+\dfrac{2}{n^2}+2\right)$

$\qquad=\dfrac{1}{3}\times2=\dfrac{2}{3}$

063 답 ④

$\displaystyle\lim_{n\to\infty}\dfrac{2\times5^n+2^{n+1}}{5^{n+1}-2^n}=\lim_{n\to\infty}\dfrac{2\times5^n+2\times2^n}{5\times5^n-2^n}$

$\qquad=\displaystyle\lim_{n\to\infty}\dfrac{2+2\times\left(\dfrac{2}{5}\right)^n}{5-\left(\dfrac{2}{5}\right)^n}=\dfrac{2}{5}$

064 답 3

공비가 $\dfrac{2x-1}{3}$이므로 주어진 등비수열이 수렴하려면

$-1<\dfrac{2x-1}{3}\leq1$, $-3<2x-1\leq3$

$-2<2x\leq4$ $\quad\therefore -1<x\leq2$

따라서 모든 정수 x의 값의 합은 $0+1+2=3$

065 답 -3

(i) $|r|<1$일 때, $\displaystyle\lim_{n\to\infty}r^n=0$이므로

$\quad\displaystyle\lim_{n\to\infty}\dfrac{2r^n-4}{r^n+1}=-4$

(ii) $r=1$일 때, $\displaystyle\lim_{n\to\infty}r^n=1$이므로

$\quad\displaystyle\lim_{n\to\infty}\dfrac{2r^n-4}{r^n+1}=\dfrac{2-4}{1+1}=-1$

(iii) $|r|>1$일 때, $\displaystyle\lim_{n\to\infty}\dfrac{1}{r^n}=0$이므로

$\quad\displaystyle\lim_{n\to\infty}\dfrac{2r^n-4}{r^n+1}=\lim_{n\to\infty}\dfrac{2-\dfrac{4}{r^n}}{1+\dfrac{1}{r^n}}=2$

따라서 $a=-4$, $b=-1$, $c=2$이므로

$a+b+c=-3$

066 답 $\dfrac{7}{4}$

$f(-2)=\displaystyle\lim_{n\to\infty}\dfrac{1+3\times(-2)-(-2)^{n-1}}{2+(-2)^n}$

$\qquad=\displaystyle\lim_{n\to\infty}\dfrac{-5-\left(-\dfrac{1}{2}\right)\times(-2)^n}{2+(-2)^n}$

$\qquad=\displaystyle\lim_{n\to\infty}\dfrac{-5\times\left(-\dfrac{1}{2}\right)^n-\left(-\dfrac{1}{2}\right)}{2\times\left(-\dfrac{1}{2}\right)^n+1}=\dfrac{1}{2}$

$f\left(\dfrac{1}{3}\right)=\displaystyle\lim_{n\to\infty}\dfrac{1+3\times\dfrac{1}{3}-\left(\dfrac{1}{3}\right)^{n-1}}{2+\left(\dfrac{1}{3}\right)^n}=\lim_{n\to\infty}\dfrac{2-3\times\left(\dfrac{1}{3}\right)^n}{2+\left(\dfrac{1}{3}\right)^n}=1$

$f(1)=\displaystyle\lim_{n\to\infty}\dfrac{1+3\times1-1^{n-1}}{2+1^n}=\dfrac{1+3-1}{2+1}=1$

$f\left(\dfrac{4}{3}\right)=\displaystyle\lim_{n\to\infty}\dfrac{1+3\times\dfrac{4}{3}-\left(\dfrac{4}{3}\right)^{n-1}}{2+\left(\dfrac{4}{3}\right)^n}=\lim_{n\to\infty}\dfrac{5-\dfrac{3}{4}\times\left(\dfrac{4}{3}\right)^n}{2+\left(\dfrac{4}{3}\right)^n}$

$\qquad=\displaystyle\lim_{n\to\infty}\dfrac{5\times\left(\dfrac{3}{4}\right)^n-\dfrac{3}{4}}{2\times\left(\dfrac{3}{4}\right)^n+1}=-\dfrac{3}{4}$

$\therefore f(-2)+f\left(\dfrac{1}{3}\right)+f(1)+f\left(\dfrac{4}{3}\right)=\dfrac{1}{2}+1+1+\left(-\dfrac{3}{4}\right)$

$\qquad=\dfrac{7}{4}$

다른 풀이

(i) $|x|<1$일 때, $\lim\limits_{n\to\infty} x^n = \lim\limits_{n\to\infty} x^{n-1}=0$이므로

$$f(x)=\lim_{n\to\infty}\frac{1+3x-x^{n-1}}{2+x^n}=\frac{1+3x}{2}$$

(ii) $x=1$일 때, $\lim\limits_{n\to\infty} x^n = \lim\limits_{n\to\infty} x^{n-1}=1$이므로

$$f(x)=\lim_{n\to\infty}\frac{1+3x-x^{n-1}}{2+x^n}=\frac{1+3-1}{2+1}=1$$

(iii) $|x|>1$일 때, $\lim\limits_{n\to\infty}\dfrac{1}{x^n}=0$이므로

$$f(x)=\lim_{n\to\infty}\frac{1+3x-x^{n-1}}{2+x^n}=\lim_{n\to\infty}\frac{\dfrac{1}{x^n}+\dfrac{3x}{x^n}-\dfrac{1}{x}}{\dfrac{2}{x^n}+1}=-\frac{1}{x}$$

(i), (ii), (iii)에서

$$f(-2)+f\left(\frac{1}{3}\right)+f(1)+f\left(\frac{4}{3}\right)=\frac{1}{2}+1+1+\left(-\frac{3}{4}\right)$$
$$=\frac{7}{4}$$

---

067 답 4

$P_n(n, 2^n)$, $Q_n(n, 4^n)$이므로 $\overline{P_nQ_n}=4^n-2^n$

$$\therefore \lim_{n\to\infty}\frac{\overline{P_{n+1}Q_{n+1}}}{\overline{P_nQ_n}}=\lim_{n\to\infty}\frac{4^{n+1}-2^{n+1}}{4^n-2^n}=\lim_{n\to\infty}\frac{4-2\times\left(\dfrac{1}{2}\right)^n}{1-\left(\dfrac{1}{2}\right)^n}=4$$

---

068 답 ③

$$\lim_{n\to\infty}\frac{2^{2n+2}-3^{n+1}}{4^{n-1}+3^n}=\lim_{n\to\infty}\frac{4\times4^n-3\times3^n}{\dfrac{1}{4}\times4^n+3^n}=\lim_{n\to\infty}\frac{4-3\times\left(\dfrac{3}{4}\right)^n}{\dfrac{1}{4}+\left(\dfrac{3}{4}\right)^n}=16$$

---

069 답 ㄱ, ㄴ, ㄹ

ㄱ. 수열 $\{0.5^n\}$은 공비가 0.5이고, $-1<0.5<1$이므로 0에 수렴한다.

따라서 수열 $\{1+0.5^n\}$은 1에 수렴한다.

ㄴ. 수열 $\left\{\left(-\dfrac{1}{5}\right)^n\right\}$은 공비가 $-\dfrac{1}{5}$이고, $-1<-\dfrac{1}{5}<1$이므로 0에 수렴한다.

따라서 수열 $\left\{3+\left(-\dfrac{1}{5}\right)^n\right\}$은 3에 수렴한다.

ㄷ. 수열 $\left\{\left(\dfrac{3}{\sqrt{5}}\right)^n\right\}$은 공비가 $\dfrac{3}{\sqrt{5}}$이고, $\dfrac{3}{\sqrt{5}}>1$이므로 발산한다.

따라서 수열 $\left\{\left(\dfrac{3}{\sqrt{5}}\right)^n-2\right\}$는 발산한다.

ㄹ. $3^{-n}=\left(\dfrac{1}{3}\right)^n$에서 공비가 $\dfrac{1}{3}$이고, $-1<\dfrac{1}{3}<1$이므로 수열 $\{3^{-n}\}$은 0에 수렴한다.

$4^{-n}=\left(\dfrac{1}{4}\right)^n$에서 공비가 $\dfrac{1}{4}$이고, $-1<\dfrac{1}{4}<1$이므로 수열 $\{4^{-n}\}$은 0에 수렴한다.

따라서 수열 $\{3^{-n}-4^{-n}\}$은 0에 수렴한다.

따라서 보기의 수열 중 수렴하는 것은 ㄱ, ㄴ, ㄹ이다.

---

070 답 4

수열 $\{a_n\}$이 수렴하므로 $\lim\limits_{n\to\infty}a_n=\alpha$ (α는 실수)라 하면

$$\lim_{n\to\infty}\frac{5^{n+1}\times a_n-3^{n+1}}{3^n\times a_n+5^n}=\lim_{n\to\infty}\frac{5a_n-3\times\left(\dfrac{3}{5}\right)^n}{\left(\dfrac{3}{5}\right)^n\times a_n+1}=\lim_{n\to\infty}5a_n=5\alpha$$

따라서 $5\alpha=20$이므로 $\alpha=4$

---

071 답 $\dfrac{1}{3}$

$$a_n=2\times\left(\frac{3}{2}\right)^{n-1}, \quad S_n=\frac{2\left\{\left(\dfrac{3}{2}\right)^n-1\right\}}{\dfrac{3}{2}-1}=4\times\left(\frac{3}{2}\right)^n-4$$

$$\therefore \lim_{n\to\infty}\frac{a_n}{S_n}=\lim_{n\to\infty}\frac{2\times\left(\dfrac{3}{2}\right)^{n-1}}{4\times\left(\dfrac{3}{2}\right)^n-4}=\lim_{n\to\infty}\frac{\dfrac{2}{3}\times\left(\dfrac{3}{2}\right)^n}{2\times\left(\dfrac{3}{2}\right)^n-2}$$

$$=\lim_{n\to\infty}\frac{\dfrac{2}{3}}{2-2\times\left(\dfrac{2}{3}\right)^n}=\frac{1}{3}$$

---

072 답 ③

$x^2-6x+4=0$에서 $x=3\pm\sqrt{5}$

$a=3-\sqrt{5}$, $b=3+\sqrt{5}$라 하면

$0<\dfrac{a}{b}<1$이므로 $\lim\limits_{n\to\infty}\left(\dfrac{a}{b}\right)^n=0$

$$\therefore \lim_{n\to\infty}\frac{a^n+b^n}{a^{n-1}+b^{n-1}}=\lim_{n\to\infty}\frac{a^n+b^n}{\dfrac{1}{a}\times a^n+\dfrac{1}{b}\times b^n}$$

$$=\lim_{n\to\infty}\frac{\left(\dfrac{a}{b}\right)^n+1}{\dfrac{1}{a}\times\left(\dfrac{a}{b}\right)^n+\dfrac{1}{b}}=b=3+\sqrt{5}$$

---

073 답 ④

$3\times4^n-3^n<(2^{n+1}+4^{n-1})a_n<2^n+3\times4^n$에서

$$\frac{3\times4^n-3^n}{2^{n+1}+4^{n-1}}<a_n<\frac{2^n+3\times4^n}{2^{n+1}+4^{n-1}}$$

이때

$$\lim_{n\to\infty}\frac{3\times4^n-3^n}{2^{n+1}+4^{n-1}}=\lim_{n\to\infty}\frac{3\times4^n-3^n}{2\times2^n+\dfrac{1}{4}\times4^n}$$

$$=\lim_{n\to\infty}\frac{3-\left(\dfrac{3}{4}\right)^n}{2\times\left(\dfrac{1}{2}\right)^n+\dfrac{1}{4}}=12,$$

$$\lim_{n\to\infty}\frac{2^n+3\times4^n}{2^{n+1}+4^{n-1}}=\lim_{n\to\infty}\frac{2^n+3\times4^n}{2\times2^n+\dfrac{1}{4}\times4^n}$$

$$=\lim_{n\to\infty}\frac{\left(\dfrac{1}{2}\right)^n+3}{2\times\left(\dfrac{1}{2}\right)^n+\dfrac{1}{4}}=12$$

이므로 수열의 극한의 대소 관계에 의하여

$$\lim_{n\to\infty}a_n=12$$

074 답 ③

$10^n = 2^n \times 5^n$이므로

$$a_n = (1 + 2 + 2^2 + \cdots + 2^n)(1 + 5 + 5^2 + \cdots + 5^n)$$
$$= \frac{2^{n+1} - 1}{2 - 1} \times \frac{5^{n+1} - 1}{5 - 1}$$
$$= \frac{1}{4}(2^{n+1} - 1)(5^{n+1} - 1)$$

$$\therefore \lim_{n \to \infty} \frac{a_n}{10^{n+1}} = \lim_{n \to \infty} \frac{1}{4}(2^{n+1} - 1)(5^{n+1} - 1) \times \frac{1}{2^{n+1} \times 5^{n+1}}$$
$$= \lim_{n \to \infty} \frac{1}{4}\left(1 - \frac{1}{2^{n+1}}\right)\left(1 - \frac{1}{5^{n+1}}\right)$$
$$= \frac{1}{4}$$

075 답 $\frac{21}{4}$

(가)에서 $a_1 + a_2 + a_3 = 1 + 4 + 9 = 14$

(나)에서

$a_4 + a_5 + a_6 = 3(a_1 + a_2 + a_3) = 3 \times 14$

$a_7 + a_8 + a_9 = 3(a_4 + a_5 + a_6) = 3^2 \times 14$

$\vdots$

$\therefore a_{3n-2} + a_{3n-1} + a_{3n} = 3^{n-1} \times 14$

$\therefore \sum_{k=1}^{3n} a_k = (a_1 + a_2 + a_3) + (a_4 + a_5 + a_6) + \cdots + (a_{3n-2} + a_{3n-1} + a_{3n})$

$\qquad = 14 + 3 \times 14 + 3^2 \times 14 + \cdots + 3^{n-1} \times 14$

$\qquad = \frac{14(3^n - 1)}{3 - 1} = 7(3^n - 1)$

이때 $a_2 = 4$, $a_5 = 3 \times 4$, $a_8 = 3^2 \times 4$, $\cdots$, $a_{3n-1} = 3^{n-1} \times 4$이므로

$$\lim_{n \to \infty} \frac{1}{a_{3n-1}} \sum_{k=1}^{3n} a_k = \lim_{n \to \infty} \frac{7(3^n - 1)}{4 \times 3^{n-1}}$$
$$= \lim_{n \to \infty} \frac{7}{4}\left(3 - \frac{1}{3^{n-1}}\right) = \frac{21}{4}$$

076 답 5

공비가 $\frac{4x - x^2}{5}$이므로 주어진 등비수열이 수렴하려면

$$-1 < \frac{4x - x^2}{5} \leq 1$$

(i) $-1 < \frac{4x - x^2}{5}$에서 $x^2 - 4x - 5 < 0$

$\qquad (x+1)(x-5) < 0 \qquad \therefore -1 < x < 5$

(ii) $\frac{4x - x^2}{5} \leq 1$에서 $x^2 - 4x + 5 \geq 0$

$\qquad$ 이때 $x^2 - 4x + 5 = (x-2)^2 + 1 > 0$이므로 항상 성립한다.

(i), (ii)에서 $-1 < x < 5$

따라서 정수 x는 0, 1, 2, 3, 4의 5개이다.

077 답 ④

첫째항이 $x - 2$, 공비가 $\log_2 x - 2$이므로 주어진 등비수열이 수렴하려면

$x - 2 = 0$ 또는 $-1 < \log_2 x - 2 \leq 1$

$\therefore x = 2$ 또는 $1 < \log_2 x \leq 3$

이때 $1 < \log_2 x \leq 3$에서 $\log_2 2 < \log_2 x \leq \log_2 8$

$\therefore 2 < x \leq 8$

따라서 $2 \leq x \leq 8$이므로 정수 x는 2, 3, 4, 5, 6, 7, 8의 7개이다.

078 답 $-2 < x \leq -\frac{2}{3}$

(i) 등비수열 $\left\{(x-1)\left(\dfrac{x}{2}\right)^n\right\}$의 첫째항이 $(x-1) \times \dfrac{x}{2}$, 공비가 $\dfrac{x}{2}$

이므로 이 등비수열이 수렴하려면

$(x-1) \times \dfrac{x}{2} = 0$ 또는 $-1 < \dfrac{x}{2} \leq 1$

$(x-1) \times \dfrac{x}{2} = 0$에서 $x = 0$ 또는 $x = 1$ $\qquad\cdots\cdots$ ㉠

$-1 < \dfrac{x}{2} \leq 1$에서 $-2 < x \leq 2$ $\qquad\cdots\cdots$ ㉡

㉠, ㉡에서 $-2 < x \leq 2$

(ii) 등비수열 $\left\{\left(\dfrac{3x-2}{4}\right)^{n-1}\right\}$의 공비가 $\dfrac{3x-2}{4}$이므로 이 등비수열

이 수렴하려면 $-1 < \dfrac{3x-2}{4} \leq 1$

$-4 < 3x - 2 \leq 4$, $-2 < 3x \leq 6$

$\therefore -\dfrac{2}{3} < x \leq 2$

(i), (ii)에서 두 등비수열 중 어느 하나만 수렴하도록 하는 실수 x의 값의 범위는 $-2 < x \leq -\dfrac{2}{3}$

079 답 ㄴ, ㄷ

등비수열 $\{r^n\}$이 수렴하므로 $-1 < r \leq 1$ $\qquad\cdots\cdots$ ㉠

ㄱ. 공비가 $-r$이고 ㉠에서 $-1 \leq -r < 1$

$\qquad$ 이때 $-r = -1$, 즉 $r = 1$이면 수열 $\{(-r)^n\}$은 수렴하지 않는다.

ㄴ. 공비가 $\dfrac{r+1}{3}$이고 ㉠에서 $0 < r + 1 \leq 2$

$\qquad \therefore 0 < \dfrac{r+1}{3} \leq \dfrac{2}{3}$

$\qquad$ 즉, 수열 $\left\{\left(\dfrac{r+1}{3}\right)^n\right\}$은 수렴한다.

ㄷ. 공비가 r^2이고 ㉠에서 $0 \leq r^2 \leq 1$

$\qquad$ 즉, 수열 $\{r^{2n}\}$은 수렴한다.

ㄹ. 공비가 $\dfrac{1}{r}$이고 ㉠에서 $\dfrac{1}{r} < -1$ 또는 $\dfrac{1}{r} \geq 1$

$\qquad$ 즉, 수열 $\left\{\left(\dfrac{1}{r}\right)^n\right\}$은 $\dfrac{1}{r} = 1$일 때만 수렴한다.

따라서 보기의 수열 중 항상 수렴하는 것은 ㄴ, ㄷ이다.

080 답 7

(i) $|r| < 1$일 때, $\lim_{n \to \infty} r^n = 0$이므로

$$\lim_{n \to \infty} \frac{r^n}{3r^n + 1} = 0$$

(ii) $r = 1$일 때, $\lim_{n \to \infty} r^n = 1$이므로

$$\lim_{n \to \infty} \frac{r^n}{3r^n + 1} = \frac{1}{3 + 1} = \frac{1}{4}$$

(iii) $|r| > 1$일 때, $\lim_{n \to \infty} \frac{1}{r^n} = 0$이므로

$$\lim_{n \to \infty} \frac{r^n}{3r^n + 1} = \lim_{n \to \infty} \frac{1}{3 + \frac{1}{r^n}} = \frac{1}{3}$$

따라서 $a = 0$, $b = \dfrac{1}{4}$, $c = \dfrac{1}{3}$이므로

$$12(a + b + c) = 12\left(0 + \frac{1}{4} + \frac{1}{3}\right) = 7$$

081 답 ③

ㄱ. $|r|<1$일 때, $\lim\limits_{n\to\infty} r^n=0$이므로

$$\lim_{n\to\infty}\frac{r^n-r-2}{r^n+1}=-r-2$$

ㄴ. $r=1$일 때, $\lim\limits_{n\to\infty} r^n=1$이므로

$$\lim_{n\to\infty}\frac{r^n-r-2}{r^n+1}=\frac{1-1-2}{1+1}=-1$$

ㄷ. $|r|>1$일 때, $\lim\limits_{n\to\infty}\frac{1}{r^n}=0$이므로

$$\lim_{n\to\infty}\frac{r^n-r-2}{r^n+1}=\lim_{n\to\infty}\frac{1-\dfrac{r}{r^n}-\dfrac{2}{r^n}}{1+\dfrac{1}{r^n}}=1$$

따라서 보기 중 옳은 것은 ㄱ, ㄴ이다.

082 답 ⑤

(i) $0<r<1$일 때, $\lim\limits_{n\to\infty} r^n=\lim\limits_{n\to\infty} r^{n+1}=0$이므로

$$\lim_{n\to\infty}\frac{r^{n+1}+r+3}{r^n+2}=\frac{r+3}{2}$$

따라서 $\dfrac{r+3}{2}=\dfrac{7}{4}$이므로 $2r+6=7$ $\therefore r=\dfrac{1}{2}$

(ii) $r=1$일 때, $\lim\limits_{n\to\infty} r^n=\lim\limits_{n\to\infty} r^{n+1}=1$이므로

$$\lim_{n\to\infty}\frac{r^{n+1}+r+3}{r^n+2}=\frac{1+1+3}{1+2}=\frac{5}{3}$$

따라서 주어진 조건을 만족시키지 않는다.

(iii) $r>1$일 때, $\lim\limits_{n\to\infty}\frac{1}{r^n}=0$이므로

$$\lim_{n\to\infty}\frac{r^{n+1}+r+3}{r^n+2}=\lim_{n\to\infty}\frac{r+\dfrac{r}{r^n}+\dfrac{3}{r^n}}{1+\dfrac{2}{r^n}}=r \quad \therefore r=\frac{7}{4}$$

(i), (ii), (iii)에서 모든 실수 r의 값의 합은 $\dfrac{1}{2}+\dfrac{7}{4}=\dfrac{9}{4}$

083 답 9

(i) $|r|<5$일 때, $\lim\limits_{n\to\infty}\left(\dfrac{r}{5}\right)^n=0$이므로

$$\lim_{n\to\infty}\frac{r^n-5^n}{r^n+5^n}=\lim_{n\to\infty}\frac{\left(\dfrac{r}{5}\right)^n-1}{\left(\dfrac{r}{5}\right)^n+1}=-1$$

(ii) $r=5$일 때,

$$\lim_{n\to\infty}\frac{r^n-5^n}{r^n+5^n}=\lim_{n\to\infty}\frac{5^n-5^n}{5^n+5^n}=0$$

(iii) $|r|>5$일 때, $\lim\limits_{n\to\infty}\left(\dfrac{5}{r}\right)^n=0$이므로

$$\lim_{n\to\infty}\frac{r^n-5^n}{r^n+5^n}=\lim_{n\to\infty}\frac{1-\left(\dfrac{5}{r}\right)^n}{1+\left(\dfrac{5}{r}\right)^n}=1$$

(i), (ii), (iii)에서 $\lim\limits_{n\to\infty}\dfrac{r^n-5^n}{r^n+5^n}=-1$을 만족시키는 r의 값의 범위는 $|r|<5$

따라서 정수 r는 -4, -3, -2, $\cdots$, 4의 9개이다.

084 답 $-\dfrac{11}{3}$

$$f(-2)=\lim_{n\to\infty}\frac{(-2)^{2n+1}-2}{(-2)^{2n}+3}=\lim_{n\to\infty}\frac{-2-2\times\left(-\dfrac{1}{2}\right)^{2n}}{1+3\times\left(-\dfrac{1}{2}\right)^{2n}}=-2$$

$$f(-1)=\lim_{n\to\infty}\frac{(-1)^{2n+1}-2}{(-1)^{2n}+3}=\frac{-1-2}{1+3}=-\frac{3}{4}$$

$$f\left(\frac{1}{2}\right)=\lim_{n\to\infty}\frac{\left(\dfrac{1}{2}\right)^{2n+1}-2}{\left(\dfrac{1}{2}\right)^{2n}+3}=-\frac{2}{3}$$

$$f(1)=\lim_{n\to\infty}\frac{1^{2n+1}-2}{1^{2n}+3}=\frac{1-2}{1+3}=-\frac{1}{4}$$

$$\therefore\ f(-2)+f(-1)+f\left(\frac{1}{2}\right)+f(1)$$

$$=-2+\left(-\frac{3}{4}\right)+\left(-\frac{2}{3}\right)+\left(-\frac{1}{4}\right)=-\frac{11}{3}$$

다른 풀이

(i) $|x|<1$일 때, $\lim\limits_{n\to\infty} x^{2n}=\lim\limits_{n\to\infty} x^{2n+1}=0$이므로

$$f(x)=\lim_{n\to\infty}\frac{x^{2n+1}-2}{x^{2n}+3}=-\frac{2}{3}$$

(ii) $x=1$일 때, $\lim\limits_{n\to\infty} x^{2n}=\lim\limits_{n\to\infty} x^{2n+1}=1$이므로

$$f(x)=\lim_{n\to\infty}\frac{x^{2n+1}-2}{x^{2n}+3}=\frac{1-2}{1+3}=-\frac{1}{4}$$

(iii) $|x|>1$일 때, $\lim\limits_{n\to\infty}\dfrac{1}{x^{2n}}=0$이므로

$$f(x)=\lim_{n\to\infty}\frac{x^{2n+1}-2}{x^{2n}+3}=\frac{x-\dfrac{2}{x^{2n}}}{1+\dfrac{3}{x^{2n}}}=x$$

(iv) $x=-1$일 때, $\lim\limits_{n\to\infty} x^{2n}=1$, $\lim\limits_{n\to\infty} x^{2n+1}=-1$이므로

$$f(x)=\lim_{n\to\infty}\frac{x^{2n+1}-2}{x^{2n}+3}=\frac{-1-2}{1+3}=-\frac{3}{4}$$

(i)~(iv)에서

$$f(-2)+f(-1)+f\left(\frac{1}{2}\right)+f(1)$$

$$=-2+\left(-\frac{3}{4}\right)+\left(-\frac{2}{3}\right)+\left(-\frac{1}{4}\right)=-\frac{11}{3}$$

085 답 ③

ㄱ. $|x|<1$일 때, $\lim\limits_{n\to\infty} x^{2n}=\lim\limits_{n\to\infty} x^{2n-1}=0$이므로

$$f(x)=\lim_{n\to\infty}\frac{x^2+x^{2n-1}}{3+x^{2n}}=\frac{1}{3}x^2$$

ㄴ. $x=1$일 때, $\lim\limits_{n\to\infty} x^{2n}=\lim\limits_{n\to\infty} x^{2n-1}=1$이므로

$$f(x)=\lim_{n\to\infty}\frac{x^2+x^{2n-1}}{3+x^{2n}}=\frac{1+1}{3+1}=\frac{1}{2}$$

$x=-1$일 때, $\lim\limits_{n\to\infty} x^{2n}=1$, $\lim\limits_{n\to\infty} x^{2n-1}=-1$이므로

$$f(x)=\lim_{n\to\infty}\frac{x^2+x^{2n-1}}{3+x^{2n}}=\frac{1+(-1)}{3+1}=0$$

ㄷ. $|x|>1$일 때, $\lim\limits_{n\to\infty}\dfrac{1}{x^{2n}}=0$이므로

$$f(x)=\lim_{n\to\infty}\frac{x^2+x^{2n-1}}{3+x^{2n}}=\lim_{n\to\infty}\frac{\dfrac{x^2}{x^{2n}}+\dfrac{1}{x}}{\dfrac{3}{x^{2n}}+1}=\frac{1}{x}$$

따라서 보기 중 옳은 것은 ㄱ, ㄷ이다.

086 답 2

직선 $y=g(x)$는 원점과 점 $(6, 6)$을 지나므로 $g(x)=x$

$f(4)=8$, $g(4)=4$이므로

$$h(4)=\lim_{n\to\infty}\frac{\{f(4)\}^{n+1}+\{g(4)\}^{n+1}}{\{f(4)\}^n+\{g(4)\}^n}$$

$$=\lim_{n\to\infty}\frac{8^{n+1}+4^{n+1}}{8^n+4^n}=\lim_{n\to\infty}\frac{8\times 8^n+4\times 4^n}{8^n+4^n}$$

$$=\lim_{n\to\infty}\frac{8+4\times\left(\frac{1}{2}\right)^n}{1+\left(\frac{1}{2}\right)^n}=8$$

$f(6)=6$, $g(6)=6$이므로

$$h(6)=\lim_{n\to\infty}\frac{\{f(6)\}^{n+1}+\{g(6)\}^{n+1}}{\{f(6)\}^n+\{g(6)\}^n}=\lim_{n\to\infty}\frac{6^{n+1}+6^{n+1}}{6^n+6^n}$$

$$=\lim_{n\to\infty}\frac{6\times 6^n+6\times 6^n}{6^n+6^n}=\lim_{n\to\infty}\frac{12\times 6^n}{2\times 6^n}=6$$

$$\therefore h(4)-h(6)=8-6=2$$

087 답 3

(i) $|x|<1$일 때, $\lim_{n\to\infty}x^n=0$이므로

$$f(x)=\lim_{n\to\infty}\frac{1-x^n}{2+x^n}=\frac{1}{2}$$

(ii) $x=1$일 때, $\lim_{n\to\infty}x^n=1$이므로

$$f(x)=\lim_{n\to\infty}\frac{1-x^n}{2+x^n}=\frac{1-1}{2+1}=0$$

(iii) $|x|>1$일 때, $\lim_{n\to\infty}\frac{1}{x^n}=0$이므로

$$f(x)=\lim_{n\to\infty}\frac{1-x^n}{2+x^n}=\lim_{n\to\infty}\frac{\frac{1}{x^n}-1}{\frac{2}{x^n}+1}=-1$$

따라서 함수 $y=f(x)$의 그래프는 오른쪽 그림과 같으므로 함수 $y=f(x)$의 그래프와 원 $x^2+y^2=1$의 교점의 개수는 3이다.

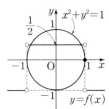

088 답 ②

(i) $0<x<1$일 때, $\lim_{n\to\infty}x^n=\lim_{n\to\infty}x^{n+3}=0$이므로

$$f(x)=\lim_{n\to\infty}\frac{x^{n+3}+ax^2+bx}{x^n+1}=ax^2+bx$$

(ii) $x=1$일 때, $\lim_{n\to\infty}x^n=\lim_{n\to\infty}x^{n+3}=1$이므로

$$f(x)=\lim_{n\to\infty}\frac{x^{n+3}+ax^2+bx}{x^n+1}=\frac{1+a+b}{1+1}=\frac{a+b+1}{2}$$

(iii) $x>1$일 때, $\lim_{n\to\infty}\frac{1}{x^n}=0$이므로

$$f(x)=\lim_{n\to\infty}\frac{x^{n+3}+ax^2+bx}{x^n+1}=\lim_{n\to\infty}\frac{x^3+\frac{ax^2}{x^n}+\frac{bx}{x^n}}{1+\frac{1}{x^n}}=x^3$$

(i), (ii), (iii)에서 $f(x)=\begin{cases}ax^2+bx & (0<x<1)\\ \dfrac{a+b+1}{2} & (x=1)\\ x^3 & (x>1)\end{cases}$

함수 $f(x)$가 양의 실수 전체의 집합에서 미분가능하면 $x=1$에서도 미분가능하므로 $x=1$에서 연속이다.

즉, $\lim_{x\to 1+}f(x)=\lim_{x\to 1-}f(x)=f(1)$에서

$$\lim_{x\to 1+}x^3=\lim_{x\to 1-}(ax^2+bx)=\frac{a+b+1}{2}$$

$$1=a+b=\frac{a+b+1}{2}\qquad\therefore a+b=1\qquad\cdots\cdots\ \bigcirc$$

또 $f'(1)$이 존재하므로 $f'(x)=\begin{cases}2ax+b & (0<x<1)\\ 3x^2 & (x>1)\end{cases}$에서

$$\lim_{x\to 1+}3x^2=\lim_{x\to 1-}(2ax+b)\qquad\therefore 2a+b=3\qquad\cdots\cdots\ \bigcirc\!\bigcirc$$

$\bigcirc$, $\bigcirc\!\bigcirc$을 연립하여 풀면 $a=2$, $b=-1$

$$\therefore a^2-b^2=3$$

089 답 4

$P_n(4^n, 2^n)$, $P_{n+1}(4^{n+1}, 2^{n+1})$이므로

$$l_n=\sqrt{(4^{n+1}-4^n)^2+(2^{n+1}-2^n)^2}$$

$$=\sqrt{\{(4-1)\times 4^n\}^2+\{(2-1)\times 2^n\}^2}$$

$$=\sqrt{9\times 16^n+4^n}$$

$$\therefore \lim_{n\to\infty}\frac{l_{n+1}}{l_n}=\lim_{n\to\infty}\frac{\sqrt{9\times 16^{n+1}+4^{n+1}}}{\sqrt{9\times 16^n+4^n}}=\lim_{n\to\infty}\sqrt{\frac{9\times 16^{n+1}+4^{n+1}}{9\times 16^n+4^n}}$$

$$=\lim_{n\to\infty}\sqrt{\frac{9\times 16+4\times\left(\frac{1}{4}\right)^n}{9+\left(\frac{1}{4}\right)^n}}=\sqrt{16}=4$$

090 답 ②

$2x+y=4^n$, $x-2y=2^n$을 연립하여 풀면

$$x=\frac{1}{5}(2\times 4^n+2^n),\quad y=\frac{1}{5}(4^n-2^{n+1})$$

두 직선 $2x+y=4^n$, $x-2y=2^n$이 만나는 점의 좌표는

$$\left(\frac{1}{5}(2\times 4^n+2^n),\ \frac{1}{5}(4^n-2^{n+1})\right)$$

따라서 $a_n=\frac{1}{5}(2\times 4^n+2^n)$, $b_n=\frac{1}{5}(4^n-2^{n+1})$이므로

$$\lim_{n\to\infty}\frac{b_n}{a_n}=\lim_{n\to\infty}\frac{\frac{1}{5}(4^n-2^{n+1})}{\frac{1}{5}(2\times 4^n+2^n)}=\lim_{n\to\infty}\frac{4^n-2^{n+1}}{2\times 4^n+2^n}$$

$$=\lim_{n\to\infty}\frac{1-2\times\left(\frac{1}{2}\right)^n}{2+\left(\frac{1}{2}\right)^n}=\frac{1}{2}$$

091 답 3

$\log_2 x=n$에서 $x=2^n$, $\log_3 x-1=n$에서 $x=3^{n+1}$이므로

$A_n(2^n, n)$, $B_n(3^{n+1}, n)$

$$\therefore \overline{A_nB_n}=3^{n+1}-2^n,\quad \overline{A_nC_n}=n$$

따라서 사각형 $A_nC_nD_nB_n$의 넓이 S_n은

$$S_n=n(3^{n+1}-2^n)$$

$$\therefore \lim_{n\to\infty}\frac{S_{n+1}}{S_n}=\lim_{n\to\infty}\frac{(n+1)(3^{n+2}-2^{n+1})}{n(3^{n+1}-2^n)}$$

$$=\lim_{n\to\infty}\frac{n+1}{n}\times\lim_{n\to\infty}\frac{9-2\times\left(\frac{2}{3}\right)^n}{3-\left(\frac{2}{3}\right)^n}$$

$$=1\times 3=3$$

092 답 ⑤

① n의 값이 한없이 커질 때 $10-3n$의 값은 음수이면서 그 절댓값이 한없이 커지므로 수열 $\{10-3n\}$은 음의 무한대로 발산한다.

② n의 값이 한없이 커질 때 $2\times(-1)^n$의 값은 홀수 번째 항 -2, -2, -2, $\cdots$는 -2에 수렴하고, 짝수 번째 항 2, 2, 2, $\cdots$는 2에 수렴하므로 수열 $\{2\times(-1)^n\}$은 발산(진동)한다.

③ n의 값이 한없이 커질 때 $\dfrac{n^2-1}{3n+2}$의 값도 한없이 커지므로 수열 $\left\{\dfrac{n^2-1}{3n+2}\right\}$은 양의 무한대로 발산한다.

④ n의 값이 한없이 커질 때 $\dfrac{n}{\sqrt{n}+1}$의 값도 한없이 커지므로 수열 $\left\{\dfrac{n}{\sqrt{n}+1}\right\}$은 양의 무한대로 발산한다.

⑤ n의 값이 한없이 커질 때, $\dfrac{1}{n}-\dfrac{5}{n^2}$의 값은 0에 한없이 가까워지므로 수열 $\left\{\dfrac{1}{n}-\dfrac{5}{n^2}\right\}$는 0에 수렴한다.

093 답 $\dfrac{5}{4}$

$$\lim_{n\to\infty} a_nb_n = \lim_{n\to\infty} \frac{1}{4}\{(a_n+b_n)^2-(a_n-b_n)^2\}$$
$$= \frac{1}{4}\{\lim_{n\to\infty}(a_n+b_n)^2-\lim_{n\to\infty}(a_n-b_n)^2\}$$
$$= \frac{1}{4}(3^2-2^2) = \frac{5}{4}$$

094 답 ③

수열 $\{a_n\}$이 0이 아닌 실수에 수렴하므로 $\lim\limits_{n\to\infty} a_n=\alpha\,(\alpha\neq0)$라 하면
$$\lim_{n\to\infty} a_{n+1}=\alpha$$
$\dfrac{1}{a_{n+1}}=4-4a_n$에서 $\lim\limits_{n\to\infty}\dfrac{1}{a_{n+1}}=\lim\limits_{n\to\infty}(4-4a_n)$이므로
$$\frac{1}{\alpha}=4-4\alpha,\ 4\alpha^2-4\alpha+1=0$$
$$(2\alpha-1)^2=0 \qquad \therefore\ \alpha=\frac{1}{2}$$

095 답 $\dfrac{2}{3}$

$$2^2+4^2+6^2+\cdots+(2n)^2=\sum_{k=1}^{n}(2k)^2=4\sum_{k=1}^{n}k^2$$
$$=4\times\frac{n(n+1)(2n+1)}{6}$$
$$=\frac{4n^3+6n^2+2n}{3}$$
$$\therefore\ \lim_{n\to\infty}\frac{2^2+4^2+6^2+\cdots+(2n)^2}{2n^3-3n}=\lim_{n\to\infty}\frac{4n^3+6n^2+2n}{3(2n^3-3n)}$$
$$=\lim_{n\to\infty}\frac{4n^3+6n^2+2n}{6n^3-9n}$$
$$=\lim_{n\to\infty}\frac{4+\dfrac{6}{n}+\dfrac{2}{n^2}}{6-\dfrac{9}{n^2}}=\frac{2}{3}$$

096 답 4

$n\geq2$일 때,
$$a_n=S_n-S_{n-1}$$
$$=2n^2-3n-\{2(n-1)^2-3(n-1)\}=4n-5$$
따라서 $a_{2n}=4\times2n-5=8n-5$이므로
$$\lim_{n\to\infty}\frac{a_{2n}}{a_n-2n}=\lim_{n\to\infty}\frac{8n-5}{2n-5}$$
$$=\lim_{n\to\infty}\frac{8-\dfrac{5}{n}}{2-\dfrac{5}{n}}=4$$

097 답 ③

$$\lim_{n\to\infty}(\log_2\sqrt{2n^2+n-3}-\log_2\sqrt{4n^2-n+1})$$
$$=\lim_{n\to\infty}\log_2\frac{\sqrt{2n^2+n-3}}{\sqrt{4n^2-n+1}}$$
$$=\lim_{n\to\infty}\log_2\frac{\sqrt{2+\dfrac{1}{n}-\dfrac{3}{n^2}}}{\sqrt{4-\dfrac{1}{n}+\dfrac{1}{n^2}}}$$
$$=\log_2\frac{\sqrt{2}}{2}=\log_2 2^{-\frac{1}{2}}$$
$$=-\frac{1}{2}$$

098 답 6

$$\lim_{n\to\infty}\frac{2a_n+an^2+bn}{a_n+3n}=\lim_{n\to\infty}\frac{\dfrac{2a_n}{n}+an+b}{\dfrac{a_n}{n}+3}$$
$$=\lim_{n\to\infty}\frac{an+b+2}{4} \qquad \cdots\cdots\ \bigcirc$$
$a\neq0$이면 $\lim\limits_{n\to\infty}\dfrac{an+b+2}{4}$는 발산하므로 $a=0$
따라서 ⍟에서 $\dfrac{b+2}{4}=2$이므로 $b=6$
$$\therefore\ b-a=6$$

099 답 ②

$$\lim_{n\to\infty}\frac{\sqrt{n+3}-\sqrt{n}}{\sqrt{n+2}-\sqrt{n-1}}$$
$$=\lim_{n\to\infty}\frac{(\sqrt{n+3}-\sqrt{n})(\sqrt{n+3}+\sqrt{n})(\sqrt{n+2}+\sqrt{n-1})}{(\sqrt{n+2}-\sqrt{n-1})(\sqrt{n+2}+\sqrt{n-1})(\sqrt{n+3}+\sqrt{n})}$$
$$=\lim_{n\to\infty}\frac{3(\sqrt{n+2}+\sqrt{n-1})}{3(\sqrt{n+3}+\sqrt{n})}$$
$$=\lim_{n\to\infty}\frac{\sqrt{1+\dfrac{2}{n}}+\sqrt{1-\dfrac{1}{n}}}{\sqrt{1+\dfrac{3}{n}}+1}=1$$

100 답 4

$$\lim_{n \to \infty} \frac{1}{\sqrt{n^2+n}-\sqrt{an^2+bn}}$$

$$=\lim_{n \to \infty} \frac{\sqrt{n^2+n}+\sqrt{an^2+bn}}{(\sqrt{n^2+n}-\sqrt{an^2+bn})(\sqrt{n^2+n}+\sqrt{an^2+bn})}$$

$$=\lim_{n \to \infty} \frac{\sqrt{n^2+n}+\sqrt{an^2+bn}}{(1-a)n^2+(1-b)n}$$

이때 $1-a \neq 0$이면 극한값이 0이므로 $1-a=0$ ∴ $a=1$

$$\therefore \lim_{n \to \infty} \frac{\sqrt{n^2+n}+\sqrt{an^2+bn}}{(1-a)n^2+(1-b)n} = \lim_{n \to \infty} \frac{\sqrt{n^2+n}+\sqrt{n^2+bn}}{(1-b)n}$$

$$= \lim_{n \to \infty} \frac{\sqrt{1+\dfrac{1}{n}}+\sqrt{1+\dfrac{b}{n}}}{1-b}$$

$$= \frac{2}{1-b}$$

따라서 $\dfrac{2}{1-b}=\dfrac{1}{2}$이므로 $b=-3$

$\therefore a-b=1-(-3)=4$

101 답 ②

$a_n-b_n=c_n$으로 놓으면 $b_n=a_n-c_n$

이때 $\lim\limits_{n\to\infty} c_n=2$이고, $\lim\limits_{n\to\infty} a_n=\infty$이므로 $\lim\limits_{n\to\infty} \dfrac{c_n}{a_n}=0$

$$\therefore \lim_{n\to\infty} \frac{a_n+b_n}{a_n-2b_n} = \lim_{n\to\infty} \frac{a_n+(a_n-c_n)}{a_n-2(a_n-c_n)} = \lim_{n\to\infty} \frac{2a_n-c_n}{-a_n+2c_n}$$

$$= \lim_{n\to\infty} \frac{2-\dfrac{c_n}{a_n}}{-1+2\times\dfrac{c_n}{a_n}} = -2$$

102 답 $\dfrac{1}{3}$

$(a_n-n^2)(a_n-n^2+n)<0$에서 $n^2-n<a_n<n^2$이므로

$$\sum_{k=1}^{n}(k^2-k)<S_n<\sum_{k=1}^{n}k^2$$

$$\frac{n(n+1)(2n+1)}{6}-\frac{n(n+1)}{2}<S_n<\frac{n(n+1)(2n+1)}{6}$$

$$\frac{n^3-n}{3}<S_n<\frac{2n^3+3n^2+n}{6} \qquad \therefore \frac{n^3-n}{3n^3}<\frac{S_n}{n^3}<\frac{2n^3+3n^2+n}{6n^3}$$

이때 $\lim\limits_{n\to\infty} \dfrac{n^3-n}{3n^3}=\lim\limits_{n\to\infty} \dfrac{2n^3+3n^2+n}{6n^3}=\dfrac{1}{3}$이므로 수열의 극한의

대소 관계에 의하여 $\lim\limits_{n\to\infty} \dfrac{S_n}{n^3}=\dfrac{1}{3}$

103 답 ㄱ, ㄹ

ㄱ. $\lim\limits_{n\to\infty} b_n = \lim\limits_{n\to\infty}\{a_n-(a_n-b_n)\}$

$\qquad = \lim\limits_{n\to\infty} a_n - \lim\limits_{n\to\infty}(a_n-b_n) = \alpha-0 = \alpha$

ㄴ. [반례] $a_n=b_n=(-1)^n$이라 하면 $\lim\limits_{n\to\infty} a_nb_n=1$이므로 수열 $\{a_nb_n\}$이 수렴하지만 두 수열 $\{a_n\}$, $\{b_n\}$은 모두 발산(진동) 한다.

ㄷ. [반례] $a_n=(-1)^n$이라 하면 $\lim\limits_{n\to\infty} |a_n|=1$이므로 수열 $\{|a_n|\}$ 은 수렴하지만 수열 $\{a_n\}$은 발산(진동)한다.

ㄹ. $|a_n|<|b_n|$이고 $\lim\limits_{n\to\infty} b_n=0$이면 $\lim\limits_{n\to\infty} |a_n|=0$이다.

$\qquad \therefore \lim\limits_{n\to\infty} a_n=0$

따라서 보기 중 옳은 것은 ㄱ, ㄹ이다.

104 답 ①

곡선 $y=x^2$과 직선 $y=nx+n$이 만나는 두 점의 x좌표는

$x^2=nx+n$에서 $x^2-nx-n=0$

$$\therefore x=\frac{n+\sqrt{n^2+4n}}{2} \text{ 또는 } x=\frac{n-\sqrt{n^2+4n}}{2}$$

따라서 만나는 두 점의 y좌표는

$\dfrac{n^2+n\sqrt{n^2+4n}}{2}+n$, $\dfrac{n^2-n\sqrt{n^2+4n}}{2}+n$이므로

$a_n=|p_n-q_n|=n\sqrt{n^2+4n}$

$$\therefore \lim_{n\to\infty}\left(\frac{a_{n+1}}{n+1}-\frac{a_n}{n}\right)$$

$$=\lim_{n\to\infty}\{\sqrt{(n+1)^2+4(n+1)}-\sqrt{n^2+4n}\}$$

$$=\lim_{n\to\infty}(\sqrt{n^2+6n+5}-\sqrt{n^2+4n})$$

$$=\lim_{n\to\infty}\frac{(\sqrt{n^2+6n+5}-\sqrt{n^2+4n})(\sqrt{n^2+6n+5}+\sqrt{n^2+4n})}{\sqrt{n^2+6n+5}+\sqrt{n^2+4n}}$$

$$=\lim_{n\to\infty}\frac{2n+5}{\sqrt{n^2+6n+5}+\sqrt{n^2+4n}}$$

$$=\lim_{n\to\infty}\frac{2+\dfrac{5}{n}}{\sqrt{1+\dfrac{6}{n}+\dfrac{5}{n^2}}+\sqrt{1+\dfrac{4}{n}}}=1$$

105 답 3

$y=\dfrac{2n}{n+2}x$에서 $x=\dfrac{n+2}{2n}y$

이를 $x+y=3$에 대입하면

$\dfrac{n+2}{2n}y+y=3$, $\dfrac{3n+2}{2n}y=3$ $\therefore y=\dfrac{6n}{3n+2}$

따라서 점 P_n의 y좌표가 $\dfrac{6n}{3n+2}$이고

$A(3, 0)$이므로

$S_n=\dfrac{1}{2}\times 3 \times \dfrac{6n}{3n+2}=\dfrac{9n}{3n+2}$

$\therefore \lim\limits_{n\to\infty} S_n=\lim\limits_{n\to\infty}\dfrac{9n}{3n+2}=\lim\limits_{n\to\infty}\dfrac{9}{3+\dfrac{2}{n}}=3$

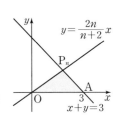

106 답 ①

$2a_n+b_n=3^n$, $a_n+2b_n=2^n$을 연립하여 풀면

$a_n=\dfrac{1}{3}(2\times 3^n-2^n)$, $b_n=\dfrac{1}{3}(2^{n+1}-3^n)$

$$\therefore \lim_{n\to\infty}\frac{a_n}{b_n}=\lim_{n\to\infty}\frac{\dfrac{1}{3}(2\times 3^n-2^n)}{\dfrac{1}{3}(2^{n+1}-3^n)}=\lim_{n\to\infty}\frac{2\times 3^n-2^n}{2^{n+1}-3^n}$$

$$=\lim_{n\to\infty}\frac{2-\left(\dfrac{2}{3}\right)^n}{2\times\left(\dfrac{2}{3}\right)^n-1}=-2$$

107 답 $\dfrac{2}{5}$

$S_n=\dfrac{a_1(3^n-1)}{3-1}=\dfrac{a_1(3^n-1)}{2}$이므로

$$\lim_{n\to\infty}\frac{3^{n+1}}{S_n}=\lim_{n\to\infty}\frac{2\times 3^{n+1}}{a_1(3^n-1)}=\lim_{n\to\infty}\frac{6}{a_1\left\{1-\left(\dfrac{1}{3}\right)^n\right\}}=\frac{6}{a_1}$$

따라서 $\dfrac{6}{a_1}=15$이므로 $a_1=\dfrac{2}{5}$

108 답 14

(i) 등비수열 $\left\{\left(\dfrac{x-1}{4}\right)^n\right\}$이 수렴하려면

$$-1<\dfrac{x-1}{4}\le1 \qquad \therefore -3<x\le5$$

(ii) 등비수열 $\{(-1+\log_3 x)^n\}$이 수렴하려면

$$-1<-1+\log_3 x\le1,\ 0<\log_3 x\le2$$

$$\log_3 1<\log_3 x\le\log_3 9 \qquad \therefore 1<x\le9$$

(i), (ii)에서 $1<x\le5$

따라서 모든 정수 x의 값의 합은 $2+3+4+5=14$

109 답 8

(i) $\left|\dfrac{r}{4}\right|<1$, 즉 $-4<r<4$일 때,

$$\lim_{n\to\infty}\left(\dfrac{r}{4}\right)^{2n}=\lim_{n\to\infty}\left(\dfrac{r}{4}\right)^{2n+1}=0$$이므로 $$\lim_{n\to\infty}\dfrac{2+\left(\dfrac{r}{4}\right)^{2n+1}}{1+\left(\dfrac{r}{4}\right)^{2n}}=2$$

(ii) $\dfrac{r}{4}=1$, 즉 $r=4$일 때, $\lim\limits_{n\to\infty}\left(\dfrac{r}{4}\right)^{2n}=\lim\limits_{n\to\infty}\left(\dfrac{r}{4}\right)^{2n+1}=1$이므로

$$\lim_{n\to\infty}\dfrac{2+\left(\dfrac{r}{4}\right)^{2n+1}}{1+\left(\dfrac{r}{4}\right)^{2n}}=\dfrac{2+1}{1+1}=\dfrac{3}{2}$$

(iii) $\left|\dfrac{r}{4}\right|>1$, 즉 $r<-4$ 또는 $r>4$일 때, $\lim\limits_{n\to\infty}\left(\dfrac{4}{r}\right)^{2n}=0$이므로

$$\lim_{n\to\infty}\dfrac{2+\left(\dfrac{r}{4}\right)^{2n+1}}{1+\left(\dfrac{r}{4}\right)^{2n}}=\lim_{n\to\infty}\dfrac{2\times\left(\dfrac{4}{r}\right)^{2n}+\dfrac{r}{4}}{\left(\dfrac{4}{r}\right)^{2n}+1}=\dfrac{r}{4}$$

이때 $\dfrac{r}{4}=2$에서 $r=8$

(iv) $\dfrac{r}{4}=-1$, 즉 $r=-4$일 때,

$$\lim_{n\to\infty}\left(\dfrac{r}{4}\right)^{2n}=1,\ \lim_{n\to\infty}\left(\dfrac{r}{4}\right)^{2n+1}=-1$$이므로

$$\lim_{n\to\infty}\dfrac{2+\left(\dfrac{r}{4}\right)^{2n+1}}{1+\left(\dfrac{r}{4}\right)^{2n}}=\dfrac{2+(-1)}{1+1}=\dfrac{1}{2}$$

(i)~(iv)에서 $\lim\limits_{n\to\infty}\dfrac{2+\left(\dfrac{r}{4}\right)^{2n+1}}{1+\left(\dfrac{r}{4}\right)^{2n}}=2$를 만족시키는 r의 값의 범위는

$-4<r<4$ 또는 $r=8$

따라서 정수 r는 $-3,\ -2,\ -1,\ 0,\ 1,\ 2,\ 3,\ 8$의 8개이다.

110 답 ①

(i) $x=1,\ 2,\ 3$일 때, $\lim\limits_{n\to\infty}\left(\dfrac{x}{4}\right)^n=0$이므로

$$f(x)=\lim_{n\to\infty}\dfrac{4^{n+1}-x^{n+1}}{4^n+x^n}=\lim_{n\to\infty}\dfrac{4-x\times\left(\dfrac{x}{4}\right)^n}{1+\left(\dfrac{x}{4}\right)^n}=4$$

(ii) $x=4$일 때,

$$f(x)=\lim_{n\to\infty}\dfrac{4^{n+1}-4^{n+1}}{4^n+4^n}=0$$

(iii) $x=5,\ 6,\ 7,\ \cdots,\ 10$일 때, $\lim\limits_{n\to\infty}\left(\dfrac{4}{x}\right)^n=0$이므로

$$f(x)=\lim_{n\to\infty}\dfrac{4^{n+1}-x^{n+1}}{4^n+x^n}=\lim_{n\to\infty}\dfrac{4\times\left(\dfrac{4}{x}\right)^n-x}{\left(\dfrac{4}{x}\right)^n+1}=-x$$

$$\therefore \sum_{x=1}^{10}f(x)=f(1)+f(2)+f(3)+\cdots+f(10)$$

$$=4\times3+0-(5+6+7+\cdots+10)$$

$$=-33$$

111 답 $-\dfrac{1}{2}$

(i) $|x|<1$일 때, $\lim\limits_{n\to\infty}x^{2n}=\lim\limits_{n\to\infty}x^{2n+1}=0$이므로

$$f(x)=\lim_{n\to\infty}\dfrac{x^{2n+1}}{x^{2n}+1}=0$$

(ii) $x=1$일 때, $\lim\limits_{n\to\infty}x^{2n}=\lim\limits_{n\to\infty}x^{2n+1}=1$이므로

$$f(x)=\lim_{n\to\infty}\dfrac{x^{2n+1}}{x^{2n}+1}=\dfrac{1}{1+1}=\dfrac{1}{2}$$

(iii) $|x|>1$일 때, $\lim\limits_{n\to\infty}\dfrac{1}{x^{2n}}=0$이므로

$$f(x)=\lim_{n\to\infty}\dfrac{x^{2n+1}}{x^{2n}+1}=\lim_{n\to\infty}\dfrac{x}{1+\dfrac{1}{x^{2n}}}=x$$

(iv) $x=-1$일 때, $\lim\limits_{n\to\infty}x^{2n}=1,\ \lim\limits_{n\to\infty}x^{2n+1}=-1$이므로

$$f(x)=\lim_{n\to\infty}\dfrac{x^{2n+1}}{x^{2n}+1}=\dfrac{-1}{1+1}=-\dfrac{1}{2}$$

함수 $y=f(x)$의 그래프는 오른쪽 그림과
같으므로 $y=f(x)$, $y=g(x)$의 그래프의
교점이 4개이려면 $y=g(x)$의 그래프가 점
$\left(1,\ \dfrac{1}{2}\right)$을 지나야 한다.

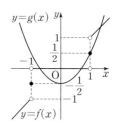

따라서 $\dfrac{1}{2}=1^2+k$이므로 $k=-\dfrac{1}{2}$

112 답 1

$A_n(n,\ 2^n)$, $B_n(n,\ 3^n)$이므로 삼각형 OA_nC의 넓이는

$$\dfrac{1}{2}\times1\times n=\dfrac{n}{2}$$

삼각형 A_nB_nC의 넓이 T_n은

$$T_n=\dfrac{1}{2}\times(3^n-2^n)\times n=\dfrac{n}{2}(3^n-2^n)$$

사각형 OA_nB_nC의 넓이 S_n은 삼각형 OA_nC의 넓이와 삼각형
A_nB_nC의 넓이의 합과 같으므로

$$S_n=\dfrac{n}{2}+\dfrac{n}{2}(3^n-2^n)=\dfrac{n}{2}(1+3^n-2^n)$$

$$\therefore \lim_{n\to\infty}\dfrac{T_n}{S_n}=\lim_{n\to\infty}\dfrac{\dfrac{n}{2}(3^n-2^n)}{\dfrac{n}{2}(1+3^n-2^n)}$$

$$=\lim_{n\to\infty}\dfrac{3^n-2^n}{1+3^n-2^n}$$

$$=\lim_{n\to\infty}\dfrac{1-\left(\dfrac{2}{3}\right)^n}{\left(\dfrac{1}{3}\right)^n+1-\left(\dfrac{2}{3}\right)^n}=1$$

02 급수

| 28~45쪽

001 답 ①

주어진 급수의 제n항을 a_n이라 하면

$$a_n = \frac{1}{n(n+2)} = \frac{1}{2}\left(\frac{1}{n} - \frac{1}{n+2}\right)$$

이때 제n항까지의 부분합을 S_n이라 하면

$$S_n = \sum_{k=1}^{n} \frac{1}{2}\left(\frac{1}{k} - \frac{1}{k+2}\right)$$

$$= \frac{1}{2}\left\{\left(1 - \frac{1}{3}\right) + \left(\frac{1}{2} - \frac{1}{4}\right) + \left(\frac{1}{3} - \frac{1}{5}\right)\right.$$
$$\left. + \cdots + \left(\frac{1}{n-1} - \frac{1}{n+1}\right) + \left(\frac{1}{n} - \frac{1}{n+2}\right)\right\}$$

$$= \frac{1}{2}\left(1 + \frac{1}{2} - \frac{1}{n+1} - \frac{1}{n+2}\right) = \frac{1}{2}\left(\frac{3}{2} - \frac{1}{n+1} - \frac{1}{n+2}\right)$$

$$\therefore \lim_{n \to \infty} S_n = \lim_{n \to \infty} \frac{1}{2}\left(\frac{3}{2} - \frac{1}{n+1} - \frac{1}{n+2}\right) = \frac{3}{4}$$

002 답 ②

$$\sum_{n=2}^{\infty} \log_2 \frac{n^2-1}{n^2}$$

$$= \lim_{n \to \infty} \sum_{k=2}^{n} \log_2 \frac{(k-1)(k+1)}{k \times k}$$

$$= \lim_{n \to \infty} \sum_{k=2}^{n} \log_2 \left(\frac{k-1}{k} \times \frac{k+1}{k}\right)$$

$$= \lim_{n \to \infty} \left\{\log_2\left(\frac{1}{2} \times \frac{3}{2}\right) + \log_2\left(\frac{2}{3} \times \frac{4}{3}\right) + \log_2\left(\frac{3}{4} \times \frac{5}{4}\right)\right.$$
$$\left. + \cdots + \log_2\left(\frac{n-1}{n} \times \frac{n+1}{n}\right)\right\}$$

$$= \lim_{n \to \infty} \log_2\left(\frac{1}{2} \times \frac{3}{2} \times \frac{2}{3} \times \frac{4}{3} \times \frac{3}{4} \times \frac{5}{4} \times \cdots \times \frac{n-1}{n} \times \frac{n+1}{n}\right)$$

$$= \lim_{n \to \infty} \log_2 \frac{n+1}{2n} = \log_2 \frac{1}{2}$$

$$= \log_2 2^{-1} = -1$$

003 답 ㄴ

주어진 급수의 제n항까지의 부분합을 S_n이라 하면

ㄱ. $S_1 = 1$, $S_2 = 0$, $S_3 = 1$, $S_4 = 0$, $S_5 = 1$, $S_6 = 0$, $\cdots$이므로

　$S_{2n-1} = 1$, $S_{2n} = 0$

　$\therefore \lim_{n \to \infty} S_{2n-1} = 1$, $\lim_{n \to \infty} S_{2n} = 0$

　즉, $\lim_{n \to \infty} S_{2n-1} \neq \lim_{n \to \infty} S_{2n}$이므로 주어진 급수는 발산한다.

ㄴ. $S_1 = 1$, $S_2 = \frac{1}{2}$, $S_3 = 1$, $S_4 = \frac{2}{3}$, $S_5 = 1$, $S_6 = \frac{3}{4}$, $\cdots$이므로

　$S_{2n-1} = 1$, $S_{2n} = \frac{n}{n+1}$

　$\therefore \lim_{n \to \infty} S_{2n-1} = 1$, $\lim_{n \to \infty} S_{2n} = \lim_{n \to \infty} \frac{n}{n+1} = 1$

　즉, $\lim_{n \to \infty} S_{2n-1} = \lim_{n \to \infty} S_{2n}$이므로 주어진 급수는 1에 수렴한다.

ㄷ. $S_1 = 1$, $S_2 = -1$, $S_3 = 2$, $S_4 = -2$, $S_5 = 3$, $S_6 = -3$, $\cdots$이므로

　$S_{2n-1} = n$, $S_{2n} = -n$

　$\therefore \lim_{n \to \infty} S_{2n-1} = \lim_{n \to \infty} n = \infty$, $\lim_{n \to \infty} S_{2n} = \lim_{n \to \infty} (-n) = -\infty$

　즉, $\lim_{n \to \infty} S_{2n-1} \neq \lim_{n \to \infty} S_{2n}$이므로 주어진 급수는 발산한다.

따라서 보기의 급수 중 수렴하는 것은 ㄴ이다.

004 답 7

$\sum_{n=1}^{\infty}\left(\frac{2n-1}{n+1} + a_n\right)$이 수렴하므로 $\lim_{n \to \infty}\left(\frac{2n-1}{n+1} + a_n\right) = 0$

이때 $\lim_{n \to \infty} \frac{2n-1}{n+1} = 2$이므로 $\lim_{n \to \infty} a_n = -2$

$\therefore \lim_{n \to \infty} (3 - 2a_n) = \lim_{n \to \infty} 3 - 2 \lim_{n \to \infty} a_n = 3 - 2 \times (-2) = 7$

005 답 ㄴ

ㄱ. $\lim_{n \to \infty} \frac{n+1}{2n-1} = \frac{1}{2} \neq 0$이므로 주어진 급수는 발산한다.

ㄴ. $\sum_{n=1}^{\infty} \frac{1}{(3n-1)(3n+2)}$

$$= \lim_{n \to \infty} \sum_{k=1}^{n} \frac{1}{3}\left(\frac{1}{3k-1} - \frac{1}{3k+2}\right)$$

$$= \lim_{n \to \infty} \frac{1}{3}\left\{\left(\frac{1}{2} - \frac{1}{5}\right) + \left(\frac{1}{5} - \frac{1}{8}\right) + \left(\frac{1}{8} - \frac{1}{11}\right)\right.$$
$$\left. + \cdots + \left(\frac{1}{3n-1} - \frac{1}{3n+2}\right)\right\}$$

$$= \lim_{n \to \infty} \frac{1}{3}\left(\frac{1}{2} - \frac{1}{3n+2}\right) = \frac{1}{6}$$

ㄷ. $\sum_{n=1}^{\infty} \frac{1}{\sqrt{n+1} + \sqrt{n}}$

$$= \sum_{n=1}^{\infty}(\sqrt{n+1} - \sqrt{n}) = \lim_{n \to \infty} \sum_{k=1}^{n}(\sqrt{k+1} - \sqrt{k})$$

$$= \lim_{n \to \infty}\{(\sqrt{2} - 1) + (\sqrt{3} - \sqrt{2}) + (\sqrt{4} - \sqrt{3})$$
$$+ \cdots + (\sqrt{n+1} - \sqrt{n})\}$$

$$= \lim_{n \to \infty}(-1 + \sqrt{n+1}) = \infty \text{ (발산)}$$

따라서 보기의 급수 중 수렴하는 것은 ㄴ이다.

006 답 -9

$\sum_{n=1}^{\infty} a_n = \alpha$, $\sum_{n=1}^{\infty} b_n = \beta$ (α, β는 실수)라 하면

$\sum_{n=1}^{\infty}(2a_n + 3b_n) = 13$에서 $2\sum_{n=1}^{\infty} a_n + 3\sum_{n=1}^{\infty} b_n = 13$

$\therefore 2\alpha + 3\beta = 13$ ...... ㉠

$\sum_{n=1}^{\infty}(4a_n - b_n) = 5$에서 $4\sum_{n=1}^{\infty} a_n - \sum_{n=1}^{\infty} b_n = 5$

$\therefore 4\alpha - \beta = 5$ ...... ㉡

㉠, ㉡을 연립하여 풀면 $\alpha = 2$, $\beta = 3$

$\therefore \sum_{n=1}^{\infty}(3a_n - 5b_n) = 3\sum_{n=1}^{\infty} a_n - 5\sum_{n=1}^{\infty} b_n = 3 \times 2 - 5 \times 3 = -9$

007 답 ㄱ, ㄴ

ㄱ. $\sum_{n=1}^{\infty} a_n$과 $\sum_{n=1}^{\infty} b_n$이 수렴하면 $\lim_{n \to \infty} a_n = 0$, $\lim_{n \to \infty} b_n = 0$

　$\therefore \lim_{n \to \infty} a_n b_n = \lim_{n \to \infty} a_n \times \lim_{n \to \infty} b_n = 0$

ㄴ. $\sum_{n=1}^{\infty} a_n = \alpha$, $\sum_{n=1}^{\infty}(a_n - b_n) = \beta$ (α, β는 실수)라 하면

　$\sum_{n=1}^{\infty} b_n = \sum_{n=1}^{\infty}\{a_n - (a_n - b_n)\} = \sum_{n=1}^{\infty} a_n - \sum_{n=1}^{\infty}(a_n - b_n) = \alpha - \beta$

　이므로 $\sum_{n=1}^{\infty} b_n$은 수렴한다.

ㄷ. [반례] $\{a_n\}$: 1, 0, 1, 0, 1, $\cdots$, $\{b_n\}$: 0, 1, 0, 1, 0, $\cdots$

　이면 $\sum_{n=1}^{\infty} a_n b_n = 0$으로 수렴하고, $\lim_{n \to \infty} a_n \neq 0$이지만

　$\lim_{n \to \infty} b_n \neq 0$이다.

따라서 보기 중 옳은 것은 ㄱ, ㄴ이다.

008 답 $\dfrac{3}{4}$

원의 중심을 P라 하면 $P(n,\ n)$이 므로 $\overline{OP}=\sqrt{2}\,n$

이때 $\overline{PH}=\overline{PH'}=\sqrt{2}$이므로

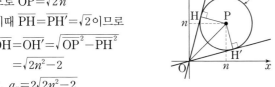

$$\overline{OH}=\overline{OH'}=\sqrt{\overline{OP}^2-\overline{PH}^2}$$
$$=\sqrt{2n^2-2}$$

$\therefore a_n=2\sqrt{2n^2-2}$

$$\therefore \sum_{n=2}^{\infty}\frac{8}{a_n^2}=\sum_{n=2}^{\infty}\frac{8}{(2\sqrt{2n^2-2})^2}=\sum_{n=2}^{\infty}\frac{1}{n^2-1}$$
$$=\sum_{n=2}^{\infty}\frac{1}{(n-1)(n+1)}=\sum_{n=2}^{\infty}\frac{1}{2}\left(\frac{1}{n-1}-\frac{1}{n+1}\right)$$
$$=\lim_{n\to\infty}\sum_{k=2}^{n}\frac{1}{2}\left(\frac{1}{k-1}-\frac{1}{k+1}\right)$$
$$=\lim_{n\to\infty}\frac{1}{2}\left\{\left(1-\frac{1}{3}\right)+\left(\frac{1}{2}-\frac{1}{4}\right)+\left(\frac{1}{3}-\frac{1}{5}\right)\right.$$
$$\left.+\cdots+\left(\frac{1}{n-2}-\frac{1}{n}\right)+\left(\frac{1}{n-1}-\frac{1}{n+1}\right)\right\}$$
$$=\lim_{n\to\infty}\frac{1}{2}\left(1+\frac{1}{2}-\frac{1}{n}-\frac{1}{n+1}\right)=\frac{1}{2}\left(1+\frac{1}{2}\right)=\frac{3}{4}$$

009 답 ①

주어진 급수의 제n항을 a_n이라 하면

$$a_n=\frac{3}{1+2+3+\cdots+n+(n+1)}=\frac{3}{\dfrac{(n+1)(n+2)}{2}}$$
$$=\frac{6}{(n+1)(n+2)}=6\left(\frac{1}{n+1}-\frac{1}{n+2}\right)$$

이때 제n항까지의 부분합을 S_n이라 하면

$$S_n=\sum_{k=1}^{n}6\left(\frac{1}{k+1}-\frac{1}{k+2}\right)$$
$$=6\left\{\left(\frac{1}{2}-\frac{1}{3}\right)+\left(\frac{1}{3}-\frac{1}{4}\right)+\left(\frac{1}{4}-\frac{1}{5}\right)+\cdots+\left(\frac{1}{n+1}-\frac{1}{n+2}\right)\right\}$$
$$=6\left(\frac{1}{2}-\frac{1}{n+2}\right)$$
$$\therefore \lim_{n\to\infty}S_n=\lim_{n\to\infty}6\left(\frac{1}{2}-\frac{1}{n+2}\right)=3$$

010 답 $\dfrac{3}{2}$

주어진 급수의 제n항까지의 부분합을 S_n이라 하면

$$S_n=\sum_{k=1}^{n}a_k=\sqrt{n^2+3n}-n$$
$$\therefore \sum_{n=1}^{\infty}a_n=\lim_{n\to\infty}S_n=\lim_{n\to\infty}(\sqrt{n^2+3n}-n)$$
$$=\lim_{n\to\infty}\frac{(\sqrt{n^2+3n}-n)(\sqrt{n^2+3n}+n)}{\sqrt{n^2+3n}+n}$$
$$=\lim_{n\to\infty}\frac{3n}{\sqrt{n^2+3n}+n}=\lim_{n\to\infty}\frac{3}{\sqrt{1+\dfrac{3}{n}}+1}=\frac{3}{2}$$

011 답 5

주어진 급수의 제n항까지의 부분합을 S_n이라 하면

$$S_n=\sum_{k=1}^{n}(a_{k+1}-a_k)$$
$$=(a_2-a_1)+(a_3-a_2)+(a_4-a_3)+\cdots+(a_{n+1}-a_n)$$
$$=a_{n+1}-a_1$$

이때 $\displaystyle\lim_{n\to\infty}a_{n+1}=\lim_{n\to\infty}a_n=8$이므로

$$\sum_{n=1}^{\infty}(a_{n+1}-a_n)=\lim_{n\to\infty}S_n=\lim_{n\to\infty}(a_{n+1}-a_1)$$
$$=\lim_{n\to\infty}a_{n+1}-\lim_{n\to\infty}a_1=8-3=5$$

012 답 ①

$$S_n=\frac{n\{2\times3+(n-1)\times3\}}{2}=\frac{3n(n+1)}{2}$$
$$\therefore \sum_{n=1}^{\infty}\frac{1}{S_n}=\sum_{n=1}^{\infty}\frac{2}{3n(n+1)}=\sum_{n=1}^{\infty}\frac{2}{3}\left(\frac{1}{n}-\frac{1}{n+1}\right)$$
$$=\lim_{n\to\infty}\sum_{k=1}^{n}\frac{2}{3}\left(\frac{1}{k}-\frac{1}{k+1}\right)$$
$$=\lim_{n\to\infty}\frac{2}{3}\left\{\left(1-\frac{1}{2}\right)+\left(\frac{1}{2}-\frac{1}{3}\right)+\left(\frac{1}{3}-\frac{1}{4}\right)\right.$$
$$\left.+\cdots+\left(\frac{1}{n}-\frac{1}{n+1}\right)\right\}$$
$$=\lim_{n\to\infty}\frac{2}{3}\left(1-\frac{1}{n+1}\right)=\frac{2}{3}$$

013 답 ④

$$a_n=\sum_{k=1}^{n}k(k+1)=\sum_{k=1}^{n}(k^2+k)$$
$$=\frac{n(n+1)(2n+1)}{6}+\frac{n(n+1)}{2}=\frac{n(n+1)(n+2)}{3}$$
$$\therefore \sum_{n=1}^{\infty}\frac{n+1}{a_n}=\sum_{n=1}^{\infty}\frac{3(n+1)}{n(n+1)(n+2)}=\sum_{n=1}^{\infty}\frac{3}{n(n+2)}$$
$$=\sum_{n=1}^{\infty}\frac{3}{2}\left(\frac{1}{n}-\frac{1}{n+2}\right)=\lim_{n\to\infty}\sum_{k=1}^{n}\frac{3}{2}\left(\frac{1}{k}-\frac{1}{k+2}\right)$$
$$=\lim_{n\to\infty}\frac{3}{2}\left\{\left(1-\frac{1}{3}\right)+\left(\frac{1}{2}-\frac{1}{4}\right)+\left(\frac{1}{3}-\frac{1}{5}\right)\right.$$
$$\left.+\cdots+\left(\frac{1}{n-1}-\frac{1}{n+1}\right)+\left(\frac{1}{n}-\frac{1}{n+2}\right)\right\}$$
$$=\lim_{n\to\infty}\frac{3}{2}\left(1+\frac{1}{2}-\frac{1}{n+1}-\frac{1}{n+2}\right)$$
$$=\frac{3}{2}\left(1+\frac{1}{2}\right)=\frac{9}{4}$$

014 답 3

다항식 $a_nx^2-a_n-6$을 $x-2n$으로 나누었을 때의 나머지가 0이므로

$$4n^2a_n-a_n-6=0,\ (4n^2-1)a_n=6$$
$$(2n-1)(2n+1)a_n=6 \qquad \therefore a_n=\frac{6}{(2n-1)(2n+1)}$$
$$\therefore \sum_{n=1}^{\infty}a_n=\sum_{n=1}^{\infty}\frac{6}{(2n-1)(2n+1)}=\sum_{n=1}^{\infty}3\left(\frac{1}{2n-1}-\frac{1}{2n+1}\right)$$
$$=\lim_{n\to\infty}\sum_{k=1}^{n}3\left(\frac{1}{2k-1}-\frac{1}{2k+1}\right)$$
$$=\lim_{n\to\infty}3\left\{\left(1-\frac{1}{3}\right)+\left(\frac{1}{3}-\frac{1}{5}\right)+\left(\frac{1}{5}-\frac{1}{7}\right)\right.$$
$$\left.+\cdots+\left(\frac{1}{2n-1}-\frac{1}{2n+1}\right)\right\}$$
$$=\lim_{n\to\infty}3\left(1-\frac{1}{2n+1}\right)=3$$

015 답 ④

이차방정식의 근과 계수의 관계에 의하여

$$\alpha_n+\beta_n=\frac{4n+2}{\{n(n+1)\}^2}=\frac{2(2n+1)}{n^2(n+1)^2}=2\left\{\frac{1}{n^2}-\frac{1}{(n+1)^2}\right\}$$

$$\therefore \sum_{n=1}^{\infty}(\alpha_n+\beta_n)=\sum_{n=1}^{\infty}2\left\{\frac{1}{n^2}-\frac{1}{(n+1)^2}\right\}$$

$$=\lim_{n\to\infty}\sum_{k=1}^{n}2\left\{\frac{1}{k^2}-\frac{1}{(k+1)^2}\right\}$$

$$=\lim_{n\to\infty}2\left[\left(1-\frac{1}{4}\right)+\left(\frac{1}{4}-\frac{1}{9}\right)+\left(\frac{1}{9}-\frac{1}{16}\right)\right.$$

$$\left.+\cdots+\left\{\frac{1}{n^2}-\frac{1}{(n+1)^2}\right\}\right]$$

$$=\lim_{n\to\infty}2\left\{1-\frac{1}{(n+1)^2}\right\}=2$$

016 답 $\dfrac{21}{2}$

$a_1=4$이고, $a_1+2a_2=7$이므로 $a_2=\dfrac{3}{2}$

수열 $\{na_n\}$의 첫째항부터 제n항까지의 합을 S_n이라 하면

$S_n=3n+1$

$n\geq2$일 때, $na_n=S_n-S_{n-1}=(3n+1)-\{3(n-1)+1\}=3$

$$\therefore a_n=\frac{3}{n}\,(n\geq2)$$

$$\therefore \sum_{n=1}^{\infty}a_na_{n+1}=a_1a_2+\sum_{n=2}^{\infty}\left(\frac{3}{n}\times\frac{3}{n+1}\right)$$

$$=a_1a_2+\lim_{n\to\infty}\sum_{k=2}^{n}9\left(\frac{1}{k}-\frac{1}{k+1}\right)$$

$$=a_1a_2+\lim_{n\to\infty}9\left\{\left(\frac{1}{2}-\frac{1}{3}\right)+\left(\frac{1}{3}-\frac{1}{4}\right)+\left(\frac{1}{4}-\frac{1}{5}\right)\right.$$

$$\left.+\cdots+\left(\frac{1}{n}-\frac{1}{n+1}\right)\right\}$$

$$=a_1a_2+\lim_{n\to\infty}9\left(\frac{1}{2}-\frac{1}{n+1}\right)=4\times\frac{3}{2}+\frac{9}{2}=\frac{21}{2}$$

017 답 ②

$$\sum_{n=1}^{\infty}\log\frac{n^2+2n}{n^2+2n+1}$$

$$=\sum_{n=1}^{\infty}\log\frac{n(n+2)}{(n+1)^2}=\lim_{n\to\infty}\sum_{k=1}^{n}\log\frac{k(k+2)}{(k+1)^2}$$

$$=\lim_{n\to\infty}\sum_{k=1}^{n}\log\left(\frac{k}{k+1}\times\frac{k+2}{k+1}\right)$$

$$=\lim_{n\to\infty}\left\{\log\left(\frac{1}{2}\times\frac{3}{2}\right)+\log\left(\frac{2}{3}\times\frac{4}{3}\right)+\log\left(\frac{3}{4}\times\frac{5}{4}\right)\right.$$

$$\left.+\cdots+\log\left(\frac{n}{n+1}\times\frac{n+2}{n+1}\right)\right\}$$

$$=\lim_{n\to\infty}\log\left(\frac{1}{2}\times\frac{3}{2}\times\frac{2}{3}\times\frac{4}{3}\times\frac{3}{4}\times\frac{5}{4}\times\cdots\times\frac{n}{n+1}\times\frac{n+2}{n+1}\right)$$

$$=\lim_{n\to\infty}\log\frac{n+2}{2(n+1)}=\log\frac{1}{2}=\log2^{-1}=-\log2$$

018 답 -2

$$\sum_{n=1}^{\infty}\log_2 a_n=\lim_{n\to\infty}\sum_{k=1}^{n}\log_2 a_k$$

$$=\lim_{n\to\infty}(\log_2 a_1+\log_2 a_2+\log_2 a_3+\cdots+\log_2 a_n)$$

$$=\lim_{n\to\infty}\log_2(a_1a_2a_3\cdots a_n)=\lim_{n\to\infty}\log_2\frac{n+1}{4n-3}$$

$$=\log_2\frac{1}{4}=\log_2 2^{-2}=-2$$

019 답 ④

$$\sum_{n=1}^{\infty}(\log_{n+1}4-\log_{n+2}4)$$

$$=\lim_{n\to\infty}\sum_{k=1}^{n}(\log_{k+1}4-\log_{k+2}4)$$

$$=\lim_{n\to\infty}\sum_{k=1}^{n}\left\{\frac{1}{\log_4(k+1)}-\frac{1}{\log_4(k+2)}\right\}$$

$$=\lim_{n\to\infty}\left[\left(\frac{1}{\log_4 2}-\frac{1}{\log_4 3}\right)+\left(\frac{1}{\log_4 3}-\frac{1}{\log_4 4}\right)+\left(\frac{1}{\log_4 4}-\frac{1}{\log_4 5}\right)\right.$$

$$\left.+\cdots+\left\{\frac{1}{\log_4(n+1)}-\frac{1}{\log_4(n+2)}\right\}\right]$$

$$=\lim_{n\to\infty}\left\{\frac{1}{\log_4 2}-\frac{1}{\log_4(n+2)}\right\}$$

$$=\frac{1}{\log_4 2}=\log_2 4=\log_2 2^2=2$$

020 답 ㄴ, ㄹ

주어진 급수의 제n항까지의 부분합을 S_n이라 하면

ㄱ. $S_1=1$, $S_2=-1$, $S_3=1$, $S_4=-2$, $S_5=1$, $S_6=-3$, $\cdots$이므로

$S_{2n-1}=1$, $S_{2n}=-n$

$\therefore \lim\limits_{n\to\infty}S_{2n-1}=1$, $\lim\limits_{n\to\infty}S_{2n}=-\infty$

즉, $\lim\limits_{n\to\infty}S_{2n-1}\neq\lim\limits_{n\to\infty}S_{2n}$이므로 주어진 급수는 발산한다.

ㄴ. $S_n=\left(\frac{1}{2}-\frac{1}{3}\right)+\left(\frac{1}{3}-\frac{1}{4}\right)+\left(\frac{1}{4}-\frac{1}{5}\right)+\cdots+\left(\frac{1}{n+1}-\frac{1}{n+2}\right)$

$=\frac{1}{2}-\frac{1}{n+2}$

$\therefore \lim\limits_{n\to\infty}S_n=\lim\limits_{n\to\infty}\left(\frac{1}{2}-\frac{1}{n+2}\right)=\frac{1}{2}$

즉, 주어진 급수는 $\frac{1}{2}$에 수렴한다.

ㄷ. $S_1=\frac{1}{2}$, $S_2=-\frac{1}{6}$, $S_3=\frac{1}{2}$, $S_4=-\frac{1}{4}$, $S_5=\frac{1}{2}$, $S_6=-\frac{3}{10}$, $\cdots$

이므로 $S_{2n-1}=\frac{1}{2}$, $S_{2n}=-\frac{n}{2n+4}$

$\therefore \lim\limits_{n\to\infty}S_{2n-1}=\frac{1}{2}$, $\lim\limits_{n\to\infty}S_{2n}=\lim\limits_{n\to\infty}\left(-\frac{n}{2n+4}\right)=-\frac{1}{2}$

즉, $\lim\limits_{n\to\infty}S_{2n-1}\neq\lim\limits_{n\to\infty}S_{2n}$이므로 주어진 급수는 발산한다.

ㄹ. $S_1=1$, $S_2=\frac{1}{2}$, $S_3=1$, $S_4=\frac{3}{4}$, $S_5=1$, $S_6=\frac{5}{6}$, $\cdots$이므로

$S_{2n-1}=1$, $S_{2n}=\frac{2n-1}{2n}$

$\therefore \lim\limits_{n\to\infty}S_{2n-1}=1$, $\lim\limits_{n\to\infty}S_{2n}=\lim\limits_{n\to\infty}\frac{2n-1}{2n}=1$

즉, $\lim\limits_{n\to\infty}S_{2n-1}=\lim\limits_{n\to\infty}S_{2n}$이므로 주어진 급수는 1에 수렴한다.

따라서 보기의 급수 중 수렴하는 것은 ㄴ, ㄹ이다.

021 답 ㄱ

주어진 급수의 제n항까지의 부분합을 S_n이라 하면

ㄱ. $S_1=2$, $S_2=0$, $S_3=2$, $S_4=0$, $S_5=2$, $S_6=0$, $\cdots$이므로

$S_{2n-1}=2$, $S_{2n}=0$

$\therefore \lim\limits_{n\to\infty}S_{2n-1}=2$, $\lim\limits_{n\to\infty}S_{2n}=0$

즉, $\lim\limits_{n\to\infty}S_{2n-1}\neq\lim\limits_{n\to\infty}S_{2n}$이므로 주어진 급수는 발산한다.

ㄴ. $S_n=(2-2)+(2-2)+(2-2)+\cdots+(2-2)=0$이므로

$\lim\limits_{n\to\infty}S_n=0$

즉, 주어진 급수는 0에 수렴한다.

ㄷ. $S_n = 2 + (-2+2) + (-2+2) + (-2+2) + \cdots + (-2+2) = 2$

이므로 $\displaystyle\lim_{n\to\infty} S_n = 2$

즉, 주어진 급수는 2에 수렴한다.

따라서 보기의 급수 중 발산하는 것은 ㄱ이다.

022 답 ①

급수 $\displaystyle\sum_{n=1}^{\infty} a_n$의 제$n$항까지의 부분합을 S_n이라 하면

$S_1 = 1,\ S_2 = \dfrac{2}{3},\ S_3 = 1,\ S_4 = \dfrac{4}{5},\ S_5 = 1,\ S_6 = \dfrac{6}{7},\ \cdots$이므로

$S_{2n-1} = 1,\ S_{2n} = \dfrac{2n}{2n+1}$

$\therefore\ \displaystyle\lim_{n\to\infty} S_{2n-1} = 1,\ \lim_{n\to\infty} S_{2n} = \lim_{n\to\infty} \dfrac{2n}{2n+1} = 1$

급수 $\displaystyle\sum_{n=1}^{\infty} b_n$의 제$n$항까지의 부분합을 T_n이라 하면

$T_n = \left(1 - \dfrac{1}{3}\right) + \left(\dfrac{1}{3} - \dfrac{1}{5}\right) + \left(\dfrac{1}{5} - \dfrac{1}{7}\right) + \cdots + \left(\dfrac{1}{2n-1} - \dfrac{1}{2n+1}\right)$

$= 1 - \dfrac{1}{2n+1}$

$\therefore\ \displaystyle\lim_{n\to\infty} T_n = \lim_{n\to\infty}\left(1 - \dfrac{1}{2n+1}\right) = 1$

따라서 급수 $\displaystyle\sum_{n=1}^{\infty} a_n$과 급수 $\displaystyle\sum_{n=1}^{\infty} b_n$은 각각 1에 수렴한다.

023 답 ④

$\displaystyle\sum_{n=1}^{\infty}\left(a_n - \dfrac{n^2}{1+2+3+\cdots+n}\right)$이 수렴하므로

$\displaystyle\lim_{n\to\infty}\left(a_n - \dfrac{n^2}{1+2+3+\cdots+n}\right) = 0$

이때 $\displaystyle\lim_{n\to\infty} \dfrac{n^2}{1+2+3+\cdots+n} = \lim_{n\to\infty} \dfrac{n^2}{\dfrac{n(n+1)}{2}} = \lim_{n\to\infty} \dfrac{2n}{n+1} = 2$

이므로 $\displaystyle\lim_{n\to\infty} a_n = 2$

024 답 $\dfrac{5}{3}$

$\displaystyle\sum_{n=1}^{\infty}(3a_n - 2)$가 수렴하므로 $\displaystyle\lim_{n\to\infty}(3a_n - 2) = 0$

$\therefore\ \displaystyle\lim_{n\to\infty} a_n = \dfrac{2}{3}$

$\therefore\ \displaystyle\lim_{n\to\infty} \dfrac{a_n + 6}{3a_n + 2} = \dfrac{\dfrac{2}{3} + 6}{3 \times \dfrac{2}{3} + 2} = \dfrac{5}{3}$

025 답 ②

$\displaystyle\sum_{n=1}^{\infty} \dfrac{b_n}{n^2}$이 수렴하므로 $\displaystyle\lim_{n\to\infty} \dfrac{b_n}{n^2} = 0$

$\therefore\ \displaystyle\lim_{n\to\infty} \dfrac{a_n + n}{b_n + 4n^2 - 3} = \lim_{n\to\infty} \dfrac{\dfrac{a_n}{n^2} + \dfrac{1}{n}}{\dfrac{b_n}{n^2} + 4 - \dfrac{3}{n^2}} = \dfrac{5 + 0}{0 + 4 - 0} = \dfrac{5}{4}$

026 답 $-\dfrac{3}{2}$

$\displaystyle\sum_{n=1}^{\infty} a_n$이 수렴하므로 $\displaystyle\lim_{n\to\infty} a_n = 0$이고, $\displaystyle\lim_{n\to\infty} S_n = \sum_{n=1}^{\infty} a_n = \dfrac{2}{3}$이므로

$\displaystyle\lim_{n\to\infty} \dfrac{3a_n - 9S_n}{2a_n + 6S_n} = \dfrac{3 \times 0 - 9 \times \dfrac{2}{3}}{2 \times 0 + 6 \times \dfrac{2}{3}} = -\dfrac{3}{2}$

027 답 ③

$(a_1 - 1) + \left(\dfrac{a_2}{2} - 1\right) + \left(\dfrac{a_3}{3} - 1\right) + \left(\dfrac{a_4}{4} - 1\right) + \cdots = \displaystyle\sum_{n=1}^{\infty}\left(\dfrac{a_n}{n} - 1\right)$

즉, $\displaystyle\sum_{n=1}^{\infty}\left(\dfrac{a_n}{n} - 1\right)$이 수렴하므로 $\displaystyle\lim_{n\to\infty}\left(\dfrac{a_n}{n} - 1\right) = 0$

$\therefore\ \displaystyle\lim_{n\to\infty} \dfrac{a_n}{n} = 1$

$\therefore\ \displaystyle\lim_{n\to\infty} \dfrac{2n + 3a_n}{4n + a_n} = \lim_{n\to\infty} \dfrac{2 + 3 \times \dfrac{a_n}{n}}{4 + \dfrac{a_n}{n}} = \dfrac{2 + 3 \times 1}{4 + 1} = 1$

028 답 $\dfrac{1}{4}$

$\displaystyle\sum_{n=1}^{\infty} \dfrac{4a_n - 1}{2a_n + 3}$이 수렴하므로 $\displaystyle\lim_{n\to\infty} \dfrac{4a_n - 1}{2a_n + 3} = 0$

$\dfrac{4a_n - 1}{2a_n + 3} = b_n$으로 놓으면

$4a_n - 1 = (2a_n + 3)b_n$

$(4 - 2b_n)a_n = 3b_n + 1$

$\therefore\ a_n = \dfrac{3b_n + 1}{4 - 2b_n}$

이때 $\displaystyle\lim_{n\to\infty} b_n = 0$이므로

$\displaystyle\lim_{n\to\infty} a_n = \lim_{n\to\infty} \dfrac{3b_n + 1}{4 - 2b_n} = \dfrac{3 \times 0 + 1}{4 - 2 \times 0} = \dfrac{1}{4}$

029 답 -4

수열 $\{a_n\}$의 첫째항부터 제n항까지의 합을 S_n이라 하면

$\displaystyle\lim_{n\to\infty} S_n = \sum_{n=1}^{\infty} a_n = 24$

$\therefore\ \displaystyle\lim_{n\to\infty} S_{2n} = \lim_{n\to\infty} S_n = 24$

또 $\displaystyle\sum_{n=1}^{\infty} a_n$이 수렴하므로 $\displaystyle\lim_{n\to\infty} a_n = \lim_{n\to\infty} a_{2n} = 0$

$\therefore\ \displaystyle\lim_{n\to\infty} \dfrac{a_1 + a_2 + a_3 + \cdots + a_{2n-1} + 10a_{2n}}{a_n - 6} = \lim_{n\to\infty} \dfrac{S_{2n} + 9a_{2n}}{a_n - 6}$

$= \dfrac{24 + 9 \times 0}{0 - 6} = -4$

030 답 $-\dfrac{6}{5}$

$\displaystyle\sum_{n=1}^{\infty}\left(\dfrac{a_n}{n^2} - \alpha\right)$가 수렴하므로 $\displaystyle\lim_{n\to\infty}\left(\dfrac{a_n}{n^2} - \alpha\right) = 0$

$\therefore\ \displaystyle\lim_{n\to\infty} \dfrac{a_n}{n^2} = \alpha$

$\displaystyle\lim_{n\to\infty} \dfrac{3n^2}{2 - 5a_n} = \lim_{n\to\infty} \dfrac{3}{\dfrac{2}{n^2} - 5 \times \dfrac{a_n}{n^2}} = \dfrac{3}{0 - 5 \times \alpha} = -\dfrac{3}{5\alpha}$

따라서 $-\dfrac{3}{5\alpha} = \dfrac{1}{2}$이므로 $\alpha = -\dfrac{6}{5}$

031 답 1

$\sum\limits_{n=1}^{\infty} na_n$이 수렴하므로 $\lim\limits_{n\to\infty} na_n=0$

$\therefore \lim\limits_{n\to\infty}(n+1)a_{n+1}=\lim\limits_{n\to\infty}na_n=0$

급수 $\sum\limits_{n=1}^{\infty}(n+1)(a_n-a_{n+1})$의 제$n$항까지의 부분합을 S_n이라 하면

$S_n=2(a_1-a_2)+3(a_2-a_3)+4(a_3-a_4)+\cdots+(n+1)(a_n-a_{n+1})$

$=2a_1+a_2+a_3+\cdots+a_n-(n+1)a_{n+1}$

$=a_1+\sum\limits_{k=1}^{n}a_k-(n+1)a_{n+1}$

$\therefore \sum\limits_{n=1}^{\infty}(n+1)(a_n-a_{n+1})$

$=\lim\limits_{n\to\infty}S_n=\lim\limits_{n\to\infty}\left\{a_1+\sum\limits_{k=1}^{n}a_k-(n+1)a_{n+1}\right\}$

$=a_1+\sum\limits_{n=1}^{\infty}a_n-\lim\limits_{n\to\infty}(n+1)a_{n+1}$

$=\dfrac{1}{3}+\dfrac{2}{3}-0=1$

032 답 ④

ㄱ. $\lim\limits_{n\to\infty}\dfrac{n}{2n+1}=\dfrac{1}{2}\neq0$이므로 $\sum\limits_{n=1}^{\infty}\dfrac{n}{2n+1}$은 발산한다.

ㄴ. $\sum\limits_{n=1}^{\infty}\dfrac{1}{(n+2)(n+3)}$

$=\sum\limits_{n=1}^{\infty}\left(\dfrac{1}{n+2}-\dfrac{1}{n+3}\right)=\lim\limits_{n\to\infty}\sum\limits_{k=1}^{n}\left(\dfrac{1}{k+2}-\dfrac{1}{k+3}\right)$

$=\lim\limits_{n\to\infty}\left\{\left(\dfrac{1}{3}-\dfrac{1}{4}\right)+\left(\dfrac{1}{4}-\dfrac{1}{5}\right)+\left(\dfrac{1}{5}-\dfrac{1}{6}\right)\right.$

$\left.+\cdots+\left(\dfrac{1}{n+2}-\dfrac{1}{n+3}\right)\right\}$

$=\lim\limits_{n\to\infty}\left(\dfrac{1}{3}-\dfrac{1}{n+3}\right)=\dfrac{1}{3}$

ㄷ. $\lim\limits_{n\to\infty}\log_2\dfrac{n+1}{2n+5}=\log_2\dfrac{1}{2}=\log_2 2^{-1}=-1\neq0$이므로

$\sum\limits_{n=1}^{\infty}\log_2\dfrac{n+1}{2n+5}$은 발산한다.

ㄹ. $\sum\limits_{n=1}^{\infty}\left(\dfrac{2}{\sqrt{n}}-\dfrac{2}{\sqrt{n+1}}\right)$

$=\lim\limits_{n\to\infty}\sum\limits_{k=1}^{n}\left(\dfrac{2}{\sqrt{k}}-\dfrac{2}{\sqrt{k+1}}\right)$

$=\lim\limits_{n\to\infty}\left\{\left(2-\dfrac{2}{\sqrt{2}}\right)+\left(\dfrac{2}{\sqrt{2}}-\dfrac{2}{\sqrt{3}}\right)+\left(\dfrac{2}{\sqrt{3}}-\dfrac{2}{\sqrt{4}}\right)\right.$

$\left.+\cdots+\left(\dfrac{2}{\sqrt{n}}-\dfrac{2}{\sqrt{n+1}}\right)\right\}$

$=\lim\limits_{n\to\infty}\left(2-\dfrac{2}{\sqrt{n+1}}\right)=2$

따라서 보기의 급수 중 수렴하는 것은 ㄴ, ㄹ이다.

033 답 ⑤

① $1+\dfrac{1}{2}+\dfrac{1}{3}+\dfrac{1}{4}+\dfrac{1}{5}+\dfrac{1}{6}+\dfrac{1}{7}+\dfrac{1}{8}+\cdots$

$>1+\dfrac{1}{2}+\left(\dfrac{1}{4}+\dfrac{1}{4}\right)+\left(\dfrac{1}{8}+\dfrac{1}{8}+\dfrac{1}{8}+\dfrac{1}{8}\right)+\cdots$

$=1+\dfrac{1}{2}+\dfrac{1}{2}+\dfrac{1}{2}+\cdots=\infty$

따라서 주어진 급수는 발산한다.

② $\dfrac{1}{3}+\dfrac{2}{7}+\dfrac{3}{11}+\dfrac{4}{15}+\cdots=\sum\limits_{n=1}^{\infty}\dfrac{n}{4n-1}$

이때 $\lim\limits_{n\to\infty}\dfrac{n}{4n-1}=\dfrac{1}{4}\neq0$이므로 주어진 급수는 발산한다.

③ $2+\dfrac{5}{4}+\dfrac{10}{9}+\dfrac{17}{16}+\cdots=\sum\limits_{n=1}^{\infty}\dfrac{n^2+1}{n^2}$

이때 $\lim\limits_{n\to\infty}\dfrac{n^2+1}{n^2}=1\neq0$이므로 주어진 급수는 발산한다.

④ $\dfrac{1}{\sqrt{2}-1}+\dfrac{1}{\sqrt{3}-\sqrt{2}}+\dfrac{1}{\sqrt{4}-\sqrt{3}}+\dfrac{1}{\sqrt{5}-\sqrt{4}}+\cdots$

$=\sum\limits_{n=1}^{\infty}\dfrac{1}{\sqrt{n+1}-\sqrt{n}}=\sum\limits_{n=1}^{\infty}(\sqrt{n+1}+\sqrt{n})=\infty$

따라서 주어진 급수는 발산한다.

⑤ $1+\dfrac{1}{1+2}+\dfrac{1}{1+2+3}+\dfrac{1}{1+2+3+4}+\cdots$

$=\sum\limits_{n=1}^{\infty}\dfrac{1}{1+2+3+\cdots+n}=\sum\limits_{n=1}^{\infty}\dfrac{2}{n(n+1)}$

$=\sum\limits_{n=1}^{\infty}2\left(\dfrac{1}{n}-\dfrac{1}{n+1}\right)=\lim\limits_{n\to\infty}\sum\limits_{k=1}^{n}2\left(\dfrac{1}{k}-\dfrac{1}{k+1}\right)$

$=\lim\limits_{n\to\infty}2\left\{\left(1-\dfrac{1}{2}\right)+\left(\dfrac{1}{2}-\dfrac{1}{3}\right)+\left(\dfrac{1}{3}-\dfrac{1}{4}\right)+\cdots+\left(\dfrac{1}{n}-\dfrac{1}{n+1}\right)\right\}$

$=\lim\limits_{n\to\infty}2\left(1-\dfrac{1}{n+1}\right)=2$

034 답 9

$\sum\limits_{n=1}^{\infty}a_n=\alpha$, $\sum\limits_{n=1}^{\infty}b_n=\beta$ (α, β는 실수)라 하면

$\sum\limits_{n=1}^{\infty}(3a_n-2b_n)=11$에서 $3\sum\limits_{n=1}^{\infty}a_n-2\sum\limits_{n=1}^{\infty}b_n=11$

$\therefore 3\alpha-2\beta=11$ ······ ㉠

$\sum\limits_{n=1}^{\infty}(a_n-3b_n)=-1$에서 $\sum\limits_{n=1}^{\infty}a_n-3\sum\limits_{n=1}^{\infty}b_n=-1$

$\therefore \alpha-3\beta=-1$ ······ ㉡

㉠, ㉡을 연립하여 풀면 $\alpha=5$, $\beta=2$

$\therefore \sum\limits_{n=1}^{\infty}(a_n+2b_n)=\sum\limits_{n=1}^{\infty}a_n+2\sum\limits_{n=1}^{\infty}b_n=5+2\times2=9$

035 답 ④

$4a_n-3b_n=c_n$으로 놓으면 $3b_n=4a_n-c_n$ $\therefore b_n=\dfrac{4}{3}a_n-\dfrac{1}{3}c_n$

이때 $\sum\limits_{n=1}^{\infty}a_n=6$, $\sum\limits_{n=1}^{\infty}c_n=30$이므로

$\sum\limits_{n=1}^{\infty}b_n=\sum\limits_{n=1}^{\infty}\left(\dfrac{4}{3}a_n-\dfrac{1}{3}c_n\right)=\dfrac{4}{3}\sum\limits_{n=1}^{\infty}a_n-\dfrac{1}{3}\sum\limits_{n=1}^{\infty}c_n$

$=\dfrac{4}{3}\times6-\dfrac{1}{3}\times30=-2$

$\therefore \sum\limits_{n=1}^{\infty}(2a_n-5b_n)=2\sum\limits_{n=1}^{\infty}a_n-5\sum\limits_{n=1}^{\infty}b_n$

$=2\times6-5\times(-2)=22$

036 답 4

$\sum\limits_{n=1}^{\infty}\log a_n=\alpha$, $\sum\limits_{n=1}^{\infty}\log b_n=\beta$ (α, β는 실수)라 하면

$\sum\limits_{n=1}^{\infty}\log a_n b_n=2$에서 $\sum\limits_{n=1}^{\infty}(\log a_n+\log b_n)=2$

$\sum\limits_{n=1}^{\infty}\log a_n+\sum\limits_{n=1}^{\infty}\log b_n=2$ $\therefore \alpha+\beta=2$ ······ ㉠

$\sum\limits_{n=1}^{\infty}\log\dfrac{a_n^2}{b_n^3}=9$에서 $\sum\limits_{n=1}^{\infty}(2\log a_n-3\log b_n)=9$

$2\sum\limits_{n=1}^{\infty}\log a_n-3\sum\limits_{n=1}^{\infty}\log b_n=9$ $\therefore 2\alpha-3\beta=9$ ······ ㉡

㉠, ㉡을 연립하여 풀면 $\alpha=3$, $\beta=-1$

$\therefore \sum\limits_{n=1}^{\infty}\log\dfrac{a_n}{b_n}=\sum\limits_{n=1}^{\infty}(\log a_n-\log b_n)=\sum\limits_{n=1}^{\infty}\log a_n-\sum\limits_{n=1}^{\infty}\log b_n$

$=3-(-1)=4$

037 답 ㄱ, ㄴ, ㄷ

ㄱ. $\sum\limits_{n=1}^{\infty} a_n$과 $\sum\limits_{n=1}^{\infty} b_n$이 수렴하므로 $\lim\limits_{n\to\infty} a_n=0$, $\lim\limits_{n\to\infty} b_n=0$

$\therefore \lim\limits_{n\to\infty}(a_n+b_n)=\lim\limits_{n\to\infty} a_n+\lim\limits_{n\to\infty} b_n=0$

ㄴ. $\sum\limits_{n=1}^{\infty}(a_n-b_n)$이 수렴하므로 $\lim\limits_{n\to\infty}(a_n-b_n)=0$

수열 $\{a_n\}$이 수렴하므로 $\lim\limits_{n\to\infty} a_n=\alpha\ (\alpha$는 실수$)$라 하면

$\lim\limits_{n\to\infty} b_n=\lim\limits_{n\to\infty}\{a_n-(a_n-b_n)\}=\alpha-0=\alpha$

$\therefore \lim\limits_{n\to\infty} a_n=\lim\limits_{n\to\infty} b_n$

ㄷ. $\sum\limits_{n=1}^{\infty}(a_n+2b_n)=\alpha$, $\sum\limits_{n=1}^{\infty}(2a_n-b_n)=\beta\ (\alpha,\ \beta$는 실수$)$라 하면

$\sum\limits_{n=1}^{\infty} a_n=\sum\limits_{n=1}^{\infty}\dfrac{(a_n+2b_n)+2(2a_n-b_n)}{5}$

$=\dfrac{1}{5}\sum\limits_{n=1}^{\infty}(a_n+2b_n)+\dfrac{2}{5}\sum\limits_{n=1}^{\infty}(2a_n-b_n)=\dfrac{1}{5}\alpha+\dfrac{2}{5}\beta$

$\sum\limits_{n=1}^{\infty} b_n=\sum\limits_{n=1}^{\infty}\dfrac{2(a_n+2b_n)-(2a_n-b_n)}{5}$

$=\dfrac{2}{5}\sum\limits_{n=1}^{\infty}(a_n+2b_n)-\dfrac{1}{5}\sum\limits_{n=1}^{\infty}(2a_n-b_n)=\dfrac{2}{5}\alpha-\dfrac{1}{5}\beta$

따라서 $\sum\limits_{n=1}^{\infty} a_n$, $\sum\limits_{n=1}^{\infty} b_n$도 모두 수렴한다.

ㄹ. [반례] $a_n=\dfrac{1}{n(n+1)}$, $b_n=n^2$이라 하면

$\sum\limits_{n=1}^{\infty} a_n=\sum\limits_{n=1}^{\infty}\dfrac{1}{n(n+1)}=\sum\limits_{n=1}^{\infty}\left(\dfrac{1}{n}-\dfrac{1}{n+1}\right)$

$=\lim\limits_{n\to\infty}\sum\limits_{k=1}^{n}\left(\dfrac{1}{k}-\dfrac{1}{k+1}\right)$

$=\lim\limits_{n\to\infty}\left\{\left(1-\dfrac{1}{2}\right)+\left(\dfrac{1}{2}-\dfrac{1}{3}\right)+\left(\dfrac{1}{3}-\dfrac{1}{4}\right)\right.$

$\left.+\cdots+\left(\dfrac{1}{n}-\dfrac{1}{n+1}\right)\right\}$

$=\lim\limits_{n\to\infty}\left(1-\dfrac{1}{n+1}\right)=1$

즉, $\sum\limits_{n=1}^{\infty} a_n$은 1에 수렴하고, $\lim\limits_{n\to\infty} b_n=\infty$이지만

$\lim\limits_{n\to\infty} a_n b_n=\lim\limits_{n\to\infty}\dfrac{n^2}{n(n+1)}=1\neq0$이다.

따라서 보기 중 옳은 것은 ㄱ, ㄴ, ㄷ이다.

038 답 ㄱ

ㄱ. $\sum\limits_{n=1}^{\infty} a_n$이 수렴하면 $\lim\limits_{n\to\infty} a_n=0$이다.

ㄴ. [반례] $a_n=\dfrac{1}{n}$이라 하면 $\lim\limits_{n\to\infty} a_n=0$이지만 $\sum\limits_{n=1}^{\infty} a_n=\infty$

ㄷ. [반례] $\{a_n\}$: $1,\ -\dfrac{1}{\sqrt{2}},\ \dfrac{1}{\sqrt{2}},\ -\dfrac{1}{\sqrt{3}},\ \dfrac{1}{\sqrt{3}},\ \cdots$이라 하고 급수

$\sum\limits_{n=1}^{\infty} a_n$의 제$n$항까지의 부분합을 S_n이라 하면

$S_{2n-1}=1$, $S_{2n}=1-\dfrac{1}{\sqrt{n+1}}$

$\lim\limits_{n\to\infty} S_{2n-1}=\lim\limits_{n\to\infty} S_{2n}=1$이므로 $\sum\limits_{n=1}^{\infty} a_n$은 1에 수렴한다.

$\{a_n{}^2\}$: $1,\ \dfrac{1}{2},\ \dfrac{1}{2},\ \dfrac{1}{3},\ \dfrac{1}{3},\ \cdots$이므로 $\sum\limits_{n=1}^{\infty} a_n{}^2=\infty$

즉, $\sum\limits_{n=1}^{\infty} a_n$은 수렴하지만 $\sum\limits_{n=1}^{\infty} a_n{}^2$은 발산한다.

따라서 보기 중 옳은 것은 ㄱ이다.

039 답 ⑤

두 급수 $\sum\limits_{n=1}^{\infty}(a_n+2)$, $\sum\limits_{n=1}^{\infty}(b_n-2)$가 수렴하므로

$\lim\limits_{n\to\infty}(a_n+2)=0$, $\lim\limits_{n\to\infty}(b_n-2)=0$

$\therefore \lim\limits_{n\to\infty} a_n=-2$, $\lim\limits_{n\to\infty} b_n=2$

ㄱ. $\lim\limits_{n\to\infty} a_n b_n=\lim\limits_{n\to\infty} a_n\times\lim\limits_{n\to\infty} b_n=-4$

ㄴ. $\lim\limits_{n\to\infty} a_n=-2\neq0$이므로 $\sum\limits_{n=1}^{\infty} a_n$은 발산한다.

ㄷ. $\sum\limits_{n=1}^{\infty}(a_n+b_n)=\sum\limits_{n=1}^{\infty}\{(a_n+2)+(b_n-2)\}$

$=\sum\limits_{n=1}^{\infty}(a_n+2)+\sum\limits_{n=1}^{\infty}(b_n-2)$

이므로 $\sum\limits_{n=1}^{\infty}(a_n+b_n)$은 수렴한다.

따라서 보기 중 옳은 것은 ㄱ, ㄴ, ㄷ이다.

040 답 ②

원의 중심을 P라 하면 $P(2n,\ 0)$이고, 원과 직선이 만나는 점을 Q라 하면 원의 반지름의 길이는 1이므로 $\overline{PQ}=1$

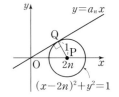

$\therefore \overline{OQ}=\sqrt{\overline{OP}^2-\overline{PQ}^2}=\sqrt{(2n)^2-1^2}$

$=\sqrt{4n^2-1}$

기울기 a_n은 $a_n=\tan(\angle POQ)=\dfrac{1}{\sqrt{4n^2-1}}$이므로

$a_n{}^2=\dfrac{1}{4n^2-1}$

$\therefore \sum\limits_{n=1}^{\infty} a_n{}^2=\sum\limits_{n=1}^{\infty}\dfrac{1}{4n^2-1}=\sum\limits_{n=1}^{\infty}\dfrac{1}{(2n-1)(2n+1)}$

$=\sum\limits_{n=1}^{\infty}\dfrac{1}{2}\left(\dfrac{1}{2n-1}-\dfrac{1}{2n+1}\right)$

$=\lim\limits_{n\to\infty}\sum\limits_{k=1}^{n}\dfrac{1}{2}\left(\dfrac{1}{2k-1}-\dfrac{1}{2k+1}\right)$

$=\lim\limits_{n\to\infty}\dfrac{1}{2}\left\{\left(1-\dfrac{1}{3}\right)+\left(\dfrac{1}{3}-\dfrac{1}{5}\right)+\left(\dfrac{1}{5}-\dfrac{1}{7}\right)\right.$

$\left.+\cdots+\left(\dfrac{1}{2n-1}-\dfrac{1}{2n+1}\right)\right\}$

$=\lim\limits_{n\to\infty}\dfrac{1}{2}\left(1-\dfrac{1}{2n+1}\right)=\dfrac{1}{2}$

041 답 $\dfrac{1}{2}$

직선 $(n+1)x+ny=1$에서 $y=0$일 때 $x=\dfrac{1}{n+1}$이고, $x=0$일 때

$y=\dfrac{1}{n}$이므로 주어진 직선의 x절편은 $\dfrac{1}{n+1}$, y절편은 $\dfrac{1}{n}$이다.

$\therefore S_n=\dfrac{1}{2}\times\dfrac{1}{n+1}\times\dfrac{1}{n}=\dfrac{1}{2n(n+1)}$

$\therefore \sum\limits_{n=1}^{\infty} S_n=\sum\limits_{n=1}^{\infty}\dfrac{1}{2n(n+1)}=\sum\limits_{n=1}^{\infty}\dfrac{1}{2}\left(\dfrac{1}{n}-\dfrac{1}{n+1}\right)$

$=\lim\limits_{n\to\infty}\sum\limits_{k=1}^{n}\dfrac{1}{2}\left(\dfrac{1}{k}-\dfrac{1}{k+1}\right)$

$=\lim\limits_{n\to\infty}\dfrac{1}{2}\left\{\left(1-\dfrac{1}{2}\right)+\left(\dfrac{1}{2}-\dfrac{1}{3}\right)+\left(\dfrac{1}{3}-\dfrac{1}{4}\right)\right.$

$\left.+\cdots+\left(\dfrac{1}{n}-\dfrac{1}{n+1}\right)\right\}$

$=\lim\limits_{n\to\infty}\dfrac{1}{2}\left(1-\dfrac{1}{n+1}\right)=\dfrac{1}{2}$

042 답 $\dfrac{1}{4}$

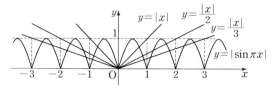

위의 그림에서 $a_1=3$, $a_2=7$, $a_3=11$, $\cdots$이므로 $a_n=4n-1$

$$\therefore \sum_{n=1}^{\infty}\dfrac{3}{a_n a_{n+1}}=\sum_{n=1}^{\infty}\dfrac{3}{(4n-1)(4n+3)}=\sum_{n=1}^{\infty}\dfrac{3}{4}\left(\dfrac{1}{4n-1}-\dfrac{1}{4n+3}\right)$$

$$=\lim_{n\to\infty}\sum_{k=1}^{n}\dfrac{3}{4}\left(\dfrac{1}{4k-1}-\dfrac{1}{4k+3}\right)$$

$$=\lim_{n\to\infty}\dfrac{3}{4}\left\{\left(\dfrac{1}{3}-\dfrac{1}{7}\right)+\left(\dfrac{1}{7}-\dfrac{1}{11}\right)+\left(\dfrac{1}{11}-\dfrac{1}{15}\right)\right.$$

$$\left.+\cdots+\left(\dfrac{1}{4n-1}-\dfrac{1}{4n+3}\right)\right\}$$

$$=\lim_{n\to\infty}\dfrac{3}{4}\left(\dfrac{1}{3}-\dfrac{1}{4n+3}\right)=\dfrac{1}{4}$$

043 답 ⑤

$$\sum_{n=1}^{\infty}\dfrac{2^{n-1}+(-3)^{n+1}}{12^n}=\sum_{n=1}^{\infty}\dfrac{2^{-1}\times 2^n}{12^n}+\sum_{n=1}^{\infty}\dfrac{(-3)\times(-3)^n}{12^n}$$

$$=\sum_{n=1}^{\infty}\left\{\dfrac{1}{2}\times\left(\dfrac{1}{6}\right)^n\right\}+\sum_{n=1}^{\infty}\left\{(-3)\times\left(-\dfrac{1}{4}\right)^n\right\}$$

$$=\dfrac{1}{2}\times\dfrac{\dfrac{1}{6}}{1-\dfrac{1}{6}}+(-3)\times\dfrac{-\dfrac{1}{4}}{1-\left(-\dfrac{1}{4}\right)}$$

$$=\dfrac{1}{10}+\dfrac{3}{5}=\dfrac{7}{10}$$

044 답 $\dfrac{2\sqrt{2}}{5}$

등비수열 $\{a_n\}$의 공비를 r라 하면

$\displaystyle\sum_{n=1}^{\infty}a_n=\sqrt{2}$에서 $\dfrac{a_1}{1-r}=\sqrt{2}$

$\therefore a_1=\sqrt{2}(1-r)$ ······ ㉠

수열 $\{a_n{}^2\}$의 첫째항은 $a_1{}^2$, 공비는 r^2이므로

$\displaystyle\sum_{n=1}^{\infty}a_n{}^2=\dfrac{1}{2}$에서 $\dfrac{a_1{}^2}{1-r^2}=\dfrac{1}{2}$

$\therefore \dfrac{a_1{}^2}{(1+r)(1-r)}=\dfrac{1}{2}$ ······ ㉡

㉠을 ㉡에 대입하면

$\dfrac{2(1-r)^2}{(1+r)(1-r)}=\dfrac{1}{2}$, $\dfrac{2(1-r)}{1+r}=\dfrac{1}{2}$ $(\because -1<r<1)$

$4(1-r)=1+r$, $5r=3$ $\therefore r=\dfrac{3}{5}$

이를 ㉠에 대입하면 $a_1=\dfrac{2\sqrt{2}}{5}$

045 답 $x=\dfrac{1}{2}$ 또는 $3<x<5$

첫째항이 $(2x-1)(x-4)$, 공비가 $x-4$이므로 주어진 급수가 수렴하려면 $(2x-1)(x-4)=0$ 또는 $-1<x-4<1$

(ⅰ) $(2x-1)(x-4)=0$에서 $x=\dfrac{1}{2}$ 또는 $x=4$

(ⅱ) $-1<x-4<1$에서 $3<x<5$

(ⅰ), (ⅱ)에서 $x=\dfrac{1}{2}$ 또는 $3<x<5$

046 답 ㄱ, ㄹ

등비급수 $\displaystyle\sum_{n=1}^{\infty}r^n$이 수렴하므로 $-1<r<1$ ······ ㉠

ㄱ. $\displaystyle\sum_{n=1}^{\infty}r^{2n-1}$은 공비가 r^2인 등비급수이고 ㉠에서 $0\le r^2<1$이므로 수렴한다.

ㄴ. $\displaystyle\sum_{n=1}^{\infty}\left(\dfrac{1}{r}\right)^n$ $(r\ne 0)$은 공비가 $\dfrac{1}{r}$인 등비급수이고 ㉠에서 $\dfrac{1}{r}<-1$ 또는 $\dfrac{1}{r}>1$이므로 발산한다.

ㄷ. $\displaystyle\sum_{n=1}^{\infty}\left(\dfrac{r}{2}-1\right)^n$은 공비가 $\dfrac{r}{2}-1$인 등비급수이고 ㉠에서 $-\dfrac{3}{2}<\dfrac{r}{2}-1<-\dfrac{1}{2}$이므로 항상 수렴한다고 할 수 없다.

ㄹ. $\displaystyle\sum_{n=1}^{\infty}\left(\dfrac{r-1}{2}\right)^n$은 공비가 $\dfrac{r-1}{2}$인 등비급수이고 ㉠에서 $-1<\dfrac{r-1}{2}<0$이므로 수렴한다.

따라서 보기의 급수 중 항상 수렴하는 것은 ㄱ, ㄹ이다.

047 답 $\dfrac{19}{45}$

$0.4\dot{2}=0.4222\cdots=0.4+0.02+0.002+0.0002+\cdots$

$$=\dfrac{4}{10}+\dfrac{2}{100}+\dfrac{2}{1000}+\dfrac{2}{10000}+\cdots$$

$$=\dfrac{4}{10}+\dfrac{\dfrac{2}{100}}{1-\dfrac{1}{10}}$$

$$=\dfrac{4}{10}+\dfrac{2}{90}=\dfrac{19}{45}$$

048 답 $\left(\dfrac{16}{25},\ \dfrac{12}{25}\right)$

점 P가 한없이 가까워지는 점의 좌표를 (x, y)라 하면

$x=\overline{OP_1}-\overline{P_2P_3}+\overline{P_4P_5}-\overline{P_6P_7}+\cdots$

$$=1-\left(\dfrac{3}{4}\right)^2+\left(\dfrac{3}{4}\right)^4-\left(\dfrac{3}{4}\right)^6+\cdots$$

$$=\dfrac{1}{1-\left\{-\left(\dfrac{3}{4}\right)^2\right\}}=\dfrac{16}{25}$$

$y=\overline{P_1P_2}-\overline{P_3P_4}+\overline{P_5P_6}-\overline{P_7P_8}+\cdots$

$$=\dfrac{3}{4}-\left(\dfrac{3}{4}\right)^3+\left(\dfrac{3}{4}\right)^5-\left(\dfrac{3}{4}\right)^7+\cdots$$

$$=\dfrac{\dfrac{3}{4}}{1-\left\{-\left(\dfrac{3}{4}\right)^2\right\}}=\dfrac{12}{25}$$

따라서 점 P가 한없이 가까워지는 점의 좌표는 $\left(\dfrac{16}{25},\ \dfrac{12}{25}\right)$이다.

049 답 $32(\sqrt{2}+1)$

$\overline{A_1B}=\dfrac{1}{2}\overline{AB}=\dfrac{1}{2}\times 8=4$이고 $\triangle A_1BB_1$은 직각이등변삼각형이므로

$\overline{A_1B_1}=\sqrt{2}\,\overline{A_1B}=4\sqrt{2}$

$\therefore l_1=4\times 4\sqrt{2}=16\sqrt{2}$

$\overline{A_2B_1}=\dfrac{1}{2}\overline{A_1B_1}=\dfrac{1}{2}\times4\sqrt{2}=2\sqrt{2}$이고 $\triangle A_2B_1B_2$는 직각이등변삼각

형이므로

$\overline{A_2B_2}=\sqrt{2}\,\overline{A_2B_1}=\sqrt{2}\times2\sqrt{2}=4$

$\therefore l_2=4\times4=16$

$\overline{A_3B_2}=\dfrac{1}{2}\overline{A_2B_2}=\dfrac{1}{2}\times4=2$이고 $\triangle A_3B_2B_3$은 직각이등변삼각형이

므로

$\overline{A_3B_3}=\sqrt{2}\,\overline{A_3B_2}=\sqrt{2}\times2=2\sqrt{2}$

$\therefore l_3=4\times2\sqrt{2}=8\sqrt{2}$

$\qquad\vdots$

$\therefore \displaystyle\sum_{n=1}^{\infty}l_n=16\sqrt{2}+16+8\sqrt{2}+\cdots=\dfrac{16\sqrt{2}}{1-\dfrac{\sqrt{2}}{2}}=32(\sqrt{2}+1)$

050 답 12

n번째 얻은 정사각형의 넓이를 S_n이라 하면

$S_1=\overline{A_1B_1}^2=\left(\dfrac{1}{2}\overline{AC}\right)^2=\left(\dfrac{1}{2}\times6\right)^2=3^2=9,$

$S_2=\overline{A_2B_2}^2=\left(\dfrac{1}{2}\overline{A_1B_1}\right)^2=\left(\dfrac{1}{2}\times3\right)^2=\dfrac{9}{4},$

$S_3=\overline{A_3B_3}^2=\left(\dfrac{1}{2}\overline{A_2B_2}\right)^2=\left(\dfrac{1}{2}\times\dfrac{3}{2}\right)^2=\dfrac{9}{16},$

$\qquad\vdots$

따라서 구하는 합은

$S_1+S_2+S_3+\cdots=9+\dfrac{9}{4}+\dfrac{9}{16}+\cdots=\dfrac{9}{1-\dfrac{1}{4}}=12$

051 답 750 kg

n번째 수거하여 재생산되는 종이의 양을 $a_n\,$kg이라 하면

$a_1=500\times0.8\times0.75=500\times\dfrac{3}{5},$

$a_2=a_1\times0.8\times0.75=500\times\left(\dfrac{3}{5}\right)^2,$

$a_3=a_2\times0.8\times0.75=500\times\left(\dfrac{3}{5}\right)^3,$

$\qquad\vdots$

따라서 재생산되는 종이의 양의 합은

$a_1+a_2+a_3+\cdots=500\times\dfrac{3}{5}+500\times\left(\dfrac{3}{5}\right)^2+500\times\left(\dfrac{3}{5}\right)^3+\cdots$

$\qquad\qquad=\dfrac{500\times\dfrac{3}{5}}{1-\dfrac{3}{5}}=750(\mathrm{kg})$

052 답 ④

$\displaystyle\sum_{n=1}^{\infty}\dfrac{2^{2n+1}-5^n}{10^{n-1}}=\sum_{n=1}^{\infty}\dfrac{2\times4^n}{\dfrac{1}{10}\times10^n}-\sum_{n=1}^{\infty}\dfrac{5^n}{\dfrac{1}{10}\times10^n}$

$\qquad\qquad=\displaystyle\sum_{n=1}^{\infty}\left\{20\times\left(\dfrac{2}{5}\right)^n\right\}-\sum_{n=1}^{\infty}\left\{10\times\left(\dfrac{1}{2}\right)^n\right\}$

$\qquad\qquad=20\times\dfrac{\dfrac{2}{5}}{1-\dfrac{2}{5}}-10\times\dfrac{\dfrac{1}{2}}{1-\dfrac{1}{2}}$

$\qquad\qquad=\dfrac{40}{3}-10=\dfrac{10}{3}$

053 답 ③

$\dfrac{a_1}{3}+\dfrac{a_2}{3^2}+\dfrac{a_3}{3^3}+\dfrac{a_4}{3^4}+\cdots=\displaystyle\sum_{n=1}^{\infty}\dfrac{a_n}{3^n}=\sum_{n=1}^{\infty}\dfrac{(-1)^n}{5\times3^n}$

$\qquad\qquad=\displaystyle\sum_{n=1}^{\infty}\left\{\dfrac{1}{5}\times\left(-\dfrac{1}{3}\right)^n\right\}$

$\qquad\qquad=\dfrac{1}{5}\times\dfrac{-\dfrac{1}{3}}{1-\left(-\dfrac{1}{3}\right)}=-\dfrac{1}{20}$

054 답 $\dfrac{13}{10}$

$\displaystyle\sum_{n=1}^{\infty}\left\{\left(-\dfrac{1}{2}\right)^n\cos n\pi+\left(\dfrac{1}{3}\right)^n\sin\dfrac{n\pi}{2}\right\}$

$=\displaystyle\sum_{n=1}^{\infty}\left(-\dfrac{1}{2}\right)^n\cos n\pi+\sum_{n=1}^{\infty}\left(\dfrac{1}{3}\right)^n\sin\dfrac{n\pi}{2}$

$=\left\{-\dfrac{1}{2}\cos\pi+\left(-\dfrac{1}{2}\right)^2\cos2\pi+\left(-\dfrac{1}{2}\right)^3\cos3\pi+\cdots\right\}$

$\qquad+\left\{\dfrac{1}{3}\sin\dfrac{\pi}{2}+\left(\dfrac{1}{3}\right)^2\sin\pi+\left(\dfrac{1}{3}\right)^3\sin\dfrac{3}{2}\pi+\cdots\right\}$

$=\left\{\dfrac{1}{2}+\left(\dfrac{1}{2}\right)^2+\left(\dfrac{1}{2}\right)^3+\cdots\right\}+\left\{\dfrac{1}{3}-\left(\dfrac{1}{3}\right)^3+\left(\dfrac{1}{3}\right)^5-\cdots\right\}$

$=\dfrac{\dfrac{1}{2}}{1-\dfrac{1}{2}}+\dfrac{\dfrac{1}{3}}{1-\left(-\dfrac{1}{9}\right)}=1+\dfrac{3}{10}=\dfrac{13}{10}$

055 답 $\dfrac{3}{2}$

$a_1=1$이므로

$a_1a_2=\dfrac{1}{3}$에서 $a_2=\dfrac{1}{3}$

$a_2a_3=\left(\dfrac{1}{3}\right)^2$에서 $a_3=\dfrac{1}{3}$

$a_3a_4=\left(\dfrac{1}{3}\right)^3$에서 $a_4=\left(\dfrac{1}{3}\right)^2$

$a_4a_5=\left(\dfrac{1}{3}\right)^4$에서 $a_5=\left(\dfrac{1}{3}\right)^2$

$\qquad\vdots$

따라서 수열 $\{a_{2n-1}\}$은 첫째항이 1, 공비가 $\dfrac{1}{3}$인 등비수열이므로

$\displaystyle\sum_{n=1}^{\infty}a_{2n-1}=\dfrac{1}{1-\dfrac{1}{3}}=\dfrac{3}{2}$

056 답 ③

$\log_2(S_n+1)=2n$에서 $S_n+1=2^{2n}$

$\therefore S_n=2^{2n}-1$

(i) $n\geq2$일 때,

$\qquad a_n=S_n-S_{n-1}=2^{2n}-1-(2^{2n-2}-1)$

$\qquad\quad=2^{2n}-2^{2n-2}=3\times4^{n-1}$ $\quad\cdots\cdots$ ㉠

(ii) $n=1$일 때, $a_1=S_1=3$ $\quad\cdots\cdots$ ㉡

이때 ㉡은 ㉠에 $n=1$을 대입한 값과 같으므로 $a_n=3\times4^{n-1}$

$\therefore \displaystyle\sum_{n=1}^{\infty}\dfrac{1}{a_n}=\sum_{n=1}^{\infty}\dfrac{1}{3\times4^{n-1}}=\sum_{n=1}^{\infty}\left\{\dfrac{1}{3}\times\left(\dfrac{1}{4}\right)^{n-1}\right\}=\dfrac{\dfrac{1}{3}}{1-\dfrac{1}{4}}=\dfrac{4}{9}$

057 답 4

이차방정식의 근과 계수의 관계에 의하여

$$\alpha_n+\beta_n=-\frac{2\sqrt{5}}{2^n},\ \alpha_n\beta_n=\frac{1}{2^{2n}}$$

$(\alpha_n-\beta_n)^2=(\alpha_n+\beta_n)^2-4\alpha_n\beta_n=\dfrac{20}{2^{2n}}-\dfrac{4}{2^{2n}}=\dfrac{16}{2^{2n}}$이므로

$$|\alpha_n-\beta_n|=\frac{4}{2^n}=4\times\left(\frac{1}{2}\right)^n$$

$$\therefore \sum_{n=1}^{\infty}|\alpha_n-\beta_n|=\sum_{n=1}^{\infty}\left\{4\times\left(\frac{1}{2}\right)^n\right\}=4\times\frac{\frac{1}{2}}{1-\frac{1}{2}}=4$$

058 답 ②

$a_1=9,\ a_2=1,\ a_3=9,\ a_4=1,\ a_5=9,\ a_6=1,\ \cdots$이므로

$$\sum_{n=1}^{\infty}\frac{a_n}{5^n}=\frac{a_1}{5}+\frac{a_2}{5^2}+\frac{a_3}{5^3}+\frac{a_4}{5^4}+\frac{a_5}{5^5}+\frac{a_6}{5^6}+\cdots$$

$$=\frac{9}{5}+\frac{1}{5^2}+\frac{9}{5^3}+\frac{1}{5^4}+\frac{9}{5^5}+\frac{1}{5^6}+\cdots$$

$$=\left(\frac{9}{5}+\frac{9}{5^3}+\frac{9}{5^5}+\cdots\right)+\left(\frac{1}{5^2}+\frac{1}{5^4}+\frac{1}{5^6}+\cdots\right)$$

$$=\frac{\frac{9}{5}}{1-\frac{1}{25}}+\frac{\frac{1}{25}}{1-\frac{1}{25}}=\frac{15}{8}+\frac{1}{24}=\frac{23}{12}$$

059 답 $\dfrac{1}{6}$

$x^n=(-3)^{n-1}$에서

(ⅰ) $n=2k\,(k=1,\ 2,\ 3,\ \cdots)$일 때,

$$x^n=(-3)^{2k-1}=-3^{2k-1}<0$$

이때 n은 짝수이므로 실근의 개수는 0이다.

$$\therefore a_{2k}=0$$

(ⅱ) $n=2k+1\,(k=1,\ 2,\ 3,\ \cdots)$일 때,

$$x^n=(-3)^{2k}=3^{2k}>0$$

이때 n은 홀수이므로 실근의 개수는 1이다.

$$\therefore a_{2k+1}=1$$

(ⅰ), (ⅱ)에서 $a_n=\begin{cases}0\ (n=2k)\\1\ (n=2k+1)\end{cases}\ (k=1,\ 2,\ 3,\ \cdots)$

$$\therefore \sum_{n=2}^{\infty}\frac{a_n}{2^n}=\frac{a_2}{2^2}+\frac{a_3}{2^3}+\frac{a_4}{2^4}+\frac{a_5}{2^5}+\cdots$$

$$=\frac{1}{2^3}+\frac{1}{2^5}+\frac{1}{2^7}+\cdots$$

$$=\frac{\frac{1}{8}}{1-\frac{1}{4}}=\frac{1}{6}$$

060 답 $\dfrac{16}{7}$

등비수열 $\{a_n\}$의 첫째항을 a, 공비를 r라 하면

$\displaystyle\sum_{n=1}^{\infty}a_n=1$에서 $\dfrac{a}{1-r}=1$ $\therefore a=1-r$ ······ ㉠

등비수열 $\{a_n^2\}$의 첫째항은 a^2, 공비는 r^2이므로

$\displaystyle\sum_{n=1}^{\infty}a_n^2=2$에서 $\dfrac{a^2}{1-r^2}=2$ $\therefore \dfrac{a^2}{(1+r)(1-r)}=2$ ······ ㉡

㉠을 ㉡에 대입하면

$$\frac{(1-r)^2}{(1+r)(1-r)}=2,\ \frac{1-r}{1+r}=2\ (\because -1<r<1)$$

$$2(1+r)=1-r \qquad \therefore r=-\frac{1}{3}$$

이를 ㉠에 대입하면 $a=\dfrac{4}{3}$

따라서 등비수열 $\{a_n^3\}$의 첫째항은 $a^3=\dfrac{64}{27}$, 공비는 $r^3=-\dfrac{1}{27}$이므로

$$\sum_{n=1}^{\infty}a_n^3=\frac{\frac{64}{27}}{1-\left(-\frac{1}{27}\right)}=\frac{16}{7}$$

061 답 $\dfrac{6}{7}$

등비수열 $\{a_n\}$의 공비를 r라 하면

$\displaystyle\sum_{n=1}^{\infty}a_n=2$에서 $\dfrac{\frac{1}{2}}{1-r}=2$

$$2(1-r)=\frac{1}{2} \qquad \therefore r=\frac{3}{4}$$

따라서 $a_n=\dfrac{1}{2}\times\left(\dfrac{3}{4}\right)^{n-1}$이므로 $a_{2n}=\dfrac{1}{2}\times\left(\dfrac{3}{4}\right)^{2n-1}=\dfrac{2}{3}\times\left(\dfrac{9}{16}\right)^n$

$$\therefore \sum_{n=1}^{\infty}a_{2n}=\frac{2}{3}\times\frac{\frac{9}{16}}{1-\frac{9}{16}}=\frac{6}{7}$$

062 답 ①

$$\sum_{n=1}^{\infty}\frac{x^n+(-x)^n}{4^n}=\sum_{n=1}^{\infty}\left(\frac{x}{4}\right)^n+\sum_{n=1}^{\infty}\left(-\frac{x}{4}\right)^n$$

$$=\frac{\frac{x}{4}}{1-\frac{x}{4}}+\frac{-\frac{x}{4}}{1-\left(-\frac{x}{4}\right)}$$

$$=\frac{x}{4-x}-\frac{x}{4+x}=\frac{2x^2}{16-x^2}$$

따라서 $\dfrac{2x^2}{16-x^2}=\dfrac{2}{3}$이므로

$$3x^2=16-x^2,\ 4x^2=16,\ x^2=4$$

$$\therefore x=2\ (\because 0<x<4)$$

063 답 16

등비수열 $\{a_n\}$의 공비를 $r\,(0<r<1)$라 하면

$a_1+a_2=20$에서 $a_1+a_1r=20$

$$\therefore a_1=\frac{20}{1+r} \qquad \cdots\cdots\ ㉠$$

$\displaystyle\sum_{n=1}^{\infty}a_{n+2}=\dfrac{4}{3}$에서 $a_1r^2+a_1r^3+a_1r^4+\cdots=\dfrac{4}{3}$

$$\therefore \frac{a_1r^2}{1-r}=\frac{4}{3} \qquad \cdots\cdots\ ㉡$$

㉠을 ㉡에 대입하면

$$\frac{20r^2}{(1+r)(1-r)}=\frac{4}{3},\ 15r^2=1-r^2,\ 16r^2=1$$

$$r^2=\frac{1}{16} \qquad \therefore r=\frac{1}{4}\ (\because 0<r<1)$$

이를 ㉠에 대입하면 $a_1=16$

064 답 ④

첫째항이 $(x+2) \times \dfrac{x-1}{3}$, 공비가 $\dfrac{x-1}{3}$이므로 주어진 급수가 수렴하려면

$(x+2) \times \dfrac{x-1}{3}=0$ 또는 $-1 < \dfrac{x-1}{3} < 1$

(i) $(x+2) \times \dfrac{x-1}{3}=0$에서 $x=-2$ 또는 $x=1$

(ii) $-1 < \dfrac{x-1}{3} < 1$에서 $-2 < x < 4$

(i), (ii)에서 $-2 \le x < 4$

따라서 정수 x는 -2, -1, 0, 1, 2, 3의 6개이다.

065 답 $\dfrac{1}{2} < x < 1$

(i) 수열 $\{(x-2)(4x-3)^{n-1}\}$의 첫째항이 $x-2$, 공비가 $4x-3$이므로 이 수열이 수렴하려면

$x-2=0$ 또는 $-1 < 4x-3 \le 1$

이때 $-1 < 4x-3 \le 1$에서 $\dfrac{1}{2} < x \le 1$

$\therefore \dfrac{1}{2} < x \le 1$ 또는 $x=2$

(ii) 급수 $\displaystyle\sum_{n=1}^{\infty} (x^2+x-1)^n$의 공비가 x^2+x-1이므로 이 급수가 수렴하려면

$-1 < x^2+x-1 < 1$

$x^2+x-1 > -1$에서 $x(x+1) > 0$ $\quad \therefore x < -1$ 또는 $x > 0$

$x^2+x-1 < 1$에서 $(x+2)(x-1) < 0$ $\quad \therefore -2 < x < 1$

$\therefore -2 < x < -1$ 또는 $0 < x < 1$

(i), (ii)에서 $\dfrac{1}{2} < x < 1$

066 답 ②

공비가 $2\log_9(x+2)$이므로 주어진 급수가 수렴하려면

$-1 < 2\log_9(x+2) < 1$

$-\dfrac{1}{2} < \log_9(x+2) < \dfrac{1}{2}$

$\log_9 9^{-\frac{1}{2}} < \log_9(x+2) < \log_9 9^{\frac{1}{2}}$

$\dfrac{1}{3} < x+2 < 3$ $\quad \therefore -\dfrac{5}{3} < x < 1$

따라서 정수 x는 -1, 0이므로 구하는 합은 $-1+0=-1$

067 답 ④

등비급수 $\displaystyle\sum_{n=1}^{\infty} r^n$이 수렴하므로 $-1 < r < 1$ $\quad$ …… ㉠

① $\displaystyle\sum_{n=1}^{\infty} r^{n+2}$은 공비가 r인 등비급수이므로 수렴한다.

② $\displaystyle\sum_{n=1}^{\infty} r^{2n}=\sum_{n=1}^{\infty}(r^2)^n$은 공비가 r^2인 등비급수이고 ㉠에서 $0 \le r^2 < 1$이므로 수렴한다.

③ $\displaystyle\sum_{n=1}^{\infty} \left(\dfrac{r+2}{3}\right)^n$은 공비가 $\dfrac{r+2}{3}$인 등비급수이고 ㉠에서 $\dfrac{1}{3} < \dfrac{r+2}{3} < 1$이므로 수렴한다.

④ $\displaystyle\sum_{n=1}^{\infty} \left(\dfrac{r}{2}+1\right)^n$은 공비가 $\dfrac{r}{2}+1$인 등비급수이고 ㉠에서 $\dfrac{1}{2} < \dfrac{r}{2}+1 < \dfrac{3}{2}$이므로 항상 수렴한다고 할 수 없다.

⑤ $\displaystyle\sum_{n=1}^{\infty} \{r^n+(-r)^n\}=\sum_{n=1}^{\infty} r^n+\sum_{n=1}^{\infty}(-r)^n$에서 $\displaystyle\sum_{n=1}^{\infty}(-r)^n$은 공비가 $-r$인 등비급수이고 ㉠에서 $-1 < -r < 1$이므로 주어진 급수는 수렴한다.

068 답 ③

두 등비수열 $\{a_n\}$, $\{b_n\}$의 첫째항을 각각 a, b, 공비를 각각 r_1, r_2라 하면

$a_n=ar_1^{n-1}$, $b_n=br_2^{n-1}$

ㄱ. $\displaystyle\sum_{n=1}^{\infty} a_n$이 수렴하므로 $-1 < r_1 < 1$

$a_{2n}=ar_1^{2n-1}=ar_1 \times (r_1^2)^{n-1}$은 공비가 r_1^2이고 $0 \le r_1^2 < 1$이므로 $\displaystyle\sum_{n=1}^{\infty} a_{2n}$도 수렴한다.

ㄴ. $\displaystyle\sum_{n=1}^{\infty} a_n$, $\displaystyle\sum_{n=1}^{\infty} b_n$이 수렴하므로 $-1 < r_1 < 1$, $-1 < r_2 < 1$

$a_n b_n=ab(r_1 r_2)^{n-1}$은 공비가 $r_1 r_2$이고 $-1 < r_1 r_2 < 1$이므로 $\displaystyle\sum_{n=1}^{\infty} a_n b_n$도 수렴한다.

ㄷ. [반례] $a_n=-2^n$, $b_n=2^n$이면 $\displaystyle\sum_{n=1}^{\infty} a_n$, $\displaystyle\sum_{n=1}^{\infty} b_n$은 발산하지만 $\displaystyle\lim_{n \to \infty}(a_n+b_n)=0$

따라서 보기 중 항상 옳은 것은 ㄱ, ㄴ이다.

069 답 ①

등비급수 $\displaystyle\sum_{n=1}^{\infty} r^n$이 수렴하므로 $-1 < r < 1$

$\therefore \displaystyle\sum_{n=1}^{\infty} r^n=\dfrac{r}{1-r}=-1-\dfrac{1}{r-1}$

$-1 < r < 1$에서 등비급수 $\displaystyle\sum_{n=1}^{\infty} r^n$이 α로 수렴한다고 하면

$\alpha=-1-\dfrac{1}{r-1}$ $(-1 < r < 1)$이고, 그 그래프는 오른쪽 그림과 같으므로

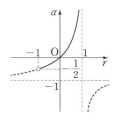

$\alpha > -\dfrac{1}{2}$

070 답 $\dfrac{1}{6}$

$0.1\dot{6}=0.1666\cdots=0.1+0.06+0.006+0.0006+\cdots$

$\quad =\dfrac{1}{10}+\dfrac{6}{100}+\dfrac{6}{1000}+\dfrac{6}{10000}+\cdots$

$\quad =\dfrac{1}{10}+\dfrac{\dfrac{6}{100}}{1-\dfrac{1}{10}}$

$\quad =\dfrac{1}{10}+\dfrac{6}{90}$

$\quad =\dfrac{1}{6}$

071 답 ②

$a_1 = 0.0\dot{4} = \dfrac{4}{90} = \dfrac{2}{45}$, $a_3 = 0.0\dot{1} = \dfrac{1}{90}$이므로 공비를 r라 하면

$\dfrac{2}{45}r^2 = \dfrac{1}{90}$, $r^2 = \dfrac{1}{4}$

$\therefore r = \dfrac{1}{2}$ ($\because r > 0$)

$\therefore \displaystyle\sum_{n=1}^{\infty} a_n = \dfrac{\frac{2}{45}}{1 - \frac{1}{2}} = \dfrac{4}{45}$

072 답 ②

$0.\dot{3} = \dfrac{3}{9} = \dfrac{1}{3}$, $0.\dot{2}1\dot{6} = \dfrac{216}{999} = \dfrac{8}{37}$이므로

$\displaystyle\sum_{n=1}^{\infty} a_n = \dfrac{a_1}{1 - \frac{1}{3}} = \dfrac{8}{37}$

$\therefore a_1 = \dfrac{8}{37} \times \dfrac{2}{3} = \dfrac{16}{111} = 0.\dot{1}4\dot{4}$

073 답 5

$a = \overline{OP_1} + \overline{P_2P_3} + \overline{P_4P_5} + \overline{P_6P_7} + \cdots$

$\quad = 1 + \left(\dfrac{4}{5}\right)^2 + \left(\dfrac{4}{5}\right)^4 + \left(\dfrac{4}{5}\right)^6 + \cdots$

$\quad = \dfrac{1}{1 - \left(\frac{4}{5}\right)^2} = \dfrac{25}{9}$

$b = \overline{P_1P_2} + \overline{P_3P_4} + \overline{P_5P_6} + \overline{P_7P_8} + \cdots$

$\quad = \dfrac{4}{5} + \left(\dfrac{4}{5}\right)^3 + \left(\dfrac{4}{5}\right)^5 + \left(\dfrac{4}{5}\right)^7 + \cdots$

$\quad = \dfrac{\frac{4}{5}}{1 - \left(\frac{4}{5}\right)^2} = \dfrac{20}{9}$

$\therefore a + b = \dfrac{25}{9} + \dfrac{20}{9} = 5$

074 답 $\sqrt{2}$

원 $x^2 + y^2 = \left(\dfrac{1}{2}\right)^{2n}$에 접하고 기울기가 -1인 직선의 방정식은

$y = -x \pm \left(\dfrac{1}{2}\right)^n \times \sqrt{(-1)^2 + 1}$

$\therefore y = -x \pm \sqrt{2} \times \left(\dfrac{1}{2}\right)^n$

이때 제1사분면을 지나는 직선의 방정식은

$y = -x + \sqrt{2} \times \left(\dfrac{1}{2}\right)^n$

$\therefore a_n = \sqrt{2} \times \left(\dfrac{1}{2}\right)^n$

$\therefore \displaystyle\sum_{n=1}^{\infty} a_n = \sqrt{2} \times \dfrac{\frac{1}{2}}{1 - \frac{1}{2}} = \sqrt{2}$

075 답 $\left(\dfrac{9\sqrt{2}}{2}, \dfrac{9\sqrt{2}}{10}\right)$

점 P_n이 한없이 가까워지는 점의 좌표를 (x, y)라 하면

$x = \overline{OP_1}\cos 45° + \overline{P_1P_2}\cos 45° + \overline{P_2P_3}\cos 45° + \cdots$

$\quad = 3 \times \dfrac{\sqrt{2}}{2} + \dfrac{2}{3} \times 3 \times \dfrac{\sqrt{2}}{2} + \left(\dfrac{2}{3}\right)^2 \times 3 \times \dfrac{\sqrt{2}}{2} + \cdots$

$\quad = \dfrac{\frac{3\sqrt{2}}{2}}{1 - \frac{2}{3}} = \dfrac{9\sqrt{2}}{2}$

$y = \overline{OP_1}\sin 45° - \overline{P_1P_2}\sin 45° + \overline{P_2P_3}\sin 45° - \cdots$

$\quad = 3 \times \dfrac{\sqrt{2}}{2} - \dfrac{2}{3} \times 3 \times \dfrac{\sqrt{2}}{2} + \left(\dfrac{2}{3}\right)^2 \times 3 \times \dfrac{\sqrt{2}}{2} - \cdots$

$\quad = \dfrac{\frac{3\sqrt{2}}{2}}{1 - \left(-\frac{2}{3}\right)} = \dfrac{9\sqrt{2}}{10}$

따라서 점 P_n이 한없이 가까워지는 점의 좌표는 $\left(\dfrac{9\sqrt{2}}{2}, \dfrac{9\sqrt{2}}{10}\right)$이다.

076 답 $\dfrac{5}{7}$

점 P_n이 한없이 가까워지는 점의 y좌표는

$\overline{OP_1} - \overline{P_1P_2}\cos 60° - \overline{P_2P_3}\cos 60° + \overline{P_3P_4}$
$\qquad\qquad - \overline{P_4P_5}\cos 60° - \overline{P_5P_6}\cos 60° + \overline{P_6P_7} - \cdots$

$= 1 - \dfrac{1}{2} \times \dfrac{1}{2} - \left(\dfrac{1}{2}\right)^2 \times \dfrac{1}{2} + \left(\dfrac{1}{2}\right)^3 - \left(\dfrac{1}{2}\right)^4 \times \dfrac{1}{2}$

$\qquad\qquad - \left(\dfrac{1}{2}\right)^5 \times \dfrac{1}{2} + \left(\dfrac{1}{2}\right)^6 - \cdots$

$= \left\{1 + \left(\dfrac{1}{2}\right)^3 + \left(\dfrac{1}{2}\right)^6 + \cdots\right\} - \dfrac{1}{4}\left\{1 + \left(\dfrac{1}{2}\right)^3 + \left(\dfrac{1}{2}\right)^6 + \cdots\right\}$

$\qquad\qquad - \dfrac{1}{8}\left\{1 + \left(\dfrac{1}{2}\right)^3 + \left(\dfrac{1}{2}\right)^6 + \cdots\right\}$

$= \left(1 - \dfrac{1}{4} - \dfrac{1}{8}\right)\left\{1 + \left(\dfrac{1}{2}\right)^3 + \left(\dfrac{1}{2}\right)^6 + \cdots\right\}$

$= \dfrac{5}{8} \times \dfrac{1}{1 - \left(\frac{1}{2}\right)^3} = \dfrac{5}{7}$

077 답 $18(2 + \sqrt{3})$

$\triangle AB_1C_1$에서 $l_1 = 3 \times 3 = 9$

$\triangle AB_1C_1 \varpropto \triangle AB_2C_2$이고 닮음비는 $\overline{AB_1} : \overline{AB_2} = 2 : \sqrt{3}$이므로

$3 : \overline{AB_2} = 2 : \sqrt{3}$ $\qquad \therefore \overline{AB_2} = \dfrac{3\sqrt{3}}{2}$

즉, $\triangle AB_2C_2$에서 $l_2 = 3 \times \dfrac{3\sqrt{3}}{2} = \dfrac{9\sqrt{3}}{2}$

$\triangle AB_2C_2 \varpropto \triangle AB_3C_3$이고 닮음비는 $\overline{AB_2} : \overline{AB_3} = 2 : \sqrt{3}$이므로

$\dfrac{3\sqrt{3}}{2} : \overline{AB_3} = 2 : \sqrt{3}$ $\qquad \therefore \overline{AB_3} = \dfrac{9}{4}$

즉, $\triangle AB_3C_3$에서 $l_3 = 3 \times \dfrac{9}{4} = \dfrac{27}{4}$

$\qquad\qquad \vdots$

$\therefore \displaystyle\sum_{n=1}^{\infty} l_n = 9 + \dfrac{9\sqrt{3}}{2} + \dfrac{27}{4} + \cdots$

$\qquad\qquad = \dfrac{9}{1 - \frac{\sqrt{3}}{2}} = 18(2 + \sqrt{3})$

078 답 $\dfrac{1}{2}$

$\overline{AB_2}:\overline{B_1B_2}=4:1$이므로 $\overline{AB_1}:\overline{B_1B_2}=3:1$

$\therefore \overline{B_1B_2}=\dfrac{1}{3}\overline{AB_1}=\dfrac{1}{3}$

$\overline{B_1B_3}:\overline{B_2B_3}=4:1$이므로 $\overline{B_1B_2}:\overline{B_2B_3}=3:1$

$\therefore \overline{B_2B_3}=\dfrac{1}{3}\overline{B_1B_2}=\left(\dfrac{1}{3}\right)^2$

$\overline{B_2B_4}:\overline{B_3B_4}=4:1$이므로 $\overline{B_2B_3}:\overline{B_3B_4}=3:1$

$\therefore \overline{B_3B_4}=\dfrac{1}{3}\overline{B_2B_3}=\left(\dfrac{1}{3}\right)^3$

$\vdots$

$\therefore \overline{B_1B_2}+\overline{B_2B_3}+\overline{B_3B_4}+\cdots=\dfrac{1}{3}+\left(\dfrac{1}{3}\right)^2+\left(\dfrac{1}{3}\right)^3+\cdots$

$$=\dfrac{\dfrac{1}{3}}{1-\dfrac{1}{3}}=\dfrac{1}{2}$$

079 답 $\sqrt{2}+1$

$\triangle OP_1P_2$에서 $\overline{OP_1}=1$, $\angle P_2OP_1=\angle OP_1P_2=45°$이므로

$\overline{P_1P_2}=\overline{OP_1}\cos45°=\dfrac{\sqrt{2}}{2}$

$\triangle OP_2P_3$에서 $\overline{OP_2}=\overline{P_1P_2}=\dfrac{\sqrt{2}}{2}$, $\angle OP_2P_3=45°$이므로

$\overline{P_2P_3}=\overline{OP_2}\cos45°=\left(\dfrac{\sqrt{2}}{2}\right)^2$

$\triangle OP_3P_4$에서 $\overline{OP_3}=\overline{P_2P_3}=\left(\dfrac{\sqrt{2}}{2}\right)^2$, $\angle OP_3P_4=45°$이므로

$\overline{P_3P_4}=\overline{OP_3}\cos45°=\left(\dfrac{\sqrt{2}}{2}\right)^3$

$\vdots$

$\therefore \sum_{n=1}^{\infty}\overline{P_nP_{n+1}}=\overline{P_1P_2}+\overline{P_2P_3}+\overline{P_3P_4}+\cdots$

$$=\dfrac{\sqrt{2}}{2}+\left(\dfrac{\sqrt{2}}{2}\right)^2+\left(\dfrac{\sqrt{2}}{2}\right)^3+\cdots$$

$$=\dfrac{\dfrac{\sqrt{2}}{2}}{1-\dfrac{\sqrt{2}}{2}}=\sqrt{2}+1$$

080 답 $\dfrac{4}{9}\pi$

원 C_n의 반지름의 길이를 r_n이라 하면

$r_1=\dfrac{1}{2}\times2\times\tan30°=\dfrac{\sqrt{3}}{3}$

따라서 원 C_1의 넓이는 $\pi\times\left(\dfrac{\sqrt{3}}{3}\right)^2=\dfrac{\pi}{3}$

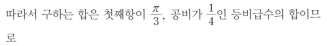

오른쪽 그림에서 $r_n:r_{n+1}=2:1$, 즉 두 원 C_n, C_{n+1}은 닮음이고, 닮음비는 $2:1$이므로 넓이의 비는 $4:1$이다.

따라서 구하는 합은 첫째항이 $\dfrac{\pi}{3}$, 공비가 $\dfrac{1}{4}$인 등비급수의 합이므로

$$\dfrac{\dfrac{\pi}{3}}{1-\dfrac{1}{4}}=\dfrac{4}{9}\pi$$

081 답 $\dfrac{1}{2}$

$\triangle ABC$의 한 변의 길이를 a라 하면

$\triangle ABC=\dfrac{\sqrt{3}}{4}a^2=1$ $\quad$ …… ㉠

또 $\overline{AB}$, $\overline{CA}$를 $2:1$로 각각 내분하는 점 A_1, C_1에 대하여

$\overline{AA_1}=\dfrac{2}{3}a$, $\overline{AC_1}=\dfrac{1}{3}a$이므로

$\triangle A_1B_1C_1=\triangle ABC-3\triangle AA_1C_1$

$$=\dfrac{\sqrt{3}}{4}a^2-3\times\left(\dfrac{1}{2}\times\dfrac{2}{3}a\times\dfrac{1}{3}a\times\sin60°\right)$$

$$=\dfrac{\sqrt{3}}{4}a^2-\dfrac{\sqrt{3}}{6}a^2=\dfrac{\sqrt{3}}{12}a^2=\dfrac{1}{3}\times\dfrac{\sqrt{3}}{4}a^2=\dfrac{1}{3}\ (\because ㉠)$$

두 정삼각형 ABC, $A_1B_1C_1$은 닮음이고 넓이의 비는 $3:1$이므로

두 정삼각형 $A_nB_nC_n$, $A_{n+1}B_{n+1}C_{n+1}$의 넓이의 비도 $3:1$이다.

따라서 수열 $\{S_n\}$은 첫째항이 $\dfrac{1}{3}$, 공비가 $\dfrac{1}{3}$인 등비수열이므로

$$\sum_{n=1}^{\infty}S_n=\dfrac{\dfrac{1}{3}}{1-\dfrac{1}{3}}=\dfrac{1}{2}$$

082 답 ⑤

오른쪽 그림에서 $S_1=\pi\times12^2\times\dfrac{60}{360}=24\pi$

선분 B_1B_2를 그으면 삼각형 $B_1C_2B_2$에서

$\overline{B_1C_2}:\overline{B_2C_2}=\sqrt{3}:1$이므로

$12:\overline{B_2C_2}=\sqrt{3}:1$ $\quad\therefore \overline{B_2C_2}=4\sqrt{3}$

$\therefore S_2=\pi\times(4\sqrt{3})^2\times\dfrac{60}{360}=8\pi$

선분 B_2B_3을 그으면 삼각형 $B_2B_3C_3$에서

$\overline{B_2C_3}:\overline{B_3C_3}=\sqrt{3}:1$이므로

$4\sqrt{3}:\overline{B_3C_3}=\sqrt{3}:1$ $\quad\therefore \overline{B_3C_3}=4$

$\therefore S_3=\pi\times4^2\times\dfrac{60}{360}=\dfrac{8}{3}\pi$

$\vdots$

$\therefore S_1+S_2+S_3+\cdots=24\pi+8\pi+\dfrac{8}{3}\pi+\cdots=\dfrac{24\pi}{1-\dfrac{1}{3}}=36\pi$

083 답 $\dfrac{1}{4}$

정사각형 T_1의 한 변의 길이가 r이므로

$S_1=r^2$

정사각형 T_2의 한 변의 길이가 $(1-r)\times r$이므로

$S_2=\{(1-r)\times r\}^2=r^2(1-r)^2$

정사각형 T_3의 한 변의 길이가

$\{(1-r)-(1-r)\times r\}\times r=(1-r)^2\times r$이므로

$S_3=\{(1-r)^2\times r\}^2=r^2(1-r)^4$

$\vdots$

따라서 수열 $\{S_n\}$은 첫째항이 r^2, 공비가 $(1-r)^2$인 등비수열이므로 $\sum_{n=1}^{\infty}S_n=\dfrac{r^2}{1-(1-r)^2}=\dfrac{r}{2-r}$

이때 $\dfrac{r}{2-r}=\dfrac{1}{7}$이므로 $7r=2-r$

$8r=2$ $\quad\therefore r=\dfrac{1}{4}$

084 답 $\dfrac{9}{2}\pi$

n번째 큰 반원과 n번째 작은 반원의
지름의 길이를 각각 a_n, b_n이라 하고
넓이를 각각 A_n, B_n이라 하면

$a_1=6\times\dfrac{2}{3}=4$이므로

$A_1=\dfrac{1}{2}\times\pi\times2^2=2\pi$,

$b_1=6-4=2$이므로 $B_1=\dfrac{1}{2}\times\pi\times1^2=\dfrac{\pi}{2}$

이때 $a_n:a_{n+1}=1:\dfrac{2}{3}$이므로 $A_n:A_{n+1}=1:\dfrac{4}{9}$,

$b_n:b_{n+1}=1:\dfrac{2}{3}$이므로 $B_n:B_{n+1}=1:\dfrac{4}{9}$

따라서 수열 $\{A_n\}$과 $\{B_n\}$은 첫째항이 각각 $A_1=2\pi$, $B_1=\dfrac{\pi}{2}$이

고 공비가 모두 $\dfrac{4}{9}$인 등비수열이다.

$\therefore \displaystyle\sum_{n=1}^{\infty}S_n=\sum_{n=1}^{\infty}(A_n+B_n)=\sum_{n=1}^{\infty}A_n+\sum_{n=1}^{\infty}B_n$

$=\dfrac{2\pi}{1-\dfrac{4}{9}}+\dfrac{\dfrac{\pi}{2}}{1-\dfrac{4}{9}}=\dfrac{18}{5}\pi+\dfrac{9}{10}\pi=\dfrac{9}{2}\pi$

085 답 $\dfrac{112\sqrt{3}}{15}$

$\overline{A_1A_2}=\overline{B_1B_2}=\overline{C_1C_2}=3$, $\overline{A_1C_2}=\overline{B_1A_2}=\overline{C_1B_2}=5$,
$\angle C_2A_1A_2=\angle A_2B_1B_2=\angle B_2C_1C_2=60°$이므로
$\triangle A_1A_2C_2\equiv\triangle B_1B_2A_2\equiv\triangle C_1C_2B_2$ (SAS 합동)
즉, $\overline{A_2C_2}=\overline{A_2B_2}=\overline{B_2C_2}$이므로 삼각형 $A_2B_2C_2$는 정삼각형이다.
삼각형 $A_1A_2C_2$에서 코사인법칙에 의하여

$\overline{A_2C_2}^2=\overline{A_1A_2}^2+\overline{A_1C_2}^2-2\times\overline{A_1A_2}\times\overline{A_1C_2}\times\cos\dfrac{\pi}{3}$

$=3^2+5^2-2\times3\times5\times\dfrac{1}{2}=19$

$\therefore \overline{A_2C_2}=\sqrt{19}$

또 $\overline{A_1G_1}=\overline{B_1H_1}=\overline{C_1I_1}=2$, $\overline{A_1F_1}=\overline{B_1D_1}=\overline{C_1E_1}=4$이므로

$S_1=\triangle A_1B_1C_1-\triangle A_2B_2C_2-3\triangle A_1G_1F_1$

$=\dfrac{\sqrt{3}}{4}\times8^2-\dfrac{\sqrt{3}}{4}\times(\sqrt{19})^2-3\times\left(\dfrac{1}{2}\times2\times4\times\sin\dfrac{\pi}{3}\right)$

$=16\sqrt{3}-\dfrac{19\sqrt{3}}{4}-6\sqrt{3}=\dfrac{21\sqrt{3}}{4}$

두 정삼각형 $A_1B_1C_1$, $A_2B_2C_2$는 닮음이고, 닮음비는
$\overline{A_1C_1}:\overline{A_2C_2}=8:\sqrt{19}$이므로 넓이의 비는 $64:19$이다.
즉, 두 정삼각형 $A_nB_nC_n$, $A_{n+1}B_{n+1}C_{n+1}$의 넓이의 비는 $64:19$이
므로 그림 R_n에 새로 색칠된 부분과 그림 R_{n+1}에 새로 색칠된 부
분의 넓이의 비도 $64:19$이다.

따라서 $\displaystyle\lim_{n\to\infty}S_n$은 첫째항이 $\dfrac{21\sqrt{3}}{4}$, 공비가 $\dfrac{19}{64}$인 등비급수의 합이

므로

$\displaystyle\lim_{n\to\infty}S_n=\dfrac{\dfrac{21\sqrt{3}}{4}}{1-\dfrac{19}{64}}=\dfrac{112\sqrt{3}}{15}$

086 답 $5625\,kg$

n번째 수거하여 재생산되는 비닐의 양을 $a_n\,kg$이라 하면

$a_1=10000\times0.6\times0.6=3600$,

$a_2=a_1\times0.6\times0.6=3600\times0.36$,

$a_3=a_2\times0.6\times0.6=3600\times0.36^2$,

$\vdots$

따라서 재생산되는 비닐의 양의 합은

$a_1+a_2+a_3+\cdots=3600+3600\times0.36+3600\times0.36^2+\cdots$

$=\dfrac{3600}{1-0.36}=5625\,(kg)$

087 답 $64\,cm$

추가 멈출 때까지 움직인 거리는

$16+16\times\dfrac{3}{4}+16\times\left(\dfrac{3}{4}\right)^2+\cdots=\dfrac{16}{1-\dfrac{3}{4}}=64\,(cm)$

088 답 $60\,mg$

한 번에 복용하는 약의 양을 $a\,mg$이라 하면 약을 복용하고 24시
간 후 체내에 남아 있는 약의 양은

$a+\dfrac{1}{2}a$

48시간 후 체내에 남아 있는 약의 양은

$a+\dfrac{1}{2}\left(a+\dfrac{1}{2}a\right)=a+\dfrac{1}{2}a+\left(\dfrac{1}{2}\right)^2a$

이와 같은 방법으로 $24n$시간 후 체내에 남아 있는 약의 양은

$a+\dfrac{1}{2}a+\left(\dfrac{1}{2}\right)^2a+\cdots+\left(\dfrac{1}{2}\right)^na$

이 약을 장기간 복용할 때, 체내에 남아 있는 약의 양은

$\dfrac{a}{1-\dfrac{1}{2}}=2a$

즉, $2a\le120$이므로 $a\le60$
따라서 매회 최대로 복용할 수 있는 약의 양은 $60\,mg$이다.

089 답 30억 원

기금을 운용하여 n번째 지급하는 장학금을 a_n억 원이라 하면

$a_1=20\times1.2\times0.5=12$,

$a_2=a_1\times1.2\times0.5=12\times0.6$,

$a_3=a_2\times1.2\times0.5=12\times0.6^2$,

$\vdots$

따라서 해마다 지급하는 장학금의 총액은

$a_1+a_2+a_3+\cdots=12+12\times0.6+12\times0.6^2+\cdots$

$=\dfrac{12}{1-0.6}=30(억\ 원)$

090 답 ③

주어진 급수의 제n항을 a_n이라 하면

$a_n=\dfrac{4}{(2n+1)^2-1}=\dfrac{1}{n(n+1)}=\dfrac{1}{n}-\dfrac{1}{n+1}$

이때 제n항까지의 부분합을 S_n이라 하면
$$S_n=\sum_{k=1}^{n}\left(\frac{1}{k}-\frac{1}{k+1}\right)$$
$$=\left(1-\frac{1}{2}\right)+\left(\frac{1}{2}-\frac{1}{3}\right)+\left(\frac{1}{3}-\frac{1}{4}\right)+\cdots+\left(\frac{1}{n}-\frac{1}{n+1}\right)$$
$$=1-\frac{1}{n+1}$$
$$\therefore \lim_{n\to\infty}S_n=\lim_{n\to\infty}\left(1-\frac{1}{n+1}\right)=1$$

091 답 ③

$S_n=2n^2+n$에서

(i) $n\geq2$일 때,
$$a_n=S_n-S_{n-1}$$
$$=(2n^2+n)-\{2(n-1)^2+(n-1)\}$$
$$=4n-1 \qquad \cdots\cdots \text{㉠}$$

(ii) $n=1$일 때, $a_1=S_1=3 \qquad \cdots\cdots \text{㉡}$

이때 ㉡은 ㉠에 $n=1$을 대입한 값과 같으므로
$$a_n=4n-1$$
$$\therefore \sum_{n=1}^{\infty}\frac{1}{a_na_{n+1}}=\sum_{n=1}^{\infty}\frac{1}{(4n-1)(4n+3)}=\sum_{n=1}^{\infty}\frac{1}{4}\left(\frac{1}{4n-1}-\frac{1}{4n+3}\right)$$
$$=\lim_{n\to\infty}\sum_{k=1}^{n}\frac{1}{4}\left(\frac{1}{4k-1}-\frac{1}{4k+3}\right)$$
$$=\lim_{n\to\infty}\frac{1}{4}\left\{\left(\frac{1}{3}-\frac{1}{7}\right)+\left(\frac{1}{7}-\frac{1}{11}\right)+\left(\frac{1}{11}-\frac{1}{15}\right)\right.$$
$$\left.+\cdots+\left(\frac{1}{4n-1}-\frac{1}{4n+3}\right)\right\}$$
$$=\lim_{n\to\infty}\frac{1}{4}\left(\frac{1}{3}-\frac{1}{4n+3}\right)=\frac{1}{12}$$

092 답 ⑤

$$\sum_{n=1}^{\infty}(\log_{2n+1}\sqrt{3}-\log_{2n+3}\sqrt{3})$$
$$=\lim_{n\to\infty}\sum_{k=1}^{n}(\log_{2k+1}\sqrt{3}-\log_{2k+3}\sqrt{3})$$
$$=\lim_{n\to\infty}\sum_{k=1}^{n}\left\{\frac{1}{\log_{\sqrt{3}}(2k+1)}-\frac{1}{\log_{\sqrt{3}}(2k+3)}\right\}$$
$$=\lim_{n\to\infty}\left[\left(\frac{1}{\log_{\sqrt{3}}3}-\frac{1}{\log_{\sqrt{3}}5}\right)+\left(\frac{1}{\log_{\sqrt{3}}5}-\frac{1}{\log_{\sqrt{3}}7}\right)\right.$$
$$\left.+\cdots+\left\{\frac{1}{\log_{\sqrt{3}}(2n+1)}-\frac{1}{\log_{\sqrt{3}}(2n+3)}\right\}\right]$$
$$=\lim_{n\to\infty}\left\{\frac{1}{\log_{\sqrt{3}}3}-\frac{1}{\log_{\sqrt{3}}(2n+3)}\right\}$$
$$=\frac{1}{\log_{\sqrt{3}}3}=\frac{1}{2\log_3 3}=\frac{1}{2}$$

093 답 ④

주어진 급수의 제n항까지의 부분합을 S_n이라 하면

① $S_1=3$, $S_2=\frac{11}{4}$, $S_3=3$, $S_4=\frac{17}{6}$, $S_5=3$, $S_6=\frac{23}{8}$, $\cdots$이므로
$$S_{2n-1}=3,\ S_{2n}=\frac{6n+5}{2(n+1)}$$
$$\therefore \lim_{n\to\infty}S_{2n-1}=\lim_{n\to\infty}S_{2n}=3$$
즉, 주어진 급수는 3에 수렴한다.

② $S_n=3+0+0+\cdots+0=3$이므로 $\lim_{n\to\infty}S_n=3$
즉, 주어진 급수는 3에 수렴한다.

③ $S_n=\left(\frac{1}{2}-\frac{1}{4}\right)+\left(\frac{1}{4}-\frac{1}{6}\right)+\left(\frac{1}{6}-\frac{1}{8}\right)+\cdots+\left\{\frac{1}{2n}-\frac{1}{2(n+1)}\right\}$
$$=\frac{1}{2}-\frac{1}{2(n+1)}$$
$$\therefore \lim_{n\to\infty}S_n=\lim_{n\to\infty}\left\{\frac{1}{2}-\frac{1}{2(n+1)}\right\}=\frac{1}{2}$$
즉, 주어진 급수는 $\frac{1}{2}$에 수렴한다.

④ $S_1=3$, $S_2=\frac{9}{4}$, $S_3=3$, $S_4=\frac{13}{6}$, $S_5=3$, $S_6=\frac{17}{8}$, $\cdots$이므로
$$S_{2n-1}=3,\ S_{2n}=\frac{4n+5}{2(n+1)}$$
$$\therefore \lim_{n\to\infty}S_{2n-1}=3,\ \lim_{n\to\infty}S_{2n}=2$$
즉, $\lim_{n\to\infty}S_{2n-1}\neq\lim_{n\to\infty}S_{2n}$이므로 주어진 급수는 발산한다.

⑤ $S_n=3-0-0-\cdots-0=3$이므로 $\lim_{n\to\infty}S_n=3$
즉, 주어진 급수는 3에 수렴한다.

094 답 $\frac{3}{10}$

$\sum_{n=1}^{\infty}\frac{3n-a_n}{n}$이 수렴하므로 $\lim_{n\to\infty}\frac{3n-a_n}{n}=0$
$$\lim_{n\to\infty}\left(3-\frac{a_n}{n}\right)=0 \qquad \therefore \lim_{n\to\infty}\frac{a_n}{n}=3$$
$$\therefore \lim_{n\to\infty}\frac{na_n}{n^2+a_n{}^2}=\lim_{n\to\infty}\frac{\frac{a_n}{n}}{1+\left(\frac{a_n}{n}\right)^2}=\frac{3}{1+3^2}=\frac{3}{10}$$

095 답 ②

ㄱ. $\lim_{n\to\infty}\frac{1-n^2}{n^2+1}=-1\neq0$이므로 $\sum_{n=1}^{\infty}\frac{1-n^2}{n^2+1}$은 발산한다.

ㄴ. $\sum_{n=1}^{\infty}\frac{1}{(2n-1)(2n+1)}$
$$=\sum_{n=1}^{\infty}\frac{1}{2}\left(\frac{1}{2n-1}-\frac{1}{2n+1}\right)$$
$$=\lim_{n\to\infty}\sum_{k=1}^{n}\frac{1}{2}\left(\frac{1}{2k-1}-\frac{1}{2k+1}\right)$$
$$=\lim_{n\to\infty}\frac{1}{2}\left\{\left(1-\frac{1}{3}\right)+\left(\frac{1}{3}-\frac{1}{5}\right)+\left(\frac{1}{5}-\frac{1}{7}\right)\right.$$
$$\left.+\cdots+\left(\frac{1}{2n-1}-\frac{1}{2n+1}\right)\right\}$$
$$=\lim_{n\to\infty}\frac{1}{2}\left(1-\frac{1}{2n+1}\right)=\frac{1}{2}$$

ㄷ. $\lim_{n\to\infty}\frac{n}{4n-3}=\frac{1}{4}\neq0$이므로 $\sum_{n=1}^{\infty}\frac{n}{4n-3}$은 발산한다.

ㄹ. $\sum_{n=1}^{\infty}\frac{1}{\sqrt{n+3}+\sqrt{n+2}}$
$$=\sum_{n=1}^{\infty}(\sqrt{n+3}-\sqrt{n+2})$$
$$=\lim_{n\to\infty}\sum_{k=1}^{n}(\sqrt{k+3}-\sqrt{k+2})$$
$$=\lim_{n\to\infty}\{(\sqrt{4}-\sqrt{3})+(\sqrt{5}-\sqrt{4})+(\sqrt{6}-\sqrt{5})$$
$$+\cdots+(\sqrt{n+3}-\sqrt{n+2})\}$$
$$=\lim_{n\to\infty}(\sqrt{n+3}-\sqrt{3})=\infty$$

따라서 보기 중 급수 $\sum_{n=1}^{\infty}a_n$이 수렴하는 것은 ㄴ이다.

096 답 ①

$3a_n - \dfrac{b_n}{2} = c_n$으로 놓으면 $\dfrac{b_n}{2} = 3a_n - c_n$

$\therefore b_n = 6a_n - 2c_n$

이때 $\displaystyle\sum_{n=1}^{\infty} a_n = \dfrac{5}{2}$, $\displaystyle\sum_{n=1}^{\infty} c_n = 7$이므로

$\displaystyle\sum_{n=1}^{\infty} b_n = \sum_{n=1}^{\infty}(6a_n - 2c_n) = 6\sum_{n=1}^{\infty} a_n - 2\sum_{n=1}^{\infty} c_n$

$\qquad\qquad = 6 \times \dfrac{5}{2} - 2 \times 7 = 1$

097 답 ③

ㄱ. $\displaystyle\sum_{n=1}^{\infty} |a_n|$이 수렴하면 $\displaystyle\lim_{n \to \infty} |a_n| = 0$이므로 $\displaystyle\lim_{n \to \infty} a_n = 0$이다.

ㄴ. [반례] $\{a_n\} : 1,\ 1,\ 1,\ 1,\ \cdots$, $\{b_n\} : -1,\ -1,\ -1,\ -1,\ \cdots$이

면 $\displaystyle\sum_{n=1}^{\infty} a_n$과 $\displaystyle\sum_{n=1}^{\infty} b_n$은 발산하지만 $\displaystyle\sum_{n=1}^{\infty}(a_n + b_n)$은 0에 수렴한다.

ㄷ. $\displaystyle\sum_{n=1}^{\infty}(a_n + b_n) = \alpha$, $\displaystyle\sum_{n=1}^{\infty}(a_n - b_n) = \beta$ (α, β는 실수)라 하면

$\displaystyle\sum_{n=1}^{\infty} a_n = \sum_{n=1}^{\infty} \dfrac{1}{2}\{(a_n + b_n) + (a_n - b_n)\}$

$\qquad = \dfrac{1}{2}\sum_{n=1}^{\infty}(a_n + b_n) + \dfrac{1}{2}\sum_{n=1}^{\infty}(a_n - b_n) = \dfrac{1}{2}\alpha + \dfrac{1}{2}\beta$

$\displaystyle\sum_{n=1}^{\infty} b_n = \sum_{n=1}^{\infty} \dfrac{1}{2}\{(a_n + b_n) - (a_n - b_n)\}$

$\qquad = \dfrac{1}{2}\sum_{n=1}^{\infty}(a_n + b_n) - \dfrac{1}{2}\sum_{n=1}^{\infty}(a_n - b_n) = \dfrac{1}{2}\alpha - \dfrac{1}{2}\beta$

따라서 $\displaystyle\sum_{n=1}^{\infty} a_n$과 $\displaystyle\sum_{n=1}^{\infty} b_n$도 모두 수렴한다.

ㄹ. $\displaystyle\sum_{n=1}^{\infty} a_n$과 $\displaystyle\sum_{n=1}^{\infty} b_n$이 모두 수렴하므로 $\displaystyle\lim_{n \to \infty} a_n = \lim_{n \to \infty} b_n = 0$

따라서 보기 중 옳은 것은 ㄱ, ㄷ이다.

098 답 $\dfrac{9}{4}$

직선 $(2n-1)x + (2n+1)y = 3$에서 $y = 0$일 때 $x = \dfrac{3}{2n-1}$이고,

$x = 0$일 때 $y = \dfrac{3}{2n+1}$이므로

$P_n\left(\dfrac{3}{2n-1},\ 0\right)$, $Q_n\left(0,\ \dfrac{3}{2n+1}\right)$

$\therefore S_n = \dfrac{1}{2} \times \dfrac{3}{2n-1} \times \dfrac{3}{2n+1} = \dfrac{9}{2(2n-1)(2n+1)}$

$\therefore \displaystyle\sum_{n=1}^{\infty} S_n = \sum_{n=1}^{\infty} \dfrac{9}{2(2n-1)(2n+1)} = \sum_{n=1}^{\infty} \dfrac{9}{4}\left(\dfrac{1}{2n-1} - \dfrac{1}{2n+1}\right)$

$\qquad = \displaystyle\lim_{n \to \infty} \sum_{k=1}^{n} \dfrac{9}{4}\left(\dfrac{1}{2k-1} - \dfrac{1}{2k+1}\right)$

$\qquad = \displaystyle\lim_{n \to \infty} \dfrac{9}{4}\left\{\left(1 - \dfrac{1}{3}\right) + \left(\dfrac{1}{3} - \dfrac{1}{5}\right) + \left(\dfrac{1}{5} - \dfrac{1}{7}\right)\right.$

$\qquad\qquad\qquad\qquad\qquad \left. + \cdots + \left(\dfrac{1}{2n-1} - \dfrac{1}{2n+1}\right)\right\}$

$\qquad = \displaystyle\lim_{n \to \infty} \dfrac{9}{4}\left(1 - \dfrac{1}{2n+1}\right) = \dfrac{9}{4}$

099 답 ①

수열 $\{5^n a_n\}$의 첫째항부터 제n항까지의 합을 S_n이라 하면

$S_n = 2^n - 1$

(i) $n \geq 2$일 때,

$5^n a_n = S_n - S_{n-1} = 2^n - 1 - (2^{n-1} - 1) = 2^{n-1}$ ...... ㉠

(ii) $n = 1$일 때, $5a_1 = S_1 = 1$ ...... ㉡

이때 ㉡은 ㉠에 $n = 1$을 대입한 값과 같으므로

$5^n a_n = 2^{n-1}$ $\quad \therefore a_n = \dfrac{2^{n-1}}{5^n}$

$\therefore \displaystyle\sum_{n=1}^{\infty} \dfrac{a_n}{2^{n-1}} = \sum_{n=1}^{\infty} \dfrac{1}{5^n} = \dfrac{\frac{1}{5}}{1 - \frac{1}{5}} = \dfrac{1}{4}$

100 답 ③

등비수열 $\{a_n\}$의 첫째항을 a, 공비를 r라 하면

$\displaystyle\sum_{n=1}^{\infty} a_n = 3$에서 $\dfrac{a}{1-r} = 3$

$\therefore a = 3(1-r)$ ...... ㉠

등비수열 $\{a_{2n}\}$의 첫째항은 $a_2 = ar$, 공비는 r^2이므로

$\displaystyle\sum_{n=1}^{\infty} a_{2n} = \dfrac{3}{4}$에서 $\dfrac{ar}{1-r^2} = \dfrac{3}{4}$

$\therefore \dfrac{ar}{(1-r)(1+r)} = \dfrac{3}{4}$ ...... ㉡

㉠을 ㉡에 대입하면 $\dfrac{3(1-r) \times r}{(1-r)(1+r)} = \dfrac{3}{4}$

$\dfrac{r}{1+r} = \dfrac{1}{4}$ ($\because -1 < r < 1$), $1 + r = 4r$ $\quad \therefore r = \dfrac{1}{3}$

이를 ㉠에 대입하면 $a = 2$

따라서 등비수열 $\{a_n{}^2\}$은 첫째항이 $a^2 = 4$, 공비가 $r^2 = \dfrac{1}{9}$이므로

$\displaystyle\sum_{n=1}^{\infty} a_n{}^2 = \dfrac{4}{1 - \frac{1}{9}} = \dfrac{9}{2}$

101 답 $\dfrac{9}{4}$

등비수열 $\{a_n\}$의 공비를 r, 등비수열 $\{b_n\}$의 공비를 s라 하면 두 수열의 첫째항이 모두 2이므로

$\displaystyle\sum_{n=1}^{\infty} a_n = 5$에서 $\dfrac{2}{1-r} = 5$, $5(1-r) = 2$ $\quad \therefore r = \dfrac{3}{5}$

$\therefore a_n = 2 \times \left(\dfrac{3}{5}\right)^{n-1}$

$\displaystyle\sum_{n=1}^{\infty} b_n = 3$에서 $\dfrac{2}{1-s} = 3$, $3(1-s) = 2$ $\quad \therefore s = \dfrac{1}{3}$

$\therefore b_n = 2 \times \left(\dfrac{1}{3}\right)^{n-1}$

$\therefore \dfrac{b_1}{a_1} + \dfrac{b_2}{a_2} + \dfrac{b_3}{a_3} + \dfrac{b_4}{a_4} + \cdots = \displaystyle\sum_{n=1}^{\infty} \dfrac{b_n}{a_n} = \sum_{n=1}^{\infty} \dfrac{2 \times \left(\frac{1}{3}\right)^{n-1}}{2 \times \left(\frac{3}{5}\right)^{n-1}}$

$\qquad\qquad\qquad\qquad\qquad = \displaystyle\sum_{n=1}^{\infty} \left(\dfrac{5}{9}\right)^{n-1} = \dfrac{1}{1 - \frac{5}{9}} = \dfrac{9}{4}$

102 답 $1 \leq x < 3$

(i) 수열 $\{(1 - \log_2 x)^n\}$의 공비가 $1 - \log_2 x$이므로 이 수열이 수렴하려면

$\qquad -1 < 1 - \log_2 x \leq 1$, $0 \leq \log_2 x < 2$ $\quad \therefore 1 \leq x < 4$

(ii) 주어진 등비급수는 공비가 $\dfrac{x}{3}$이므로 이 급수가 수렴하려면

$\qquad -1 < \dfrac{x}{3} < 1$ $\quad \therefore -3 < x < 3$

(i), (ii)에서 구하는 실수 x의 값의 범위는 $1 \leq x < 3$

103 답 ㄴ

$\displaystyle\sum_{n=1}^{\infty} a^n$이 수렴하므로 $-1<a<1$ …… ㉠

$\displaystyle\sum_{n=1}^{\infty} b^{n-1}$이 수렴하므로 $-1<b<1$ …… ㉡

ㄱ. $\displaystyle\sum_{n=1}^{\infty}(a+b)^n$은 공비가 $a+b$인 등비급수이고 ㉠, ㉡에서

$-2<a+b<2$이므로 주어진 급수는 항상 수렴한다고 할 수 없다.

ㄴ. $\displaystyle\sum_{n=1}^{\infty}(ab)^n$은 공비가 ab인 등비급수이고 ㉠, ㉡에서

$-1<ab<1$이므로 주어진 급수는 항상 수렴한다.

ㄷ. [반례] $a=\dfrac{1}{2}$, $b=\dfrac{1}{4}$이면 $\dfrac{a}{b}=2$

$\displaystyle\sum_{n=1}^{\infty}\left(\dfrac{a}{b}\right)^n$은 공비가 $\dfrac{a}{b}$인 등비급수이므로 주어진 급수는 발산한다.

따라서 보기의 급수 중 항상 수렴하는 것은 ㄴ이다.

104 답 ①

$0.\dot{0}\dot{2}=0.020202\cdots$이므로

$a_1=0$, $a_2=2$, $a_3=0$, $a_4=2$, $\cdots$

$\therefore \displaystyle\sum_{n=1}^{\infty}\dfrac{a_n}{3^n}=\dfrac{2}{3^2}+\dfrac{2}{3^4}+\dfrac{2}{3^6}+\cdots=\dfrac{\dfrac{2}{3^2}}{1-\dfrac{1}{3^2}}=\dfrac{1}{4}$

105 답 $\dfrac{63}{64}$

$a=\overline{OP_1}\cos30° - \overline{P_1P_2}\cos30° + \overline{P_2P_3}\cos30° - \overline{P_3P_4}\cos30° + \cdots$

$=1\times\dfrac{\sqrt{3}}{2}-\dfrac{1}{3}\times\dfrac{\sqrt{3}}{2}+\left(\dfrac{1}{3}\right)^2\times\dfrac{\sqrt{3}}{2}-\left(\dfrac{1}{3}\right)^3\times\dfrac{\sqrt{3}}{2}+\cdots$

$=\dfrac{\dfrac{\sqrt{3}}{2}}{1-\left(-\dfrac{1}{3}\right)}=\dfrac{3\sqrt{3}}{8}$

$b=\overline{OP_1}\sin30° + \overline{P_1P_2}\sin30° + \overline{P_2P_3}\sin30° + \overline{P_3P_4}\sin30° + \cdots$

$=1\times\dfrac{1}{2}+\dfrac{1}{3}\times\dfrac{1}{2}+\left(\dfrac{1}{3}\right)^2\times\dfrac{1}{2}+\left(\dfrac{1}{3}\right)^3\times\dfrac{1}{2}+\cdots$

$=\dfrac{\dfrac{1}{2}}{1-\dfrac{1}{3}}=\dfrac{3}{4}$

$\therefore a^2+b^2=\left(\dfrac{3\sqrt{3}}{8}\right)^2+\left(\dfrac{3}{4}\right)^2=\dfrac{27}{64}+\dfrac{9}{16}=\dfrac{63}{64}$

106 답 $2\sqrt{2}$

직선 $y=x+2$와 y축의 교점을 P라 하면 $\angle PA_1B_1=45°$이므로

$\overline{A_1B_1}=\overline{PA_1}\cos45°=2\times\dfrac{\sqrt{2}}{2}=\sqrt{2}$

$\angle A_1B_1A_2=45°$이므로

$\overline{B_1A_2}=\overline{A_1B_1}\cos45°=\sqrt{2}\times\dfrac{\sqrt{2}}{2}=1$

$\angle B_1A_2B_2=45°$이므로

$\overline{A_2B_2}=\overline{B_1A_2}\cos45°=1\times\dfrac{\sqrt{2}}{2}=\dfrac{\sqrt{2}}{2}$

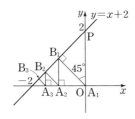

$\angle A_2B_2A_3=45°$이므로

$\overline{B_2A_3}=\overline{A_2B_2}\cos45°=\dfrac{\sqrt{2}}{2}\times\dfrac{\sqrt{2}}{2}=\dfrac{1}{2}$

$\angle B_2A_3B_3=45°$이므로

$\overline{A_3B_3}=\overline{B_2A_3}\cos45°=\dfrac{1}{2}\times\dfrac{\sqrt{2}}{2}=\dfrac{\sqrt{2}}{4}$

$\quad\vdots$

$\therefore \displaystyle\sum_{n=1}^{\infty}\overline{A_nB_n}=\overline{A_1B_1}+\overline{A_2B_2}+\overline{A_3B_3}+\cdots$

$=\sqrt{2}+\dfrac{\sqrt{2}}{2}+\dfrac{\sqrt{2}}{4}+\cdots$

$=\dfrac{\sqrt{2}}{1-\dfrac{1}{2}}=2\sqrt{2}$

107 답 $\dfrac{11+7\sqrt{3}}{32}$

정사각형 A_n의 한 변의 길이를 a_n이라 하면

$a_1=1$, $S_1=1$

정삼각형 B_n의 한 변의 길이도 a_n이므로

$a_1=1$, $T_1=\dfrac{\sqrt{3}}{4}\times1^2=\dfrac{\sqrt{3}}{4}$

오른쪽 그림에서

$\left(\dfrac{a_n}{2}-\dfrac{a_{n+1}}{2}\right):a_{n+1}=1:\sqrt{3}$

$\dfrac{\sqrt{3}}{2}a_n-\dfrac{\sqrt{3}}{2}a_{n+1}=a_{n+1}$

$(2+\sqrt{3})a_{n+1}=\sqrt{3}a_n$

$\therefore a_{n+1}=\dfrac{\sqrt{3}}{2+\sqrt{3}}a_n=(2\sqrt{3}-3)a_n$

따라서 $a_n:a_{n+1}=1:(2\sqrt{3}-3)$이므로

$S_n:S_{n+1}=T_n:T_{n+1}=1:(2\sqrt{3}-3)^2=1:(21-12\sqrt{3})$

$\therefore S_{n+1}=(21-12\sqrt{3})S_n$, $T_{n+1}=(21-12\sqrt{3})T_n$

따라서 수열 $\{S_n\}$과 $\{T_n\}$은 첫째항이 각각 $S_1=1$, $T_1=\dfrac{\sqrt{3}}{4}$이고

공비가 모두 $(21-12\sqrt{3})$인 등비수열이다.

$\therefore \displaystyle\sum_{n=1}^{\infty}(S_n-T_n)=\sum_{n=1}^{\infty}S_n-\sum_{n=1}^{\infty}T_n$

$=\dfrac{1}{1-(21-12\sqrt{3})}-\dfrac{\dfrac{\sqrt{3}}{4}}{1-(21-12\sqrt{3})}$

$=\dfrac{11+7\sqrt{3}}{32}$

108 답 96 m

땅에 떨어질 때마다 공이 움직인 거리는

32, $\left(32\times\dfrac{1}{2}\right)\times2$, $\left\{32\times\left(\dfrac{1}{2}\right)^2\right\}\times2$, $\cdots$

따라서 공이 정지할 때까지 움직인 거리는

$32+2\left\{32\times\dfrac{1}{2}+32\times\left(\dfrac{1}{2}\right)^2+32\times\left(\dfrac{1}{2}\right)^3+\cdots\right\}$

$=32+64\left\{\dfrac{1}{2}+\left(\dfrac{1}{2}\right)^2+\left(\dfrac{1}{2}\right)^3+\cdots\right\}$

$=32+64\times\dfrac{\dfrac{1}{2}}{1-\dfrac{1}{2}}=96\,(m)$

001 답 ③

$$\lim_{x \to \infty} \frac{3^{x+1}+2^x}{3^x-2^{x+1}}=\lim_{x \to \infty}\frac{3+\left(\frac{2}{3}\right)^x}{1-2\times\left(\frac{2}{3}\right)^x}=\frac{3+0}{1-0}=3$$

002 답 ⑤

$$\lim_{x \to 2}(\log_2|x^3-8|-\log_2|3x-6|)$$
$$=\lim_{x \to 2}\log_2\left|\frac{x^3-8}{3x-6}\right|$$
$$=\lim_{x \to 2}\log_2\left|\frac{(x-2)(x^2+2x+4)}{3(x-2)}\right|$$
$$=\lim_{x \to 2}\log_2\left|\frac{x^2+2x+4}{3}\right|$$
$$=\log_2\lim_{x \to 2}\left|\frac{x^2+2x+4}{3}\right|$$
$$=\log_2 4=2$$

003 답 ④

$$\lim_{x \to 0}(1+2x)^{\frac{3}{x}}+\lim_{x \to 0}(1-3x)^{\frac{1}{x}}$$
$$=\lim_{x \to 0}\{(1+2x)^{\frac{1}{2x}}\}^6+\lim_{x \to 0}\{(1-3x)^{-\frac{1}{3x}}\}^{-3}$$
$$=e^6+e^{-3}=e^6+\frac{1}{e^3}$$

004 답 $\frac{1}{4}$

$$\lim_{x \to \infty}\left\{\left(1+\frac{1}{2x}\right)\left(1-\frac{1}{4x}\right)\right\}^x$$
$$=\lim_{x \to \infty}\left\{\left(1+\frac{1}{2x}\right)^x\times\left(1-\frac{1}{4x}\right)^x\right\}$$
$$=\lim_{x \to \infty}\left[\left\{\left(1+\frac{1}{2x}\right)^{2x}\right\}^{\frac{1}{2}}\times\left\{\left(1-\frac{1}{4x}\right)^{-4x}\right\}^{-\frac{1}{4}}\right]$$
$$=e^{\frac{1}{2}}\times e^{-\frac{1}{4}}=e^{\frac{1}{4}}$$
$$\therefore a=\frac{1}{4}$$

005 답 ⑤

$$\lim_{x \to 0}\frac{\ln(1+6x)}{2x^2+3x}=\lim_{x \to 0}\left\{\frac{\ln(1+6x)}{6x}\times\frac{6}{2x+3}\right\}$$
$$=1\times 2=2$$

006 답 ①

$x-1=t$로 놓으면 $x=1+t$이고, $x \to 1$일 때 $t \to 0$이므로
$$\lim_{x \to 1}\frac{\log_2 x}{x-1}=\lim_{t \to 0}\frac{\log_2(1+t)}{t}=\frac{1}{\ln 2}$$

007 답 $\frac{3}{4}$

$$\lim_{x \to 0}\frac{e^{3x}-1}{\ln(1+4x)}=\lim_{x \to 0}\left\{\frac{e^{3x}-1}{3x}\times\frac{4x}{\ln(1+4x)}\times\frac{3}{4}\right\}$$
$$=1\times 1\times\frac{3}{4}=\frac{3}{4}$$

008 답 ④

$$\lim_{x \to 0}\frac{e^x-2^{-x}}{x}=\lim_{x \to 0}\frac{e^x-1-2^{-x}+1}{x}$$
$$=\lim_{x \to 0}\left(\frac{e^x-1}{x}+\frac{2^{-x}-1}{-x}\right)=1+\ln 2$$

009 답 ①

$\lim_{x \to 0}\dfrac{ax+b}{\ln(1+x)}=3$에서 $x \to 0$일 때 (분모) $\to 0$이고 극한값이 존재하므로 (분자) $\to 0$이다.
즉, $\lim_{x \to 0}(ax+b)=0$이므로 $0+b=0$ $\therefore b=0$
이를 주어진 등식의 좌변에 대입하면
$$\lim_{x \to 0}\frac{ax}{\ln(1+x)}=\lim_{x \to 0}\frac{x}{\ln(1+x)}\times a=1\times a=a$$
$$\therefore a=3 \qquad \therefore a+b=3$$

010 답 **2**

함수 $f(x)$가 $x=0$에서 연속이면 $\lim_{x \to 0}f(x)=f(0)$
$$\therefore \lim_{x \to 0}\frac{e^{3x}+a}{x}=b \qquad \cdots\cdots \ \text{㉠}$$
$x \to 0$일 때 (분모) $\to 0$이고 극한값이 존재하므로 (분자) $\to 0$이다.
즉, $\lim_{x \to 0}(e^{3x}+a)=0$이므로 $1+a=0$ $\therefore a=-1$
이를 ㉠의 좌변에 대입하면
$$\lim_{x \to 0}\frac{e^{3x}-1}{x}=\lim_{x \to 0}\frac{e^{3x}-1}{3x}\times 3=1\times 3=3 \qquad \therefore b=3$$
$$\therefore a+b=-1+3=2$$

011 답 **4**

점 A의 좌표를 $(t, \ln(1+4t))\ (t>0)$라 하면
$\overline{\mathrm{OH}}=t$, $\overline{\mathrm{AH}}=\ln(1+4t)$
이때 점 A가 원점 O에 한없이 가까워지면 $t \to 0+$이므로
$$\lim_{t \to 0+}\frac{\overline{\mathrm{AH}}}{\overline{\mathrm{OH}}}=\lim_{t \to 0+}\frac{\ln(1+4t)}{t}$$
$$=\lim_{t \to 0+}\frac{\ln(1+4t)}{4t}\times 4=1\times 4=4$$

012 답 **1**

$f(x)=(4x^2+1)e^x$에서
$f'(x)=8xe^x+(4x^2+1)e^x=(4x^2+8x+1)e^x$
$$\therefore f'(0)=1$$

013 답 **3**

$$\lim_{h \to 0}\frac{f(1+2h)-f(1-h)}{h}$$
$$=\lim_{h \to 0}\frac{f(1+2h)-f(1)+f(1)-f(1-h)}{h}$$
$$=\lim_{h \to 0}\frac{f(1+2h)-f(1)}{2h}\times 2+\lim_{h \to 0}\frac{f(1-h)-f(1)}{-h}$$
$$=2f'(1)+f'(1)=3f'(1)$$
이때 $f(x)=x^2\ln x$에서
$$f'(x)=2x\ln x+x^2\times\frac{1}{x}=2x\ln x+x$$
$$\therefore f'(1)=1$$
따라서 구하는 극한값은 $3f'(1)=3\times 1=3$

014 답 ④

함수 $f(x)$가 $x=1$에서 미분가능하면 $x=1$에서 연속이므로

$$\lim_{x \to 1+} \ln ax = \lim_{x \to 1-} (bx+1) = f(1)$$

$$\therefore \ln a = b+1 \qquad \cdots\cdots \ \text{㉠}$$

또 $f'(1)$이 존재하므로 $f'(x) = \begin{cases} \dfrac{1}{x} & (x>1) \\ b & (x<1) \end{cases}$ 에서

$$\lim_{x \to 1+} \frac{1}{x} = \lim_{x \to 1-} b \qquad \therefore b=1$$

이를 ㉠에 대입하면 $\ln a = 2 \qquad \therefore a = e^2$

$$\therefore ab = e^2$$

015 답 49

$$\lim_{x \to \infty} \frac{7^{x+2} - 2^{2x}}{7^x + 2^{x+1}} = \lim_{x \to \infty} \frac{49 - \left(\dfrac{4}{7}\right)^x}{1 + 2 \times \left(\dfrac{2}{7}\right)^x} = \frac{49-0}{1+0} = 49$$

016 답 ③

$$\lim_{x \to \infty} (5^x - 4^x)^{\frac{1}{x}} = \lim_{x \to \infty} \left[5^x \left\{ 1 - \left(\frac{4}{5}\right)^x \right\} \right]^{\frac{1}{x}}$$

$$= \lim_{x \to \infty} 5 \left\{ 1 - \left(\frac{4}{5}\right)^x \right\}^{\frac{1}{x}}$$

$$= 5 \times 1 = 5$$

017 답 2

$$\lim_{x \to \infty} \frac{a \times 9^x + 1}{9^{x-1} - 2^x} = \lim_{x \to \infty} \frac{a + \left(\dfrac{1}{9}\right)^x}{\dfrac{1}{9} - \left(\dfrac{2}{9}\right)^x} = \frac{a+0}{\dfrac{1}{9}-0} = 9a$$

따라서 $9a = 18$이므로 $a = 2$

018 답 ①

$x = -t$로 놓으면 $x \to -\infty$일 때 $t \to \infty$이므로

$$\lim_{x \to -\infty} \frac{2^x - 2^{-x}}{2^x + 2^{-x}} = \lim_{t \to \infty} \frac{2^{-t} - 2^t}{2^{-t} + 2^t}$$

$$= \lim_{t \to \infty} \frac{\left(\dfrac{1}{4}\right)^t - 1}{\left(\dfrac{1}{4}\right)^t + 1}$$

$$= \frac{0-1}{0+1} = -1$$

019 답 ㄱ, ㄴ

ㄱ. $\displaystyle \lim_{x \to \infty} \frac{2^{x+1} - 4^x}{5^x} = \lim_{x \to \infty} \frac{2 \times \left(\dfrac{2}{5}\right)^x - \left(\dfrac{4}{5}\right)^x}{1} = 0$

ㄴ. $x = -t$로 놓으면 $x \to -\infty$일 때 $t \to \infty$이므로

$$\lim_{x \to -\infty} \frac{3^x}{2^x - 3^{-x}} = \lim_{t \to \infty} \frac{3^{-t}}{2^{-t} - 3^t} = \lim_{t \to \infty} \frac{\left(\dfrac{1}{9}\right)^t}{\left(\dfrac{1}{6}\right)^t - 1} = 0$$

ㄷ. $\dfrac{1}{x} = t$로 놓으면 $x \to -\infty$일 때 $t \to 0-$이므로

$$\lim_{x \to -\infty} \frac{1}{4^{\frac{1}{x}} - 1} = \lim_{t \to 0-} \frac{1}{4^t - 1} = -\infty$$

ㄹ. $\dfrac{1}{x} = t$로 놓으면 $x \to 0+$일 때 $t \to \infty$이므로

$$\lim_{x \to 0+} \frac{7^{\frac{1}{x}}}{7^{\frac{1}{x}} - 7^{-\frac{1}{x}}} = \lim_{t \to \infty} \frac{7^t}{7^t - 7^{-t}} = \lim_{t \to \infty} \frac{1}{1 - \left(\dfrac{1}{49}\right)^t} = 1$$

$x \to 0-$일 때 $t \to -\infty$이므로

$$\lim_{x \to 0-} \frac{7^{\frac{1}{x}}}{7^{\frac{1}{x}} - 7^{-\frac{1}{x}}} = \lim_{t \to -\infty} \frac{7^t}{7^t - 7^{-t}}$$

$t = -s$로 놓으면 $t \to -\infty$일 때 $s \to \infty$이므로

$$\lim_{t \to -\infty} \frac{7^t}{7^t - 7^{-t}} = \lim_{s \to \infty} \frac{7^{-s}}{7^{-s} - 7^s} = \lim_{s \to \infty} \frac{\left(\dfrac{1}{49}\right)^s}{\left(\dfrac{1}{49}\right)^s - 1} = 0$$

즉, $\displaystyle \lim_{x \to 0+} \frac{7^{\frac{1}{x}}}{7^{\frac{1}{x}} - 7^{-\frac{1}{x}}} \neq \lim_{x \to 0-} \frac{7^{\frac{1}{x}}}{7^{\frac{1}{x}} - 7^{-\frac{1}{x}}}$ 이므로 극한값이 존재하지 않는다.

따라서 보기 중 극한값이 존재하는 것은 ㄱ, ㄴ이다.

다른 풀이 ㄹ. $\displaystyle \lim_{x \to 0+} \frac{1}{x} = \infty$, $\displaystyle \lim_{x \to 0-} \frac{1}{x} = -\infty$이므로

$$\lim_{x \to 0+} 7^{\frac{1}{x}} = \infty, \quad \lim_{x \to 0+} 7^{-\frac{1}{x}} = \lim_{x \to 0+} \left(\frac{1}{7}\right)^{\frac{1}{x}} = 0,$$

$$\lim_{x \to 0-} 7^{\frac{1}{x}} = 0, \quad \lim_{x \to 0-} 7^{-\frac{1}{x}} = \lim_{x \to 0-} \left(\frac{1}{7}\right)^{\frac{1}{x}} = \infty$$

$$\therefore \lim_{x \to 0+} \frac{7^{\frac{1}{x}}}{7^{\frac{1}{x}} - 7^{-\frac{1}{x}}} = \lim_{x \to 0+} \frac{1}{1 - 7^{-\frac{2}{x}}} = 1, \quad \lim_{x \to 0-} \frac{7^{\frac{1}{x}}}{7^{\frac{1}{x}} - 7^{-\frac{1}{x}}} = 0$$

즉, $\displaystyle \lim_{x \to 0+} \frac{7^{\frac{1}{x}}}{7^{\frac{1}{x}} - 7^{-\frac{1}{x}}} \neq \lim_{x \to 0-} \frac{7^{\frac{1}{x}}}{7^{\frac{1}{x}} - 7^{-\frac{1}{x}}}$ 이므로 극한값이 존재하지 않는다.

020 답 ④

$$\lim_{x \to 1} (\log_4 |x^2 + 4x - 5| - \log_4 |x^2 + x - 2|)$$

$$= \lim_{x \to 1} \log_4 \left| \frac{x^2 + 4x - 5}{x^2 + x - 2} \right|$$

$$= \lim_{x \to 1} \log_4 \left| \frac{(x+5)(x-1)}{(x+2)(x-1)} \right|$$

$$= \lim_{x \to 1} \log_4 \left| \frac{x+5}{x+2} \right|$$

$$= \log_4 \lim_{x \to 1} \left| \frac{x+5}{x+2} \right|$$

$$= \log_4 2 = \frac{1}{2}$$

021 답 −1

$$\lim_{x \to \infty} \left(\log_{\frac{1}{2}} \sqrt{4x^2 + x} - \log_{\frac{1}{2}} x\right) = \lim_{x \to \infty} \log_{\frac{1}{2}} \frac{\sqrt{4x^2 + x}}{x}$$

$$= \log_{\frac{1}{2}} \lim_{x \to \infty} \frac{\sqrt{4x^2 + x}}{x}$$

$$= \log_{\frac{1}{2}} \lim_{x \to \infty} \frac{\sqrt{4 + \dfrac{1}{x}}}{1}$$

$$= \log_{\frac{1}{2}} 2 = -1$$

022 답 27

$\displaystyle\lim_{x\to\infty}\{\log_3(ax+2)-\log_3(3x+1)\}$

$=\displaystyle\lim_{x\to\infty}\log_3\frac{ax+2}{3x+1}=\log_3\lim_{x\to\infty}\frac{ax+2}{3x+1}$

$=\log_3\displaystyle\lim_{x\to\infty}\frac{a+\dfrac{2}{x}}{3+\dfrac{1}{x}}=\log_3\frac{a}{3}$

따라서 $\log_3\dfrac{a}{3}=2$이므로 $\dfrac{a}{3}=9$ $\quad\therefore a=27$

023 답 ③

$\displaystyle\lim_{x\to\infty}\frac{1}{x}\log_2(8^x+3^x)=\lim_{x\to\infty}\log_2(8^x+3^x)^{\frac{1}{x}}$

$=\displaystyle\lim_{x\to\infty}\log_2\Big[8^x\Big\{1+\Big(\frac{3}{8}\Big)^x\Big\}\Big]^{\frac{1}{x}}$

$=\displaystyle\lim_{x\to\infty}\log_2 8\Big\{1+\Big(\frac{3}{8}\Big)^x\Big\}^{\frac{1}{x}}$

$=\log_2\displaystyle\lim_{x\to\infty}8\Big\{1+\Big(\frac{3}{8}\Big)^x\Big\}^{\frac{1}{x}}$

$=\log_2(8\times1)=\log_2 8=3$

024 답 ④

$\displaystyle\lim_{x\to0}(1+4x)^{\frac{1}{2x}}+\lim_{x\to0}\Big(1-\frac{x}{3}\Big)^{\frac{9}{x}}$

$=\displaystyle\lim_{x\to0}\{(1+4x)^{\frac{1}{4x}}\}^2+\lim_{x\to0}\Big\{\Big(1-\frac{x}{3}\Big)^{-\frac{3}{x}}\Big\}^{-3}$

$=e^2+e^{-3}=e^2+\dfrac{1}{e^3}$

따라서 $m=2$, $n=3$이므로 $m+n=5$

025 답 ③

$\displaystyle\lim_{x\to0}\{(1+x)(1-x)\}^{\frac{2}{x}}=\lim_{x\to0}\{(1+x)^{\frac{2}{x}}\times(1-x)^{\frac{2}{x}}\}$

$=\displaystyle\lim_{x\to0}\Big[\{(1+x)^{\frac{1}{x}}\}^2\times\{(1-x)^{-\frac{1}{x}}\}^{-2}\Big]$

$=e^2\times e^{-2}=1$

026 답 e^2

$x-1=t$로 놓으면 $x=1+t$이고, $x\to1$일 때 $t\to0$이므로

$\displaystyle\lim_{x\to1}x^{\frac{2}{x-1}}=\lim_{t\to0}(1+t)^{\frac{2}{t}}=\lim_{t\to0}\{(1+t)^{\frac{1}{t}}\}^2=e^2$

027 답 7

$\displaystyle\lim_{x\to0}\{(1+x)(1+2x)(1+3x)\cdots(1+nx)\}^{\frac{2}{x}}$

$=\displaystyle\lim_{x\to0}\{(1+x)^{\frac{2}{x}}\times(1+2x)^{\frac{2}{x}}\times(1+3x)^{\frac{2}{x}}\times\cdots\times(1+nx)^{\frac{2}{x}}\}$

$=\displaystyle\lim_{x\to0}\Big[\{(1+x)^{\frac{1}{x}}\}^2\times\{(1+2x)^{\frac{1}{2x}}\}^4\times\{(1+3x)^{\frac{1}{3x}}\}^6$

$\qquad\qquad\qquad\qquad\times\cdots\times\{(1+nx)^{\frac{1}{nx}}\}^{2n}\Big]$

$=e^2\times e^4\times e^6\times\cdots\times e^{2n}=e^{2+4+6+\cdots+2n}=e^{n(n+1)}$

따라서 $e^{n(n+1)}=e^{56}$이므로

$n(n+1)=56=7\times8$ $\quad\therefore n=7$

028 답 e

$\displaystyle\lim_{x\to\infty}\Big\{\Big(1-\frac{1}{3x}\Big)\Big(1+\frac{1}{2x}\Big)\Big\}^{6x}$

$=\displaystyle\lim_{x\to\infty}\Big\{\Big(1-\frac{1}{3x}\Big)^{6x}\times\Big(1+\frac{1}{2x}\Big)^{6x}\Big\}$

$=\displaystyle\lim_{x\to\infty}\Big[\Big\{\Big(1-\frac{1}{3x}\Big)^{-3x}\Big\}^{-2}\times\Big\{\Big(1+\frac{1}{2x}\Big)^{2x}\Big\}^3\Big]$

$=e^{-2}\times e^3=e$

029 답 ①

$x=-t$로 놓으면 $x\to-\infty$일 때 $t\to\infty$이므로

$\displaystyle\lim_{x\to-\infty}\Big(1-\frac{a}{x}\Big)^{3x}=\lim_{t\to\infty}\Big(1+\frac{a}{t}\Big)^{-3t}=\lim_{t\to\infty}\Big\{\Big(1+\frac{a}{t}\Big)^{\frac{t}{a}}\Big\}^{-3a}=e^{-3a}$

따라서 $e^{-3a}=e^{-9}$이므로 $-3a=-9$ $\quad\therefore a=3$

030 답 ④

$\displaystyle\lim_{x\to\infty}f(2x)=\lim_{x\to\infty}\Big(\frac{2x}{2x-1}\Big)^{2x}=\lim_{x\to\infty}\Big(\frac{2x-1}{2x}\Big)^{-2x}$

$=\displaystyle\lim_{x\to\infty}\Big(1-\frac{1}{2x}\Big)^{-2x}=e$

031 답 $\sqrt{e}$

$\dfrac{1}{4}\Big(1+\dfrac{1}{n}\Big)\Big(1+\dfrac{1}{n+1}\Big)\Big(1+\dfrac{1}{n+2}\Big)\cdots\Big(1+\dfrac{1}{4n}\Big)$

$=\dfrac{1}{4}\times\dfrac{n+1}{n}\times\dfrac{n+2}{n+1}\times\dfrac{n+3}{n+2}\times\cdots\times\dfrac{4n+1}{4n}=\dfrac{4n+1}{4n}$

$\therefore\displaystyle\lim_{n\to\infty}\Big\{\frac{1}{4}\Big(1+\frac{1}{n}\Big)\Big(1+\frac{1}{n+1}\Big)\Big(1+\frac{1}{n+2}\Big)\cdots\Big(1+\frac{1}{4n}\Big)\Big\}^{2n}$

$=\displaystyle\lim_{n\to\infty}\Big(\frac{4n+1}{4n}\Big)^{2n}=\lim_{n\to\infty}\Big\{\Big(1+\frac{1}{4n}\Big)^{4n}\Big\}^{\frac{1}{2}}=e^{\frac{1}{2}}=\sqrt{e}$

032 답 ②

ㄱ. $x-2=t$로 놓으면 $x=2+t$이고, $x\to2$일 때 $t\to0$이므로

$\displaystyle\lim_{x\to2}(x-1)^{\frac{1}{2-x}}=\lim_{t\to0}(1+t)^{-\frac{1}{t}}=\lim_{t\to0}\{(1+t)^{\frac{1}{t}}\}^{-1}=e^{-1}=\dfrac{1}{e}$

ㄴ. $\displaystyle\lim_{x\to\infty}\Big(\frac{x+2}{x}\Big)^{\frac{x}{2}}=\lim_{x\to\infty}\Big(1+\frac{2}{x}\Big)^{\frac{x}{2}}=e$

ㄷ. $\displaystyle\lim_{x\to\infty}\Big(\frac{x+1}{x-1}\Big)^x=\lim_{x\to\infty}\Big(\frac{1+\dfrac{1}{x}}{1-\dfrac{1}{x}}\Big)^x=\lim_{x\to\infty}\frac{\Big(1+\dfrac{1}{x}\Big)^x}{\Big(1-\dfrac{1}{x}\Big)^x}$

$=\displaystyle\lim_{x\to\infty}\frac{\Big(1+\dfrac{1}{x}\Big)^x}{\{\Big(1-\dfrac{1}{x}\Big)^{-x}\}^{-1}}=\frac{e}{e^{-1}}=e^2$

ㄹ. $x=-t$로 놓으면 $x\to-\infty$일 때 $t\to\infty$이므로

$\displaystyle\lim_{x\to-\infty}\Big(1+\frac{1}{x}\Big)^x=\lim_{t\to\infty}\Big(1-\frac{1}{t}\Big)^{-t}=e$

따라서 보기 중 극한값이 e인 것은 ㄴ, ㄹ이다.

033 답 ⑤

$\displaystyle\lim_{x\to0}\frac{x^2-2x}{\ln(1+5x)}=\lim_{x\to0}\Big\{\frac{5x}{\ln(1+5x)}\times\frac{x-2}{5}\Big\}$

$=1\times\Big(-\dfrac{2}{5}\Big)=-\dfrac{2}{5}$

034 답 ③

$$\lim_{x \to 0} \frac{\ln(1+x)(1+2x)(1+3x)}{x}$$

$$=\lim_{x \to 0} \frac{\ln(1+x)+\ln(1+2x)+\ln(1+3x)}{x}$$

$$=\lim_{x \to 0}\left\{\frac{\ln(1+x)}{x}+\frac{\ln(1+2x)}{2x}\times 2+\frac{\ln(1+3x)}{3x}\times 3\right\}$$

$$=1+1\times 2+1\times 3=6$$

035 답 $\dfrac{7}{8}$

$$\lim_{x \to 0}\frac{ax}{\ln(1+4x)}=\lim_{x \to 0}\frac{4x}{\ln(1+4x)}\times\frac{a}{4}=1\times\frac{a}{4}=\frac{a}{4}$$

따라서 $\dfrac{a}{4}=2$이므로 $a=8$

$$\therefore \lim_{x \to 0}\frac{\ln(1+7x)}{\ln(1+ax)}=\lim_{x \to 0}\frac{\ln(1+7x)}{\ln(1+8x)}$$

$$=\lim_{x \to 0}\left\{\frac{\ln(1+7x)}{7x}\times\frac{8x}{\ln(1+8x)}\times\frac{7}{8}\right\}$$

$$=1\times 1\times\frac{7}{8}=\frac{7}{8}$$

036 답 ④

$y=e^{\frac{x}{5}}-1$이라 하면

$$e^{\frac{x}{5}}=y+1,\ \frac{x}{5}=\ln(1+y)\qquad \therefore x=5\ln(1+y)$$

x와 y를 서로 바꾸면 $y=5\ln(1+x)$

따라서 $g(x)=5\ln(1+x)$이므로

$$\lim_{x \to 0}\frac{g(x)}{x}=\lim_{x \to 0}\frac{5\ln(1+x)}{x}=5\times 1=5$$

037 답 2

$$\lim_{x \to \infty}x\{\ln(x+2)-\ln x\}=\lim_{x \to \infty}x\ln\frac{x+2}{x}$$

$$=\lim_{x \to \infty}x\ln\left(1+\frac{2}{x}\right)$$

$\dfrac{1}{x}=t$로 놓으면 $x=\dfrac{1}{t}$이고, $x \to \infty$일 때 $t \to 0$이므로

$$\lim_{x \to \infty}x\ln\left(1+\frac{2}{x}\right)=\lim_{t \to 0}\frac{1}{t}\ln(1+2t)$$

$$=\lim_{t \to 0}\frac{\ln(1+2t)}{2t}\times 2=1\times 2=2$$

다른 풀이 $\displaystyle\lim_{x \to \infty}x\{\ln(x+2)-\ln x\}$

$$=\lim_{x \to \infty}x\ln\frac{x+2}{x}=\lim_{x \to \infty}x\ln\left(1+\frac{2}{x}\right)$$

$$=\lim_{x \to \infty}\ln\left(1+\frac{2}{x}\right)^x=\lim_{x \to \infty}\ln\left\{\left(1+\frac{2}{x}\right)^{\frac{x}{2}}\right\}^2$$

$$=\ln\lim_{x \to \infty}\left\{\left(1+\frac{2}{x}\right)^{\frac{x}{2}}\right\}^2=\ln e^2=2$$

038 답 ⑤

$x-1=t$로 놓으면 $x=1+t$이고, $x \to 1$일 때 $t \to 0$이므로

$$\lim_{x \to 1}\frac{\log_5(2x-1)}{x-1}=\lim_{t \to 0}\frac{\log_5(1+2t)}{t}=\lim_{t \to 0}\frac{\log_5(1+2t)}{2t}\times 2$$

$$=\frac{1}{\ln 5}\times 2=\frac{2}{\ln 5}$$

039 답 ①

$$\lim_{x \to 0}\frac{\log_4(1+4x)}{\log_3(1-2x)}$$

$$=\lim_{x \to 0}\left\{\frac{\log_4(1+4x)}{4x}\times\frac{-2x}{\log_3(1-2x)}\times(-2)\right\}$$

$$=\frac{1}{\ln 4}\times\ln 3\times(-2)$$

$$=-\frac{2\ln 3}{\ln 4}=-\frac{\ln 3}{\ln 2}$$

040 답 ①

$$\lim_{x \to 0}\frac{\log_2(5+x)-\log_2 5}{x}=\lim_{x \to 0}\frac{\log_2\frac{5+x}{5}}{x}$$

$$=\lim_{x \to 0}\frac{\log_2\left(1+\frac{x}{5}\right)}{\frac{x}{5}}\times\frac{1}{5}$$

$$=\frac{1}{\ln 2}\times\frac{1}{5}=\frac{1}{5\ln 2}$$

041 답 $-\dfrac{2}{\ln 3}$

$\dfrac{1}{x}=t$로 놓으면 $x=\dfrac{1}{t}$이고, $x \to \infty$일 때 $t \to 0$이므로

$$\lim_{x \to \infty}x\log_9\left(1-\frac{4}{x}\right)=\lim_{t \to 0}\frac{1}{t}\log_9(1-4t)$$

$$=\lim_{t \to 0}\frac{\log_9(1-4t)}{-4t}\times(-4)$$

$$=\frac{1}{\ln 9}\times(-4)=-\frac{2}{\ln 3}$$

042 답 ②

$$\lim_{x \to 0}\frac{\ln(2x+1)}{e^{6x}-1}=\lim_{x \to 0}\left\{\frac{\ln(2x+1)}{2x}\times\frac{6x}{e^{6x}-1}\times\frac{1}{3}\right\}$$

$$=1\times 1\times\frac{1}{3}=\frac{1}{3}$$

043 답 ①

$$\lim_{x \to 0}\frac{e^{4x}-e^{2x}}{x}=\lim_{x \to 0}\frac{e^{4x}-1-e^{2x}+1}{x}$$

$$=\lim_{x \to 0}\left(\frac{e^{4x}-1}{x}-\frac{e^{2x}-1}{x}\right)$$

$$=\lim_{x \to 0}\left(\frac{e^{4x}-1}{4x}\times 4-\frac{e^{2x}-1}{2x}\times 2\right)$$

$$=1\times 4-1\times 2=2$$

044 답 -3

$x-2=t$로 놓으면 $x=2+t$이고, $x \to 2$일 때 $t \to 0$이므로

$$\lim_{x \to 2}\frac{e^{2-x}-(x-1)^2}{x-2}=\lim_{t \to 0}\frac{e^{-t}-(t+1)^2}{t}$$

$$=\lim_{t \to 0}\frac{e^{-t}-(t^2+2t+1)}{t}$$

$$=\lim_{t \to 0}\left(\frac{e^{-t}-1}{t}-t-2\right)$$

$$=\lim_{t \to 0}\left\{\frac{e^{-t}-1}{-t}\times(-1)-t-2\right\}$$

$$=1\times(-1)-2=-3$$

045 답 3

$\ln(1+3x) \le f(x) \le e^{3x}-1$에서

(i) $x>0$일 때

$$\frac{\ln(1+3x)}{x} \le \frac{f(x)}{x} \le \frac{e^{3x}-1}{x}$$

이때

$$\lim_{x\to 0+}\frac{\ln(1+3x)}{x}=\lim_{x\to 0+}\frac{\ln(1+3x)}{3x}\times 3=1\times 3=3,$$

$$\lim_{x\to 0+}\frac{e^{3x}-1}{x}=\lim_{x\to 0+}\frac{e^{3x}-1}{3x}\times 3=1\times 3=3$$

이므로 함수의 극한의 대소 관계에 의하여

$$\lim_{x\to 0+}\frac{f(x)}{x}=3$$

(ii) $-\dfrac{1}{3}<x<0$일 때

$$\frac{e^{3x}-1}{x} \le \frac{f(x)}{x} \le \frac{\ln(1+3x)}{x}$$

이때

$$\lim_{x\to 0-}\frac{e^{3x}-1}{x}=\lim_{x\to 0-}\frac{e^{3x}-1}{3x}\times 3=1\times 3=3,$$

$$\lim_{x\to 0-}\frac{\ln(1+3x)}{x}=\lim_{x\to 0-}\frac{\ln(1+3x)}{3x}\times 3=1\times 3=3$$

이므로 함수의 극한의 대소 관계에 의하여

$$\lim_{x\to 0-}\frac{f(x)}{x}=3$$

(i), (ii)에서 $\lim\limits_{x\to 0+}\dfrac{f(x)}{x}=\lim\limits_{x\to 0-}\dfrac{f(x)}{x}=3$이므로

$$\lim_{x\to 0}\frac{f(x)}{x}=3$$

046 답 ②

$$f(n)=\lim_{x\to 0}\frac{x}{e^x+e^{2x}+e^{3x}+\cdots+e^{nx}-n}$$

$$=\lim_{x\to 0}\frac{x}{e^x-1+e^{2x}-1+e^{3x}-1+\cdots+e^{nx}-1}$$

$$=\lim_{x\to 0}\frac{1}{\dfrac{e^x-1+e^{2x}-1+e^{3x}-1+\cdots+e^{nx}-1}{x}}$$

$$=\lim_{x\to 0}\frac{1}{\dfrac{e^x-1}{x}+\dfrac{e^{2x}-1}{2x}\times 2+\dfrac{e^{3x}-1}{3x}\times 3+\cdots+\dfrac{e^{nx}-1}{nx}\times n}$$

$$=\frac{1}{1+2+3+\cdots+n}=\frac{1}{\dfrac{n(n+1)}{2}}=\frac{2}{n(n+1)}$$

$$\therefore \sum_{n=1}^{\infty}f(n)=\lim_{n\to\infty}\sum_{k=1}^{n}\frac{2}{k(k+1)}=\lim_{n\to\infty}\sum_{k=1}^{n}2\left(\frac{1}{k}-\frac{1}{k+1}\right)$$

$$=\lim_{n\to\infty}2\left\{\left(1-\frac{1}{2}\right)+\left(\frac{1}{2}-\frac{1}{3}\right)+\left(\frac{1}{3}-\frac{1}{4}\right)\right.$$

$$\left.+\cdots+\left(\frac{1}{n}-\frac{1}{n+1}\right)\right\}$$

$$=\lim_{n\to\infty}2\left(1-\frac{1}{n+1}\right)=2(1-0)=2$$

047 답 ②

$$\lim_{x\to 0}\frac{6^x-3^x}{2x-x^2}=\lim_{x\to 0}\frac{6^x-1-3^x+1}{x(2-x)}$$

$$=\lim_{x\to 0}\left\{\left(\frac{6^x-1}{x}-\frac{3^x-1}{x}\right)\times\frac{1}{2-x}\right\}$$

$$=(\ln 6-\ln 3)\times\frac{1}{2}=\frac{\ln 2}{2}$$

048 답 2

$$\lim_{x\to 0}\frac{(9^x-1)\log_3(1+x)}{x^2}=\lim_{x\to 0}\left\{\frac{9^x-1}{x}\times\frac{\log_3(1+x)}{x}\right\}$$

$$=\ln 9\times\frac{1}{\ln 3}=2\ln 3\times\frac{1}{\ln 3}=2$$

049 답 2

$$\lim_{x\to 0}\frac{(a+4)^x-a^x}{x}=\lim_{x\to 0}\frac{(a+4)^x-1-a^x+1}{x}$$

$$=\lim_{x\to 0}\left\{\frac{(a+4)^x-1}{x}-\frac{a^x-1}{x}\right\}$$

$$=\ln(a+4)-\ln a=\ln\frac{a+4}{a}$$

따라서 $\ln\dfrac{a+4}{a}=\ln 3$이므로

$$\frac{a+4}{a}=3,\ a+4=3a \qquad \therefore a=2$$

050 답 ⑤

$$\lim_{x\to 0}\frac{6^x-3^x-2^x+1}{x^2}=\lim_{x\to 0}\frac{(2^x-1)(3^x-1)}{x^2}$$

$$=\lim_{x\to 0}\left(\frac{2^x-1}{x}\times\frac{3^x-1}{x}\right)=\ln 2\times\ln 3$$

따라서 $a=2$, $b=3$이므로 $a-b=-1$

051 답 ①

$$\lim_{x\to -2}\frac{2^{x+2}-1}{x^2-4}=\lim_{x\to -2}\frac{2^{x+2}-1}{(x+2)(x-2)}$$

$x+2=t$로 놓으면 $x=-2+t$이고, $x\to -2$일 때 $t\to 0$이므로

$$\lim_{x\to -2}\frac{2^{x+2}-1}{(x+2)(x-2)}=\lim_{t\to 0}\left(\frac{2^t-1}{t}\times\frac{1}{t-4}\right)$$

$$=\ln 2\times\left(-\frac{1}{4}\right)=-\frac{\ln 2}{4}$$

052 답 ⑤

$\lim\limits_{x\to 0}\dfrac{\sqrt{ax+b}-2}{e^x-1}=5$에서 $x\to 0$일 때 (분모)$\to 0$이고 극한값이 존재하므로 (분자)$\to 0$이다.

즉, $\lim\limits_{x\to 0}(\sqrt{ax+b}-2)=0$이므로 $\sqrt{b}-2=0 \qquad \therefore b=4$

이를 주어진 등식의 좌변에 대입하면

$$\lim_{x\to 0}\frac{\sqrt{ax+4}-2}{e^x-1}=\lim_{x\to 0}\frac{(\sqrt{ax+4}-2)(\sqrt{ax+4}+2)}{(e^x-1)(\sqrt{ax+4}+2)}$$

$$=\lim_{x\to 0}\frac{ax}{(e^x-1)(\sqrt{ax+4}+2)}$$

$$=\lim_{x\to 0}\left(\frac{x}{e^x-1}\times\frac{a}{\sqrt{ax+4}+2}\right)=1\times\frac{a}{4}=\frac{a}{4}$$

따라서 $\dfrac{a}{4}=5$이므로 $a=20$

$$\therefore a+b=20+4=24$$

053 답 ④

$\lim\limits_{x\to 0}\dfrac{\ln(a+6x)}{4^x-1}=\dfrac{b}{\ln 2}$에서 $x\to 0$일 때 (분모)$\to 0$이고 극한값이 존재하므로 (분자)$\to 0$이다.

즉, $\lim\limits_{x\to 0}\ln(a+6x)=0$이므로 $\ln a=0 \qquad \therefore a=1$

이를 주어진 등식의 좌변에 대입하면

$$\lim_{x \to 0} \frac{\ln(1+6x)}{4^x-1} = \lim_{x \to 0} \left\{ \frac{\ln(1+6x)}{6x} \times \frac{x}{4^x-1} \times 6 \right\}$$

$$= 1 \times \frac{1}{\ln 4} \times 6 = \frac{3}{\ln 2}$$

따라서 $\dfrac{3}{\ln 2} = \dfrac{b}{\ln 2}$이므로 $b=3$

$\therefore ab = 1 \times 3 = 3$

054 답 3

$\lim\limits_{x \to 0} \dfrac{\ln(1+ax)}{e^{bx+c}-1} = 3$에서 $x \to 0$일 때 (분자) $\to 0$이고 0이 아닌 극

한값이 존재하므로 (분모) $\to 0$이다.

즉, $\lim\limits_{x \to 0}(e^{bx+c}-1)=0$이므로 $e^c-1=0$ $\quad \therefore c=0$

이를 주어진 등식의 좌변에 대입하면

$$\lim_{x \to 0} \frac{\ln(1+ax)}{e^{bx}-1} = \lim_{x \to 0} \left\{ \frac{\ln(1+ax)}{ax} \times \frac{bx}{e^{bx}-1} \times \frac{a}{b} \right\}$$

$$= 1 \times 1 \times \frac{a}{b} = \frac{a}{b}$$

따라서 $\dfrac{a}{b}=3$이므로 $\dfrac{a+c}{b}=\dfrac{a}{b}=3$

055 답 $\dfrac{5}{4}$

$\lim\limits_{x \to 2} \dfrac{e^{x-2}-a}{x^2-4} = b$에서 $x \to 2$일 때 (분모) $\to 0$이고 극한값이 존재

하므로 (분자) $\to 0$이다.

즉, $\lim\limits_{x \to 2}(e^{x-2}-a)=0$이므로 $1-a=0$ $\quad \therefore a=1$

이를 주어진 등식의 좌변에 대입하면

$$\lim_{x \to 2} \frac{e^{x-2}-1}{x^2-4} = \lim_{x \to 2} \frac{e^{x-2}-1}{(x-2)(x+2)}$$

$x-2=t$로 놓으면 $x=2+t$이고, $x \to 2$일 때 $t \to 0$이므로

$$\lim_{x \to 2} \frac{e^{x-2}-1}{(x-2)(x+2)} = \lim_{t \to 0} \left(\frac{e^t-1}{t} \times \frac{1}{t+4} \right) = 1 \times \frac{1}{4} = \frac{1}{4}$$

$\therefore b=\dfrac{1}{4}$ $\quad \therefore a+b=1+\dfrac{1}{4}=\dfrac{5}{4}$

056 답 -3

함수 $f(x)$가 $x=0$에서 연속이므로 $\lim\limits_{x \to 0} f(x) = f(0)$

$\therefore \lim\limits_{x \to 0} \dfrac{e^{2x}-e^{a+1}}{ax} = b$ $\quad$ ...... ㉠

$x \to 0$일 때 (분모) $\to 0$이고 극한값이 존재하므로 (분자) $\to 0$이다.

즉, $\lim\limits_{x \to 0}(e^{2x}-e^{a+1})=0$이므로 $1-e^{a+1}=0$ $\quad \therefore a=-1$

이를 ㉠의 좌변에 대입하면

$$\lim_{x \to 0} \frac{e^{2x}-1}{-x} = \lim_{x \to 0} \frac{e^{2x}-1}{2x} \times (-2) = 1 \times (-2) = -2$$

$\therefore b=-2$

$\therefore a+b=-1+(-2)=-3$

057 답 9

함수 $f(x)$가 구간 $\left(-\dfrac{1}{3},\ \infty \right)$에서 연속이면 $x=0$에서도 연속이

므로 $\lim\limits_{x \to 0} f(x) = f(0)$ $\quad \therefore \lim\limits_{x \to 0} \dfrac{ax}{\ln(1+3x)} = 3$

이때

$$\lim_{x \to 0} \frac{ax}{\ln(1+3x)} = \lim_{x \to 0} \frac{3x}{\ln(1+3x)} \times \frac{a}{3} = 1 \times \frac{a}{3} = \frac{a}{3}$$

이므로 $\dfrac{a}{3}=3$ $\quad \therefore a=9$

058 답 ②

함수 $f(x)$가 모든 실수 x에서 연속이면 $x=2$에서도 연속이므로

$$\lim_{x \to 2+} f(x) = \lim_{x \to 2-} f(x) = f(2)$$

$$\therefore \lim_{x \to 2+} \frac{\ln(2x-3)}{e^{x-2}-1} = \lim_{x \to 2-}(ax^2+x+4) = 4a+6$$

$x-2=t$로 놓으면 $x=2+t$이고, $x \to 2+$일 때 $t \to 0+$이므로

$$\lim_{x \to 2+} \frac{\ln(2x-3)}{e^{x-2}-1} = \lim_{t \to 0+} \frac{\ln(1+2t)}{e^t-1}$$

$$= \lim_{t \to 0+} \left\{ \frac{\ln(1+2t)}{2t} \times \frac{t}{e^t-1} \times 2 \right\}$$

$$= 1 \times 1 \times 2 = 2$$

따라서 $4a+6=2$이므로 $a=-1$

059 답 ③

$x \neq \dfrac{1}{2}$일 때, $f(x) = \dfrac{\ln 2x}{2x-1}$

함수 $f(x)$가 $x>0$인 모든 실수 x에서 연속이면 $x=\dfrac{1}{2}$에서도 연

속이므로

$$\lim_{x \to \frac{1}{2}} f(x) = f\left(\frac{1}{2}\right) \qquad \therefore \lim_{x \to \frac{1}{2}} \frac{\ln 2x}{2x-1} = f\left(\frac{1}{2}\right)$$

$x-\dfrac{1}{2}=t$로 놓으면 $x=\dfrac{1}{2}+t$이고, $x \to \dfrac{1}{2}$일 때 $t \to 0$이므로

$$\lim_{x \to \frac{1}{2}} \frac{\ln 2x}{2x-1} = \lim_{t \to 0} \frac{\ln(1+2t)}{2t} = 1$$

$\therefore f\left(\dfrac{1}{2}\right)=1$

060 답 $\dfrac{1}{\ln 2}$

점 P의 좌표를 $(t,\ 2^t-1)(t>0)$이라 하면

$\overline{OQ}=2^t-1$, $\overline{PQ}=t$

이때 점 P가 원점 O에 한없이 가까워지면 $t \to 0+$이므로

$$\lim_{t \to 0+} \frac{\overline{PQ}}{\overline{OQ}} = \lim_{t \to 0+} \frac{t}{2^t-1} = \frac{1}{\ln 2}$$

061 답 1

$P(t,\ e^t)$, $Q(t,\ e^{-t})$이므로

$$S(t) = \frac{1}{2} \times \overline{PQ} \times t = \frac{1}{2} \times (e^t-e^{-t}) \times t$$

$$\therefore \lim_{t \to 0+} \frac{S(t)}{t^2} = \lim_{t \to 0+} \frac{e^t-e^{-t}}{2t} = \lim_{t \to 0+} \frac{e^t-1-e^{-t}+1}{2t}$$

$$= \frac{1}{2} \lim_{t \to 0+} \left(\frac{e^t-1}{t} + \frac{e^{-t}-1}{-t} \right)$$

$$= \frac{1}{2}(1+1) = 1$$

062 답 ③

$A(0, 2^{-t})$, $B(0, 2^t)$이므로

$f(t) = 2^t - 2^{-t}$

두 곡선의 교점 C의 x좌표는 $2^{x-t} = \left(\dfrac{1}{2}\right)^{x-t}$에서

$x = t$ $\therefore C(t, 1)$

$\therefore g(t) = t$

$\therefore \lim\limits_{t \to 0+} \dfrac{f(t)}{g(t)} = \lim\limits_{t \to 0+} \dfrac{2^t - 2^{-t}}{t} = \lim\limits_{t \to 0+} \dfrac{2^t - 1 - 2^{-t} + 1}{t}$

$\qquad = \lim\limits_{t \to 0+} \left(\dfrac{2^t - 1}{t} + \dfrac{2^{-t} - 1}{-t}\right) = \ln 2 + \ln 2 = 2 \ln 2$

063 답 $e-1$

$S_1(t) = \dfrac{1}{2} \times (e-1) \times \ln t$, $S_2(t) = \dfrac{1}{2} \times 1 \times (t-1)$이므로

$\dfrac{S_1(t)}{S_2(t)} = \dfrac{(e-1)\ln t}{t-1}$

$\therefore \lim\limits_{t \to 1+} \dfrac{S_1(t)}{S_2(t)} = \lim\limits_{t \to 1+} \dfrac{(e-1)\ln t}{t-1}$

$t-1 = s$로 놓으면 $t = 1+s$이고, $t \to 1+$일 때 $s \to 0+$이므로

$\lim\limits_{t \to 1+} \dfrac{(e-1)\ln t}{t-1} = \lim\limits_{s \to 0+} \left\{(e-1) \times \dfrac{\ln(1+s)}{s}\right\}$

$\qquad = (e-1) \times 1 = e-1$

064 답 $\dfrac{1}{3}\ln 10$

두 점 $A(1, 0)$, $B(t, 3\log t)$를 지나는 직선의 기울기는 $\dfrac{3\log t}{t-1}$

선분 AB의 중점의 좌표는 $\left(\dfrac{1+t}{2}, \dfrac{3}{2}\log t\right)$

따라서 선분 AB의 수직이등분선의 방정식은

$y = -\dfrac{t-1}{3\log t}\left(x - \dfrac{1+t}{2}\right) + \dfrac{3}{2}\log t$

이 직선이 y축과 만나는 점의 y좌표 $f(t)$는

$f(t) = -\dfrac{t-1}{3\log t} \times \left(-\dfrac{1+t}{2}\right) + \dfrac{3}{2}\log t = \dfrac{t-1}{\log t} \times \dfrac{1+t}{6} + \dfrac{3}{2}\log t$

$\therefore \lim\limits_{t \to 1+} f(t) = \lim\limits_{t \to 1+} \left(\dfrac{t-1}{\log t} \times \dfrac{1+t}{6} + \dfrac{3}{2}\log t\right)$

$t-1 = s$로 놓으면 $t = 1+s$이고, $t \to 1+$일 때 $s \to 0+$이므로

$\lim\limits_{t \to 1+} f(t) = \lim\limits_{s \to 0+} \left\{\dfrac{s}{\log(1+s)} \times \dfrac{2+s}{6} + \dfrac{3}{2}\log(1+s)\right\}$

$\qquad = \ln 10 \times \dfrac{1}{3} + 0 = \dfrac{1}{3}\ln 10$

065 답 ①

$f(x) = (e^x + 3x)(x^2 - e^x)$에서

$f'(x) = (e^x + 3)(x^2 - e^x) + (e^x + 3x)(2x - e^x)$

$\therefore f'(0) = 4 \times (-1) + 1 \times (-1) = -5$

066 답 3

$f(x) = 3^x(2x+1)$에서

$f'(x) = 3^x \ln 3 \times (2x+1) + 3^x \times 2$

$\therefore f'(1) = 9 \ln 3 + 6$

따라서 $a = 9$, $b = 6$이므로 $\dfrac{2a}{b} = \dfrac{18}{6} = 3$

067 답 ④

$f(x) = 2^{x+1} = 2 \times 2^x$이므로 $f'(x) = 2 \times 2^x \ln 2 = 2^{x+1} \ln 2$

따라서 점 $(1, 4)$에서의 접선의 기울기는

$f'(1) = 2^2 \times \ln 2 = 4 \ln 2$

068 답 ④

$f(0) = 5$에서 $a = 5$

따라서 $f(x) = (x+5)e^x + bx$이므로

$f'(x) = e^x + (x+5)e^x + b = (x+6)e^x + b$

$f'(0) = 2$에서 $6 + b = 2$ $\therefore b = -4$

$\therefore a - b = 5 - (-4) = 9$

069 답 ④

$\lim\limits_{h \to 0} \dfrac{f(1+h) - f(1-h)}{h}$

$= \lim\limits_{h \to 0} \dfrac{f(1+h) - f(1) + f(1) - f(1-h)}{h}$

$= \lim\limits_{h \to 0} \dfrac{f(1+h) - f(1)}{h} + \lim\limits_{h \to 0} \dfrac{f(1-h) - f(1)}{-h}$

$= f'(1) + f'(1) = 2f'(1)$

이때 $f(x) = 3^x + 3^{2x} = 3^x + 9^x$에서 $f'(x) = 3^x \ln 3 + 9^x \ln 9$

$\therefore f'(1) = 3 \ln 3 + 9 \ln 9 = 21 \ln 3$

따라서 구하는 극한값은 $2f'(1) = 2 \times 21 \ln 3 = 42 \ln 3$

070 답 $10 \ln 5 + 18$

$\lim\limits_{x \to 1} \dfrac{f(x) - 2}{x-1} = 3$에서 $x \to 1$일 때 (분모) $\to 0$이고 극한값이 존재하므로 (분자) $\to 0$이다.

즉, $\lim\limits_{x \to 1} \{f(x) - 2\} = 0$이므로 $f(1) = 2$

$\therefore \lim\limits_{x \to 1} \dfrac{f(x) - 2}{x-1} = \lim\limits_{x \to 1} \dfrac{f(x) - f(1)}{x-1} = f'(1) = 3$

이때 $g(x) = (5^x + 1)f(x)$에서

$g'(x) = 5^x \ln 5 \times f(x) + (5^x + 1)f'(x)$

$\therefore g'(1) = 5 \ln 5 \times f(1) + 6f'(1) = 10 \ln 5 + 18$

071 답 ③

$\lim\limits_{x \to 1} \dfrac{f(x^2) - f(1)}{x-1} = \lim\limits_{x \to 1} \left\{\dfrac{f(x^2) - f(1)}{x^2 - 1} \times (x+1)\right\}$

$\qquad = f'(1) \times 2 = 2f'(1)$

이때 $f(x) = (x+2)\ln x$에서 $f'(x) = \ln x + \dfrac{x+2}{x}$

$\therefore f'(1) = 3$

따라서 구하는 극한값은 $2f'(1) = 2 \times 3 = 6$

072 답 $7 + \dfrac{2}{\ln 2}$

$f(x) = x^2 + 3\ln x$에서 $f'(x) = 2x + \dfrac{3}{x}$

$g(x) = 2x \log_2 x$에서

$g'(x) = 2 \log_2 x + 2x \times \dfrac{1}{x \ln 2} = 2 \log_2 x + \dfrac{2}{\ln 2}$

$\therefore f'(3) + g'(1) = 7 + \dfrac{2}{\ln 2}$

073 답 4e

$f(x)=x^2\log_3 2x=x^2(\log_3 2+\log_3 x)$에서

$f'(x)=2x(\log_3 2+\log_3 x)+x^2\times\dfrac{1}{x\ln 3}$

$\qquad=2x\log_3 2x+\dfrac{x}{\ln 3}$

따라서 $f'(1)=2\log_3 2+\dfrac{1}{\ln 3}=\log_3 4+\log_3 e=\log_3 4e$이므로

$a=4e$

074 답 2

$\displaystyle\lim_{x\to 1}\dfrac{f(x)-1}{x-1}=4$에서 $x\to 1$일 때 (분모) $\to 0$이고 극한값이 존재

하므로 (분자) $\to 0$이다.

즉, $\displaystyle\lim_{x\to 1}\{f(x)-1\}=0$이므로 $f(1)=1$

$\therefore \displaystyle\lim_{x\to 1}\dfrac{f(x)-1}{x-1}=\lim_{x\to 1}\dfrac{f(x)-f(1)}{x-1}=f'(1)=4$

$f(1)=1$에서 $b=1$

따라서 $f(x)=a\ln x+x$이므로 $f'(x)=\dfrac{a}{x}+1$

$f'(1)=4$에서 $a+1=4$ $\quad\therefore a=3$

$\therefore a-b=3-1=2$

075 답 ④

함수 $f(x)$가 $x=0$에서 미분가능하면 $x=0$에서 연속이므로

$\displaystyle\lim_{x\to 0+}(e^x+a)=\lim_{x\to 0-}(bx+5)=f(0)$

즉, $1+a=5$이므로 $a=4$

또 $f'(0)$이 존재하므로 $f'(x)=\begin{cases}e^x & (x>0)\\ b & (x<0)\end{cases}$에서

$\displaystyle\lim_{x\to 0+}e^x=\lim_{x\to 0-}b$ $\quad\therefore b=1$

$\therefore a+b=4+1=5$

076 답 ①

함수 $f(x)$가 모든 실수 x에서 미분가능하면 $x=1$에서도 미분가

능하므로 $x=1$에서 연속이다.

$\displaystyle\lim_{x\to 1+}(2x+3\ln x)=\lim_{x\to 1-}(ax^2+bx)=f(1)$

$\therefore a+b=2$ $\qquad\cdots\cdots$ ㉠

또 $f'(1)$이 존재하므로 $f'(x)=\begin{cases}2+\dfrac{3}{x} & (x>1)\\ 2ax+b & (x<1)\end{cases}$에서

$\displaystyle\lim_{x\to 1+}\left(2+\dfrac{3}{x}\right)=\lim_{x\to 1-}(2ax+b)$

$\therefore 2a+b=5$ $\qquad\cdots\cdots$ ㉡

㉠, ㉡을 연립하여 풀면

$a=3,\ b=-1$ $\quad\therefore ab=-3$

077 답 ③

함수 $f(x)$가 모든 실수 x에서 미분가능하면 $x=1$에서도 미분가

능하므로 $x=1$에서 연속이다.

$\displaystyle\lim_{x\to 1+}a\ln x=\lim_{x\to 1-}(e^x+b)=f(1)$

$0=e+b$ $\quad\therefore b=-e$

또 $f'(1)$이 존재하므로 $f'(x)=\begin{cases}\dfrac{a}{x} & (x>1)\\ e^x & (x<1)\end{cases}$에서

$\displaystyle\lim_{x\to 1+}\dfrac{a}{x}=\lim_{x\to 1-}e^x$ $\quad\therefore a=e$

$\therefore a+b=e+(-e)=0$

078 답 15

$\alpha=\displaystyle\lim_{x\to\infty}\dfrac{5^{x+1}-3^{x+1}}{5^x+3^x}=\lim_{x\to\infty}\dfrac{5-3\times\left(\frac{3}{5}\right)^x}{1+\left(\frac{3}{5}\right)^x}=\dfrac{5-0}{1+0}=5$

$\beta=\displaystyle\lim_{x\to\infty}(9^x-7^x)^{\frac{1}{2x}}=\lim_{x\to\infty}\left[9^x\left\{1-\left(\dfrac{7}{9}\right)^x\right\}\right]^{\frac{1}{2x}}$

$\qquad=\displaystyle\lim_{x\to\infty}(3^{2x})^{\frac{1}{2x}}\left\{1-\left(\dfrac{7}{9}\right)^x\right\}^{\frac{1}{2x}}=3\times 1=3$

$\therefore \alpha\beta=5\times 3=15$

079 답 3

$\displaystyle\lim_{x\to\infty}\{\log_2(4x+1)-\log_2(x^2+2)+\log_2(2x-1)\}$

$=\displaystyle\lim_{x\to\infty}\log_2\dfrac{(4x+1)(2x-1)}{x^2+2}=\lim_{x\to\infty}\log_2\dfrac{8x^2-2x-1}{x^2+2}$

$=\log_2\displaystyle\lim_{x\to\infty}\dfrac{8x^2-2x-1}{x^2+2}=\log_2\lim_{x\to\infty}\dfrac{8-\frac{2}{x}-\frac{1}{x^2}}{1+\frac{2}{x^2}}$

$=\log_2 8=3$

080 답 5

$\displaystyle\lim_{x\to 0}(1+ax)^{\frac{b}{x}}=\lim_{x\to 0}\{(1+ax)^{\frac{1}{ax}}\}^{ab}=e^{ab}$

따라서 $e^{ab}=e^5$이므로 $ab=5$

081 답 ⑤

① $\displaystyle\lim_{x\to 0}(1-x)^{-\frac{1}{x}}=e$

② $\displaystyle\lim_{x\to 0}\left(\dfrac{3+x}{3}\right)^{\frac{3}{x}}=\lim_{x\to 0}\left(1+\dfrac{x}{3}\right)^{\frac{3}{x}}=e$

③ $\displaystyle\lim_{x\to\infty}\left(\dfrac{x+1}{x}\right)^x=\lim_{x\to\infty}\left(1+\dfrac{1}{x}\right)^x=e$

④ $x=-t$로 놓으면 $x\to-\infty$일 때 $t\to\infty$이므로

$\qquad\displaystyle\lim_{x\to-\infty}\left(1-\dfrac{1}{x}\right)^{-x}=\lim_{t\to\infty}\left(1+\dfrac{1}{t}\right)^t=e$

⑤ $x-1=t$로 놓으면 $x=1+t$이고, $x\to 1$일 때 $t\to 0$이므로

$\qquad\displaystyle\lim_{x\to 1}x^{\frac{1}{1-x}}=\lim_{t\to 0}(1+t)^{-\frac{1}{t}}=\lim_{t\to 0}\{(1+t)^{\frac{1}{t}}\}^{-1}=e^{-1}=\dfrac{1}{e}$

082 답 ①

$\displaystyle\lim_{x\to 1}\dfrac{\ln x}{x^3-1}=\lim_{x\to 1}\left(\dfrac{\ln x}{x-1}\times\dfrac{1}{x^2+x+1}\right)=\dfrac{1}{3}\lim_{x\to 1}\dfrac{\ln x}{x-1}$

$x-1=t$로 놓으면 $x=1+t$이고, $x\to 1$일 때 $t\to 0$이므로

$\dfrac{1}{3}\displaystyle\lim_{x\to 1}\dfrac{\ln x}{x-1}=\dfrac{1}{3}\lim_{t\to 0}\dfrac{\ln(1+t)}{t}=\dfrac{1}{3}\times 1=\dfrac{1}{3}$

083 답 3

$$\lim_{x \to 0} \frac{\log_2 (1+6x)}{\ln (1+2x)} = \lim_{x \to 0} \left\{ \frac{\log_2 (1+6x)}{6x} \times \frac{2x}{\ln (1+2x)} \times 3 \right\}$$
$$= \frac{1}{\ln 2} \times 1 \times 3 = \frac{3}{\ln 2}$$

따라서 $\frac{3}{\ln 2} = \frac{a}{\ln 2}$ 이므로 $a = 3$

084 답 4

$y = \frac{1}{2} \ln (x+3)$ 이라 하면

$\ln (x+3) = 2y,\ x+3 = e^{2y}$ $\therefore x = e^{2y} - 3$

x 와 y 를 서로 바꾸면 $y = e^{2x} - 3$ $\therefore g(x) = e^{2x} - 3$

$$\therefore \lim_{x \to 0} \frac{g(x)+2}{f(x-2)} = \lim_{x \to 0} \frac{e^{2x}-1}{\frac{1}{2} \ln (1+x)}$$
$$= 2 \lim_{x \to 0} \left\{ \frac{e^{2x}-1}{2x} \times \frac{x}{\ln (1+x)} \times 2 \right\}$$
$$= 2(1 \times 1 \times 2) = 4$$

085 답 ④

$$\lim_{x \to 0} \frac{2^x + 3^x + 4^x - 3}{x} = \lim_{x \to 0} \frac{(2^x - 1)+(3^x - 1)+(4^x - 1)}{x}$$
$$= \lim_{x \to 0} \left(\frac{2^x - 1}{x} + \frac{3^x - 1}{x} + \frac{4^x - 1}{x} \right)$$
$$= \ln 2 + \ln 3 + \ln 4 = \ln 24$$

따라서 $\ln 24 = \ln a$ 이므로 $a = 24$

086 답 ①

$\lim_{x \to 0} \frac{a^x + b}{\ln (2x+1)} = \ln 4$ 에서 $x \to 0$ 일 때 (분모) $\to 0$ 이고 극한값이

존재하므로 (분자) $\to 0$ 이다.

즉, $\lim_{x \to 0} (a^x + b) = 0$ 이므로 $1 + b = 0$ $\therefore b = -1$

이를 주어진 등식의 좌변에 대입하면

$$\lim_{x \to 0} \frac{a^x - 1}{\ln (2x+1)} = \lim_{x \to 0} \left\{ \frac{a^x - 1}{x} \times \frac{2x}{\ln (1+2x)} \times \frac{1}{2} \right\}$$
$$= \ln a \times 1 \times \frac{1}{2} = \frac{\ln a}{2}$$

따라서 $\frac{\ln a}{2} = \ln 4$ 이므로 $a = 16$

$\therefore a + b = 16 + (-1) = 15$

087 답 ⑤

함수 $f(x)$ 가 $x=0$ 에서 연속이므로

$$\lim_{x \to 0+} f(x) = \lim_{x \to 0-} f(x) = f(0)$$

$$\lim_{x \to 0+} \frac{e^{ax} - b}{x} = \lim_{x \to 0-} (3x+5) = 5 \quad \cdots\cdots \ ㉠$$

$x \to 0+$ 일 때 (분모) $\to 0$ 이고 극한값이 존재하므로 (분자) $\to 0$ 이다.

즉, $\lim_{x \to 0+} (e^{ax} - b) = 0$ 이므로 $1 - b = 0$ $\therefore b = 1$

이를 ㉠의 좌변에 대입하면

$$\lim_{x \to 0+} \frac{e^{ax} - 1}{x} = \lim_{x \to 0+} \frac{e^{ax} - 1}{ax} \times a = 1 \times a = a \quad \therefore a = 5$$

$\therefore ab = 5 \times 1 = 5$

088 답 e

함수 $y = |1 - \ln x|$ 의 그래프가 직선 $y = t$ 와 만나는 점의 x 좌표는

$|1 - \ln x| = t$ 에서 $1 - \ln x = \pm t$

$\ln x = 1 - t$ 또는 $\ln x = 1 + t$

$\therefore x = e^{1-t}$ 또는 $x = e^{1+t}$

따라서 두 점 P, Q의 좌표는 $P(e^{1-t},\ t),\ Q(e^{1+t},\ t)$ 이므로

$$S(t) = \frac{1}{2} \times \overline{PQ} \times t = \frac{1}{2} \times (e^{1+t} - e^{1-t}) \times t$$

$$\therefore \lim_{t \to 0+} \frac{S(t)}{t^2} = \lim_{t \to 0+} \frac{e^{1+t} - e^{1-t}}{2t}$$
$$= \frac{e}{2} \lim_{t \to 0+} \frac{e^t - e^{-t}}{t}$$
$$= \frac{e}{2} \lim_{t \to 0+} \frac{e^t - 1 - e^{-t} + 1}{t}$$
$$= \frac{e}{2} \lim_{t \to 0+} \left(\frac{e^t - 1}{t} + \frac{e^{-t} - 1}{-t} \right)$$
$$= \frac{e}{2} (1+1) = e$$

089 답 ⑤

$f(x) = 2^x + 4^x$ 이라 하면 $f(1) = 6$ 이므로

$$\lim_{x \to 1} \frac{2^x + 4^x - 6}{x-1} = \lim_{x \to 1} \frac{f(x) - f(1)}{x-1} = f'(1)$$

$f'(x) = 2^x \ln 2 + 4^x \ln 4$ 이므로

$f'(1) = 2 \ln 2 + 4 \ln 4 = 2 \ln 2 + 8 \ln 2 = 10 \ln 2$

090 답 $8e+8$

$$\lim_{h \to 0} \frac{f(e+3h) - f(e-h)}{h}$$
$$= \lim_{h \to 0} \frac{f(e+3h) - f(e) + f(e) - f(e-h)}{h}$$
$$= \lim_{h \to 0} \frac{f(e+3h) - f(e)}{3h} \times 3 + \lim_{h \to 0} \frac{f(e-h) - f(e)}{-h}$$
$$= 3f'(e) + f'(e) = 4f'(e)$$

이때 $f(x) = x^2 + x \ln x$ 에서

$f'(x) = 2x + \ln x + 1$

$\therefore f'(e) = 2e + 1 + 1 = 2e + 2$

따라서 구하는 극한값은

$4f'(e) = 4(2e+2) = 8e + 8$

091 답 ②

함수 $f(x)$ 가 모든 양수 x 에서 미분가능하면 $x=1$ 에서도 미분가능하므로 $x=1$ 에서 연속이다.

$$\lim_{x \to 1+} ae^{x-1} = \lim_{x \to 1-} \ln bx = f(1)$$

$\therefore a = \ln b \quad \cdots\cdots \ ㉠$

또 $f'(1)$ 이 존재하므로 $f'(x) = \begin{cases} ae^{x-1} & (x > 1) \\ \dfrac{1}{x} & (0 < x < 1) \end{cases}$ 에서

$$\lim_{x \to 1+} ae^{x-1} = \lim_{x \to 1-} \frac{1}{x} \quad \therefore a = 1$$

이를 ㉠에 대입하면 $\ln b = 1$ $\therefore b = e$

$\therefore ab = 1 \times e = e$

04 삼각함수의 미분

|64~83쪽

001 답 ②

θ가 제2사분면의 각이면 $\sin\theta > 0$이므로

$$\sin\theta = \sqrt{1-\cos^2\theta} = \sqrt{1-\left(-\frac{3}{5}\right)^2} = \frac{4}{5}$$

$$\therefore \csc\theta + \cot\theta = \frac{1}{\sin\theta} + \frac{\cos\theta}{\sin\theta} = \frac{1+\cos\theta}{\sin\theta}$$

$$= \frac{1+\left(-\frac{3}{5}\right)}{\frac{4}{5}} = \frac{\frac{2}{5}}{\frac{4}{5}} = \frac{1}{2}$$

002 답 ⑤

$$\frac{\csc\theta}{\sec\theta - \tan\theta} + \frac{\csc\theta}{\sec\theta + \tan\theta}$$

$$= \frac{\csc\theta\,(\sec\theta + \tan\theta) + \csc\theta\,(\sec\theta - \tan\theta)}{(\sec\theta - \tan\theta)(\sec\theta + \tan\theta)}$$

$$= \frac{\csc\theta\sec\theta + \csc\theta\tan\theta + \csc\theta\sec\theta - \csc\theta\tan\theta}{\sec^2\theta - \tan^2\theta}$$

$$= \frac{2\csc\theta\sec\theta}{(1+\tan^2\theta) - \tan^2\theta} = 2\csc\theta\sec\theta$$

003 답 ①

$0 < \alpha < \frac{\pi}{2}$, $\frac{\pi}{2} < \beta < \pi$에서 $\cos\alpha > 0$, $\sin\beta > 0$이므로

$$\cos\alpha = \sqrt{1-\sin^2\alpha} = \sqrt{1-\left(\frac{1}{3}\right)^2} = \frac{2\sqrt{2}}{3}$$

$$\sin\beta = \sqrt{1-\cos^2\beta} = \sqrt{1-\left(-\frac{\sqrt{3}}{3}\right)^2} = \frac{\sqrt{6}}{3}$$

$$\therefore \cos(\alpha+\beta) = \cos\alpha\cos\beta - \sin\alpha\sin\beta$$

$$= \frac{2\sqrt{2}}{3} \times \left(-\frac{\sqrt{3}}{3}\right) - \frac{1}{3} \times \frac{\sqrt{6}}{3}$$

$$= -\frac{\sqrt{6}}{3}$$

004 답 $\dfrac{1}{8}$

이차방정식 $3x^2 - x - 5 = 0$의 두 근이 $\tan\alpha$, $\tan\beta$이므로 근과 계수의 관계에 의하여

$$\tan\alpha + \tan\beta = \frac{1}{3}, \quad \tan\alpha\tan\beta = -\frac{5}{3}$$

$$\therefore \tan(\alpha+\beta) = \frac{\tan\alpha + \tan\beta}{1 - \tan\alpha\tan\beta} = \frac{\frac{1}{3}}{1-\left(-\frac{5}{3}\right)} = \frac{\frac{1}{3}}{\frac{8}{3}} = \frac{1}{8}$$

005 답 3

두 직선 $y=x+3$, $y=-2x+6$이 x축의 양의 방향과 이루는 각의 크기를 각각 α, β라 하면

$$\tan\alpha = 1, \quad \tan\beta = -2$$

$$\therefore \tan\theta = |\tan(\alpha-\beta)| = \left|\frac{\tan\alpha - \tan\beta}{1 + \tan\alpha\tan\beta}\right|$$

$$= \left|\frac{1-(-2)}{1+1\times(-2)}\right| = 3$$

006 답 $\dfrac{4}{7}$

$\angle BAD = \alpha$, $\angle BAC = \beta$라 하면

$$\tan\alpha = \frac{2}{3}, \quad \tan\beta = \frac{6}{3} = 2$$

이때 $\theta = \beta - \alpha$이므로

$$\tan\theta = \tan(\beta-\alpha) = \frac{\tan\beta - \tan\alpha}{1 + \tan\beta\tan\alpha}$$

$$= \frac{2 - \frac{2}{3}}{1 + 2 \times \frac{2}{3}} = \frac{\frac{4}{3}}{\frac{7}{3}} = \frac{4}{7}$$

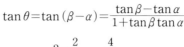

007 답 ②

$\sin\theta + \cos\theta = \frac{1}{2}$의 양변을 제곱하면

$$\sin^2\theta + 2\sin\theta\cos\theta + \cos^2\theta = \frac{1}{4}$$

$$1 + 2\sin\theta\cos\theta = \frac{1}{4}$$

$$\therefore 2\sin\theta\cos\theta = -\frac{3}{4}$$

$$\therefore \sin 2\theta = 2\sin\theta\cos\theta = -\frac{3}{4}$$

008 답 -18

$$y = 2\sin\left(x+\frac{\pi}{6}\right) + 3\cos x + 1$$

$$= 2\left(\sin x\cos\frac{\pi}{6} + \cos x\sin\frac{\pi}{6}\right) + 3\cos x + 1$$

$$= 2\left(\frac{\sqrt{3}}{2}\sin x + \frac{1}{2}\cos x\right) + 3\cos x + 1$$

$$= \sqrt{3}\sin x + 4\cos x + 1$$

$$= \sqrt{19}\left(\frac{\sqrt{3}}{\sqrt{19}}\sin x + \frac{4}{\sqrt{19}}\cos x\right) + 1$$

$$= \sqrt{19}\sin(x+\alpha) + 1 \quad \left(\text{단, } \sin\alpha = \frac{4}{\sqrt{19}}, \cos\alpha = \frac{\sqrt{3}}{\sqrt{19}}\right)$$

이때 $-1 \le \sin(x+\alpha) \le 1$이므로

$$-\sqrt{19} + 1 \le \sqrt{19}\sin(x+\alpha) + 1 \le \sqrt{19} + 1$$

따라서 $M = \sqrt{19} + 1$, $m = -\sqrt{19} + 1$이므로

$$Mm = (\sqrt{19}+1)(-\sqrt{19}+1) - \quad 18$$

009 답 $\dfrac{5\sqrt{2}}{4}$

θ가 제3사분면의 각이면 $\cos\theta < 0$이므로

$$\cos\theta = -\sqrt{1-\sin^2\theta} = -\sqrt{1-\left(-\frac{1}{3}\right)^2} = -\frac{2\sqrt{2}}{3}$$

$$\therefore \sec\theta + \cot\theta = \frac{1}{\cos\theta} + \frac{\cos\theta}{\sin\theta}$$

$$= -\frac{3}{2\sqrt{2}} + \frac{-\frac{2\sqrt{2}}{3}}{-\frac{1}{3}}$$

$$= -\frac{3\sqrt{2}}{4} + 2\sqrt{2} = \frac{5\sqrt{2}}{4}$$

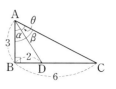

010 답 ③

$\sin\theta-\cos\theta=\dfrac{1}{4}$의 양변을 제곱하면

$\sin^2\theta-2\sin\theta\cos\theta+\cos^2\theta=\dfrac{1}{16}$

$1-2\sin\theta\cos\theta=\dfrac{1}{16}$ $\quad\therefore\ \sin\theta\cos\theta=\dfrac{15}{32}$

$\therefore\ \sec\theta-\csc\theta=\dfrac{1}{\cos\theta}-\dfrac{1}{\sin\theta}$

$$=\dfrac{\sin\theta-\cos\theta}{\sin\theta\cos\theta}=\dfrac{\dfrac{1}{4}}{\dfrac{15}{32}}=\dfrac{8}{15}$$

011 답 $\dfrac{\sqrt{3}}{3}$

$\tan\theta+\cot\theta=3$에서

$\dfrac{\sin\theta}{\cos\theta}+\dfrac{\cos\theta}{\sin\theta}=3,\ \dfrac{\sin^2\theta+\cos^2\theta}{\sin\theta\cos\theta}=3$

$\dfrac{1}{\sin\theta\cos\theta}=3$ $\quad\therefore\ \sin\theta\cos\theta=\dfrac{1}{3}$

$\therefore\ (\sin\theta-\cos\theta)^2=\sin^2\theta-2\sin\theta\cos\theta+\cos^2\theta$

$$=1-2\times\dfrac{1}{3}=\dfrac{1}{3}$$

$\therefore\ |\sin\theta-\cos\theta|=\dfrac{\sqrt{3}}{3}$

012 답 $\sqrt{3}$

이차방정식 $x^2-kx-3=0$의 두 근이 $\csc\theta$, $\sec\theta$이므로 근과 계수의 관계에 의하여

$\csc\theta+\sec\theta=\dfrac{1}{\sin\theta}+\dfrac{1}{\cos\theta}=k$ $\qquad\cdots\cdots\ \bigcirc$

$\csc\theta\sec\theta=\dfrac{1}{\sin\theta\cos\theta}=-3$ $\qquad\cdots\cdots\ \bigcirc$

$\bigcirc$에서 $\dfrac{\sin\theta+\cos\theta}{\sin\theta\cos\theta}=k$

이 식에 $\bigcirc$을 대입하면 $-3(\sin\theta+\cos\theta)=k$

$\therefore\ \sin\theta+\cos\theta=-\dfrac{k}{3}$

양변을 제곱하면 $\sin^2\theta+2\sin\theta\cos\theta+\cos^2\theta=\dfrac{k^2}{9}$

$\bigcirc$에서 $2\sin\theta\cos\theta=-\dfrac{2}{3}$이므로

$1-\dfrac{2}{3}=\dfrac{k^2}{9},\ k^2=3$

$\therefore\ k=\sqrt{3}\ (\because\ k>0)$

013 답 ④

$\dfrac{\tan\theta}{1+\sec\theta}+\dfrac{1+\sec\theta}{\tan\theta}=\dfrac{\tan^2\theta+(1+\sec\theta)^2}{(1+\sec\theta)\tan\theta}$

$$=\dfrac{\tan^2\theta+1+2\sec\theta+\sec^2\theta}{(1+\sec\theta)\tan\theta}$$

$$=\dfrac{\sec^2\theta+2\sec\theta+\sec^2\theta}{(1+\sec\theta)\tan\theta}$$

$$=\dfrac{2\sec\theta(1+\sec\theta)}{(1+\sec\theta)\tan\theta}$$

$$=\dfrac{2\sec\theta}{\tan\theta}=\dfrac{2}{\sin\theta}$$

$$=2\csc\theta$$

014 답 $-\dfrac{4}{5}$

θ가 제3사분면의 각이면 $\csc\theta<0$이므로

$\csc\theta=-\sqrt{1+\cot^2\theta}=-\sqrt{1+\left(\dfrac{3}{4}\right)^2}=-\dfrac{5}{4}$

$\therefore\ \sin\theta=\dfrac{1}{\csc\theta}=-\dfrac{4}{5}$

015 답 3

$\dfrac{1-\tan^2\theta}{\sec^2\theta}=\dfrac{1}{3}$에서 $\dfrac{1-\tan^2\theta}{1+\tan^2\theta}=\dfrac{1}{3}$

$3-3\tan^2\theta=1+\tan^2\theta$ $\quad\therefore\ \tan^2\theta=\dfrac{1}{2}$

$\therefore\ \csc^2\theta=1+\cot^2\theta=1+\dfrac{1}{\tan^2\theta}=1+2=3$

016 답 ②

ㄱ. $(1-\sin^2\theta)(1+\tan^2\theta)=\cos^2\theta\sec^2\theta$

$$=\cos^2\theta\times\dfrac{1}{\cos^2\theta}=1$$

ㄴ. $(1+\cot\theta)^2+(1-\cot\theta)^2$

$$=1+2\cot\theta+\cot^2\theta+1-2\cot\theta+\cot^2\theta$$

$$=2+2\cot^2\theta=2(1+\cot^2\theta)$$

$$=2\csc^2\theta$$

ㄷ. $\dfrac{1}{1+\sin\theta}+\dfrac{1}{1-\sin\theta}=\dfrac{1-\sin\theta+1+\sin\theta}{(1+\sin\theta)(1-\sin\theta)}$

$$=\dfrac{2}{1-\sin^2\theta}=\dfrac{2}{\cos^2\theta}$$

$$=2\sec^2\theta$$

ㄹ. $\dfrac{\sec\theta}{\csc\theta-\cot\theta}+\dfrac{\sec\theta}{\csc\theta+\cot\theta}$

$$=\dfrac{\sec\theta(\csc\theta+\cot\theta)+\sec\theta(\csc\theta-\cot\theta)}{(\csc\theta-\cot\theta)(\csc\theta+\cot\theta)}$$

$$=\dfrac{2\sec\theta\csc\theta}{\csc^2\theta-\cot^2\theta}=\dfrac{2\sec\theta\csc\theta}{(1+\cot^2\theta)-\cot^2\theta}$$

$$=2\sec\theta\csc\theta$$

따라서 보기 중 옳은 것은 ㄱ, ㄷ이다.

017 답 ①

$\dfrac{1}{1+\cos\theta}+\dfrac{1}{1-\cos\theta}=\dfrac{1-\cos\theta+1+\cos\theta}{(1+\cos\theta)(1-\cos\theta)}$

$$=\dfrac{2}{1-\cos^2\theta}=\dfrac{2}{\sin^2\theta}$$

$$=2\csc^2\theta$$

따라서 $2\csc^2\theta=\dfrac{5}{2}$이므로 $\csc^2\theta=\dfrac{5}{4}$

$\csc^2\theta=1+\cot^2\theta$이므로

$\dfrac{5}{4}=1+\cot^2\theta$ $\quad\therefore\ \cot^2\theta=\dfrac{1}{4}$

이때 $\dfrac{\pi}{2}<\theta<\pi$에서 $\cot\theta<0$이므로 $\cot\theta=-\dfrac{1}{2}$

$\therefore\ \tan\theta-\cot\theta=\dfrac{1}{\cot\theta}-\cot\theta=-2-\left(-\dfrac{1}{2}\right)=-\dfrac{3}{2}$

018 답 $\dfrac{33}{65}$

$0<\alpha<\dfrac{\pi}{2}$, $\dfrac{3}{2}\pi<\beta<2\pi$에서 $\cos\alpha>0$, $\sin\beta<0$이므로

$\cos\alpha=\sqrt{1-\sin^2\alpha}=\sqrt{1-\left(\dfrac{5}{13}\right)^2}=\dfrac{12}{13}$

$\sin\beta=-\sqrt{1-\cos^2\beta}=-\sqrt{1-\left(\dfrac{4}{5}\right)^2}=-\dfrac{3}{5}$

$\therefore \cos(\alpha-\beta)=\cos\alpha\cos\beta+\sin\alpha\sin\beta$

$\qquad\qquad\quad=\dfrac{12}{13}\times\dfrac{4}{5}+\dfrac{5}{13}\times\left(-\dfrac{3}{5}\right)=\dfrac{33}{65}$

019 답 ⑤

$\dfrac{\sin 145°\cos 25°-\cos 145°\sin 25°}{\cos 55°\cos 10°+\sin 55°\sin 10°}=\dfrac{\sin(145°-25°)}{\cos(55°-10°)}$

$\qquad\qquad\qquad\qquad\qquad\qquad=\dfrac{\sin 120°}{\cos 45°}=\dfrac{\frac{\sqrt{3}}{2}}{\frac{\sqrt{2}}{2}}=\dfrac{\sqrt{6}}{2}$

020 답 ④

$\tan(\alpha+\beta)=\tan\dfrac{\pi}{4}=1$이므로 $\dfrac{\tan\alpha+\tan\beta}{1-\tan\alpha\tan\beta}=1$에서

$\tan\alpha+\tan\beta=1-\tan\alpha\tan\beta$

$\therefore (1+\tan\alpha)(1+\tan\beta)=1+\tan\alpha+\tan\beta+\tan\alpha\tan\beta$

$\qquad\qquad\qquad\qquad\quad=1+(1-\tan\alpha\tan\beta)+\tan\alpha\tan\beta$

$\qquad\qquad\qquad\qquad\quad=2$

021 답 $-\dfrac{3}{8}$

$\sin\alpha+\cos\beta=1$, $\cos\alpha+\sin\beta=\dfrac{1}{2}$의 양변을 각각 제곱하면

$\sin^2\alpha+2\sin\alpha\cos\beta+\cos^2\beta=1$ ...... ㉠

$\cos^2\alpha+2\cos\alpha\sin\beta+\sin^2\beta=\dfrac{1}{4}$ ...... ㉡

㉠+㉡을 하면

$2+2(\sin\alpha\cos\beta+\cos\alpha\sin\beta)=\dfrac{5}{4}$

$\sin\alpha\cos\beta+\cos\alpha\sin\beta=-\dfrac{3}{8}$

$\therefore \sin(\alpha+\beta)=-\dfrac{3}{8}$

022 답 $\dfrac{1}{17}$

$\sin(\alpha+\beta)=\dfrac{3}{4}$에서 $\sin\alpha\cos\beta+\cos\alpha\sin\beta=\dfrac{3}{4}$ ...... ㉠

$\sin(\alpha-\beta)=\dfrac{2}{3}$에서 $\sin\alpha\cos\beta-\cos\alpha\sin\beta=\dfrac{2}{3}$ ...... ㉡

㉠+㉡을 하면 $2\sin\alpha\cos\beta=\dfrac{17}{12}$ $\therefore \sin\alpha\cos\beta=\dfrac{17}{24}$

㉠-㉡을 하면 $2\cos\alpha\sin\beta=\dfrac{1}{12}$ $\therefore \cos\alpha\sin\beta=\dfrac{1}{24}$

$\therefore \dfrac{\tan\beta}{\tan\alpha}=\dfrac{\frac{\sin\beta}{\cos\beta}}{\frac{\sin\alpha}{\cos\alpha}}=\dfrac{\cos\alpha\sin\beta}{\sin\alpha\cos\beta}=\dfrac{\frac{1}{24}}{\frac{17}{24}}=\dfrac{1}{17}$

023 답 $\dfrac{3\sqrt{5}}{5}$

$(\tan\alpha+2)(\tan\beta-2)=-5$에서

$\tan\alpha\tan\beta-2(\tan\alpha-\tan\beta)=-1$

$1+\tan\alpha\tan\beta=2(\tan\alpha-\tan\beta)$

이때 $1+\tan\alpha\tan\beta>0$ $(\because \tan\alpha>0, \tan\beta>0)$이므로

$\dfrac{\tan\alpha-\tan\beta}{1+\tan\alpha\tan\beta}=\dfrac{1}{2}$

$\therefore \tan(\alpha-\beta)=\dfrac{1}{2}$

이때 $0<\alpha<\dfrac{\pi}{2}$, $0<\beta<\dfrac{\pi}{2}$에서 $-\dfrac{\pi}{2}<\alpha-\beta<\dfrac{\pi}{2}$이고,

$\tan(\alpha-\beta)>0$이므로 $0<\alpha-\beta<\dfrac{\pi}{2}$

$\sec^2(\alpha-\beta)=1+\tan^2(\alpha-\beta)=1+\left(\dfrac{1}{2}\right)^2=\dfrac{5}{4}$이므로

$\cos^2(\alpha-\beta)=\dfrac{4}{5}$

$\therefore \cos(\alpha-\beta)=\dfrac{2\sqrt{5}}{5}$

$\therefore \cos(\alpha-\beta)+\sin(\alpha-\beta)=\cos(\alpha-\beta)\left\{1+\dfrac{\sin(\alpha-\beta)}{\cos(\alpha-\beta)}\right\}$

$\qquad\qquad\qquad\qquad\qquad\qquad=\cos(\alpha-\beta)\{1+\tan(\alpha-\beta)\}$

$\qquad\qquad\qquad\qquad\qquad\qquad=\dfrac{2\sqrt{5}}{5}\left(1+\dfrac{1}{2}\right)=\dfrac{3\sqrt{5}}{5}$

024 답 ①

이차방정식 $x^2+2x-5=0$의 두 근이 $\tan\alpha$, $\tan\beta$이므로 근과 계수의 관계에 의하여

$\tan\alpha+\tan\beta=-2$, $\tan\alpha\tan\beta=-5$

$\therefore \tan(\alpha+\beta)=\dfrac{\tan\alpha+\tan\beta}{1-\tan\alpha\tan\beta}=\dfrac{-2}{1-(-5)}=-\dfrac{1}{3}$

$\therefore \sec^2(\alpha+\beta)=1+\tan^2(\alpha+\beta)=1+\left(-\dfrac{1}{3}\right)^2=\dfrac{10}{9}$

025 답 2

이차방정식 $x^2-4x+a=0$의 두 근이 $\tan\alpha$, $\tan\beta$이므로 근과 계수의 관계에 의하여

$\tan\alpha+\tan\beta=4$, $\tan\alpha\tan\beta=a$

$\therefore \tan(\alpha+\beta)=\dfrac{\tan\alpha+\tan\beta}{1-\tan\alpha\tan\beta}=\dfrac{4}{1-a}$

따라서 $\dfrac{4}{1-a}=-4$이므로 $4a-4=4$ $\therefore a=2$

026 답 $\dfrac{3}{4}$

이차방정식 $2x^2-5x+2=0$의 두 근이 $\tan\alpha$, $\tan\beta$이므로 근과 계수의 관계에 의하여

$\tan\alpha+\tan\beta=\dfrac{5}{2}$, $\tan\alpha\tan\beta=1$

$\therefore (\tan\alpha-\tan\beta)^2=(\tan\alpha+\tan\beta)^2-4\tan\alpha\tan\beta$

$\qquad\qquad\qquad\qquad=\left(\dfrac{5}{2}\right)^2-4=\dfrac{9}{4}$

이때 $\tan\alpha>\tan\beta$이므로 $\tan\alpha-\tan\beta=\dfrac{3}{2}$

$\therefore \tan(\alpha-\beta)=\dfrac{\tan\alpha-\tan\beta}{1+\tan\alpha\tan\beta}=\dfrac{\frac{3}{2}}{1+1}=\dfrac{3}{4}$

027 답 $\frac{1}{5}$

이차방정식 $x^2-10x-4=0$의 두 근이 $\tan\alpha$, $\tan\beta$이므로 근과 계수의 관계에 의하여 $\tan\alpha+\tan\beta=10$, $\tan\alpha\tan\beta=-4$

$\therefore \tan(\alpha+\beta)=\dfrac{\tan\alpha+\tan\beta}{1-\tan\alpha\tan\beta}=\dfrac{10}{1-(-4)}=2$

$\sec^2(\alpha+\beta)=1+\tan^2(\alpha+\beta)=1+4=5$이므로

$\cos^2(\alpha+\beta)=\dfrac{1}{5}$

$\therefore \cos^2(\alpha+\beta)-\cos(\alpha+\beta)\sin(\alpha+\beta)+\dfrac{1}{2}\sin^2(\alpha+\beta)$

$=\cos^2(\alpha+\beta)\left\{1-\dfrac{\sin(\alpha+\beta)}{\cos(\alpha+\beta)}+\dfrac{1}{2}\times\dfrac{\sin^2(\alpha+\beta)}{\cos^2(\alpha+\beta)}\right\}$

$=\cos^2(\alpha+\beta)\left\{1-\tan(\alpha+\beta)+\dfrac{1}{2}\tan^2(\alpha+\beta)\right\}$

$=\dfrac{1}{5}\left(1-2+\dfrac{1}{2}\times2^2\right)=\dfrac{1}{5}$

028 답 $\frac{4}{5}$

두 직선 $y=\dfrac{1}{2}x+1$, $y=2x+1$이 x축의 양의 방향과 이루는 각의 크기를 각각 α, β라 하면 $\tan\alpha=\dfrac{1}{2}$, $\tan\beta=2$

$\therefore \tan\theta=|\tan(\alpha-\beta)|=\left|\dfrac{\tan\alpha-\tan\beta}{1+\tan\alpha\tan\beta}\right|=\left|\dfrac{\dfrac{1}{2}-2}{1+\dfrac{1}{2}\times2}\right|=\dfrac{3}{4}$

이때 $0<\theta<\dfrac{\pi}{2}$이므로 $\sec\theta=\sqrt{1+\tan^2\theta}=\sqrt{1+\left(\dfrac{3}{4}\right)^2}=\dfrac{5}{4}$

$\therefore \cos\theta=\dfrac{1}{\sec\theta}=\dfrac{4}{5}$

029 답 $\frac{\pi}{4}$

두 직선 $x-2y+1=0$, $3x-y-2=0$, 즉 $y=\dfrac{1}{2}x+\dfrac{1}{2}$, $y=3x-2$가 x축의 양의 방향과 이루는 각의 크기를 각각 α, β라 하면 $\tan\alpha=\dfrac{1}{2}$, $\tan\beta=3$

두 직선이 이루는 예각의 크기를 θ라 하면

$\tan\theta=|\tan(\alpha-\beta)|=\left|\dfrac{\tan\alpha-\tan\beta}{1+\tan\alpha\tan\beta}\right|=\left|\dfrac{\dfrac{1}{2}-3}{1+\dfrac{1}{2}\times3}\right|=1$

$\therefore \theta=\dfrac{\pi}{4}\left(\because 0<\theta<\dfrac{\pi}{2}\right)$

030 답 ②

두 직선 $ax-y+2=0$, $2x+y-2=0$, 즉 $y=ax+2$, $y=-2x+2$가 x축의 양의 방향과 이루는 각의 크기를 각각 α, β라 하면 $\tan\alpha=a$, $\tan\beta=-2$

이때 두 직선이 이루는 예각의 크기가 $\dfrac{\pi}{4}$이므로

$|\tan(\alpha-\beta)|=\tan\dfrac{\pi}{4}=1$에서 $\left|\dfrac{\tan\alpha-\tan\beta}{1+\tan\alpha\tan\beta}\right|=1$

$\dfrac{a+2}{1-2a}=\pm1$, $a+2=1-2a$ 또는 $a+2=-1+2a$

$\therefore a=-\dfrac{1}{3}$ 또는 $a=3$

이때 $a>0$이므로 $a=3$

031 답 3

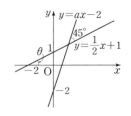

직선 $y=\dfrac{1}{2}x+1$이 x축의 양의 방향과 이루는 각의 크기를 θ라 하면 $\tan\theta=\dfrac{1}{2}$

직선 $y=ax-2$가 x축의 양의 방향과 이루는 각의 크기는 $\theta+45°$이므로

$a=\tan(\theta+45°)=\dfrac{\tan\theta+\tan45°}{1-\tan\theta\tan45°}=\dfrac{\dfrac{1}{2}+1}{1-\dfrac{1}{2}\times1}=\dfrac{\dfrac{3}{2}}{\dfrac{1}{2}}=3$

032 답 $\frac{12}{5}$

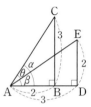

$\angle CAB=\alpha$, $\angle EAD=\beta$라 하면

$\tan\alpha=\dfrac{3}{2}$, $\tan\beta=\dfrac{2}{3}$

이때 $\theta=\alpha-\beta$이므로

$\tan\theta=\tan(\alpha-\beta)=\dfrac{\tan\alpha-\tan\beta}{1+\tan\alpha\tan\beta}$

$=\dfrac{\dfrac{3}{2}-\dfrac{2}{3}}{1+\dfrac{3}{2}\times\dfrac{2}{3}}=\dfrac{\dfrac{5}{6}}{2}=\dfrac{5}{12}$

$\therefore \cot\theta=\dfrac{1}{\tan\theta}=\dfrac{12}{5}$

033 답 $\frac{24}{5}$

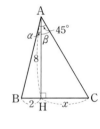

$\angle BAH=\alpha$, $\angle CAH=\beta$, $\overline{CH}=x$라 하면

$\tan\alpha=\dfrac{2}{8}=\dfrac{1}{4}$, $\tan\beta=\dfrac{x}{8}$

이때 $\alpha+\beta=45°$이므로

$\tan(\alpha+\beta)=\tan45°=1$에서

$\dfrac{\tan\alpha+\tan\beta}{1-\tan\alpha\tan\beta}=1$, $\dfrac{\dfrac{1}{4}+\dfrac{x}{8}}{1-\dfrac{1}{4}\times\dfrac{x}{8}}=1$

$\dfrac{8+4x}{32-x}=1$, $8+4x=32-x$ $\therefore x=\dfrac{24}{5}$

$\therefore \overline{CH}=\dfrac{24}{5}$

034 답 ⑤

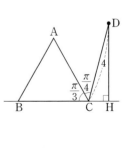

점 D에서 직선 BC에 내린 수선의 발을 H라 하면

$\angle DCH=\pi-\left(\dfrac{\pi}{3}+\dfrac{\pi}{4}\right)$

$\therefore \overline{DH}=\overline{CD}\sin(\angle DCH)$

$=4\sin\left\{\pi-\left(\dfrac{\pi}{3}+\dfrac{\pi}{4}\right)\right\}$

$=4\sin\left(\dfrac{\pi}{3}+\dfrac{\pi}{4}\right)$

$=4\left(\sin\dfrac{\pi}{3}\cos\dfrac{\pi}{4}+\cos\dfrac{\pi}{3}\sin\dfrac{\pi}{4}\right)$

$=4\left(\dfrac{\sqrt{3}}{2}\times\dfrac{\sqrt{2}}{2}+\dfrac{1}{2}\times\dfrac{\sqrt{2}}{2}\right)=\sqrt{6}+\sqrt{2}$

035 답 $\frac{3}{4}$

$\angle CPE=\alpha$, $\angle CPB=\beta$, $\overline{CP}=x$라 하면
$\overline{CE}=2$이므로

$\tan\alpha=\dfrac{2}{x}$, $\tan\beta=\dfrac{8}{x}$

$\theta=\beta-\alpha$이므로

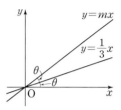

$$\tan\theta=\tan(\beta-\alpha)=\frac{\tan\beta-\tan\alpha}{1+\tan\beta\tan\alpha}$$

$$=\frac{\dfrac{8}{x}-\dfrac{2}{x}}{1+\dfrac{8}{x}\times\dfrac{2}{x}}=\frac{6x}{x^2+16}=\frac{6}{x+\dfrac{16}{x}}$$

이때 $x+\dfrac{16}{x}$에서 $x>0$, $\dfrac{16}{x}>0$이므로 산술평균과 기하평균의 관계에 의하여

$$x+\frac{16}{x}\geq 2\sqrt{x\times\frac{16}{x}}=8\ \left(\text{단, 등호는 }x=\frac{16}{x}\text{, 즉 }x=4\text{일 때 성립}\right)$$

따라서 $\tan\theta$의 최댓값은 $\dfrac{6}{8}=\dfrac{3}{4}$

036 답 ③

$\sin\theta-\cos\theta=\dfrac{\sqrt{3}}{3}$의 양변을 제곱하면

$\sin^2\theta-2\sin\theta\cos\theta+\cos^2\theta=\dfrac{1}{3}$

$1-2\sin\theta\cos\theta=\dfrac{1}{3}$ $\therefore 2\sin\theta\cos\theta=\dfrac{2}{3}$

$\therefore \sin2\theta=2\sin\theta\cos\theta=\dfrac{2}{3}$

$\therefore \cos^2 2\theta=1-\sin^2 2\theta=1-\left(\dfrac{2}{3}\right)^2=\dfrac{5}{9}$

037 답 $\frac{12}{5}$

$3\sin\theta-2\cos\theta=0$에서

$\dfrac{\sin\theta}{\cos\theta}=\dfrac{2}{3}$ $\therefore \tan\theta=\dfrac{2}{3}$

$\therefore \tan2\theta=\dfrac{2\tan\theta}{1-\tan^2\theta}=\dfrac{2\times\dfrac{2}{3}}{1-\left(\dfrac{2}{3}\right)^2}=\dfrac{\dfrac{4}{3}}{\dfrac{5}{9}}=\dfrac{12}{5}$

038 답 $\frac{7}{5}$

$\sec^2\theta=1+\tan^2\theta=1+4=5$이므로

$\cos^2\theta=\dfrac{1}{5}$

$0<\theta<\dfrac{\pi}{2}$에서 $\cos\theta>0$, $\sin\theta>0$이므로

$\cos\theta=\dfrac{\sqrt{5}}{5}$,

$\sin\theta=\sqrt{1-\cos^2\theta}=\sqrt{1-\dfrac{1}{5}}=\dfrac{2\sqrt{5}}{5}$

$\therefore \sin2\theta-\cos2\theta=2\sin\theta\cos\theta-(2\cos^2\theta-1)$

$$=2\times\frac{2\sqrt{5}}{5}\times\frac{\sqrt{5}}{5}-\left(2\times\frac{1}{5}-1\right)$$

$$=\frac{4}{5}-\left(-\frac{3}{5}\right)=\frac{7}{5}$$

039 답 2

$f(x)=8\sin x+2\cos2x+k$

$\quad=8\sin x+2(1-2\sin^2 x)+k$

$\quad=-4\sin^2 x+8\sin x+2+k$

$\quad=-4(\sin x-1)^2+6+k$

이때 $-1\leq\sin x\leq1$이므로 함수 $f(x)$는 $\sin x=1$일 때 최댓값 $6+k$를 갖는다.

따라서 $6+k=8$이므로 $k=2$

040 답 ⑤

직선 $y=\dfrac{1}{3}x$가 x축의 양의 방향과 이루는 각의 크기를 θ라 하면 직선 $y=mx$가 x축의 양의 방향과 이루는 각의 크기는 2θ이므로

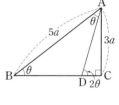

$\tan\theta=\dfrac{1}{3}$, $\tan2\theta=m$

$\therefore m=\tan2\theta=\dfrac{2\tan\theta}{1-\tan^2\theta}$

$$=\frac{2\times\dfrac{1}{3}}{1-\left(\dfrac{1}{3}\right)^2}=\frac{\dfrac{2}{3}}{\dfrac{8}{9}}=\frac{3}{4}$$

041 답 ①

$\angle ABD=\theta$, $\overline{AB}=5a$, $\overline{AC}=3a\,(a>0)$라 하면

$\sin\theta=\dfrac{3}{5}$

이때 $\angle ADC=2\theta$이므로

$\cos(\angle ADC)=\cos2\theta$

$\qquad\qquad\quad=1-2\sin^2\theta$

$\qquad\qquad\quad=1-2\times\left(\dfrac{3}{5}\right)^2=\dfrac{7}{25}$

042 답 $8\sqrt{7}$

$y=4\cos\left(x-\dfrac{\pi}{3}\right)+4\sqrt{3}\sin x+3$

$=4\left(\cos x\cos\dfrac{\pi}{3}+\sin x\sin\dfrac{\pi}{3}\right)+4\sqrt{3}\sin x+3$

$=4\left(\dfrac{1}{2}\cos x+\dfrac{\sqrt{3}}{2}\sin x\right)+4\sqrt{3}\sin x+3$

$=2\cos x+6\sqrt{3}\sin x+3$

$=4\sqrt{7}\left(\dfrac{1}{2\sqrt{7}}\cos x+\dfrac{3\sqrt{3}}{2\sqrt{7}}\sin x\right)+3$

$=4\sqrt{7}\sin(x+\alpha)+3\ \left(\text{단, }\sin\alpha=\dfrac{1}{2\sqrt{7}},\ \cos\alpha=\dfrac{3\sqrt{3}}{2\sqrt{7}}\right)$

이때 $-1\leq\sin(x+\alpha)\leq1$이므로

$-4\sqrt{7}+3\leq4\sqrt{7}\sin(x+\alpha)+3\leq4\sqrt{7}+3$

따라서 $M=4\sqrt{7}+3$, $m=-4\sqrt{7}+3$이므로

$M-m=4\sqrt{7}+3-(-4\sqrt{7}+3)=8\sqrt{7}$

043 답 $\dfrac{\sqrt{55}}{8}$

$\sin\theta-\sqrt{3}\cos\theta=2\left(\dfrac{1}{2}\sin\theta-\dfrac{\sqrt{3}}{2}\cos\theta\right)$

$\qquad\qquad\qquad=2\left(\sin\theta\cos\dfrac{\pi}{3}-\cos\theta\sin\dfrac{\pi}{3}\right)$

$\qquad\qquad\qquad=2\sin\left(\theta-\dfrac{\pi}{3}\right)$

따라서 $2\sin\left(\theta-\dfrac{\pi}{3}\right)=\dfrac{3}{4}$이므로 $\sin\left(\theta-\dfrac{\pi}{3}\right)=\dfrac{3}{8}$

$0<\theta<\dfrac{\pi}{2}$에서 $-\dfrac{\pi}{3}<\theta-\dfrac{\pi}{3}<\dfrac{\pi}{6}$이므로 $\cos\left(\theta-\dfrac{\pi}{3}\right)>0$

$\therefore\cos\left(\theta-\dfrac{\pi}{3}\right)=\sqrt{1-\sin^2\left(\theta-\dfrac{\pi}{3}\right)}=\sqrt{1-\left(\dfrac{3}{8}\right)^2}=\dfrac{\sqrt{55}}{8}$

044 답 3

$y=\sqrt{3}a\sin x+a\cos x-2$

$\quad=2a\left(\dfrac{\sqrt{3}}{2}\sin x+\dfrac{1}{2}\cos x\right)-2$

$\quad=2a\left(\sin x\cos\dfrac{\pi}{6}+\cos x\sin\dfrac{\pi}{6}\right)-2$

$\quad=2a\sin\left(x+\dfrac{\pi}{6}\right)-2$

이때 $a>0$이고 $-1\le\sin\left(x+\dfrac{\pi}{6}\right)\le 1$이므로

$-2a-2\le 2a\sin\left(x+\dfrac{\pi}{6}\right)-2\le 2a-2$

따라서 최댓값이 $2a-2$이므로

$2a-2=4$ $\qquad\therefore a=3$

045 답 2

$\angle APB=90°$이므로

$\angle PAB=\theta\left(0<\theta<\dfrac{\pi}{2}\right)$라 하면

$\overline{AP}=\sqrt{2}\cos\theta,\ \overline{BP}=\sqrt{2}\sin\theta$

$\therefore\overline{AP}+\overline{BP}=\sqrt{2}\cos\theta+\sqrt{2}\sin\theta$

$\qquad\qquad\qquad=2\left(\dfrac{1}{\sqrt{2}}\cos\theta+\dfrac{1}{\sqrt{2}}\sin\theta\right)$

$\qquad\qquad\qquad=2\left(\sin\dfrac{\pi}{4}\cos\theta+\cos\dfrac{\pi}{4}\sin\theta\right)$

$\qquad\qquad\qquad=2\sin\left(\theta+\dfrac{\pi}{4}\right)$

$0<\theta<\dfrac{\pi}{2}$에서 $\dfrac{\pi}{4}<\theta+\dfrac{\pi}{4}<\dfrac{3}{4}\pi$이므로

$\dfrac{\sqrt{2}}{2}<\sin\left(\theta+\dfrac{\pi}{4}\right)\le 1$ $\qquad\therefore\sqrt{2}<2\sin\left(\theta+\dfrac{\pi}{4}\right)\le 2$

따라서 구하는 최댓값은 2이다.

046 답 ①

$\displaystyle\lim_{x\to\frac{\pi}{4}}\dfrac{\sin x-\cos x}{1-\tan x}=\lim_{x\to\frac{\pi}{4}}\dfrac{\sin x-\cos x}{1-\dfrac{\sin x}{\cos x}}=\lim_{x\to\frac{\pi}{4}}\dfrac{\sin x-\cos x}{\dfrac{\cos x-\sin x}{\cos x}}$

$\qquad\qquad\qquad\quad=\lim_{x\to\frac{\pi}{4}}\dfrac{\cos x(\sin x-\cos x)}{\cos x-\sin x}$

$\qquad\qquad\qquad\quad=-\lim_{x\to\frac{\pi}{4}}\cos x=-\dfrac{\sqrt{2}}{2}$

047 답 ⑤

$\displaystyle\lim_{x\to 0}\dfrac{\sin(2x^3+3x^2+4x)}{3x^3+2x^2+x}$

$=\lim_{x\to 0}\left\{\dfrac{\sin(2x^3+3x^2+4x)}{2x^3+3x^2+4x}\times\dfrac{2x^2+3x+4}{3x^2+2x+1}\right\}$

$=1\times 4=4$

048 답 ③

$\displaystyle\lim_{x\to 0}\dfrac{\tan(\tan 3x)}{\tan 2x}$

$=\lim_{x\to 0}\left\{\dfrac{\tan(\tan 3x)}{\tan 3x}\times\dfrac{2x}{\tan 2x}\times\dfrac{\tan 3x}{3x}\times\dfrac{3}{2}\right\}$

$=1\times 1\times 1\times\dfrac{3}{2}=\dfrac{3}{2}$

049 답 ①

$\displaystyle\lim_{x\to 0}\dfrac{1-\cos x}{4x\sin x}=\lim_{x\to 0}\dfrac{(1-\cos x)(1+\cos x)}{4x\sin x(1+\cos x)}$

$\qquad\qquad\qquad=\lim_{x\to 0}\dfrac{\sin^2 x}{4x\sin x(1+\cos x)}=\lim_{x\to 0}\dfrac{\sin x}{4x(1+\cos x)}$

$\qquad\qquad\qquad=\lim_{x\to 0}\left\{\dfrac{\sin x}{x}\times\dfrac{1}{4(1+\cos x)}\right\}$

$\qquad\qquad\qquad=1\times\dfrac{1}{4\times 2}=\dfrac{1}{8}$

050 답 ⑤

$x-\pi=t$로 놓으면 $x=\pi+t$이고, $x\to\pi$일 때 $t\to 0$이므로

$\displaystyle\lim_{x\to\pi}\dfrac{\tan 2x}{x-\pi}=\lim_{t\to 0}\dfrac{\tan 2(\pi+t)}{t}=\lim_{t\to 0}\dfrac{\tan(2\pi+2t)}{t}$

$\qquad\qquad=\lim_{t\to 0}\dfrac{\tan 2t}{t}=\lim_{t\to 0}\dfrac{\tan 2t}{2t}\times 2=1\times 2=2$

051 답 ④

$\dfrac{1}{x}=t$로 놓으면 $x=\dfrac{1}{t}$이고, $x\to\infty$일 때 $t\to 0$이므로

$\displaystyle\lim_{x\to\infty}\dfrac{x}{2}\left(\sin\dfrac{1}{x}+\tan\dfrac{3}{x}\right)=\lim_{t\to 0}\dfrac{1}{2t}(\sin t+\tan 3t)$

$\qquad\qquad\qquad=\dfrac{1}{2}\lim_{t\to 0}\left(\dfrac{\sin t}{t}+\dfrac{\tan 3t}{3t}\times 3\right)$

$\qquad\qquad\qquad=\dfrac{1}{2}(1+1\times 3)=2$

052 답 ②

$\displaystyle\lim_{x\to 0}\dfrac{3-5\cos x+a}{bx\sin x}=\dfrac{5}{2}$에서 $x\to 0$일 때 (분모) $\to 0$이고 극한값이 존재하므로 (분자) $\to 0$이다.

즉, $\displaystyle\lim_{x\to 0}(3-5\cos x+a)=0$이므로 $-2+a=0$ $\qquad\therefore a=2$

이를 주어진 등식의 좌변에 대입하면

$\displaystyle\lim_{x\to 0}\dfrac{5-5\cos x}{bx\sin x}=\lim_{x\to 0}\dfrac{5(1-\cos x)(1+\cos x)}{bx\sin x(1+\cos x)}$

$\qquad\qquad\qquad=\lim_{x\to 0}\dfrac{5\sin^2 x}{bx\sin x(1+\cos x)}=\lim_{x\to 0}\dfrac{5\sin x}{bx(1+\cos x)}$

$\qquad\qquad\qquad=\lim_{x\to 0}\left\{\dfrac{\sin x}{x}\times\dfrac{5}{b(1+\cos x)}\right\}=1\times\dfrac{5}{2b}=\dfrac{5}{2b}$

따라서 $\dfrac{5}{2b}=\dfrac{5}{2}$이므로 $b=1$

$\therefore a+b=2+1=3$

053 답 ⑤

함수 $f(x)$가 $x=2$에서 연속이므로 $\lim\limits_{x \to 2} f(x) = f(2)$

$\therefore \lim\limits_{x \to 2} \dfrac{\sin 4(x-2)}{x-2} = k$

$x-2 = t$로 놓으면 $x \to 2$일 때 $t \to 0$이므로

$\lim\limits_{x \to 2} \dfrac{\sin 4(x-2)}{x-2} = \lim\limits_{t \to 0} \dfrac{\sin 4t}{t} = \lim\limits_{t \to 0} \dfrac{\sin 4t}{4t} \times 4$

$\qquad\qquad\qquad\qquad = 1 \times 4 = 4$

$\therefore k = 4$

054 답 6

$\triangle ABC$에서 $\overline{AC} = 6 \sin \theta$

$\angle HAC = \angle ABC$이므로 $\triangle AHC$에서

$\overline{CH} = \overline{AC} \sin \theta = 6 \sin^2 \theta$

$\therefore \lim\limits_{\theta \to 0+} \dfrac{\overline{CH}}{\theta^2} = \lim\limits_{\theta \to 0+} \dfrac{6 \sin^2 \theta}{\theta^2} = 6 \lim\limits_{\theta \to 0+} \left(\dfrac{\sin \theta}{\theta} \right)^2$

$\qquad\qquad\qquad = 6 \times 1^2 = 6$

055 답 6

$f(x) = 2e^x (1 + 2\cos x)$에서

$f'(x) = 2e^x (1 + 2\cos x) + 2e^x \times (-2 \sin x)$

$\qquad = 2e^x (1 + 2\cos x - 2 \sin x)$

$\therefore f'(0) = 2 \times (1 + 2 - 0) = 6$

056 답 ①

함수 $f(x)$가 모든 실수 x에서 미분가능하면 $x=0$에서도 미분가능하므로 $x=0$에서 연속이다.

즉, $\lim\limits_{x \to 0+} (a \sin x + 3) = \lim\limits_{x \to 0-} (e^x + b) = f(0)$이므로

$3 = 1 + b$ $\qquad \therefore b = 2$

또 $f'(0)$이 존재하므로 $f'(x) = \begin{cases} a \cos x & (x > 0) \\ e^x & (x < 0) \end{cases}$에서

$\lim\limits_{x \to 0+} a \cos x = \lim\limits_{x \to 0-} e^x$ $\qquad \therefore a = 1$

$\therefore a + b = 1 + 2 = 3$

057 답 $2\sqrt{2}$

$\lim\limits_{x \to \frac{\pi}{4}} \dfrac{\tan^2 x - 1}{\sin x - \cos x} = \lim\limits_{x \to \frac{\pi}{4}} \dfrac{\dfrac{\sin^2 x}{\cos^2 x} - 1}{\sin x - \cos x}$

$\qquad\qquad\qquad = \lim\limits_{x \to \frac{\pi}{4}} \dfrac{\sin^2 x - \cos^2 x}{\cos^2 x (\sin x - \cos x)}$

$\qquad\qquad\qquad = \lim\limits_{x \to \frac{\pi}{4}} \dfrac{(\sin x + \cos x)(\sin x - \cos x)}{\cos^2 x (\sin x - \cos x)}$

$\qquad\qquad\qquad = \lim\limits_{x \to \frac{\pi}{4}} \dfrac{\sin x + \cos x}{\cos^2 x}$

$\qquad\qquad\qquad = \dfrac{\dfrac{\sqrt{2}}{2} + \dfrac{\sqrt{2}}{2}}{\left(\dfrac{\sqrt{2}}{2} \right)^2} = 2\sqrt{2}$

058 답 ③

$\lim\limits_{x \to \frac{\pi}{2}} \dfrac{\sin 2x - 2\cos x}{\cos^2 x} = \lim\limits_{x \to \frac{\pi}{2}} \dfrac{2 \sin x \cos x - 2 \cos x}{1 - \sin^2 x}$

$\qquad\qquad\qquad = \lim\limits_{x \to \frac{\pi}{2}} \dfrac{2\cos x (\sin x - 1)}{(1 + \sin x)(1 - \sin x)}$

$\qquad\qquad\qquad = \lim\limits_{x \to \frac{\pi}{2}} \dfrac{-2\cos x}{1 + \sin x}$

$\qquad\qquad\qquad = \dfrac{-2 \times 0}{1 + 1} = 0$

059 답 $\dfrac{1}{2}$

$\lim\limits_{x \to 0} \dfrac{\csc x - \cot x}{\sin x} = \lim\limits_{x \to 0} \dfrac{\dfrac{1}{\sin x} - \dfrac{\cos x}{\sin x}}{\sin x}$

$\qquad\qquad\qquad = \lim\limits_{x \to 0} \dfrac{1 - \cos x}{\sin^2 x}$

$\qquad\qquad\qquad = \lim\limits_{x \to 0} \dfrac{1 - \cos x}{1 - \cos^2 x}$

$\qquad\qquad\qquad = \lim\limits_{x \to 0} \dfrac{1 - \cos x}{(1 + \cos x)(1 - \cos x)}$

$\qquad\qquad\qquad = \lim\limits_{x \to 0} \dfrac{1}{1 + \cos x}$

$\qquad\qquad\qquad = \dfrac{1}{1 + 1} = \dfrac{1}{2}$

060 답 ②

$\lim\limits_{x \to \frac{\pi}{2}} (\sec x - \tan x) = \lim\limits_{x \to \frac{\pi}{2}} \left(\dfrac{1}{\cos x} - \dfrac{\sin x}{\cos x} \right)$

$\qquad\qquad\qquad = \lim\limits_{x \to \frac{\pi}{2}} \dfrac{1 - \sin x}{\cos x}$

$\qquad\qquad\qquad = \lim\limits_{x \to \frac{\pi}{2}} \dfrac{(1 - \sin x)(1 + \sin x)}{\cos x (1 + \sin x)}$

$\qquad\qquad\qquad = \lim\limits_{x \to \frac{\pi}{2}} \dfrac{\cos^2 x}{\cos x (1 + \sin x)}$

$\qquad\qquad\qquad = \lim\limits_{x \to \frac{\pi}{2}} \dfrac{\cos x}{1 + \sin x}$

$\qquad\qquad\qquad = \dfrac{0}{1 + 1} = 0$

061 답 ③

$\lim\limits_{x \to 0} \dfrac{\sin (\sin 3x)}{\sin 4x} = \lim\limits_{x \to 0} \left\{ \dfrac{\sin (\sin 3x)}{\sin 3x} \times \dfrac{4x}{\sin 4x} \times \dfrac{\sin 3x}{3x} \times \dfrac{3}{4} \right\}$

$\qquad\qquad\qquad = 1 \times 1 \times 1 \times \dfrac{3}{4} = \dfrac{3}{4}$

062 답 ④

$\lim\limits_{x \to 0} \dfrac{x + \sin 2x}{\sin 3x} = \lim\limits_{x \to 0} \left(\dfrac{x}{\sin 3x} + \dfrac{\sin 2x}{\sin 3x} \right)$

$\qquad\qquad\qquad = \lim\limits_{x \to 0} \left(\dfrac{3x}{\sin 3x} \times \dfrac{1}{3} + \dfrac{\sin 2x}{2x} \times \dfrac{3x}{\sin 3x} \times \dfrac{2}{3} \right)$

$\qquad\qquad\qquad = 1 \times \dfrac{1}{3} + 1 \times \dfrac{2}{3} = 1$

063 답 $\dfrac{1}{2}$

$$\lim_{x \to 0} \frac{e^{2x}-1}{\sin 4x} = \lim_{x \to 0} \left(\frac{e^{2x}-1}{2x} \times \frac{4x}{\sin 4x} \times \frac{1}{2} \right)$$
$$= 1 \times 1 \times \frac{1}{2} = \frac{1}{2}$$

064 답 ③

$f(x)=4x$, $g(x)=\sin x$에서
$f(g(x))=f(\sin x)=4\sin x$
$g(f(x))=g(4x)=\sin 4x$
$$\therefore \lim_{x \to 0} \frac{f(g(x))}{g(f(x))} = \lim_{x \to 0} \frac{4\sin x}{\sin 4x}$$
$$= \lim_{x \to 0} \left(\frac{\sin x}{x} \times \frac{4x}{\sin 4x} \right)$$
$$= 1 \times 1 = 1$$

065 답 ③

$$f(n) = \lim_{x \to 0} \frac{3x}{\sin x + \sin 2x + \cdots + \sin nx}$$
$$= \lim_{x \to 0} \frac{3}{\dfrac{\sin x}{x} + \dfrac{\sin 2x}{x} + \cdots + \dfrac{\sin nx}{x}}$$
$$= \lim_{x \to 0} \frac{3}{\dfrac{\sin x}{x} + \dfrac{\sin 2x}{2x} \times 2 + \cdots + \dfrac{\sin nx}{nx} \times n}$$
$$= \frac{3}{1+2+\cdots+n} = \frac{3}{\dfrac{n(n+1)}{2}}$$
$$= \frac{6}{n(n+1)}$$
$$\therefore \sum_{n=1}^{\infty} f(n) = \sum_{n=1}^{\infty} \frac{6}{n(n+1)}$$
$$= \lim_{n \to \infty} \sum_{k=1}^{n} \frac{6}{k(k+1)}$$
$$= \lim_{n \to \infty} \sum_{k=1}^{n} 6 \left(\frac{1}{k} - \frac{1}{k+1} \right)$$
$$= \lim_{n \to \infty} 6 \left\{ \left(1 - \frac{1}{2} \right) + \left(\frac{1}{2} - \frac{1}{3} \right) + \cdots + \left(\frac{1}{n} - \frac{1}{n+1} \right) \right\}$$
$$= \lim_{n \to \infty} 6 \left(1 - \frac{1}{n+1} \right) = 6$$

066 답 ②

$$\lim_{x \to 0} \frac{\tan(3x^2+x)}{x^2-x} = \lim_{x \to 0} \left\{ \frac{\tan(3x^2+x)}{3x^2+x} \times \frac{3x+1}{x-1} \right\}$$
$$= 1 \times \frac{1}{-1} = -1$$

067 답 $\dfrac{1}{2}$

$$\lim_{x \to 0} \frac{\tan 4x}{\ln(1+8x)} = \lim_{x \to 0} \left\{ \frac{\tan 4x}{4x} \times \frac{8x}{\ln(1+8x)} \times \frac{1}{2} \right\}$$
$$= 1 \times 1 \times \frac{1}{2} = \frac{1}{2}$$

068 답 ②

$$\lim_{x \to 0} \frac{\tan(\sin 2x)}{\tan(\tan 5x)}$$
$$= \lim_{x \to 0} \left\{ \frac{\tan(\sin 2x)}{\sin 2x} \times \frac{\tan 5x}{\tan(\tan 5x)} \times \frac{\sin 2x}{2x} \times \frac{5x}{\tan 5x} \times \frac{2}{5} \right\}$$
$$= 1 \times 1 \times 1 \times 1 \times \frac{2}{5} = \frac{2}{5}$$

069 답 2

$$\lim_{x \to 0} \frac{6\tan^2 x + 2\tan x}{k\tan(6x^2+2x)}$$
$$= \lim_{x \to 0} \frac{2\tan x(3\tan x+1)}{k\tan(6x^2+2x)}$$
$$= \lim_{x \to 0} \left\{ \frac{\tan x}{x} \times \frac{6x^2+2x}{\tan(6x^2+2x)} \times \frac{2(3\tan x+1)}{k(6x+2)} \right\}$$
$$= 1 \times 1 \times \frac{1}{k} = \frac{1}{k}$$

따라서 $\dfrac{1}{k} = \dfrac{1}{2}$이므로 $k=2$

070 답 ③

$$\lim_{x \to 0} \frac{2x^2}{1-\cos 3x} = \lim_{x \to 0} \frac{2x^2(1+\cos 3x)}{(1-\cos 3x)(1+\cos 3x)}$$
$$= \lim_{x \to 0} \frac{2x^2(1+\cos 3x)}{\sin^2 3x}$$
$$= \lim_{x \to 0} \left\{ \left(\frac{3x}{\sin 3x} \right)^2 \times \frac{2(1+\cos 3x)}{9} \right\}$$
$$= 1^2 \times \frac{2 \times 2}{9} = \frac{4}{9}$$

071 답 ③

$$\lim_{x \to 0} \frac{1-\cos kx}{\sin^2 x} = \lim_{x \to 0} \frac{(1-\cos kx)(1+\cos kx)}{\sin^2 x(1+\cos kx)}$$
$$= \lim_{x \to 0} \frac{\sin^2 kx}{\sin^2 x(1+\cos kx)}$$
$$= \lim_{x \to 0} \left\{ \left(\frac{\sin kx}{kx} \right)^2 \times \left(\frac{x}{\sin x} \right)^2 \times \frac{k^2}{1+\cos kx} \right\}$$
$$= 1^2 \times 1^2 \times \frac{k^2}{2} = \frac{k^2}{2}$$

따라서 $\dfrac{k^2}{2}=8$이므로 $k^2=16$
$$\therefore k=4 \ (\because k>0)$$

072 답 2

$$\lim_{x \to 0} \frac{x^3}{\tan x - \sin x} = \lim_{x \to 0} \frac{x^3}{\dfrac{\sin x}{\cos x} - \sin x}$$
$$= \lim_{x \to 0} \frac{x^3 \cos x}{\sin x(1-\cos x)}$$
$$= \lim_{x \to 0} \frac{x^3 \cos x(1+\cos x)}{\sin x(1-\cos x)(1+\cos x)}$$
$$= \lim_{x \to 0} \frac{x^3 \cos x(1+\cos x)}{\sin^3 x}$$
$$= \lim_{x \to 0} \left\{ \left(\frac{x}{\sin x} \right)^3 \times \cos x(1+\cos x) \right\}$$
$$= 1^3 \times 1 \times 2 = 2$$

073 답 8

$$\lim_{x \to 0} \frac{f(x)}{1-\cos x^3} = \lim_{x \to 0} \frac{f(x)(1+\cos x^3)}{(1-\cos x^3)(1+\cos x^3)}$$

$$= \lim_{x \to 0} \frac{f(x)(1+\cos x^3)}{\sin^2 x^3}$$

$$= \lim_{x \to 0} \left\{ \left(\frac{x^3}{\sin x^3}\right)^2 \times (1+\cos x^3) \times \frac{f(x)}{x^6} \right\}$$

$$= 1^2 \times 2 \times \lim_{x \to 0} \frac{f(x)}{x^6} = 2 \lim_{x \to 0} \frac{f(x)}{x^6}$$

$2 \lim\limits_{x \to 0} \dfrac{f(x)}{x^6} = 4$이므로 $\lim\limits_{x \to 0} \dfrac{f(x)}{x^6} = 2$

따라서 $p=6$, $q=2$이므로 $p+q=8$

074 답 ②

$x - \dfrac{\pi}{2} = t$로 놓으면 $x = \dfrac{\pi}{2} + t$이고, $x \to \dfrac{\pi}{2}$일 때 $t \to 0$이므로

$$\lim_{x \to \frac{\pi}{2}} \frac{\cos x}{x - \frac{\pi}{2}} = \lim_{t \to 0} \frac{\cos\left(\frac{\pi}{2}+t\right)}{t} = \lim_{t \to 0} \frac{-\sin t}{t}$$

$$= -\lim_{t \to 0} \frac{\sin t}{t} = -1$$

075 답 -1

$x - \dfrac{\pi}{2} = t$로 놓으면 $x = \dfrac{\pi}{2} + t$이고, $x \to \dfrac{\pi}{2}$일 때 $t \to 0$이므로

$$\lim_{x \to \frac{\pi}{2}} \left(x - \frac{\pi}{2}\right)\tan x = \lim_{t \to 0} t \tan\left(\frac{\pi}{2}+t\right) = \lim_{t \to 0} \{t \times (-\cot t)\}$$

$$= -\lim_{t \to 0} \frac{t}{\tan t} = -1$$

076 답 ④

$x - 2 = t$로 놓으면 $x = 2 + t$이고, $x \to 2$일 때 $t \to 0$이므로

$$\lim_{x \to 2} \frac{x^2-4}{\sin \pi x} = \lim_{x \to 2} \frac{(x-2)(x+2)}{\sin \pi x} = \lim_{t \to 0} \frac{t(4+t)}{\sin \pi(2+t)}$$

$$= \lim_{t \to 0} \frac{t(4+t)}{\sin(2\pi+\pi t)} = \lim_{t \to 0} \frac{t(4+t)}{\sin \pi t}$$

$$= \lim_{t \to 0} \left(\frac{\pi t}{\sin \pi t} \times \frac{4+t}{\pi}\right) = 1 \times \frac{4}{\pi} = \frac{4}{\pi}$$

077 답 $-\dfrac{1}{2}$

$x - \pi = t$로 놓으면 $x = \pi + t$이고, $x \to \pi$일 때 $t \to 0$이므로

$$\lim_{x \to \pi} \frac{1+\cos x}{(x-\pi)\sin x} = \lim_{t \to 0} \frac{1+\cos(\pi+t)}{t\sin(\pi+t)} = \lim_{t \to 0} \frac{1-\cos t}{-t\sin t}$$

$$= \lim_{t \to 0} \frac{(1-\cos t)(1+\cos t)}{-t\sin t(1+\cos t)}$$

$$= \lim_{t \to 0} \frac{\sin^2 t}{-t\sin t(1+\cos t)}$$

$$= \lim_{t \to 0} \frac{\sin t}{-t(1+\cos t)}$$

$$= -\lim_{t \to 0} \left(\frac{\sin t}{t} \times \frac{1}{1+\cos t}\right)$$

$$= -1 \times \frac{1}{2} = -\frac{1}{2}$$

078 답 $-\dfrac{\pi}{2}$

$x - 1 = t$로 놓으면 $x = 1 + t$이고, $x \to 1$일 때 $t \to 0$이므로

$$\lim_{x \to 1} \frac{\sin\left(\cos\frac{\pi}{2}x\right)}{x-1} = \lim_{t \to 0} \frac{\sin\left\{\cos\frac{\pi}{2}(1+t)\right\}}{t}$$

$$= \lim_{t \to 0} \frac{\sin\left\{\cos\left(\frac{\pi}{2}+\frac{\pi}{2}t\right)\right\}}{t}$$

$$= \lim_{t \to 0} \frac{\sin\left(-\sin\frac{\pi}{2}t\right)}{t}$$

$$= \lim_{t \to 0} \left\{ \frac{\sin\left(-\sin\frac{\pi}{2}t\right)}{-\sin\frac{\pi}{2}t} \times \frac{\sin\frac{\pi}{2}t}{\frac{\pi}{2}t} \times \left(-\frac{\pi}{2}\right) \right\}$$

$$= 1 \times 1 \times \left(-\frac{\pi}{2}\right) = -\frac{\pi}{2}$$

079 답 1

$\dfrac{1}{x} = t$로 놓으면 $x \to \infty$일 때 $t \to 0$이므로

$$\lim_{x \to \infty} \sin\left(\tan\frac{1}{x}\right)\csc\frac{1}{x} = \lim_{t \to 0} \sin(\tan t)\csc t$$

$$= \lim_{t \to 0} \left\{ \sin(\tan t) \times \frac{1}{\sin t} \right\}$$

$$= \lim_{t \to 0} \left\{ \frac{\sin(\tan t)}{\tan t} \times \frac{t}{\sin t} \times \frac{\tan t}{t} \right\}$$

$$= 1 \times 1 \times 1 = 1$$

080 답 ②

$x° = \dfrac{\pi}{180}x$이므로

$$\lim_{x \to \infty} x° \sin\frac{2}{x} = \lim_{x \to \infty} \frac{\pi}{180}x \sin\frac{2}{x}$$

$\dfrac{1}{x} = t$로 놓으면 $x = \dfrac{1}{t}$이고, $x \to \infty$일 때 $t \to 0$이므로

$$\lim_{x \to \infty} \frac{\pi}{180}x \sin\frac{2}{x} = \lim_{t \to 0} \left(\frac{\pi}{180} \times \frac{\sin 2t}{t}\right)$$

$$= \lim_{t \to 0} \left(\frac{\pi}{180} \times \frac{\sin 2t}{2t} \times 2\right)$$

$$= \frac{\pi}{180} \times 1 \times 2 = \frac{\pi}{90}$$

081 답 9

$\dfrac{1}{x} = t$로 놓으면 $x = \dfrac{1}{t}$이고, $x \to \infty$일 때 $t \to 0$이므로

$$\lim_{x \to \infty} 2x^2\left(1-\cos\frac{3}{x}\right) = \lim_{t \to 0} \frac{2}{t^2}(1-\cos 3t)$$

$$= \lim_{t \to 0} \frac{2(1-\cos 3t)(1+\cos 3t)}{t^2(1+\cos 3t)}$$

$$= \lim_{t \to 0} \frac{2\sin^2 3t}{t^2(1+\cos 3t)}$$

$$= \lim_{t \to 0} \left\{ \left(\frac{\sin 3t}{3t}\right)^2 \times \frac{18}{1+\cos 3t} \right\}$$

$$= 1^2 \times \frac{18}{2} = 9$$

082 답 ①

$\dfrac{1}{2x^2+1}=t$로 놓으면 $x^2=\dfrac{1-t}{2t}$이고, $x\to\infty$일 때 $t\to 0$이므로

$$\lim_{x\to\infty}x^2\sin\dfrac{1}{2x^2+1}=\lim_{t\to 0}\left(\dfrac{1-t}{2t}\times\sin t\right)$$
$$=\lim_{t\to 0}\left(\dfrac{1-t}{2}\times\dfrac{\sin t}{t}\right)=\dfrac{1}{2}\times 1=\dfrac{1}{2}$$

083 답 3

$\displaystyle\lim_{x\to 0}\dfrac{1-\cos x}{x\sin ax+b}=\dfrac{1}{6}$에서 $x\to 0$일 때 (분자)$\to 0$이고 0이 아닌 극한값이 존재하므로 (분모)$\to 0$이다.

즉, $\displaystyle\lim_{x\to 0}(x\sin ax+b)=0$이므로 $b=0$

이를 주어진 등식의 좌변에 대입하면

$$\lim_{x\to 0}\dfrac{1-\cos x}{x\sin ax}=\lim_{x\to 0}\dfrac{(1-\cos x)(1+\cos x)}{x\sin ax(1+\cos x)}$$
$$=\lim_{x\to 0}\dfrac{\sin^2 x}{x\sin ax(1+\cos x)}$$
$$=\lim_{x\to 0}\left\{\left(\dfrac{\sin x}{x}\right)^2\times\dfrac{ax}{\sin ax}\times\dfrac{1}{a(1+\cos x)}\right\}$$
$$=1^2\times 1\times\dfrac{1}{2a}=\dfrac{1}{2a}$$

따라서 $\dfrac{1}{2a}=\dfrac{1}{6}$이므로 $a=3$

$\therefore a+b=3+0=3$

084 답 ⑤

$\displaystyle\lim_{x\to 0}\dfrac{\ln(a+2x)}{\sin x}=b$에서 $x\to 0$일 때 (분모)$\to 0$이고 극한값이 존재하므로 (분자)$\to 0$이다.

즉, $\displaystyle\lim_{x\to 0}\ln(a+2x)=0$이므로 $\ln a=0$ $\therefore a=1$

이를 주어진 등식의 좌변에 대입하면

$$\lim_{x\to 0}\dfrac{\ln(1+2x)}{\sin x}=\lim_{x\to 0}\left\{\dfrac{\ln(1+2x)}{2x}\times\dfrac{x}{\sin x}\times 2\right\}=1\times 1\times 2=2$$

$\therefore b=2$ $\therefore ab=1\times 2=2$

085 답 9

$\displaystyle\lim_{x\to 0}\dfrac{\sqrt{ax+b}-1}{\sin 4x}=1$에서 $x\to 0$일 때 (분모)$\to 0$이고 극한값이 존재하므로 (분자)$\to 0$이다.

즉, $\displaystyle\lim_{x\to 0}(\sqrt{ax+b}-1)=0$이므로 $\sqrt{b}-1=0$ $\therefore b=1$

이를 주어진 등식의 좌변에 대입하면

$$\lim_{x\to 0}\dfrac{\sqrt{ax+1}-1}{\sin 4x}=\lim_{x\to 0}\dfrac{(\sqrt{ax+1}-1)(\sqrt{ax+1}+1)}{\sin 4x(\sqrt{ax+1}+1)}$$
$$=\lim_{x\to 0}\dfrac{ax}{\sin 4x(\sqrt{ax+1}+1)}$$
$$=\lim_{x\to 0}\left\{\dfrac{4x}{\sin 4x}\times\dfrac{a}{4(\sqrt{ax+1}+1)}\right\}$$
$$=1\times\dfrac{a}{4\times 2}=\dfrac{a}{8}$$

따라서 $\dfrac{a}{8}=1$이므로 $a=8$

$\therefore a+b=8+1=9$

086 답 ④

$\displaystyle\lim_{x\to 0}\dfrac{a-b\cos x}{x^2}=2$에서 $x\to 0$일 때 (분모)$\to 0$이고 극한값이 존재하므로 (분자)$\to 0$이다.

즉, $\displaystyle\lim_{x\to 0}(a-b\cos x)=0$이므로 $a-b=0$ $\therefore b=a$ $\cdots\cdots$ ㉠

㉠을 주어진 등식의 좌변에 대입하면

$$\lim_{x\to 0}\dfrac{a-a\cos x}{x^2}=\lim_{x\to 0}\dfrac{a(1-\cos x)(1+\cos x)}{x^2(1+\cos x)}$$
$$=\lim_{x\to 0}\dfrac{a\sin^2 x}{x^2(1+\cos x)}$$
$$=\lim_{x\to 0}\left\{\left(\dfrac{\sin x}{x}\right)^2\times\dfrac{a}{1+\cos x}\right\}=1^2\times\dfrac{a}{2}=\dfrac{a}{2}$$

따라서 $\dfrac{a}{2}=2$이므로 $a=4$

이를 ㉠에 대입하면 $b=4$

$\therefore ab=4\times 4=16$

087 답 $\dfrac{1}{4}$

$\displaystyle\lim_{x\to a}\dfrac{3^x-1}{4\tan(x-a)}=b\ln 3$에서 $x\to a$일 때 (분모)$\to 0$이고 극한값이 존재하므로 (분자)$\to 0$이다.

즉, $\displaystyle\lim_{x\to a}(3^x-1)=0$이므로 $3^a-1=0$ $\therefore a=0$

이를 주어진 등식의 좌변에 대입하면

$$\lim_{x\to 0}\dfrac{3^x-1}{4\tan x}=\lim_{x\to 0}\left(\dfrac{3^x-1}{x}\times\dfrac{x}{\tan x}\times\dfrac{1}{4}\right)=\ln 3\times 1\times\dfrac{1}{4}=\dfrac{\ln 3}{4}$$

따라서 $\dfrac{\ln 3}{4}=b\ln 3$이므로 $b=\dfrac{1}{4}$

$\therefore b-a=\dfrac{1}{4}-0=\dfrac{1}{4}$

088 답 2π

$f(x)=ax+b$ $(a\neq 0,\ a,\ b$는 상수$)$라 하면

$$\lim_{x\to-\pi}\dfrac{\sin(\pi+x)}{ax+b}=1 \qquad\cdots\cdots$$ ㉠

$x\to-\pi$일 때 (분자)$\to 0$이고 0이 아닌 극한값이 존재하므로 (분모)$\to 0$이다.

즉, $\displaystyle\lim_{x\to-\pi}(ax+b)=0$이므로 $-a\pi+b=0$

$\therefore b=a\pi$ $\qquad\cdots\cdots$ ㉡

이를 ㉠의 좌변에 대입하면

$$\lim_{x\to-\pi}\dfrac{\sin(\pi+x)}{ax+a\pi}=\lim_{x\to-\pi}\dfrac{\sin(\pi+x)}{a(x+\pi)}$$

$x+\pi=t$로 놓으면 $x\to-\pi$일 때 $t\to 0$이므로

$$\lim_{x\to-\pi}\dfrac{\sin(\pi+x)}{a(x+\pi)}=\lim_{t\to 0}\dfrac{\sin t}{at}=\lim_{t\to 0}\dfrac{\sin t}{t}\times\dfrac{1}{a}=1\times\dfrac{1}{a}=\dfrac{1}{a}$$

즉, $\dfrac{1}{a}=1$이므로 $a=1$

이를 ㉡에 대입하면 $b=\pi$

따라서 $f(x)=x+\pi$이므로 $f(\pi)=\pi+\pi=2\pi$

089 답 ④

함수 $f(x)$가 $x=-1$에서 연속이므로 $\displaystyle\lim_{x\to-1}f(x)=f(-1)$

$\therefore \displaystyle\lim_{x\to-1}\dfrac{\tan 2(x+1)}{x+1}=k$

$x+1=t$로 놓으면 $x \to -1$일 때 $t \to 0$이므로

$\lim\limits_{x \to -1} \dfrac{\tan 2(x+1)}{x+1} = \lim\limits_{t \to 0} \dfrac{\tan 2t}{t} = \lim\limits_{t \to 0} \dfrac{\tan 2t}{2t} \times 2 = 1 \times 2 = 2$

$\therefore k=2$

090 답 5

함수 $f(x)$가 구간 $\left(-\dfrac{\pi}{2}, \dfrac{\pi}{2}\right)$에서 연속이면 $x=0$에서도 연속이

므로 $\lim\limits_{x \to 0} f(x) = f(0)$ $\therefore \lim\limits_{x \to 0} \dfrac{e^{ax}-b}{\sin x} = 5$ …… ㉠

$x \to 0$일 때 (분모) $\to 0$이고 극한값이 존재하므로 (분자) $\to 0$이다.

즉, $\lim\limits_{x \to 0} (e^{ax}-b)=0$이므로 $1-b=0$ $\therefore b=1$

이를 ㉠의 좌변에 대입하면

$\lim\limits_{x \to 0} \dfrac{e^{ax}-1}{\sin x} = \lim\limits_{x \to 0} \left(\dfrac{e^{ax}-1}{ax} \times \dfrac{x}{\sin x} \times a\right)$

$\qquad\qquad\qquad = 1 \times 1 \times a = a$

$\therefore a=5$

$\therefore ab = 5 \times 1 = 5$

091 답 $\dfrac{45}{2}$

$x \ne 0$일 때, $f(x) = \dfrac{a-5\cos 3x}{x^2}$

함수 $f(x)$가 모든 실수 x에서 연속이면 $x=0$에서도 연속이므로

$\lim\limits_{x \to 0} f(x) = f(0)$ $\therefore \lim\limits_{x \to 0} \dfrac{a-5\cos 3x}{x^2} = f(0)$ …… ㉠

$x \to 0$일 때 (분모) $\to 0$이고 극한값이 존재하므로 (분자) $\to 0$이다.

즉, $\lim\limits_{x \to 0} (a-5\cos 3x)=0$이므로 $a-5=0$ $\therefore a=5$

이를 ㉠의 좌변에 대입하면

$\lim\limits_{x \to 0} \dfrac{5-5\cos 3x}{x^2} = \lim\limits_{x \to 0} \dfrac{5(1-\cos 3x)(1+\cos 3x)}{x^2(1+\cos 3x)}$

$\qquad\qquad\qquad = \lim\limits_{x \to 0} \dfrac{5\sin^2 3x}{x^2(1+\cos 3x)}$

$\qquad\qquad\qquad = \lim\limits_{x \to 0} \left\{\left(\dfrac{\sin 3x}{3x}\right)^2 \times \dfrac{45}{1+\cos 3x}\right\}$

$\qquad\qquad\qquad = 1^2 \times \dfrac{45}{2} = \dfrac{45}{2}$

$\therefore f(0) = \dfrac{45}{2}$

092 답 4

$\triangle ABC$에서 $\overline{BC} = 4\tan\theta$

$\angle BCH = \angle BAC = \theta$이므로 $\triangle BCH$에서

$\overline{BH} = \overline{BC}\sin\theta = 4\tan\theta\sin\theta$

$\therefore \lim\limits_{\theta \to 0+} \dfrac{\overline{BH}}{\theta^2} = \lim\limits_{\theta \to 0+} \dfrac{4\tan\theta\sin\theta}{\theta^2}$

$\qquad\qquad\qquad = \lim\limits_{\theta \to 0+} \left(4 \times \dfrac{\tan\theta}{\theta} \times \dfrac{\sin\theta}{\theta}\right) = 4 \times 1 \times 1 = 4$

093 답 ②

$\triangle OHB$에서 $\overline{OH} = 3\cos\theta$, $\overline{BH} = 3\sin\theta$이고

$\overline{AH} = \overline{OA} - \overline{OH} = 3-3\cos\theta = 3(1-\cos\theta)$이므로

$S(\theta) = \dfrac{1}{2} \times \overline{AH} \times \overline{BH} = \dfrac{9}{2}(1-\cos\theta)\sin\theta$

$\therefore \lim\limits_{\theta \to 0+} \dfrac{S(\theta)}{\theta^3} = \lim\limits_{\theta \to 0+} \dfrac{9(1-\cos\theta)\sin\theta}{2\theta^3}$

$\qquad\qquad\qquad = \lim\limits_{\theta \to 0+} \dfrac{9(1-\cos\theta)(1+\cos\theta)\sin\theta}{2\theta^3(1+\cos\theta)}$

$\qquad\qquad\qquad = \lim\limits_{\theta \to 0+} \dfrac{9\sin^3\theta}{2\theta^3(1+\cos\theta)}$

$\qquad\qquad\qquad = \lim\limits_{\theta \to 0+} \left\{\left(\dfrac{\sin\theta}{\theta}\right)^3 \times \dfrac{9}{2(1+\cos\theta)}\right\}$

$\qquad\qquad\qquad = 1^3 \times \dfrac{9}{2 \times 2} = \dfrac{9}{4}$

094 답 $2+\sqrt{2}$

$\triangle OHP$에서 $\overline{OP}=1$이므로 $\overline{OH} = \cos\theta$

$\therefore \overline{HA} = \overline{OA} - \overline{OH} = 1-\cos\theta$

$\triangle AQH$가 직각이등변삼각형이므로 $\overline{QH} = \overline{HA} = 1-\cos\theta$,

$\overline{AQ} = \sqrt{(1-\cos\theta)^2 + (1-\cos\theta)^2} = \sqrt{2}(1-\cos\theta)$

$\therefore L(\theta) = \overline{QH} + \overline{HA} + \overline{AQ}$

$\qquad\quad = (1-\cos\theta) + (1-\cos\theta) + \sqrt{2}(1-\cos\theta)$

$\qquad\quad = (2+\sqrt{2})(1-\cos\theta)$

$\therefore \lim\limits_{\theta \to 0+} \dfrac{2L(\theta)}{\theta^2} = \lim\limits_{\theta \to 0+} \dfrac{2(2+\sqrt{2})(1-\cos\theta)}{\theta^2}$

$\qquad\qquad\qquad = \lim\limits_{\theta \to 0+} \dfrac{2(2+\sqrt{2})(1-\cos\theta)(1+\cos\theta)}{\theta^2(1+\cos\theta)}$

$\qquad\qquad\qquad = \lim\limits_{\theta \to 0+} \dfrac{2(2+\sqrt{2})\sin^2\theta}{\theta^2(1+\cos\theta)}$

$\qquad\qquad\qquad = \lim\limits_{\theta \to 0+} \left\{\left(\dfrac{\sin\theta}{\theta}\right)^2 \times \dfrac{2(2+\sqrt{2})}{1+\cos\theta}\right\}$

$\qquad\qquad\qquad = 1^2 \times (2+\sqrt{2}) = 2+\sqrt{2}$

095 답 $\dfrac{4}{3}$

$\overline{OP} = \overline{OA} = 1$이므로 $\angle OPA = \angle OAP = \theta$

따라서 $\angle POC = 2\theta$이므로

$\triangle POC$에서 $\angle OCP = \pi - 3\theta$

$\triangle POC$에서 사인법칙에 의하여

$\dfrac{\overline{OC}}{\sin\theta} = \dfrac{\overline{OP}}{\sin(\pi-3\theta)}$, $\dfrac{\overline{OC}}{\sin\theta} = \dfrac{1}{\sin 3\theta}$ $\therefore \overline{OC} = \dfrac{\sin\theta}{\sin 3\theta}$

$\therefore \overline{AC} = \overline{AO} + \overline{OC} = 1 + \dfrac{\sin\theta}{\sin 3\theta}$

또 $\angle APB = \dfrac{\pi}{2}$이므로 $\triangle PAB$에서

$\overline{AP} = \overline{AB}\cos\theta = 2\cos\theta$

$\therefore S(\theta) = \dfrac{1}{2} \times \overline{AC} \times \overline{AP} \times \sin\theta$

$\qquad\quad = \dfrac{1}{2}\left(1+\dfrac{\sin\theta}{\sin 3\theta}\right) \times 2\cos\theta\sin\theta$

$\qquad\quad = \left(1+\dfrac{\sin\theta}{\sin 3\theta}\right)\sin\theta\cos\theta$

$\therefore \lim\limits_{\theta \to 0+} \dfrac{S(\theta)}{\theta} = \lim\limits_{\theta \to 0+} \dfrac{\left(1+\dfrac{\sin\theta}{\sin 3\theta}\right)\sin\theta\cos\theta}{\theta}$

$\qquad\qquad\qquad = \lim\limits_{\theta \to 0+} \left\{\left(1+\dfrac{\sin\theta}{\theta}\times\dfrac{3\theta}{\sin 3\theta}\times\dfrac{1}{3}\right)\right.$

$\qquad\qquad\qquad\qquad\qquad\qquad\left. \times \dfrac{\sin\theta}{\theta}\times\cos\theta\right\}$

$\qquad\qquad\qquad = \left(1+1\times1\times\dfrac{1}{3}\right)\times1\times1 = \dfrac{4}{3}$

096 답 ①

△OPH에서 $\overline{OP}=1$이므로

$\overline{PH}=\sin\theta$, $\overline{OH}=\cos\theta$

$\therefore g(\theta)=\dfrac{1}{2}\times\overline{OH}\times\overline{PH}=\dfrac{1}{2}\sin\theta\cos\theta$

$\angle OPQ=\dfrac{\pi}{2}$이므로 $\angle PQO=\dfrac{\pi}{2}-\theta$

△PQO에서 $\overline{QO}=\dfrac{1}{\cos\theta}$이므로

$\overline{QB}=\overline{QO}-\overline{BO}=\dfrac{1}{\cos\theta}-1=\dfrac{1-\cos\theta}{\cos\theta}$

$\therefore f(\theta)=\dfrac{1}{2}\times\overline{QB}^2\times\left(\dfrac{\pi}{2}-\theta\right)=\dfrac{1}{2}\left(\dfrac{1-\cos\theta}{\cos\theta}\right)^2\left(\dfrac{\pi}{2}-\theta\right)$

$\therefore \lim\limits_{\theta\to0+}\dfrac{\sqrt{f(\theta)}}{2\theta\times g(\theta)}$

$=\lim\limits_{\theta\to0+}\dfrac{\dfrac{1-\cos\theta}{\cos\theta}\sqrt{\dfrac{1}{2}\left(\dfrac{\pi}{2}-\theta\right)}}{2\theta\times\dfrac{1}{2}\sin\theta\cos\theta}$

$=\lim\limits_{\theta\to0+}\left(\sqrt{\dfrac{\pi}{4}-\dfrac{\theta}{2}}\times\dfrac{1-\cos\theta}{\theta\sin\theta\cos^2\theta}\right)$

$=\lim\limits_{\theta\to0+}\left\{\sqrt{\dfrac{\pi}{4}-\dfrac{\theta}{2}}\times\dfrac{(1-\cos\theta)(1+\cos\theta)}{\theta\sin\theta\cos^2\theta(1+\cos\theta)}\right\}$

$=\lim\limits_{\theta\to0+}\left\{\sqrt{\dfrac{\pi}{4}-\dfrac{\theta}{2}}\times\dfrac{\sin^2\theta}{\theta\sin\theta\cos^2\theta(1+\cos\theta)}\right\}$

$=\lim\limits_{\theta\to0+}\left\{\sqrt{\dfrac{\pi}{4}-\dfrac{\theta}{2}}\times\dfrac{\sin\theta}{\theta}\times\dfrac{1}{\cos^2\theta(1+\cos\theta)}\right\}$

$=\sqrt{\dfrac{\pi}{4}}\times1\times\dfrac{1}{1^2\times2}=\dfrac{\sqrt{\pi}}{4}$

097 답 0

$f(x)=e^x(\sin x-\cos x)$에서

$f'(x)=e^x(\sin x-\cos x)+e^x(\cos x+\sin x)$

$\qquad=2e^x\sin x$

$\therefore f'(\pi)=0$

098 답 ④

$f(x)=\sin x+\cos x$에서 $f'(x)=\cos x-\sin x$

$f'(a)=0$에서 $\cos a-\sin a=0$ $\quad\therefore \sin a=\cos a$

$\therefore a=\dfrac{\pi}{4}$ 또는 $a=\dfrac{5}{4}\pi$ $(\because 0\le a\le2\pi)$

따라서 모든 a의 값의 합은 $\dfrac{\pi}{4}+\dfrac{5}{4}\pi=\dfrac{3}{2}\pi$

099 답 2

$f(\pi)=\dfrac{\pi}{2}$에서 $a\sin\pi+\dfrac{\pi}{2}\cos\pi+b\pi=\dfrac{\pi}{2}$

$-\dfrac{\pi}{2}+b\pi=\dfrac{\pi}{2}$ $\quad\therefore b=1$

따라서 $f(x)=a\sin x+\dfrac{\pi}{2}\cos x+x$이므로

$f'(x)=a\cos x-\dfrac{\pi}{2}\sin x+1$

$f'(0)=0$에서 $a+1=0$ $\quad\therefore a=-1$

$\therefore b-a=1-(-1)=2$

100 답 -3

$\lim\limits_{h\to0}\dfrac{f(\pi+2h)-f(\pi-h)}{h}$

$=\lim\limits_{h\to0}\dfrac{f(\pi+2h)-f(\pi)+f(\pi)-f(\pi-h)}{h}$

$=\lim\limits_{h\to0}\dfrac{f(\pi+2h)-f(\pi)}{2h}\times2+\lim\limits_{h\to0}\dfrac{f(\pi-h)-f(\pi)}{-h}$

$=2f'(\pi)+f'(\pi)=3f'(\pi)$

이때 $f(x)=x\cos x$에서 $f'(x)=\cos x-x\sin x$

$\therefore f'(\pi)=\cos\pi-\pi\sin\pi=-1$

따라서 구하는 극한값은 $3f'(\pi)=3\times(-1)=-3$

101 답 2

$f(x)=\sin^2 x=\sin x\sin x$에서

$f'(x)=\cos x\sin x+\sin x\cos x=2\sin x\cos x=\sin2x$

$\therefore \lim\limits_{x\to\pi}\dfrac{f'(x)}{x-\pi}=\lim\limits_{x\to\pi}\dfrac{\sin2x}{x-\pi}$

$x-\pi=t$로 놓으면 $x=\pi+t$이고, $x\to\pi$일 때 $t\to0$이므로

$\lim\limits_{x\to\pi}\dfrac{\sin2x}{x-\pi}=\lim\limits_{t\to0}\dfrac{\sin2(\pi+t)}{t}=\lim\limits_{t\to0}\dfrac{\sin(2\pi+2t)}{t}$

$=\lim\limits_{t\to0}\dfrac{\sin2t}{t}=\lim\limits_{t\to0}\dfrac{\sin2t}{2t}\times2=1\times2=2$

102 답 ②

$\lim\limits_{x\to\frac{\pi}{2}}\dfrac{f(x)-1}{x-\dfrac{\pi}{2}}=3$에서 $x\to\dfrac{\pi}{2}$일 때 (분모)$\to0$이고 극한값이 존

재하므로 (분자)$\to0$이다.

즉, $\lim\limits_{x\to\frac{\pi}{2}}\{f(x)-1\}=0$이므로 $f\left(\dfrac{\pi}{2}\right)=1$

$\therefore \lim\limits_{x\to\frac{\pi}{2}}\dfrac{f(x)-1}{x-\dfrac{\pi}{2}}=\lim\limits_{x\to\frac{\pi}{2}}\dfrac{f(x)-f\left(\dfrac{\pi}{2}\right)}{x-\dfrac{\pi}{2}}=f'\left(\dfrac{\pi}{2}\right)=3$

이때 $f(x)=a\sin x+b\cos x$에서

$f'(x)=a\cos x-b\sin x$

$f\left(\dfrac{\pi}{2}\right)=1$에서 $a\sin\dfrac{\pi}{2}+b\cos\dfrac{\pi}{2}=1$ $\quad\therefore a=1$

$f'\left(\dfrac{\pi}{2}\right)=3$에서 $\cos\dfrac{\pi}{2}-b\sin\dfrac{\pi}{2}=3$ $\quad\therefore b=-3$

따라서 $f(x)=\sin x-3\cos x$이므로

$f\left(\dfrac{\pi}{4}\right)=\sin\dfrac{\pi}{4}-3\cos\dfrac{\pi}{4}=\dfrac{\sqrt{2}}{2}-3\times\dfrac{\sqrt{2}}{2}=-\sqrt{2}$

103 답 $-\dfrac{1}{2}$

$f(x)=\lim\limits_{h\to0}\dfrac{x\sin(x+h)-x\sin x}{2h}$

$\qquad=\dfrac{x}{2}\lim\limits_{h\to0}\dfrac{\sin(x+h)-\sin x}{h}$

$\qquad=\dfrac{x}{2}(\sin x)'=\dfrac{x}{2}\cos x$

따라서 $f'(x)=\dfrac{1}{2}\cos x-\dfrac{x}{2}\sin x$이므로

$f'(\pi)=\dfrac{1}{2}\cos\pi-\dfrac{\pi}{2}\sin\pi=-\dfrac{1}{2}$

104 답 ②

$f(0)=\cos 0-\sin 0=1$이므로

$$\lim_{x \to 0}\frac{f(\sin x)-1}{x}=\lim_{x \to 0}\frac{f(\sin x)-f(0)}{x}$$

$$=\lim_{x \to 0}\left\{\frac{f(\sin x)-f(0)}{\sin x}\times\frac{\sin x}{x}\right\}$$

$\sin x=t$로 놓으면 $x \to 0$일 때 $t \to 0$이므로

$$\lim_{x \to 0}\left\{\frac{f(\sin x)-f(0)}{\sin x}\times\frac{\sin x}{x}\right\}$$

$$=\lim_{x \to 0}\frac{f(\sin x)-f(0)}{\sin x}\times\lim_{x \to 0}\frac{\sin x}{x}$$

$$=\lim_{t \to 0}\frac{f(t)-f(0)}{t}\times 1=f'(0)$$

이때 $f(x)=\cos x-\sin x$에서 $f'(x)=-\sin x-\cos x$

따라서 구하는 극한값은 $f'(0)=-1$

105 답 ①

함수 $f(x)$가 모든 실수 x에서 미분가능하면 $x=0$에서도 미분가능하므로 $x=0$에서 연속이다.

$$\lim_{x \to 0+}(3+ax\cos x)=\lim_{x \to 0-}(b+5\sin x)=f(0)$$

$\therefore b=3$

또 $f'(0)$이 존재하므로 $f'(x)=\begin{cases}a\cos x-ax\sin x & (x>0) \\ 5\cos x & (x<0)\end{cases}$에서

$$\lim_{x \to 0+}(a\cos x-ax\sin x)=\lim_{x \to 0-}5\cos x$$

$\therefore a=5$

$\therefore a-b=5-3=2$

106 답 e

함수 $f(x)$가 $x=0$에서 미분가능하면 $x=0$에서 연속이다.

$$\lim_{x \to 0+}(a\sin x+\cos x)=\lim_{x \to 0-}be^{x-1}=f(0)$$

$1=\dfrac{b}{e}$ $\therefore b=e$

또 $f'(0)$이 존재하므로 $f'(x)=\begin{cases}a\cos x-\sin x & (x>0) \\ e^x & (x<0)\end{cases}$에서

$$\lim_{x \to 0+}(a\cos x-\sin x)=\lim_{x \to 0-}e^x$$

$\therefore a=1$

$\therefore ab=1\times e=e$

107 답 10

함수 $f(x)$가 모든 실수 x에서 미분가능하면 $x=1$에서도 미분가능하므로 $x=1$에서 연속이다.

$$\lim_{x \to 1+}(-3\ln x)=\lim_{x \to 1-}(ax^3+bx^2+cx)=f(1)$$

$\therefore a+b+c=0$ ······ ㉠

또 $f'(0)$, $f'(1)$이 존재하므로

$$f'(x)=\begin{cases}-\dfrac{3}{x} & (x>1) \\ 3ax^2+2bx+c & (0<x<1) \\ 4\cos x & (x<0)\end{cases}$$에서

$$\lim_{x \to 0+}(3ax^2+2bx+c)=\lim_{x \to 0-}4\cos x$$

$\therefore c=4$ ······ ㉡

$$\lim_{x \to 1+}\left(-\frac{3}{x}\right)=\lim_{x \to 1-}(3ax^2+2bx+c)$$

$\therefore 3a+2b+c=-3$ ······ ㉢

㉡을 ㉠, ㉢에 대입하여 정리하면 $a+b=-4$, $3a+2b=-7$

두 식을 연립하여 풀면 $a=1$, $b=-5$

$\therefore a-b+c=10$

108 답 ②

$\csc \theta=\dfrac{1}{\sin \theta}=\dfrac{5}{3}$이므로 $\sin \theta=\dfrac{3}{5}$

θ가 제2사분면의 각이면 $\cos \theta<0$이므로

$$\cos \theta=-\sqrt{1-\sin^2 \theta}=-\sqrt{1-\left(-\frac{3}{5}\right)^2}=-\frac{4}{5}$$

$$\therefore \cot \theta-\sec \theta=\frac{\cos \theta}{\sin \theta}-\frac{1}{\cos \theta}=\frac{-\frac{4}{5}}{\frac{3}{5}}-\left(-\frac{5}{4}\right)=-\frac{1}{12}$$

109 답 ①

$$(\tan \theta+\cot \theta)^2-(\sin \theta+\csc \theta)^2-(\cos \theta+\sec \theta)^2$$

$$=(\tan^2 \theta+2+\cot^2 \theta)-(\sin^2 \theta+2+\csc^2 \theta)$$

$$\qquad\qquad\qquad\qquad-(\cos^2 \theta+2+\sec^2 \theta)$$

$$=(\tan^2 \theta-\sec^2 \theta)+(\cot^2 \theta-\csc^2 \theta)-(\sin^2 \theta+\cos^2 \theta)-2$$

$$=-1-1-1-2=-5$$

110 답 ①

$\sin \alpha+\sin \beta=\dfrac{1}{2}$의 양변을 제곱하면

$$\sin^2 \alpha+2\sin \alpha \sin \beta+\sin^2 \beta=\frac{1}{4}$$ ······ ㉠

$\cos \alpha+\cos \beta=\dfrac{\sqrt{2}}{2}$의 양변을 제곱하면

$$\cos^2 \alpha+2\cos \alpha \cos \beta+\cos^2 \beta=\frac{1}{2}$$ ······ ㉡

㉠+㉡을 하면 $2+2(\sin \alpha \sin \beta+\cos \alpha \cos \beta)=\dfrac{3}{4}$

$$\sin \alpha \sin \beta+\cos \alpha \cos \beta=-\frac{5}{8}$$

$$\therefore \cos (\alpha-\beta)=-\frac{5}{8}$$

111 답 ③

이차방정식 $2x^2+2ax+a=0$의 두 근이 $\tan \alpha$, $\tan \beta$이므로 근과 계수의 관계에 의하여

$$\tan \alpha+\tan \beta=-a, \tan \alpha \tan \beta=\frac{a}{2}$$

이때 $\tan (\alpha+\beta)=\tan \dfrac{\pi}{4}=1$에서

$$\frac{\tan \alpha+\tan \beta}{1-\tan \alpha \tan \beta}=1, \frac{-a}{1-\frac{a}{2}}=1$$

$$-a=1-\frac{a}{2}$$ $\therefore a=-2$

112 답 $\dfrac{34}{15}$

두 직선 $x-y-2=0$, $ax-y+2=0$, 즉 $y=x-2$, $y=ax+2$가 x축의 양의 방향과 이루는 각의 크기를 각각 α, β라 하면

$\tan\alpha=1$, $\tan\beta=a$

$\tan\theta=\dfrac{1}{4}$에서 $|\tan(\alpha-\beta)|=\dfrac{1}{4}$이므로

$\left|\dfrac{\tan\alpha-\tan\beta}{1+\tan\alpha\tan\beta}\right|=\dfrac{1}{4}$, $\dfrac{1-a}{1+a}=\pm\dfrac{1}{4}$

$4-4a=1+a$ 또는 $4-4a=-1-a$　$\therefore a=\dfrac{3}{5}$ 또는 $a=\dfrac{5}{3}$

따라서 구하는 모든 a의 값의 합은 $\dfrac{3}{5}+\dfrac{5}{3}=\dfrac{34}{15}$

113 답 1

점 F에서 선분 BC에 내린 수선의 발을 G, 점 E에서 선분 FG에 내린 수선의 발을 H라 하고, $\angle EFG=\alpha$, $\angle GFC=\beta$라 하면

$\overline{EH}=\dfrac{1}{2}\overline{BC}=2$, $\overline{FH}=\dfrac{2}{3}\overline{AB}=4$이므로

$\tan\alpha=\dfrac{\overline{EH}}{\overline{FH}}=\dfrac{1}{2}$

$\overline{GC}=\dfrac{1}{2}\overline{BC}=2$, $\overline{FG}=6$이므로 $\tan\beta=\dfrac{\overline{GC}}{\overline{FG}}=\dfrac{1}{3}$

$\therefore \tan\theta=\tan(\alpha+\beta)=\dfrac{\tan\alpha+\tan\beta}{1-\tan\alpha\tan\beta}=\dfrac{\dfrac{1}{2}+\dfrac{1}{3}}{1-\dfrac{1}{2}\times\dfrac{1}{3}}=1$

114 답 ③

$0<\theta<\dfrac{\pi}{2}$에서 $\cos\theta>0$이므로

$\cos\theta=\sqrt{1-\sin^2\theta}=\sqrt{1-\left(\dfrac{2}{3}\right)^2}=\dfrac{\sqrt{5}}{3}$

$\therefore \sin2\theta=2\sin\theta\cos\theta=2\times\dfrac{2}{3}\times\dfrac{\sqrt{5}}{3}=\dfrac{4\sqrt{5}}{9}$

115 답 4

$y=2\cos\left(x-\dfrac{\pi}{3}\right)-2\cos x-1$

$\quad=2\left(\cos x\cos\dfrac{\pi}{3}+\sin x\sin\dfrac{\pi}{3}\right)-2\cos x-1$

$\quad=2\left(\dfrac{1}{2}\cos x+\dfrac{\sqrt{3}}{2}\sin x\right)-2\cos x-1$

$\quad=\sqrt{3}\sin x-\cos x-1=2\left(\dfrac{\sqrt{3}}{2}\sin x-\dfrac{1}{2}\cos x\right)-1$

$\quad=2\left(\sin x\cos\dfrac{\pi}{6}-\cos x\sin\dfrac{\pi}{6}\right)-1=2\sin\left(x-\dfrac{\pi}{6}\right)-1$

이때 $-1\leq\sin\left(x-\dfrac{\pi}{6}\right)\leq1$이므로 $-3\leq2\sin\left(x-\dfrac{\pi}{6}\right)-1\leq1$

따라서 $M=1$, $m=-3$이므로 $M-m=4$

116 답 ⑤

$\displaystyle\lim_{x\to\frac{\pi}{2}}\dfrac{\cos2x+1}{1-\sin x}=\lim_{x\to\frac{\pi}{2}}\dfrac{(1-2\sin^2x)+1}{1-\sin x}=\lim_{x\to\frac{\pi}{2}}\dfrac{2(1-\sin^2x)}{1-\sin x}$

$\qquad=\displaystyle\lim_{x\to\frac{\pi}{2}}\dfrac{2(1+\sin x)(1-\sin x)}{1-\sin x}$

$\qquad=\displaystyle\lim_{x\to\frac{\pi}{2}}2(1+\sin x)=2\times(1+1)=4$

117 답 ④

$\displaystyle\lim_{x\to0}\dfrac{\sec x-\cos x}{2x^2}=\lim_{x\to0}\dfrac{\dfrac{1}{\cos x}-\cos x}{2x^2}$

$\qquad=\displaystyle\lim_{x\to0}\dfrac{1-\cos^2x}{2x^2\cos x}=\lim_{x\to0}\dfrac{\sin^2x}{2x^2\cos x}$

$\qquad=\displaystyle\lim_{x\to0}\left\{\left(\dfrac{\sin x}{x}\right)^2\times\dfrac{1}{2\cos x}\right\}$

$\qquad=1^2\times\dfrac{1}{2\times1}=\dfrac{1}{2}$

118 답 ②

$f(x)=x^2-2x$에서

$\displaystyle\lim_{x\to0}\dfrac{\sin f(x)}{f(\tan x)}=\lim_{x\to0}\dfrac{\sin(x^2-2x)}{\tan^2x-2\tan x}$

$\qquad=\displaystyle\lim_{x\to0}\dfrac{\sin(x^2-2x)}{\tan x(\tan x-2)}$

$\qquad=\displaystyle\lim_{x\to0}\left\{\dfrac{\sin(x^2-2x)}{x^2-2x}\times\dfrac{x}{\tan x}\times\dfrac{x-2}{\tan x-2}\right\}$

$\qquad=1\times1\times\dfrac{-2}{-2}=1$

119 답 $-\dfrac{7}{2}$

$\displaystyle\lim_{x\to0}\dfrac{2\cos^2x+3\cos x-5}{x^2}$

$=\displaystyle\lim_{x\to0}\dfrac{(2\cos x+5)(\cos x-1)}{x^2}$

$=\displaystyle\lim_{x\to0}\dfrac{(2\cos x+5)(\cos x-1)(\cos x+1)}{x^2(\cos x+1)}$

$=\displaystyle\lim_{x\to0}\left(\dfrac{-\sin^2x}{x^2}\times\dfrac{2\cos x+5}{\cos x+1}\right)$

$=-\displaystyle\lim_{x\to0}\left\{\left(\dfrac{\sin x}{x}\right)^2\times\dfrac{2\cos x+5}{\cos x+1}\right\}$

$=-1^2\times\dfrac{7}{2}=-\dfrac{7}{2}$

120 답 $\dfrac{1}{4}$

$x+\dfrac{\pi}{2}=t$로 놓으면 $x=-\dfrac{\pi}{2}+t$이고, $x\to-\dfrac{\pi}{2}$일 때 $t\to0$이므로

$\displaystyle\lim_{x\to-\frac{\pi}{2}}\dfrac{1+\sin x}{(2x+\pi)\cos x}=\lim_{t\to0}\dfrac{1+\sin\left(-\dfrac{\pi}{2}+t\right)}{2t\cos\left(-\dfrac{\pi}{2}+t\right)}$

$\qquad=\displaystyle\lim_{t\to0}\dfrac{1-\sin\left(\dfrac{\pi}{2}-t\right)}{2t\cos\left(\dfrac{\pi}{2}-t\right)}=\lim_{t\to0}\dfrac{1-\cos t}{2t\sin t}$

$\qquad=\displaystyle\lim_{t\to0}\dfrac{(1-\cos t)(1+\cos t)}{2t\sin t(1+\cos t)}$

$\qquad=\displaystyle\lim_{t\to0}\dfrac{\sin^2t}{2t\sin t(1+\cos t)}$

$\qquad=\displaystyle\lim_{t\to0}\left\{\dfrac{\sin t}{t}\times\dfrac{1}{2(1+\cos t)}\right\}$

$\qquad=1\times\dfrac{1}{2\times2}=\dfrac{1}{4}$

121 답 $\dfrac{1}{8}$

$\dfrac{1}{x}=t$로 놓으면 $x \to \infty$일 때 $t \to 0$이므로

$\displaystyle\lim_{x \to \infty} \tan\dfrac{1}{2x} \csc\dfrac{4}{x} = \lim_{t \to 0} \tan\dfrac{t}{2} \csc 4t$

$\qquad = \displaystyle\lim_{t \to 0} \dfrac{\tan\dfrac{t}{2}}{\sin 4t}$

$\qquad = \displaystyle\lim_{t \to 0} \left(\dfrac{\tan\dfrac{t}{2}}{\dfrac{t}{2}} \times \dfrac{4t}{\sin 4t} \times \dfrac{1}{8} \right)$

$\qquad = 1 \times 1 \times \dfrac{1}{8} = \dfrac{1}{8}$

122 답 ②

$\displaystyle\lim_{x \to 0} \dfrac{\cos x - b}{ax \sin x - x^2} = \dfrac{1}{4}$에서 $x \to 0$일 때 (분모) $\to 0$이고 극한값이 존재하므로 (분자) $\to 0$이다.

즉, $\displaystyle\lim_{x \to 0}(\cos x - b) = 0$이므로 $b = 1$

이를 주어진 등식의 좌변에 대입하면

$\displaystyle\lim_{x \to 0} \dfrac{\cos x - 1}{ax \sin x - x^2}$

$= \displaystyle\lim_{x \to 0} \dfrac{(\cos x - 1)(\cos x + 1)}{(ax \sin x - x^2)(\cos x + 1)}$

$= \displaystyle\lim_{x \to 0} \dfrac{-\sin^2 x}{(ax \sin x - x^2)(\cos x + 1)}$

$= \displaystyle\lim_{x \to 0} \left(\dfrac{-\sin^2 x}{x^2} \times \dfrac{x^2}{ax \sin x - x^2} \times \dfrac{1}{\cos x + 1} \right)$

$= -\displaystyle\lim_{x \to 0} \left\{ \left(\dfrac{\sin x}{x}\right)^2 \times \dfrac{1}{\dfrac{a \sin x}{x} - 1} \times \dfrac{1}{\cos x + 1} \right\}$

$= -1^2 \times \dfrac{1}{a - 1} \times \dfrac{1}{2} = -\dfrac{1}{2(a-1)}$

따라서 $-\dfrac{1}{2(a-1)} = \dfrac{1}{4}$이므로 $a = -1$

$\therefore a - b = -1 - 1 = -2$

123 답 ③

함수 $f(x)$가 $x = 0$에서 연속이므로 $\displaystyle\lim_{x \to 0} f(x) = f(0)$

$\therefore \displaystyle\lim_{x \to 0} \dfrac{\sin 3x - 5e^x + a}{2x} = b$ ...... ㉠

$x \to 0$일 때 (분모) $\to 0$이고 극한값이 존재하므로 (분자) $\to 0$이다.

즉, $\displaystyle\lim_{x \to 0}(\sin 3x - 5e^x + a) = 0$이므로

$-5 + a = 0$ $\quad \therefore a = 5$

이를 ㉠의 좌변에 대입하면

$\displaystyle\lim_{x \to 0} \dfrac{\sin 3x - 5e^x + 5}{2x} = \lim_{x \to 0} \left\{ \dfrac{\sin 3x}{2x} - \dfrac{5(e^x - 1)}{2x} \right\}$

$\qquad = \displaystyle\lim_{x \to 0} \left(\dfrac{\sin 3x}{3x} \times \dfrac{3}{2} - \dfrac{e^x - 1}{x} \times \dfrac{5}{2} \right)$

$\qquad = 1 \times \dfrac{3}{2} - 1 \times \dfrac{5}{2} = -1$

$\therefore b = -1$

$\therefore a + b = 5 + (-1) = 4$

124 답 ②

$\overline{OP}$를 그으면

$\overline{OP} = \overline{OA} = 1$이므로

$\angle OPA = \angle OAP = \theta$

따라서 $\angle POH = 2\theta$이므로

$\triangle POH$에서 $\overline{OH} = \overline{OP} \cos 2\theta = \cos 2\theta$

$\therefore \overline{BH} = \overline{OB} - \overline{OH} = 1 - \cos 2\theta$

$\therefore \displaystyle\lim_{\theta \to 0+} \dfrac{\overline{BH}}{\theta^2} = \lim_{\theta \to 0+} \dfrac{1 - \cos 2\theta}{\theta^2}$

$\qquad = \displaystyle\lim_{\theta \to 0+} \dfrac{(1 - \cos 2\theta)(1 + \cos 2\theta)}{\theta^2 (1 + \cos 2\theta)}$

$\qquad = \displaystyle\lim_{\theta \to 0+} \dfrac{\sin^2 2\theta}{\theta^2 (1 + \cos 2\theta)}$

$\qquad = \displaystyle\lim_{\theta \to 0+} \left\{ \left(\dfrac{\sin 2\theta}{2\theta}\right)^2 \times \dfrac{4}{1 + \cos 2\theta} \right\}$

$\qquad = 1^2 \times \dfrac{4}{2} = 2$

125 답 ②

$\displaystyle\lim_{h \to 0} \dfrac{f\left(\dfrac{\pi}{2} - 2h\right) - f\left(\dfrac{\pi}{2}\right)}{h} = \lim_{h \to 0} \dfrac{f\left(\dfrac{\pi}{2} - 2h\right) - f\left(\dfrac{\pi}{2}\right)}{-2h} \times (-2)$

$\qquad = -2f'\left(\dfrac{\pi}{2}\right)$

이때 $f(x) = x^2 \sin x$에서

$f'(x) = 2x \sin x + x^2 \cos x$

$\therefore f'\left(\dfrac{\pi}{2}\right) = \pi \sin\dfrac{\pi}{2} + \dfrac{\pi^2}{4} \cos\dfrac{\pi}{2} = \pi$

따라서 구하는 극한값은 $-2f'\left(\dfrac{\pi}{2}\right) = -2\pi$

126 답 $2\pi - 2$

함수 $f(x)$가 모든 실수 x에서 미분가능하면 $x = 0$에서도 미분가능하므로 $x = 0$에서 연속이다.

$\displaystyle\lim_{x \to 0+}(2x + a) \cos x = \lim_{x \to 0-} b \sin x = f(0)$

$\therefore a = 0$

또 $f'(0)$이 존재하므로 $f'(x) = \begin{cases} 2\cos x - 2x \sin x & (x > 0) \\ b \cos x & (x < 0) \end{cases}$에서

$\displaystyle\lim_{x \to 0+}(2\cos x - 2x \sin x) = \lim_{x \to 0-} b \cos x$

$\therefore b = 2$

따라서 $f(x) = \begin{cases} 2x \cos x & (x \geq 0) \\ 2 \sin x & (x < 0) \end{cases}$이므로

$f\left(-\dfrac{\pi}{2}\right) = 2 \sin\left(-\dfrac{\pi}{2}\right) = 2 \times (-1) = -2$,

$f(\pi) = 2\pi \cos \pi = 2\pi \times (-1) = -2\pi$

$\therefore f\left(-\dfrac{\pi}{2}\right) - f(\pi) = -2 - (-2\pi) = 2\pi - 2$

001 답 ①

$f(x)=\dfrac{x^2+1}{e^x}$에서

$f'(x)=\dfrac{2x\times e^x-(x^2+1)\times e^x}{e^{2x}}=\dfrac{-x^2+2x-1}{e^x}$

$\therefore f'(-1)=\dfrac{-4}{e^{-1}}=-4e$

002 답 ③

$\displaystyle\lim_{x\to 0}\dfrac{f(x)-f(0)}{x}=f'(0)$

이때 $f(x)=\sec x\tan x$에서

$f'(x)=\sec x\tan x\times\tan x+\sec x\times\sec^2 x$

$\qquad=\sec x(\tan^2 x+\sec^2 x)$

따라서 구하는 극한값은 $f'(0)=1\times(0+1)=1$

003 답 15

$\displaystyle\lim_{x\to 0}\dfrac{f(x)+1}{x}=3$에서 $x\to 0$일 때 (분모) $\to 0$이고 극한값이 존재

하므로 (분자) $\to 0$이다.

즉, $\displaystyle\lim_{x\to 0}\{f(x)+1\}=0$이므로 $f(0)=-1$

$\therefore \displaystyle\lim_{x\to 0}\dfrac{f(x)+1}{x}=\lim_{x\to 0}\dfrac{f(x)-f(0)}{x-0}=f'(0)=3$

또 $\displaystyle\lim_{x\to -1}\dfrac{g(x)-1}{x+1}=5$에서 $x\to -1$일 때 (분모) $\to 0$이고 극한값

이 존재하므로 (분자) $\to 0$이다.

즉, $\displaystyle\lim_{x\to -1}\{g(x)-1\}=0$이므로 $g(-1)=1$

$\therefore \displaystyle\lim_{x\to -1}\dfrac{g(x)-1}{x+1}=\lim_{x\to -1}\dfrac{g(x)-g(-1)}{x-(-1)}=g'(-1)=5$

이때 $y=(g\circ f)(x)=g(f(x))$이므로 $y'=g'(f(x))f'(x)$

따라서 $x=0$에서의 미분계수는

$g'(f(0))f'(0)=g'(-1)f'(0)=5\times 3=15$

004 답 ③

$f(0)=1$이므로

$\displaystyle\lim_{h\to 0}\dfrac{f(h)-1}{h}=\lim_{h\to 0}\dfrac{f(h)-f(0)}{h}=f'(0)$

이때 $f(x)=(x^3+x+1)^5$에서

$f'(x)=5(x^3+x+1)^4(x^3+x+1)'$

$\qquad=5(x^3+x+1)^4(3x^2+1)$

따라서 구하는 극한값은 $f'(0)=5\times 1\times 1=5$

005 답 -1

$f(x)=2e^x$에서 $f'(x)=2e^x$

$g(x)=\sin\dfrac{x}{2}$에서 $g'(x)=\dfrac{1}{2}\cos\dfrac{x}{2}$

$h(x)=(f\circ g)(x)=f(g(x))$이므로

$h'(x)=f'(g(x))g'(x)$

$\therefore h'(2\pi)=f'(g(2\pi))g'(2\pi)=f'(0)g'(2\pi)$

$\qquad\qquad=2\times\left(-\dfrac{1}{2}\right)=-1$

006 답 ⑤

$f(x)=\ln|\sin x|$에서

$f'(x)=\dfrac{(\sin x)'}{\sin x}=\dfrac{\cos x}{\sin x}=\cot x$

$\therefore f'\left(\dfrac{\pi}{6}\right)=\cot\dfrac{\pi}{6}=\sqrt{3}$

007 답 ②

$f(x)=x^{\ln x}$의 양변에 자연로그를 취하면

$\ln f(x)=\ln x^{\ln x}=(\ln x)^2$

양변을 x에 대하여 미분하면

$\dfrac{f'(x)}{f(x)}=2\ln x\times\dfrac{1}{x}=\dfrac{2\ln x}{x}$

$\therefore \dfrac{f'(e)}{f(e)}=\dfrac{2\ln e}{e}=\dfrac{2}{e}$

008 답 ①

$f(x)=(x+2)\sqrt{2x^2+1}=(x+2)(2x^2+1)^{\frac{1}{2}}$이므로

$f'(x)=(2x^2+1)^{\frac{1}{2}}+(x+2)\times\left\{\dfrac{1}{2}(2x^2+1)^{-\frac{1}{2}}\times 4x\right\}$

$\qquad=\sqrt{2x^2+1}+\dfrac{2x(x+2)}{\sqrt{2x^2+1}}$

$\qquad=\dfrac{4x^2+4x+1}{\sqrt{2x^2+1}}$

$\therefore f'(-1)=\dfrac{1}{\sqrt{3}}=\dfrac{\sqrt{3}}{3}$

009 답 $\dfrac{3}{5}$

$\dfrac{dx}{dt}=1+\dfrac{1}{t^2}$, $\dfrac{dy}{dt}=1-\dfrac{1}{t^2}$

$\therefore \dfrac{dy}{dx}=\dfrac{\dfrac{dy}{dt}}{\dfrac{dx}{dt}}=\dfrac{1-\dfrac{1}{t^2}}{1+\dfrac{1}{t^2}}=\dfrac{t^2-1}{t^2+1}$

따라서 $t=2$일 때, $\dfrac{dy}{dx}$의 값은 $\dfrac{4-1}{4+1}=\dfrac{3}{5}$

010 답 $\dfrac{11}{3}$

$x^3-xy^2+y=7$의 각 항을 x에 대하여 미분하면

$3x^2-y^2-2xy\dfrac{dy}{dx}+\dfrac{dy}{dx}=0$

$(2xy-1)\dfrac{dy}{dx}=3x^2-y^2$

$\therefore \dfrac{dy}{dx}=\dfrac{3x^2-y^2}{2xy-1}$ (단, $2xy\neq 1$)

따라서 점 $(2,1)$에서의 접선의 기울기는

$\dfrac{3\times 2^2-1^2}{2\times 2\times 1-1}=\dfrac{11}{3}$

011 답 ①

$g(1)=a$라 하면 $f(a)=1$이므로

$a^3+3a-3=1$, $a^3+3a-4=0$, $(a-1)(a^2+a+4)=0$

$\therefore a=1 \ (\because a^2+a+4>0)$ $\therefore g(1)=1$

이때 $f'(x)=3x^2+3$이므로 $f'(1)=6$

$\therefore g'(1)=\dfrac{1}{f'(g(1))}=\dfrac{1}{f'(1)}=\dfrac{1}{6}$

012 답 ③

$f(x)=xe^{ax+2}$에서

$f'(x)=e^{ax+2}+x\times ae^{ax+2}=(ax+1)e^{ax+2}$

$f''(x)=ae^{ax+2}+(ax+1)\times ae^{ax+2}=(ax+2)ae^{ax+2}$

$f''(0)=30e^2$에서 $2ae^2=30e^2$

$2a=30$ $\therefore a=15$

013 답 ②

$f(x)=\dfrac{\cos x}{1+\sin x}$에서

$f'(x)=\dfrac{-\sin x(1+\sin x)-\cos x\times\cos x}{(1+\sin x)^2}$

$\quad=\dfrac{-\sin x-\sin^2 x-\cos^2 x}{(1+\sin x)^2}$

$\quad=\dfrac{-(1+\sin x)}{(1+\sin x)^2}=-\dfrac{1}{1+\sin x}$

$\therefore f'\left(\dfrac{\pi}{2}\right)=-\dfrac{1}{1+\sin\dfrac{\pi}{2}}=-\dfrac{1}{2}$

014 답 ①

$f(x)=\dfrac{1}{3x-1}$에서

$f'(x)=-\dfrac{(3x-1)'}{(3x-1)^2}=-\dfrac{3}{(3x-1)^2}$

$\therefore f'\left(\dfrac{2}{3}\right)=-\dfrac{3}{(2-1)^2}=-3$

015 답 4

$\displaystyle\lim_{h\to 0}\dfrac{f(1+h)-f(1-h)}{h}$

$=\displaystyle\lim_{h\to 0}\dfrac{f(1+h)-f(1)+f(1)-f(1-h)}{h}$

$=\displaystyle\lim_{h\to 0}\dfrac{f(1+h)-f(1)}{h}+\lim_{h\to 0}\dfrac{f(1-h)-f(1)}{-h}$

$=f'(1)+f'(1)=2f'(1)$

이때 $f(x)=\dfrac{3x-4}{x^2+1}$에서

$f'(x)=\dfrac{3(x^2+1)-(3x-4)\times 2x}{(x^2+1)^2}$

$\quad=\dfrac{-3x^2+8x+3}{(x^2+1)^2}$

$\therefore f'(1)=\dfrac{-3+8+3}{(1+1)^2}=2$

따라서 구하는 극한값은 $2f'(1)=2\times 2=4$

016 답 4

$f(x)=\dfrac{x}{x^2+x+4}$에서

$f'(x)=\dfrac{x^2+x+4-x(2x+1)}{(x^2+x+4)^2}=\dfrac{-x^2+4}{(x^2+x+4)^2}$

$(x^2+x+4)^2>0$이므로 $f'(x)>0$에서

$-x^2+4>0$, 즉 $x^2-4<0$

$(x+2)(x-2)<0$ $\therefore -2<x<2$

따라서 $\alpha=-2$, $\beta=2$이므로 $\beta-\alpha=4$

017 답 ④

$\displaystyle\lim_{x\to 1}\dfrac{f(x)-f(1)}{x^2-1}=\lim_{x\to 1}\left\{\dfrac{f(x)-f(1)}{x-1}\times\dfrac{1}{x+1}\right\}$

$\qquad\qquad\qquad\qquad\ =f'(1)\times\dfrac{1}{2}=\dfrac{1}{2}f'(1)$

즉, $\dfrac{1}{2}f'(1)=-1$이므로 $f'(1)=-2$

이때 $f(x)=\dfrac{ax^2-3x+2}{x-2}$에서

$f'(x)=\dfrac{(2ax-3)(x-2)-(ax^2-3x+2)\times 1}{(x-2)^2}$

$\quad=\dfrac{ax^2-4ax+4}{(x-2)^2}$

$f'(1)=-2$에서 $-3a+4=-2$

$-3a=-6$ $\therefore a=2$

018 답 3

$g(x)=\dfrac{f(x)-3}{2x}$에서

$g'(x)=\dfrac{f'(x)\times 2x-\{f(x)-3\}\times 2}{4x^2}$

$\therefore g'(1)=\dfrac{2f'(1)-2\{f(1)-3\}}{4}$

$\qquad\quad=\dfrac{f'(1)-f(1)+3}{2}$

$\qquad\quad=\dfrac{3+3}{2}=3$

019 답 ④

$g(x)=\dfrac{f(x)\cos x}{e^x}$에서

$g'(x)=\dfrac{\{f'(x)\cos x-f(x)\sin x\}\times e^x-f(x)\cos x\times e^x}{e^{2x}}$

$\quad=\dfrac{f'(x)\cos x-f(x)(\sin x+\cos x)}{e^x}$

$\therefore g'(\pi)=\dfrac{-f'(\pi)+f(\pi)}{e^\pi}$ ...... ㉠

한편 $g'(\pi)=-e^\pi g(\pi)$이고, $g(\pi)=\dfrac{-f(\pi)}{e^\pi}$이므로

$g'(\pi)=-e^\pi\times\dfrac{-f(\pi)}{e^\pi}=f(\pi)$ ...... ㉡

㉠, ㉡에서

$\dfrac{-f'(\pi)+f(\pi)}{e^\pi}=f(\pi)$

$-f'(\pi)+f(\pi)=e^\pi f(\pi)$

즉, $f'(\pi)=(1-e^\pi)f(\pi)$이므로

$k=1-e^\pi$

020 답 ⑤

$f(0)=0$이므로

$$\lim_{h \to 0} \frac{f(2h)}{h} = \lim_{h \to 0} \frac{f(2h)-f(0)}{h}$$
$$= \lim_{h \to 0} \frac{f(2h)-f(0)}{2h} \times 2$$
$$= 2f'(0)$$

이때 $f(x)=(2e^x-1)\tan x$에서

$$f'(x)=2e^x \tan x + (2e^x-1)\sec^2 x$$
$$\therefore f'(0)=0+1=1$$

따라서 구하는 극한값은 $2f'(0)=2 \times 1=2$

021 답 ②

$f(x)=(2+\csc x)\cot x$에서

$$f'(x)=(-\csc x \cot x)\cot x + (2+\csc x)(-\csc^2 x)$$
$$\therefore f'\left(\frac{\pi}{6}\right)=\left(-\csc \frac{\pi}{6} \cot \frac{\pi}{6}\right)\cot \frac{\pi}{6} + \left(2+\csc \frac{\pi}{6}\right)\left(-\csc^2 \frac{\pi}{6}\right)$$
$$=(-2 \times \sqrt{3}) \times \sqrt{3} + (2+2) \times (-4)$$
$$=-22$$

022 답 $\dfrac{3}{2}\pi$

$f(x)=\dfrac{1+\tan x}{\sec x}$에서

$$f'(x)=\frac{\sec^2 x \times \sec x - (1+\tan x)(\sec x \tan x)}{\sec^2 x}$$
$$=\frac{\sec^2 x - \tan x - \tan^2 x}{\sec x}$$
$$=\frac{1+\tan^2 x - \tan x - \tan^2 x}{\sec x}$$
$$=\frac{1-\tan x}{\sec x}$$

$f'(a)=0$에서

$1-\tan a=0$, $\tan a=1$

$\therefore a=\dfrac{\pi}{4}$ 또는 $a=\dfrac{5}{4}\pi$ $(\because 0<a<2\pi)$

따라서 모든 a의 값의 합은

$$\frac{\pi}{4}+\frac{5}{4}\pi=\frac{3}{2}\pi$$

023 답 -12

$\displaystyle\lim_{x \to 1} \frac{f(x)-2}{x-1}=4$에서 $x \to 1$일 때 (분모) $\to 0$이고 극한값이 존재하므로 (분자) $\to 0$이다.

즉, $\displaystyle\lim_{x \to 1}\{f(x)-2\}=0$이므로 $f(1)=2$

$$\therefore \lim_{x \to 1} \frac{f(x)-2}{x-1} = \lim_{x \to 1} \frac{f(x)-f(1)}{x-1} = f'(1)=4$$

또 $\displaystyle\lim_{x \to 2} \frac{g(x)-1}{x-2}=-3$에서 $x \to 2$일 때 (분모) $\to 0$이고 극한값이 존재하므로 (분자) $\to 0$이다.

즉, $\displaystyle\lim_{x \to 2}\{g(x)-1\}=0$이므로 $g(2)=1$

$$\therefore \lim_{x \to 2} \frac{g(x)-1}{x-2} = \lim_{x \to 2} \frac{g(x)-g(2)}{x-2} = g'(2)=-3$$

이때 $y=(g \circ f)(x)=g(f(x))$이므로 $y'=g'(f(x))f'(x)$

따라서 $x=1$에서의 미분계수는

$$g'(f(1))f'(1)=g'(2)f'(1)=-3 \times 4=-12$$

024 답 -2

$h(x)=f(g(x))$라 하면

$h(2)=f(g(2))=f(3)=-1$

$$\therefore \lim_{x \to 2} \frac{f(g(x))+1}{x-2} = \lim_{x \to 2} \frac{h(x)-h(2)}{x-2} = h'(2)$$

이때 $h'(x)=f'(g(x))g'(x)$이므로 구하는 극한값은

$$h'(2)=f'(g(2))g'(2)=f'(3)g'(2)$$
$$=1 \times (-2)=-2$$

025 답 ③

$f(g(x))=f(x)g(x)-3x^2+2x+2$의 양변을 x에 대하여 미분하면

$$f'(g(x))g'(x)=f'(x)g(x)+f(x)g'(x)-6x+2$$

양변에 $x=1$을 대입하면

$$f'(g(1))g'(1)=f'(1)g(1)+f(1)g'(1)-4$$
$$\therefore f'(2)g'(1)=2f'(1)+f(1)g'(1)-4 \quad \cdots\cdots \ \bigcirc$$

이때 $f(x)=x^2+3x+1$에서 $f'(x)=2x+3$

$\therefore f(1)=5$, $f'(1)=5$, $f'(2)=7$

이를 $\bigcirc$에 대입하면

$7g'(1)=10+5g'(1)-4$

$2g'(1)=6$ $\therefore g'(1)=3$

026 답 6

$\displaystyle\lim_{x \to 2} \frac{h(x)-3}{x-2}=10$에서 $x \to 2$일 때 (분모) $\to 0$이고 극한값이 존재하므로 (분자) $\to 0$이다.

즉, $\displaystyle\lim_{x \to 2}\{h(x)-3\}=0$이므로 $h(2)=3$

$$\therefore \lim_{x \to 2} \frac{h(x)-3}{x-2} = \lim_{x \to 2} \frac{h(x)-h(2)}{x-2} = h'(2)=10$$

이때 $h(x)=(f \circ g)(x)=f(g(x))$이므로

$$h'(x)=f'(g(x))g'(x)$$

$h(2)=3$에서 $h(2)=f(g(2))=f(3)$이므로 $f(3)=3$

$h'(2)=10$에서 $h'(2)=f'(g(2))g'(2)=5f'(3)$이므로

$5f'(3)=10$ $\therefore f'(3)=2$

$\therefore f(3) \times f'(3)=3 \times 2=6$

027 답 ②

$f(x)=\left(\dfrac{x+1}{2x+1}\right)^3$에서

$$f'(x)=3\left(\frac{x+1}{2x+1}\right)^2 \times \frac{2x+1-(x+1) \times 2}{(2x+1)^2}$$
$$=\frac{-3(x+1)^2}{(2x+1)^4}$$

$\therefore f'(0)=-3$

028 답 ④

$y=\{xf(x)\}^2$에서

$y'=2\{xf(x)\}\{xf(x)\}'$

$\quad=2\{xf(x)\}\{f(x)+xf'(x)\}$

따라서 $x=1$에서의 미분계수는

$2f(1)\{f(1)+f'(1)\}=2\times1\times(1+2)=6$

029 답 **1**

$g(x)=f(2x-3)$의 양변을 x에 대하여 미분하면

$g'(x)=f'(2x-3)(2x-3)'=2f'(2x-3)$

양변에 $x=1$을 대입하면

$g'(1)=2f'(-1)$

이때 $f(x)=\dfrac{x+1}{x^2+1}$에서

$f'(x)=\dfrac{x^2+1-(x+1)\times2x}{(x^2+1)^2}=\dfrac{-x^2-2x+1}{(x^2+1)^2}$

$\therefore f'(-1)=\dfrac{1}{2}$

$\therefore g'(1)=2\times\dfrac{1}{2}=1$

030 답 **3**

$f(\tan x+x-1)=x^3-3x^2+9x+4$의 양변을 x에 대하여 미분하면

$f'(\tan x+x-1)(\tan x+x-1)'=3x^2-6x+9$

$(\sec^2 x+1)f'(\tan x+x-1)=3x^2-6x+9$

$\sec^2 x+1\neq0$이므로

$f'(\tan x+x-1)=\dfrac{3x^2-6x+9}{\sec^2 x+1}$ ······ ㉠

방정식 $\tan x+x-1=0$의 해를 α (α는 실수)라 하면

$\tan\alpha+\alpha-1=0$

$\therefore \tan\alpha=1-\alpha$ ······ ㉡

㉠의 양변에 $x=\alpha$를 대입하면

$f'(0)=\dfrac{3\alpha^2-6\alpha+9}{\sec^2\alpha+1}=\dfrac{3\alpha^2-6\alpha+9}{(1+\tan^2\alpha)+1}$

$\quad=\dfrac{3\alpha^2-6\alpha+9}{2+\tan^2\alpha}=\dfrac{3\alpha^2-6\alpha+9}{2+(1-\alpha)^2}$ ($\because$ ㉡)

$\quad=\dfrac{3(\alpha^2-2\alpha+3)}{\alpha^2-2\alpha+3}=3$

031 답 **−1**

$f(x)=\tan 2x$에서 $f'(x)=2\sec^2 2x$

$g(x)=\dfrac{x}{x^2+1}$에서

$g'(x)=\dfrac{x^2+1-x\times2x}{(x^2+1)^2}=\dfrac{-x^2+1}{(x^2+1)^2}$

$h(x)=g(f(x))$에서

$h'(x)=g'(f(x))f'(x)$

$\therefore h'\left(\dfrac{\pi}{6}\right)=g'\left(f\left(\dfrac{\pi}{6}\right)\right)f'\left(\dfrac{\pi}{6}\right)=g'(\sqrt3)f'\left(\dfrac{\pi}{6}\right)$

$\qquad\qquad=-\dfrac{1}{8}\times8=-1$

032 답 ①

$f(x)=\sec\left(\pi x+\dfrac{\pi}{3}\right)$에서

$f'(x)=\sec\left(\pi x+\dfrac{\pi}{3}\right)\tan\left(\pi x+\dfrac{\pi}{3}\right)\left(\pi x+\dfrac{\pi}{3}\right)'$

$\quad=\pi\sec\left(\pi x+\dfrac{\pi}{3}\right)\tan\left(\pi x+\dfrac{\pi}{3}\right)$

$\therefore f'(1)=\pi\sec\left(\pi+\dfrac{\pi}{3}\right)\tan\left(\pi+\dfrac{\pi}{3}\right)$

$\quad=\pi\left(-\sec\dfrac{\pi}{3}\right)\tan\dfrac{\pi}{3}$

$\quad=\pi\times(-2)\times\sqrt3=-2\sqrt3\pi$

033 답 $-\dfrac{2}{e}$

$f(1)=0$이므로

$\displaystyle\lim_{x\to1}\dfrac{f(x)}{x-1}=\lim_{x\to1}\dfrac{f(x)-f(1)}{x-1}=f'(1)=e^2$

이때 $f(x)=(x-1)e^{3x+a}$에서

$f'(x)=e^{3x+a}+3(x-1)e^{3x+a}=(3x-2)e^{3x+a}$

$f'(1)=e^2$에서 $e^{3+a}=e^2$ $\therefore a=-1$

따라서 $f'(x)=(3x-2)e^{3x-1}$이므로

$f'(0)=-2e^{-1}=-\dfrac{2}{e}$

034 답 $3e^6$

함수 $f(x)$가 $x=0$에서 미분가능하면 $x=0$에서 연속이므로

$\displaystyle\lim_{x\to0+}e^{ax+b}=\lim_{x\to0-}(x^2+3x+1)=f(0)$에서

$e^b=1$ $\therefore b=0$

또 $f'(0)$이 존재하므로 $f'(x)=\begin{cases}ae^{ax} & (x>0) \\ 2x+3 & (x<0)\end{cases}$에서

$\displaystyle\lim_{x\to0+}ae^{ax}=\lim_{x\to0-}(2x+3)$

$\therefore a=3$

따라서 $f'(x)=\begin{cases}3e^{3x} & (x>0) \\ 2x+3 & (x<0)\end{cases}$이므로

$f'(2)=3e^6$

035 답 **1**

$\displaystyle\lim_{x\to0}\dfrac{f\left(\dfrac{\pi}{2}-\sin x\right)-f\left(\dfrac{\pi}{2}\right)}{x}$

$=\displaystyle\lim_{x\to0}\left\{\dfrac{f\left(\dfrac{\pi}{2}-\sin x\right)-f\left(\dfrac{\pi}{2}\right)}{-\sin x}\times\dfrac{-\sin x}{x}\right\}$

$=f'\left(\dfrac{\pi}{2}\right)\times(-1)=-f'\left(\dfrac{\pi}{2}\right)$

이때 $f(x)=\sin^2 x\cos x$에서

$f'(x)=2\sin x\cos x\times\cos x+\sin^2 x\times(-\sin x)$

$\quad=2\sin x\cos^2 x-\sin^3 x$

$\therefore f'\left(\dfrac{\pi}{2}\right)=2\sin\dfrac{\pi}{2}\cos^2\dfrac{\pi}{2}-\sin^3\dfrac{\pi}{2}$

$\quad=2\times1\times0-1^3=-1$

따라서 구하는 극한값은 $-f'\left(\dfrac{\pi}{2}\right)=-(-1)=1$

036 답 $2x-1$

$(f \circ g)(0)=1$에서 $f(g(0))=1$이고, $g(0)=2^0=1$이므로

$f(1)=1$　　　　　　　　　　　……㉠

또 $(f \circ g)'(x)=f'(g(x))g'(x)$이므로

$(f \circ g)'(0)=f'(g(0))g'(0)=f'(1)g'(0)$

이때 $g(x)=2^{\tan x}$에서

$g'(x)=2^{\tan x}\ln 2 \times \sec^2 x$

$\therefore g'(0)=2^0 \ln 2 \times 1^2=\ln 2$

$(f \circ g)'(0)=\ln 4$에서 $f'(1) \times \ln 2=\ln 4$

$\therefore f'(1)=\dfrac{\ln 4}{\ln 2}=2$　　　　　……㉡

다항식 $f(x)$를 $(x-1)^2$으로 나누었을 때의 몫을 $Q(x)$, 나머지를 $ax+b$ (a, b는 상수)라 하면

$f(x)=(x-1)^2 Q(x)+ax+b$　　……㉢

㉢의 양변에 $x=1$을 대입하면

$f(1)=a+b$　　$\therefore a+b=1$ ($\because$ ㉠)　……㉣

㉢의 양변을 x에 대하여 미분하면

$f'(x)=2(x-1)Q(x)+(x-1)^2 Q'(x)+a$

양변에 $x=1$을 대입하면

$f'(1)=a$　　$\therefore a=2$ ($\because$ ㉡)

이를 ㉣에 대입하여 풀면 $b=-1$

따라서 구하는 나머지는 $2x-1$이다.

037 답 ②

$f(0)=3$이므로 $f(x)=ax^2+bx+3$ (a, b는 상수, $a \neq 0$)이라 하면

$f'(x)=2ax+b$　　……㉠

한편 $g(x)=\dfrac{e^{f(x)}}{x-1}$에서

$g'(x)=\dfrac{e^{f(x)}f'(x)(x-1)-e^{f(x)}}{(x-1)^2}$

$=\dfrac{e^{f(x)}\{f'(x)(x-1)-1\}}{(x-1)^2}$

$=\dfrac{e^{f(x)}\{(2ax+b)(x-1)-1\}}{(x-1)^2}$ ($\because$ ㉠)

$=\dfrac{e^{f(x)}\{2ax^2+(-2a+b)x-b-1\}}{(x-1)^2}$

이때 $e^{f(x)}>0$이고, 방정식 $g'(x)=0$의 해가 $x=-1$ 또는 $x=3$이므로

$2ax^2+(-2a+b)x-b-1=2a(x+1)(x-3)$

$=2a(x^2-2x-3)$

$=2ax^2-4ax-6a$

즉, $-2a+b=-4a$, $-b-1=-6a$이므로

$2a+b=0$, $6a-b=1$

두 식을 연립하여 풀면

$a=\dfrac{1}{8}$, $b=-\dfrac{1}{4}$

따라서 $f(x)=\dfrac{1}{8}x^2-\dfrac{1}{4}x+3$이므로

$f(4)=2-1+3=4$

038 답 ⑤

$f(x)=\log_2 |x^2-5|$에서

$f'(x)=\dfrac{(x^2-5)'}{(x^2-5)\ln 2}=\dfrac{2x}{(x^2-5)\ln 2}$

$\therefore f'(3)=\dfrac{6}{4\ln 2}=\dfrac{3}{2\ln 2}$

039 답 $y'=\dfrac{2x}{x^2+2}$

$y=\ln (x^2+2)$에서 $y'=\dfrac{(x^2+2)'}{x^2+2}=\dfrac{2x}{x^2+2}$

040 답 ①

$f(x)=\ln \sqrt{\dfrac{1-\sin x}{1+\sin x}}=\dfrac{1}{2}\ln \dfrac{1-\sin x}{1+\sin x}$

$=\dfrac{1}{2}\{\ln (1-\sin x)-\ln (1+\sin x)\}$

$\therefore f'(x)=\dfrac{1}{2}\left(\dfrac{-\cos x}{1-\sin x}-\dfrac{\cos x}{1+\sin x}\right)$

$=\dfrac{-\cos x(1+\sin x)-\cos x(1-\sin x)}{2(1-\sin^2 x)}$

$=\dfrac{-2\cos x}{2\cos^2 x}=-\dfrac{1}{\cos x}$

따라서 $x=\dfrac{\pi}{4}$에서의 미분계수는 $f'\left(\dfrac{\pi}{4}\right)=-\dfrac{1}{\cos \dfrac{\pi}{4}}=-\sqrt{2}$

041 답 ②

$f(x)=\ln |x^2+x|$에서 $f'(x)=\dfrac{2x+1}{x^2+x}$이므로 $f'(n)=\dfrac{2n+1}{n^2+n}$

$\therefore \displaystyle\sum_{n=1}^{\infty} \dfrac{f'(n)}{2n+1}=\sum_{n=1}^{\infty} \dfrac{1}{n^2+n}=\sum_{n=1}^{\infty} \dfrac{1}{n(n+1)}$

$=\displaystyle\sum_{n=1}^{\infty}\left(\dfrac{1}{n}-\dfrac{1}{n+1}\right)=\lim_{n \to \infty}\sum_{k=1}^{n}\left(\dfrac{1}{k}-\dfrac{1}{k+1}\right)$

$=\displaystyle\lim_{n \to \infty}\left\{\left(1-\dfrac{1}{2}\right)+\left(\dfrac{1}{2}-\dfrac{1}{3}\right)+\left(\dfrac{1}{3}-\dfrac{1}{4}\right)\right.$

$\left.+\cdots+\left(\dfrac{1}{n}-\dfrac{1}{n+1}\right)\right\}$

$=\displaystyle\lim_{n \to \infty}\left(1-\dfrac{1}{n+1}\right)=1$

042 답 ①

$\displaystyle\lim_{n \to \infty} n\left\{f\left(\dfrac{\pi}{4}+\dfrac{2}{n}\right)\right\}$에서 $\dfrac{1}{n}=t$로 놓으면 $n \to \infty$일 때 $t \to 0$이고, $f\left(\dfrac{\pi}{4}\right)=0$이므로

$\displaystyle\lim_{n \to \infty} n\left\{f\left(\dfrac{\pi}{4}+\dfrac{2}{n}\right)\right\}=\lim_{t \to 0} \dfrac{f\left(\dfrac{\pi}{4}+2t\right)}{t}$

$=\displaystyle\lim_{t \to 0} \dfrac{f\left(\dfrac{\pi}{4}+2t\right)-f\left(\dfrac{\pi}{4}\right)}{2t} \times 2=2f'\left(\dfrac{\pi}{4}\right)$

이때 $f(x)=\ln (\sqrt{2}\cos x)$에서

$f'(x)=\dfrac{-\sqrt{2}\sin x}{\sqrt{2}\cos x}=-\dfrac{\sin x}{\cos x}=-\tan x$

$\therefore f'\left(\dfrac{\pi}{4}\right)=-\tan \dfrac{\pi}{4}=-1$

따라서 구하는 극한값은 $2f'\left(\dfrac{\pi}{4}\right)=2 \times (-1)=-2$

043 답 ③

$f(x)=\log_2(2^x+2^{2x}+2^{3x}+\cdots+2^{9x})$이라 하면 $f(0)=\log_2 9$

$\therefore \displaystyle\lim_{x\to 0}\frac{1}{x}\log_2\frac{2^x+2^{2x}+2^{3x}+\cdots+2^{9x}}{9}$

$\quad =\displaystyle\lim_{x\to 0}\frac{1}{x}\{\log_2(2^x+2^{2x}+2^{3x}+\cdots+2^{9x})-\log_2 9\}$

$\quad =\displaystyle\lim_{x\to 0}\frac{f(x)-f(0)}{x}=f'(0)$

이때

$f'(x)=\dfrac{(2^x+2^{2x}+2^{3x}+\cdots+2^{9x})'}{(2^x+2^{2x}+2^{3x}+\cdots+2^{9x})\times\ln 2}$

$\quad =\dfrac{2^x\ln 2+2^{2x}\ln 2\times 2+2^{3x}\ln 2\times 3+\cdots+2^{9x}\ln 2\times 9}{(2^x+2^{2x}+2^{3x}+\cdots+2^{9x})\times\ln 2}$

이므로 구하는 극한값은

$f'(0)=\dfrac{1+2+3+\cdots+9}{9}=\dfrac{1}{9}\times\dfrac{9\times 10}{2}=5$

044 답 ④

$f(x)=x^{\sin x}$의 양변에 자연로그를 취하면

$\ln f(x)=\ln x^{\sin x}=\sin x\ln x$

양변을 x에 대하여 미분하면

$\dfrac{f'(x)}{f(x)}=\cos x\ln x+\dfrac{\sin x}{x}$

$\therefore f'(x)=f(x)\times\left(\cos x\ln x+\dfrac{\sin x}{x}\right)$

이때 $f(\pi)=\pi^{\sin\pi}=1$이므로

$f'(\pi)=1\times\left(\cos\pi\ln\pi+\dfrac{\sin\pi}{\pi}\right)=-\ln\pi$

045 답 ②

$f(x)=\dfrac{(x+1)^3}{x^2(x-3)}$의 양변의 절댓값에 자연로그를 취하면

$\ln|f(x)|=3\ln|x+1|-2\ln|x|-\ln|x-3|$

양변을 x에 대하여 미분하면

$\dfrac{f'(x)}{f(x)}=\dfrac{3}{x+1}-\dfrac{2}{x}-\dfrac{1}{x-3}$

$\therefore f'(x)=f(x)\times\left(\dfrac{3}{x+1}-\dfrac{2}{x}-\dfrac{1}{x-3}\right)$

이때 $f(2)=\dfrac{(2+1)^3}{2^2\times(2-3)}=-\dfrac{27}{4}$이므로

$f'(2)=-\dfrac{27}{4}\times(1-1+1)=-\dfrac{27}{4}$

046 답 $4\ln 2+10$

$f(x)=x^x$의 양변에 자연로그를 취하면

$\ln f(x)=\ln x^x=x\ln x$

양변을 x에 대하여 미분하면

$\dfrac{f'(x)}{f(x)}=\ln x+x\times\dfrac{1}{x}=\ln x+1$

$\therefore f'(x)=f(x)(\ln x+1)$

이때 $f(2)=2^2=4$이므로 $f'(2)=4(\ln 2+1)$

$g(x)=2x\ln x$에서 $g'(x)=2\ln x+2x\times\dfrac{1}{x}=2\ln x+2$

$\therefore g'(e^2)=2\ln e^2+2=6$

$\therefore f'(2)+g'(e^2)=4(\ln 2+1)+6=4\ln 2+10$

047 답 ④

$f(x)=\dfrac{x-1}{\sqrt{x^2+1}}=(x-1)(x^2+1)^{-\frac{1}{2}}$이므로

$f'(x)=(x^2+1)^{-\frac{1}{2}}+(x-1)\left\{-\dfrac{1}{2}(x^2+1)^{-\frac{3}{2}}\times 2x\right\}$

$\quad =\dfrac{1}{\sqrt{x^2+1}}-\dfrac{x(x-1)}{(x^2+1)\sqrt{x^2+1}}$

$\quad =\dfrac{x+1}{(x^2+1)\sqrt{x^2+1}}$

$\therefore f'(1)=\dfrac{2}{2\sqrt{2}}=\dfrac{\sqrt{2}}{2}$

048 답 -6

$f(x)=\dfrac{2x^4+3x+2}{x^2}=2x^2+3x^{-1}+2x^{-2}$이므로

$f'(x)=4x-3x^{-2}-4x^{-3}=4x-\dfrac{3}{x^2}-\dfrac{4}{x^3}$

$\therefore f'(-1)+f'(1)=(-4-3+4)+(4-3-4)=-6$

049 답 -110

$\displaystyle\lim_{h\to 0}\dfrac{f(1+h)-f(1-h)}{h}$

$=\displaystyle\lim_{h\to 0}\dfrac{f(1+h)-f(1)+f(1)-f(1-h)}{h}$

$=\displaystyle\lim_{h\to 0}\dfrac{f(1+h)-f(1)}{h}+\lim_{h\to 0}\dfrac{f(1-h)-f(1)}{-h}$

$=f'(1)+f'(1)=2f'(1)$

$f(x)=\dfrac{1}{x}+\dfrac{1}{x^2}+\dfrac{1}{x^3}+\cdots+\dfrac{1}{x^{10}}$

$\quad =x^{-1}+x^{-2}+x^{-3}+\cdots+x^{-10}$

이므로

$f'(x)=-x^{-2}-2x^{-3}-3x^{-4}-\cdots-10x^{-11}$

$\therefore f'(1)=-(1+2+3+\cdots+10)=-\dfrac{10\times 11}{2}=-55$

따라서 구하는 극한값은 $2f'(1)=2\times(-55)=-110$

050 답 $\dfrac{128}{3}$

$f(x)=(x-\sqrt{x^2+2})^4$에서

$f'(x)=4(x-\sqrt{x^2+2})^3(x-\sqrt{x^2+2})'$

$\quad =4(x-\sqrt{x^2+2})^3\left\{1-\dfrac{1}{2}(x^2+2)^{-\frac{1}{2}}\times 2x\right\}$

$\quad =4(x-\sqrt{x^2+2})^3\left(1-\dfrac{x}{\sqrt{x^2+2}}\right)$

이므로

$a=f'(2)=4(2-\sqrt{6})^3\left(1-\dfrac{2}{\sqrt{6}}\right)$

$b=f'(-2)=4(-2-\sqrt{6})^3\left(1+\dfrac{2}{\sqrt{6}}\right)$

$\therefore ab=4(2-\sqrt{6})^3\left(1-\dfrac{2}{\sqrt{6}}\right)\times 4(-2-\sqrt{6})^3\left(1+\dfrac{2}{\sqrt{6}}\right)$

$\quad =16\{(2-\sqrt{6})(-2-\sqrt{6})\}^3\left(1-\dfrac{2}{\sqrt{6}}\right)\left(1+\dfrac{2}{\sqrt{6}}\right)$

$\quad =16\times 2^3\times\dfrac{1}{3}=\dfrac{128}{3}$

051 답 $\frac{3}{4}$

$$\frac{dx}{dt}=\frac{-4t(1+t^2)-(2-2t^2)\times 2t}{(1+t^2)^2}=-\frac{8t}{(1+t^2)^2}$$

$$\frac{dy}{dt}=\frac{4(1+t^2)-4t\times 2t}{(1+t^2)^2}=-\frac{4(t^2-1)}{(1+t^2)^2}$$

$$\therefore \frac{dy}{dx}=\frac{\dfrac{dy}{dt}}{\dfrac{dx}{dt}}=\frac{-\dfrac{4(t^2-1)}{(1+t^2)^2}}{-\dfrac{8t}{(1+t^2)^2}}=\frac{t^2-1}{2t}\ (단,\ t\neq 0)$$

따라서 $t=2$일 때, $\dfrac{dy}{dx}$의 값은 $\dfrac{4-1}{4}=\dfrac{3}{4}$

052 답 ③

$$\frac{dx}{d\theta}=\cos\theta,\ \frac{dy}{d\theta}=\sin\theta$$

$$\therefore \frac{dy}{dx}=\frac{\dfrac{dy}{d\theta}}{\dfrac{dx}{d\theta}}=\frac{\sin\theta}{\cos\theta}=\tan\theta$$

053 답 $2e$

$$\frac{dx}{dt}=2te^t+(t^2+1)e^t=(t^2+2t+1)e^t,\ \frac{dy}{dt}=2e^{2t+1}$$

$$\therefore \frac{dy}{dx}=\frac{\dfrac{dy}{dt}}{\dfrac{dx}{dt}}=\frac{2e^{2t+1}}{(t^2+2t+1)e^t}\ (단,\ t\neq -1)$$

따라서 $t=0$에 대응하는 점에서의 접선의 기울기는 $2e$이다.

054 답 $\frac{2}{3}$

$$\frac{dx}{dt}=t^2+t+1,\ \frac{dy}{dt}=a\cos(t-1)$$

$$\therefore \frac{dy}{dx}=\frac{\dfrac{dy}{dt}}{\dfrac{dx}{dt}}=\frac{a\cos(t-1)}{t^2+t+1}$$

$t=1$일 때, $\dfrac{dy}{dx}$의 값이 $\dfrac{2}{9}$이므로

$$\frac{a}{3}=\frac{2}{9}\qquad \therefore a=\frac{2}{3}$$

055 답 ②

$$\lim_{h\to 0}\frac{f(4+h)-f(4-h)}{2h}$$

$$=\lim_{h\to 0}\frac{f(4+h)-f(4)+f(4)-f(4-h)}{2h}$$

$$=\frac{1}{2}\lim_{h\to 0}\frac{f(4+h)-f(4)}{h}+\frac{1}{2}\lim_{h\to 0}\frac{f(4-h)-f(4)}{-h}$$

$$=\frac{1}{2}f'(4)+\frac{1}{2}f'(4)=f'(4)$$

$\dfrac{dx}{dt}=3,\ \dfrac{dy}{dt}=2t$이므로 $f'(x)=\dfrac{dy}{dx}=\dfrac{\dfrac{dy}{dt}}{\dfrac{dx}{dt}}=\dfrac{2t}{3}$

$x=3t+1=4$에서 $t=1$

따라서 구하는 극한값은 $f'(4)=\dfrac{2}{3}$

056 답 $\frac{8\sqrt{3}}{9}$

$$\frac{dx}{d\theta}=\sec\theta\tan\theta-\sin\theta,\ \frac{dy}{d\theta}=\sec^2\theta$$

$$\therefore \frac{dy}{dx}=\frac{\dfrac{dy}{d\theta}}{\dfrac{dx}{d\theta}}=\frac{\sec^2\theta}{\sec\theta\tan\theta-\sin\theta}=\frac{1}{\dfrac{\sin\theta}{\cos^2\theta}-\sin\theta}\times\frac{1}{\cos^2\theta}$$

$$=\frac{1}{\sin\theta-\sin\theta\cos^2\theta}=\frac{1}{\sin\theta(1-\cos^2\theta)}$$

$$=\frac{1}{\sin^3\theta}=\csc^3\theta$$

$x=\dfrac{5}{2},\ y=\sqrt{3}$일 때, $\sec\theta+\cos\theta=\dfrac{5}{2}$, $\tan\theta=\sqrt{3}$에서

$$\theta=\frac{\pi}{3}\ \left(\because 0<\theta<\frac{\pi}{2}\right)$$

따라서 점 $\left(\dfrac{5}{2},\ \sqrt{3}\right)$에서의 접선의 기울기는

$$\csc^3\frac{\pi}{3}=\left(\frac{2\sqrt{3}}{3}\right)^3=\frac{8\sqrt{3}}{9}$$

057 답 ①

$x^3+y^3-3x^2y=1$의 각 항을 x에 대하여 미분하면

$$3x^2+3y^2\frac{dy}{dx}-6xy-3x^2\frac{dy}{dx}=0$$

$$(3x^2-3y^2)\frac{dy}{dx}=3x^2-6xy$$

$$\therefore \frac{dy}{dx}=\frac{3x^2-6xy}{3x^2-3y^2}=\frac{x^2-2xy}{x^2-y^2}\ (단,\ x^2\neq y^2)$$

따라서 점 $(-1,\ 2)$에서의 접선의 기울기는

$$\frac{1+4}{1-4}=-\frac{5}{3}$$

058 답 $\dfrac{dy}{dx}=-y\ln y$

$e^x\ln y=e$의 각 항을 x에 대하여 미분하면

$$e^x\ln y+\frac{e^x}{y}\times\frac{dy}{dx}=0$$

$$\therefore \frac{dy}{dx}=-y\ln y$$

059 답 ①

$\dfrac{\pi}{2}x=y+\sin xy$의 각 항을 x에 대하여 미분하면

$$\frac{\pi}{2}=\frac{dy}{dx}+\cos xy\times\left(y+x\frac{dy}{dx}\right)$$

$$\frac{\pi}{2}=\frac{dy}{dx}+y\cos xy+x\cos xy\times\frac{dy}{dx}$$

$$(1+x\cos xy)\frac{dy}{dx}=\frac{\pi}{2}-y\cos xy$$

$$\therefore \frac{dy}{dx}=\frac{\dfrac{\pi}{2}-y\cos xy}{1+x\cos xy}\ (단,\ 1+x\cos xy\neq 0)$$

따라서 점 $(2,\ \pi)$에서의 $\dfrac{dy}{dx}$의 값은

$$\frac{\dfrac{\pi}{2}-\pi\cos 2\pi}{1+2\cos 2\pi}=\frac{\dfrac{\pi}{2}-\pi}{1+2}=-\frac{\pi}{6}$$

060 답 10

$3x^2+5y^2+axy-2x+b=0$의 각 항을 x에 대하여 미분하면

$6x+10y\dfrac{dy}{dx}+ay+ax\dfrac{dy}{dx}-2=0$

$(ax+10y)\dfrac{dy}{dx}=-6x-ay+2$

$\therefore \dfrac{dy}{dx}=\dfrac{-6x-ay+2}{ax+10y}$ (단, $ax+10y\neq 0$)

점 $(1, 1)$에서의 접선의 기울기가 $-\dfrac{1}{2}$이므로

$\dfrac{-a-4}{a+10}=-\dfrac{1}{2}$, $2a+8=a+10$ $\therefore a=2$

또 주어진 곡선이 점 $(1, 1)$을 지나므로

$6+a+b=0$, $8+b=0$ $\therefore b=-8$

$\therefore a-b=2-(-8)=10$

061 답 3

$(x^2+1)y^3=-x^2+2x+1$의 각 항을 x에 대하여 미분하면

$2xy^3+(x^2+1)\times 3y^2\dfrac{dy}{dx}=-2x+2$

$\therefore \dfrac{dy}{dx}=\dfrac{-2x+2-2xy^3}{3y^2(x^2+1)}$ (단, $y\neq 0$)

$\dfrac{dy}{dx}>0$이려면 $-2x+2-2xy^3>0$

이때 $y^3=\dfrac{-x^2+2x+1}{x^2+1}$이므로

$-2x+2-2x\times\dfrac{-x^2+2x+1}{x^2+1}>0$

$(-2x+2)(x^2+1)-2x(-x^2+2x+1)>0$

$x^2+2x-1<0$ $\therefore -1-\sqrt{2}<x<-1+\sqrt{2}$

따라서 정수 x는 -2, -1, 0의 3개이다.

062 답 1

$g(0)=a$라 하면 $f(a)=0$이므로

$\dfrac{e^a-e^{-a}}{2}=0$, $e^a=e^{-a}$, $a=-a$ $\therefore a=0$

$\therefore g(0)=0$

이때 $f'(x)=\dfrac{e^x+e^{-x}}{2}$이므로 $f'(0)=1$

$\therefore g'(0)=\dfrac{1}{f'(g(0))}=\dfrac{1}{f'(0)}=1$

063 답 ④

$x=\sqrt{y^2+1}=(y^2+1)^{\frac{1}{2}}$의 양변을 y에 대하여 미분하면

$\dfrac{dx}{dy}=\dfrac{1}{2}(y^2+1)^{-\frac{1}{2}}(y^2+1)'$

$\qquad =\dfrac{2y}{2\sqrt{y^2+1}}=\dfrac{y}{\sqrt{y^2+1}}$

$\therefore \dfrac{dy}{dx}=\dfrac{1}{\dfrac{dx}{dy}}=\dfrac{\sqrt{y^2+1}}{y}$

064 답 4

$f(3)=5$이므로 $g(5)=3$

$\therefore g'(5)=\dfrac{1}{f'(g(5))}=\dfrac{1}{f'(3)}=\dfrac{4}{3}$

$\therefore g(5)g'(5)=3\times\dfrac{4}{3}=4$

065 답 5

$\lim\limits_{x\to 3}\dfrac{g(x)+2}{x-3}=\dfrac{1}{5}$에서 $x\to 3$일 때 (분모) $\to 0$이고 극한값이 존재하므로 (분자) $\to 0$이다.

즉, $\lim\limits_{x\to 3}\{g(x)+2\}=0$이므로 $g(3)=-2$

$\therefore f(-2)=3$

또 $\lim\limits_{x\to 3}\dfrac{g(x)+2}{x-3}=\lim\limits_{x\to 3}\dfrac{g(x)-g(3)}{x-3}=g'(3)$이므로

$g'(3)=\dfrac{1}{5}$

$\therefore f'(-2)=\dfrac{1}{g'(f(-2))}=\dfrac{1}{g'(3)}=5$

066 답 $\dfrac{11}{4}$

$f(x)=x^3+x-3$에서 $f(-1)=-5$

$g(-1)=a$라 하면 $f(a)=-1$이므로

$a^3+a-3=-1$, $a^3+a-2=0$

$(a-1)(a^2+a+2)=0$ $\therefore a=1$ ($\because a^2+a+2>0$)

$\therefore g(-1)=1$

$F(x)=f(x)g(x)$라 하면

$F(-1)=f(-1)g(-1)=-5\times 1=-5$

$\therefore \lim\limits_{x\to -1}\dfrac{f(x)g(x)+5}{x+1}=\lim\limits_{x\to -1}\dfrac{F(x)-F(-1)}{x-(-1)}=F'(-1)$

이때 $F'(x)=f'(x)g(x)+f(x)g'(x)$이므로

$F'(-1)=f'(-1)g(-1)+f(-1)g'(-1)$

한편 $f'(x)=3x^2+1$이므로 $f'(-1)=f'(1)=4$

$\therefore g'(-1)=\dfrac{1}{f'(g(-1))}=\dfrac{1}{f'(1)}=\dfrac{1}{4}$

따라서 구하는 극한값은

$F'(-1)=4\times 1+(-5)\times\dfrac{1}{4}=\dfrac{11}{4}$

067 답 2

곡선 $y=f(x)$ 위의 점 $(3, 1)$에서의 접선의 기울기가 1이므로

$f(3)=1$, $f'(3)=1$

$f(3x)=h(x)$라 하면 $g(1)=a$에서 $h(a)=1$이고

$h(1)=f(3)=1$이므로 $a=1$ $\therefore g(1)=1$

이때 $h'(x)=3f'(3x)$이므로

$h'(1)=3f'(3)=3$

따라서 곡선 $y=g(x)$ 위의 점 $(1, 1)$에서의 접선의 기울기는

$g'(1)=\dfrac{1}{h'(g(1))}=\dfrac{1}{h'(1)}=\dfrac{1}{3}$ $\therefore b=\dfrac{1}{3}$

$\therefore a+3b=1+3\times\dfrac{1}{3}=2$

068 답 5

$g(4)=-1$이므로 $f(-1)=4$

$f'(x)=-3+\dfrac{\{f(x)\}^2}{2}$에서

$f'(-1)=-3+\dfrac{\{f(-1)\}^2}{2}=-3+\dfrac{16}{2}=5$

$\therefore g'(4)=\dfrac{1}{f'(g(4))}=\dfrac{1}{f'(-1)}=\dfrac{1}{5}$

$(h\circ g)'(4)=1$에서 $h'(g(4))g'(4)=1$

$\dfrac{1}{5}h'(-1)=1$ $\therefore h'(-1)=5$

069 답 $-\dfrac{2}{3}$

$\dfrac{9-2x}{4}=2$에서 $9-2x=8$ $\therefore x=\dfrac{1}{2}$

$g\!\left(\dfrac{9-2x}{4}\right)=f^{-1}(x)$의 양변에 $x=\dfrac{1}{2}$을 대입하면

$g(2)=f^{-1}\!\left(\dfrac{1}{2}\right)=0$

$g\!\left(\dfrac{9-2x}{4}\right)=f^{-1}(x)$의 양변을 x에 대하여 미분하면

$g'\!\left(\dfrac{9-2x}{4}\right)\times\left(-\dfrac{1}{2}\right)=\dfrac{1}{f'(f^{-1}(x))}$

양변에 $x=\dfrac{1}{2}$을 대입하면

$-\dfrac{1}{2}g'(2)=\dfrac{1}{f'\!\left(f^{-1}\!\left(\dfrac{1}{2}\right)\right)}=\dfrac{1}{f'(0)}$

이때 $f(x)=(x^2+3)e^x$에서

$f'(x)=2xe^x+(x^2+3)e^x=(x^2+2x+3)e^x$

$f'(0)=3$이므로 $-\dfrac{1}{2}g'(2)=\dfrac{1}{3}$

$\therefore g'(2)=-\dfrac{2}{3}$

070 답 ③

$f(x)=x\sin ax$에서

$f'(x)=\sin ax+ax\cos ax$

$f''(x)=a\cos ax+a\cos ax-a^2x\sin ax$

$\qquad =2a\cos ax-a^2x\sin ax$

$f''(0)=6$에서 $2a=6$ $\therefore a=3$

071 답 ①

$f(x)=\sqrt{2x+1}=(2x+1)^{\frac{1}{2}}$이므로

$f'(x)=\dfrac{1}{2}(2x+1)^{-\frac{1}{2}}\times 2=(2x+1)^{-\frac{1}{2}}$

$f''(x)=-\dfrac{1}{2}(2x+1)^{-\frac{3}{2}}\times 2=-\dfrac{1}{(2x+1)\sqrt{2x+1}}$

$\therefore f''(0)=-1$

072 답 1

$f(x)=x(a+b\ln x)$에서

$f'(x)=a+b\ln x+x\times\dfrac{b}{x}=a+b\ln x+b$

$f''(x)=\dfrac{b}{x}$

$f'(1)=5$에서 $a+b=5$ $\cdots\cdots$ ㉠

$f''(2)=1$에서 $\dfrac{b}{2}=1$ $\therefore b=2$

이를 ㉠에 대입하여 풀면 $a=3$

$\therefore a-b=1$

073 답 $-\dfrac{5}{4}$

$f(x)=\sqrt{2}\cos x-\cot x$에서

$f'(x)=-\sqrt{2}\sin x+\csc^2 x$

$f'\!\left(\dfrac{\pi}{4}\right)=-\sqrt{2}\sin\dfrac{\pi}{4}+\csc^2\dfrac{\pi}{4}=1$이므로

$\displaystyle\lim_{x\to\frac{\pi}{4}}\dfrac{f'(x)-1}{4x-\pi}=\dfrac{1}{4}\lim_{x\to\frac{\pi}{4}}\dfrac{f'(x)-f'\!\left(\dfrac{\pi}{4}\right)}{x-\dfrac{\pi}{4}}=\dfrac{1}{4}f''\!\left(\dfrac{\pi}{4}\right)$

이때

$f''(x)=-\sqrt{2}\cos x+2\csc x\times(-\csc x\cot x)$

$\qquad =-\sqrt{2}\cos x-2\csc^2 x\cot x$

이므로 $f''\!\left(\dfrac{\pi}{4}\right)=-\sqrt{2}\cos\dfrac{\pi}{4}-2\csc^2\dfrac{\pi}{4}\cot\dfrac{\pi}{4}=-5$

따라서 구하는 극한값은 $\dfrac{1}{4}f''\!\left(\dfrac{\pi}{4}\right)=\dfrac{1}{4}\times(-5)=-\dfrac{5}{4}$

074 답 1

$f(x)=e^{x-x^2}$에서

$f'(x)=(1-2x)e^{x-x^2}$

$f''(x)=-2e^{x-x^2}+(1-2x)^2e^{x-x^2}$

$\qquad =(4x^2-4x-1)e^{x-x^2}$

$f''(a)=0$에서 $4a^2-4a-1=0$ $(\because e^{a-a^2}>0)$

따라서 이차방정식의 근과 계수의 관계에 의하여 모든 상수 a의 값의 합은 1이다.

075 답 ⑤

$y=e^{2x}\cos x$에서

$y'=2e^{2x}\cos x-e^{2x}\sin x=e^{2x}(2\cos x-\sin x)$

$y''=2e^{2x}(2\cos x-\sin x)+e^{2x}(-2\sin x-\cos x)$

$\qquad =e^{2x}(3\cos x-4\sin x)$

$y''-ay'-by=0$에서

$e^{2x}(3\cos x-4\sin x)-ae^{2x}(2\cos x-\sin x)-be^{2x}\cos x=0$

$e^{2x}\{(-2a-b+3)\cos x+(a-4)\sin x\}=0$

이 등식이 x의 값에 관계없이 항상 성립하므로

$-2a-b+3=0$, $a-4=0$

따라서 $a=4$, $b=-5$이므로

$a-b=9$

076 답 8

$(f \circ g)(x) = x + \ln(x^2+1)$의 양변을 x에 대하여 미분하면

$f'(g(x))g'(x) = 1 + \dfrac{2x}{x^2+1}$ ...... ㉠

㉠의 양변에 $x=0$을 대입하면 $f'(g(0))g'(0) = 1$

$f'(3)g'(0) = 1$, $\dfrac{1}{2}f'(3) = 1$

$\therefore f'(3) = 2$

㉠의 양변을 x에 대하여 미분하면

$f''(g(x))\{g'(x)\}^2 + f'(g(x))g''(x) = \dfrac{2(x^2+1) - 2x \times 2x}{(x^2+1)^2}$

$\qquad\qquad\qquad\qquad\qquad\qquad = \dfrac{-2x^2+2}{(x^2+1)^2}$

양변에 $x=0$을 대입하면

$f''(g(0))\{g'(0)\}^2 + f'(g(0))g''(0) = 2$

$\dfrac{1}{4}f''(3) - f'(3) = 2$, $\dfrac{1}{4}f''(3) - 2 = 2$

$\dfrac{1}{4}f''(3) = 4$ $\qquad \therefore f''(3) = 16$

한편 $f'(g(0)) = f'(3) = 2$이므로

$\displaystyle\lim_{x \to 0} \dfrac{f'(g(x)) - 2}{x} = \lim_{x \to 0} \dfrac{f'(g(x)) - f'(g(0))}{x}$

$\qquad = \displaystyle\lim_{x \to 0}\left\{\dfrac{f'(g(x)) - f'(g(0))}{g(x) - g(0)} \times \dfrac{g(x) - g(0)}{x - 0}\right\}$

$\qquad = f''(g(0))g'(0)$

$\qquad = f''(3) \times \dfrac{1}{2} = 16 \times \dfrac{1}{2} = 8$

077 답 ③

$\displaystyle\lim_{h \to 0} \dfrac{f(1+h) - f(1-3h)}{h}$

$= \displaystyle\lim_{h \to 0} \dfrac{f(1+h) - f(1) + f(1) - f(1-3h)}{h}$

$= \displaystyle\lim_{h \to 0} \dfrac{f(1+h) - f(1)}{h} + \lim_{h \to 0} \dfrac{f(1-3h) - f(1)}{-3h} \times 3$

$= f'(1) + 3f'(1) = 4f'(1)$

이때 $f(x) = \dfrac{e^x}{x+1}$에서

$f'(x) = \dfrac{e^x(x+1) - e^x \times 1}{(x+1)^2} = \dfrac{xe^x}{(x+1)^2}$

$\therefore f'(1) = \dfrac{e}{(1+1)^2} = \dfrac{e}{4}$

따라서 구하는 극한값은 $4f'(1) = 4 \times \dfrac{e}{4} = e$

078 답 1

$f(x) = \dfrac{1}{a + \cot x}$에서

$f'(x) = -\dfrac{(a + \cot x)'}{(a + \cot x)^2} = \dfrac{\csc^2 x}{(a + \cot x)^2}$

$f'\left(\dfrac{\pi}{4}\right) = \dfrac{1}{2}$에서 $\dfrac{2}{(a+1)^2} = \dfrac{1}{2}$, $(a+1)^2 = 4$

$a + 1 = -2$ 또는 $a + 1 = 2$

$\therefore a = 1$ $(\because a > 0)$

079 답 5

$f(g(x)) = -3x^2 + 4x - 2$의 양변을 x에 대하여 미분하면

$f'(g(x))g'(x) = -6x + 4$

양변에 $x = -1$을 대입하면

$f'(g(-1))g'(-1) = 10$

$f'(1)g'(-1) = 10$, $2g'(-1) = 10$

$\therefore g'(-1) = 5$

080 답 ②

$h(x) = (f \circ g)(x) = f(g(x))$이므로

$h'(x) = f'(g(x))g'(x)$

$h'(0) = 12$에서 $f'(g(0))g'(0) = 12$ ...... ㉠

이때 $g(x) = \dfrac{\cos x}{(x+1)^2}$에서

$g'(x) = \dfrac{-\sin x \times (x+1)^2 - \cos x \times 2(x+1)}{(x+1)^4}$

$\therefore g(0) = 1$, $g'(0) = -2$

이를 ㉠에 대입하면 $f'(1) \times (-2) = 12$

$\therefore f'(1) = -6$

081 답 ④

$f(x) = \left(\dfrac{4x+a}{x+1}\right)^3$에서

$f'(x) = 3\left(\dfrac{4x+a}{x+1}\right)^2 \times \dfrac{4(x+1) - (4x+a) \times 1}{(x+1)^2}$

$\qquad = \dfrac{3(4x+a)^2(4-a)}{(x+1)^4}$

$f'(0) = 0$에서 $3a^2(4-a) = 0$

$\therefore a = 4$ $(\because a > 0)$

082 답 2e

$h(x) = (f \circ g)(x) = f(g(x))$이므로

$h'(x) = f'(g(x))g'(x)$

$\therefore h'\left(\dfrac{\pi}{4}\right) = f'\left(g\left(\dfrac{\pi}{4}\right)\right)g'\left(\dfrac{\pi}{4}\right)$

이때 $f(x) = e^{2x}$, $g(x) = \sin^2 x$에서

$f'(x) = 2e^{2x}$, $g'(x) = 2\sin x \cos x$

$\therefore f'\left(g\left(\dfrac{\pi}{4}\right)\right)g'\left(\dfrac{\pi}{4}\right) = f'\left(\dfrac{1}{2}\right)g'\left(\dfrac{\pi}{4}\right) = 2e \times 1 = 2e$

083 답 ②

$f(x) = \ln(\tan x)$에서

$f'(x) = \dfrac{(\tan x)'}{\tan x} = \dfrac{\sec^2 x}{\tan x} = \dfrac{\dfrac{1}{\cos^2 x}}{\dfrac{\sin x}{\cos x}}$

$\qquad = \dfrac{1}{\sin x \cos x} = \dfrac{2}{\sin 2x}$

$\therefore f'\left(\dfrac{\pi}{12}\right) = \dfrac{2}{\sin \dfrac{\pi}{6}} = 4$

084 답 ③

$f(x)=\dfrac{(x-1)(x+2)^2}{(x+1)^4}$의 양변의 절댓값에 자연로그를 취하면

$\ln|f(x)|=\ln|x-1|+2\ln|x+2|-4\ln|x+1|$

양변을 x에 대하여 미분하면

$\dfrac{f'(x)}{f(x)}=\dfrac{1}{x-1}+\dfrac{2}{x+2}-\dfrac{4}{x+1}$

$\therefore f'(x)=f(x)\times\left(\dfrac{1}{x-1}+\dfrac{2}{x+2}-\dfrac{4}{x+1}\right)$

이때 $f(0)=-4$이므로 $x=0$에서의 미분계수는

$f'(0)=-4\times(-1+1-4)=16$

085 답 $-\dfrac{2}{3}$

$f(x)=\dfrac{1}{\sqrt[3]{2x-1}}=(2x-1)^{-\frac{1}{3}}$이므로

$f'(x)=-\dfrac{1}{3}(2x-1)^{-\frac{4}{3}}\times 2=-\dfrac{2}{3(2x-1)\sqrt[3]{2x-1}}$

따라서 $g(x)=-\dfrac{2}{3(2x-1)}$이므로

$g(1)=-\dfrac{2}{3}$

086 답 ②

$\dfrac{dx}{d\theta}=\sin\theta$, $\dfrac{dy}{d\theta}=1-\cos\theta$

$\therefore \dfrac{dy}{dx}=\dfrac{\dfrac{dy}{d\theta}}{\dfrac{dx}{d\theta}}=\dfrac{1-\cos\theta}{\sin\theta}$ (단, $\sin\theta\neq 0$)

따라서 $\theta=\dfrac{\pi}{3}$일 때, $\dfrac{dy}{dx}$의 값은 $\dfrac{1-\cos\dfrac{\pi}{3}}{\sin\dfrac{\pi}{3}}=\dfrac{1-\dfrac{1}{2}}{\dfrac{\sqrt 3}{2}}=\dfrac{\sqrt 3}{3}$

087 답 7

점 $(2, a)$가 곡선 $e^{3x}-3e^{2y}+2e^6=0$ 위의 점이므로

$e^6-3e^{2a}+2e^6=0$, $3e^{2a}=3e^6$　　$\therefore a=3$

$e^{3x}-3e^{2y}+2e^6=0$의 각 항을 x에 대하여 미분하면

$3e^{3x}-6e^{2y}\dfrac{dy}{dx}=0$　　$\therefore \dfrac{dy}{dx}=\dfrac{e^{3x}}{2e^{2y}}$

점 $(2, 3)$에서의 접선의 기울기는 $\dfrac{e^6}{2e^6}=\dfrac{1}{2}$이므로 $b=\dfrac{1}{2}$

$\therefore 2(a+b)=2\left(3+\dfrac{1}{2}\right)=7$

088 답 $\dfrac{4\sqrt 3}{3}$

$g\left(\dfrac{1}{2}\right)=a$라 하면 $f(a)=\dfrac{1}{2}$이므로

$\sin a=\dfrac{1}{2}$　　$\therefore a=\dfrac{\pi}{6}\left(\because -\dfrac{\pi}{2}<a<\dfrac{\pi}{2}\right)$　　$\therefore g\left(\dfrac{1}{2}\right)=\dfrac{\pi}{6}$

이때 $f(x)=\sin x$에서 $f'(x)=\cos x$이므로 $f'\left(\dfrac{\pi}{6}\right)=\dfrac{\sqrt 3}{2}$

$\therefore g'\left(\dfrac{1}{2}\right)=\dfrac{1}{f'\left(g\left(\dfrac{1}{2}\right)\right)}=\dfrac{1}{f'\left(\dfrac{\pi}{6}\right)}=\dfrac{2\sqrt 3}{3}$

$g\left(\dfrac{\sqrt 3}{2}\right)=b$라 하면 $f(b)=\dfrac{\sqrt 3}{2}$이므로

$\sin b=\dfrac{\sqrt 3}{2}$　　$\therefore b=\dfrac{\pi}{3}\left(\because -\dfrac{\pi}{2}<b<\dfrac{\pi}{2}\right)$　　$\therefore g\left(\dfrac{\sqrt 3}{2}\right)=\dfrac{\pi}{3}$

$f'\left(\dfrac{\pi}{3}\right)=\dfrac{1}{2}$이므로 $g'\left(\dfrac{\sqrt 3}{2}\right)=\dfrac{1}{f'\left(g\left(\dfrac{\sqrt 3}{2}\right)\right)}=\dfrac{1}{f'\left(\dfrac{\pi}{3}\right)}=2$

$\therefore g'\left(\dfrac{1}{2}\right)g'\left(\dfrac{\sqrt 3}{2}\right)=\dfrac{2\sqrt 3}{3}\times 2=\dfrac{4\sqrt 3}{3}$

089 답 $\dfrac{1}{2}$

㈎에서 $f(-x)=-f(x)$의 양변을 x에 대하여 미분하면

$-f'(-x)=-f'(x)$　　$\therefore f'(-x)=f'(x)$　　……㉠

㈏에서 $x\to 1$일 때 (분모) $\to 0$이고 극한값이 존재하므로

(분자) $\to 0$이다.

즉, $\lim\limits_{x\to 1}\{f(x)-3\}=0$이므로 $f(1)=3$

$\therefore \lim\limits_{x\to 1}\dfrac{f(x)-3}{x-1}=\lim\limits_{x\to 1}\dfrac{f(x)-f(1)}{x-1}=f'(1)=2$

$f(-1)=-f(1)=-3$이므로 $g(-3)=-1$이고

$f'(-1)=f'(1)=2$ $(\because ㉠)$

$\therefore g'(-3)=\dfrac{1}{f'(g(-3))}=\dfrac{1}{f'(-1)}=\dfrac{1}{2}$

090 답 ⑤

$\lim\limits_{h\to 0}\dfrac{f'(e+h)-f'(e-h)}{h}$

$=\lim\limits_{h\to 0}\dfrac{f'(e+h)-f'(e)+f'(e)-f'(e-h)}{h}$

$=\lim\limits_{h\to 0}\dfrac{f'(e+h)-f'(e)}{h}+\lim\limits_{h\to 0}\dfrac{f'(e-h)-f'(e)}{-h}$

$=f''(e)+f''(e)=2f''(e)$

이때 $f(x)=x^2\ln x$에서

$f'(x)=2x\ln x+x^2\times\dfrac{1}{x}=2x\ln x+x$

$f''(x)=2\ln x+2x\times\dfrac{1}{x}+1=2\ln x+3$

$\therefore f''(e)=2\ln e+3=5$

따라서 구하는 극한값은 $2f''(e)=2\times 5=10$

091 답 $\dfrac{5}{2}$

$\lim\limits_{x\to 1}\dfrac{f'(f(x))-3}{x-1}=5$에서 $x\to 1$일 때 (분모) $\to 0$이고 극한값이

존재하므로 (분자) $\to 0$이다.

즉, $\lim\limits_{x\to 1}\{f'(f(x))-3\}=0$이므로 $f'(f(1))=3$

$\therefore \lim\limits_{x\to 1}\dfrac{f'(f(x))-3}{x-1}$

$=\lim\limits_{x\to 1}\dfrac{f'(f(x))-f'(f(1))}{x-1}$

$=\lim\limits_{x\to 1}\left\{\dfrac{f'(f(x))-f'(f(1))}{f(x)-f(1)}\times\dfrac{f(x)-f(1)}{x-1}\right\}$

$=f''(f(1))f'(1)=f''(3)\times 2=2f''(3)$

따라서 $2f''(3)=5$이므로 $f''(3)=\dfrac{5}{2}$

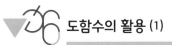

001 답 ①

$f(x) = \dfrac{2x+6}{x+1}$이라 하면

$f'(x) = \dfrac{2(x+1)-(2x+6)}{(x+1)^2} = -\dfrac{4}{(x+1)^2}$

점 $(1, 4)$에서의 접선의 기울기는 $f'(1) = -1$이므로 접선의 방정식은

$y - 4 = -(x-1)$

$\therefore y = -x + 5$

따라서 $a = -1$, $b = 5$이므로

$a - b = -6$

002 답 $-e$

$f(x) = x \ln x + x$라 하면

$f'(x) = \ln x + x \times \dfrac{1}{x} + 1 = \ln x + 2$

접점의 좌표를 $(t, t \ln t + t)$라 하면 직선 $3x - y + 7 = 0$, 즉 $y = 3x + 7$에 평행한 직선의 기울기는 3이므로 $f'(t) = 3$에서

$\ln t + 2 = 3$, $\ln t = 1$

$\therefore t = e$

즉, 접점의 좌표는 $(e, 2e)$이므로 접선의 방정식은

$y - 2e = 3(x - e)$

$\therefore y = 3x - e$

따라서 구하는 y절편은 $-e$이다.

003 답 ④

$f(x) = 2e^{x-1}$이라 하면

$f'(x) = 2e^{x-1}$

접점의 좌표를 $(t, 2e^{t-1})$이라 하면 이 점에서의 접선의 기울기는 $f'(t) = 2e^{t-1}$이므로 접선의 방정식은

$y - 2e^{t-1} = 2e^{t-1}(x-t)$

$\therefore y = 2e^{t-1}x + 2e^{t-1}(1-t)$ ...... ㉠

이 직선이 원점을 지나므로

$0 = 2e^{t-1}(1-t)$

$\therefore t = 1 \; (\because e^{t-1} > 0)$

이를 ㉠에 대입하여 접선의 방정식을 구하면

$y = 2x$

이 직선이 점 $(2, a)$를 지나므로

$a = 2 \times 2 = 4$

004 답 $k < 0$ 또는 $k > 4$

$f(x) = 3xe^{-x}$이라 하면

$f'(x) = 3e^{-x} - 3xe^{-x} = 3e^{-x}(1-x)$

접점의 좌표를 $(t, 3te^{-t})$이라 하면 이 점에서의 접선의 기울기는 $f'(t) = 3e^{-t}(1-t)$이므로 접선의 방정식은

$y - 3te^{-t} = 3e^{-t}(1-t)(x-t)$

이 직선이 점 $(k, 0)$을 지나므로

$-3te^{-t} = 3e^{-t}(1-t)(k-t)$, $3e^{-t}(t^2 - kt + k) = 0$

$\therefore t^2 - kt + k = 0 \; (\because e^{-t} > 0)$ ...... ㉠

점 $(k, 0)$에서 곡선 $y = 3xe^{-x}$에 서로 다른 두 개의 접선을 그을 수 있으려면 이차방정식 ㉠이 서로 다른 두 실근을 가져야 하므로 ㉠의 판별식을 D라 하면

$D = (-k)^2 - 4k > 0$

$k(k-4) > 0$

$\therefore k < 0$ 또는 $k > 4$

005 답 ③

$f(x) = ax^2 + e^{x-1}$, $g(x) = 2 \ln x + b$라 하면

$f'(x) = 2ax + e^{x-1}$, $g'(x) = \dfrac{2}{x}$

두 곡선이 $x = 1$인 점에서 공통인 접선을 가지므로

$f(1) = g(1)$에서 $a + 1 = b$ ...... ㉠

$f'(1) = g'(1)$에서 $2a + 1 = 2$ $\therefore a = \dfrac{1}{2}$

이를 ㉠에 대입하면 $b = \dfrac{3}{2}$

$\therefore a + b = \dfrac{1}{2} + \dfrac{3}{2} = 2$

006 답 $-\dfrac{2}{3}$

$\dfrac{dx}{dt} = -\sin t$, $\dfrac{dy}{dt} = \cos t$

$\therefore \dfrac{dy}{dx} = \dfrac{\dfrac{dy}{dt}}{\dfrac{dx}{dt}} = \dfrac{\cos t}{-\sin t} = -\cot t$

$t = \dfrac{\pi}{3}$일 때 $x = \dfrac{1}{2}$, $y = \dfrac{\sqrt{3}}{2}$, $\dfrac{dy}{dx} = -\cot \dfrac{\pi}{3} = -\dfrac{\sqrt{3}}{3}$이므로 접선의 방정식은

$y - \dfrac{\sqrt{3}}{2} = -\dfrac{\sqrt{3}}{3}\left(x - \dfrac{1}{2}\right)$

$\therefore y = -\dfrac{\sqrt{3}}{3}x + \dfrac{2\sqrt{3}}{3}$

따라서 $a = -\dfrac{\sqrt{3}}{3}$, $b = \dfrac{2\sqrt{3}}{3}$이므로 $ab = -\dfrac{2}{3}$

007 답 $y = -x + 1$

$x^2 + 2xy + 2y^2 = 1$의 각 항을 x에 대하여 미분하면

$2x + 2y + 2x\dfrac{dy}{dx} + 4y\dfrac{dy}{dx} = 0$

$2(x+2y)\dfrac{dy}{dx} = -2(x+y)$

$\therefore \dfrac{dy}{dx} = -\dfrac{x+y}{x+2y}$ (단, $x + 2y \neq 0$)

점 $(1, 0)$에서의 접선의 기울기는

$\dfrac{dy}{dx} = -\dfrac{1+0}{1+0} = -1$

따라서 점 $(1, 0)$에서의 접선의 방정식은

$y = -(x-1)$ $\therefore y = -x + 1$

008 답 $\frac{\pi}{2}$

$g(0)=k$라 하면 $f(k)=0$이므로

$\cos k=0$ ∴ $k=\frac{\pi}{2}$ ($\because 0<k<\pi$)

이때 $f'(x)=-\sin x$이므로

$f'\left(\frac{\pi}{2}\right)=-\sin\frac{\pi}{2}=-1$

∴ $g'(0)=\dfrac{1}{f'\left(\frac{\pi}{2}\right)}=-1$

즉, 곡선 $y=g(x)$ 위의 점 $\left(0, \dfrac{\pi}{2}\right)$에서의 접선의 방정식은

$y-\dfrac{\pi}{2}=-x$ ∴ $y=-x+\dfrac{\pi}{2}$

따라서 구하는 x절편은 $\dfrac{\pi}{2}$이다.

009 답 ④

$f(x)=\sqrt{x^2+5}$라 하면

$f'(x)=\dfrac{2x}{2\sqrt{x^2+5}}=\dfrac{x}{\sqrt{x^2+5}}$

점 $(-2, 3)$에서의 접선의 기울기는 $f'(-2)=-\dfrac{2}{3}$이므로 접선의 방정식은

$y-3=-\dfrac{2}{3}(x+2)$ ∴ $y=-\dfrac{2}{3}x+\dfrac{5}{3}$

따라서 $a=-\dfrac{2}{3}$, $b=\dfrac{5}{3}$이므로 $a+b=1$

010 답 -1

$f(x)=x^2e^{1-x}+1$이라 하면

$f'(x)=2xe^{1-x}-x^2e^{1-x}=x(2-x)e^{1-x}$

점 $(1, 2)$에서의 접선의 기울기는 $f'(1)=1$이므로 접선의 방정식은

$y-2=x-1$ ∴ $y=x+1$

따라서 구하는 x절편은 -1이다.

011 답 ③

$f(x)=x\ln x-3x$라 하면

$f'(x)=\ln x+x\times\dfrac{1}{x}-3=\ln x-2$

x좌표가 e인 점에서의 접선의 기울기는 $f'(e)=-1$

$f(e)=-2e$이므로 점 $(e, -2e)$에서의 접선의 방정식은

$y+2e=-(x-e)$ ∴ $y=-x-e$

이 직선이 점 $(a, -3e)$를 지나므로

$-3e=-a-e$ ∴ $a=2e$

012 답 3

$f(x)=\dfrac{1-x}{1+x^2}$라 하면

$f'(x)=\dfrac{-(1+x^2)-(1-x)\times 2x}{(1+x^2)^2}=\dfrac{x^2-2x-1}{(1+x^2)^2}$

점 $(-1, 1)$에서의 접선의 기울기는 $f'(-1)=\dfrac{1}{2}$이므로 이 점에서의 접선에 수직인 직선의 기울기는

$-\dfrac{1}{f'(-1)}=-2$

즉, 점 $(-1, 1)$을 지나고 기울기가 -2인 직선의 방정식은

$y-1=-2(x+1)$ ∴ $2x+y+1=0$

따라서 $a=2$, $b=1$이므로 $a+b=3$

013 답 ①

$f(x)=(x-1)e^x$이라 하면 $f'(x)=e^x+(x-1)e^x=xe^x$

점 $(1, 0)$에서의 접선의 기울기는 $f'(1)=e$이므로 접선의 방정식은

$y=e(x-1)$ ∴ $y=ex-e$

이 접선의 x절편은 1, y절편은 $-e$이므로 구하는 도형의 넓이는

$\dfrac{1}{2}\times 1\times e=\dfrac{e}{2}$

014 답 ④

$g(x)=\cos x$라 하면 $g'(x)=-\sin x$

점 $(t, \cos t)$에서의 접선의 기울기는 $g'(t)=-\sin t$이므로 접선의 방정식은

$y-\cos t=-\sin t(x-t)$ ∴ $y=-x\sin t+t\sin t+\cos t$

$-x\sin t+t\sin t+\cos t=0$에서 $x\sin t=t\sin t+\cos t$

∴ $x=t+\cot t$ ($\because \sin t\neq 0$)

따라서 접선의 x절편은 $t+\cot t$, 즉 $f(t)=t+\cot t$이므로

$\displaystyle\lim_{t\to 0+} tf(t)=\lim_{t\to 0+} t(t+\cot t)=\lim_{t\to 0+} t\left(t+\dfrac{1}{\tan t}\right)$

$=\displaystyle\lim_{t\to 0+}\left(t^2+\dfrac{t}{\tan t}\right)=0+1=1$

015 답 ②

$f(x)=\sqrt{2x+3}$이라 하면

$f'(x)=\dfrac{2}{2\sqrt{2x+3}}=\dfrac{1}{\sqrt{2x+3}}$

접점의 좌표를 $(t, \sqrt{2t+3})$이라 하면 접선의 기울기가 1이므로 $f'(t)=1$에서

$\dfrac{1}{\sqrt{2t+3}}=1$, $\sqrt{2t+3}=1$ ∴ $t=-1$

즉, 접점의 좌표는 $(-1, 1)$이므로 접선의 방정식은

$y-1=x+1$ ∴ $y=x+2$

따라서 구하는 x절편은 -2이다.

016 답 ③

$f(x)=e^{2x}-2$라 하면 $f'(x)=2e^{2x}$

접점의 좌표를 $(t, e^{2t}-2)$라 하면 직선 $x+2y-5=0$, 즉

$y=-\dfrac{1}{2}x+\dfrac{5}{2}$에 수직인 직선의 기울기는 2이므로 $f'(t)=2$에서

$2e^{2t}=2$, $e^{2t}=1$ ∴ $t=0$

즉, 접점의 좌표는 $(0, -1)$이므로 접선의 방정식은

$y+1=2x$ ∴ $y=2x-1$

이 직선이 점 $(3, k)$를 지나므로 $k=6-1=5$

017 답 $\dfrac{\sqrt{3}}{2}-\dfrac{\pi}{6}$

$f(x)=\sin 2x$라 하면 $f'(x)=2\cos 2x$

접점의 좌표를 $(t,\ \sin 2t)$라 하면 접선의 기울기가 $\tan 45°=1$이므로 $f'(t)=1$에서

$2\cos 2t=1,\ \cos 2t=\dfrac{1}{2}$ $\quad\therefore t=\dfrac{\pi}{6}\left(\because 0<t<\dfrac{\pi}{2}\right)$

즉, 접점의 좌표는 $\left(\dfrac{\pi}{6},\ \dfrac{\sqrt{3}}{2}\right)$이므로 접선의 방정식은

$y-\dfrac{\sqrt{3}}{2}=x-\dfrac{\pi}{6}$ $\quad\therefore y=x+\dfrac{\sqrt{3}}{2}-\dfrac{\pi}{6}$

따라서 구하는 y절편은 $\dfrac{\sqrt{3}}{2}-\dfrac{\pi}{6}$이다.

018 답 4

$f(x)=ke^{x-1}$이라 하면 $f'(x)=ke^{x-1}$

접점의 y좌표가 α이고 직선 $y=2x$가 이 접점을 지나므로 접점의 좌표는 $\left(\dfrac{\alpha}{2},\ \alpha\right)$이다.

점 $\left(\dfrac{\alpha}{2},\ \alpha\right)$가 곡선 $y=ke^{x-1}$ 위의 점이므로 $f\left(\dfrac{\alpha}{2}\right)=\alpha$에서

$ke^{\frac{\alpha}{2}-1}=\alpha$ $\quad$ …… ㉠

또 점 $\left(\dfrac{\alpha}{2},\ \alpha\right)$에서의 접선의 기울기가 2이므로 $f'\left(\dfrac{\alpha}{2}\right)=2$에서

$ke^{\frac{\alpha}{2}-1}=2$ $\quad$ …… ㉡

㉠, ㉡에서 $\alpha=2,\ k=2$

$\therefore k+\alpha=2+2=4$

019 답 $(\ln 2)^2$

$f(x)=\ln(x+2)$라 하면 $f'(x)=\dfrac{1}{x+2}$

접점의 좌표를 $(t,\ \ln(t+2))$라 하면 접선의 기울기가 $\dfrac{1}{2}$이므로 $f'(t)=\dfrac{1}{2}$에서

$\dfrac{1}{t+2}=\dfrac{1}{2}$ $\quad\therefore t=0$

즉, 접점의 좌표는 $(0,\ \ln 2)$이므로 접선의 방정식은

$y-\ln 2=\dfrac{1}{2}x$ $\quad\therefore y=\dfrac{1}{2}x+\ln 2$

이 접선의 x절편은 $-2\ln 2$, y절편은 $\ln 2$이므로 구하는 도형의 넓이는

$\dfrac{1}{2}\times 2\ln 2\times\ln 2=(\ln 2)^2$

020 답 ④

$f(x)=\ln x$라 하면 $f'(x)=\dfrac{1}{x}$

곡선 $y=f(x)$의 접선 중에서 직선 $y=x+3$과 평행한 접선의 접점의 좌표를 $(t,\ \ln t)$라 하면 이 점에서의 접선의 기울기가 1이므로 $f'(t)=1$에서

$\dfrac{1}{t}=1$ $\quad\therefore t=1$

따라서 접점의 좌표는 $(1,\ 0)$이고, 구하는 최솟값은 점 $(1,\ 0)$과 직선 $y=x+3$, 즉 $x-y+3=0$ 사이의 거리와 같으므로

$\dfrac{|1+3|}{\sqrt{1^2+(-1)^2}}=2\sqrt{2}$

021 답 ⑤

$f(x)=2x\ln x$라 하면

$f'(x)=2\ln x+2x\times\dfrac{1}{x}=2\ln x+2$

접점의 좌표를 $(t,\ 2t\ln t)$라 하면 이 점에서의 접선의 기울기는 $f'(t)=2\ln t+2$이므로 접선의 방정식은

$y-2t\ln t=(2\ln t+2)(x-t)$

$\therefore y=2(\ln t+1)x-2t$ $\quad$ …… ㉠

이 직선이 점 $(0,\ -2)$를 지나므로

$-2=-2t$ $\quad\therefore t=1$

이를 ㉠에 대입하여 접선의 방정식을 구하면

$y=2x-2$

이 직선이 점 $(a,\ 4)$를 지나므로 $4=2a-2$ $\quad\therefore a=3$

022 답 ①

$f(x)=\sqrt{x}+3$이라 하면 $f'(x)=\dfrac{1}{2\sqrt{x}}$

접점의 좌표를 $(t,\ \sqrt{t}+3)$이라 하면 이 점에서의 접선의 기울기는 $f'(t)=\dfrac{1}{2\sqrt{t}}$이므로 접선의 방정식은

$y-(\sqrt{t}+3)=\dfrac{1}{2\sqrt{t}}(x-t)$

$\therefore y=\dfrac{1}{2\sqrt{t}}x+\dfrac{\sqrt{t}}{2}+3$ $\quad$ …… ㉠

이 직선이 점 $(-1,\ 3)$을 지나므로

$3=-\dfrac{1}{2\sqrt{t}}+\dfrac{\sqrt{t}}{2}+3$

$\dfrac{1}{\sqrt{t}}=\sqrt{t}$ $\quad\therefore t=1$

이를 ㉠에 대입하여 접선의 방정식을 구하면

$y=\dfrac{1}{2}x+\dfrac{7}{2}$

따라서 구하는 x절편은 -7이다.

023 답 ②

$f(x)=e^{\frac{1}{2}x}$이라 하면 $f'(x)=\dfrac{1}{2}e^{\frac{1}{2}x}$

접점의 좌표를 $\left(t,\ e^{\frac{1}{2}t}\right)$이라 하면 이 점에서의 접선의 기울기는 $f'(t)=\dfrac{1}{2}e^{\frac{1}{2}t}$이므로 접선의 방정식은

$y-e^{\frac{1}{2}t}=\dfrac{1}{2}e^{\frac{1}{2}t}(x-t)$

$\therefore y=\dfrac{1}{2}e^{\frac{1}{2}t}x+\left(1-\dfrac{1}{2}t\right)e^{\frac{1}{2}t}$ $\quad$ …… ㉠

이 직선이 점 $(-2,\ 0)$을 지나므로

$0=-e^{\frac{1}{2}t}+\left(1-\dfrac{1}{2}t\right)e^{\frac{1}{2}t}$

$-\dfrac{1}{2}te^{\frac{1}{2}t}=0$ $\quad\therefore t=0\ (\because e^{\frac{1}{2}t}>0)$

이를 ㉠에 대입하여 접선의 방정식을 구하면

$y=\dfrac{1}{2}x+1$

따라서 점 Q의 좌표는 $(0,\ 1)$이므로 삼각형 POQ의 넓이는

$\dfrac{1}{2}\times 2\times 1=1$

024 답 e^4

$f(x)=xe^{2x}+1$이라 하면

$f'(x)=e^{2x}+2xe^{2x}=(2x+1)e^{2x}$

접점의 좌표를 $(t,\ te^{2t}+1)$이라 하면 이 점에서의 접선의 기울기는 $f'(t)=(2t+1)e^{2t}$이므로 접선의 방정식은

$y-(te^{2t}+1)=(2t+1)e^{2t}(x-t)$

$\therefore\ y=(2t+1)e^{2t}x-2t^2e^{2t}+1$

이 직선이 점 $(2,\ 1)$을 지나므로

$1=(2t+1)e^{2t}\times2-2t^2e^{2t}+1,\ -2e^{2t}(t^2-2t-1)=0$

$\therefore\ t^2-2t-1=0\ (\because\ e^{2t}>0)$

이 이차방정식의 두 근을 $\alpha,\ \beta$라 하면 근과 계수의 관계에 의하여

$\alpha+\beta=2,\ \alpha\beta=-1$

이때 접선의 기울기는 각각 $(2\alpha+1)e^{2\alpha},\ (2\beta+1)e^{2\beta}$이므로

$\begin{aligned}m_1m_2&=(2\alpha+1)e^{2\alpha}\times(2\beta+1)e^{2\beta}\\&=(2\alpha+1)(2\beta+1)e^{2\alpha+2\beta}\\&=\{4\alpha\beta+2(\alpha+\beta)+1\}e^{2(\alpha+\beta)}\\&=\{4\times(-1)+2\times2+1\}e^{2\times2}\\&=e^4\end{aligned}$

025 답 ①

$f(x)=\ln x$라 하면 $f'(x)=\dfrac{1}{x}$

접점의 좌표를 $(t,\ \ln t)$라 하면 이 점에서의 접선의 기울기는 $f'(t)=\dfrac{1}{t}$이므로 접선의 방정식은

$y-\ln t=\dfrac{1}{t}(x-t)\qquad\therefore\ y=\dfrac{1}{t}x-1+\ln t\quad\cdots\cdots\ \bigcirc$

이 직선이 점 $(0,\ 0)$을 지나므로

$0=-1+\ln t,\ \ln t=1\qquad\therefore\ t=e$

이를 $\bigcirc$에 대입하여 접선의 방정식을 구하면

$y=\dfrac{1}{e}x$

이 직선이 곡선 $y=x^2+k$에 접하므로

$x^2+k=\dfrac{1}{e}x\qquad\therefore\ x^2-\dfrac{1}{e}x+k=0$

이 이차방정식의 판별식을 D라 하면 $D=0$이어야 하므로

$D=\left(-\dfrac{1}{e}\right)^2-4k=0,\ 4k=\dfrac{1}{e^2}\qquad\therefore\ k=\dfrac{1}{4e^2}$

026 답 ③

$f(x)=x-\ln x$라 하면 $f'(x)=1-\dfrac{1}{x}$

점 $(0,\ 1+\ln3)$에서 곡선 $y=f(x)$에 그은 접선의 접점의 좌표를 $(t,\ t-\ln t)$라 하면 이 점에서의 접선의 기울기는 $f'(t)=1-\dfrac{1}{t}$이므로 접선의 방정식은

$y-(t-\ln t)=\left(1-\dfrac{1}{t}\right)(x-t)\qquad\therefore\ y=\left(1-\dfrac{1}{t}\right)x+1-\ln t$

이 직선이 점 $(0,\ 1+\ln3)$을 지나므로

$1+\ln3=1-\ln t,\ -\ln t=\ln3\qquad\therefore\ t=\dfrac{1}{3}$

따라서 점 $(0,\ 1+\ln3)$에서 그은 접선의 기울기는 $f'\left(\dfrac{1}{3}\right)=-2$이므로 점 $(a,\ 1)$에서 그은 접선의 기울기는 $\dfrac{1}{2}$이다.

점 $(a,\ 1)$에서 곡선 $y=f(x)$에 그은 접선의 접점의 좌표를 $(s,\ s-\ln s)$라 하면 이 점에서의 접선의 기울기는 $f'(s)=\dfrac{1}{2}$에서

$1-\dfrac{1}{s}=\dfrac{1}{2}\qquad\therefore\ s=2$

즉, 접점의 좌표는 $(2,\ 2-\ln2)$이므로 접선의 방정식은

$y-(2-\ln2)=\dfrac{1}{2}(x-2)\qquad\therefore\ y=\dfrac{1}{2}x+1-\ln2$

이 직선이 점 $(a,\ 1)$을 지나므로 $1=\dfrac{1}{2}a+1-\ln2$

$\dfrac{1}{2}a=\ln2\qquad\therefore\ a=2\ln2$

027 답 ③

$f(x)=(x-3)e^x$이라 하면

$f'(x)=e^x+(x-3)e^x=(x-2)e^x$

접점의 좌표를 $(t,\ (t-3)e^t)$이라 하면 이 점에서의 접선의 기울기는 $f'(t)=(t-2)e^t$이므로 접선의 방정식은

$y-(t-3)e^t=(t-2)e^t(x-t)$

이 직선이 점 $(k,\ 0)$을 지나므로

$-(t-3)e^t=(t-2)e^t(k-t)$

$e^t\{t^2-(k+3)t+2k+3\}=0$

$\therefore\ t^2-(k+3)t+2k+3=0\ (\because\ e^t>0)\qquad\cdots\cdots\ \bigcirc$

점 $(k,\ 0)$에서 곡선 $y=(x-3)e^x$에 서로 다른 두 개의 접선을 그을 수 있으려면 이차방정식 $\bigcirc$이 서로 다른 두 실근을 가져야 하므로 $\bigcirc$의 판별식을 D라 하면

$D=\{-(k+3)\}^2-4(2k+3)>0$

$k^2-2k-3>0,\ (k+1)(k-3)>0$

$\therefore\ k<-1\ 또는\ k>3$

따라서 양의 정수 k의 최솟값은 4이다.

028 답 2

$f(x)=\dfrac{x-2}{x}=1-\dfrac{2}{x}$라 하면 $f'(x)=\dfrac{2}{x^2}$

접점의 좌표를 $\left(t,\ 1-\dfrac{2}{t}\right)$라 하면 이 점에서의 접선의 기울기는 $f'(t)=\dfrac{2}{t^2}$이므로 접선의 방정식은

$y-\left(1-\dfrac{2}{t}\right)=\dfrac{2}{t^2}(x-t)$

이 직선이 점 $(3,\ 3)$을 지나므로

$3-\left(1-\dfrac{2}{t}\right)=\dfrac{2}{t^2}(3-t)$

$t\neq0$이므로 양변에 t^2을 곱하여 정리하면

$t^2+2t-3=0,\ (t+3)(t-1)=0$

$\therefore\ t=-3\ 또는\ t=1$

따라서 접점의 개수가 2이므로 점 $(3,\ 3)$에서 그을 수 있는 접선의 개수는 2이다.

029 답 ④

$f(x)=xe^{ax}$이라 하면

$f'(x)=e^{ax}+axe^{ax}=(1+ax)e^{ax}$

접점의 좌표를 (t, te^{at})이라 하면 이 점에서의 접선의 기울기는

$f'(t)=(1+at)e^{at}$이므로 접선의 방정식은

$y-te^{at}=(1+at)e^{at}(x-t)$

이 직선이 점 $(2, 0)$을 지나므로

$-te^{at}=(1+at)e^{at}(2-t)$

$(at^2-2at-2)e^{at}=0$

$\therefore at^2-2at-2=0 \ (\because e^{at}>0) \quad \cdots\cdots \ \bigcirc$

점 $(2, 0)$에서 곡선 $y=xe^{ax}$에 오직 하나의 접선을 그을 수 있으려면 이차방정식 $\bigcirc$이 중근을 가져야 하므로 $\bigcirc$의 판별식을 D라 하면

$\dfrac{D}{4}=(-a)^2-(-2a)=0$

$a(a+2)=0$

$\therefore a=-2 \ (\because a\neq 0)$

030 답 ③

$f(x)=e^{x+1}, g(x)=\sqrt{ax+b}$라 하면

$f'(x)=e^{x+1}, g'(x)=\dfrac{a}{2\sqrt{ax+b}}$

두 곡선이 $x=-1$인 점에서 공통인 접선을 가지므로

$f(-1)=g(-1)$에서

$1=\sqrt{-a+b} \quad \cdots\cdots \ \bigcirc$

$f'(-1)=g'(-1)$에서

$1=\dfrac{a}{2\sqrt{-a+b}} \quad \cdots\cdots \ \bigcirc\!\!\bigcirc$

$\bigcirc$을 $\bigcirc\!\!\bigcirc$에 대입하면

$1=\dfrac{a}{2} \quad \therefore a=2$

이를 $\bigcirc$에 대입하면

$1=\sqrt{-2+b}, \ 1=-2+b \quad \therefore b=3$

$\therefore a+b=2+3=5$

031 답 ③

$f(x)=\ln 4x, g(x)=8x^2+a$라 하면

$f'(x)=\dfrac{1}{x}, g'(x)=16x$

두 곡선이 $x=t \ (t>0)$인 점에서 공통인 접선을 갖는다고 하면

$f(t)=g(t)$에서 $\ln 4t=8t^2+a \quad \cdots\cdots \ \bigcirc$

$f'(t)=g'(t)$에서 $\dfrac{1}{t}=16t$

$t^2=\dfrac{1}{16} \quad \therefore t=\dfrac{1}{4} \ (\because t>0)$

이를 $\bigcirc$에 대입하면

$0=\dfrac{1}{2}+a \quad \therefore a=-\dfrac{1}{2}$

032 답 $-\dfrac{5}{4}$

$f(x)=a+\cos^2 x, g(x)=-\sin x$라 하면

$f'(x)=-2\sin x\cos x, g'(x)=-\cos x$

두 곡선이 $x=t$인 점에서 서로 접한다고 하면

$f(t)=g(t)$에서 $a+\cos^2 t=-\sin t$

$a+1-\sin^2 t=-\sin t$

$\therefore a=\sin^2 t-\sin t-1 \quad \cdots\cdots \ \bigcirc$

$f'(t)=g'(t)$에서 $-2\sin t\cos t=-\cos t$

$\cos t(1-2\sin t)=0$

$\therefore \cos t=0 \ 또는 \ \sin t=\dfrac{1}{2}$

(i) $\cos t=0$일 때

$\sin t=-1 \ 또는 \ \sin t=1$이므로 이를 $\bigcirc$에 대입하면

$a=1 \ 또는 \ a=-1$

(ii) $\sin t=\dfrac{1}{2}$일 때

$\sin t=\dfrac{1}{2}$을 $\bigcirc$에 대입하면 $a=-\dfrac{5}{4}$

(i), (ii)에서 모든 상수 a의 값의 합은

$1+(-1)+\left(-\dfrac{5}{4}\right)=-\dfrac{5}{4}$

033 답 ③

$\dfrac{dx}{dt}=\dfrac{2(1+t^2)-2t\times 2t}{(1+t^2)^2}=\dfrac{2-2t^2}{(1+t^2)^2}$

$\dfrac{dy}{dt}=\dfrac{-2t(1+t^2)-(1-t^2)\times 2t}{(1+t^2)^2}=\dfrac{-4t}{(1+t^2)^2}$

$\therefore \dfrac{dy}{dx}=\dfrac{\dfrac{dy}{dt}}{\dfrac{dx}{dt}}=\dfrac{\dfrac{-4t}{(1+t^2)^2}}{\dfrac{2-2t^2}{(1+t^2)^2}}=\dfrac{2t}{t^2-1} \ (단, t\neq \pm 1)$

$t=2$일 때

$x=\dfrac{2\times 2}{1+2^2}=\dfrac{4}{5}, y=\dfrac{1-2^2}{1+2^2}=-\dfrac{3}{5}, \dfrac{dy}{dx}=\dfrac{2\times 2}{2^2-1}=\dfrac{4}{3}$

이므로 접선의 방정식은

$y+\dfrac{3}{5}=\dfrac{4}{3}\left(x-\dfrac{4}{5}\right) \quad \therefore y=\dfrac{4}{3}x-\dfrac{5}{3}$

따라서 $a=\dfrac{4}{3}, b=-\dfrac{5}{3}$이므로 $a-b=3$

034 답 ③

$\dfrac{dx}{dt}=\dfrac{1}{2\sqrt{t}}, \dfrac{dy}{dt}=2t-6$

$\therefore \dfrac{dy}{dx}=\dfrac{\dfrac{dy}{dt}}{\dfrac{dx}{dt}}=\dfrac{2t-6}{\dfrac{1}{2\sqrt{t}}}=4\sqrt{t}\,(t-3)$

$t=4$일 때

$x=\sqrt{4}+1=3, y=4^2-6\times 4=-8, \dfrac{dy}{dx}=4\sqrt{4}\,(4-3)=8$

이므로 접선의 방정식은

$y+8=8(x-3) \quad \therefore y=8x-32$

이 직선이 점 $(a, 8)$을 지나므로

$8=8a-32 \quad \therefore a=5$

035 답 $y=-4x+1$

$\dfrac{dx}{dt}=2t-4$, $\dfrac{dy}{dt}=3t^2-k$

$\therefore \dfrac{dy}{dx}=\dfrac{\dfrac{dy}{dt}}{\dfrac{dx}{dt}}=\dfrac{3t^2-k}{2t-4}$ (단, $t\neq 2$)

$t=1$일 때 $\dfrac{dy}{dx}=-4$이므로

$\dfrac{3-k}{2-4}=-4$, $3-k=8$ $\qquad \therefore k=-5$

$t=1$일 때 $x=-1$, $y=5$이므로 접선의 방정식은

$y-5=-4(x+1)$

$\therefore y=-4x+1$

036 답 $\dfrac{32}{15}$

$\dfrac{dx}{dt}=e^t+e^{-t}$, $\dfrac{dy}{dt}=e^t-e^{-t}$

$\therefore \dfrac{dy}{dx}=\dfrac{\dfrac{dy}{dt}}{\dfrac{dx}{dt}}=\dfrac{e^t-e^{-t}}{e^t+e^{-t}}$

$t=\ln 2$일 때

$x=e^{\ln 2}-e^{-\ln 2}=2-\dfrac{1}{2}=\dfrac{3}{2}$, $y=e^{\ln 2}+e^{-\ln 2}=2+\dfrac{1}{2}=\dfrac{5}{2}$,

$\dfrac{dy}{dx}=\dfrac{e^{\ln 2}-e^{-\ln 2}}{e^{\ln 2}+e^{-\ln 2}}=\dfrac{\dfrac{3}{2}}{\dfrac{5}{2}}=\dfrac{3}{5}$

이므로 접선의 방정식은

$y-\dfrac{5}{2}=\dfrac{3}{5}\left(x-\dfrac{3}{2}\right)$ $\qquad \therefore y=\dfrac{3}{5}x+\dfrac{8}{5}$

이 접선의 x절편은 $-\dfrac{8}{3}$, y절편은 $\dfrac{8}{5}$이므로 구하는 도형의 넓이는

$\dfrac{1}{2}\times\dfrac{8}{3}\times\dfrac{8}{5}=\dfrac{32}{15}$

037 답 ⑤

$\dfrac{dx}{d\theta}=2\sec^2\theta$, $\dfrac{dy}{d\theta}=4\sec\theta\tan\theta$

$\therefore \dfrac{dy}{dx}=\dfrac{\dfrac{dy}{d\theta}}{\dfrac{dx}{d\theta}}=\dfrac{4\sec\theta\tan\theta}{2\sec^2\theta}=2\sin\theta$

이때 $2\tan\theta=2\sqrt{3}$, $4\sec\theta=8$에서

$\tan\theta=\sqrt{3}$, $\sec\theta=2$

$\therefore \theta=\dfrac{\pi}{3}$ $\left(\because 0<\theta<\dfrac{\pi}{2}\right)$

$\theta=\dfrac{\pi}{3}$일 때 $\dfrac{dy}{dx}=2\sin\dfrac{\pi}{3}=\sqrt{3}$

즉, 점 $(2\sqrt{3},\ 8)$에서의 접선에 수직인 직선의 기울기는 $-\dfrac{\sqrt{3}}{3}$이

므로 직선의 방정식은

$y-8=-\dfrac{\sqrt{3}}{3}(x-2\sqrt{3})$ $\qquad \therefore y=-\dfrac{\sqrt{3}}{3}x+10$

따라서 구하는 y절편은 10이다.

038 답 ⑤

$y^3=\ln(5-x^2)+3xy+5$의 각 항을 x에 대하여 미분하면

$3y^2\dfrac{dy}{dx}=\dfrac{-2x}{5-x^2}+3y+3x\dfrac{dy}{dx}$

$(3y^2-3x)\dfrac{dy}{dx}=\dfrac{-2x+15y-3x^2y}{5-x^2}$

$\therefore \dfrac{dy}{dx}=\dfrac{-2x+15y-3x^2y}{3(y^2-x)(5-x^2)}$ (단, $y^2\neq x$)

점 $(2,\ -1)$에서의 접선의 기울기는

$\dfrac{dy}{dx}=\dfrac{-2\times 2+15\times(-1)-3\times 2^2\times(-1)}{3\{(-1)^2-2\}(5-2^2)}=\dfrac{7}{3}$

즉, 점 $(2,\ -1)$에서의 접선의 방정식은

$y+1=\dfrac{7}{3}(x-2)$ $\qquad \therefore y=\dfrac{7}{3}x-\dfrac{17}{3}$

따라서 $a=\dfrac{7}{3}$, $b=-\dfrac{17}{3}$이므로

$a-b=8$

039 답 ④

$xy+e^y=e$의 각 항을 x에 대하여 미분하면

$y+x\dfrac{dy}{dx}+e^y\dfrac{dy}{dx}=0$

$(x+e^y)\dfrac{dy}{dx}=-y$

$\therefore \dfrac{dy}{dx}=-\dfrac{y}{x+e^y}$ (단, $x+e^y\neq 0$)

점 $(0,\ 1)$에서의 접선의 기울기는

$\dfrac{dy}{dx}=-\dfrac{1}{0+e}=-\dfrac{1}{e}$

즉, 점 $(0,\ 1)$에서의 접선의 방정식은

$y-1=-\dfrac{1}{e}x$ $\qquad \therefore y=-\dfrac{1}{e}x+1$

따라서 구하는 x절편은 e이다.

040 답 ①

$x^2-\cos y+xy=0$의 각 항을 x에 대하여 미분하면

$2x+\sin y\dfrac{dy}{dx}+y+x\dfrac{dy}{dx}=0$

$(x+\sin y)\dfrac{dy}{dx}=-2x-y$

$\therefore \dfrac{dy}{dx}=-\dfrac{2x+y}{x+\sin y}$ (단, $x+\sin y\neq 0$)

점 $\left(0,\ \dfrac{\pi}{2}\right)$에서의 접선의 기울기는

$\dfrac{dy}{dx}=-\dfrac{0+\dfrac{\pi}{2}}{0+\sin\dfrac{\pi}{2}}=-\dfrac{\pi}{2}$

즉, 점 $\left(0,\ \dfrac{\pi}{2}\right)$에서의 접선의 방정식은

$y-\dfrac{\pi}{2}=-\dfrac{\pi}{2}x$ $\qquad \therefore y=-\dfrac{\pi}{2}x+\dfrac{\pi}{2}$

이 직선이 점 $(1,\ a)$를 지나므로

$a=-\dfrac{\pi}{2}+\dfrac{\pi}{2}=0$

041 답 ②

$x^2+2xy-y^3=1$의 각 항을 x에 대하여 미분하면

$2x+2y+2x\dfrac{dy}{dx}-3y^2\dfrac{dy}{dx}=0$

$(3y^2-2x)\dfrac{dy}{dx}=2x+2y$

$\therefore \dfrac{dy}{dx}=\dfrac{2x+2y}{3y^2-2x}$ (단, $3y^2\ne2x$)

점 $(1,0)$에서의 접선의 기울기는

$\dfrac{dy}{dx}=\dfrac{2+0}{0-2}=-1$

즉, 점 $(1,0)$에서의 접선의 방정식은

$y=-(x-1)$　$\therefore x+y-1=0$

따라서 이 직선과 원점 사이의 거리는

$\dfrac{|-1|}{\sqrt{1^2+1^2}}=\dfrac{\sqrt{2}}{2}$

042 답 3

$3x^2+5y^2+2xy-10=0$의 각 항을 x에 대하여 미분하면

$6x+10y\dfrac{dy}{dx}+2y+2x\dfrac{dy}{dx}=0$

$2(x+5y)\dfrac{dy}{dx}=-2(3x+y)$

$\therefore \dfrac{dy}{dx}=-\dfrac{3x+y}{x+5y}$ (단, $x+5y\ne0$)

점 $(1,1)$에서의 접선의 기울기는

$\dfrac{dy}{dx}=-\dfrac{3\times1+1}{1+5\times1}=-\dfrac{2}{3}$

이므로 이 접선과 수직인 직선의 기울기는 $\dfrac{3}{2}$이다.

기울기가 $\dfrac{3}{2}$이고 점 $(4,3)$을 지나는 직선의 방정식은

$y-3=\dfrac{3}{2}(x-4)$　$\therefore y=\dfrac{3}{2}x-3$

따라서 $A(2,0)$, $B(0,-3)$이므로 삼각형 AOB의 넓이는

$\dfrac{1}{2}\times2\times3=3$

043 답 $\dfrac{\pi}{4}-1$

$g(\sqrt{2})=k$라 하면 $f(k)=\sqrt{2}$이므로

$2\sin k=\sqrt{2}$, $\sin k=\dfrac{\sqrt{2}}{2}$

$\therefore k=\dfrac{\pi}{4}\left(\because -\dfrac{\pi}{2}<k<\dfrac{\pi}{2}\right)$

이때 $f'(x)=2\cos x$이므로

$f'\left(\dfrac{\pi}{4}\right)=2\cos\dfrac{\pi}{4}=\sqrt{2}$

$\therefore g'(\sqrt{2})=\dfrac{1}{f'\left(\dfrac{\pi}{4}\right)}=\dfrac{\sqrt{2}}{2}$

즉, 곡선 $y=g(x)$ 위의 점 $\left(\sqrt{2},\dfrac{\pi}{4}\right)$에서의 접선의 방정식은

$y-\dfrac{\pi}{4}=\dfrac{\sqrt{2}}{2}(x-\sqrt{2})$　$\therefore y=\dfrac{\sqrt{2}}{2}x+\dfrac{\pi}{4}-1$

따라서 구하는 y절편은 $\dfrac{\pi}{4}-1$이다.

044 답 ①

$g(0)=k$라 하면 $f(k)=0$이므로

$\ln(3k-2)=0$, $3k-2=1$

$\therefore k=1$

이때 $f'(x)=\dfrac{3}{3x-2}$이므로 $f'(1)=3$

$\therefore g'(0)=\dfrac{1}{f'(1)}=\dfrac{1}{3}$

따라서 곡선 $y=g(x)$ 위의 점 $(0,1)$에서의 접선의 방정식은

$y-1=\dfrac{1}{3}x$　$\therefore y=\dfrac{1}{3}x+1$

045 답 ①

$f(x)=2x-\ln x$에서 $x>0$이고 $f'(x)=2-\dfrac{1}{x}$

$f'(x)=0$인 x의 값은 $x=\dfrac{1}{2}$

$x>0$에서 함수 $f(x)$의 증가, 감소를 표로 나타내면 다음과 같다.

x	0	$\cdots$	$\dfrac{1}{2}$	$\cdots$
$f'(x)$		$-$	0	$+$
$f(x)$		$\searrow$	$1+\ln 2$	$\nearrow$

따라서 함수 $f(x)$는 구간 $\left(0,\dfrac{1}{2}\right]$에서 감소한다.

046 답 ①

$f(x)=(x^2-ax+2)e^{-x}$에서

$f'(x)=(2x-a)e^{-x}-(x^2-ax+2)e^{-x}$
$\qquad=\{-x^2+(a+2)x-a-2\}e^{-x}$

함수 $f(x)$가 실수 전체의 집합에서 감소하려면 모든 실수 x에 대하여 $f'(x)\le0$이어야 한다.

이때 $e^{-x}>0$이므로

$-x^2+(a+2)x-a-2\le0$

이차방정식 $-x^2+(a+2)x-a-2=0$의 판별식을 D라 하면

$D=(a+2)^2-4(a+2)\le0$

$a^2-4\le0$, $(a+2)(a-2)\le0$

$\therefore -2\le a\le2$

따라서 정수 a는 -2, -1, 0, 1, 2의 5개이다.

047 답 ⑤

$f(x)=ax+5-2\ln x$에서

$f'(x)=a-\dfrac{2}{x}$

함수 $f(x)$가 구간 $(1,3)$에서 증가하려면 $1<x<3$에서 $f'(x)\ge0$이어야 하므로 오른쪽 그림에서

$f'(1)\ge0$

$a-2\ge0$　$\therefore a\ge2$

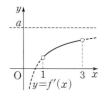

048 답 −4

$f(x)=\dfrac{3-x^2}{x+2}$에서 $x\neq-2$이고

$f'(x)=\dfrac{-2x(x+2)-(3-x^2)}{(x+2)^2}=\dfrac{-x^2-4x-3}{(x+2)^2}$

$\qquad=\dfrac{-(x+3)(x+1)}{(x+2)^2}$

$f'(x)=0$인 x의 값은 $x=-3$ 또는 $x=-1$

$x\neq-2$인 모든 실수에서 함수 $f(x)$의 증가, 감소를 표로 나타내면 다음과 같다.

x	$\cdots$	-3	$\cdots$	-2	$\cdots$	-1	$\cdots$
$f'(x)$	$-$	0	$+$		$+$	0	$-$
$f(x)$	$\searrow$	6 극소	$\nearrow$		$\nearrow$	2 극대	$\searrow$

따라서 함수 $f(x)$의 극댓값은 $f(-1)=2$, 극솟값은 $f(-3)=6$이므로

$M=2,\ m=6$

$\therefore M-m=-4$

다른 풀이 $f'(x)=\dfrac{-x^2-4x-3}{(x+2)^2}$에서

$f''(x)=\dfrac{(-2x-4)\times(x+2)^2-(-x^2-4x-3)\times2(x+2)}{(x+2)^4}$

$\qquad=\dfrac{-2(x+2)}{(x+2)^4}=-\dfrac{2}{(x+2)^3}$

$f'(x)=0$인 x의 값은 $x=-3$ 또는 $x=-1$

$\therefore f''(-3)=2>0,\ f''(-1)=-2<0$

따라서 함수 $f(x)$의 극댓값은 $f(-1)=2$, 극솟값은 $f(-3)=6$이므로

$M=2,\ m=6$ $\qquad\therefore M-m=-4$

049 답 4π

$f(x)=2x+4\sin x$에서

$f'(x)=2+4\cos x$

$f'(x)=0$에서 $4\cos x=-2$, $\cos x=-\dfrac{1}{2}$

$\therefore x=\dfrac{2}{3}\pi$ 또는 $x=\dfrac{4}{3}\pi\ (\because 0<x<2\pi)$

$0<x<2\pi$에서 함수 $f(x)$의 증가, 감소를 표로 나타내면 다음과 같다.

x	0	$\cdots$	$\dfrac{2}{3}\pi$	$\cdots$	$\dfrac{4}{3}\pi$	$\cdots$	2π
$f'(x)$		$+$	0	$-$	0	$+$	
$f(x)$		$\nearrow$	$\dfrac{4}{3}\pi+2\sqrt{3}$ 극대	$\searrow$	$\dfrac{8}{3}\pi-2\sqrt{3}$ 극소	$\nearrow$	

따라서 함수 $f(x)$의 극댓값은 $f\left(\dfrac{2}{3}\pi\right)=\dfrac{4}{3}\pi+2\sqrt{3}$, 극솟값은

$f\left(\dfrac{4}{3}\pi\right)=\dfrac{8}{3}\pi-2\sqrt{3}$이므로

$M=\dfrac{4}{3}\pi+2\sqrt{3},\ m=\dfrac{8}{3}\pi-2\sqrt{3}$

$\therefore M+m=4\pi$

다른 풀이 $f'(x)=2+4\cos x$에서

$f''(x)=-4\sin x$

$f'(x)=0$인 x의 값은 $x=\dfrac{2}{3}\pi$ 또는 $x=\dfrac{4}{3}\pi\ (\because 0<x<2\pi)$

$\therefore f''\left(\dfrac{2}{3}\pi\right)=-2\sqrt{3}<0,\ f''\left(\dfrac{4}{3}\pi\right)=2\sqrt{3}>0$

따라서 함수 $f(x)$의 극댓값은 $f\left(\dfrac{2}{3}\pi\right)=\dfrac{4}{3}\pi+2\sqrt{3}$, 극솟값은

$f\left(\dfrac{4}{3}\pi\right)=\dfrac{8}{3}\pi-2\sqrt{3}$이므로

$M=\dfrac{4}{3}\pi+2\sqrt{3},\ m=\dfrac{8}{3}\pi-2\sqrt{3}$

$\therefore M+m=4\pi$

050 답 4

$f(x)=\dfrac{ax+b}{x^2+3}$에서

$f'(x)=\dfrac{a(x^2+3)-(ax+b)\times2x}{(x^2+3)^2}=\dfrac{-ax^2-2bx+3a}{(x^2+3)^2}$

함수 $f(x)$가 $x=1$에서 극솟값 -1을 가지므로

$f'(1)=0,\ f(1)=-1$

$f'(1)=0$에서 $\dfrac{2a-2b}{16}=0$ $\qquad\therefore a-b=0$ $\qquad\cdots\cdots$ ㉠

$f(1)=-1$에서 $\dfrac{a+b}{4}=-1$ $\qquad\therefore a+b=-4$ $\qquad\cdots\cdots$ ㉡

㉠, ㉡을 연립하여 풀면

$a=-2,\ b=-2$

$\therefore ab=4$

051 답 ②

$f(x)=(x^2+kx+5)e^x$에서

$f'(x)=(2x+k)e^x+(x^2+kx+5)e^x$

$\qquad=\{x^2+(k+2)x+k+5\}e^x$

함수 $f(x)$가 극댓값과 극솟값을 모두 가지려면 이차방정식

$x^2+(k+2)x+k+5=0$이 서로 다른 두 실근을 가져야 하므로

이 이차방정식의 판별식을 D라 하면

$D=(k+2)^2-4(k+5)>0$

$k^2-16>0$, $(k+4)(k-4)>0$

$\therefore k<-4$ 또는 $k>4$

따라서 $\alpha=-4$, $\beta=4$이므로 $\alpha\beta=-16$

052 답 ①

$f(x)=ax+\sin x$에서

$f'(x)=a+\cos x$

함수 $f(x)$가 극값을 갖지 않으려면 모든 실수 x에 대하여

$f'(x)\leq0$ 또는 $f'(x)\geq0$이어야 한다.

이때 $-1\leq\cos x\leq1$이므로 $a-1\leq a+\cos x\leq a+1$

즉, $a-1\leq f'(x)\leq a+1$에서 $a+1\leq0$ 또는 $a-1\geq0$이어야 하므로 $a\leq-1$ 또는 $a\geq1$

따라서 자연수 a의 최솟값은 1이다.

053 답 ②

$f(x)=x+\sqrt{16-x^2}$에서 $0<x\le4$이고

$f'(x)=1+\dfrac{-2x}{2\sqrt{16-x^2}}=\dfrac{\sqrt{16-x^2}-x}{\sqrt{16-x^2}}$

$f'(x)=0$에서

$\sqrt{16-x^2}=x,\ 16-x^2=x^2$

$x^2=8$ $\therefore x=2\sqrt{2}\ (\because 0<x\le4)$

$0<x\le4$에서 함수 $f(x)$의 증가, 감소를 표로 나타내면 다음과 같다.

x	0	$\cdots$	$2\sqrt{2}$	$\cdots$	4
$f'(x)$		$+$	0	$-$	
$f(x)$		$\nearrow$	$4\sqrt{2}$	$\searrow$	4

따라서 함수 $f(x)$가 증가하는 구간은 $(0,\ 2\sqrt{2}\ ]$이므로 이 구간에 속하는 모든 정수 x의 값의 합은

$1+2=3$

054 답 0

$f(x)=\dfrac{2x}{x^2+1}$에서

$f'(x)=\dfrac{2(x^2+1)-2x\times2x}{(x^2+1)^2}=\dfrac{-2x^2+2}{(x^2+1)^2}$

$\qquad=\dfrac{-2(x+1)(x-1)}{(x^2+1)^2}$

$f'(x)=0$인 x의 값은 $x=-1$ 또는 $x=1$

함수 $f(x)$의 증가, 감소를 표로 나타내면 다음과 같다.

x	$\cdots$	-1	$\cdots$	1	$\cdots$
$f'(x)$	$-$	0	$+$	0	$-$
$f(x)$	$\searrow$	-1	$\nearrow$	1	$\searrow$

따라서 함수 $f(x)$는 구간 $(-\infty,\ -1]$, $[1,\ \infty)$에서 감소하고 구간 $[-1,\ 1]$에서 증가하므로

$a=-1,\ b=1$

$\therefore a+b=0$

055 답 ①

$f(x)=(x^2-8)e^x$에서

$f'(x)=2xe^x+(x^2-8)e^x=(x^2+2x-8)e^x$

$\qquad=(x+4)(x-2)e^x$

$f'(x)=0$인 x의 값은 $x=-4$ 또는 $x=2\ (\because e^x>0)$

함수 $f(x)$의 증가, 감소를 표로 나타내면 다음과 같다.

x	$\cdots$	-4	$\cdots$	2	$\cdots$
$f'(x)$	$+$	0	$-$	0	$+$
$f(x)$	$\nearrow$	$\dfrac{8}{e^4}$	$\searrow$	$-4e^2$	$\nearrow$

따라서 함수 $f(x)$가 감소하는 x의 값의 범위가 $-4\le x\le2$이므로

$a=-4,\ b=2$

$\therefore ab=-8$

056 답 1

$f(x)=\ln(x^2+a)+x$에서

$f'(x)=\dfrac{2x}{x^2+a}+1=\dfrac{x^2+2x+a}{x^2+a}$

함수 $f(x)$가 실수 전체의 집합에서 증가하려면 모든 실수 x에 대하여 $f'(x)\ge0$이어야 한다.

이때 $x^2+a>0$이므로 $x^2+2x+a\ge0$

이차방정식 $x^2+2x+a=0$의 판별식을 D라 하면

$\dfrac{D}{4}=1-a\le0$ $\therefore a\ge1$

따라서 a의 최솟값은 1이다.

057 답 ①

$f(x)=ax-\cos2x$에서

$f'(x)=a+2\sin2x$

함수 $f(x)$가 구간 $(-\infty,\ \infty)$에서 감소하려면 모든 실수 x에 대하여 $f'(x)\le0$이어야 한다.

이때 $-1\le\sin2x\le1$이므로

$-2\le2\sin2x\le2$

$\therefore a-2\le a+2\sin2x\le a+2$

즉, $a-2\le f'(x)\le a+2$에서 $a+2\le0$이어야 하므로

$a\le-2$

058 답 $\dfrac{\sqrt{2}}{2}$

$f(x)=\ln(x^2+2)-kx$에서

$f'(x)=\dfrac{2x}{x^2+2}-k=\dfrac{-kx^2+2x-2k}{x^2+2}$

$x_1<x_2$인 임의의 두 실수 $x_1,\ x_2$에 대하여 $f(x_1)>f(x_2)$가 성립하려면 함수 $f(x)$가 실수 전체의 집합에서 감소해야 한다.

즉, 모든 실수 x에 대하여 $f'(x)\le0$이어야 한다.

이때 $x^2+2>0$이므로

$-kx^2+2x-2k\le0$ $\cdots\cdots$ ㉠

(ⅰ) $k=0$일 때, $2x\le0$이므로 부등식 ㉠이 모든 실수 x에 대하여 성립하는 것은 아니다.

(ⅱ) $k\ne0$일 때, 이차부등식 ㉠이 모든 실수 x에 대하여 성립하려면 $k>0$이어야 하고, 이차방정식 $-kx^2+2x-2k=0$의 판별식을 D라 하면

$\dfrac{D}{4}=1-2k^2\le0$

$k^2-\dfrac{1}{2}\ge0,\ \left(k+\dfrac{\sqrt{2}}{2}\right)\left(k-\dfrac{\sqrt{2}}{2}\right)\ge0$

$\therefore k\ge\dfrac{\sqrt{2}}{2}\ (\because k>0)$

(ⅰ), (ⅱ)에서 $k\ge\dfrac{\sqrt{2}}{2}$

따라서 k의 최솟값은 $\dfrac{\sqrt{2}}{2}$이다.

059 답 4

$f(x)=(x^2+ax+5)e^x$에서

$f'(x)=(2x+a)e^x+(x^2+ax+5)e^x$
$\qquad =\{x^2+(a+2)x+5+a\}e^x$

함수 $f(x)$의 역함수가 존재하려면 일대일대응이어야 하고 $\lim\limits_{x\to\infty} f(x)=\infty$이므로 함수 $f(x)$는 실수 전체의 집합에서 증가해야 한다.

즉, 모든 실수 x에 대하여 $f'(x)\geq 0$이어야 한다.

이때 $e^x>0$이므로 $x^2+(a+2)x+5+a\geq 0$

이차방정식 $x^2+(a+2)x+5+a=0$의 판별식을 D라 하면

$D=(a+2)^2-4(5+a)\leq 0$, $a^2-16\leq 0$

$(a+4)(a-4)\leq 0$ $\quad\therefore -4\leq a\leq 4$

따라서 a의 최댓값은 4이다.

060 답 $a\geq\dfrac{1}{2}$

$f(x)=\ln x-2ax$에서

$f'(x)=\dfrac{1}{x}-2a$

함수 $f(x)$가 구간 $(1,\infty)$에서 감소하려면 $x>1$에서 $f'(x)\leq 0$이어야 하므로 오른쪽 그림에서

$f'(1)\leq 0$

$1-2a\leq 0$ $\quad\therefore a\geq\dfrac{1}{2}$

061 답 3

$f(x)=ax-3\sin x$에서 $f'(x)=a-3\cos x$

함수 $f(x)$가 구간 $\left(0,\dfrac{\pi}{2}\right)$에서 증가하려면 $0<x<\dfrac{\pi}{2}$에서 $f'(x)\geq 0$이어야 한다.

이때 $0<x<\dfrac{\pi}{2}$에서 $0<\cos x<1$이므로

$-3<-3\cos x<0$

$\therefore a-3<a-3\cos x<a$

즉, $a-3<f'(x)<a$에서

$a-3\geq 0$ $\quad\therefore a\geq 3$

따라서 a의 최솟값은 3이다.

062 답 9

$f(x)=a^2\ln x-4x$에서 $f'(x)=\dfrac{a^2}{x}-4$

함수 $f(x)$가 구간 $(4,\infty)$에서 감소하려면 $x>4$에서 $f'(x)\leq 0$이어야 한다.

(i) $a=0$일 때, $-4<0$이므로 $f'(x)\leq 0$은 모든 실수 x에 대하여 성립한다.

(ii) $a\neq 0$일 때, 오른쪽 그림에서 $f'(4)\leq 0$이어야 하므로

$\dfrac{a^2}{4}-4\leq 0$, $a^2-16\leq 0$

$(a+4)(a-4)\leq 0$ $\quad\therefore -4\leq a\leq 4$

그런데 $a\neq 0$이므로 $-4\leq a<0$ 또는 $0<a\leq 4$

(i), (ii)에서 $-4\leq a\leq 4$

따라서 정수 a는 -4, -3, -2, $\cdots$, 4의 9개이다.

063 답 ④

$f(x)=(a-x^2)e^{2x}$에서

$f'(x)=-2xe^{2x}+2(a-x^2)e^{2x}$
$\qquad =(-2x^2-2x+2a)e^{2x}$

함수 $f(x)$가 구간 $(-2,0)$에서 증가하려면 $-2<x<0$에서 $f'(x)\geq 0$이어야 한다.

이때 $e^{2x}>0$이므로 $-2x^2-2x+2a\geq 0$, 즉 $-x^2-x+a\geq 0$이어야 한다.

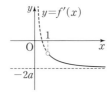

$g(x)=-x^2-x+a$라 하면 $-2<x<0$에서 $g(x)\geq 0$이어야 하므로 오른쪽 그림에서

$g(-2)\geq 0$, $g(0)\geq 0$

$g(-2)\geq 0$에서 $-2+a\geq 0$

$\therefore a\geq 2$ $\qquad\cdots\cdots$ ㉠

$g(0)\geq 0$에서 $a\geq 0$ $\qquad\cdots\cdots$ ㉡

㉠, ㉡을 동시에 만족시키는 a의 값의 범위는

$a\geq 2$

따라서 a의 최솟값은 2이다.

064 답 8

$f(x)=x+\dfrac{4}{x-1}$에서 $x\neq 1$이고

$f'(x)=1-\dfrac{4}{(x-1)^2}=\dfrac{(x-1)^2-4}{(x-1)^2}=\dfrac{x^2-2x-3}{(x-1)^2}$
$\qquad =\dfrac{(x+1)(x-3)}{(x-1)^2}$

$f'(x)=0$인 x의 값은 $x=-1$ 또는 $x=3$

$x\neq 1$인 모든 실수에서 함수 $f(x)$의 증가, 감소를 표로 나타내면 다음과 같다.

x	$\cdots$	-1	$\cdots$	1	$\cdots$	3	$\cdots$
$f'(x)$	$+$	0	$-$		$-$	0	$+$
$f(x)$	↗	-3 극대	↘		↘	5 극소	↗

따라서 함수 $f(x)$의 극댓값은 $f(-1)=-3$, 극솟값은 $f(3)=5$이므로 극댓값과 극솟값의 차는

$5-(-3)=8$

다른 풀이 $f'(x)=\dfrac{x^2-2x-3}{(x-1)^2}$에서

$f''(x)=\dfrac{(2x-2)\times(x-1)^2-(x^2-2x-3)\times 2(x-1)}{(x-1)^4}$
$\qquad =\dfrac{8(x-1)}{(x-1)^4}=\dfrac{8}{(x-1)^3}$

$f'(x)=0$인 x의 값은 $x=-1$ 또는 $x=3$

$\therefore f''(-1)=-1<0$, $f''(3)=1>0$

따라서 함수 $f(x)$의 극댓값은 $f(-1)=-3$, 극솟값은 $f(3)=5$이므로 극댓값과 극솟값의 차는

$5-(-3)=8$

065 답 −5

$f(x)=\dfrac{x+1}{x^2+3}$에서

$f'(x)=\dfrac{x^2+3-(x+1)\times 2x}{(x^2+3)^2}=\dfrac{-x^2-2x+3}{(x^2+3)^2}$

$\qquad\;\;=\dfrac{-(x+3)(x-1)}{(x^2+3)^2}$

$f'(x)=0$인 x의 값은 $x=-3$ 또는 $x=1$

함수 $f(x)$의 증가, 감소를 표로 나타내면 다음과 같다.

x	$\cdots$	-3	$\cdots$	1	$\cdots$
$f'(x)$	$-$	0	$+$	0	$-$
$f(x)$	↘	극소	↗	극대	↘

따라서 함수 $f(x)$는 $x=1$에서 극대이고, $x=-3$에서 극소이므로
$\alpha=1$, $\beta=-3$

$\therefore \alpha+2\beta=-5$

066 답 ③

$f(x)=\dfrac{x^2-6x+10}{x-3}$에서 $x\neq 3$이고

$f'(x)=\dfrac{(2x-6)(x-3)-(x^2-6x+10)}{(x-3)^2}=\dfrac{x^2-6x+8}{(x-3)^2}$

$\qquad\;\;=\dfrac{(x-2)(x-4)}{(x-3)^2}$

$f'(x)=0$인 x의 값은 $x=2$ 또는 $x=4$

$x\neq 3$인 모든 실수에서 함수 $f(x)$의 증가, 감소를 표로 나타내면
다음과 같다.

x	$\cdots$	2	$\cdots$	3	$\cdots$	4	$\cdots$
$f'(x)$	$+$	0	$-$		$-$	0	$+$
$f(x)$	↗	-2 극대	↘		↘	2 극소	↗

따라서 $A(2, -2)$, $B(4, 2)$이므로

$\overline{AB}=\sqrt{(4-2)^2+\{2-(-2)\}^2}=2\sqrt{5}$

067 답 4

$f(x)=x+\sqrt{4-x^2}$에서 $0<x\leq 2$이고

$f'(x)=1-\dfrac{x}{\sqrt{4-x^2}}=\dfrac{\sqrt{4-x^2}-x}{\sqrt{4-x^2}}$

$f'(x)=0$에서 $\sqrt{4-x^2}=x$, $4-x^2=x^2$

$x^2=2$ $\quad\therefore x=\sqrt{2}$ ($\because 0<x\leq 2$)

$0<x\leq 2$에서 함수 $f(x)$의 증가, 감소를 표로 나타내면 다음과
같다.

x	0	$\cdots$	$\sqrt{2}$	$\cdots$	2
$f'(x)$		$+$	0	$-$	
$f(x)$		↗	$2\sqrt{2}$ 극대	↘	2

따라서 함수 $f(x)$는 $x=\sqrt{2}$에서 극댓값 $2\sqrt{2}$를 가지므로
$a=\sqrt{2}$, $b=2\sqrt{2}$

$\therefore ab=4$

068 답 ㄱ, ㄷ

ㄱ. $f(x)=\sqrt{x-2}+\sqrt{8-x}$에서 $x-2\geq 0$, $8-x\geq 0$이므로
 $2\leq x\leq 8$
 따라서 함수 $f(x)$의 정의역은 $\{x\,|\,2\leq x\leq 8\}$이다.

ㄴ. $f'(x)=\dfrac{1}{2\sqrt{x-2}}-\dfrac{1}{2\sqrt{8-x}}=\dfrac{\sqrt{8-x}-\sqrt{x-2}}{2\sqrt{x-2}\sqrt{8-x}}$

 $f'(x)=0$에서 $\sqrt{8-x}=\sqrt{x-2}$

 $8-x=x-2$ $\quad\therefore x=5$

 $2\leq x\leq 8$에서 함수 $f(x)$의 증가, 감소를 표로 나타내면 다음
 과 같다.

x	2	$\cdots$	5	$\cdots$	8
$f'(x)$		$+$	0	$-$	
$f(x)$	$\sqrt{6}$	↗	$2\sqrt{3}$ 극대	↘	$\sqrt{6}$

 따라서 함수 $f(x)$의 극댓값은 $f(5)=2\sqrt{3}$

ㄷ. ㄴ의 표에 의하여 구간 $[2, 5]$에서 증가한다.

따라서 보기 중 옳은 것은 ㄱ, ㄷ이다.

069 답 2π

$f(x)=x\sin x+\cos x$에서

$f'(x)=\sin x+x\cos x-\sin x=x\cos x$

$f'(x)=0$에서 $\cos x=0$

$\therefore x=\dfrac{\pi}{2}$ 또는 $x=\dfrac{3}{2}\pi$ ($\because 0<x<2\pi$)

$0<x<2\pi$에서 함수 $f(x)$의 증가, 감소를 표로 나타내면 다음과
같다.

x	0	$\cdots$	$\dfrac{\pi}{2}$	$\cdots$	$\dfrac{3}{2}\pi$	$\cdots$	2π
$f'(x)$		$+$	0	$-$	0	$+$	
$f(x)$		↗	$\dfrac{\pi}{2}$ 극대	↘	$-\dfrac{3}{2}\pi$ 극소	↗	

따라서 함수 $f(x)$의 극댓값은 $f\left(\dfrac{\pi}{2}\right)=\dfrac{\pi}{2}$, 극솟값은

$f\left(\dfrac{3}{2}\pi\right)=-\dfrac{3}{2}\pi$이므로

$M=\dfrac{\pi}{2}$, $m=-\dfrac{3}{2}\pi$

$\therefore M-m=2\pi$

다른 풀이 $f'(x)=x\cos x$에서

$f''(x)=\cos x-x\sin x$

$f'(x)=0$인 x의 값은 $x=\dfrac{\pi}{2}$ 또는 $x=\dfrac{3}{2}\pi$ ($\because 0<x<2\pi$)

$\therefore f''\left(\dfrac{\pi}{2}\right)=-\dfrac{\pi}{2}<0$, $f''\left(\dfrac{3}{2}\pi\right)=\dfrac{3}{2}\pi>0$

따라서 함수 $f(x)$의 극댓값은 $f\left(\dfrac{\pi}{2}\right)=\dfrac{\pi}{2}$, 극솟값은

$f\left(\dfrac{3}{2}\pi\right)=-\dfrac{3}{2}\pi$이므로

$M=\dfrac{\pi}{2}$, $m=-\dfrac{3}{2}\pi$

$\therefore M-m=2\pi$

070 답 ④

$f(x)=\dfrac{e^x}{x}$에서 $x\neq0$이고

$f'(x)=\dfrac{e^x\times x-e^x}{x^2}=\dfrac{(x-1)e^x}{x^2}$

$f'(x)=0$인 x의 값은 $x=1$ ($\because e^x>0$)

$x\neq0$인 모든 실수에서 함수 $f(x)$의 증가, 감소를 표로 나타내면 다음과 같다.

x	$\cdots$	0	$\cdots$	1	$\cdots$
$f'(x)$	$-$		$-$	0	$+$
$f(x)$	$\searrow$		$\searrow$	e 극소	$\nearrow$

따라서 함수 $f(x)$의 극솟값은 $f(1)=e$

071 답 ④

$f(x)=x\ln x-3x$에서 $x>0$이고

$f'(x)=\ln x+x\times\dfrac{1}{x}-3=\ln x-2$

$f'(x)=0$에서

$\ln x=2$ $\quad\therefore x=e^2$

$x>0$에서 함수 $f(x)$의 증가, 감소를 표로 나타내면 다음과 같다.

x	0	$\cdots$	e^2	$\cdots$
$f'(x)$		$-$	0	$+$
$f(x)$		$\searrow$	극소	$\nearrow$

따라서 함수 $f(x)$는 $x=e^2$에서 극솟값을 가지므로

$a=e^2$

072 답 $\dfrac{3}{4}\pi-1$

$f(x)=2x-\tan x$에서

$f'(x)=2-\sec^2 x$

$f'(x)=0$에서

$\sec^2 x=2$, $\cos^2 x=\dfrac{1}{2}$, $\cos x=\dfrac{\sqrt{2}}{2}$

$\therefore x=\dfrac{\pi}{4}$ $\left(\because 0<x<\dfrac{\pi}{2}\right)$

$0<x<\dfrac{\pi}{2}$에서 함수 $f(x)$의 증가, 감소를 표로 나타내면 다음과 같다.

x	0	$\cdots$	$\dfrac{\pi}{4}$	$\cdots$	$\dfrac{\pi}{2}$
$f'(x)$		$+$	0	$-$	
$f(x)$		$\nearrow$	$\dfrac{\pi}{2}-1$ 극대	$\searrow$	

따라서 함수 $f(x)$는 $x=\dfrac{\pi}{4}$에서 극댓값 $\dfrac{\pi}{2}-1$을 가지므로

$a=\dfrac{\pi}{4}$, $b=\dfrac{\pi}{2}-1$

$\therefore a+b=\dfrac{3}{4}\pi-1$

073 답 $-\dfrac{32}{e^2}$

$f(x)=(x^2-8)e^{-x}$에서

$f'(x)=2xe^{-x}-(x^2-8)e^{-x}=(-x^2+2x+8)e^{-x}$
$\quad\quad=-(x+2)(x-4)e^{-x}$

$f'(x)=0$인 x의 값은 $x=-2$ 또는 $x=4$ ($\because e^{-x}>0$)

함수 $f(x)$의 증가, 감소를 표로 나타내면 다음과 같다.

x	$\cdots$	-2	$\cdots$	4	$\cdots$
$f'(x)$	$-$	0	$+$	0	$-$
$f(x)$	$\searrow$	$-4e^2$ 극소	$\nearrow$	$\dfrac{8}{e^4}$ 극대	$\searrow$

따라서 함수 $f(x)$의 극댓값은 $f(4)=\dfrac{8}{e^4}$, 극솟값은 $f(-2)=-4e^2$

이므로 극댓값과 극솟값의 곱은

$\dfrac{8}{e^4}\times(-4e^2)=-\dfrac{32}{e^2}$

074 답 ㄱ

$f(x)=x(\ln x)^2$에서 $x>0$이고

$f'(x)=(\ln x)^2+x\times 2\ln x\times\dfrac{1}{x}$
$\quad\quad=(\ln x+2)\ln x$

$f'(x)=0$에서 $\ln x=-2$ 또는 $\ln x=0$

$\therefore x=\dfrac{1}{e^2}$ 또는 $x=1$

$x>0$에서 함수 $f(x)$의 증가, 감소를 표로 나타내면 다음과 같다.

x	0	$\cdots$	$\dfrac{1}{e^2}$	$\cdots$	1	$\cdots$
$f'(x)$		$+$	0	$-$	0	$+$
$f(x)$		$\nearrow$	$\dfrac{4}{e^2}$ 극대	$\searrow$	0 극소	$\nearrow$

ㄱ. $x=\dfrac{1}{e^2}$에서 극댓값을 갖고 $x=1$에서 극솟값을 갖는다.

ㄴ. 함수 $f(x)$의 극솟값은 $f(1)=0$

ㄷ. 구간 $\left[\dfrac{1}{e^2},\ 1\right]$에서 감소한다.

따라서 보기 중 옳은 것은 ㄱ이다.

075 답 ①

$\dfrac{dx}{d\theta}=1-\cos\theta$, $\dfrac{dy}{d\theta}=-\sin\theta$

$\therefore \dfrac{dy}{dx}=\dfrac{\dfrac{dy}{d\theta}}{\dfrac{dx}{d\theta}}=\dfrac{-\sin\theta}{1-\cos\theta}$ (단, $\cos\theta\neq1$)

$\dfrac{dy}{dx}=0$에서 $\sin\theta=0$ $\quad\therefore \theta=\pi$ ($\because 0<\theta<2\pi$)

또 $0<\theta<\pi$일 때 $\dfrac{dy}{dx}<0$, $\pi<\theta<2\pi$일 때 $\dfrac{dy}{dx}>0$이므로 주어진 함수는 $\theta=\pi$에서 극솟값을 갖는다.

따라서 구하는 극솟값은 $1+\cos\pi=0$

076 답 $\dfrac{\sqrt{e}}{e-1}$

$f(x)=\sin(\pi\ln x)$에서

$f'(x)=\cos(\pi\ln x)\times\dfrac{\pi}{x}=\dfrac{\pi\cos(\pi\ln x)}{x}$

$x>1$이므로 $f'(x)=0$에서

$\cos(\pi\ln x)=0$, $\pi\ln x=\dfrac{\pi}{2},\ \dfrac{3}{2}\pi,\ \dfrac{5}{2}\pi,\ \cdots$

$\ln x=\dfrac{1}{2},\ \dfrac{3}{2},\ \dfrac{5}{2},\ \cdots$

$\therefore\ x=e^{\frac{1}{2}},\ e^{\frac{3}{2}},\ e^{\frac{5}{2}},\ \cdots$

$x>1$에서 함수 $f(x)$의 증가, 감소를 표로 나타내면 다음과 같다.

x	1	$\cdots$	$e^{\frac{1}{2}}$	$\cdots$	$e^{\frac{3}{2}}$	$\cdots$	$e^{\frac{5}{2}}$	$\cdots$
$f'(x)$		$+$	0	$-$	0	$+$	0	$-$
$f(x)$		↗	극대	↘	극소	↗	극대	↘

함수 $f(x)$가 극값을 갖는 x의 값을 작은 수부터 차례대로 나열하면 $e^{\frac{1}{2}},\ e^{\frac{3}{2}},\ e^{\frac{5}{2}},\ \cdots$이므로

$a_1=e^{\frac{1}{2}}$, $a_2=e^{\frac{3}{2}}$, $a_3=e^{\frac{5}{2}}$, $\cdots$

따라서 $a_n=e^{\frac{2n-1}{2}}=e^{n-\frac{1}{2}}$이므로

$\displaystyle\sum_{n=1}^{\infty}\dfrac{1}{a_n}=\sum_{n=1}^{\infty}e^{\frac{1}{2}-n}=\dfrac{e^{-\frac{1}{2}}}{1-\dfrac{1}{e}}=\dfrac{\sqrt{e}}{e-1}$

077 답 ①

$f(x)=\dfrac{\cos x}{e^{2x}}=e^{-2x}\cos x$이므로

$f'(x)=-2e^{-2x}\cos x-e^{-2x}\sin x$
$\quad=e^{-2x}(-2\cos x-\sin x)$

$f''(x)=-2e^{-2x}(-2\cos x-\sin x)+e^{-2x}(2\sin x-\cos x)$
$\quad=e^{-2x}(3\cos x+4\sin x)$

함수 $f(x)$가 $x=k$에서 극댓값을 가지므로

$f'(k)=0$, $f''(k)<0$

$f'(k)=0$에서

$e^{-2k}(-2\cos k-\sin k)=0$

$-2\cos k-\sin k=0\ (\because\ e^{-2k}>0)$

$\therefore\ \sin k=-2\cos k$ $\qquad\cdots\cdots\ \text{㉠}$

$f''(k)<0$에서

$e^{-2k}(3\cos k+4\sin k)<0$

$\therefore\ 3\cos k+4\sin k<0\ (\because\ e^{-2k}>0)$ $\quad\cdots\cdots\ \text{㉡}$

㉠을 ㉡에 대입하면

$3\cos k-8\cos k<0$, $-5\cos k<0$

$\therefore\ \cos k>0$

㉠에 의하여 $\sin k<0$, $\cos k>0$이므로 $\dfrac{3}{2}\pi<k<2\pi$

㉠의 양변을 $\cos k$로 나누면

$\dfrac{\sin k}{\cos k}=-2$ $\qquad\therefore\ \tan k=-2$

한편 $\sec^2 k=1+\tan^2 k=1+(-2)^2=5$이므로

$\sec k=\sqrt{5}\ \left(\because\ \dfrac{3}{2}\pi<k<2\pi\right)$

$\therefore\ \cos k=\dfrac{1}{\sec k}=\dfrac{1}{\sqrt{5}}=\dfrac{\sqrt{5}}{5}$

078 답 ①

$f(x)=\dfrac{4x^2+ax+b}{x^2+1}$에서

$f'(x)=\dfrac{(8x+a)(x^2+1)-(4x^2+ax+b)\times2x}{(x^2+1)^2}$

$\quad=\dfrac{-ax^2+2(4-b)x+a}{(x^2+1)^2}$

함수 $f(x)$가 $x=1$에서 극댓값 5를 가지므로 $f'(1)=0$, $f(1)=5$

$f'(1)=0$에서 $\dfrac{8-2b}{4}=0$ $\qquad\therefore\ b=4$

$f(1)=5$에서 $\dfrac{4+a+b}{2}=5$, $a+b=6$ $\qquad\therefore\ a=2$

$\therefore\ a-b=2-4=-2$

079 답 $\dfrac{3}{e}$

$f(x)=(x^2+ax+a)e^{-x}$에서

$f'(x)=(2x+a)e^{-x}-(x^2+ax+a)e^{-x}$
$\quad=\{-x^2+(2-a)x\}e^{-x}$

함수 $f(x)$가 $x=1$에서 극댓값 b를 가지므로 $f'(1)=0$, $f(1)=b$

$f'(1)=0$에서 $\dfrac{1-a}{e}=0$ $\qquad\therefore\ a=1$

$f(1)=b$에서 $\dfrac{1+2a}{e}=b$ $\qquad\therefore\ b=\dfrac{3}{e}$

$\therefore\ \dfrac{b}{a}=\dfrac{3}{e}$

080 답 ⑤

$f(x)=a\sin x+b\cos x$에서 $f'(x)=a\cos x-b\sin x$

함수 $f(x)$가 $x=\dfrac{4}{3}\pi$에서 극솟값 -2를 가지므로

$f'\!\left(\dfrac{4}{3}\pi\right)=0$, $f\!\left(\dfrac{4}{3}\pi\right)=-2$

$f'\!\left(\dfrac{4}{3}\pi\right)=0$에서

$-\dfrac{1}{2}a+\dfrac{\sqrt{3}}{2}b=0$ $\qquad\therefore\ a-\sqrt{3}b=0$ $\quad\cdots\cdots\ \text{㉠}$

$f\!\left(\dfrac{4}{3}\pi\right)=-2$에서

$-\dfrac{\sqrt{3}}{2}a-\dfrac{1}{2}b=-2$ $\qquad\therefore\ \sqrt{3}a+b=4$ $\quad\cdots\cdots\ \text{㉡}$

㉠, ㉡을 연립하여 풀면 $a=\sqrt{3}$, $b=1$

따라서 $f(x)=\sqrt{3}\sin x+\cos x$이므로 $f'(x)=\sqrt{3}\cos x-\sin x$

$f'(x)=0$에서 $\sqrt{3}\cos x-\sin x=0$, $\sqrt{3}\cos x=\sin x$, $\tan x=\sqrt{3}$

$\therefore\ x=\dfrac{\pi}{3}$ 또는 $x=\dfrac{4}{3}\pi\ (\because\ 0<x<2\pi)$

$0<x<2\pi$에서 함수 $f(x)$의 증가, 감소를 표로 나타내면 다음과 같다.

x	0	$\cdots$	$\dfrac{\pi}{3}$	$\cdots$	$\dfrac{4}{3}\pi$	$\cdots$	2π
$f'(x)$		$+$	0	$-$	0	$+$	
$f(x)$		↗	2 극대	↘	-2 극소	↗	

따라서 함수 $f(x)$의 극댓값은 $f\!\left(\dfrac{\pi}{3}\right)=2$

081 답 ③

$f(x)=ax^2+bx+\ln x$에서 $x>0$이고

$$f'(x)=2ax+b+\frac{1}{x}$$

함수 $f(x)$가 $x=\frac{1}{2}$, $x=1$에서 극값을 가지므로

$f'\left(\frac{1}{2}\right)=0$, $f'(1)=0$

$f'\left(\frac{1}{2}\right)=0$에서 $a+b+2=0$ $\quad\therefore a+b=-2$ $\quad\cdots\cdots$ ㉠

$f'(1)=0$에서 $2a+b+1=0$ $\quad\therefore 2a+b=-1$ $\quad\cdots\cdots$ ㉡

㉠, ㉡을 연립하여 풀면 $a=1$, $b=-3$

따라서 $g(x)=\sin x+\cos x+x$이므로

$g'(x)=\cos x-\sin x+1$

$g'(x)=0$에서 $\cos x=\sin x-1$

양변을 각각 제곱하면

$\cos^2 x=(\sin x-1)^2$, $1-\sin^2 x=\sin^2 x-2\sin x+1$

$2\sin^2 x-2\sin x=0$, $2\sin x(\sin x-1)=0$

$\sin x=0$ 또는 $\sin x=1$

$\therefore x=\frac{\pi}{2}$ 또는 $x=\pi$ $(\because 0<x<2\pi)$

$0<x<2\pi$에서 함수 $g(x)$의 증가, 감소를 표로 나타내면 다음과 같다.

x	0	$\cdots$	$\frac{\pi}{2}$	$\cdots$	π	$\cdots$	2π
$g'(x)$		$+$	0	$-$	0	$+$	
$g(x)$		↗	$1+\frac{\pi}{2}$ 극대	↘	$-1+\pi$ 극소	↗	

따라서 함수 $g(x)$의 극솟값은 $g(\pi)=-1+\pi$

082 답 $a<-6$ 또는 $a>6$

$f(x)=\dfrac{3x+a}{x^2-4}$에서 $x^2\neq 4$, 즉 $x\neq\pm 2$이고

$$f'(x)=\frac{3(x^2-4)-(3x+a)\times 2x}{(x^2-4)^2}=\frac{-3x^2-2ax-12}{(x^2-4)^2}$$

함수 $f(x)$가 극댓값과 극솟값을 모두 가지려면 이차방정식 $-3x^2-2ax-12=0$이 $x\neq\pm 2$인 서로 다른 두 실근을 가져야 하므로 $a\neq\pm 6$

이차방정식 $-3x^2-2ax-12=0$의 판별식을 D라 하면

$\dfrac{D}{4}=(-a)^2-36>0$, $(a+6)(a-6)>0$

$\therefore a<-6$ 또는 $a>6$

083 답 ④

$f(x)=(3x-a)e^{2x^2}$에서

$f'(x)=3e^{2x^2}+(3x-a)e^{2x^2}\times 4x=(12x^2-4ax+3)e^{2x^2}$

함수 $f(x)$가 극값을 갖지 않으려면 모든 실수 x에 대하여 $f'(x)\geq 0$이어야 한다.

이때 $e^{2x^2}>0$이므로 이차방정식 $12x^2-4ax+3=0$은 중근 또는 허근을 가져야 한다.

이차방정식 $12x^2-4ax+3=0$의 판별식을 D라 하면

$\dfrac{D}{4}=(-2a)^2-36\leq 0$, $a^2-9\leq 0$

$(a+3)(a-3)\leq 0$ $\quad\therefore -3\leq a\leq 3$

따라서 정수 a는 -3, -2, -1, 0, 1, 2, 3의 7개이다.

084 답 ⑤

$f(x)=x-3\ln x-\dfrac{a}{x}$에서 $x>0$이고

$$f'(x)=1-\frac{3}{x}+\frac{a}{x^2}=\frac{x^2-3x+a}{x^2}$$

함수 $f(x)$가 극댓값과 극솟값을 모두 가지려면 이차방정식 $x^2-3x+a=0$이 $x>0$인 서로 다른 두 실근을 가져야 한다.

(i) 이차방정식 $x^2-3x+a=0$의 판별식을 D라 하면

$\quad D=(-3)^2-4a>0$ $\quad\therefore a<\dfrac{9}{4}$

(ii) (두 근의 합)$=3>0$

(iii) (두 근의 곱)$=a>0$

(i), (ii), (iii)에서 $0<a<\dfrac{9}{4}$

따라서 정수 a는 1, 2이므로 구하는 합은 $1+2=3$

085 답 ①

$f(x)=kx+4\cos x$에서 $f'(x)=k-4\sin x$

함수 $f(x)$가 극값을 갖지 않으려면 모든 실수 x에 대하여 $f'(x)\leq 0$ 또는 $f'(x)\geq 0$이어야 한다.

이때 $-1\leq\sin x\leq 1$이므로

$-4\leq -4\sin x\leq 4$

$\therefore k-4\leq k-4\sin x\leq k+4$

즉, $k-4\leq f'(x)\leq k+4$에서 $k+4\leq 0$ 또는 $k-4\geq 0$이어야 하므로 $k\leq -4$ 또는 $k\geq 4$

따라서 $\alpha=-4$, $\beta=4$이므로 $\alpha\beta=-16$

086 답 ④

$f(x)=(x^3-4x^2+a)e^{-x}$에서

$f'(x)=(3x^2-8x)e^{-x}-(x^3-4x^2+a)e^{-x}$

$\quad\quad=(-x^3+7x^2-8x-a)e^{-x}$

함수 $f(x)$가 극댓값과 극솟값을 모두 가지려면 방정식 $-x^3+7x^2-8x-a=0$, 즉 $x^3-7x^2+8x+a=0$이 서로 다른 세 실근을 가져야 한다.

$g(x)=x^3-7x^2+8x+a$라 하면

$g'(x)=3x^2-14x+8=(3x-2)(x-4)$

$g'(x)=0$인 x의 값은 $x=\dfrac{2}{3}$ 또는 $x=4$

삼차방정식 $g(x)=0$이 서로 다른 세 실근을 가지려면 (극댓값)$\times$(극솟값)<0이어야 하므로

$g\left(\dfrac{2}{3}\right)g(4)<0$, $\left(\dfrac{68}{27}+a\right)(-16+a)<0$

$\therefore -\dfrac{68}{27}<a<16$

따라서 정수 a는 -2, -1, 0, $\cdots$, 15의 18개이다.

087 답 ②

$f(x)=\ln(x-2)+1$이라 하면 $f'(x)=\dfrac{1}{x-2}$

점 $(3, 1)$에서의 접선의 기울기는 $f'(3)=1$이므로 접선의 방정식은

$y-1=x-3$ $\therefore y=x-2$

따라서 $a=1$, $b=-2$이므로 $a+b=-1$

088 답 $\dfrac{1}{4e^2}$

$f(x)=2e^x$이라 하면 $f'(x)=2e^x$

점 $(1, 2e)$에서의 접선의 기울기는 $f'(1)=2e$이므로 접선의 방정식은

$y-2e=2e(x-1)$ $\therefore y=2ex$

이 직선이 곡선 $y=2\sqrt{x-k}$에 접하므로 $2\sqrt{x-k}=2ex$에서

$x-k=e^2x^2$ $\therefore e^2x^2-x+k=0$

이 이차방정식의 판별식을 D라 하면

$D=(-1)^2-4e^2k=0$

$4e^2k=1$ $\therefore k=\dfrac{1}{4e^2}$

089 답 16

$f(x)=\dfrac{x-1}{x+3}$이라 하면

$f'(x)=\dfrac{(x+3)-(x-1)}{(x+3)^2}=\dfrac{4}{(x+3)^2}$

접점의 좌표를 $\left(t, \dfrac{t-1}{t+3}\right)$이라 하면 접선의 기울기가 4이므로

$f'(t)=4$에서

$\dfrac{4}{(t+3)^2}=4$, $(t+3)^2=1$

$t+3=\pm1$ $\therefore t=-4$ 또는 $t=-2$

따라서 접점의 좌표는 $(-4, 5)$ 또는 $(-2, -3)$이므로 접선의 방정식은

$y-5=4(x+4)$ 또는 $y+3=4(x+2)$

$\therefore y=4x+21$ 또는 $y=4x+5$

이때 $a>b$이므로 $a=21$, $b=5$

$\therefore a-b=16$

090 답 $-e$

$f(x)=e^x+ax$라 하면 $f'(x)=e^x+a$

곡선 $y=f(x)$가 x축과 점 $(t, 0)$에서 접한다고 하면 $f(t)=0$에서

$e^t+at=0$ ...... ㉠

또 점 $(t, 0)$에서의 접선의 기울기가 0이므로 $f'(t)=0$에서

$e^t+a=0$ $\therefore a=-e^t$ ...... ㉡

㉡을 ㉠에 대입하면

$e^t-e^t\times t=0$, $e^t(1-t)=0$

$\therefore t=1$ $(\because e^t>0)$

이를 ㉡에 대입하면 $a=-e$

091 답 ⑤

$f(x)=e^{-x-1}$이라 하면

$f'(x)=-e^{-x-1}$

접점의 좌표를 (t, e^{-t-1})이라 하면 이 점에서의 접선의 기울기는

$f'(t)=-e^{-t-1}$이므로 접선의 방정식은

$y-e^{-t-1}=-e^{-t-1}(x-t)$

$\therefore y=-e^{-t-1}x+(t+1)e^{-t-1}$ ...... ㉠

이 직선이 원점을 지나므로

$0=(t+1)e^{-t-1}$ $\therefore t=-1$ $(\because e^{-t-1}>0)$

이를 ㉠에 대입하여 접선의 방정식을 구하면

$y=-x$

이 직선이 점 $(-2, a)$를 지나므로 $a=2$

092 답 $a<-\sqrt{3}$ 또는 $a>\sqrt{3}$

$f(x)=\dfrac{1}{x^2+1}$이라 하면

$f'(x)=-\dfrac{2x}{(x^2+1)^2}$

접점의 좌표를 $\left(t, \dfrac{1}{t^2+1}\right)$이라 하면 이 점에서의 접선의 기울기

는 $f'(t)=-\dfrac{2t}{(t^2+1)^2}$이므로 접선의 방정식은

$y-\dfrac{1}{t^2+1}=-\dfrac{2t}{(t^2+1)^2}(x-t)$

이 직선이 점 $(a, 0)$을 지나므로

$-\dfrac{1}{t^2+1}=-\dfrac{2t}{(t^2+1)^2}(a-t)$

$(t^2+1)^2\neq0$이므로 양변에 $(t^2+1)^2$을 곱하여 정리하면

$3t^2-2at+1=0$ ...... ㉠

점 $(a, 0)$에서 곡선 $y=\dfrac{1}{x^2+1}$에 서로 다른 두 개의 접선을 그을

수 있으려면 이차방정식 ㉠이 서로 다른 두 실근을 가져야 하므로

㉠의 판별식을 D라 하면

$\dfrac{D}{4}=(-a)^2-3>0$, $(a+\sqrt{3})(a-\sqrt{3})>0$

$\therefore a<-\sqrt{3}$ 또는 $a>\sqrt{3}$

093 답 ③

$f(x)=2\cos^2x+k$, $g(x)=2\cos x$라 하면

$f'(x)=-4\sin x\cos x$, $g'(x)=-2\sin x$

두 곡선이 $x=t$인 점에서 공통인 접선을 갖는다고 하면

$f(t)=g(t)$에서

$2\cos^2t+k=2\cos t$ ...... ㉠

$f'(t)=g'(t)$에서

$-4\sin t\cos t=-2\sin t$, $\sin t(1-2\cos t)=0$

$\therefore \cos t=\dfrac{1}{2}$ $\left(\because 0<t<\dfrac{\pi}{2}\right)$

이를 ㉠에 대입하면

$\dfrac{1}{2}+k=1$ $\therefore k=\dfrac{1}{2}$

094 답 $4\sqrt{2}$

$\dfrac{dx}{d\theta}=-2\sqrt{3}\sin\theta$, $\dfrac{dy}{d\theta}=2\cos\theta$

$\dfrac{dy}{dx}=\dfrac{\dfrac{dy}{d\theta}}{\dfrac{dx}{d\theta}}=\dfrac{2\cos\theta}{-2\sqrt{3}\sin\theta}=-\dfrac{1}{\sqrt{3}}\cot\theta$

접선의 기울기가 -1이므로 $-\dfrac{1}{\sqrt{3}}\cot\theta=-1$에서

$\cot\theta=\sqrt{3}$ $\therefore\ \theta=\dfrac{\pi}{6}\ \left(\because\ 0<\theta<\dfrac{\pi}{2}\right)$

$\theta=\dfrac{\pi}{6}$일 때 $x=2\sqrt{3}\cos\dfrac{\pi}{6}=3$, $y=2\sin\dfrac{\pi}{6}=1$이므로 접선의 방정식은

$y-1=-(x-3)$

$\therefore\ y=-x+4$

따라서 A$(4,\ 0)$, B$(0,\ 4)$이므로

$\overline{\text{AB}}=\sqrt{(0-4)^2+(4-0)^2}=4\sqrt{2}$

095 답 ③

$\sqrt{x}+\sqrt{y}=4$의 각 항을 x에 대하여 미분하면

$\dfrac{1}{2\sqrt{x}}+\dfrac{1}{2\sqrt{y}}\times\dfrac{dy}{dx}=0$

$\therefore\ \dfrac{dy}{dx}=-\dfrac{\sqrt{y}}{\sqrt{x}}$ (단, $x\neq0$)

$\sqrt{x}+\sqrt{y}=4$에 $x=9$를 대입하면

$3+\sqrt{y}=4$ $\therefore\ y=1$

따라서 점 $(9,\ 1)$에서의 접선의 기울기는 $\dfrac{dy}{dx}=-\dfrac{1}{3}$이므로 접선의 방정식은

$y-1=-\dfrac{1}{3}(x-9)$

$\therefore\ y=-\dfrac{1}{3}x+4$

이 접선의 x절편은 12, y절편은 4이므로 구하는 도형의 넓이는

$\dfrac{1}{2}\times12\times4=24$

096 답 $-\dfrac{2}{5}$

$g(-2)=k$라 하면 $f(k)=-2$이므로

$k^3+2k+1=-2$, $k^3+2k+3=0$

$(k+1)(k^2-k+3)=0$

$\therefore\ k=-1\ (\because\ k^2-k+3>0)$

이때 $f'(x)=3x^2+2$이므로 $f'(-1)=5$

$\therefore\ g'(-2)=\dfrac{1}{f'(-1)}=\dfrac{1}{5}$

즉, 곡선 $y=g(x)$ 위의 점 $(-2,\ -1)$에서의 접선의 방정식은

$y+1=\dfrac{1}{5}(x+2)$

$\therefore\ y=\dfrac{1}{5}x-\dfrac{3}{5}$

따라서 $a=\dfrac{1}{5}$, $b=-\dfrac{3}{5}$이므로 $a+b=-\dfrac{2}{5}$

097 답 ⑤

$f(x)=x^2e^{-x}$에서

$f'(x)=2xe^{-x}-x^2e^{-x}=x(2-x)e^{-x}$

$f'(x)=0$인 x의 값은 $x=0$ 또는 $x=2\ (\because\ e^{-x}>0)$

함수 $f(x)$의 증가, 감소를 표로 나타내면 다음과 같다.

x	$\cdots$	0	$\cdots$	2	$\cdots$
$f'(x)$	$-$	0	$+$	0	$-$
$f(x)$	$\searrow$	0	$\nearrow$	$\dfrac{4}{e^2}$	$\searrow$

따라서 함수 $f(x)$가 증가하는 x의 값의 범위가 $0\le x\le2$이므로

$a=0$, $b=2$ $\therefore\ b-a=2$

098 답 ②

$f(x)=(1+ax^2)e^{-x}$에서

$f'(x)=2axe^{-x}-(1+ax^2)e^{-x}$

$\qquad=(-ax^2+2ax-1)e^{-x}$

함수 $f(x)$가 실수 전체의 집합에서 감소하려면 모든 실수 x에 대하여 $f'(x)\le0$이어야 한다.

이때 $e^{-x}>0$이므로 $-ax^2+2ax-1\le0$ ...... ㉠

(i) $a=0$일 때, $-1\le0$이므로 부등식 ㉠은 모든 실수 x에 대하여 성립한다.

(ii) $a\neq0$일 때, 이차부등식 ㉠이 모든 실수 x에 대하여 성립하려면 $a>0$이어야 하고, 이차방정식 $-ax^2+2ax-1=0$의 판별식을 D라 하면

$\dfrac{D}{4}=a^2-a\le0$, $a(a-1)\le0$

$\therefore\ 0<a\le1\ (\because\ a>0)$

(i), (ii)에서 $0\le a\le1$

따라서 정수 a는 0, 1의 2개이다.

099 답 1

$f(x)=\dfrac{x^2+2x+a}{x^2+1}$에서

$f'(x)=\dfrac{(2x+2)(x^2+1)-(x^2+2x+a)\times2x}{(x^2+1)^2}$

$\qquad=\dfrac{-2x^2+2(1-a)x+2}{(x^2+1)^2}$

함수 $f(x)$가 구간 $(-1,\ 1)$에서 증가하려면 $-1<x<1$에서 $f'(x)\ge0$이어야 한다.

이때 $(x^2+1)^2>0$이므로 $-2x^2+2(1-a)x+2\ge0$이어야 한다.

$g(x)=-2x^2+2(1-a)x+2$라 하면 $-1<x<1$에서 $g(x)\ge0$이어야 하므로 오른쪽 그림에서

$g(-1)\ge0$, $g(1)\ge0$

$g(-1)\ge0$에서 $-2-2(1-a)+2\ge0$

$\therefore\ a\ge1$ ...... ㉠

$g(1)\ge0$에서 $-2+2(1-a)+2\ge0$

$\therefore\ a\le1$ ...... ㉡

따라서 ㉠, ㉡을 동시에 만족시키는 a의 값은 1이다.

100 답 ④

$f(x)=\dfrac{x+1}{\sqrt{x-2}}$에서 $x>2$이고

$f'(x)=\dfrac{\sqrt{x-2}-(x+1)\times\dfrac{1}{2\sqrt{x-2}}}{x-2}=\dfrac{x-5}{2\sqrt{x-2}(x-2)}$

$f'(x)=0$인 x의 값은 $x=5$

$x>2$에서 함수 $f(x)$의 증가, 감소를 표로 나타내면 다음과 같다.

x	2	$\cdots$	5	$\cdots$
$f'(x)$		$-$	0	$+$
$f(x)$		$\searrow$	$2\sqrt{3}$ 극소	$\nearrow$

따라서 함수 $f(x)$의 극솟값은 $f(5)=2\sqrt{3}$

101 답 ①

$f(x)=e^x(\sin x+\cos x)$에서

$f'(x)=e^x(\sin x+\cos x)+e^x(\cos x-\sin x)=2e^x\cos x$

$f'(x)=0$에서 $\cos x=0$ $(\because e^x>0)$

$\therefore x=\dfrac{\pi}{2}$ 또는 $x=\dfrac{3}{2}\pi$ $(\because 0<x<2\pi)$

$0<x<2\pi$에서 함수 $f(x)$의 증가, 감소를 표로 나타내면 다음과 같다.

x	0	$\cdots$	$\dfrac{\pi}{2}$	$\cdots$	$\dfrac{3}{2}\pi$	$\cdots$	2π
$f'(x)$		$+$	0	$-$	0	$+$	
$f(x)$		$\nearrow$	$e^{\frac{\pi}{2}}$ 극대	$\searrow$	$-e^{\frac{3}{2}\pi}$ 극소	$\nearrow$	

따라서 함수 $f(x)$의 극댓값은 $f\left(\dfrac{\pi}{2}\right)=e^{\frac{\pi}{2}}$, 극솟값은

$f\left(\dfrac{3}{2}\pi\right)=-e^{\frac{3}{2}\pi}$이므로 극댓값과 극솟값의 곱은

$e^{\frac{\pi}{2}}\times\left(-e^{\frac{3}{2}\pi}\right)=-e^{2\pi}$

102 답 1

$f(x)=n\ln x+\dfrac{n+1}{x}-n$에서 $x>0$이고

$f'(x)=\dfrac{n}{x}-\dfrac{n+1}{x^2}=\dfrac{nx-(n+1)}{x^2}$

$f'(x)=0$인 x의 값은 $x=\dfrac{n+1}{n}$

$x>0$에서 함수 $f(x)$의 증가, 감소를 표로 나타내면 다음과 같다.

x	0	$\cdots$	$\dfrac{n+1}{n}$	$\cdots$
$f'(x)$		$-$	0	$+$
$f(x)$		$\searrow$	$n\ln\dfrac{n+1}{n}$ 극소	$\nearrow$

따라서 함수 $f(x)$의 극솟값은

$a_n=f\left(\dfrac{n+1}{n}\right)=n\ln\dfrac{n+1}{n}$

$\therefore \displaystyle\lim_{n\to\infty}a_n=\lim_{n\to\infty}n\ln\dfrac{n+1}{n}=\lim_{n\to\infty}\ln\left(1+\dfrac{1}{n}\right)^n=1$

103 답 ⑤

$f(x)=\dfrac{x^2+ax+b}{x+1}$에서

$f'(x)=\dfrac{(2x+a)(x+1)-(x^2+ax+b)}{(x+1)^2}$

$=\dfrac{x^2+2x+a-b}{(x+1)^2}$

함수 $f(x)$가 $x=1$에서 극솟값 -2를 가지므로

$f'(1)=0,\ f(1)=-2$

$f'(1)=0$에서

$\dfrac{3+a-b}{4}=0$ $\quad\therefore a-b=-3$ $\quad\quad\cdots\cdots$ ㉠

$f(1)=-2$에서

$\dfrac{1+a+b}{2}=-2$ $\quad\therefore a+b=-5$ $\quad\quad\cdots\cdots$ ㉡

㉠, ㉡을 연립하여 풀면

$a=-4,\ b=-1$

$\therefore ab=4$

104 답 ④

$f(x)=\dfrac{a}{x}-2x+a\ln x$에서 $x>0$이고

$f'(x)=-\dfrac{a}{x^2}-2+\dfrac{a}{x}=\dfrac{-2x^2+ax-a}{x^2}$

함수 $f(x)$가 극댓값과 극솟값을 모두 가지려면 이차방정식

$-2x^2+ax-a=0$이 $x>0$인 서로 다른 두 실근을 가져야 한다.

(ⅰ) 이차방정식 $-2x^2+ax-a=0$의 판별식을 D라 하면

$D=a^2-8a>0,\ a(a-8)>0$

$\therefore a<0$ 또는 $a>8$

(ⅱ) (두 근의 합)$=\dfrac{a}{2}>0$ $\quad\therefore a>0$

(ⅲ) (두 근의 곱)$=\dfrac{a}{2}>0$ $\quad\therefore a>0$

(ⅰ), (ⅱ), (ⅲ)에서 $a>8$

따라서 정수 a의 최솟값은 9이다.

105 답 $-1\le a\le 1$

$f(x)=x+a\sin x$에서

$f'(x)=1+a\cos x$

함수 $f(x)$가 극값을 갖지 않으려면 모든 실수 x에 대하여

$f'(x)\le 0$ 또는 $f'(x)\ge 0$이어야 한다.

이때 $-1\le\cos x\le 1$이므로

$-|a|\le a\cos x\le |a|$

$\therefore 1-|a|\le 1+a\cos x\le 1+|a|$

즉, $1-|a|\le f'(x)\le 1+|a|$에서 $1+|a|>0$이므로 $1-|a|\ge 0$

이어야 한다.

$1-|a|\ge 0$에서 $|a|\le 1$

$\therefore -1\le a\le 1$

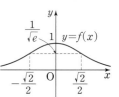

07 도함수의 활용 (2)

122~139쪽

001 답 ⑤

$f(x)=x-2\sin x$라 하면

$f'(x)=1-2\cos x$, $f''(x)=2\sin x$

곡선 $y=f(x)$가 위로 볼록하려면 $f''(x)<0$이어야 하므로

$2\sin x<0$, $\sin x<0$

$\therefore \pi<x<2\pi$ ($\because 0<x<2\pi$)

따라서 곡선 $y=f(x)$가 위로 볼록한 구간은 $(\pi, 2\pi)$이다.

002 답 ③

$f(x)=\ln(x^2+1)$이라 하면

$f'(x)=\dfrac{2x}{x^2+1}$

$f''(x)=\dfrac{2(x^2+1)-2x\times 2x}{(x^2+1)^2}=\dfrac{-2x^2+2}{(x^2+1)^2}$

$\qquad =\dfrac{-2(x+1)(x-1)}{(x^2+1)^2}$

$f''(x)=0$인 x의 값은 $x=-1$ 또는 $x=1$

$x<-1$, $x>1$에서 $f''(x)<0$

$-1<x<1$에서 $f''(x)>0$

즉, $x=-1$, $x=1$의 좌우에서 $f''(x)$의 부호가 바뀌므로 변곡점의 x좌표는 -1, 1이다.

따라서 모든 변곡점의 x좌표의 합은 $-1+1=0$

003 답 18

$f(x)=x^2+ax+b\ln x$에서

$f'(x)=2x+a+\dfrac{b}{x}$, $f''(x)=2-\dfrac{b}{x^2}$

함수 $f(x)$가 $x=4$에서 극값을 가지므로 $f'(4)=0$에서

$8+a+\dfrac{b}{4}=0$ $\quad\therefore 4a+b=-32$ ······ ㉠

또 변곡점의 x좌표가 2이므로 $f''(2)=0$에서

$2-\dfrac{b}{4}=0$ $\quad\therefore b=8$

이를 ㉠에 대입하여 풀면 $a=-10$

$\therefore b-a=8-(-10)=18$

004 답 ㄴ, ㄷ

$f'(x)$, $f''(x)$의 부호를 표로 나타내면 다음과 같다.

x	$\cdots$	a	$\cdots$	0	$\cdots$	b	$\cdots$	c	$\cdots$	d	$\cdots$
$f'(x)$	$-$	0	$-$	0	$-$	0	$+$	$+$	$+$	0	$+$
$f''(x)$	$+$	0	$-$	0	$+$	$+$	$+$	0	$-$	0	$+$

ㄱ. $x=b$의 좌우에서 $f'(x)$의 부호가 바뀌므로 $f(x)$가 극값을 갖는 x의 값은 1개이다.

ㄴ. $x=a$, $x=0$, $x=c$, $x=d$의 좌우에서 $f''(x)$의 부호가 바뀌므로 $y=f(x)$의 그래프의 변곡점은 4개이다.

ㄷ. 구간 $(0, c)$에서 $f''(x)>0$이므로 $y=f(x)$의 그래프는 이 구간에서 아래로 볼록하다.

따라서 보기 중 옳은 것은 ㄴ, ㄷ이다.

005 답 ㄴ, ㄷ, ㄹ

$f(x)=e^{-x^2}$에서

$f'(x)=-2xe^{-x^2}$

$f''(x)=-2e^{-x^2}+(-2x)^2e^{-x^2}=2(2x^2-1)e^{-x^2}$

$\qquad =2(\sqrt{2}x+1)(\sqrt{2}x-1)e^{-x^2}$

$f'(x)=0$인 x의 값은 $x=0$ ($\because e^{-x^2}>0$)

$f''(x)=0$인 x의 값은 $x=-\dfrac{\sqrt{2}}{2}$ 또는 $x=\dfrac{\sqrt{2}}{2}$

함수 $f(x)$의 증가와 감소, 오목과 볼록을 표로 나타내면 다음과 같다.

x	$\cdots$	$-\dfrac{\sqrt{2}}{2}$	$\cdots$	0	$\cdots$	$\dfrac{\sqrt{2}}{2}$	$\cdots$
$f'(x)$	$+$	$+$	$+$	0	$-$	$-$	$-$
$f''(x)$	$+$	0	$-$	$-$	$-$	0	$+$
$f(x)$	⤴	$\dfrac{1}{\sqrt{e}}$ 변곡점	⤴	1 극대	⤵	$\dfrac{1}{\sqrt{e}}$ 변곡점	⤵

또 $\lim\limits_{x\to\infty}f(x)=0$, $\lim\limits_{x\to-\infty}f(x)=0$이므로 함수 $y=f(x)$의 그래프는 오른쪽 그림과 같다.

ㄱ. 치역은 $\{y\,|\,0<y\le 1\}$이다.

ㄴ. $y=f(x)$의 그래프의 변곡점은 점 $\left(-\dfrac{\sqrt{2}}{2}, \dfrac{1}{\sqrt{e}}\right)$, 점 $\left(\dfrac{\sqrt{2}}{2}, \dfrac{1}{\sqrt{e}}\right)$의 2개이다.

ㄷ. 모든 실수 x에 대하여

$f(-x)=e^{-(-x)^2}=e^{-x^2}=f(x)$

이므로 $y=f(x)$의 그래프는 y축에 대하여 대칭이다.

ㄹ. 구간 $\left(-\dfrac{\sqrt{2}}{2}, \dfrac{\sqrt{2}}{2}\right)$에서 $f''(x)<0$이므로 $y=f(x)$의 그래프는 이 구간에서 위로 볼록하다.

따라서 보기 중 옳은 것은 ㄴ, ㄷ, ㄹ이다.

006 답 $\dfrac{9}{8}$

$f(x)=\dfrac{x-1}{x^2+x+2}$에서

$f'(x)=\dfrac{x^2+x+2-(x-1)(2x+1)}{(x^2+x+2)^2}=\dfrac{-x^2+2x+3}{(x^2+x+2)^2}$

$\qquad =\dfrac{-(x+1)(x-3)}{(x^2+x+2)^2}$

$f'(x)=0$인 x의 값은 $x=-1$ ($\because -2\le x\le 2$)

구간 $[-2, 2]$에서 함수 $f(x)$의 증가, 감소를 표로 나타내면 다음과 같다.

x	-2	$\cdots$	-1	$\cdots$	2
$f'(x)$		$-$	0	$+$	
$f(x)$	$-\dfrac{3}{4}$	↘	-1 극소	↗	$\dfrac{1}{8}$

따라서 함수 $f(x)$의 최댓값은 $f(2)=\dfrac{1}{8}$, 최솟값은 $f(-1)=-1$이므로 구하는 차는

$\dfrac{1}{8}-(-1)=\dfrac{9}{8}$

007 답 7

$f(x)=ax-a\sin 2x$에서

$f'(x)=a-2a\cos 2x=a(1-2\cos 2x)$

$f'(x)=0$에서 $\cos 2x=\dfrac{1}{2}$ $\qquad \therefore x=\dfrac{\pi}{6}\left(\because 0\le x\le \dfrac{\pi}{2}\right)$

구간 $\left[0, \dfrac{\pi}{2}\right]$에서 함수 $f(x)$의 증가, 감소를 표로 나타내면 다음과 같다.

x	0	$\cdots$	$\dfrac{\pi}{6}$	$\cdots$	$\dfrac{\pi}{2}$
$f'(x)$		$-$	0	$+$	
$f(x)$	0	$\searrow$	$\dfrac{a}{6}\pi-\dfrac{\sqrt 3}{2}a$ 극소	$\nearrow$	$\dfrac{a}{2}\pi$

따라서 함수 $f(x)$의 최댓값은 $f\left(\dfrac{\pi}{2}\right)=\dfrac{a}{2}\pi$이므로

$\dfrac{a}{2}\pi=\dfrac{7}{2}\pi$ $\qquad \therefore a=7$

008 답 $\dfrac{1}{e}$

두 곡선 $y=\dfrac{1}{2}e^x$, $y=\dfrac{1}{2}e^{-x}$ 위의 두 점을 각각 A, D라 하고, x축 위에 있는 직사각형의 한 변을 BC라 하자.

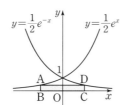

점 D의 좌표를 $\left(t, \dfrac{1}{2}e^{-t}\right)(t>0)$이라

하면 $\overline{AD}=2t$, $\overline{CD}=\dfrac{1}{2}e^{-t}$

직사각형 ABCD의 넓이를 $S(t)$라 하면

$S(t)=2t\times\dfrac{1}{2}e^{-t}=te^{-t}$

$\therefore S'(t)=e^{-t}-te^{-t}=(1-t)e^{-t}$

$S'(t)=0$인 t의 값은 $t=1$ $(\because e^{-t}>0)$

$t>0$에서 함수 $S(t)$의 증가, 감소를 표로 나타내면 다음과 같다.

t	0	$\cdots$	1	$\cdots$
$S'(t)$		$+$	0	$-$
$S(t)$		$\nearrow$	$\dfrac{1}{e}$ 극대	$\searrow$

따라서 $S(t)$의 최댓값은 $S(1)=\dfrac{1}{e}$이므로 직사각형의 넓이의 최댓값은 $\dfrac{1}{e}$이다.

009 답 ①

$f(x)=2x\ln x-x^2$이라 하면 $x>0$이고

$f'(x)=2\ln x+2x\times\dfrac{1}{x}-2x=2\ln x+2-2x$

$f''(x)=\dfrac{2}{x}-2$

곡선 $y=f(x)$가 아래로 볼록하려면 $f''(x)>0$이어야 하므로

$\dfrac{2}{x}-2>0$, $x<1$ $\qquad \therefore 0<x<1$

따라서 곡선 $y=f(x)$가 아래로 볼록한 구간은 $(0, 1)$이다.

010 답 $\dfrac{\pi}{2}$

$f(x)=\sin^2 x$라 하면

$f'(x)=2\sin x\cos x=\sin 2x$, $f''(x)=2\cos 2x$

곡선 $y=f(x)$가 위로 볼록하려면 $f''(x)<0$이어야 하므로

$2\cos 2x<0$, $\cos 2x<0$

$\therefore \dfrac{\pi}{4}<x<\dfrac{3}{4}\pi\ (\because 0<x<\pi)$

따라서 $a=\dfrac{\pi}{4}$, $b=\dfrac{3}{4}\pi$이므로 $b-a=\dfrac{\pi}{2}$

011 답 $-\dfrac{1}{10}$

$f(x)=\ln(x^2+4)$에서

$f'(x)=\dfrac{2x}{x^2+4}$

$f''(x)=\dfrac{2(x^2+4)-2x\times 2x}{(x^2+4)^2}=\dfrac{-2x^2+8}{(x^2+4)^2}$

$\quad=\dfrac{-2(x+2)(x-2)}{(x^2+4)^2}$

함수 $y=f(x)$의 그래프가 아래로 볼록하려면 $f''(x)>0$이어야 하므로

$-2(x+2)(x-2)>0$, $(x+2)(x-2)<0$

$\therefore -2<x<2$

따라서 함수 $y=f(x)$의 그래프는 구간 $(-2, 2)$에서 아래로 볼록하다.

즉, $-2\le a\le 1$이므로 정수 a는 -2, -1, 0, 1이다.

$\therefore f'(-2)=-\dfrac{1}{2}$, $f'(-1)=-\dfrac{2}{5}$, $f'(0)=0$, $f'(1)=\dfrac{2}{5}$

따라서 $f'(a)$의 최댓값과 최솟값의 합은

$\dfrac{2}{5}+\left(-\dfrac{1}{2}\right)=-\dfrac{1}{10}$

012 답 ④

$f(x)=(ax^2+3)e^x$이라 하면

$f'(x)=2axe^x+(ax^2+3)e^x=(ax^2+2ax+3)e^x$

$f''(x)=(2ax+2a)e^x+(ax^2+2ax+3)e^x$

$\quad=(ax^2+4ax+2a+3)e^x$

곡선 $y=f(x)$가 구간 $(-\infty, \infty)$에서 아래로 볼록하려면 모든 실수 x에 대하여 $f''(x)>0$이어야 한다.

이때 $e^x>0$이므로 $ax^2+4ax+2a+3\ge 0$ $\qquad \cdots\cdots$ ㉠

(i) $a=0$일 때, $3\ge 0$이므로 부등식 ㉠이 모든 실수 x에 대하여 성립한다.

(ii) $a\ne 0$일 때

이차부등식 ㉠이 모든 실수 x에 대하여 성립하려면 $a>0$이어야 하고, 이차방정식 $ax^2+4ax+2a+3=0$의 판별식을 D라 하면

$\dfrac{D}{4}=(2a)^2-a(2a+3)\le 0$, $2a^2-3a\le 0$

$a(2a-3)\le 0$ $\qquad \therefore 0<a\le \dfrac{3}{2}\ (\because a>0)$

(i), (ii)에서 $0\le a\le \dfrac{3}{2}$

따라서 상수 a의 최댓값은 $\dfrac{3}{2}$이다.

013 답 ㄷ, ㄹ

$f(b)<f'(a)(b-a)+f(a)$에서

$\dfrac{f(b)-f(a)}{b-a}<f'(a)$

이때 $\dfrac{f(b)-f(a)}{b-a}$는 함수 $y=f(x)$에서

x의 값이 a에서 b까지 변할 때의 평균

변화율이고, $f'(a)$는 곡선 $y=f(x)$ 위

의 점 $(a,\,f(a))$에서의 접선의 기울기

이므로 주어진 부등식을 만족시키려면

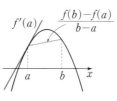

곡선 $y=f(x)$는 위의 그림과 같이 $0<x<1$에서 위로 볼록해야

한다.

즉, $0<x<1$에서 $f''(x)<0$이어야 한다.

ㄱ. $f'(x)=-\dfrac{1}{x^2}$, $f''(x)=\dfrac{2x}{x^4}=\dfrac{2}{x^3}$

　　$0<x<1$에서 $f''(x)>0$

ㄴ. $f'(x)=e^x+e^{-x}$, $f''(x)=e^x-e^{-x}$

　　$0<x<1$에서 $e^x>e^{-x}$이므로 $f''(x)>0$

ㄷ. $f'(x)=\dfrac{1}{x}$, $f''(x)=-\dfrac{1}{x^2}$

　　$0<x<1$에서 $f''(x)<0$

ㄹ. $f'(x)=1-\sin x$, $f''(x)=-\cos x$

　　$0<x<1$에서 $f''(x)<0$

따라서 보기의 함수 중 주어진 부등식을 만족시키는 것은 ㄷ, ㄹ이

다.

014 답 ⑤

$f(x)=(x^2+1)e^{-x}$이라 하면

$f'(x)=2xe^{-x}-(x^2+1)e^{-x}$

　　　$=(-x^2+2x-1)e^{-x}$

$f''(x)=(-2x+2)e^{-x}-(-x^2+2x-1)e^{-x}$

　　　$=(x^2-4x+3)e^{-x}=(x-1)(x-3)e^{-x}$

$f''(x)=0$인 x의 값은 $x=1$ 또는 $x=3$ $(\because e^{-x}>0)$

$x<1$, $x>3$에서 $f''(x)>0$

$1<x<3$에서 $f''(x)<0$

즉, $x=1$, $x=3$의 좌우에서 $f''(x)$의 부호가 바뀌므로 변곡점의

x좌표는 1, 3이다.

따라서 모든 변곡점의 x좌표의 합은

$1+3=4$

015 답 2

$f(x)=x^4-6x^2+3x$라 하면

$f'(x)=4x^3-12x+3$

$f''(x)=12x^2-12=12(x+1)(x-1)$

$f''(x)=0$인 x의 값은 $x=-1$ 또는 $x=1$

$x<-1$, $x>1$에서 $f''(x)>0$

$-1<x<1$에서 $f''(x)<0$

따라서 $x=-1$, $x=1$의 좌우에서 $f''(x)$의 부호가 바뀌므로 변곡

점의 개수는 2이다.

016 답 ③

$f(x)=2x^2+\ln x$라 하면 $x>0$이고

$f'(x)=4x+\dfrac{1}{x}$

$f''(x)=4-\dfrac{1}{x^2}=\dfrac{(2x+1)(2x-1)}{x^2}$

$f''(x)=0$인 x의 값은 $x=\dfrac{1}{2}$ $(\because x>0)$

$0<x<\dfrac{1}{2}$에서 $f''(x)<0$

$x>\dfrac{1}{2}$에서 $f''(x)>0$

즉, $x=\dfrac{1}{2}$의 좌우에서 $f''(x)$의 부호가 바뀌므로 변곡점의 x좌표

는 $\dfrac{1}{2}$이다.

따라서 변곡점에서의 접선의 기울기는 $f'\left(\dfrac{1}{2}\right)=2+2=4$

017 답 $\dfrac{1}{4}$

$f(x)=\dfrac{1}{x^2+3}$이라 하면

$f'(x)=-\dfrac{2x}{(x^2+3)^2}$

$f''(x)=-\dfrac{2(x^2+3)^2-2x\times 2(x^2+3)\times 2x}{(x^2+3)^4}$

　　　$=\dfrac{6x^2-6}{(x^2+3)^3}=\dfrac{6(x+1)(x-1)}{(x^2+3)^3}$

$f''(x)=0$인 x의 값은 $x=-1$ 또는 $x=1$

$x<-1$, $x>1$에서 $f''(x)>0$

$-1<x<1$에서 $f''(x)<0$

즉, $x=-1$, $x=1$의 좌우에서 $f''(x)$의 부호가 바뀌므로 두 변곡

점의 좌표는 $\left(-1,\,\dfrac{1}{4}\right)$, $\left(1,\,\dfrac{1}{4}\right)$이다.

따라서 삼각형 OAB의 넓이는

$\dfrac{1}{2}\times 2\times\dfrac{1}{4}=\dfrac{1}{4}$

018 답 54

$f(2)=f'(2)=0$이므로

$f(x)=(x-2)^2(x+a)$ (a는 상수)라 하면

$f'(x)=2(x-2)(x+a)+(x-2)^2$

$f''(x)=2(x+a)+2(x-2)+2(x-2)$

　　　$=6x+2a-8$

$f''(1)=12$에서 $6+2a-8=12$

$2a=14$　　$\therefore a=7$

$\therefore f''(x)=6x+6$

$f''(x)=0$인 x의 값은 $x=-1$

$x<-1$에서 $f''(x)<0$, $x>-1$에서 $f''(x)>0$

즉, $x=-1$의 좌우에서 $f''(x)$의 부호가 바뀌므로 점

$(-1,\,f(-1))$이 변곡점이다.

따라서 변곡점의 y좌표는

$f(-1)=(-1-2)^2(-1+7)=54$

019 답 ④

$f(x)=e^{-x}\cos x$라 하면

$f'(x)=-e^{-x}\cos x-e^{-x}\sin x=-e^{-x}(\sin x+\cos x)$

$f''(x)=e^{-x}(\sin x+\cos x)-e^{-x}(\cos x-\sin x)$

$\qquad =2e^{-x}\sin x$

$f''(x)=0$에서 $\sin x=0\ (\because e^{-x}>0)$

$\therefore x=k\pi\ (k=1,\ 2,\ 3,\ \cdots)$

이때 $x=k\pi\ (k=1,\ 2,\ 3,\ \cdots)$의 좌우에서 $f''(x)$의 부호가 바뀌므로 변곡점의 x좌표는

$x_1=\pi,\ x_2=2\pi,\ x_3=3\pi,\ x_4=4\pi,\ \cdots$

따라서 변곡점의 y좌표는

$y_1=-e^{-\pi},\ y_2=e^{-2\pi},\ y_3=-e^{-3\pi},\ y_4=e^{-4\pi},\ \cdots$

$\therefore \displaystyle\sum_{n=1}^{\infty}y_{2n}=y_2+y_4+y_6+\cdots$

$\qquad\qquad =e^{-2\pi}+e^{-4\pi}+e^{-6\pi}+\cdots$

$\qquad\qquad =\dfrac{e^{-2\pi}}{1-e^{-2\pi}}=\dfrac{1}{e^{2\pi}-1}$

020 답 $\dfrac{1}{2}$

$f(x)=a\sin x+\cos x+bx$에서

$f'(x)=a\cos x-\sin x+b$

$f''(x)=-a\sin x-\cos x$

함수 $f(x)$가 $x=\dfrac{\pi}{6}$에서 극대이므로 $f'\!\left(\dfrac{\pi}{6}\right)=0$에서

$\dfrac{\sqrt{3}}{2}a-\dfrac{1}{2}+b=0 \qquad \therefore \sqrt{3}a+2b=1 \qquad \cdots\cdots\ \text{㉠}$

변곡점의 x좌표가 $\dfrac{\pi}{2}$이므로 $f''\!\left(\dfrac{\pi}{2}\right)=0$에서

$-a=0 \qquad \therefore a=0$

이를 ㉠에 대입하여 풀면 $b=\dfrac{1}{2}$

$\therefore a+b=\dfrac{1}{2}$

021 답 ④

$f(x)=x^3+ax^2+bx+c$에서

$f'(x)=3x^2+2ax+b$

$f''(x)=6x+2a$

$x=1$인 점에서의 접선의 기울기가 4이므로 $f'(1)=4$에서

$3+2a+b=4$

$\therefore 2a+b=1 \qquad \cdots\cdots\ \text{㉠}$

변곡점의 좌표가 $(-1,\ 12)$이므로

$f(-1)=12,\ f''(-1)=0$

$f(-1)=12$에서

$-1+a-b+c=12$

$\therefore a-b+c=13 \qquad \cdots\cdots\ \text{㉡}$

$f''(-1)=0$에서

$-6+2a=0 \qquad \therefore a=3$

이를 ㉠에 대입하여 풀면 $b=-5$

$a=3,\ b=-5$를 ㉡에 대입하여 풀면 $c=5$

$\therefore a+b+c=3$

022 답 $\dfrac{e}{2}$

$f(x)=(\ln ax)^2$이라 하면 $x>0$이고

$f'(x)=2\ln ax\times\dfrac{1}{ax}\times a=\dfrac{2\ln ax}{x}$

$f''(x)=\dfrac{\dfrac{2}{x}\times x-2\ln ax}{x^2}=\dfrac{2(1-\ln ax)}{x^2}$

$f''(x)=0$에서 $\ln ax=1,\ ax=e \qquad \therefore x=\dfrac{e}{a}$

$0<x<\dfrac{e}{a}$에서 $f''(x)>0$, $x>\dfrac{e}{a}$에서 $f''(x)<0$

즉, $x=\dfrac{e}{a}$의 좌우에서 $f''(x)$의 부호가 바뀌므로 변곡점의 좌표는 $\left(\dfrac{e}{a},\ 1\right)$이다.

이때 변곡점이 직선 $y=2x-3$ 위에 있으므로

$1=\dfrac{2e}{a}-3,\ \dfrac{2e}{a}=4 \qquad \therefore a=\dfrac{e}{2}$

023 답 5

$f(x)=ax^2+6\sin x+3$이라 하면

$f'(x)=2ax+6\cos x$

$f''(x)=2a-6\sin x$

곡선 $y=f(x)$가 변곡점을 가지려면 방정식 $f''(x)=0$이 실근을 갖고, 그 근의 좌우에서 $f''(x)$의 부호가 바뀌어야 한다.

$f''(x)=0$에서 $2a-6\sin x=0 \qquad \therefore \sin x=\dfrac{a}{3}$

이때 이 방정식이 실근을 가지려면 $-1\le\sin x\le1$이므로

$-1\le\dfrac{a}{3}\le1 \qquad \therefore -3\le a\le3$

$a=-3$이면 $f''(x)=-6-6\sin x\le0$

$a=3$이면 $f''(x)=6-6\sin x\ge0$

즉, $a=-3,\ a=3$이면 $f''(x)=0$을 만족시키는 x의 값의 좌우에서 $f''(x)$의 부호가 바뀌지 않으므로 곡선 $y=f(x)$가 변곡점을 가질 수 없다.

따라서 a의 값의 범위는 $-3<a<3$이므로 구하는 정수 a는 -2, $-1,\ 0,\ 1,\ 2$의 5개이다.

024 답 ㄱ, ㄷ, ㄹ

$f'(x),\ f''(x)$의 부호를 표로 나타내면 다음과 같다.

x	$\cdots$	a	$\cdots$	b	$\cdots$	0	$\cdots$	c	$\cdots$	d	$\cdots$	e	$\cdots$	f	$\cdots$
$f'(x)$	$-$	0	$+$	$+$	$+$	0	$+$	$+$	$+$	0	$-$	$-$	$-$	0	$+$
$f''(x)$	$+$	$+$	$+$	0	$-$	0	$+$	0	$-$	$-$	$-$	0	$+$	$+$	$+$

ㄱ. 구간 $(d,\ f)$에서 $f'(x)<0$이므로 $f(x)$는 이 구간에서 감소한다.

ㄴ. $x=d$의 좌우에서 $f'(x)$의 부호가 $+$에서 $-$로 바뀌므로 $f(x)$가 극대가 되는 x의 값은 1개이다.

ㄷ. $x=b,\ x=0,\ x=c,\ x=e$의 좌우에서 $f''(x)$의 부호가 바뀌므로 $y=f(x)$의 그래프의 변곡점은 4개이다.

ㄹ. 구간 $(c,\ e)$에서 $f''(x)<0$이므로 $y=f(x)$의 그래프는 이 구간에서 위로 볼록하다.

따라서 보기 중 옳은 것은 ㄱ, ㄷ, ㄹ이다.

025 답 3

아래 그림과 같이 a, b, c, d를 정하고 $f''(x)$의 부호를 표로 나타내면 다음과 같다.

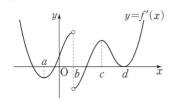

x	$\cdots$	a	$\cdots$	b	$\cdots$	c	$\cdots$	d	$\cdots$
$f''(x)$	$-$	0	$+$		$+$	0	$-$	0	$+$

$x=a$, $x=c$, $x=d$의 좌우에서 $f''(x)$의 부호가 바뀌므로 곡선 $y=f(x)$의 변곡점은 3개이다.

026 답 C, F

여섯 개의 점 A, B, C, D, E, F의 x좌표를 각각 a, b, c, d, e, f라 하고 $f'(x)$, $f''(x)$의 부호를 표로 나타내면 다음과 같다.

x	a	b	c	d	e	f
$f'(x)$	$-$	0	$+$	$+$	0	$-$
$f''(x)$	$+$	$+$	$+$	0	$-$	$-$

따라서 $f'(x)f''(x)>0$인 점은 C, F이다.

027 답 ㄱ, ㄷ, ㄹ

$f(x)=\dfrac{2x}{x^2+1}$에서

$f'(x)=\dfrac{2(x^2+1)-2x\times 2x}{(x^2+1)^2}=\dfrac{-2x^2+2}{(x^2+1)^2}=\dfrac{-2(x+1)(x-1)}{(x^2+1)^2}$

$f''(x)=\dfrac{-4x(x^2+1)^2-(-2x^2+2)\times 2(x^2+1)\times 2x}{(x^2+1)^4}$

$\qquad =\dfrac{4x(x^2-3)}{(x^2+1)^3}=\dfrac{4x(x+\sqrt{3})(x-\sqrt{3})}{(x^2+1)^3}$

$f'(x)=0$인 x의 값은 $x=-1$ 또는 $x=1$

$f''(x)=0$인 x의 값은 $x=-\sqrt{3}$ 또는 $x=0$ 또는 $x=\sqrt{3}$

함수 $f(x)$의 증가와 감소, 오목과 볼록을 표로 나타내면 다음과 같다.

x	$\cdots$	$-\sqrt{3}$	$\cdots$	-1	$\cdots$	0	$\cdots$	1	$\cdots$	$\sqrt{3}$	$\cdots$
$f'(x)$	$-$	$-$	$-$	0	$+$	$+$	$+$	0	$-$	$-$	$-$
$f''(x)$	$-$	0	$+$	$+$	$+$	0	$-$	$-$	$-$	0	$+$
$f(x)$	⌒	$-\dfrac{\sqrt{3}}{2}$ 변곡점	⌒	-1 극소	⌣	0 변곡점	⌢	1 극대	⌢	$\dfrac{\sqrt{3}}{2}$ 변곡점	⌣

또 $\lim\limits_{x\to\infty}f(x)=0$, $\lim\limits_{x\to-\infty}f(x)=0$이므로 함수 $y=f(x)$의 그래프는 다음 그림과 같다.

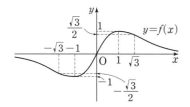

ㄱ. $x=1$에서 극대이다.

ㄴ. $y=f(x)$의 그래프의 변곡점은 점 $\left(-\sqrt{3},\ -\dfrac{\sqrt{3}}{2}\right)$, 점 $(0,\ 0)$, 점 $\left(\sqrt{3},\ \dfrac{\sqrt{3}}{2}\right)$의 3개이다.

ㄷ. 모든 실수 x에 대하여

$\qquad f(-x)=\dfrac{-2x}{(-x)^2+1}=-\dfrac{2x}{x^2+1}=-f(x)$

이므로 $y=f(x)$의 그래프는 원점에 대하여 대칭이다.

ㄹ. $y=f(x)$의 그래프의 점근선의 방정식은 $y=0$이다.

따라서 보기 중 옳은 것은 ㄱ, ㄷ, ㄹ이다.

028 답 ㄱ, ㄷ

$f(x)=(1-x)e^x$에서

$f'(x)=-e^x+(1-x)e^x=-xe^x$

$f''(x)=-e^x-xe^x=-(x+1)e^x$

$f'(x)=0$인 x의 값은 $x=0$

$f''(x)=0$인 x의 값은 $x=-1$

함수 $f(x)$의 증가와 감소, 오목과 볼록을 표로 나타내면 다음과 같다.

x	$\cdots$	-1	$\cdots$	0	$\cdots$
$f'(x)$	$+$	$+$	$+$	0	$-$
$f''(x)$	$+$	0	$-$	$-$	$-$
$f(x)$	⌣	$\dfrac{2}{e}$ 변곡점	⌢	1 극대	⌢

또 $\lim\limits_{x\to\infty}f(x)=-\infty$, $\lim\limits_{x\to-\infty}f(x)=0$이 므로 함수 $y=f(x)$의 그래프는 오른쪽 그림과 같다.

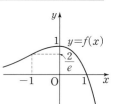

ㄱ. 치역은 $\{y\,|\,y\leq 1\}$이다.

ㄴ. $y=f(x)$의 그래프의 변곡점의 좌표는 $\left(-1,\ \dfrac{2}{e}\right)$이다.

ㄷ. $y=f(x)$의 그래프의 점근선은 x축이다.

따라서 보기 중 옳은 것은 ㄱ, ㄷ이다.

029 답 ④

$f(x)=\dfrac{\ln x}{x}$에서 $x>0$이고

$f'(x)=\dfrac{\dfrac{1}{x}\times x-\ln x}{x^2}=\dfrac{1-\ln x}{x^2}$

$f''(x)=\dfrac{-\dfrac{1}{x}\times x^2-(1-\ln x)\times 2x}{x^4}$

$\qquad =\dfrac{2\ln x-3}{x^3}$

$f'(x)=0$인 x의 값은 $x=e$

$f''(x)=0$에서 $2\ln x-3=0$, $\ln x=\dfrac{3}{2}$

$\therefore x=e\sqrt{e}$

$x>0$에서 함수 $f(x)$의 증가와 감소, 오목과 볼록을 표로 나타내면 다음과 같다.

x	0	$\cdots$	e	$\cdots$	$e\sqrt{e}$	$\cdots$
$f'(x)$		$+$	0	$-$		$-$
$f''(x)$		$-$	$-$	$-$	0	$+$
$f(x)$		$\nearrow$	$\dfrac{1}{e}$ 극대	$\searrow$	$\dfrac{3}{2e\sqrt{e}}$ 변곡점	$\searrow$

또 $\lim\limits_{x\to 0+}f(x)=-\infty$, $\lim\limits_{x\to\infty}f(x)=0$
이므로 함수 $y=f(x)$의 그래프는 오른쪽 그림과 같다.

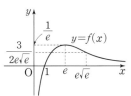

① 극댓값은 $f(e)=\dfrac{1}{e}$이다.

② 치역은 $\left\{y\,\middle|\,y\le\dfrac{1}{e}\right\}$이다.

③ $y=f(x)$의 그래프의 변곡점은 점 $\left(e\sqrt{e},\ \dfrac{3}{2e\sqrt{e}}\right)$의 1개이다.

④ 구간 $(e\sqrt{e},\ \infty)$에서 $f''(x)>0$이므로 $y=f(x)$의 그래프는 이 구간에서 아래로 볼록하다.

⑤ $y=f(x)$의 그래프의 점근선의 방정식은 $x=0$, $y=0$이다.

030 답 ①

$f(x)=2x\ln x-4x$에서

$f'(x)=2\ln x+2x\times\dfrac{1}{x}-4=2\ln x-2$

$f'(x)=0$에서 $\ln x=1$ $\therefore x=e$

구간 $[1,\ e^2]$에서 함수 $f(x)$의 증가, 감소를 표로 나타내면 다음과 같다.

x	1	$\cdots$	e	$\cdots$	e^2
$f'(x)$		$-$	0	$+$	
$f(x)$	-4	$\searrow$	$-2e$ 극소	$\nearrow$	0

따라서 함수 $f(x)$의 최댓값은 $f(e^2)=0$, 최솟값은 $f(e)=-2e$이므로 구하는 합은 $-2e$이다.

031 답 2

$f(x)=\dfrac{x^2}{x-2}$에서

$f'(x)=\dfrac{2x(x-2)-x^2}{(x-2)^2}=\dfrac{x^2-4x}{(x-2)^2}$

$=\dfrac{x(x-4)}{(x-2)^2}$

$f'(x)=0$인 x의 값은 $x=4$ $(\because x>2)$

$x>2$에서 함수 $f(x)$의 증가, 감소를 표로 나타내면 다음과 같다.

x	2	$\cdots$	4	$\cdots$
$f'(x)$		$-$	0	$+$
$f(x)$		$\searrow$	8 극소	$\nearrow$

따라서 함수 $f(x)$는 $x=4$에서 최솟값 8을 가지므로

$a=4$, $m=8$ $\therefore \dfrac{m}{a}=2$

032 답 ①

$f(x)=(x^2-3)e^{-x}$에서

$f'(x)=2xe^{-x}-(x^2-3)e^{-x}=-(x^2-2x-3)e^{-x}$

$=-(x+1)(x-3)e^{-x}$

$f'(x)=0$인 x의 값은 $x=3$ $(\because 0\le x\le 4)$

구간 $[0,\ 4]$에서 함수 $f(x)$의 증가, 감소를 표로 나타내면 다음과 같다.

x	0	$\cdots$	3	$\cdots$	4
$f'(x)$		$+$	0	$-$	
$f(x)$	-3	$\nearrow$	$\dfrac{6}{e^3}$ 극대	$\searrow$	$\dfrac{13}{e^4}$

따라서 함수 $f(x)$는 $x=3$일 때 최댓값을 갖고, $x=0$일 때 최솟값을 가지므로

$\alpha=3$, $\beta=0$ $\therefore \alpha+\beta=3$

033 답 ⑤

$f(x)=\sqrt{x}+\sqrt{6-x}$에서 $0\le x\le 6$이고

$f'(x)=\dfrac{1}{2\sqrt{x}}-\dfrac{1}{2\sqrt{6-x}}=\dfrac{\sqrt{6-x}-\sqrt{x}}{2\sqrt{x}\sqrt{6-x}}$

$f'(x)=0$에서 $\sqrt{6-x}=\sqrt{x}$

$6-x=x$ $\therefore x=3$

$0\le x\le 6$에서 함수 $f(x)$의 증가, 감소를 표로 나타내면 다음과 같다.

x	0	$\cdots$	3	$\cdots$	6
$f'(x)$		$+$	0	$-$	
$f(x)$	$\sqrt{6}$	$\nearrow$	$2\sqrt{3}$ 극대	$\searrow$	$\sqrt{6}$

따라서 함수 $f(x)$의 최댓값은 $f(3)=2\sqrt{3}$, 최솟값은 $f(0)=f(6)=\sqrt{6}$이므로

$M=2\sqrt{3}$, $m=\sqrt{6}$

$\therefore Mm=6\sqrt{2}$

034 답 ②

$f(x)=\dfrac{\ln x-1}{x}$에서 $x>0$이고

$f'(x)=\dfrac{\dfrac{1}{x}\times x-(\ln x-1)}{x^2}=\dfrac{2-\ln x}{x^2}$

$f'(x)=0$에서 $\ln x=2$ $\therefore x=e^2$

$x>0$에서 함수 $f(x)$의 증가, 감소를 표로 나타내면 다음과 같다.

x	0	$\cdots$	e^2	$\cdots$
$f'(x)$		$+$	0	$-$
$f(x)$		$\nearrow$	$\dfrac{1}{e^2}$ 극대	$\searrow$

따라서 함수 $f(x)$는 $x=e^2$에서 최댓값 $\dfrac{1}{e^2}$을 가지므로

$a=e^2$, $M=\dfrac{1}{e^2}$ $\therefore aM=1$

035 답 ④

$f(x)=\cos x+x\sin x$에서

$f'(x)=-\sin x+\sin x+x\cos x=x\cos x$

$f'(x)=0$에서 $x=0$ 또는 $\cos x=0$

$\therefore x=0$ 또는 $x=\dfrac{\pi}{2}$ 또는 $x=\dfrac{3}{2}\pi$ $(\because 0\le x\le 2\pi)$

구간 $[0,\ 2\pi]$에서 함수 $f(x)$의 증가, 감소를 표로 나타내면 다음과 같다.

x	0	$\cdots$	$\dfrac{\pi}{2}$	$\cdots$	$\dfrac{3}{2}\pi$	$\cdots$	2π
$f'(x)$		$+$	0	$-$	0	$+$	
$f(x)$	1	$\nearrow$	$\dfrac{\pi}{2}$ 극대	$\searrow$	$-\dfrac{3}{2}\pi$ 극소	$\nearrow$	1

따라서 함수 $f(x)$의 최댓값은 $f\left(\dfrac{\pi}{2}\right)=\dfrac{\pi}{2}$, 최솟값은

$f\left(\dfrac{3}{2}\pi\right)=-\dfrac{3}{2}\pi$이므로

$M=\dfrac{\pi}{2},\ m=-\dfrac{3}{2}\pi$

$\therefore M-m=2\pi$

036 답 ④

$f(x)=3\cos^3 x+9\sin^2 x+5$

$\qquad =3\cos^3 x+9(1-\cos^2 x)+5$

$\qquad =3\cos^3 x-9\cos^2 x+14$

$\cos x=t$로 놓으면 $-1\le t\le 1$이고, 주어진 함수 $f(x)$를 t에 대한 함수 $g(t)$로 나타내면

$g(t)=3t^3-9t^2+14$

$\therefore g'(t)=9t^2-18t=9t(t-2)$

$g'(t)=0$인 t의 값은 $t=0$ $(\because -1\le t\le 1)$

$-1\le t\le 1$에서 함수 $g(t)$의 증가, 감소를 표로 나타내면 다음과 같다.

t	-1	$\cdots$	0	$\cdots$	1
$g'(t)$		$+$	0	$-$	
$g(t)$	2	$\nearrow$	14 극대	$\searrow$	8

따라서 함수 $g(t)$의 최댓값은 $g(0)=14$, 최솟값은 $g(-1)=2$이므로

$M=14,\ m=2$

$\therefore M+m=16$

037 답 $\dfrac{1}{e^4}$

$g(x)=\sin x+\sqrt{3}\cos x$

$\qquad =2\left(\dfrac{1}{2}\sin x+\dfrac{\sqrt{3}}{2}\cos x\right)$

$\qquad =2\left(\sin x\cos\dfrac{\pi}{3}+\cos x\sin\dfrac{\pi}{3}\right)$

$\qquad =2\sin\left(x+\dfrac{\pi}{3}\right)$

$g(x)=t$로 놓으면 $-2\le t\le 2$이고

$(f\circ g)(x)=f(t)=e^{-t^2}$

$\therefore f'(t)=-2te^{-t^2}$

$f'(t)=0$인 t의 값은 $t=0$ $(\because e^{-t^2}>0)$

$-2\le t\le 2$에서 함수 $f(t)$의 증가, 감소를 표로 나타내면 다음과 같다.

t	-2	$\cdots$	0	$\cdots$	2
$f'(t)$		$+$	0	$-$	
$f(t)$	$\dfrac{1}{e^4}$	$\nearrow$	1 극대	$\searrow$	$\dfrac{1}{e^4}$

따라서 함수 $f(t)$의 최댓값은 $f(0)=1$, 최솟값은

$f(-2)=f(2)=\dfrac{1}{e^4}$이므로 구하는 곱은

$1\times\dfrac{1}{e^4}=\dfrac{1}{e^4}$

038 답 ①

$f(x)=x\ln x+2x+a$에서 $x>0$이고

$f'(x)=\ln x+x\times\dfrac{1}{x}+2=\ln x+3$

$f'(x)=0$에서 $\ln x=-3$ $\qquad \therefore x=\dfrac{1}{e^3}$

$x>0$에서 함수 $f(x)$의 증가, 감소를 표로 나타내면 다음과 같다.

x	0	$\cdots$	$\dfrac{1}{e^3}$	$\cdots$
$f'(x)$		$-$	0	$+$
$f(x)$		$\searrow$	$-\dfrac{1}{e^3}+a$ 극소	$\nearrow$

따라서 함수 $f(x)$의 최솟값은 $f\left(\dfrac{1}{e^3}\right)=-\dfrac{1}{e^3}+a$이므로

$-\dfrac{1}{e^3}+a=0$ $\qquad \therefore a=\dfrac{1}{e^3}$

039 답 ①

$f(x)=axe^{-x}$에서

$f'(x)=ae^{-x}-axe^{-x}=a(1-x)e^{-x}$

$f'(x)=0$인 x의 값은 $x=1$ $(\because e^{-x}>0)$

구간 $[-1,\ 2]$에서 함수 $f(x)$의 증가, 감소를 표로 나타내면 다음과 같다.

x	-1	$\cdots$	1	$\cdots$	2
$f'(x)$		$+$	0	$-$	
$f(x)$	$-ae$	$\nearrow$	$\dfrac{a}{e}$ 극대	$\searrow$	$\dfrac{2a}{e^2}$

따라서 함수 $f(x)$의 최댓값은 $f(1)=\dfrac{a}{e}$, 최솟값은 $f(-1)=-ae$

이고 그 곱이 -4이므로

$\dfrac{a}{e}\times(-ae)=-4,\ a^2=4$

$\therefore a=2$ $(\because a>0)$

040 답 ④

$f(x)=x\sqrt{a-x^2}$에서 $-\sqrt{a}\leq x\leq\sqrt{a}$이고

$f'(x)=\sqrt{a-x^2}+x\times\dfrac{-2x}{2\sqrt{a-x^2}}=\dfrac{-2x^2+a}{\sqrt{a-x^2}}$

$f'(x)=0$에서 $2x^2=a$

$\therefore x=-\sqrt{\dfrac{a}{2}}$ 또는 $x=\sqrt{\dfrac{a}{2}}$

$-\sqrt{a}\leq x\leq\sqrt{a}$에서 함수 $f(x)$의 증가, 감소를 표로 나타내면 다음과 같다.

x	$-\sqrt{a}$	$\cdots$	$-\sqrt{\dfrac{a}{2}}$	$\cdots$	$\sqrt{\dfrac{a}{2}}$	$\cdots$	$\sqrt{a}$
$f'(x)$		$-$	0	$+$	0	$-$	
$f(x)$	0	$\searrow$	$-\dfrac{a}{2}$ 극소	$\nearrow$	$\dfrac{a}{2}$ 극대	$\searrow$	0

따라서 함수 $f(x)$의 최댓값은 $f\left(\sqrt{\dfrac{a}{2}}\right)=\dfrac{a}{2}$, 최솟값은

$f\left(-\sqrt{\dfrac{a}{2}}\right)=-\dfrac{a}{2}$이므로

$M=\dfrac{a}{2}$, $m=-\dfrac{a}{2}$

이때 $M-m=8$이므로 $\dfrac{a}{2}-\left(-\dfrac{a}{2}\right)=8$

$\therefore a=8$

---

041 답 $\dfrac{\pi}{3}+2\sqrt{3}$

$f(x)=ax+2a\cos x$에서

$f'(x)=a-2a\sin x=a(1-2\sin x)$

$f'(x)=0$에서 $\sin x=\dfrac{1}{2}$

$\therefore x=\dfrac{\pi}{6}\left(\because 0\leq x\leq\dfrac{\pi}{2}\right)$

구간 $\left[0,\dfrac{\pi}{2}\right]$에서 함수 $f(x)$의 증가, 감소를 표로 나타내면 다음과 같다.

x	0	$\cdots$	$\dfrac{\pi}{6}$	$\cdots$	$\dfrac{\pi}{2}$
$f'(x)$		$+$	0	$-$	
$f(x)$	$2a$	$\nearrow$	$\dfrac{a}{6}\pi+\sqrt{3}a$ 극대	$\searrow$	$\dfrac{a}{2}\pi$

함수 $f(x)$의 최솟값은 $f\left(\dfrac{\pi}{2}\right)=\dfrac{a}{2}\pi$이므로

$\dfrac{a}{2}\pi=\pi$ $\therefore a=2$

따라서 함수 $f(x)$의 최댓값은

$f\left(\dfrac{\pi}{6}\right)=\dfrac{\pi}{3}+2\sqrt{3}$

---

042 답 2

점 A의 좌표를 $(t,\sqrt{t+3})(-3<t<0)$이라 하면

$\overline{\mathrm{AC}}=-t$, $\overline{\mathrm{AB}}=\sqrt{t+3}$

직사각형 ABOC의 넓이를 $S(t)$라 하면

$S(t)=-t\sqrt{t+3}$

$\therefore S'(t)=-\sqrt{t+3}-t\times\dfrac{1}{2\sqrt{t+3}}=-\dfrac{3(t+2)}{2\sqrt{t+3}}$

$S'(t)=0$인 t의 값은 $t=-2$

$-3<t<0$에서 함수 $S(t)$의 증가, 감소를 표로 나타내면 다음과 같다.

t	-3	$\cdots$	-2	$\cdots$	0
$S'(t)$		$+$	0	$-$	
$S(t)$		$\nearrow$	2 극대	$\searrow$	

따라서 $S(t)$의 최댓값은 $S(-2)=2$이므로 직사각형 ABOC의 넓이의 최댓값은 2이다.

---

043 답 $1-\ln 2$

$\mathrm{P}(a,a)$, $\mathrm{Q}(a,\ln 2a)(a>0)$이므로 선분 PQ의 길이를 $l(a)$라 하면

$l(a)=a-\ln 2a$

$\therefore l'(a)=1-\dfrac{1}{a}$

$l'(a)=0$인 a의 값은 $a=1$

$a>0$에서 함수 $l(a)$의 증가, 감소를 표로 나타내면 다음과 같다.

a	0	$\cdots$	1	$\cdots$
$l'(a)$		$-$	0	$+$
$l(a)$		$\searrow$	$1-\ln 2$ 극소	$\nearrow$

따라서 $l(a)$의 최솟값은 $l(1)=1-\ln 2$이므로 선분 PQ의 길이의 최솟값은 $1-\ln 2$이다.

---

044 답 ②

$1\,\mathrm{kg}$에 x만 원인 상품 $\sqrt{30-x}\,\mathrm{kg}$을 팔아서 생기는 이익을 $f(x)$만 원이라 하면

$f(x)=x\sqrt{30-x}-3\sqrt{30-x}$

$\quad=(x-3)\sqrt{30-x}$ $(0<x<30)$

$f'(x)=\sqrt{30-x}-\dfrac{x-3}{2\sqrt{30-x}}$

$\quad=\dfrac{2(30-x)-(x-3)}{2\sqrt{30-x}}$

$\quad=\dfrac{-3(x-21)}{2\sqrt{30-x}}$

$f'(x)=0$인 x의 값은 $x=21$

x	0	$\cdots$	21	$\cdots$	30
$f'(x)$		$+$	0	$-$	
$f(x)$		$\nearrow$	54 극대	$\searrow$	

따라서 함수 $f(x)$의 최댓값은 $f(21)=54$이므로 구하는 최대 이익은 54만 원이다.

045 답 ②

$f(x)=3e^{-x}$이라 하면 $f'(x)=-3e^{-x}$

점 $(t, 3e^{-t})$에서의 접선의 기울기는 $f'(t)=-3e^{-t}$이므로 접선의 방정식은

$y-3e^{-t}=-3e^{-t}(x-t)$ ∴ $y=-3e^{-t}x+3e^{-t}(t+1)$

즉, 두 점 P, Q의 좌표는 각각 P$(t+1, 0)$, Q$(0, 3e^{-t}(t+1))$이므로 삼각형 OPQ의 넓이를 $S(t)$라 하면

$S(t)=\dfrac{1}{2}\times(t+1)\times3e^{-t}(t+1)=\dfrac{3}{2}e^{-t}(t+1)^2$

$S'(t)=-\dfrac{3}{2}e^{-t}(t+1)^2+3e^{-t}(t+1)=-\dfrac{3}{2}e^{-t}(t+1)(t-1)$

$S'(t)=0$인 t의 값은 $t=1$ $(\because t>0)$

$t>0$에서 함수 $S(t)$의 증가, 감소를 표로 나타내면 다음과 같다.

t	0	$\cdots$	1	$\cdots$
$S'(t)$		$+$	0	$-$
$S(t)$		$\nearrow$	$\dfrac{6}{e}$ 극대	$\searrow$

따라서 $S(t)$의 최댓값은 $S(1)=\dfrac{6}{e}$이므로 삼각형 OPQ의 넓이의 최댓값은 $\dfrac{6}{e}$이다.

046 답 $\dfrac{3\sqrt{3}}{4}$

오른쪽 그림과 같이 $\overline{AB}$의 중점을 O, $\angle AOD=\theta\left(0<\theta<\dfrac{\pi}{2}\right)$라 하고, 점 D에서 선분 AO에 내린 수선의 발을 E라 하자.

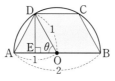

$\triangle ODE$에서 $\overline{DE}=\sin\theta$, $\overline{OE}=\cos\theta$

∴ $\overline{CD}=2\overline{OE}=2\cos\theta$

사다리꼴 ABCD의 넓이를 $S(\theta)$라 하면

$S(\theta)=\dfrac{1}{2}\times(2+2\cos\theta)\times\sin\theta=(1+\cos\theta)\sin\theta$

∴ $S'(\theta)=-\sin^2\theta+(1+\cos\theta)\cos\theta$

$\quad\quad\quad=-(1-\cos^2\theta)+\cos\theta+\cos^2\theta$

$\quad\quad\quad=2\cos^2\theta+\cos\theta-1=(\cos\theta+1)(2\cos\theta-1)$

$S'(\theta)=0$에서 $\cos x=-1$ 또는 $\cos\theta=\dfrac{1}{2}$

∴ $\theta=\dfrac{\pi}{3}\left(\because 0<\theta<\dfrac{\pi}{2}\right)$

$0<\theta<\dfrac{\pi}{2}$에서 함수 $S(\theta)$의 증가, 감소를 표로 나타내면 다음과 같다.

θ	0	$\cdots$	$\dfrac{\pi}{3}$	$\cdots$	$\dfrac{\pi}{2}$
$S'(\theta)$		$+$	0	$-$	
$S(\theta)$		$\nearrow$	$\dfrac{3\sqrt{3}}{4}$ 극대	$\searrow$	

따라서 $S(\theta)$의 최댓값은 $S\left(\dfrac{\pi}{3}\right)=\dfrac{3\sqrt{3}}{4}$이므로 사다리꼴 ABCD의 넓이의 최댓값은 $\dfrac{3\sqrt{3}}{4}$이다.

047 답 $\dfrac{3}{5}$

$\angle BAE=\angle AED=\theta$이므로 $\overline{AE}=\dfrac{3}{\cos\theta}$, $\overline{BE}=3\tan\theta$

∴ $\overline{CE}=5-3\tan\theta$

두 삼각형 ABC, DEC가 서로 닮음이므로

$3:5=\overline{DE}:(5-3\tan\theta)$

∴ $\overline{DE}=\dfrac{3}{5}(5-3\tan\theta)=3-\dfrac{9}{5}\tan\theta$

∴ $\overline{AE}+\overline{DE}=\dfrac{3}{\cos\theta}+3-\dfrac{9}{5}\tan\theta$

$\quad\quad\quad\quad\quad\quad=3\sec\theta-\dfrac{9}{5}\tan\theta+3$

$f(\theta)=3\sec\theta-\dfrac{9}{5}\tan\theta+3$이라 하면

$f'(\theta)=3\sec\theta\tan\theta-\dfrac{9}{5}\sec^2\theta$

$\quad\quad=\dfrac{3}{5}\sec\theta(5\tan\theta-3\sec\theta)$

$f'(\theta)=0$에서 $5\tan\theta-3\sec\theta=0$ $(\because \sec\theta\neq0)$

$\dfrac{5\sin\theta-3}{\cos\theta}=0$ ∴ $\sin\theta=\dfrac{3}{5}$

$0<\theta<\dfrac{\pi}{4}$에서 $\sin\theta=\dfrac{3}{5}$을 만족시키는 θ의 값을 θ_1이라 하고 함수 $f(\theta)$의 증가, 감소를 표로 나타내면 다음과 같다.

θ	0	$\cdots$	θ_1	$\cdots$	$\dfrac{\pi}{4}$
$f'(\theta)$		$-$	0	$+$	
$f(\theta)$		$\searrow$	극소	$\nearrow$	

즉, 함수 $f(\theta)$는 $\theta=\theta_1$일 때 최소이다.

따라서 $\overline{AE}+\overline{DE}$의 값이 최소가 될 때, $\sin\theta=\dfrac{3}{5}$

048 답 3

$x-e^x+5-k=0$에서 $x-e^x+5=k$

$f(x)=x-e^x+5$라 하면

$f'(x)=1-e^x$

$f'(x)=0$인 x의 값은 $x=0$

함수 $f(x)$의 증가, 감소를 표로 나타내면 다음과 같다.

x	$\cdots$	0	$\cdots$
$f'(x)$	$+$	0	$-$
$f(x)$	$\nearrow$	4 극대	$\searrow$

또 $\lim\limits_{x\to\infty}f(x)=-\infty$,

$\lim\limits_{x\to-\infty}f(x)=-\infty$이므로 함수 $y=f(x)$의 그래프는 오른쪽 그림과 같다.

주어진 방정식이 서로 다른 두 실근을 가지려면 곡선 $y=f(x)$와 직선 $y=k$가 서로 다른 두 점에서 만나야 하므로

$k<4$

따라서 자연수 k는 1, 2, 3의 3개이다.

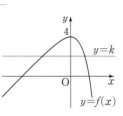

049 답 3

방정식 $e^x=kx$가 실근을 갖지 않으려면 곡
선 $y=e^x$과 직선 $y=kx$가 만나지 않아야
한다.
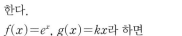
$f(x)=e^x$, $g(x)=kx$라 하면
$f'(x)=e^x$, $g'(x)=k$
곡선 $y=f(x)$와 직선 $y=g(x)$가 접할 때
의 접점의 x좌표를 t라 하면
$f(t)=g(t)$에서 $e^t=kt$ ······ ㉠
$f'(t)=g'(t)$에서 $e^t=k$ ······ ㉡
㉡을 ㉠에 대입하면
$e^t=te^t$, $(t-1)e^t=0$
$\therefore t=1$ $(\because e^t>0)$
이를 ㉡에 대입하면 $k=e$
$k=e$이면 곡선 $y=f(x)$와 직선 $y=g(x)$가 한 점에서 만나므로 방
정식 $e^x=kx$가 실근을 갖지 않도록 하는 상수 k의 값의 범위는
$0 \le k < e$
따라서 정수 k는 0, 1, 2의 3개이다.

050 답 ⑤

$f(x)=x\ln x-4x+k$라 하면
$f'(x)=\ln x+x\times\dfrac{1}{x}-4=\ln x-3$
$f'(x)=0$인 x의 값은 $x=e^3$
$x>0$에서 함수 $f(x)$의 증가, 감소를 표로 나타내면 다음과 같다.

x	0	$\cdots$	e^3	$\cdots$
$f'(x)$		$-$	0	$+$
$f(x)$		$\searrow$	$-e^3+k$ 극소	$\nearrow$

$x>0$에서 함수 $f(x)$의 최솟값은 $f(e^3)=-e^3+k$이므로
$f(x)\ge0$이 성립하려면
$-e^3+k\ge0$ $\therefore k\ge e^3$
따라서 k의 최솟값은 e^3이다.

051 답 ⑤

$0<x<\dfrac{\pi}{4}$에서 부등식 $\sin 2x<ax$가 성립
하려면 오른쪽 그림과 같이 곡선
$y=\sin 2x$가 직선 $y=ax$보다 아래쪽에 있
어야 한다.

$f(x)=\sin 2x$라 하면
$f'(x)=2\cos 2x$
이때 직선 $y=ax$가 원점을 지나는 직선이고 $f'(0)=2$이므로
$0<x<\dfrac{\pi}{4}$에서 주어진 부등식이 성립하려면
$a\ge2$

052 답 ④

시각 t에서의 점 P의 속도를 v라 하면
$v=\dfrac{dx}{dt}=1-a\cos t$
$t=\pi$에서 점 P의 속도가 3이므로
$1-a\cos\pi=3$, $1+a=3$ $\therefore a=2$

053 답 ②

$\dfrac{dx}{dt}=2t+1$, $\dfrac{dy}{dt}=t+3$이므로 시각 t에서의 점 P의 속도는
$(2t+1,\ t+3)$
점 P의 속력이 $5\sqrt{2}$이므로
$\sqrt{(2t+1)^2+(t+3)^2}=5\sqrt{2}$
$5t^2+10t+10=50$, $t^2+2t-8=0$
$(t+4)(t-2)=0$ $\therefore t=2$ $(\because t>0)$

054 답 ②

$\dfrac{dx}{dt}=\sqrt{3}$, $\dfrac{dy}{dt}=-3t^2+3$이므로 시각 t에서의 점 P의 속도는
$(\sqrt{3},\ -3t^2+3)$
점 P의 속력이 $\sqrt{3}$이므로
$\sqrt{(\sqrt{3})^2+(-3t^2+3)^2}=\sqrt{3}$, $(-3t^2+3)^2=0$
$-3t^2+3=0$, $t^2=1$
$\therefore t=1$ $(\because t>0)$
$\dfrac{d^2x}{dt^2}=0$, $\dfrac{d^2y}{dt^2}=-6t$이므로 시각 t에서의 점 P의 가속도는
$(0,\ -6t)$
따라서 $t=1$에서 가속도는 $(0,\ -6)$이므로 구하는 가속도의 크기는
$\sqrt{0^2+(-6)^2}=6$

055 답 ③

$\ln x+\dfrac{1}{x}-a=0$에서 $\ln x+\dfrac{1}{x}=a$
$f(x)=\ln x+\dfrac{1}{x}$이라 하면 $x>0$이고
$f'(x)=\dfrac{1}{x}-\dfrac{1}{x^2}=\dfrac{x-1}{x^2}$
$f'(x)=0$인 x의 값은 $x=1$
$x>0$에서 함수 $f(x)$의 증가, 감소를 표로 나타내면 다음과 같다.

x	0	$\cdots$	1	$\cdots$
$f'(x)$		$-$	0	$+$
$f(x)$		$\searrow$	1 극소	$\nearrow$

또 $\lim\limits_{x\to0+}f(x)=\infty$, $\lim\limits_{x\to\infty}f(x)=\infty$이므로
함수 $y=f(x)$의 그래프는 오른쪽 그림과
같다.
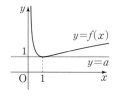
주어진 방정식이 오직 한 실근만을 가지
려면 곡선 $y=f(x)$와 직선 $y=a$가 한 점
에서 만나야 하므로
$a=1$

056 답 ③

$f(x)=x^2e^{-x}$이라 하면

$f'(x)=2xe^{-x}-x^2e^{-x}=x(2-x)e^{-x}$

$f'(x)=0$인 x의 값은 $x=0$ 또는 $x=2$

함수 $f(x)$의 증가, 감소를 표로 나타내면 다음과 같다.

x	$\cdots$	0	$\cdots$	2	$\cdots$
$f'(x)$	$-$	0	$+$	0	$-$
$f(x)$	$\searrow$	0 극소	$\nearrow$	$\dfrac{4}{e^2}$ 극대	$\searrow$

또 $\lim\limits_{x\to\infty}f(x)=0$, $\lim\limits_{x\to-\infty}f(x)=\infty$이므로 함수 $y=f(x)$의 그래프는 오른쪽 그림과 같다. 주어진 방정식이 서로 다른 세 실근을 가지려면 곡선 $y=f(x)$와 직선 $y=k$가 서로 다른 세 점에서 만나야 하므로 $0<k<\dfrac{4}{e^2}$

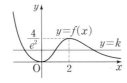

따라서 $\alpha=0$, $\beta=\dfrac{4}{e^2}$이므로 $\beta-\alpha=\dfrac{4}{e^2}$

057 답 $-\dfrac{\pi}{2}<k\le-1$

$x\sin x+\cos x+k=0$에서 $x\sin x+\cos x=-k$

$f(x)=x\sin x+\cos x$라 하면

$f'(x)=\sin x+x\cos x-\sin x=x\cos x$

$f'(x)=0$에서 $x=0$ 또는 $\cos x=0$

$\therefore x=0$ 또는 $x=\dfrac{\pi}{2}$ ($\because 0\le x\le\pi$)

$0\le x\le\pi$에서 함수 $f(x)$의 증가, 감소를 표로 나타내면 다음과 같다.

x	0	$\cdots$	$\dfrac{\pi}{2}$	$\cdots$	π
$f'(x)$		$+$	0	$-$	
$f(x)$	1	$\nearrow$	$\dfrac{\pi}{2}$ 극대	$\searrow$	-1

즉, 함수 $y=f(x)$의 그래프는 오른쪽 그림과 같다. 주어진 방정식이 서로 다른 두 실근을 가지려면 곡선 $y=f(x)$와 직선 $y=-k$가 서로 다른 두 점에서 만나야 하므로

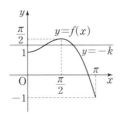

$1\le-k<\dfrac{\pi}{2}$ $\therefore -\dfrac{\pi}{2}<k\le-1$

058 답 ⑤

$2\sqrt{x+1}-x-k=0$에서 $2\sqrt{x+1}-x=k$

$f(x)=2\sqrt{x+1}-x$라 하면 $x\ge-1$이고

$f'(x)=\dfrac{1}{\sqrt{x+1}}-1=\dfrac{1-\sqrt{x+1}}{\sqrt{x+1}}$

$f'(x)=0$인 x의 값은 $x=0$

$x\ge-1$에서 함수 $f(x)$의 증가, 감소를 표로 나타내면 다음과 같다.

x	-1	$\cdots$	0	$\cdots$
$f'(x)$		$+$	0	$-$
$f(x)$	1	$\nearrow$	2 극대	$\searrow$

또 $\lim\limits_{x\to\infty}f(x)=-\infty$이므로 함수 $y=f(x)$의 그래프는 오른쪽 그림과 같다.

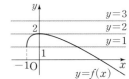

따라서 방정식 $2\sqrt{x+1}-x=k$의 실근은 $k<1$, $k=2$일 때 1개, $1\le k<2$일 때 2개, $k>2$일 때 0개이다.

따라서 보기 중 옳은 것은 ㄱ, ㄴ, ㄷ이다.

059 답 3

두 곡선 $y=\sin x-\cos x$, $y=te^{-x}$의 서로 다른 교점의 개수는 방정식 $\sin x-\cos x=te^{-x}$의 실근의 개수와 같다.

$\sin x-\cos x=te^{-x}$에서 $e^{-x}>0$이므로 $e^x(\sin x-\cos x)=t$

$g(x)=e^x(\sin x-\cos x)$라 하면

$g'(x)=e^x(\sin x-\cos x)+e^x(\cos x+\sin x)=2e^x\sin x$

$g'(x)=0$인 x의 값은

$x=0$ 또는 $x=\pi$ 또는 $x=2\pi$ ($\because 0\le x\le2\pi$)

$0\le x\le2\pi$에서 함수 $g(x)$의 증가, 감소를 표로 나타내면 다음과 같다.

x	0	$\cdots$	π	$\cdots$	2π
$g'(x)$		$+$	0	$-$	
$g(x)$	-1	$\nearrow$	e^π 극대	$\searrow$	$-e^{2\pi}$

즉, 함수 $y=g(x)$의 그래프는 오른쪽 그림과 같다. 주어진 두 곡선의 서로 다른 교점의 개수 $f(t)$는 곡선 $y=g(x)$와 직선 $y=t$의 교점의 개수와 같으므로

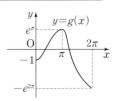

$$f(t)=\begin{cases}0\ (t<-e^{2\pi}\ \text{또는}\ t>e^\pi)\\1\ (-e^{2\pi}\le t<-1\ \text{또는}\ t=e^\pi)\\2\ (-1\le t<e^\pi)\end{cases}$$

따라서 함수 $y=f(t)$의 그래프는 오른쪽 그림과 같으므로 불연속인 t의 값은 $-e^{2\pi}$, -1, e^π의 3개이다.

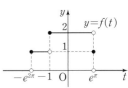

060 답 $k>2e$

방정식 $x^2=k\ln x$가 서로 다른 두 실근을 가지려면 곡선 $y=x^2$과 곡선 $y=k\ln x$가 서로 다른 두 점에서 만나야 한다.

$f(x)=x^2$, $g(x)=k\ln x$라 하면

$f'(x)=2x$, $g'(x)=\dfrac{k}{x}$

두 곡선 $y=f(x)$, $y=g(x)$가 접할 때의 접점의 x좌표를 t $(t>0)$라 하면

$f(t)=g(t)$에서 $t^2=k\ln t$ $\quad\cdots\cdots$ ㉠

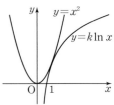

$f'(t)=g'(t)$에서

$2t=\dfrac{k}{t}$ $\therefore k=2t^2$ ...... ㉡

㉡을 ㉠에 대입하면 $t^2=2t^2\ln t$, $\ln t=\dfrac{1}{2}$ $\therefore t=\sqrt{e}$

이를 ㉡에 대입하면 $k=2e$

따라서 $k=2e$이면 두 곡선 $y=f(x)$, $y=g(x)$가 한 점에서 만나므로 방정식 $x^2=k\ln x$가 서로 다른 두 실근을 갖도록 하는 양수 k의 값의 범위는 $k>2e$

061 답 ③

$-\pi\le x\le\pi$에서 방정식 $\sin x=kx$가 서로 다른 세 실근을 가지려면 오른쪽 그림과 같이 곡선 $y=\sin x$와 직선 $y=kx$가 서로 다른 세 점에서 만나야 한다.

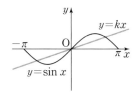

$f(x)=\sin x$라 하면 $f'(x)=\cos x$ $\therefore f'(0)=1$

즉, 곡선 $y=\sin x$ 위의 점 $(0,\ 0)$에서의 접선의 방정식은 $y=x$

$-\pi\le x\le\pi$에서 곡선 $y=\sin x$와 직선 $y=kx$가 서로 다른 세 점에서 만나도록 하는 상수 k의 값의 범위는

$0\le k<1$

따라서 $\alpha=0$, $\beta=1$이므로 $\alpha+\beta=1$

062 답 ②

$f(x)=x+\dfrac{4}{x}-k$라 하면

$f'(x)=1-\dfrac{4}{x^2}=\dfrac{(x+2)(x-2)}{x^2}$

$f'(x)=0$인 x의 값은 $x=2$ $(\because x>0)$

$x>0$에서 함수 $f(x)$의 증가, 감소를 표로 나타내면 다음과 같다.

x	0	$\cdots$	2	$\cdots$
$f'(x)$		$-$	0	$+$
$f(x)$		$\searrow$	$4-k$ 극소	$\nearrow$

따라서 $x>0$에서 함수 $f(x)$의 최솟값은 $f(2)=4-k$이므로 $f(x)\ge0$이 성립하려면

$4-k\ge0$ $\therefore k\le4$

따라서 k의 최댓값은 4이다.

063 답 $k\le2-2\ln2$

$e^x-2x\ge k$에서 $e^x-2x-k\ge0$

$f(x)=e^x-2x-k$라 하면 $f'(x)=e^x-2$

$f'(x)=0$인 x의 값은 $x=\ln2$

함수 $f(x)$의 증가, 감소를 표로 나타내면 다음과 같다.

x	$\cdots$	$\ln2$	$\cdots$
$f'(x)$	$-$	0	$+$
$f(x)$	$\searrow$	$2-2\ln2-k$ 극소	$\nearrow$

따라서 함수 $f(x)$의 최솟값은 $f(\ln2)=2-2\ln2-k$이므로 $f(x)\ge0$이 성립하려면

$2-2\ln2-k\ge0$

$\therefore k\le2-2\ln2$

064 답 ②

$(\ln x)^2-2\ln x\ge k$에서

$(\ln x)^2-2\ln x-k\ge0$

$f(x)=(\ln x)^2-2\ln x-k$라 하면

$f'(x)=2\ln x\times\dfrac{1}{x}-\dfrac{2}{x}=\dfrac{2(\ln x-1)}{x}$

$f'(x)=0$인 x의 값은 $x=e$

$x>0$에서 함수 $f(x)$의 증가, 감소를 표로 나타내면 다음과 같다.

x	0	$\cdots$	e	$\cdots$
$f'(x)$		$-$	0	$+$
$f(x)$		$\searrow$	$-1-k$ 극소	$\nearrow$

따라서 $x>0$에서 함수 $f(x)$의 최솟값은 $f(e)=-1-k$이므로 $f(x)\ge0$이 성립하려면

$-1-k\ge0$ $\therefore k\le-1$

따라서 k의 최댓값은 -1이다.

065 답 $a<0$

$f(x)=\sin x-2x+a$라 하면

$f'(x)=\cos x-2$

이때 $-1\le\cos x\le1$이므로

$f'(x)<0$

즉, $x\ge0$에서 함수 $f(x)$는 감소한다.

따라서 $f(x)<0$이 성립하려면 $f(0)<0$이어야 하므로

$a<0$

066 답 ④

$ae^{-x}\le\sqrt{2-x^2}\le be^{-x}$에서 $e^{-x}>0$이므로 $a\le e^x\sqrt{2-x^2}\le b$

$f(x)=e^x\sqrt{2-x^2}$이라 하면

$f'(x)=e^x\sqrt{2-x^2}+e^x\times\dfrac{-2x}{2\sqrt{2-x^2}}$

$\qquad=\dfrac{-(x+2)(x-1)}{\sqrt{2-x^2}}e^x$

$f'(x)=0$인 x의 값은 $x=1$ $(\because -\sqrt{2}\le x\le\sqrt{2})$

$-\sqrt{2}\le x\le\sqrt{2}$에서 함수 $f(x)$의 증가, 감소를 표로 나타내면 다음과 같다.

x	$-\sqrt{2}$	$\cdots$	1	$\cdots$	$\sqrt{2}$
$f'(x)$		$+$	0	$-$	
$f(x)$	0	$\nearrow$	e 극대	$\searrow$	0

따라서 $-\sqrt{2}\le x\le\sqrt{2}$인 모든 실수 x에 대하여 $0\le f(x)\le e$, 즉 $0\le e^x\sqrt{2-x^2}\le e$이므로 $a\le0$, $b\ge e$

따라서 $b-a$의 최솟값은 $e-0=e$

067 답 ①

$0<x<\dfrac{\pi}{2}$에서 부등식 $\tan x>ax$가
성립하려면 오른쪽 그림과 같이 곡선
$y=\tan x$가 직선 $y=ax$보다 위쪽에
있어야 한다.

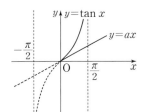

$f(x)=\tan x$라 하면
$f'(x)=\sec^2 x$

직선 $y=ax$가 원점을 지나는 직선이고 $f'(0)=1$이므로 $0<x<\dfrac{\pi}{2}$
에서 주어진 부등식이 성립하려면 $a\leq 1$

따라서 a의 최댓값은 1이다.

068 답 ①

모든 실수 x에 대하여 부등식 $e^{-2x}\geq kx$가 성
립하려면 오른쪽 그림과 같이 곡선 $y=e^{-2x}$이
직선 $y=kx$보다 위쪽에 있거나 곡선과 직선
이 접해야 한다.

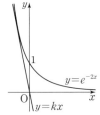

$f(x)=e^{-2x}$, $g(x)=kx$라 하면
$f'(x)=-2e^{-2x}$, $g'(x)=k$

곡선 $y=f(x)$와 직선 $y=g(x)$가 접할 때의 접점의 x좌표를 t라
하면

$f(t)=g(t)$에서 $e^{-2t}=kt$ ...... ㉠
$f'(t)=g'(t)$에서 $-2e^{-2t}=k$ ...... ㉡

㉡을 ㉠에 대입하면 $e^{-2t}=-2te^{-2t}$

$e^{-2t}(2t+1)=0$ ∴ $t=-\dfrac{1}{2}$

이를 ㉡에 대입하여 풀면 $k=-2e$

즉, 주어진 부등식이 성립하도록 하는 상수 k의 값의 범위는
$-2e\leq k\leq 0$

따라서 k의 최솟값은 $-2e$이다.

069 답 $0<k<\dfrac{e}{2}$

$x>0$인 모든 실수 x에 대하여 부등식
$\sqrt{x}>k\ln x$가 성립하려면 오른쪽 그림과
같이 곡선 $y=\sqrt{x}$가 곡선 $y=k\ln x$보다
위쪽에 있어야 한다.

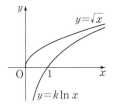

$f(x)=\sqrt{x}$, $g(x)=k\ln x$라 하면
$f'(x)=\dfrac{1}{2\sqrt{x}}$, $g'(x)=\dfrac{k}{x}$

두 곡선 $y=f(x)$, $y=g(x)$가 접할 때의 접점의 x좌표를 $t\,(t>0)$
라 하면

$f(t)=g(t)$에서 $\sqrt{t}=k\ln t$ ...... ㉠
$f'(t)=g'(t)$에서 $\dfrac{1}{2\sqrt{t}}=\dfrac{k}{t}$ ∴ $k=\dfrac{\sqrt{t}}{2}$ ...... ㉡

㉡을 ㉠에 대입하면 $\sqrt{t}=\dfrac{\sqrt{t}}{2}\ln t$, $\ln t=2$ ∴ $t=e^2$

이를 ㉡에 대입하면 $k=\dfrac{e}{2}$

따라서 주어진 부등식을 성립하도록 하는 양수 k의 값의 범위는
$0<k<\dfrac{e}{2}$

070 답 -8

시각 t에서의 점 P의 속도를 v라 하면
$v=\dfrac{dx}{dt}=-\dfrac{k}{2}\sin\dfrac{t}{2}$

$t=\pi$에서 점 P의 속도가 4이므로
$-\dfrac{k}{2}\sin\dfrac{\pi}{2}=4$, $-\dfrac{k}{2}=4$

∴ $k=-8$

071 답 ①

시각 t에서의 점 P의 속도를 v라 하면
$v=\dfrac{dx}{dt}=(2t-1)e^t+(t^2-t-1)e^t=(t^2+t-2)e^t$

점 P가 운동 방향을 바꾸는 순간의 속도는 0이므로
$(t^2+t-2)e^t=0$, $t^2+t-2=0$ $(\because e^t>0)$
$(t+2)(t-1)=0$ ∴ $t=1$ $(\because t>0)$

이때 $t=1$의 좌우에서 속도의 부호가 바뀌므로 $t=1$일 때 점 P가
운동 방향을 바꾼다.

072 답 ⑤

시각 t에서의 점 P의 속도를 v, 가속도를 a라 하면
$v=\dfrac{dx}{dt}=p+\dfrac{q}{t}$, $a=\dfrac{dv}{dt}=-\dfrac{q}{t^2}$

$t=1$에서 점 P의 속도가 5이므로
$p+q=5$ ...... ㉠

또 $t=1$에서 점 P의 가속도가 2이므로
$-q=2$ ∴ $q=-2$

이를 ㉠에 대입하여 풀면 $p=7$

∴ $p-q=9$

073 답 2

두 점 P, Q의 속도를 각각 v_P, v_Q라 하면
$v_P=\dfrac{dx_P}{dt}=2t-a$, $v_Q=\dfrac{dx_Q}{dt}=e^t(t-3)+e^t=(t-2)e^t$

두 점 P, Q가 서로 반대 방향으로 움직이면 속도의 부호가 서로
반대이므로 $v_P v_Q<0$에서
$(2t-a)(t-2)e^t<0$
$(2t-a)(t-2)<0$ $(\because e^t>0)$

이 부등식의 해가 $1<t<2$이므로
$\dfrac{a}{2}<t<2$

따라서 $\dfrac{a}{2}=1$이므로 $a=2$

074 답 ②

$\dfrac{dx}{dt}=6$, $\dfrac{dy}{dt}=6-6t$이므로 시각 t에서의 점 P의 속도는
$(6,\ 6-6t)$

점 P의 속력이 $6\sqrt{5}$이므로
$\sqrt{6^2+(6-6t)^2}=6\sqrt{5}$, $t^2-2t-3=0$
$(t+1)(t-3)=0$ ∴ $t=3$ $(\because t>0)$

075 답 ⑤

$\dfrac{dx}{dt}=2\cos t$, $\dfrac{dy}{dt}=-\sin t$이므로 시각 t에서의 점 P의 속도는

$(2\cos t,\ -\sin t)$

따라서 $t=\dfrac{\pi}{3}$에서 점 P의 속도는 $\left(1,\ -\dfrac{\sqrt{3}}{2}\right)$이므로 구하는 속력은

$\sqrt{1^2+\left(-\dfrac{\sqrt{3}}{2}\right)^2}=\dfrac{\sqrt{7}}{2}$

076 답 ③

$\dfrac{dx}{dt}=2t-5$, $\dfrac{dy}{dt}=t$이므로 시각 t에서의 점 P의 속도는

$(2t-5,\ t)$

시각 t에서의 점 P의 속력은

$\sqrt{(2t-5)^2+t^2}=\sqrt{5(t-2)^2+5}$

따라서 점 P의 속력의 최솟값은 $t=2$일 때 $\sqrt{5}$이다.

077 답 ②

$\dfrac{dx}{dt}=2at-1$, $\dfrac{dy}{dt}=2\sqrt{t}$이므로 시각 t에서의 점 P의 속도는

$(2at-1,\ 2\sqrt{t})$

따라서 $t=4$에서 점 P의 속도는 $(8a-1,\ 4)$이고, 이때의 속력이 5이므로

$\sqrt{(8a-1)^2+4^2}=5$, $64a^2-16a-8=0$, $8a^2-2a-1=0$

$(4a+1)(2a-1)=0$ $\quad\therefore a=\dfrac{1}{2}$ $(\because a>0)$

078 답 16 m/s

자동차가 관찰자의 정면을 통과한 순간부터 t초 동안 이동한 거리를 x m, t초 후 관찰자와 자동차 사이의 거리를 y m라 하면

$x^2+30^2=y^2$ ...... ㉠

각 항을 t에 대하여 미분하면

$2x\dfrac{dx}{dt}=2y\dfrac{dy}{dt}$ ...... ㉡

자동차의 속도가 20 m/s이므로 $\dfrac{dx}{dt}=20$이고 $t=2$일 때 $x=40$이다.

$x=40$을 ㉠에 대입하면

$y^2=40^2+30^2=50^2$ $\quad\therefore y=50$ $(\because y>0)$

$x=40$, $y=50$, $\dfrac{dx}{dt}=20$을 ㉡에 대입하면

$80\times20=100\times\dfrac{dy}{dt}$ $\quad\therefore \dfrac{dy}{dt}=16$

따라서 구하는 속도는 16 m/s이다.

079 답 $(0,\ 2)$

$\dfrac{dx}{dt}=e^t-e^{-t}$, $\dfrac{dy}{dt}=e^t+e^{-t}$이므로 시각 t에서의 점 P의 속도는

$(e^t-e^{-t},\ e^t+e^{-t})$

따라서 시각 t에서의 점 P의 속력은

$\sqrt{(e^t-e^{-t})^2+(e^t+e^{-t})^2}=\sqrt{2(e^{2t}+e^{-2t})}$

$e^{2t}>0$, $e^{-2t}>0$이므로 산술평균과 기하평균의 관계에 의하여

$e^{2t}+e^{-2t}\geq2\sqrt{e^{2t}\times e^{-2t}}=2$

이때 등호는 $e^{2t}=e^{-2t}$, 즉 $t=0$일 때 성립하므로 구하는 속도는

$(0,\ 2)$

080 답 ③

$\dfrac{dx}{dt}=2$, $\dfrac{dy}{dt}=1-t^2$이므로 시각 t에서의 점 P의 속도는

$(2,\ 1-t^2)$

점 P의 속력이 $\sqrt{13}$이므로

$\sqrt{2^2+(1-t^2)^2}=\sqrt{13}$, $(1-t^2)^2=9$

$1-t^2=\pm3$, $t^2=4$ $(\because t^2>0)$

$\therefore t=2$ $(\because t>0)$

$\dfrac{d^2x}{dt^2}=0$, $\dfrac{d^2y}{dt^2}=-2t$이므로 시각 t에서의 점 P의 가속도는

$(0,\ -2t)$

따라서 $t=2$에서 가속도는 $(0,\ -4)$이므로 구하는 가속도의 크기는

$\sqrt{0^2+(-4)^2}=4$

081 답 $3\sqrt{2}e^3$

$\dfrac{dx}{dt}=2+e^{3t}$, $\dfrac{dy}{dt}=2-e^{3t}$이므로

$\dfrac{d^2x}{dt^2}=3e^{3t}$, $\dfrac{d^2y}{dt^2}=-3e^{3t}$

시각 t에서의 점 P의 가속도는 $(3e^{3t},\ -3e^{3t})$

따라서 $t=1$에서 가속도는 $(3e^3,\ -3e^3)$이므로 구하는 가속도의 크기는

$\sqrt{(3e^3)^2+(-3e^3)^2}=3\sqrt{2}e^3$

082 답 4

$\dfrac{dx}{dt}=2t$, $\dfrac{dy}{dt}=\dfrac{k}{t}$이므로

$\dfrac{d^2x}{dt^2}=2$, $\dfrac{d^2y}{dt^2}=-\dfrac{k}{t^2}$

시각 t에서의 점 P의 가속도는 $\left(2,\ -\dfrac{k}{t^2}\right)$

따라서 $t=1$에서 가속도는 $(2,\ -k)$이고, 이때의 가속도의 크기가 $2\sqrt{5}$이므로

$\sqrt{2^2+(-k)^2}=2\sqrt{5}$, $k^2=16$

$\therefore k=4$ $(\because k>0)$

083 답 ⑤

$\dfrac{dx}{dt}=4\cos2t$, $\dfrac{dy}{dt}=-8\sin2t$이므로

$\dfrac{d^2x}{dt^2}=-8\sin2t$, $\dfrac{d^2y}{dt^2}=-16\cos2t$

시각 t에서의 점 P의 가속도는

$(-8\sin2t,\ -16\cos2t)$

$y=2$일 때 $4\cos2t=2$에서 $\cos2t=\dfrac{1}{2}$

$\therefore t=\dfrac{\pi}{6}$ $\left(\because 0\leq t\leq\dfrac{\pi}{2}\right)$

따라서 $t=\dfrac{\pi}{6}$에서 점 P의 가속도는 $(-4\sqrt{3},\ -8)$이므로 구하는 가속도의 크기는

$\sqrt{(-4\sqrt{3})^2+(-8)^2}=4\sqrt{7}$

084 답 ③

ㄱ. $t=2\pi$에서 점 P의 위치는

$(\cos 2\pi,\ 2\pi-\sin 2\pi)$ $\therefore\ (1,\ 2\pi)$

ㄴ. $\dfrac{dx}{dt}=-\sin t,\ \dfrac{dy}{dt}=1-\cos t$ ...... ㉠

시각 t에서의 점 P의 속도는 $(-\sin t,\ 1-\cos t)$이므로 시각 t에서의 점 P의 속력은

$\sqrt{(-\sin t)^2+(1-\cos t)^2}=\sqrt{\sin^2 t+1-2\cos t+\cos^2 t}$
$=\sqrt{2-2\cos t}$

이때 $-1\le\cos t\le1$이므로 $-2\le-2\cos t\le2$

$\therefore\ 0\le2-2\cos t\le4$

따라서 속력의 최댓값은 $\sqrt{4}=2$

ㄷ. ㉠에서 $\dfrac{d^2x}{dt^2}=-\cos t,\ \dfrac{d^2y}{dt^2}=\sin t$이므로 시각 t에서의 점 P의

가속도는 $(-\cos t,\ \sin t)$

시각 t에서의 점 P의 가속도의 크기는

$\sqrt{(-\cos t)^2+\sin^2 t}=1$

따라서 가속도의 크기는 항상 1로 일정하다.

따라서 보기 중 옳은 것은 ㄱ, ㄷ이다.

085 답 ③

$f(x)=x^2+4\sin x$라 하면

$f'(x)=2x+4\cos x,\ f''(x)=2-4\sin x$

곡선 $y=f(x)$가 위로 볼록하려면 $f''(x)<0$이어야 하므로

$2-4\sin x<0,\ \sin x>\dfrac{1}{2}$

$\therefore\ \dfrac{\pi}{6}<x<\dfrac{5}{6}\pi\ (\because\ 0<x<2\pi)$

따라서 곡선 $y=f(x)$가 위로 볼록한 구간은 $\left(\dfrac{\pi}{6},\ \dfrac{5}{6}\pi\right)$이다.

086 답 $\dfrac{\pi}{2}$

$f(x)=1+\cos^2 x$라 하면

$f'(x)=-2\sin x\cos x=-\sin 2x$

$f''(x)=-2\cos 2x$

$f''(x)=0$에서 $-2\cos 2x=0$

$\therefore\ x=-\dfrac{\pi}{4}$ 또는 $x=\dfrac{\pi}{4}\left(\because\ -\dfrac{\pi}{2}<x<\dfrac{\pi}{2}\right)$

$-\dfrac{\pi}{2}<x<-\dfrac{\pi}{4},\ \dfrac{\pi}{4}<x<\dfrac{\pi}{2}$에서 $f''(x)>0$

$-\dfrac{\pi}{4}<x<\dfrac{\pi}{4}$에서 $f''(x)<0$

즉, $x=-\dfrac{\pi}{4},\ x=\dfrac{\pi}{4}$의 좌우에서 $f''(x)$의 부호가 바뀌므로 변곡점의 좌표는 $\left(-\dfrac{\pi}{4},\ \dfrac{3}{2}\right),\ \left(\dfrac{\pi}{4},\ \dfrac{3}{2}\right)$이다.

따라서 두 변곡점 사이의 거리는 $\dfrac{\pi}{4}-\left(-\dfrac{\pi}{4}\right)=\dfrac{\pi}{2}$

087 답 $\dfrac{25}{2}e$

$f(x)=(x-1)e^{4-x}$이라 하면

$f'(x)=e^{4-x}-(x-1)e^{4-x}=(2-x)e^{4-x}$

$f''(x)=-e^{4-x}-(2-x)e^{4-x}=(x-3)e^{4-x}$

$f''(x)=0$인 x의 값은 $x=3\ (\because\ e^{4-x}>0)$

$x<3$에서 $f''(x)<0$, $x>3$에서 $f''(x)>0$

즉, $x=3$의 좌우에서 $f''(x)$의 부호가 바뀌므로 변곡점의 좌표는 $(3,\ 2e)$이다.

변곡점에서의 접선의 기울기가 $f'(3)=-e$이므로 접선의 방정식은

$y-2e=-e(x-3)$ $\therefore\ y=-ex+5e$

따라서 $A(5,\ 0)$, $B(0,\ 5e)$이므로 삼각형 OAB의 넓이는

$\dfrac{1}{2}\times5\times5e=\dfrac{25}{2}e$

088 답 5

$f(x)=ax^2+bx+2-\ln x$에서 $x>0$이고

$f'(x)=2ax+b-\dfrac{1}{x},\ f''(x)=2a+\dfrac{1}{x^2}$

함수 $f(x)$가 $x=\dfrac{1}{4}$에서 극소이므로 $f'\left(\dfrac{1}{4}\right)=0$에서

$\dfrac{a}{2}+b-4=0$ $\therefore\ a+2b=8$ ...... ㉠

변곡점의 x좌표가 $\dfrac{1}{2}$이므로 $f''\left(\dfrac{1}{2}\right)=0$에서

$2a+4=0$ $\therefore\ a=-2$

이를 ㉠에 대입하여 풀면 $b=5$

$\therefore\ f(x)=-2x^2+5x+2-\ln x$

$f'(x)=-4x+5-\dfrac{1}{x}=\dfrac{-4x^2+5x-1}{x}$

$\qquad=\dfrac{-(4x-1)(x-1)}{x}$

$f'(x)=0$인 x의 값은 $x=\dfrac{1}{4}$ 또는 $x=1$

$x>0$에서 함수 $f(x)$의 증가, 감소를 표로 나타내면 다음과 같다.

x	0	$\cdots$	$\dfrac{1}{4}$	$\cdots$	1	$\cdots$
$f'(x)$		$-$	0	$+$	0	$-$
$f(x)$		$\searrow$	$\dfrac{25}{8}+2\ln 2$ 극소	$\nearrow$	5 극대	$\searrow$

따라서 함수 $f(x)$의 극댓값은 $f(1)=5$

089 답 4

$f(x)=2x^2+2a\cos x+x$라 하면

$f'(x)=4x-2a\sin x+1$

$f''(x)=4-2a\cos x$

곡선 $y=f(x)$가 변곡점을 갖지 않으려면 방정식 $f''(x)=0$이 실근을 갖지 않거나 근을 갖는 경우에는 그 근의 좌우에서 $f''(x)$의 부호가 바뀌지 않아야 한다.

$f''(x)=0$에서 $4-2a\cos x=0$

$2a\cos x=4$ $\therefore\ \cos x=\dfrac{2}{a}$ ...... ㉠

(ⅰ) 방정식 ㉠이 실근을 갖지 않으려면 $-1\le\cos x\le1$이므로

$\left|\dfrac{2}{a}\right|>1,\ |a|<2$

$\therefore\ -2<a<0$ 또는 $0<a<2\ (\because\ a\ne0)$

(ii) $a=-2$이면 $f''(x)=4+4\cos x\ge 0$

$\quad\quad a=2$이면 $f''(x)=4-4\cos x\ge 0$

즉, $a=-2$, $a=2$이면 $f''(x)=0$을 만족시키는 x의 값의 좌우에서 $f''(x)$의 부호가 바뀌지 않으므로 곡선 $y=f(x)$가 변곡점을 가질 수 없다.

(i), (ii)에서 a의 값의 범위는 $-2\le a<0$ 또는 $0<a\le 2$

따라서 구하는 정수 a는 -2, -1, 1, 2의 4개이다.

090 답 7

오른쪽 그림과 같이 a, b, c, d, e, f를 정하고 $f'(x)$, $f''(x)$의 부호를 표로 나타내면 다음과 같다.

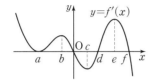

x	$\cdots$	a	$\cdots$	b	$\cdots$	0	$\cdots$	c	$\cdots$	d	$\cdots$	e	$\cdots$	f	$\cdots$
$f'(x)$	$+$	0	$+$	$+$	$+$	0	$-$	$-$	$-$	0	$+$	$+$	$+$	0	$-$
$f''(x)$	$-$	0	$+$	0	$-$	$-$	$-$	0	$+$	$+$	$+$	0	$-$	$-$	$-$

$x=0$, $x=d$, $x=f$의 좌우에서 $f'(x)$의 부호가 바뀌므로 극값을 갖는 x의 값의 개수는 3이다. $\therefore m=3$

$x=a$, $x=b$, $x=c$, $x=e$의 좌우에서 $f''(x)$의 부호가 바뀌므로 변곡점의 개수는 4이다. $\therefore n=4$

$\therefore m+n=3+4=7$

091 답 ⑤

$f(x)=\ln(2x^2+1)$에서

$f'(x)=\dfrac{4x}{2x^2+1}$

$f''(x)=\dfrac{4(2x^2+1)-4x\times 4x}{(2x^2+1)^2}=\dfrac{-8x^2+4}{(2x^2+1)^2}$

$\quad\quad=\dfrac{-4(\sqrt{2}x+1)(\sqrt{2}x-1)}{(2x^2+1)^2}$

$f'(x)=0$인 x의 값은 $x=0$

$f''(x)=0$인 x의 값은 $x=-\dfrac{\sqrt{2}}{2}$ 또는 $x=\dfrac{\sqrt{2}}{2}$

함수 $f(x)$의 증가와 감소, 오목과 볼록을 표로 나타내면 다음과 같다.

x	$\cdots$	$-\dfrac{\sqrt{2}}{2}$	$\cdots$	0	$\cdots$	$\dfrac{\sqrt{2}}{2}$	$\cdots$
$f'(x)$	$-$	$-$	$-$	0	$+$	$+$	$+$
$f''(x)$	$-$	0	$+$	$+$	$+$	0	$-$
$f(x)$	$\searrow$	$\ln 2$ 변곡점	$\searrow$	0 극소	$\nearrow$	$\ln 2$ 변곡점	$\nearrow$

또 $\lim\limits_{x\to -\infty}f(x)=\infty$, $\lim\limits_{x\to \infty}f(x)=\infty$이므로 함수 $y=f(x)$의 그래프는 오른쪽 그림과 같다.

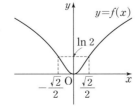

① 치역은 $\{y|y\ge 0\}$이다.

② 극솟값은 $f(0)=0$이다.

③ 모든 실수 x에 대하여

$\quad f(-x)=\ln(2(-x)^2+1)=\ln(2x^2+1)=f(x)$

이므로 $y=f(x)$의 그래프는 y축에 대하여 대칭이다.

④ $y=f(x)$의 그래프의 변곡점은 점 $\left(-\dfrac{\sqrt{2}}{2},\ \ln 2\right)$, 점 $\left(\dfrac{\sqrt{2}}{2},\ \ln 2\right)$의 2개이다.

⑤ 구간 $\left(-\dfrac{\sqrt{2}}{2},\ \dfrac{\sqrt{2}}{2}\right)$에서 $f''(x)>0$이므로 $y=f(x)$의 그래프는 이 구간에서 아래로 볼록하다.

092 답 ③

$f(x)=x+\sqrt{1-x^2}$에서 $0<x\le 1$이고

$f'(x)=1+\dfrac{-2x}{2\sqrt{1-x^2}}=\dfrac{\sqrt{1-x^2}-x}{\sqrt{1-x^2}}$

$f'(x)=0$에서 $\sqrt{1-x^2}=x$

$1-x^2=x^2$, $x^2=\dfrac{1}{2}$

$\therefore x=\dfrac{\sqrt{2}}{2}$ ($\because 0<x\le 1$)

$0<x\le 1$에서 함수 $f(x)$의 증가, 감소를 표로 나타내면 다음과 같다.

x	0	$\cdots$	$\dfrac{\sqrt{2}}{2}$	$\cdots$	1
$f'(x)$		$+$	0	$-$	
$f(x)$		$\nearrow$	$\sqrt{2}$ 극대	$\searrow$	1

따라서 함수 $f(x)$는 $x=\dfrac{\sqrt{2}}{2}$에서 최댓값 $\sqrt{2}$를 가지므로

$a=\dfrac{\sqrt{2}}{2}$, $M=\sqrt{2}$

$\therefore aM=1$

093 답 ②

$f(x)=e^x(x^2+ax+1)$에서

$f'(x)=e^x(x^2+ax+1)+e^x(2x+a)$

$\quad\quad=e^x\{x^2+(a+2)x+a+1\}$

$f'(2)=0$에서 $3e^2(a+3)=0$

$\therefore a=-3$

$\therefore f(x)=e^x(x^2-3x+1)$

$f'(x)=e^x(x^2-x-2)=e^x(x+1)(x-2)$

$f'(x)=0$인 x의 값은 $x=-1$ 또는 $x=2$

$-2\le x\le 2$에서 함수 $f(x)$의 증가, 감소를 표로 나타내면 다음과 같다.

x	-2	$\cdots$	-1	$\cdots$	2
$f'(x)$		$+$	0	$-$	
$f(x)$	$\dfrac{11}{e^2}$	$\nearrow$	$\dfrac{5}{e}$ 극대	$\searrow$	$-e^2$

따라서 함수 $f(x)$는 $x=-1$에서 최댓값을 가지므로 $b=-1$

$\therefore a+b=-3-1=-4$

094 답 π

$f(x)=a+2x\sin x+2\cos x$에서

$f'(x)=2\sin x+2x\cos x-2\sin x=2x\cos x$

$f'(x)=0$에서 $x=0$ 또는 $\cos x=0$

$\therefore x=0$ 또는 $x=\dfrac{\pi}{2}$ 또는 $x=\dfrac{3}{2}\pi$ $(\because 0\le x\le 2\pi)$

구간 $[0,\,2\pi]$에서 함수 $f(x)$의 증가, 감소를 표로 나타내면 다음과 같다.

x	0	$\cdots$	$\dfrac{\pi}{2}$	$\cdots$	$\dfrac{3}{2}\pi$	$\cdots$	2π
$f'(x)$		$+$	0	$-$	0	$+$	
$f(x)$	$a+2$	↗	$a+\pi$ 극대	↘	$a-3\pi$ 극소	↗	$a+2$

함수 $f(x)$의 최댓값은 $f\left(\dfrac{\pi}{2}\right)=a+\pi$이므로

$a+\pi=5\pi$ $\quad\therefore a=4\pi$

따라서 함수 $f(x)$의 최솟값은 $f\left(\dfrac{3}{2}\pi\right)=4\pi-3\pi=\pi$

095 답 $\dfrac{2}{e^2}$

$f(x)=-\ln x$라 하면 $f'(x)=-\dfrac{1}{x}$

점 $\mathrm{P}(t,\,-\ln t)$에서의 접선의 기울기는 $f'(t)=-\dfrac{1}{t}$이므로 접선의 방정식은

$y+\ln t=-\dfrac{1}{t}(x-t)$ $\quad\therefore y=-\dfrac{1}{t}x+1-\ln t$

$\mathrm{A}(t,\,0)$, $\mathrm{B}(t-t\ln t,\,0)$이므로

$\overline{\mathrm{AB}}=(t-t\ln t)-t=-t\ln t$

따라서 삼각형 PAB의 넓이를 $S(t)$라 하면

$S(t)=\dfrac{1}{2}\times(-t\ln t)\times(-\ln t)=\dfrac{t}{2}(\ln t)^2$

$S'(t)=\dfrac{1}{2}(\ln t)^2+\dfrac{t}{2}\times 2\ln t\times\dfrac{1}{t}=\ln t\left(\dfrac{1}{2}\ln t+1\right)$

$S'(t)=0$에서 $\ln t=0$ 또는 $\dfrac{1}{2}\ln t+1=0$

$\ln t=0$ 또는 $\ln t=-2$ $\quad\therefore t=\dfrac{1}{e^2}$ $(\because 0<t<1)$

$0<t<1$에서 함수 $S(t)$의 증가, 감소를 표로 나타내면 다음과 같다.

t	0		$\dfrac{1}{e^2}$		1
$S'(t)$		$+$	0	$-$	
$S(t)$		↗	$\dfrac{2}{e^2}$ 극대	↘	

따라서 $S(t)$의 최댓값은 $S\left(\dfrac{1}{e^2}\right)=\dfrac{2}{e^2}$이므로 삼각형 PAB의 넓이의 최댓값은 $\dfrac{2}{e^2}$이다.

096 답 $\sqrt{3}-\dfrac{4}{3}\pi<k<-\sqrt{3}+\dfrac{4}{3}\pi$

$f(x)=\tan x-4x$라 하면 $f'(x)=\sec^2 x-4$

$f'(x)=0$에서 $\sec^2 x=4$, $\cos^2 x=\dfrac{1}{4}$

$\cos x=-\dfrac{1}{2}$ 또는 $\cos x=\dfrac{1}{2}$

$\therefore x=-\dfrac{\pi}{3}$ 또는 $x=\dfrac{\pi}{3}$ $\left(\because -\dfrac{\pi}{2}<x<\dfrac{\pi}{2}\right)$

$-\dfrac{\pi}{2}<x<\dfrac{\pi}{2}$에서 함수 $f(x)$의 증가, 감소를 표로 나타내면 다음과 같다.

x	$-\dfrac{\pi}{2}$	$\cdots$	$-\dfrac{\pi}{3}$	$\cdots$	$\dfrac{\pi}{3}$	$\cdots$	$\dfrac{\pi}{2}$
$f'(x)$		$+$	0	$-$	0	$+$	
$f(x)$		↗	$-\sqrt{3}+\dfrac{4}{3}\pi$ 극대	↘	$\sqrt{3}-\dfrac{4}{3}\pi$ 극소	↗	

또 $\displaystyle\lim_{x\to-\frac{\pi}{2}^-}f(x)=\infty$,

$\displaystyle\lim_{x\to-\frac{\pi}{2}^+}f(x)=-\infty$이므로 함수 $y=f(x)$의 그래프는 오른쪽 그림과 같다.

따라서 주어진 방정식이 서로 다른 세 실근을 가지려면 곡선 $y=f(x)$와 직선 $y=k$가 서로 다른 세 점에서 만나야 하므로

$\sqrt{3}-\dfrac{4}{3}\pi<k<-\sqrt{3}+\dfrac{4}{3}\pi$

097 답 ②

$f(x)=(x-1)e^x$이라 하면 $f'(x)=e^x+(x-1)e^x=xe^x$

$f'(x)=0$인 x의 값은 $x=0$

함수 $f(x)$의 증가, 감소를 표로 나타내면 다음과 같다.

x	$\cdots$	0	$\cdots$
$f'(x)$	$-$	0	$+$
$f(x)$	↘	-1 극소	↗

또 $\displaystyle\lim_{x\to\infty}f(x)=\infty$, $\displaystyle\lim_{x\to-\infty}f(x)=0$이므로 함수 $y=|x-1|e^x$의 그래프는 오른쪽 그림과 같다.

따라서 함수 $y=|x-1|e^x$의 그래프와 직선 $y=n$의 교점은 $n=1$일 때 2개, $n\ge 2$일 때 1개이므로

$a_n=\begin{cases}2\ (n=1)\\1\ (n\ge 2)\end{cases}$

$\therefore \displaystyle\sum_{n=1}^{20}a_n=2+1\times 19=21$

098 답 ①

방정식 $\ln x=ax^2$이 서로 다른 두 실근을 가지려면 두 곡선 $y=\ln x$와 $y=ax^2$이 서로 다른 두 점에서 만나야 한다.

$f(x)=\ln x$, $g(x)=ax^2$이라 하면

$f'(x)=\dfrac{1}{x}$, $g'(x)=2ax$

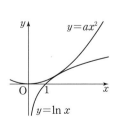

정답과 해설

두 곡선 $y=f(x)$, $y=g(x)$가 접할 때의 접점의 x좌표를 t $(t>0)$
라 하면

$f(t)=g(t)$에서 $\ln t=at^2$ ...... ㉠

$f'(t)=g'(t)$에서 $\dfrac{1}{t}=2at$ ∴ $a=\dfrac{1}{2t^2}$ ...... ㉡

㉡을 ㉠에 대입하면 $\ln t=\dfrac{1}{2}$ ∴ $t=\sqrt{e}$

이를 ㉡에 대입하면 $a=\dfrac{1}{2e}$

$a=\dfrac{1}{2e}$이면 두 곡선 $y=f(x)$, $y=g(x)$가 한 점에서 만나므로 방
정식 $\ln x=ax^2$이 서로 다른 두 실근을 갖도록 하는 실수 a의 값의
범위는 $0<a<\dfrac{1}{2e}$

따라서 a의 값이 될 수 있는 것은 ①이다.

다른 풀이 $\ln x=ax^2$에서 $x>0$이므로 $\dfrac{\ln x}{x^2}=a$

$f(x)=\dfrac{\ln x}{x^2}$라 하면

$f'(x)=\dfrac{\dfrac{1}{x}\times x^2-\ln x\times 2x}{x^4}=\dfrac{1-2\ln x}{x^3}$

$f'(x)=0$인 x의 값은 $\ln x=\dfrac{1}{2}$ ∴ $x=\sqrt{e}$

$x>0$에서 함수 $f(x)$의 증가, 감소를 표로 나타내면 다음과 같다.

x	0	$\cdots$	$\sqrt{e}$	$\cdots$
$f'(x)$		$+$	0	$-$
$f(x)$		↗	$\dfrac{1}{2e}$ 극대	↘

또 $\displaystyle\lim_{x\to 0+}f(x)=-\infty$, $\displaystyle\lim_{x\to\infty}f(x)=0$이
므로 함수 $y=f(x)$의 그래프는 오른쪽
그림과 같다.

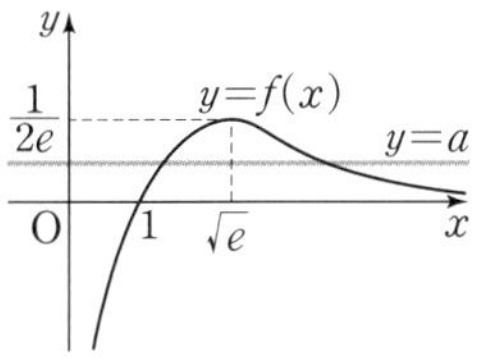

따라서 함수 $y=f(x)$의 그래프와 직선
$y=a$가 서로 다른 두 점에서 만나야
하므로

$0<a<\dfrac{1}{2e}$

099 답 ①

$f(x)=e^{x-3}-x+a$라 하면 $f'(x)=e^{x-3}-1$

$f'(x)=0$에서 $e^{x-3}-1=0$

$e^{x-3}=1$ ∴ $x=3$

함수 $f(x)$의 증가, 감소를 표로 나타내면 다음과 같다.

x	$\cdots$	3	$\cdots$
$f'(x)$	$-$	0	$+$
$f(x)$	↘	$-2+a$ 극소	↗

함수 $f(x)$의 최솟값은 $f(3)=-2+a$이므로 모든 실수 x에 대하
여 $f(x)\geq 0$이 성립하려면

$-2+a\geq 0$ ∴ $a\geq 2$

따라서 a의 최솟값은 2이다.

100 답 $k\leq 1$

$\cos x>k-x^2$에서 $\cos x+x^2-k>0$

$f(x)=\cos x+x^2-k$라 하면

$f'(x)=-\sin x+2x$, $f''(x)=-\cos x+2$

$x>0$일 때 $f''(x)>0$이므로 $x>0$에서 함수 $f'(x)$는 증가하고
$f'(0)=0$이므로 $f'(x)>0$

또 $x>0$일 때 $f'(x)>0$이므로 $x>0$에서 함수 $f(x)$도 증가한다.

따라서 $f(x)>0$이 성립하려면 $f(0)\geq 0$이어야 하므로

$1-k\geq 0$ ∴ $k\leq 1$

101 답 ③

시각 t에서의 점 P의 속도를 v라 하면

$v=\dfrac{dx}{dt}=e^{2t}+2(t+k)e^{2t}=(2t+2k+1)e^{2t}$

점 P가 $t=1$에서 운동 방향을 바꾸고, 운동 방향을 바꾸는 순간의
속도는 0이므로

$(3+2k)e^2=0$ ∴ $k=-\dfrac{3}{2}$

$v=(2t-2)e^{2t}$이므로 시각 t에서의 점 P의 가속도를 a라 하면

$a=\dfrac{dv}{dt}=2e^{2t}+2(2t-2)e^{2t}=(4t-2)e^{2t}$

따라서 $t=1$에서 점 P의 가속도는 $2e^2$이다.

102 답 $(3, -3)$

$\dfrac{dx}{dt}=2t$, $\dfrac{dy}{dt}=2t-4$이므로 시각 t에서의 점 P의 속도는

$(2t, 2t-4)$

시각 t에서의 점 P의 속력은

$\sqrt{(2t)^2+(2t-4)^2}=\sqrt{8(t-1)^2+8}$

따라서 점 P의 속력은 $t=1$일 때 최소이므로 그때의 점 P의 위치
는 $(3, -3)$이다.

103 답 ②

$\dfrac{dx}{dt}=e^t\cos t-e^t\sin t=e^t(\cos t-\sin t)$,

$\dfrac{dy}{dt}=e^t\sin t+e^t\cos t=e^t(\sin t+\cos t)$

이므로 시각 t에서의 점 P의 속도는

$(e^t(\cos t-\sin t), e^t(\sin t+\cos t))$

시각 t에서의 점 P의 속력은

$\sqrt{\{e^t(\cos t-\sin t)\}^2+\{e^t(\sin t+\cos t)\}^2}=e^t\sqrt{2(\sin^2 t+\cos^2 t)}$
$=\sqrt{2}e^t$

점 P의 속력이 $\sqrt{2}e$이므로 $\sqrt{2}e^t=\sqrt{2}e$ ∴ $t=1$

$\dfrac{d^2x}{dt^2}=e^t(\cos t-\sin t)+e^t(-\sin t-\cos t)=-2e^t\sin t$,

$\dfrac{d^2y}{dt^2}=e^t(\sin t+\cos t)+e^t(\cos t-\sin t)=2e^t\cos t$

이므로 시각 t에서의 점 P의 가속도는

$(-2e^t\sin t, 2e^t\cos t)$

시각 t에서의 점 P의 가속도의 크기는

$\sqrt{(-2e^t\sin t)^2+(2e^t\cos t)^2}=2e^t$

따라서 $t=1$에서 점 P의 가속도의 크기는 $2e$이다.

001 답 **2**

$$f(x)=\int \frac{(x-1)(x-2)}{x^2}\,dx=\int \frac{x^2-3x+2}{x^2}\,dx$$
$$=\int \left(1-\frac{3}{x}+\frac{2}{x^2}\right)dx=\int \left(1-\frac{3}{x}+2x^{-2}\right)dx$$
$$=x-3\ln|x|-2x^{-1}+C$$
$$=x-3\ln|x|-\frac{2}{x}+C$$

$f(e)=e-\dfrac{2}{e}$에서 $e-3-\dfrac{2}{e}+C=e-\dfrac{2}{e}$ $\therefore C=3$

따라서 $f(x)=x-3\ln|x|-\dfrac{2}{x}+3$이므로
$f(1)=1-2+3=2$

002 답 e^2

$$f(x)=\int \frac{e^{2x}-x^2}{e^x+x}\,dx=\int \frac{(e^x+x)(e^x-x)}{e^x+x}\,dx$$
$$=\int (e^x-x)\,dx=e^x-\frac{1}{2}x^2+C$$

$f(0)=3$에서 $1+C=3$ $\therefore C=2$

따라서 $f(x)=e^x-\dfrac{1}{2}x^2+2$이므로
$f(2)=e^2-2+2=e^2$

003 답 ③

$$\int \frac{27^x-1}{9^x+3^x+1}\,dx=\int \frac{(3^x-1)(9^x+3^x+1)}{9^x+3^x+1}\,dx$$
$$=\int (3^x-1)\,dx$$
$$=\frac{3^x}{\ln 3}-x+C$$

따라서 $a=\ln 3$, $b=-1$이므로 $ab=-\ln 3$

004 답 ①

$$f(x)=\int f'(x)\,dx=\int \frac{\sin^2 x}{1-\cos x}\,dx=\int \frac{1-\cos^2 x}{1-\cos x}\,dx$$
$$=\int \frac{(1+\cos x)(1-\cos x)}{1-\cos x}\,dx$$
$$=\int (1+\cos x)\,dx=x+\sin x+C$$

$f(\pi)=0$에서 $\pi+C=0$ $\therefore C=-\pi$

따라서 $f(x)=x+\sin x-\pi$이므로
$f(0)=-\pi$

005 답 ④

$x^2+1=t$로 놓으면 $\dfrac{dt}{dx}=2x$이므로

$$\int 2x(x^2+1)^4\,dx=\int t^4\,dt=\frac{1}{5}t^5+C$$
$$=\frac{1}{5}(x^2+1)^5+C$$

006 답 -2

$9-2x^2=t$로 놓으면 $\dfrac{dt}{dx}=-4x$이므로

$$\int \frac{4x}{\sqrt{9-2x^2}}\,dx=\int \frac{1}{\sqrt{t}}\times(-1)\,dt=-\int t^{-\frac{1}{2}}\,dt$$
$$=-2t^{\frac{1}{2}}+C=-2\sqrt{t}+C$$
$$=-2\sqrt{9-2x^2}+C$$

$\therefore a=-2$

007 답 $\dfrac{3}{2e}-1$

$x^2-1=t$로 놓으면 $\dfrac{dt}{dx}=2x$이므로

$$f(x)=\int 3xe^{x^2-1}\,dx=\int 3e^t\times\frac{1}{2}\,dt=\frac{3}{2}e^t+C=\frac{3}{2}e^{x^2-1}+C$$

$f(1)=\dfrac{1}{2}$에서 $\dfrac{3}{2}+C=\dfrac{1}{2}$ $\therefore C=-1$

따라서 $f(x)=\dfrac{3}{2}e^{x^2-1}-1$이므로 $f(0)=\dfrac{3}{2}e^{-1}-1=\dfrac{3}{2e}-1$

008 답 $f(x)=(\ln x)^3$

$\ln x=t$로 놓으면 $\dfrac{dt}{dx}=\dfrac{1}{x}$이므로

$$f(x)=\int \frac{3(\ln x)^2}{x}\,dx=\int 3t^2\,dt=t^3+C=(\ln x)^3+C$$

$f(e)=1$에서 $1+C=1$ $\therefore C=0$

$\therefore f(x)=(\ln x)^3$

009 답 2π

$$f(x)=\int f'(x)\,dx=\int (5-2\sin^2 x)\,dx$$
$$=\int \{(1-2\sin^2 x)+4\}\,dx=\int (\cos 2x+4)\,dx$$
$$=\frac{1}{2}\sin 2x+4x+C$$

$f(0)=0$에서 $C=0$

따라서 $f(x)=\dfrac{1}{2}\sin 2x+4x$이므로 $f\left(\dfrac{\pi}{2}\right)=2\pi$

010 답 $\dfrac{1}{2}$

$$\int \frac{\sin^3 x}{1-\cos x}\,dx=\int \frac{\sin x\times\sin^2 x}{1-\cos x}\,dx$$
$$=\int \frac{\sin x(1-\cos^2 x)}{1-\cos x}\,dx$$
$$=\int \frac{\sin x(1+\cos x)(1-\cos x)}{1-\cos x}\,dx$$
$$=\int \sin x(1+\cos x)\,dx$$

$1+\cos x=t$로 놓으면 $\dfrac{dt}{dx}=-\sin x$이므로

$$\int \sin x(1+\cos x)\,dx=\int t\times(-1)\,dt=-\frac{1}{2}t^2+C$$
$$=-\frac{1}{2}(1+\cos x)^2+C$$

따라서 $a=-\dfrac{1}{2}$, $b=1$이므로 $a+b=\dfrac{1}{2}$

011 답 ③

$$\int \frac{2x+1}{x^2+x-1}dx = \int \frac{(x^2+x-1)'}{x^2+x-1}dx$$
$$= \ln|x^2+x-1|+C$$

012 답 ⑤

곡선 $y=f(x)$ 위의 임의의 점 (x, y)에서의 접선의 기울기가

$\dfrac{3x+5}{x^2+2x-3}$이므로 $f'(x)=\dfrac{3x+5}{x^2+2x-3}$

$\dfrac{3x+5}{x^2+2x-3}=\dfrac{3x+5}{(x-1)(x+3)}=\dfrac{A}{x-1}+\dfrac{B}{x+3}$로 놓으면

$\dfrac{3x+5}{(x-1)(x+3)}=\dfrac{(A+B)x+(3A-B)}{(x-1)(x+3)}$

이 식은 x에 대한 항등식이므로

$A+B=3,\ 3A-B=5$

두 식을 연립하여 풀면 $A=2,\ B=1$

$$\therefore f(x)=\int f'(x)\,dx=\int \frac{3x+5}{x^2+2x-3}dx$$
$$=\int \left(\frac{2}{x-1}+\frac{1}{x+3}\right)dx$$
$$=2\ln|x-1|+\ln|x+3|+C$$

곡선 $y=f(x)$가 점 $(-1, 4\ln 2)$를 지나므로 $f(-1)=4\ln 2$에서

$2\ln 2+\ln 2+C=4\ln 2$ $\quad \therefore C=\ln 2$

따라서 $f(x)=2\ln|x-1|+\ln|x+3|+\ln 2$이므로

$f(5)=2\ln 4+\ln 8+\ln 2=4\ln 2+3\ln 2+\ln 2=8\ln 2$

013 답 $-e$

$u(x)=x-2,\ v'(x)=e^{2x}$으로 놓으면

$u'(x)=1,\ v(x)=\dfrac{1}{2}e^{2x}$

$$\therefore f(x)=\int (x-2)e^{2x}\,dx=(x-2)\times\frac{1}{2}e^{2x}-\int \frac{1}{2}e^{2x}\,dx$$
$$=\frac{1}{2}e^{2x}(x-2)-\frac{1}{4}e^{2x}+C=\frac{1}{4}e^{2x}\{2(x-2)-1\}+C$$
$$=\frac{1}{4}e^{2x}(2x-5)+C$$

$f(0)=-\dfrac{5}{4}$에서 $-\dfrac{5}{4}+C=-\dfrac{5}{4}$ $\quad \therefore C=0$

따라서 $f(x)=\dfrac{1}{4}e^{2x}(2x-5)$이므로 $f\left(\dfrac{1}{2}\right)=-e$

014 답 $f(x)=(2-x^2)\cos x+2x\sin x$

$u(x)=x^2,\ v'(x)=\sin x$로 놓으면

$u'(x)=2x,\ v(x)=-\cos x$

$$\therefore f(x)=\int x^2\sin x\,dx$$
$$=-x^2\cos x+\int 2x\cos x\,dx \qquad \cdots\cdots\ \unicode{x26FF}$$

$\displaystyle\int 2x\cos x\,dx$에서 $s(x)=2x,\ t'(x)=\cos x$로 놓으면

$s'(x)=2,\ t(x)=\sin x$

$$\therefore \int 2x\cos x\,dx=2x\sin x-\int 2\sin x\,dx$$
$$=2x\sin x+2\cos x+C_1 \qquad \cdots\cdots\ \unicode{x26FE}$$

$\unicode{x26FE}$을 $\unicode{x26FF}$에 대입하면

$$f(x)=-x^2\cos x+(2x\sin x+2\cos x+C_1)$$
$$=(2-x^2)\cos x+2x\sin x+C$$

$f(0)=2$에서 $2+C=2$ $\quad \therefore C=0$

$$\therefore f(x)=(2-x^2)\cos x+2x\sin x$$

015 답 $f(x)=x-4\sqrt{x}+\ln|x|+4$

$$f(x)=\int \frac{(\sqrt{x}-1)^2}{x}dx=\int \frac{x-2\sqrt{x}+1}{x}dx$$
$$=\int \left(1-\frac{2}{\sqrt{x}}+\frac{1}{x}\right)dx=\int \left(1-2x^{-\frac{1}{2}}+\frac{1}{x}\right)dx$$
$$=x-4x^{\frac{1}{2}}+\ln|x|+C=x-4\sqrt{x}+\ln|x|+C$$

$f(1)=1$에서 $1-4+C=1$ $\quad \therefore C=4$

$$\therefore f(x)=x-4\sqrt{x}+\ln|x|+4$$

016 답 ⑤

$$f(x)=\int f'(x)\,dx=\int \sqrt[3]{x}(x^2+1)\,dx=\int (x^{\frac{7}{3}}+x^{\frac{1}{3}})\,dx$$
$$=\frac{3}{10}x^{\frac{10}{3}}+\frac{3}{4}x^{\frac{4}{3}}+C$$

$f(1)=\dfrac{3}{2}$에서 $\dfrac{3}{10}+\dfrac{3}{4}+C=\dfrac{3}{2}$ $\quad \therefore C=\dfrac{9}{20}$

$$\therefore f(0)=C=\frac{9}{20}$$

017 답 ③

$$F(x)=\int f(x)\,dx=\int \frac{x-1}{\sqrt{x}+1}dx=\int \frac{(\sqrt{x}+1)(\sqrt{x}-1)}{\sqrt{x}+1}dx$$
$$=\int (\sqrt{x}-1)\,dx=\int (x^{\frac{1}{2}}-1)\,dx$$
$$=\frac{2}{3}x^{\frac{3}{2}}-x+C=\frac{2}{3}x\sqrt{x}-x+C$$

$$\therefore F(9)-F(4)=(18-9+C)-\left(\frac{16}{3}-4+C\right)=\frac{23}{3}$$

018 답 ④

$F(x)=xf(x)-\dfrac{1+x\ln x}{x}$에서 $F(x)=xf(x)-\dfrac{1}{x}-\ln x$

양변을 x에 대하여 미분하면

$$f(x)=f(x)+xf'(x)+\frac{1}{x^2}-\frac{1}{x}$$

$$\therefore f'(x)=\frac{1}{x^2}-\frac{1}{x^3}$$

$$\therefore f(x)=\int f'(x)\,dx=\int \left(\frac{1}{x^2}-\frac{1}{x^3}\right)dx=\int (x^{-2}-x^{-3})\,dx$$
$$=-x^{-1}+\frac{1}{2}x^{-2}+C=-\frac{1}{x}+\frac{1}{2x^2}+C$$

$f(1)=0$에서 $-1+\dfrac{1}{2}+C=0$ $\quad \therefore C=\dfrac{1}{2}$

따라서 $f(x)=-\dfrac{1}{x}+\dfrac{1}{2x^2}+\dfrac{1}{2}$이므로

$$f\left(\frac{1}{2}\right)=-2+2+\frac{1}{2}=\frac{1}{2}$$

019 답 ④

$$f(x)=\int \frac{e^{3x}+1}{e^{2x}-e^x+1}\,dx$$

$$=\int \frac{(e^x+1)(e^{2x}-e^x+1)}{e^{2x}-e^x+1}\,dx$$

$$=\int (e^x+1)\,dx=e^x+x+C$$

$f(0)=2$에서 $1+C=2$ $\quad\therefore C=1$

따라서 $f(x)=e^x+x+1$이므로

$f(1)=e+2$

020 답 $4e^x+C$

$$\int (e^x+1)^2\,dx-\int (e^x-1)^2\,dx$$

$$=\int (e^{2x}+2e^x+1)\,dx-\int (e^{2x}-2e^x+1)\,dx$$

$$=\int 4e^x\,dx=4e^x+C$$

021 답 $\dfrac{1}{e}-2e+2$

$f'(x)=\begin{cases} x+2e & (x>0) \\ e^x-3 & (x<0) \end{cases}$ 에서

$f(x)=\begin{cases} \dfrac{1}{2}x^2+2ex+C_1 & (x>0) \\ e^x-3x+C_2 & (x<0) \end{cases}$

$f(1)=\dfrac{1}{2}$에서 $\dfrac{1}{2}+2e+C_1=\dfrac{1}{2}$ $\quad\therefore C_1=-2e$

$\therefore f(x)=\dfrac{1}{2}x^2+2ex-2e$ $(x>0)$

함수 $f(x)$가 실수 전체의 집합에서 연속이면 $x=0$에서도 연속이므로

$\lim\limits_{x\to 0+}f(x)=\lim\limits_{x\to 0-}f(x)=f(0)$

$C_1=1+C_2$ $\quad\therefore C_2=-1-2e$

따라서 $f(x)=e^x-3x-1-2e$ $(x<0)$이므로

$f(-1)=\dfrac{1}{e}+3-1-2e=\dfrac{1}{e}-2e+2$

022 답 ②

$\lim\limits_{x\to 0}\dfrac{f(x)}{x}=2k$에서 $x\to 0$일 때 (분모) $\to 0$이고 극한값이 존재하므로 (분자) $\to 0$이다.

즉, $\lim\limits_{x\to 0}f(x)=0$이므로 $f(0)=0$

$\therefore \lim\limits_{x\to 0}\dfrac{f(x)}{x}=\lim\limits_{x\to 0}\dfrac{f(x)-f(0)}{x-0}=f'(0)=2k$

$f'(x)=e^{x+1}+k$에서 $f'(0)=2k$이므로

$e+k=2k$ $\quad\therefore k=e$

즉, $f'(x)=e^{x+1}+e$이므로

$f(x)=\int f'(x)\,dx=\int (e^{x+1}+e)\,dx=e^{x+1}+ex+C$

$f(0)=0$에서 $e+C=0$ $\quad\therefore C=-e$

따라서 $f(x)=e^{x+1}+ex-e$이므로

$f(-1)=1-e-e=1-2e$

$\therefore k+f(-1)=e+(1-2e)=1-e$

023 답 ⑤

$$\int \frac{8^x-2^x}{2^x-1}\,dx=\int \frac{2^{3x}-2^x}{2^x-1}\,dx=\int \frac{2^x(2^{2x}-1)}{2^x-1}\,dx$$

$$=\int \frac{2^x(2^x+1)(2^x-1)}{2^x-1}\,dx=\int (4^x+2^x)\,dx$$

$$=\frac{4^x}{\ln 4}+\frac{2^x}{\ln 2}+C$$

따라서 $a=\ln 4$, $b=\ln 2$이므로 $a+b=3\ln 2$

024 답 ③

$$f(x)=\int 3^x(3^x-2)\,dx=\int (9^x-2\times 3^x)\,dx$$

$$=\frac{9^x}{\ln 9}-\frac{2\times 3^x}{\ln 3}+C=\frac{9^x}{2\ln 3}-\frac{2\times 3^x}{\ln 3}+C$$

$f(0)=\dfrac{3}{2\ln 3}$에서

$\dfrac{1}{2\ln 3}-\dfrac{2}{\ln 3}+C=\dfrac{3}{2\ln 3}$ $\quad\therefore C=\dfrac{3}{\ln 3}$

따라서 $f(x)=\dfrac{9^x}{2\ln 3}-\dfrac{2\times 3^x}{\ln 3}+\dfrac{3}{\ln 3}$이므로

$f(1)=\dfrac{9}{2\ln 3}-\dfrac{6}{\ln 3}+\dfrac{3}{\ln 3}=\dfrac{3}{2\ln 3}$

025 답 $\ln 10$

$y=\log x+2$라 하면 $y-2=\log x$, $x=10^{y-2}$

x와 y를 서로 바꾸면 $y=10^{x-2}$

$\therefore g(x)=10^{x-2}$

$\therefore \int g(x)\,dx=\int 10^{x-2}\,dx=\dfrac{1}{100}\int 10^x\,dx$

$$=\frac{1}{100}\times\frac{10^x}{\ln 10}+C=\frac{10^{x-2}}{\ln 10}+C$$

$\therefore a=\ln 10$

026 답 ②

$$f(x)=\int f'(x)\,dx=\int 2^{x+1}\,dx=2\int 2^x\,dx$$

$$=2\times\frac{2^x}{\ln 2}+C=\frac{2^{x+1}}{\ln 2}+C$$

$f(1)=\dfrac{4}{\ln 2}$에서 $\dfrac{4}{\ln 2}+C=\dfrac{4}{\ln 2}$ $\quad\therefore C=0$

따라서 $f(x)=\dfrac{2^{x+1}}{\ln 2}$이므로

$$\frac{1}{f(n)}=\frac{\ln 2}{2^{n+1}}=\ln 2\times\left(\frac{1}{2}\right)^{n+1}$$

$$\therefore \sum_{n=1}^{\infty}\frac{1}{f(n)}=\sum_{n=1}^{\infty}\ln 2\times\left(\frac{1}{2}\right)^{n+1}=\frac{\dfrac{\ln 2}{4}}{1-\dfrac{1}{2}}=\frac{\ln 2}{2}$$

027 답 ①

$$f(x)=\int f'(x)\,dx=\int \frac{\cos^2 x}{1+\sin x}\,dx$$

$$=\int \frac{1-\sin^2 x}{1+\sin x}\,dx=\int \frac{(1+\sin x)(1-\sin x)}{1+\sin x}\,dx$$

$$=\int (1-\sin x)\,dx=x+\cos x+C$$

$f(0)=1$에서 $1+C=1$ $\therefore C=0$

따라서 $f(x)=x+\cos x$이므로 $f(\pi)=\pi-1$

028 답 $\tan x - \cot x + C$

$$\int (\tan x + \cot x)^2\,dx = \int (\tan^2 x + 2 + \cot^2 x)\,dx$$
$$= \int \{(\sec^2 x -1)+2+(\csc^2 x -1)\}\,dx$$
$$= \int (\sec^2 x + \csc^2 x)\,dx$$
$$= \tan x - \cot x + C$$

029 답 ②

$$f(x) = \int \frac{1-\cos x}{\sin^2 x}\,dx$$
$$= \int \left(\frac{1}{\sin^2 x} - \frac{1}{\sin x} \times \frac{\cos x}{\sin x}\right)dx$$
$$= \int (\csc^2 x - \csc x \cot x)\,dx$$
$$= -\cot x + \csc x + C$$
$$\therefore f\left(\frac{\pi}{3}\right) - f\left(-\frac{\pi}{3}\right) = \left(-\frac{\sqrt{3}}{3}+\frac{2\sqrt{3}}{3}+C\right)-\left(\frac{\sqrt{3}}{3}-\frac{2\sqrt{3}}{3}+C\right)$$
$$= \frac{2\sqrt{3}}{3}$$

030 답 ⑤

$$f(x) = \int \left(\sin\frac{x}{2}+\cos\frac{x}{2}\right)^2 dx$$
$$= \int \left(\sin^2\frac{x}{2}+\cos^2\frac{x}{2}+2\sin\frac{x}{2}\cos\frac{x}{2}\right)dx$$
$$= \int (1+\sin x)\,dx = x - \cos x + C$$

$f(0)=1$에서 $-1+C=1$ $\therefore C=2$

따라서 $f(x)=x-\cos x+2$이므로

$f(\pi)=\pi-(-1)+2=\pi+3$

031 답 ④

곡선 $y=f(x)$ 위의 임의의 점 $(x,\ y)$에서의 접선의 기울기가

$a\csc^2 x + b\sec^2 x$이므로 $f'(x)=a\csc^2 x + b\sec^2 x$

$$\therefore f(x) = \int f'(x)\,dx$$
$$= \int (a\csc^2 x + b\sec^2 x)\,dx$$
$$= -a\cot x + b\tan x + C$$

곡선 $y=f(x)$가 두 점 $\left(\frac{\pi}{4},\ \frac{1}{2}\right)$, $\left(-\frac{\pi}{4},\ \frac{3}{2}\right)$을 지나므로

$f\left(\frac{\pi}{4}\right)=\frac{1}{2}$에서 $-a+b+C=\frac{1}{2}$ $\cdots\cdots$ ㉠

$f\left(-\frac{\pi}{4}\right)=\frac{3}{2}$에서 $a-b+C=\frac{3}{2}$ $\cdots\cdots$ ㉡

㉡에서 ㉠을 변끼리 빼면

$2a-2b=1$

$\therefore a-b=\frac{1}{2}$

032 답 2

$$\lim_{h\to 0}\frac{f(x+h)-f(x-h)}{h}$$
$$= \lim_{h\to 0}\frac{f(x+h)-f(x)+f(x)-f(x-h)}{h}$$
$$= \lim_{h\to 0}\frac{f(x+h)-f(x)}{h}+\lim_{h\to 0}\frac{f(x-h)-f(x)}{-h}$$
$$= f'(x)+f'(x)=2f'(x)$$

즉, $2f'(x)=\dfrac{4}{\cos 2x+1}$이므로 $f'(x)=\dfrac{2}{\cos 2x+1}$

$$\therefore f(x) = \int f'(x)\,dx = \int \frac{2}{\cos 2x+1}\,dx$$
$$= \int \frac{2}{(2\cos^2 x -1)+1}\,dx$$
$$= \int \sec^2 x\,dx = \tan x + C$$

$f(0)=1$에서 $C=1$

따라서 $f(x)=\tan x+1$이므로 $f\left(\frac{\pi}{4}\right)=1+1=2$

033 답 10

$x^2-4x+2=t$로 놓으면 $\dfrac{dt}{dx}=2x-4$이므로

$$\int (2x-4)(x^2-4x+2)^4\,dx = \int t^4\,dt = \frac{1}{5}t^5+C$$
$$= \frac{1}{5}(x^2-4x+2)^5+C$$

따라서 $a=5$, $b=5$이므로 $a+b=10$

034 답 ③

$3x-1=t$로 놓으면 $\dfrac{dt}{dx}=3$이므로

$$f(x) = \int (3x-1)^6\,dx = \int t^6 \times \frac{1}{3}\,dt$$
$$= \frac{1}{21}t^7+C = \frac{1}{21}(3x-1)^7+C$$

$f(0)=-\dfrac{1}{21}$에서 $-\dfrac{1}{21}+C=-\dfrac{1}{21}$ $\therefore C=0$

따라서 $f(x)=\dfrac{1}{21}(3x-1)^7$이므로

$f\left(\dfrac{2}{3}\right)=\dfrac{1}{21}(2-1)^7=\dfrac{1}{21}$

035 답 ⑤

$x^3-2=t$로 놓으면 $\dfrac{dt}{dx}=3x^2$이므로

$$f(x) = \int x^2(x^3-2)^5\,dx = \int t^5 \times \frac{1}{3}\,dt$$
$$= \frac{1}{18}t^6+C = \frac{1}{18}(x^3-2)^6+C$$

$f(1)=\dfrac{5}{9}$에서 $\dfrac{1}{18}+C=\dfrac{5}{9}$ $\therefore C=\dfrac{1}{2}$

$\therefore f(x)=\dfrac{1}{18}(x^3-2)^6+\dfrac{1}{2}$

따라서 다항식 $f(x)$를 $x+1$로 나누었을 때의 나머지는

$f(-1)=\dfrac{1}{18}\times(-3)^6+\dfrac{1}{2}=41$

036 답 $-\dfrac{5}{2}$

$f'(x)=\dfrac{1}{(2x-7)^2}$ 이고, $2x-7=t$로 놓으면 $\dfrac{dt}{dx}=2$이므로

$f(x)=\displaystyle\int f'(x)\,dx=\int\dfrac{1}{(2x-7)^2}\,dx=\int\dfrac{1}{t^2}\times\dfrac{1}{2}\,dt$

$\qquad=\dfrac{1}{2}\displaystyle\int t^{-2}\,dt=-\dfrac{1}{2}t^{-1}+C=-\dfrac{1}{2t}+C$

$\qquad=-\dfrac{1}{2(2x-7)}+C$

$f(3)=-\dfrac{3}{2}$ 에서 $\dfrac{1}{2}+C=-\dfrac{3}{2}$ $\qquad\therefore C=-2$

따라서 $f(x)=-\dfrac{1}{2(2x-7)}-2$이므로

$f(4)=-\dfrac{1}{2}-2=-\dfrac{5}{2}$

037 답 $\sqrt{2}$

$ax+3=t$로 놓으면 $\dfrac{dt}{dx}=a$이므로

$f(x)=\displaystyle\int(ax+3)^7\,dx=\int t^7\times\dfrac{1}{a}\,dt$

$\qquad=\dfrac{1}{8a}t^8+C=\dfrac{1}{8a}(ax+3)^8+C$

함수 $f(x)$의 최고차항의 계수가 $\sqrt{2}$이므로

$\dfrac{1}{8a}\times a^8=\sqrt{2}$, $a^7=(\sqrt{2})^7$ $\qquad\therefore a=\sqrt{2}$

038 답 ③

$f(x)=\displaystyle\int f'(x)\,dx=\int(3x^2+2x-8)\,dx$

$\qquad=x^3+x^2-8x+C_1$

$f(0)=-12$에서 $C_1=-12$

$\therefore f(x)=x^3+x^2-8x-12$

이때 $f(x)=t$로 놓으면 $\dfrac{dt}{dx}=f'(x)$이므로

$g(x)=\displaystyle\int f(x)f'(x)\,dx=\int t\,dt$

$\qquad=\dfrac{1}{2}t^2+C_2=\dfrac{1}{2}(x^3+x^2-8x-12)^2+C_2$

$g(3)=0$에서 $C_2=0$

$\therefore g(x)=\dfrac{1}{2}(x^3+x^2-8x-12)^2=\dfrac{1}{2}\{(x+2)^2(x-3)\}^2$

따라서 곡선 $y=g(x)$가 x축과 만나는 두 점의 좌표는 $(-2,\,0)$, $(3,\,0)$이므로 선분 AB의 길이는 5이다.

039 답 $\dfrac{\sqrt{5}}{3}$

$3x^2-7=t$로 놓으면 $\dfrac{dt}{dx}=6x$이므로

$f(x)=\displaystyle\int\dfrac{x}{\sqrt{3x^2-7}}\,dx=\int\dfrac{1}{\sqrt{t}}\times\dfrac{1}{6}\,dt=\dfrac{1}{6}\int t^{-\frac{1}{2}}\,dt$

$\qquad=\dfrac{1}{3}t^{\frac{1}{2}}+C=\dfrac{1}{3}\sqrt{t}+C=\dfrac{1}{3}\sqrt{3x^2-7}+C$

$\therefore f(3)-f(2)=\left(\dfrac{2\sqrt{5}}{3}+C\right)-\left(\dfrac{\sqrt{5}}{3}+C\right)=\dfrac{\sqrt{5}}{3}$

040 답 7

$x^2+4=t$로 놓으면 $\dfrac{dt}{dx}=2x$이므로

$f(x)=\displaystyle\int x\sqrt{x^2+4}\,dx=\int\sqrt{t}\times\dfrac{1}{2}\,dt=\dfrac{1}{2}\int t^{\frac{1}{2}}\,dt$

$\qquad=\dfrac{1}{3}t^{\frac{3}{2}}+C=\dfrac{1}{3}t\sqrt{t}+C=\dfrac{1}{3}(x^2+4)\sqrt{x^2+4}+C$

$f(0)=\dfrac{2}{3}$에서 $\dfrac{8}{3}+C=\dfrac{2}{3}$ $\qquad\therefore C=-2$

따라서 $f(x)=\dfrac{1}{3}(x^2+4)\sqrt{x^2+4}-2$이므로

$f(\sqrt{5})=\dfrac{1}{3}\times9\times3-2=7$

041 답 ④

$x^2-6x+11=t$로 놓으면 $\dfrac{dt}{dx}=2x-6=2(x-3)$이므로

$f(x)=\displaystyle\int\dfrac{x-3}{\sqrt{x^2-6x+11}}\,dx=\int\dfrac{1}{\sqrt{t}}\times\dfrac{1}{2}\,dt=\dfrac{1}{2}\int t^{-\frac{1}{2}}\,dt$

$\qquad=t^{\frac{1}{2}}+C=\sqrt{t}+C=\sqrt{x^2-6x+11}+C$

$0\leq x\leq7$에서 $x^2-6x+11=(x-3)^2+2$는 $x=3$일 때 최솟값, $x=7$일 때 최댓값을 가지므로

$M=f(7)=3\sqrt{2}+C$, $m=f(3)=\sqrt{2}+C$

$\therefore M-m=2\sqrt{2}$

042 답 $\dfrac{62}{15}$

$x-1=t$로 놓으면 $x=t+1$이고 $\dfrac{dt}{dx}=1$이므로

$f(x)=\displaystyle\int f'(x)\,dx=\int2x\sqrt{x-1}\,dx$

$\qquad=\displaystyle\int2(t+1)\sqrt{t}\,dt=\int(2t\sqrt{t}+2\sqrt{t})\,dt$

$\qquad=\displaystyle\int\left(2t^{\frac{3}{2}}+2t^{\frac{1}{2}}\right)dt=\dfrac{4}{5}t^{\frac{5}{2}}+\dfrac{4}{3}t^{\frac{3}{2}}+C$

$\qquad=\dfrac{4}{5}t^2\sqrt{t}+\dfrac{4}{3}t\sqrt{t}+C$

$\qquad=\dfrac{4}{5}(x-1)^2\sqrt{x-1}+\dfrac{4}{3}(x-1)\sqrt{x-1}+C$

$f(1)=2$에서 $C=2$

따라서 $f(x)=\dfrac{4}{5}(x-1)^2\sqrt{x-1}+\dfrac{4}{3}(x-1)\sqrt{x-1}+2$이므로

$f(2)=\dfrac{4}{5}+\dfrac{4}{3}+2=\dfrac{62}{15}$

다른 풀이 $\sqrt{x-1}=t$로 놓고 양변을 제곱하면 $x-1=t^2$, 즉 $x=t^2+1$이고 $\dfrac{dt}{dx}=\dfrac{1}{2t}$이므로

$f(x)=\displaystyle\int f'(x)\,dx=\int2x\sqrt{x-1}\,dx$

$\qquad=\displaystyle\int(2t^2+2)\times t\times2t\,dt=\int(4t^4+4t^2)\,dt$

$\qquad=\dfrac{4}{5}t^5+\dfrac{4}{3}t^3+C=\dfrac{4}{5}(\sqrt{x-1})^5+\dfrac{4}{3}(\sqrt{x-1})^3+C$

$f(1)=2$에서 $C=2$

따라서 $f(x)=\dfrac{4}{5}(\sqrt{x-1})^5+\dfrac{4}{3}(\sqrt{x-1})^3+2$이므로

$f(2)=\dfrac{4}{5}+\dfrac{4}{3}+2=\dfrac{62}{15}$

043 답 ③

$x^2-2x=t$로 놓으면 $\dfrac{dt}{dx}=2x-2=2(x-1)$이므로

$$f(x)=\int (x-1)e^{x^2-2x}\,dx=\int e^t\times\dfrac{1}{2}\,dt$$
$$=\dfrac{1}{2}e^t+C=\dfrac{1}{2}e^{x^2-2x}+C$$

$f(2)=\dfrac{1}{2}$에서 $\dfrac{1}{2}+C=\dfrac{1}{2}$ $\therefore C=0$

따라서 $f(x)=\dfrac{1}{2}e^{x^2-2x}$이므로 $f(1)=\dfrac{1}{2}e^{-1}=\dfrac{1}{2e}$

044 답 21

$e^x+3=t$로 놓으면 $\dfrac{dt}{dx}=e^x$이므로

$$F(x)=\int 2e^x(e^x+3)\,dx=\int 2t\,dt$$
$$=t^2+C=(e^x+3)^2+C$$

$F(0)=12$에서 $16+C=12$ $\therefore C=-4$

따라서 $F(x)=(e^x+3)^2-4$이므로

$F(\ln 2)=(2+3)^2-4=21$

045 답 $5\sqrt{2}$

곡선 $y=f(x)$ 위의 임의의 점 $(x,\ y)$에서의 접선의 기울기가

$\dfrac{e^x}{\sqrt{e^x+1}}$이므로 $f'(x)=\dfrac{e^x}{\sqrt{e^x+1}}$

$e^x+1=t$로 놓으면 $\dfrac{dt}{dx}=e^x$이므로

$$f(x)=\int f'(x)\,dx=\int \dfrac{e^x}{\sqrt{e^x+1}}\,dx$$
$$=\int \dfrac{1}{\sqrt{t}}\,dt=\int t^{-\frac{1}{2}}\,dt=2t^{\frac{1}{2}}+C$$
$$=2\sqrt{t}+C=2\sqrt{e^x+1}+C$$

곡선 $y=f(x)$가 점 $(0,\ 3\sqrt{2})$를 지나므로 $f(0)=3\sqrt{2}$에서

$2\sqrt{2}+C=3\sqrt{2}$ $\therefore C=\sqrt{2}$

따라서 $f(x)=2\sqrt{e^x+1}+\sqrt{2}$이므로

$f(\ln 7)=2\sqrt{7+1}+\sqrt{2}=5\sqrt{2}$

046 답 ④

$\displaystyle\lim_{x\to 0}\dfrac{f(x)-2}{x}=6$에서 $x\to 0$일 때 (분모) $\to 0$이고 극한값이 존재하므로 (분자) $\to 0$이다.

즉, $\displaystyle\lim_{x\to 0}\{f(x)-2\}=0$이므로 $f(0)=2$

$\therefore \displaystyle\lim_{x\to 0}\dfrac{f(x)-2}{x}=\lim_{x\to 0}\dfrac{f(x)-f(0)}{x-0}=f'(0)=6$

$f'(0)=6$이므로 $f'(x)=3ae^{3x}$에서

$3a=6$ $\therefore f'(x)=6e^{3x}$

$3x=t$로 놓으면 $\dfrac{dt}{dx}=3$이므로

$$f(x)=\int f'(x)\,dx=\int 6e^{3x}\,dx$$
$$=\int 2e^t\,dt=2e^t+C=2e^{3x}+C$$

$f(0)=2$에서 $2+C=2$ $\therefore C=0$ $\therefore f(x)=2e^{3x}$

$\therefore f'(1)-f(1)=6e^3-2e^3=4e^3$

047 답 ③

$\ln x=t$로 놓으면 $\dfrac{dt}{dx}=\dfrac{1}{x}$이므로

$$f(x)=\int \dfrac{1}{x(\ln x)^2}\,dx=\int \dfrac{1}{t^2}\,dt=\int t^{-2}\,dt$$
$$=-t^{-1}+C=-\dfrac{1}{t}+C=-\dfrac{1}{\ln x}+C$$

$f(e)=0$에서 $-1+C=0$ $\therefore C=1$

따라서 $f(x)=-\dfrac{1}{\ln x}+1$이므로

$f(e^2)=-\dfrac{1}{2}+1=\dfrac{1}{2}$

048 답 $\dfrac{7}{2}$

$\ln 2x+1=t$로 놓으면 $\dfrac{dt}{dx}=\dfrac{1}{x}$이므로

$$F(x)=\int \dfrac{\ln 2x+1}{x}\,dx=\int t\,dt$$
$$=\dfrac{1}{2}t^2+C=\dfrac{1}{2}(\ln 2x+1)^2+C$$

$F\left(\dfrac{1}{2}\right)=2$에서 $\dfrac{1}{2}+C=2$ $\therefore C=\dfrac{3}{2}$

따라서 $F(x)=\dfrac{1}{2}(\ln 2x+1)^2+\dfrac{3}{2}$이므로

$F\left(\dfrac{e}{2}\right)=\dfrac{1}{2}(1+1)^2+\dfrac{3}{2}=\dfrac{7}{2}$

049 답 e^4

$\ln x=t$로 놓으면 $\dfrac{dt}{dx}=\dfrac{1}{x}$이므로

$$f(x)=\int f'(x)\,dx=\int \dfrac{1}{x\sqrt{\ln x}}\,dx$$
$$=\int \dfrac{1}{\sqrt{t}}\,dt=\int t^{-\frac{1}{2}}\,dt$$
$$=2t^{\frac{1}{2}}+C=2\sqrt{t}+C=2\sqrt{\ln x}+C$$

$f(e)=1$에서 $2+C=1$ $\therefore C=-1$

따라서 $f(x)=2\sqrt{\ln x}-1$이므로 $f(x)=3$에서

$2\sqrt{\ln x}-1=3,\ \sqrt{\ln x}=2,\ \ln x=4$ $\therefore x=e^4$

050 답 ④

$\dfrac{f'(x)}{x}=\dfrac{\ln (x^2+1)}{x^2+1}$에서 $f'(x)=\dfrac{x\ln (x^2+1)}{x^2+1}$

$\ln (x^2+1)=t$로 놓으면 $\dfrac{dt}{dx}=\dfrac{2x}{x^2+1}$이므로

$$f(x)=\int f'(x)\,dx=\int \dfrac{x\ln (x^2+1)}{x^2+1}\,dx$$
$$=\int t\times\dfrac{1}{2}\,dt=\dfrac{1}{4}t^2+C$$
$$=\dfrac{1}{4}\{\ln (x^2+1)\}^2+C$$

$f(0)=\dfrac{3}{4}$에서 $C=\dfrac{3}{4}$

따라서 $f(x)=\dfrac{1}{4}\{\ln (x^2+1)\}^2+\dfrac{3}{4}$이므로

$f(\sqrt{e-1})=\dfrac{1}{4}+\dfrac{3}{4}=1$

051 답 $f(x)=\dfrac{1}{2}\sin 2x+1$

$$f(x)=\int f'(x)\,dx=\int(\cos^2 x-\sin^2 x)\,dx$$
$$=\int\cos 2x\,dx=\dfrac{1}{2}\sin 2x+C$$

$f(0)=1$에서 $C=1$

$\therefore f(x)=\dfrac{1}{2}\sin 2x+1$

052 답 ①

곡선 $y=f(x)$ 위의 임의의 점 $(x,\,y)$에서의 접선의 기울기가
$2\sin\dfrac{x}{2}$이므로 $f'(x)=2\sin\dfrac{x}{2}$

$\therefore f(x)=\int f'(x)\,dx=\int 2\sin\dfrac{x}{2}\,dx=-4\cos\dfrac{x}{2}+C$

$\therefore f(\pi)-f(2\pi)=C-(4+C)=-4$

053 답 ⑤

$\cos 2x=1-2\sin^2 x$이므로 $2\sin^2 x=1-\cos 2x$

$\therefore f(x)=\int(2\sin^2 x-\sin x)\,dx=\int(1-\cos 2x-\sin x)\,dx$
$$=x-\dfrac{1}{2}\sin 2x+\cos x+C$$

$f(\pi)=\pi$에서 $\pi-1+C=\pi$ $\therefore C=1$

따라서 $f(x)=x-\dfrac{1}{2}\sin 2x+\cos x+1$이므로

$f\left(\dfrac{\pi}{2}\right)=\dfrac{\pi}{2}+1$

054 답 ②

$f'(x)=\sin 2x+\cos x=2\sin x\cos x+\cos x$
$\qquad=\cos x(2\sin x+1)$

$f'(x)=0$에서 $\cos x=0$ 또는 $\sin x=-\dfrac{1}{2}$

$\therefore x=\dfrac{\pi}{2}$ 또는 $x=\dfrac{7}{6}\pi$ $\left(\because 0<x<\dfrac{3}{2}\pi\right)$

$0<x<\dfrac{3}{2}\pi$에서 함수 $f(x)$의 증가, 감소를 표로 나타내면 다음과
같다.

x	0	$\cdots$	$\dfrac{\pi}{2}$	$\cdots$	$\dfrac{7}{6}\pi$	$\cdots$	$\dfrac{3}{2}\pi$
$f'(x)$		$+$	0	$-$	0	$+$	
$f(x)$		↗	극대	↘	극소	↗	

따라서 함수 $f(x)$는 $x=\dfrac{\pi}{2}$에서 극대이고, $x=\dfrac{7}{6}\pi$에서 극소이다.

$f(x)=\int f'(x)\,dx=\int(\sin 2x+\cos x)\,dx$
$$=-\dfrac{1}{2}\cos 2x+\sin x+C$$

함수 $f(x)$의 극댓값이 2이므로 $f\left(\dfrac{\pi}{2}\right)=2$에서

$\dfrac{1}{2}+1+C=2$ $\therefore C=\dfrac{1}{2}$

따라서 $f(x)=-\dfrac{1}{2}\cos 2x+\sin x+\dfrac{1}{2}$이므로 $f(x)$의 극솟값은

$f\left(\dfrac{7}{6}\pi\right)=-\dfrac{1}{4}+\left(-\dfrac{1}{2}\right)+\dfrac{1}{2}=-\dfrac{1}{4}$

055 답 $\dfrac{4}{3}$

$$\int\cos^3 x\,dx=\int\cos x\times\cos^2 x\,dx$$
$$=\int\cos x(1-\sin^2 x)\,dx$$

$\sin x=t$로 놓으면 $\dfrac{dt}{dx}=\cos x$이므로

$$\int\cos x(1-\sin^2 x)\,dx=\int(1-t^2)\,dt=t-\dfrac{1}{3}t^3+C$$
$$=\sin x-\dfrac{1}{3}\sin^3 x+C$$

따라서 $a=1$, $b=-\dfrac{1}{3}$이므로 $a-b=\dfrac{4}{3}$

056 답 ③

$\cot x=t$로 놓으면 $\dfrac{dt}{dx}=-\csc^2 x$이므로

$f(x)=\int\csc^2 x\cot x\,dx=\int t\times(-1)\,dt$
$$=-\dfrac{1}{2}t^2+C=-\dfrac{1}{2}\cot^2 x+C$$

$f\left(\dfrac{\pi}{6}\right)=1$에서 $-\dfrac{3}{2}+C=1$ $\therefore C=\dfrac{5}{2}$

따라서 $f(x)=-\dfrac{1}{2}\cot^2 x+\dfrac{5}{2}$이므로

$f\left(\dfrac{\pi}{4}\right)=-\dfrac{1}{2}+\dfrac{5}{2}=2$

057 답 ①

$f(x)=\int f'(x)\,dx=\int\sin x\cos 2x\,dx$
$$=\int\sin x(2\cos^2 x-1)\,dx$$

$\cos x=t$로 놓으면 $\dfrac{dt}{dx}=-\sin x$이므로

$f(x)=\int\sin x(2\cos^2 x-1)\,dx=\int(2t^2-1)\times(-1)\,dt$
$$=-\dfrac{2}{3}t^3+t+C=-\dfrac{2}{3}\cos^3 x+\cos x+C$$

$f\left(\dfrac{\pi}{2}\right)=1$에서 $C=1$

따라서 $f(x)=-\dfrac{2}{3}\cos^3 x+\cos x+1$이므로

$f(\pi)=\dfrac{2}{3}-1+1=\dfrac{2}{3}$

058 답 3

$\ln x=t$로 놓으면 $\dfrac{dt}{dx}=\dfrac{1}{x}$이므로

$$\int\dfrac{\sin(\ln x)}{2x}\,dx=\int\dfrac{\sin t}{2}\,dt=-\dfrac{1}{2}\cos t+C$$
$$=-\dfrac{1}{2}\cos(\ln x)+C$$

함수 $f(x)$가 $x=1$에서 연속이므로 $\lim\limits_{x\to 1}f(x)=f(1)$

$\lim\limits_{x\to 1}\left\{-\dfrac{1}{2}\cos(\ln x)+C\right\}=2$

$-\dfrac{1}{2}+C=2$ $\therefore C=\dfrac{5}{2}$

따라서 $f(x)=-\dfrac{1}{2}\cos(\ln x)+\dfrac{5}{2}$이므로

$f(e^\pi)=-\dfrac{1}{2}\cos\pi+\dfrac{5}{2}=\dfrac{1}{2}+\dfrac{5}{2}=3$

059 답 ⑤

$\displaystyle\int\frac{3x^2-6x}{x^3-3x^2+5}\,dx=\int\frac{(x^3-3x^2+5)'}{x^3-3x^2+5}\,dx$
$$=\ln|x^3-3x^2+5|+C$$

따라서 $f(x)=x^3-3x^2+5$이므로

$f(1)=1-3+5=3$

060 답 ④

$f(x)=\displaystyle\int\frac{4e^{4x}}{e^{4x}+3}\,dx=\int\frac{(e^{4x}+3)'}{e^{4x}+3}\,dx$
$$=\ln(e^{4x}+3)+C$$

$f(0)=0$에서 $\ln 4+C=0$　∴ $C=-\ln 4$

따라서 $f(x)=\ln(e^{4x}+3)-\ln 4$이므로

$f(\ln 3)=\ln(e^{\ln 81}+3)-\ln 4=\ln 84-\ln 4=\ln 21$

061 답 $h(x)=\ln|x^2+2x-\cos x|+3$

$h(x)=2f(x)+g(x)$이므로

$h(x)=2\displaystyle\int\frac{x+1}{x^2+2x-\cos x}\,dx+\int\frac{\sin x}{x^2+2x-\cos x}\,dx$
$$=\int\frac{2x+2+\sin x}{x^2+2x-\cos x}\,dx$$
$$=\int\frac{(x^2+2x-\cos x)'}{x^2+2x-\cos x}\,dx$$
$$=\ln|x^2+2x-\cos x|+C$$

$h(0)=3$에서 $C=3$

∴ $h(x)=\ln|x^2+2x-\cos x|+3$

062 답 3

$f(x)=\displaystyle\int f'(x)\,dx=\int\frac{x-1}{x^2-2x-2}\,dx$
$$=\frac{1}{2}\int\frac{(x^2-2x-2)'}{x^2-2x-2}\,dx$$
$$=\frac{1}{2}\ln|x^2-2x-2|+C$$

$f(1)=\dfrac{\ln 3}{2}$에서 $\dfrac{\ln 3}{2}+C=\dfrac{\ln 3}{2}$　∴ $C=0$

따라서 $f(x)=\dfrac{1}{2}\ln|x^2-2x-2|$이므로 $f(x)=0$에서

$\dfrac{1}{2}\ln|x^2-2x-2|=0$　∴ $|x^2-2x-2|=1$

(ⅰ) $x^2-2x-2=1$일 때

　$x^2-2x-3=0$, $(x+1)(x-3)=0$

　∴ $x=-1$ 또는 $x=3$

(ⅱ) $x^2-2x-2=-1$일 때

　$x^2-2x-1=0$

　∴ $x=1-\sqrt{2}$ 또는 $x=1+\sqrt{2}$

따라서 구하는 자연수 x의 값은 3이다.

063 답 ④

$f'(x)=f(x)$에서 $\dfrac{f'(x)}{f(x)}=1$이므로

$\displaystyle\int\frac{f'(x)}{f(x)}\,dx=\int dx$

$\ln f(x)=x+C\ (\because f(x)>0)$

따라서 $f(x)=e^{x+C}$이므로

$\dfrac{f(2)}{f(1)}=\dfrac{e^{2+C}}{e^{1+C}}=e$

064 답 $-3\ln 2$

$\dfrac{x}{x^2-5x+6}=\dfrac{x}{(x-2)(x-3)}=\dfrac{A}{x-2}+\dfrac{B}{x-3}$로 놓으면

$\dfrac{x}{(x-2)(x-3)}=\dfrac{(A+B)x-(3A+2B)}{(x-2)(x-3)}$

이 식은 x에 대한 항등식이므로

$A+B=1$, $3A+2B=0$

두 식을 연립하여 풀면 $A=-2$, $B=3$

∴ $f(x)=\displaystyle\int f'(x)\,dx$
$$=\int\frac{x}{x^2-5x+6}\,dx$$
$$=\int\left(\frac{-2}{x-2}+\frac{3}{x-3}\right)dx$$
$$=-2\ln|x-2|+3\ln|x-3|+C$$

$f(1)=2\ln 2$에서

$3\ln 2+C=2\ln 2$　∴ $C=-\ln 2$

따라서 $f(x)=-2\ln|x-2|+3\ln|x-3|-\ln 2$이므로

$f(4)=-2\ln 2-\ln 2=-3\ln 2$

065 답 ②

$\dfrac{1}{x^2-1}=\dfrac{1}{(x+1)(x-1)}=\dfrac{1}{2}\left(\dfrac{1}{x-1}-\dfrac{1}{x+1}\right)$이므로

$\displaystyle\int\frac{1}{x^2-1}\,dx=\frac{1}{2}\int\left(\frac{1}{x-1}-\frac{1}{x+1}\right)dx$
$$=\frac{1}{2}(\ln|x-1|-\ln|x+1|)+C$$
$$=\frac{1}{2}\ln\left|\frac{x-1}{x+1}\right|+C$$

066 답 $\ln 2+3$

$f(x)=\displaystyle\int\frac{2x^2+3x+2}{x+1}\,dx$
$$=\int\frac{(2x+1)(x+1)+1}{x+1}\,dx$$
$$=\int\left(2x+1+\frac{1}{x+1}\right)dx$$
$$=x^2+x+\ln|x+1|+C$$

$f(0)=1$에서 $C=1$

따라서 $f(x)=x^2+x+\ln|x+1|+1$이므로

$f(1)=\ln 2+3$

067 답 ⑤

$$\int \frac{x^2+2}{x^2-x-2}\,dx = \int \frac{(x^2-x-2)+x+4}{x^2-x-2}\,dx$$
$$= \int \left(1+\frac{x+4}{x^2-x-2}\right)dx$$

이때 $\dfrac{x+4}{x^2-x-2}=\dfrac{x+4}{(x+1)(x-2)}=\dfrac{A}{x+1}+\dfrac{B}{x-2}$로 놓으면

$$\frac{x+4}{(x+1)(x-2)}=\frac{(A+B)x-2A+B}{(x+1)(x-2)}$$

이 식은 x에 대한 항등식이므로

$A+B=1,\ -2A+B=4$

두 식을 연립하여 풀면 $A=-1,\ B=2$

$$\therefore \int \frac{x^2+2}{x^2-x-2}\,dx = \int \left(1+\frac{x+4}{x^2-x-2}\right)dx$$
$$= \int \left(1-\frac{1}{x+1}+\frac{2}{x-2}\right)dx$$
$$= x-\ln|x+1|+2\ln|x-2|+C$$

따라서 $p=1,\ q=-1,\ r=2$이므로 $p+q+r=2$

068 답 21

$$f(x)=\int \frac{3}{9x^2-3x-2}\,dx = \int \frac{3}{(3x-2)(3x+1)}\,dx$$
$$= \int \left(\frac{1}{3x-2}-\frac{1}{3x+1}\right)dx$$
$$= \ln|3x-2|-\ln|3x+1|+C=\ln\left|\frac{3x-2}{3x+1}\right|+C$$

$f(0)=\ln 2$에서 $\ln 2+C=\ln 2$ $\therefore C=0$

$$\therefore f(x)=\ln\left|\frac{3x-2}{3x+1}\right|$$
$$\therefore \sum_{k=1}^{n}f(k)=\sum_{k=1}^{n}\ln\left|\frac{3k-2}{3k+1}\right|$$
$$= \ln\frac{1}{4}+\ln\frac{4}{7}+\ln\frac{7}{10}+\cdots+\ln\frac{3n-2}{3n+1}$$
$$= \ln\left(\frac{1}{4}\times\frac{4}{7}\times\frac{7}{10}\times\cdots\times\frac{3n-2}{3n+1}\right)$$
$$= \ln\frac{1}{3n+1}=-\ln(3n+1)$$

따라서 $-\ln(3n+1)=-6\ln 2$이므로

$3n+1=2^6=64$

$3n=63$ $\therefore n=21$

069 답 $\ln 3+\dfrac{1}{4}$

주어진 등식의 양변을 x에 대하여 미분하면

$$f(x)+xf'(x)=f(x)+\frac{1}{(x+1)^2}$$
$$xf'(x)=\frac{1}{(x+1)^2} \quad \therefore f'(x)=\frac{1}{x(x+1)^2}$$

$\dfrac{1}{x(x+1)^2}=\dfrac{A}{x}+\dfrac{B}{x+1}+\dfrac{C}{(x+1)^2}$로 놓으면

$$\frac{1}{x(x+1)^2}=\frac{(A+B)x^2+(2A+B+C)x+A}{x(x+1)^2}$$

이 식은 x에 대한 항등식이므로

$A+B=0,\ 2A+B+C=0,\ A=1$

$A+B=0$에서 $1+B=0$ $\therefore B=-1$

$2A+B+C=0$에서 $2-1+C=0$ $\therefore C=-1$

$$\therefore f(x)=\int f'(x)\,dx = \int \frac{1}{x(x+1)^2}\,dx$$
$$= \int \left\{\frac{1}{x}-\frac{1}{x+1}-\frac{1}{(x+1)^2}\right\}dx$$
$$= \ln x-\ln(x+1)+\frac{1}{x+1}+C$$

$f(1)=\ln 2+\dfrac{1}{2}$에서 $-\ln 2+\dfrac{1}{2}+C=\ln 2+\dfrac{1}{2}$ $\therefore C=2\ln 2$

따라서 $f(x)=\ln x-\ln(x+1)+\dfrac{1}{x+1}+2\ln 2$이므로

$$f(3)=\ln 3-\ln 4+\frac{1}{4}+2\ln 2=\ln 3+\frac{1}{4}$$

070 답 ③

$u(x)=2x+1,\ v'(x)=e^{x-1}$으로 놓으면

$u'(x)=2,\ v(x)=e^{x-1}$

$$\therefore f(x)=\int (2x+1)e^{x-1}\,dx = (2x+1)e^{x-1}-\int 2e^{x-1}\,dx$$
$$= (2x+1)e^{x-1}-2e^{x-1}+C=(2x-1)e^{x-1}+C$$

$f(1)=2$에서 $1+C=2$ $\therefore C=1$

$$\therefore f(x)=(2x-1)e^{x-1}+1$$

071 답 $\dfrac{e^2}{4}$

$u(x)=\ln x,\ v'(x)=x$로 놓으면

$u'(x)=\dfrac{1}{x},\ v(x)=\dfrac{1}{2}x^2$

$$\therefore f(x)=\int f'(x)\,dx = \int x\ln x\,dx$$
$$= \frac{1}{2}x^2\ln x-\int \frac{1}{2}x\,dx$$
$$= \frac{1}{2}x^2\ln x-\frac{1}{4}x^2+C$$
$$= \frac{1}{4}x^2(2\ln x-1)+C$$

$f(1)=-\dfrac{1}{4}$에서 $-\dfrac{1}{4}+C=-\dfrac{1}{4}$ $\therefore C=0$

따라서 $f(x)=\dfrac{1}{4}x^2(2\ln x-1)$이므로 $f(e)=\dfrac{e^2}{4}$

072 답 ③

$f(x)=\displaystyle\int (2x+a)e^x\,dx$의 양변을 미분하면

$f'(x)=(2x+a)e^x$

$f'(2)=0$에서 $(4+a)e^2=0$ $\therefore a=-4$

$u(x)=2x-4,\ v'(x)=e^x$으로 놓으면

$u'(x)=2,\ v(x)=e^x$

$$\therefore f(x)=\int (2x-4)e^x\,dx = (2x-4)e^x-\int 2e^x\,dx$$
$$= (2x-4)e^x-2e^x+C=(2x-6)e^x+C$$

$f(0)=0$에서 $-6+C=0$ $\therefore C=6$

따라서 $f(x)=(2x-6)e^x+6$이므로

$f(\ln 2)=(2\ln 2-6)\times 2+6=4\ln 2-6$

$$\therefore a+f(\ln 2)=-4+(4\ln 2-6)=4\ln 2-10$$

073 답 $\dfrac{\pi}{4}-\dfrac{\ln 2}{2}+1$

$u(x)=x$, $v'(x)=\sec^2 x$로 놓으면

$u'(x)=1$, $v(x)=\tan x$

$\therefore f(x)=\displaystyle\int x\sec^2 x\,dx=x\tan x-\int \tan x\,dx$

$\qquad =x\tan x-\displaystyle\int \dfrac{\sin x}{\cos x}\,dx$

$\qquad =x\tan x+\ln|\cos x|+C$

함수 $y=f(x)$의 그래프가 점 $(0,\ 1)$을 지나므로

$f(0)=1$에서 $C=1$

따라서 $f(x)=x\tan x+\ln|\cos x|+1$이므로

$k=f\left(\dfrac{\pi}{4}\right)=\dfrac{\pi}{4}-\dfrac{\ln 2}{2}+1$

074 답 ⑤

주어진 등식의 양변을 x에 대하여 미분하면

$f(x)+xf'(x)=f(x)+2x\sin x+x^2\cos x$

$xf'(x)=2x\sin x+x^2\cos x=x(2\sin x+x\cos x)$

따라서 $f'(x)=2\sin x+x\cos x$이므로

$f(x)=\displaystyle\int f'(x)\,dx=\int (2\sin x+x\cos x)\,dx$

$\qquad =\displaystyle\int 2\sin x\,dx+\int x\cos x\,dx$

$\qquad =-2\cos x+\displaystyle\int x\cos x\,dx \qquad\cdots\cdots\ \text{㉠}$

$\displaystyle\int x\cos x\,dx$에서 $u(x)=x$, $v'(x)=\cos x$로 놓으면

$u'(x)=1$, $v(x)=\sin x$

$\therefore \displaystyle\int x\cos x\,dx=x\sin x-\int \sin x\,dx$

$\qquad\qquad\qquad =x\sin x+\cos x+C_1 \qquad\cdots\cdots\ \text{㉡}$

㉡을 ㉠에 대입하면

$f(x)=-2\cos x+x\sin x+\cos x+C$

$\qquad =x\sin x-\cos x+C$

$f(2\pi)=1$에서

$-1+C=1 \qquad \therefore C=2$

따라서 $f(x)=x\sin x-\cos x+2$이므로

$f(\pi)=1+2=3$

075 답 $\dfrac{\pi^2}{4}-1$

$u(x)=x^2$, $v'(x)=\cos x$로 놓으면

$u'(x)=2x$, $v(x)=\sin x$

$\therefore f(x)=\displaystyle\int x^2\cos x\,dx$

$\qquad =x^2\sin x-\displaystyle\int 2x\sin x\,dx \qquad\cdots\cdots\ \text{㉠}$

$\displaystyle\int 2x\sin x\,dx$에서 $s(x)=2x$, $t'(x)=\sin x$로 놓으면

$s'(x)=2$, $t(x)=-\cos x$

$\therefore \displaystyle\int 2x\sin x\,dx=-2x\cos x+\int 2\cos x\,dx$

$\qquad\qquad\qquad\quad =-2x\cos x+2\sin x+C_1 \qquad\cdots\cdots\ \text{㉡}$

㉡을 ㉠에 대입하면

$f(x)=x^2\sin x-(-2x\cos x+2\sin x+C_1)$

$\qquad =x^2\sin x+2x\cos x-2\sin x+C$

$\qquad =(x^2-2)\sin x+2x\cos x+C$

$f(0)=1$에서 $C=1$

따라서 $f(x)=(x^2-2)\sin x+2x\cos x+1$이므로

$f\left(\dfrac{\pi}{2}\right)=\dfrac{\pi^2}{4}-2+1=\dfrac{\pi^2}{4}-1$

076 답 ④

$u(x)=x^2-2x+3$, $v'(x)=e^x$으로 놓으면

$u'(x)=2x-2$, $v(x)=e^x$

$\therefore \displaystyle\int (x^2-2x+3)e^x\,dx$

$\qquad =(x^2-2x+3)e^x-\displaystyle\int (2x-2)e^x\,dx \qquad\cdots\cdots\ \text{㉠}$

$\displaystyle\int (2x-2)e^x\,dx$에서 $s(x)=2x-2$, $t'(x)=e^x$으로 놓으면

$s'(x)=2$, $t(x)=e^x$

$\therefore \displaystyle\int (2x-2)e^x\,dx=(2x-2)e^x-\int 2e^x\,dx$

$\qquad\qquad\qquad\qquad =(2x-2)e^x-2e^x+C_1$

$\qquad\qquad\qquad\qquad =(2x-4)e^x+C_1 \qquad\cdots\cdots\ \text{㉡}$

㉡을 ㉠에 대입하면

$\displaystyle\int (x^2-2x+3)e^x\,dx=(x^2-2x+3)e^x-\{(2x-4)e^x+C_1\}$

$\qquad\qquad\qquad\qquad\qquad =(x^2-4x+7)e^x+C$

따라서 $f(x)=x^2-4x+7$이므로

$f(1)=1-4+7=4$

077 답 $\dfrac{e-2}{e-1}$

$f'(x)=(\ln x)^2$이고 $u(x)=(\ln x)^2$, $v'(x)=1$로 놓으면

$u'(x)=\dfrac{2\ln x}{x}$, $v(x)=x$

$\therefore f(x)=\displaystyle\int f'(x)\,dx=\int (\ln x)^2\,dx$

$\qquad =x(\ln x)^2-2\displaystyle\int \ln x\,dx \qquad\cdots\cdots\ \text{㉠}$

$\displaystyle\int \ln x\,dx$에서 $s(x)=\ln x$, $t'(x)=1$로 놓으면

$s'(x)=\dfrac{1}{x}$, $t(x)=x$

$\therefore \displaystyle\int \ln x\,dx=x\ln x-\int dx$

$\qquad\qquad\quad =x\ln x-x+C_1 \qquad\cdots\cdots\ \text{㉡}$

㉡을 ㉠에 대입하면

$f(x)=x(\ln x)^2-2(x\ln x-x+C_1)$

$\qquad =x(\ln x)^2-2x\ln x+2x+C$

$\therefore f(1)=2+C$, $f(e)=e+C$

따라서 두 점 $(1,\ f(1))$, $(e,\ f(e))$를 지나는 직선의 기울기는

$\dfrac{f(e)-f(1)}{e-1}=\dfrac{(e+C)-(2+C)}{e-1}=\dfrac{e-2}{e-1}$

078 답 2

$u(x)=\sin x$, $v'(x)=e^x$으로 놓으면

$u'(x)=\cos x$, $v(x)=e^x$

$\therefore f(x)=\int f'(x)\,dx=\int e^x \sin x\,dx$

$\qquad\qquad =e^x \sin x-\int e^x \cos x\,dx$ ...... ㉠

$\int e^x \cos x\,dx$에서 $s(x)=\cos x$, $t'(x)=e^x$으로 놓으면

$s'(x)=-\sin x$, $t(x)=e^x$

$\therefore \int e^x \cos x\,dx=e^x \cos x+\int e^x \sin x\,dx$

$\qquad\qquad\qquad =e^x \cos x+f(x)+C_1$ ...... ㉡

㉡을 ㉠에 대입하면

$f(x)=e^x \sin x-(e^x \cos x+f(x)+C_1)$

$\qquad =e^x(\sin x-\cos x)-f(x)-C_1$

$2f(x)=e^x(\sin x-\cos x)-C_1$

$\therefore f(x)=\dfrac{e^x}{2}(\sin x-\cos x)+C$

$f\left(\dfrac{\pi}{4}\right)=0$에서 $C=0$

따라서 $f(x)=\dfrac{e^x}{2}(\sin x-\cos x)$이므로 $\dfrac{f(x)}{g(x)}=\dfrac{e^x}{4}$에서

$g(x)=\dfrac{4f(x)}{e^x}=\dfrac{2e^x(\sin x-\cos x)}{e^x}=2(\sin x-\cos x)$

$\therefore g(\pi)=2\times 1=2$

079 답 ④

$f(x)=\int \dfrac{3x+\sqrt{x}}{x}\,dx=\int \left(3+x^{-\frac{1}{2}}\right)dx$

$\qquad =3x+2x^{\frac{1}{2}}+C=3x+2\sqrt{x}+C$

$f(1)=3$에서 $5+C=3$ $\therefore C=-2$

따라서 $f(x)=3x+2\sqrt{x}-2$이므로

$f(4)=12+4-2=14$

080 답 $e^{x+2}+C$

$y=\ln x-2$라 하면 $y+2=\ln x$, $x=e^{y+2}$

x와 y를 서로 바꾸면 $y=e^{x+2}$

따라서 $g(x)=e^{x+2}$이므로

$\int g(x)\,dx=\int e^{x+2}\,dx=e^2\int e^x\,dx=e^2\times e^x+C=e^{x+2}+C$

081 답 $\dfrac{1}{4\ln 2}-2$

$\displaystyle\lim_{h\to 0}\dfrac{F(-1+2h)-F(-1)}{h}=\lim_{h\to 0}\dfrac{F(-1+2h)-F(-1)}{2h}\times 2$

$\qquad\qquad\qquad\qquad\qquad =2F'(-1)=2f(-1)$

$f(x)=\int \dfrac{8^x+1}{2^x+1}\,dx=\int \dfrac{(2^x+1)(4^x-2^x+1)}{2^x+1}\,dx$

$\qquad =\int (4^x-2^x+1)\,dx=\dfrac{4^x}{\ln 4}-\dfrac{2^x}{\ln 2}+x+C$

$\qquad =\dfrac{4^x}{2\ln 2}-\dfrac{2^x}{\ln 2}+x+C$

$f(0)=0$에서 $\dfrac{1}{2\ln 2}-\dfrac{1}{\ln 2}+C=0$ $\therefore C=\dfrac{1}{2\ln 2}$

따라서 $f(x)=\dfrac{4^x}{2\ln 2}-\dfrac{2^x}{\ln 2}+x+\dfrac{1}{2\ln 2}$이므로

$2f(-1)=2\left(\dfrac{1}{8\ln 2}-\dfrac{1}{2\ln 2}-1+\dfrac{1}{2\ln 2}\right)=\dfrac{1}{4\ln 2}-2$

082 답 ①

$\displaystyle\int \dfrac{1}{1+\sin x}\,dx=\int \dfrac{1-\sin x}{(1+\sin x)(1-\sin x)}\,dx$

$\qquad\qquad\qquad =\int \dfrac{1-\sin x}{1-\sin^2 x}\,dx=\int \dfrac{1-\sin x}{\cos^2 x}\,dx$

$\qquad\qquad\qquad =\int \left(\dfrac{1}{\cos^2 x}-\dfrac{1}{\cos x}\times \dfrac{\sin x}{\cos x}\right)dx$

$\qquad\qquad\qquad =\int (\sec^2 x-\sec x\tan x)\,dx$

$\qquad\qquad\qquad =\tan x-\sec x+C$

따라서 $a=1$, $b=-1$이므로 $ab=-1$

083 답 ④

$f(x)=\int f'(x)\,dx=\int \left(\cos^4 \dfrac{x}{2}-\sin^4 \dfrac{x}{2}\right)dx$

$\qquad =\int \left(\cos^2 \dfrac{x}{2}+\sin^2 \dfrac{x}{2}\right)\left(\cos^2 \dfrac{x}{2}-\sin^2 \dfrac{x}{2}\right)dx$

$\qquad =\int \left(\cos^2 \dfrac{x}{2}-\sin^2 \dfrac{x}{2}\right)dx=\int \cos x\,dx$

$\qquad =\sin x+C$

$f(a)=f(0)$에서 $\sin a+C=C$ $\therefore \sin a=0$

이때 $0<a<2\pi$이므로 $a=\pi$

084 답 $\dfrac{81}{5}$

$x^3+6x^2-4=t$로 놓으면 $\dfrac{dt}{dx}=3x^2+12x=3x(x+4)$이므로

$f(x)=\int f'(x)\,dx=\int x(x+4)(x^3+6x^2-4)^4\,dx$

$\qquad =\int t^4\times \dfrac{1}{3}\,dt=\dfrac{1}{15}t^5+C=\dfrac{1}{15}(x^3+6x^2-4)^5+C$

$f(-1)=\dfrac{1}{15}$에서 $\dfrac{1}{15}+C=\dfrac{1}{15}$ $\therefore C=0$

따라서 $f(x)=\dfrac{1}{15}(x^3+6x^2-4)^5$이므로

$f(1)=\dfrac{1}{15}(1+6-4)^5=\dfrac{81}{5}$

085 답 ③

$4x-1=t$로 놓으면 $\dfrac{dt}{dx}=4$이므로

$f(x)=\int \dfrac{1}{(4x-1)^2}\,dx=\int \dfrac{1}{t^2}\times \dfrac{1}{4}\,dt=\dfrac{1}{4}\int t^{-2}\,dt$

$\qquad =-\dfrac{1}{4}t^{-1}+C=-\dfrac{1}{4t}+C=-\dfrac{1}{4(4x-1)}+C$

$f(0)=\dfrac{1}{4}$에서 $\dfrac{1}{4}+C=\dfrac{1}{4}$ $\therefore C=0$

따라서 $f(x)=-\dfrac{1}{4(4x-1)}$이므로

$f(x)=1$에서 $-\dfrac{1}{4(4x-1)}=1$, $4x-1=-\dfrac{1}{4}$

$4x=\dfrac{3}{4}$ $\therefore x=\dfrac{3}{16}$

086 답 ②

$2x+1=t$로 놓으면 $x=\dfrac{t-1}{2}$이고 $\dfrac{dt}{dx}=2$이므로

$f(x)=\displaystyle\int \dfrac{2x-1}{\sqrt{2x+1}}dx=\int \dfrac{t-2}{\sqrt{t}}\times\dfrac{1}{2}dt$

$\qquad=\displaystyle\int\left(\dfrac{1}{2}\sqrt{t}-\dfrac{1}{\sqrt{t}}\right)dt=\int\left(\dfrac{1}{2}t^{\frac{1}{2}}-t^{-\frac{1}{2}}\right)dt$

$\qquad=\dfrac{1}{3}t^{\frac{3}{2}}-2t^{\frac{1}{2}}+C=\dfrac{1}{3}t\sqrt{t}-2\sqrt{t}+C$

$\qquad=\dfrac{1}{3}(2x+1)\sqrt{2x+1}-2\sqrt{2x+1}+C$

$\qquad=\dfrac{1}{3}(2x-5)\sqrt{2x+1}+C$

$f\left(\dfrac{5}{2}\right)=0$에서 $C=0$

$\therefore f(x)=\dfrac{1}{3}(2x-5)\sqrt{2x+1}$

한편 $f(x)=\displaystyle\int\dfrac{2x-1}{\sqrt{2x+1}}dx$에서 $x\geq-\dfrac{1}{2}$이고, 양변을 x에 대하여

미분하면 $f'(x)=\dfrac{2x-1}{\sqrt{2x+1}}$

$f'(x)=0$인 x의 값은 $x=\dfrac{1}{2}$

$x\geq-\dfrac{1}{2}$에서 함수 $f(x)$의 증가, 감소를 표로 나타내면 다음과 같다.

x	$-\dfrac{1}{2}$	$\cdots$	$\dfrac{1}{2}$	$\cdots$
$f'(x)$		$-$	0	$+$
$f(x)$	0	$\searrow$	$-\dfrac{4\sqrt{2}}{3}$ 극소	$\nearrow$

따라서 함수 $f(x)$의 극솟값은 $f\left(\dfrac{1}{2}\right)=-\dfrac{4\sqrt{2}}{3}$

087 답 ③

곡선 $y=f(x)$ 위의 임의의 점 (x, y)에서의 접선의 기울기가

e^{1-2x}이므로 $f'(x)=e^{1-2x}$

$1-2x=t$로 놓으면 $\dfrac{dt}{dx}=-2$이므로

$f(x)=\displaystyle\int f'(x)dx=\int e^{1-2x}dx=\int e^{t}\times\left(-\dfrac{1}{2}\right)dt$

$\qquad=-\dfrac{1}{2}e^{t}+C=-\dfrac{1}{2}e^{1-2x}+C$

$\therefore f(0)-f(1)=\left(-\dfrac{1}{2}e+C\right)-\left(-\dfrac{1}{2}e^{-1}+C\right)$

$\qquad\qquad\qquad=-\dfrac{1}{2}e+\dfrac{1}{2e}=\dfrac{1}{2}\left(\dfrac{1}{e}-e\right)$

088 답 $\dfrac{7\sqrt{2}}{3}$

$e^{x}-1=t$로 놓으면 $\dfrac{dt}{dx}=e^{x}$이므로

$f(x)=\displaystyle\int f'(x)dx=\int e^{x}\sqrt{e^{x}-1}dx$

$\qquad=\displaystyle\int\sqrt{t}dt=\int t^{\frac{1}{2}}dt=\dfrac{2}{3}t^{\frac{3}{2}}+C$

$\qquad=\dfrac{2}{3}t\sqrt{t}+C=\dfrac{2}{3}(e^{x}-1)\sqrt{e^{x}-1}+C$

$f(0)=\sqrt{2}$에서 $C=\sqrt{2}$

따라서 $f(x)=\dfrac{2}{3}(e^{x}-1)\sqrt{e^{x}-1}+\sqrt{2}$이므로

$f(\ln 3)=\dfrac{2}{3}\times 2\times\sqrt{2}+\sqrt{2}=\dfrac{7\sqrt{2}}{3}$

089 답 $f(x)=2\sqrt{\ln x+3}+1$

$\ln x+3=t$로 놓으면 $\dfrac{dt}{dx}=\dfrac{1}{x}$이므로

$f(x)=\displaystyle\int\dfrac{1}{x\sqrt{\ln x+3}}dx=\int\dfrac{1}{\sqrt{t}}dt$

$\qquad=\displaystyle\int t^{-\frac{1}{2}}dt=2t^{\frac{1}{2}}+C$

$\qquad=2\sqrt{t}+C=2\sqrt{\ln x+3}+C$

$f(e)=5$에서 $4+C=5$ $\quad\therefore C=1$

$\therefore f(x)=2\sqrt{\ln x+3}+1$

090 답 ⑤

$f(x)=\displaystyle\int 2\sin 4x\cos^2 2x\,dx+\int 4\sin^3 2x\cos 2x\,dx$

$\qquad=\displaystyle\int(2\sin 4x\cos^2 2x+2\sin^2 2x\sin 4x)\,dx$

$\qquad=\displaystyle\int 2\sin 4x(\cos^2 2x+\sin^2 2x)\,dx$

$\qquad=\displaystyle\int 2\sin 4x\,dx$

$\qquad=-\dfrac{1}{2}\cos 4x+C$

$f(\pi)=\dfrac{1}{2}$에서 $-\dfrac{1}{2}+C=\dfrac{1}{2}$ $\quad\therefore C=1$

따라서 $f(x)=-\dfrac{1}{2}\cos 4x+1$이므로

$f\left(\dfrac{\pi}{4}\right)=\dfrac{1}{2}+1=\dfrac{3}{2}$

091 답 ⑤

$1+\sin x=t$로 놓으면 $\dfrac{dt}{dx}=\cos x$이므로

$f(x)=\displaystyle\int(1+\sin x)^3\cos x\,dx=\int t^3\,dt$

$\qquad=\dfrac{1}{4}t^4+C=\dfrac{1}{4}(1+\sin x)^4+C$

함수 $y=f(x)$의 그래프가 점 $\left(\pi, \dfrac{1}{4}\right)$을 지나므로

$f(\pi)=\dfrac{1}{4}$에서 $\dfrac{1}{4}+C=\dfrac{1}{4}$ $\quad\therefore C=0$

따라서 $f(x)=\dfrac{1}{4}(1+\sin x)^4$이고, 함수 $y=f(x)$의 그래프가

점 $\left(\dfrac{\pi}{2}, a\right)$를 지나므로

$a=f\left(\dfrac{\pi}{2}\right)=\dfrac{1}{4}\times 2^4=4$

092 답 ③

$$f(x)=\int \frac{4^x\ln 2+x}{4^x+x^2}\,dx$$

$$=\frac{1}{2}\int \frac{4^x\ln 4+2x}{4^x+x^2}\,dx$$

$$=\frac{1}{2}\int \frac{(4^x+x^2)'}{4^x+x^2}\,dx$$

$$=\frac{1}{2}\ln(4^x+x^2)+C$$

$f(0)=\dfrac{\ln 5}{2}$에서 $C=\dfrac{\ln 5}{2}$

즉, $f(x)=\dfrac{1}{2}\ln(4^x+x^2)+\dfrac{\ln 5}{2}$이므로

$$f(-1)=\frac{1}{2}\ln\left(\frac{1}{4}+1\right)+\frac{\ln 5}{2}=\ln\frac{5}{2}$$

따라서 $p=2$, $q=5$이므로 $pq=10$

093 답 7

$$f(x)=\int f'(x)\,dx=\int \frac{1-2x}{x+1}\,dx$$

$$=\int\left(-2+\frac{3}{x+1}\right)dx$$

$$=-2x+3\ln|x+1|+C$$

$f(0)=3$에서 $C=3$

따라서 $f(x)=-2x+3\ln|x+1|+3$이므로

$f(-2)=4+3=7$

094 답 ②

$$\int \csc x\,dx=\int \frac{1}{\sin x}\,dx=\int \frac{\sin x}{\sin^2 x}\,dx$$

$$=\int \frac{\sin x}{1-\cos^2 x}\,dx$$

$\cos x=t\,(-1<t<1)$로 놓으면 $\dfrac{dt}{dx}=-\sin x$이므로

$$\int \frac{\sin x}{1-\cos^2 x}\,dx=\int \frac{1}{1-t^2}\times(-1)\,dt=\int \frac{1}{t^2-1}\,dt$$

$$=\int \frac{1}{(t-1)(t+1)}\,dt$$

$$=\frac{1}{2}\int\left(\frac{1}{t-1}-\frac{1}{t+1}\right)dt$$

$$=\frac{1}{2}\{\ln(1-t)-\ln(t+1)\}+C\ (\because t-1<0)$$

$$=\frac{1}{2}\ln\frac{1-t}{1+t}+C$$

$$=\frac{1}{2}\ln\frac{1-\cos x}{1+\cos x}+C$$

095 답 $\dfrac{2}{9}\pi$

$u(x)=x$, $v'(x)=\sin 3x$로 놓으면

$u'(x)=1$, $v(x)=-\dfrac{1}{3}\cos 3x$

$$\therefore f(x)=\int x\sin 3x\,dx$$

$$=-\frac{1}{3}x\cos 3x+\frac{1}{3}\int \cos 3x\,dx$$

$$=-\frac{1}{3}x\cos 3x+\frac{1}{9}\sin 3x+C$$

$f\left(\dfrac{\pi}{3}\right)=0$에서 $\dfrac{\pi}{9}+C=0$ $\therefore C=-\dfrac{\pi}{9}$

따라서 $f(x)=-\dfrac{1}{3}x\cos 3x+\dfrac{1}{9}\sin 3x-\dfrac{\pi}{9}$이므로

$$f(\pi)=\frac{\pi}{3}-\frac{\pi}{9}=\frac{2}{9}\pi$$

096 답 $\dfrac{1}{8}(e^2-7)$

$2x^2=t$로 놓으면 $\dfrac{dt}{dx}=4x$이므로

$$f(x)=\int f'(x)\,dx=\int(x^3e^{2x^2}+3)\,dx$$

$$=\int x^3e^{2x^2}\,dx+\int 3\,dx$$

$$=\frac{1}{8}\int te^t\,dt+3x+C_1 \qquad\qquad \cdots\cdots\ \bigcirc$$

$\displaystyle\int te^t\,dt$에서 $u(t)=t$, $v'(t)=e^t$으로 놓으면

$u'(t)=1$, $v(t)=e^t$

$$\frac{1}{8}\int te^t\,dt=\frac{1}{8}\left(te^t-\int e^t\,dt\right)$$

$$=\frac{1}{8}e^t(t-1)+C_2=\frac{1}{8}(2x^2-1)e^{2x^2}+C_2 \quad \cdots\cdots\ \bigcirc$$

$\bigcirc$을 $\bigcirc$에 대입하면

$$f(x)=\frac{1}{8}(2x^2-1)e^{2x^2}+3x+C$$

$f(0)=2$에서 $-\dfrac{1}{8}+C=2$ $\therefore C=\dfrac{17}{8}$

따라서 $f(x)=\dfrac{1}{8}(2x^2-1)e^{2x^2}+3x+\dfrac{17}{8}$이므로

$$f(-1)=\frac{1}{8}e^2-3+\frac{17}{8}=\frac{1}{8}(e^2-7)$$

097 답 ②

$u(x)=\cos 2x$, $v'(x)=e^{-x}$으로 놓으면

$u'(x)=-2\sin 2x$, $v(x)=-e^{-x}$

$$\therefore f(x)=\int e^{-x}\cos 2x\,dx$$

$$=-e^{-x}\cos 2x-2\int e^{-x}\sin 2x\,dx \qquad \cdots\cdots\ \bigcirc$$

$\displaystyle\int e^{-x}\sin 2x\,dx$에서 $s(x)=\sin 2x$, $t'(x)=e^{-x}$으로 놓으면

$s'(x)=2\cos 2x$, $t(x)=-e^{-x}$

$$\therefore \int e^{-x}\sin 2x\,dx=-e^{-x}\sin 2x+2\int e^{-x}\cos 2x\,dx$$

$$=-e^{-x}\sin 2x+2f(x)+C_1 \qquad \cdots\cdots\ \bigcirc$$

$\bigcirc$을 $\bigcirc$에 대입하면

$$f(x)=-e^{-x}\cos 2x-2(-e^{-x}\sin 2x+2f(x)+C_1)$$

$$=-e^{-x}\cos 2x+2e^{-x}\sin 2x-4f(x)-2C_1$$

$$5f(x)=e^{-x}(2\sin 2x-\cos 2x)-2C_1$$

$$\therefore f(x)=\frac{1}{5}e^{-x}(2\sin 2x-\cos 2x)+C$$

$f(0)=-\dfrac{1}{5}$에서 $-\dfrac{1}{5}+C=-\dfrac{1}{5}$ $\therefore C=0$

따라서 $f(x)=\dfrac{1}{5}e^{-x}(2\sin 2x-\cos 2x)$이므로

$$f\left(\frac{\pi}{4}\right)=\frac{1}{5}e^{-\frac{\pi}{4}}\times 2=\frac{2}{5}e^{-\frac{\pi}{4}}$$

001 답 ①

$$\int_0^2 \frac{x^2-x}{x+1}dx = \int_0^2 \frac{(x-2)(x+1)+2}{x+1}dx$$
$$= \int_0^2 \left(x-2+\frac{2}{x+1}\right)dx$$
$$= \left[\frac{1}{2}x^2-2x+2\ln|x+1|\right]_0^2$$
$$= 2-4+2\ln 3 = 2\ln 3-2$$

002 답 **2**

$$\int_0^{\ln 2} \frac{e^{2x}-1}{e^x+1}dx = \int_0^{\ln 2} \frac{(e^x+1)(e^x-1)}{e^x+1}dx$$
$$= \int_0^{\ln 2}(e^x-1)dx$$
$$= \left[e^x-x\right]_0^{\ln 2}$$
$$= (2-\ln 2)-1 = 1-\ln 2$$

따라서 $a=1$, $b=1$이므로
$a+b=2$

003 답 $\pi-2$

$$\int_0^{\frac{\pi}{2}} \frac{2\sin^2 x}{1+\cos x}dx = 2\int_0^{\frac{\pi}{2}} \frac{1-\cos^2 x}{1+\cos x}dx$$
$$= 2\int_0^{\frac{\pi}{2}} \frac{(1+\cos x)(1-\cos x)}{1+\cos x}dx$$
$$= 2\int_0^{\frac{\pi}{2}}(1-\cos x)dx$$
$$= 2\left[x-\sin x\right]_0^{\frac{\pi}{2}}$$
$$= 2\left(\frac{\pi}{2}-1\right) = \pi-2$$

004 답 ④

$$\int_{-1}^1 f(x)dx = \int_{-1}^0 (e^x+1)dx + \int_0^1 \frac{2}{x+1}dx$$
$$= \left[e^x+x\right]_{-1}^0 + \left[2\ln|x+1|\right]_0^1$$
$$= 1-\left(\frac{1}{e}-1\right)+2\ln 2$$
$$= 2-\frac{1}{e}+2\ln 2$$

005 답 ⑤

$f(x)=x^2\tan x$, $g(x)=2\sec^2 x$라 하면
$f(-x)=(-x)^2\tan(-x)=-x^2\tan x=-f(x)$
$g(-x)=2\sec^2(-x)=2\sec^2 x=g(x)$
$$\therefore \int_{-\frac{\pi}{4}}^{\frac{\pi}{4}}(x^2\tan x+2\sec^2 x)dx = 2\int_0^{\frac{\pi}{4}}2\sec^2 x\,dx$$
$$= 4\left[\tan x\right]_0^{\frac{\pi}{4}} = 4\times 1 = 4$$

006 답 ③

$f(x)=\left|\cos \dfrac{x}{2}\right|$라 하면 함수 $f(x)$는 주기가 2π인 주기함수이므로

$$\int_0^{2\pi}\left|\cos \frac{x}{2}\right|dx = \int_{2\pi}^{4\pi}\left|\cos \frac{x}{2}\right|dx = \int_{4\pi}^{6\pi}\left|\cos \frac{x}{2}\right|dx$$
$$\therefore \int_0^{6\pi}\left|\cos \frac{x}{2}\right|dx = 3\int_0^{2\pi}\left|\cos \frac{x}{2}\right|dx$$
$$= 3\left\{\int_0^{\pi}\cos \frac{x}{2}dx + \int_{\pi}^{2\pi}\left(-\cos \frac{x}{2}\right)dx\right\}$$
$$= 3\left\{\left[2\sin \frac{x}{2}\right]_0^{\pi} + \left[-2\sin \frac{x}{2}\right]_{\pi}^{2\pi}\right\}$$
$$= 3\{2-(-2)\} = 12$$

007 답 ⑤

$x-2=t$로 놓으면 $x=t+2$이고 $\dfrac{dt}{dx}=1$
$x=2$일 때 $t=0$, $x=3$일 때 $t=1$이므로
$$\int_2^3 (x+1)\sqrt{x-2}\,dx = \int_0^1 (t+3)\sqrt{t}\,dt = \int_0^1 (t^{\frac{3}{2}}+3t^{\frac{1}{2}})dt$$
$$= \left[\frac{2}{5}t^{\frac{5}{2}}+2t^{\frac{3}{2}}\right]_0^1 = \frac{2}{5}+2 = \frac{12}{5}$$

따라서 $p=5$, $q=12$이므로
$p+q=17$

008 답 **4**

$\ln x=t$로 놓으면 $\dfrac{dt}{dx}=\dfrac{1}{x}$
$x=1$일 때 $t=0$, $x=e^2$일 때 $t=2$이므로
$$\int_1^{e^2} \frac{2\ln x}{x}dx = \int_0^2 2t\,dt = \left[t^2\right]_0^2 = 4$$

009 답 $\dfrac{2}{3}$

$$\int_0^{\frac{\pi}{2}}\cos^3 x\,dx = \int_0^{\frac{\pi}{2}}(1-\sin^2 x)\cos x\,dx$$

이때 $\sin x=t$로 놓으면 $\dfrac{dt}{dx}=\cos x$

$x=0$일 때 $t=0$, $x=\dfrac{\pi}{2}$일 때 $t=1$이므로

$$\int_0^{\frac{\pi}{2}}(1-\sin^2 x)\cos x\,dx - \int_0^1 (1-t^2)dt = \left[t-\frac{1}{3}t^3\right]_0^1$$
$$= 1-\frac{1}{3} = \frac{2}{3}$$

010 답 ①

$x=\tan\theta\left(-\dfrac{\pi}{2}<\theta<\dfrac{\pi}{2}\right)$로 놓으면 $\dfrac{dx}{d\theta}=\sec^2\theta$
$x=0$일 때 $\theta=0$, $x=1$일 때 $\theta=\dfrac{\pi}{4}$이므로
$$\int_0^1 \frac{1}{x^2+1}dx = \int_0^{\frac{\pi}{4}} \frac{1}{\tan^2\theta+1}\times\sec^2\theta\,d\theta$$
$$= \int_0^{\frac{\pi}{4}} \frac{\sec^2\theta}{\sec^2\theta}d\theta = \int_0^{\frac{\pi}{4}}d\theta$$
$$= \left[\theta\right]_0^{\frac{\pi}{4}} = \frac{\pi}{4}$$

011 답 ⑤

$$\int_1^5 \frac{x-3}{x+3}\,dx = \int_1^5 \frac{(x+3)-6}{x+3}\,dx = \int_1^5 \left(1 - \frac{6}{x+3}\right)dx$$

$$= \Big[x - 6\ln|x+3|\Big]_1^5 = (5 - 6\ln 8) - (1 - 6\ln 4)$$

$$= 4 - 18\ln 2 + 12\ln 2 = -6\ln 2 + 4$$

따라서 $a=-6$, $b=4$이므로 $b-a=10$

012 답 ⑤

$$\int_1^4 \frac{(\sqrt{x}+1)^2}{x}\,dx = \int_1^4 \frac{x + 2\sqrt{x} + 1}{x}\,dx = \int_1^4 \left(1 + \frac{2}{\sqrt{x}} + \frac{1}{x}\right)dx$$

$$= \int_1^4 \left(1 + 2x^{-\frac{1}{2}} + \frac{1}{x}\right)dx$$

$$= \Big[x + 4x^{\frac{1}{2}} + \ln|x|\Big]_1^4$$

$$= (4 + 8 + \ln 4) - (1 + 4)$$

$$= 2\ln 2 + 7$$

013 답 $\dfrac{16}{5}$

$$\int_0^3 f(x)\,dx - \int_4^3 f(x)\,dx + \int_4^1 f(x)\,dx$$

$$= \int_0^3 f(x)\,dx + \int_3^4 f(x)\,dx + \int_4^1 f(x)\,dx$$

$$= \int_0^1 f(x)\,dx = \int_0^1 3\sqrt{x}(x+1)\,dx = 3\int_0^1 (x^{\frac{3}{2}} + x^{\frac{1}{2}})\,dx$$

$$= 3\left[\frac{2}{5}x^{\frac{5}{2}} + \frac{2}{3}x^{\frac{3}{2}}\right]_0^1 = 3\left(\frac{2}{5} + \frac{2}{3}\right) = \frac{16}{5}$$

014 답 ③

$$\int_0^a \frac{3}{x^2+5x+4}\,dx = \int_0^a \frac{3}{(x+1)(x+4)}\,dx$$

$$= \int_0^a \left(\frac{1}{x+1} - \frac{1}{x+4}\right)dx$$

$$= \Big[\ln|x+1| - \ln|x+4|\Big]_0^a$$

$$= \{\ln(a+1) - \ln(a+4)\} - (-\ln 4)$$

$$= \ln\frac{4a+4}{a+4}$$

따라서 $\ln\dfrac{4a+4}{a+4} = \ln\dfrac{5}{2}$이므로 $\dfrac{4a+4}{a+4} = \dfrac{5}{2}$

$8a+8 = 5a+20$, $3a = 12$ $\quad \therefore a = 4$

015 답 3

$$\sum_{k=1}^n \int_k^{k+1} f(x)\,dx$$

$$= \int_1^2 f(x)\,dx + \int_2^3 f(x)\,dx + \int_3^4 f(x)\,dx + \cdots + \int_n^{n+1} f(x)\,dx$$

$$= \int_1^{n+1} f(x)\,dx = \int_1^{n+1} \left(\frac{1}{2\sqrt{x}} + 1\right)dx$$

$$= \int_1^{n+1} \left(\frac{1}{2}x^{-\frac{1}{2}} + 1\right)dx = \left[x^{\frac{1}{2}} + x\right]_1^{n+1}$$

$$= (\sqrt{n+1} + n+1) - (1+1) = \sqrt{n+1} + n - 1$$

즉, $\sqrt{n+1} + n - 1 = 4$이므로 $\sqrt{n+1} = 5 - n$ $\qquad \cdots\cdots$ ㉠

양변을 제곱하면

$n+1 = (5-n)^2$, $n^2 - 11n + 24 = 0$

$(n-3)(n-8) = 0$ $\quad \therefore n=3$ 또는 $n=8$

그런데 ㉠에서 $n=8$이면 우변이 음수가 되어 성립하지 않으므로 구하는 자연수 n의 값은 3이다.

016 답 ③

$F(x) = xf(x)$라 하면 $F'(x) = f(x) + xf'(x)$이므로

$$F(x) = \int \{f(x) + xf'(x)\}\,dx = \int \left(\frac{1}{\sqrt{x}} - \frac{4}{x^2}\right)dx$$

$$= \int (x^{-\frac{1}{2}} - 4x^{-2})\,dx = 2x^{\frac{1}{2}} + 4x^{-1} + C$$

$$= 2\sqrt{x} + \frac{4}{x} + C$$

이때 $F(1) = f(1) = 6$에서 $6 + C = 6$ $\quad \therefore C = 0$

따라서 $F(x) = 2\sqrt{x} + \dfrac{4}{x}$이므로 $xf(x) = 2\sqrt{x} + \dfrac{4}{x}$

$$\therefore f(x) = \frac{2}{\sqrt{x}} + \frac{4}{x^2}$$

$$\therefore \int_1^4 f(x)\,dx = \int_1^4 \left(\frac{2}{\sqrt{x}} + \frac{4}{x^2}\right)dx = \int_1^4 (2x^{-\frac{1}{2}} + 4x^{-2})\,dx$$

$$= \left[4x^{\frac{1}{2}} - 4x^{-1}\right]_1^4$$

$$= (8-1) - (4-4) = 7$$

017 답 ④

$$\int_0^{\ln 3} \frac{(e^x+1)^2 - (e^x+1)}{e^x}\,dx = \int_0^{\ln 3} \frac{e^{2x} + e^x}{e^x}\,dx$$

$$= \int_0^{\ln 3} (e^x + 1)\,dx$$

$$= \Big[e^x + x\Big]_0^{\ln 3}$$

$$= (3 + \ln 3) - 1 = 2 + \ln 3$$

018 답 ①

$$\int_0^1 \sqrt{4^x - 2^{x+1} + 1}\,dx = \int_0^1 \sqrt{(2^x - 1)^2}\,dx$$

$$= \int_0^1 (2^x - 1)\,dx$$

$$= \left[\frac{2^x}{\ln 2} - x\right]_0^1$$

$$= \left(\frac{2}{\ln 2} - 1\right) - \frac{1}{\ln 2} = \frac{1}{\ln 2} - 1$$

019 답 $e^2 - 3$

$$\int_0^2 \frac{e^{2x}}{e^x+x}\,dx + \int_2^0 \frac{t^2}{e^t+t}\,dt$$

$$= \int_0^2 \frac{e^{2x}}{e^x+x}\,dx - \int_0^2 \frac{x^2}{e^x+x}\,dx$$

$$= \int_0^2 \frac{e^{2x} - x^2}{e^x+x}\,dx = \int_0^2 \frac{(e^x+x)(e^x-x)}{e^x+x}\,dx$$

$$= \int_0^2 (e^x - x)\,dx = \left[e^x - \frac{1}{2}x^2\right]_0^2$$

$$= (e^2 - 2) - 1 = e^2 - 3$$

020 답 **33**

$$\int_0^1 (3^x - 2^x)(9^x + 6^x + 4^x)\,dx$$

$$= \int_0^1 (3^x - 2^x)(3^{2x} + 3^x \times 2^x + 2^{2x})\,dx$$

$$= \int_0^1 (3^{3x} - 2^{3x})\,dx = \int_0^1 (27^x - 8^x)\,dx$$

$$= \left[\frac{27^x}{\ln 27} - \frac{8^x}{\ln 8} \right]_0^1 = \left(\frac{27}{\ln 27} - \frac{8}{\ln 8} \right) - \left(\frac{1}{\ln 27} - \frac{1}{\ln 8} \right)$$

$$= \frac{26}{\ln 27} - \frac{7}{\ln 8} = \frac{26}{3\ln 3} - \frac{7}{3\ln 2}$$

따라서 $a = 26$, $b = 7$이므로 $a + b = 33$

021 답 ①

$$\int_0^{\frac{\pi}{4}} \frac{2\cos^2 x - 1}{\sin x + \cos x}\,dx = \int_0^{\frac{\pi}{4}} \frac{2\cos^2 x - (\sin^2 x + \cos^2 x)}{\sin x + \cos x}\,dx$$

$$= \int_0^{\frac{\pi}{4}} \frac{\cos^2 x - \sin^2 x}{\sin x + \cos x}\,dx$$

$$= \int_0^{\frac{\pi}{4}} \frac{(\cos x + \sin x)(\cos x - \sin x)}{\sin x + \cos x}\,dx$$

$$= \int_0^{\frac{\pi}{4}} (\cos x - \sin x)\,dx$$

$$= \left[\sin x + \cos x \right]_0^{\frac{\pi}{4}}$$

$$= \left(\frac{\sqrt{2}}{2} + \frac{\sqrt{2}}{2} \right) - 1 = \sqrt{2} - 1$$

022 답 ③

$$\int_0^{\frac{\pi}{4}} \frac{1 - \cos^2 x}{1 - \sin^2 x}\,dx = \int_0^{\frac{\pi}{4}} \frac{1 - \cos^2 x}{\cos^2 x}\,dx$$

$$= \int_0^{\frac{\pi}{4}} (\sec^2 x - 1)\,dx$$

$$= \left[\tan x - x \right]_0^{\frac{\pi}{4}} = 1 - \frac{\pi}{4}$$

따라서 $a = 1$, $b = -\frac{1}{4}$이므로 $a + b = \frac{3}{4}$

023 답 $1 - \frac{\sqrt{3}}{3}$

$$\int_{\frac{\pi}{4}}^{\frac{\pi}{3}} \frac{\csc^4 x}{1 + \cot^2 x}\,dx = \int_{\frac{\pi}{4}}^{\frac{\pi}{3}} \frac{\csc^4 x}{\csc^2 x}\,dx = \int_{\frac{\pi}{4}}^{\frac{\pi}{3}} \csc^2 x\,dx$$

$$= \left[-\cot x \right]_{\frac{\pi}{4}}^{\frac{\pi}{3}} = 1 - \frac{\sqrt{3}}{3}$$

024 답 **2**

$$\int_0^{\frac{\pi}{2}} \left(\sin \frac{x}{2} + \cos \frac{x}{2} \right)^2 dx + \int_{\frac{\pi}{2}}^0 \left(\sin \frac{x}{2} - \cos \frac{x}{2} \right)^2 dx$$

$$= \int_0^{\frac{\pi}{2}} \left(\sin \frac{x}{2} + \cos \frac{x}{2} \right)^2 dx - \int_0^{\frac{\pi}{2}} \left(\sin \frac{x}{2} - \cos \frac{x}{2} \right)^2 dx$$

$$= \int_0^{\frac{\pi}{2}} \left\{ \left(\sin \frac{x}{2} + \cos \frac{x}{2} \right)^2 - \left(\sin \frac{x}{2} - \cos \frac{x}{2} \right)^2 \right\} dx$$

$$= \int_0^{\frac{\pi}{2}} 4 \sin \frac{x}{2} \cos \frac{x}{2}\,dx = \int_0^{\frac{\pi}{2}} 2 \sin x\,dx$$

$$= \left[-2\cos x \right]_0^{\frac{\pi}{2}} = 0 - (-2) = 2$$

025 답 $9 + 6\sqrt{3} - \dfrac{1}{e}$

$$\int_{-1}^3 f(x)\,dx = \int_{-1}^0 (e^x - 1)\,dx + \int_0^3 (x^2 + 3\sqrt{x})\,dx$$

$$= \left[e^x - x \right]_{-1}^0 + \left[\frac{1}{3}x^3 + 2x^{\frac{3}{2}} \right]_0^3$$

$$= \left\{ 1 - \left(\frac{1}{e} + 1 \right) \right\} + (9 + 6\sqrt{3}) = 9 + 6\sqrt{3} - \frac{1}{e}$$

026 답 $\dfrac{1}{\ln 2} + 4$

$$|2^x - 4| = \begin{cases} 2^x - 4 & (x \geq 2) \\ 4 - 2^x & (x \leq 2) \end{cases} \text{이므로}$$

$$\int_0^3 |2^x - 4|\,dx = \int_0^2 (4 - 2^x)\,dx + \int_2^3 (2^x - 4)\,dx$$

$$= \left[4x - \frac{2^x}{\ln 2} \right]_0^2 + \left[\frac{2^x}{\ln 2} - 4x \right]_2^3$$

$$= \left\{ \left(8 - \frac{4}{\ln 2} \right) - \left(-\frac{1}{\ln 2} \right) \right\}$$

$$\qquad\qquad + \left\{ \left(\frac{8}{\ln 2} - 12 \right) - \left(\frac{4}{\ln 2} - 8 \right) \right\}$$

$$= \frac{1}{\ln 2} + 4$$

027 답 ④

$$|\sin x| + |\cos x| = \begin{cases} \sin x - \cos x & \left(\frac{3}{4}\pi \leq x \leq \pi \right) \\ -\sin x - \cos x & \left(\pi \leq x \leq \frac{5}{4}\pi \right) \end{cases} \text{이므로}$$

$$\int_{\frac{3}{4}\pi}^{\frac{5}{4}\pi} (|\sin x| + |\cos x|)\,dx$$

$$= \int_{\frac{3}{4}\pi}^{\pi} (\sin x - \cos x)\,dx + \int_{\pi}^{\frac{5}{4}\pi} (-\sin x - \cos x)\,dx$$

$$= \left[-\cos x - \sin x \right]_{\frac{3}{4}\pi}^{\pi} + \left[\cos x - \sin x \right]_{\pi}^{\frac{5}{4}\pi}$$

$$= \left\{ 1 - \left(\frac{\sqrt{2}}{2} - \frac{\sqrt{2}}{2} \right) \right\} + \left\{ \left(-\frac{\sqrt{2}}{2} + \frac{\sqrt{2}}{2} \right) - (-1) \right\} = 2$$

028 답 ②

$$|e^x - e^a| = \begin{cases} e^a - e^x & (0 \leq x \leq a) \\ e^x - e^a & (a \leq x \leq 2) \end{cases} \text{이므로}$$

$$f(a) = \int_0^2 |e^x - e^a|\,dx = \int_0^a (e^a - e^x)\,dx + \int_a^2 (e^x - e^a)\,dx$$

$$= \left[e^a x - e^x \right]_0^a + \left[e^x - e^a x \right]_a^2$$

$$= \{(ae^a - e^a) - (-1)\} + \{(e^2 - 2e^a) - (e^a - ae^a)\}$$

$$= (2a - 4)e^a + e^2 + 1$$

$$\therefore f'(a) = 2e^a + (2a - 4)e^a = (2a - 2)e^a$$

$f'(a) = 0$에서 $a = 1$ ($\because e^a > 0$)

$0 \leq a \leq 2$에서 함수 $f(a)$의 증가, 감소를 표로 나타내면 다음과 같다.

a	0	$\cdots$	1	$\cdots$	2
$f'(a)$		$-$	0	$+$	
$f(a)$	$e^2 - 3$	$\searrow$	$e^2 - 2e + 1$ 극소	$\nearrow$	$e^2 + 1$

따라서 함수 $f(a)$의 극솟값은 $f(1) = e^2 - 2e + 1$

029 답 ⑤

$f(x)=x\sin^2 x,\ g(x)=\cos x,\ h(x)=x$라 하면

$f(-x)=-x\sin^2(-x)=-x\sin^2 x=-f(x)$

$g(-x)=\cos(-x)=\cos x=g(x)$

$h(-x)=-x=-h(x)$

$\therefore \displaystyle\int_{-\frac{\pi}{2}}^{\frac{\pi}{2}}(x\sin^2 x+\cos x+x)\,dx=2\int_{0}^{\frac{\pi}{2}}\cos x\,dx$

$\qquad\qquad\qquad\qquad\qquad =2\Big[\sin x\Big]_{0}^{\frac{\pi}{2}}$

$\qquad\qquad\qquad\qquad\qquad =2\times 1=2$

030 답 ①

$f(x)=x^2(e^x-e^{-x})$이라 하면

$f(-x)=(-x)^2(e^{-x}-e^x)=-x^2(e^x-e^{-x})=-f(x)$

$\therefore \displaystyle\int_{-2}^{2}x^2(e^x-e^{-x})\,dx=0$

031 답 12

$g(x)=f(x)\sin x,\ h(x)=xf(x)$라 하면 모든 실수 x에 대하여

$f(-x)=f(x)$이므로

$g(-x)=f(-x)\sin(-x)=-f(x)\sin x=-g(x)$

$h(-x)=-xf(-x)=-xf(x)=-h(x)$

$\therefore \displaystyle\int_{-\pi}^{\pi}(\sin x-x+3)f(x)\,dx$

$\quad =\displaystyle\int_{-\pi}^{\pi}\{f(x)\sin x-xf(x)+3f(x)\}\,dx$

$\quad =2\displaystyle\int_{0}^{\pi}3f(x)\,dx$

$\quad =6\displaystyle\int_{0}^{\pi}f(x)\,dx$

$\quad =6\times 2=12$

032 답 ㄱ, ㄴ, ㄹ

ㄱ. $f(-x)=-f(x)$에서 $f(x)+f(-x)=0$

$\qquad \therefore \displaystyle\int_{-1}^{1}\frac{f(x)+f(-x)}{2}\,dx=0$

ㄴ. $g(x)=f(x)\cos x$라 하면

$\qquad g(-x)=f(-x)\cos(-x)=-f(x)\cos x=-g(x)$

$\qquad \therefore \displaystyle\int_{-\pi}^{\pi}f(x)\cos x\,dx=0$

ㄷ. $h(x)=(2^x-2^{-x})f(x)$라 하면

$\qquad h(-x)=(2^{-x}-2^{x})f(-x)=(2^x-2^{-x})f(x)=h(x)$

$\qquad \therefore \displaystyle\int_{-2}^{2}(2^x-2^{-x})f(x)\,dx=2\int_{0}^{2}(2^x-2^{-x})f(x)\,dx\neq 0$

ㄹ. $r(x)=\sin f(x)$라 하면

$\qquad r(-x)=\sin f(-x)=\sin\{-f(x)\}=-\sin f(x)=-r(x)$

$\qquad \therefore \displaystyle\int_{-\frac{\pi}{2}}^{\frac{\pi}{2}}\sin f(x)\,dx=0$

따라서 보기 중 정적분의 값이 항상 0인 것은 ㄱ, ㄴ, ㄹ이다.

033 답 ②

$f(x)=|\sin 3x|$라 하면 함수 $f(x)$는 주기가 $\dfrac{\pi}{3}$인 주기함수이므로

$\displaystyle\int_{0}^{\frac{\pi}{3}}|\sin 3x|\,dx=\int_{\frac{\pi}{3}}^{\frac{2}{3}\pi}|\sin 3x|\,dx=\int_{\frac{2}{3}\pi}^{\pi}|\sin 3x|\,dx$

$\qquad\qquad\qquad =\cdots =\displaystyle\int_{\frac{5}{3}\pi}^{2\pi}|\sin 3x|\,dx$

$\therefore \displaystyle\int_{0}^{2\pi}|\sin 3x|\,dx=6\int_{0}^{\frac{\pi}{3}}|\sin 3x|\,dx=6\int_{0}^{\frac{\pi}{3}}\sin 3x\,dx$

$\qquad\qquad\qquad =6\Big[-\dfrac{1}{3}\cos 3x\Big]_{0}^{\frac{\pi}{3}}=6\Big(\dfrac{1}{3}+\dfrac{1}{3}\Big)=4$

034 답 0

$f(x)=\cos\dfrac{\pi}{2}x$라 하면 함수 $f(x)$는 주기가 4인 주기함수이므로

$\displaystyle\int_{k}^{k+8}\cos\frac{\pi}{2}x\,dx=\int_{0}^{8}\cos\frac{\pi}{2}x\,dx$

$\qquad\qquad\qquad =\displaystyle\int_{0}^{4}\cos\frac{\pi}{2}x\,dx+\int_{4}^{8}\cos\frac{\pi}{2}x\,dx$

$\qquad\qquad\qquad =2\displaystyle\int_{0}^{4}\cos\frac{\pi}{2}x\,dx$

$\qquad\qquad\qquad =2\Big[\dfrac{2}{\pi}\sin\dfrac{\pi}{2}x\Big]_{0}^{4}=2\times 0=0$

035 답 ④

(가)에서 $f(x+2)=f(x)$이므로

$\displaystyle\int_{-1}^{1}f(x)\,dx=\int_{3}^{5}f(x)\,dx=\int_{7}^{9}f(x)\,dx$

(나)에서 $f(-x)=\dfrac{e^{-x}+e^x}{2}=f(x)$

$\therefore \displaystyle\int_{-1}^{1}f(x)\,dx+\int_{3}^{5}f(x)\,dx+\int_{7}^{9}f(x)\,dx$

$\quad =3\displaystyle\int_{-1}^{1}f(x)\,dx=3\int_{-1}^{1}\frac{e^x+e^{-x}}{2}\,dx$

$\quad =3\displaystyle\int_{0}^{1}(e^x+e^{-x})\,dx=3\Big[e^x-e^{-x}\Big]_{0}^{1}=3\Big(e-\dfrac{1}{e}\Big)$

036 답 4

$x^2+1=t$로 놓으면 $\dfrac{dt}{dx}=2x$

$x=1$일 때 $t=2$, $x=3$일 때 $t=10$이므로

$\displaystyle\int_{1}^{3}\frac{4x}{(x^2+1)\sqrt{x^2+1}}\,dx=\int_{2}^{10}\frac{2}{t\sqrt{t}}\,dt=\int_{2}^{10}2t^{-\frac{3}{2}}\,dt$

$\qquad\qquad\qquad\qquad =\Big[-4t^{-\frac{1}{2}}\Big]_{2}^{10}$

$\qquad\qquad\qquad\qquad =2\sqrt{2}-\dfrac{2}{5}\sqrt{10}$

따라서 $a=2,\ b=\dfrac{2}{5}$이므로 $a+5b=4$

037 답 ⑤

$x^2+2x+2=t$로 놓으면 $\dfrac{dt}{dx}=2x+2=2(x+1)$

$x=-1$일 때 $t=1$, $x=2$일 때 $t=10$이므로

$\displaystyle\int_{-1}^{2}\frac{x+1}{x^2+2x+2}\,dx=\int_{1}^{10}\frac{1}{t}\times\frac{1}{2}\,dt$

$\qquad\qquad\qquad\qquad =\Big[\dfrac{1}{2}\ln t\Big]_{1}^{10}=\dfrac{1}{2}\ln 10$

다른 풀이 $\displaystyle\int_{-1}^{2}\frac{x+1}{x^2+2x+2}\,dx=\frac{1}{2}\int_{-1}^{2}\frac{(x^2+2x+2)'}{x^2+2x+2}\,dx$

$$=\frac{1}{2}\Big[\ln(x^2+2x+2)\Big]_{-1}^{2}$$

$$=\frac{1}{2}\ln 10$$

038 답 $\dfrac{42}{5}$

$x+1=t$로 놓으면 $x=t-1$이고 $\dfrac{dt}{dx}=1$

$x=0$일 때 $t=1$, $x=3$일 때 $t=4$이므로

$\displaystyle\int_{0}^{3}\frac{x^2-x+3}{\sqrt{x+1}}\,dx=\int_{1}^{4}\frac{(t-1)^2-(t-1)+3}{\sqrt{t}}\,dt$

$$=\int_{1}^{4}\frac{t^2-3t+5}{\sqrt{t}}\,dt$$

$$=\int_{1}^{4}(t^{\frac{3}{2}}-3t^{\frac{1}{2}}+5t^{-\frac{1}{2}})\,dt$$

$$=\Big[\frac{2}{5}t^{\frac{5}{2}}-2t^{\frac{3}{2}}+10t^{\frac{1}{2}}\Big]_{1}^{4}$$

$$=\Big(\frac{64}{5}-16+20\Big)-\Big(\frac{2}{5}-2+10\Big)$$

$$=\frac{42}{5}$$

039 답 4

$x^3+8=t$로 놓으면 $\dfrac{dt}{dx}=3x^2$

$x=0$일 때 $t=8$, $x=a$일 때 $t=a^3+8$이므로

$\displaystyle\int_{0}^{a}\frac{3x^2}{x^3+8}\,dx=\int_{8}^{a^3+8}\frac{1}{t}\,dt=\Big[\ln|t|\Big]_{8}^{a^3+8}$

$$=\ln(a^3+8)-\ln 8$$

$$=\ln\Big(\frac{a^3}{8}+1\Big)$$

따라서 $\ln\Big(\dfrac{a^3}{8}+1\Big)=2\ln 3$이므로

$\ln\Big(\dfrac{a^3}{8}+1\Big)=\ln 9$, $\dfrac{a^3}{8}+1=9$

$a^3=64$ $\quad\therefore a=4$

다른 풀이 $\displaystyle\int_{0}^{a}\frac{3x^2}{x^3+8}\,dx=\int_{0}^{a}\frac{(x^3+8)'}{x^3+8}\,dx$

$$=\Big[\ln|x^3+8|\Big]_{0}^{a}$$

$$=\ln(a^3+8)-\ln 8$$

$$=\ln\Big(\frac{a^3}{8}+1\Big)$$

따라서 $\ln\Big(\dfrac{a^3}{8}+1\Big)=2\ln 3$이므로 $a=4$

040 답 3

(나)에서 $1-x=t$로 놓으면 $\dfrac{dt}{dx}=-1$

$x=0$일 때 $t=1$, $x=2$일 때 $t=-1$이므로

$\displaystyle\int_{0}^{2}f(1-x)\,dx=\int_{1}^{-1}f(t)\times(-1)\,dt=\int_{-1}^{1}f(t)\,dt$

(가)에서 $f(-x)=f(x)$이므로 $\displaystyle\int_{-1}^{1}f(t)\,dt=2\int_{0}^{1}f(t)\,dt$

$\displaystyle\int_{0}^{2}f(1-x)\,dx=2f(2)+6$에서

$2\displaystyle\int_{0}^{1}f(t)\,dt=2f(2)+6$, $\displaystyle\int_{0}^{1}f(t)\,dt=f(2)+3$

$\therefore \displaystyle\int_{0}^{1}f(x)\,dx-f(2)=3$

041 답 ②

$\ln x=t$로 놓으면 $\dfrac{dt}{dx}=\dfrac{1}{x}$

$x=e$일 때 $t=1$, $x=e^2$일 때 $t=2$이므로

$\displaystyle\int_{e}^{e^2}\frac{1}{x(\ln x)^3}\,dx=\int_{1}^{2}\frac{1}{t^3}\,dt=\int_{1}^{2}t^{-3}\,dt$

$$=\Big[-\frac{1}{2}t^{-2}\Big]_{1}^{2}=-\frac{1}{8}-\Big(-\frac{1}{2}\Big)=\frac{3}{8}$$

042 답 ⑤

$2^x+1=t$로 놓으면 $\dfrac{dt}{dx}=2^x\ln 2$

$x=0$일 때 $t=2$, $x=3$일 때 $t=9$이므로

$\displaystyle\int_{0}^{3}\frac{2^x\ln 2}{2^x+1}\,dx=\int_{2}^{9}\frac{1}{t}\,dt=\Big[\ln t\Big]_{2}^{9}$

$$=\ln 9-\ln 2=\ln\frac{9}{2}$$

다른 풀이 $\displaystyle\int_{0}^{3}\frac{2^x\ln 2}{2^x+1}\,dx=\int_{0}^{3}\frac{(2^x+1)'}{2^x+1}\,dx$

$$=\Big[\ln(2^x+1)\Big]_{0}^{3}=\ln\frac{9}{2}$$

043 답 ⑤

$\displaystyle\int_{1}^{2}\Big(x+\frac{1}{2}\Big)e^{x^2-1}\,dx-\int_{2}^{1}\Big(x-\frac{1}{2}\Big)e^{x^2-1}\,dx$

$=\displaystyle\int_{1}^{2}\Big(x+\frac{1}{2}\Big)e^{x^2-1}\,dx+\int_{1}^{2}\Big(x-\frac{1}{2}\Big)e^{x^2-1}\,dx$

$=\displaystyle\int_{1}^{2}\Big(x+\frac{1}{2}+x-\frac{1}{2}\Big)e^{x^2-1}\,dx$

$=\displaystyle\int_{1}^{2}2xe^{x^2-1}\,dx$

이때 $x^2-1=t$로 놓으면 $\dfrac{dt}{dx}=2x$

$x=1$일 때 $t=0$, $x=2$일 때 $t=3$이므로

$\displaystyle\int_{1}^{2}2xe^{x^2-1}\,dx=\int_{0}^{3}e^t\,dt=\Big[e^t\Big]_{0}^{3}=e^3-1$

044 답 23

$\ln x+1=t$로 놓으면 $\dfrac{dt}{dx}=\dfrac{1}{x}$

$x=1$일 때 $t=1$, $x=e^3$일 때 $t=4$이므로

$\displaystyle\int_{1}^{e^3}\Big(\frac{\sqrt{\ln x+1}}{x}+\frac{1}{x\sqrt{\ln x+1}}\Big)\,dx$

$=\displaystyle\int_{1}^{e^3}\Big(\sqrt{\ln x+1}+\frac{1}{\sqrt{\ln x+1}}\Big)\times\frac{1}{x}\,dx$

$=\displaystyle\int_{1}^{4}\Big(\sqrt{t}+\frac{1}{\sqrt{t}}\Big)\,dt=\int_{1}^{4}(t^{\frac{1}{2}}+t^{-\frac{1}{2}})\,dt$

$=\Big[\dfrac{2}{3}t^{\frac{3}{2}}+2t^{\frac{1}{2}}\Big]_{1}^{4}=\Big(\dfrac{16}{3}+4\Big)-\Big(\dfrac{2}{3}+2\Big)=\dfrac{20}{3}$

따라서 $p=3$, $q=20$이므로 $p+q=23$

045 답 ⑤

$\ln x - 1 = t$로 놓으면 $\dfrac{dt}{dx} = \dfrac{1}{x}$

$x=1$일 때 $t=-1$, $x=e$일 때 $t=0$이므로

$$a_n = \int_1^e \frac{(\ln x - 1)^n}{x} dx$$

$$= \int_{-1}^0 t^n \, dt = \left[\frac{1}{n+1} t^{n+1} \right]_{-1}^0$$

$$= -\frac{1}{n+1} \times (-1)^{n+1}$$

$$= \frac{(-1)^n}{n+1}$$

따라서 $a_n a_{n+2} = \dfrac{(-1)^n}{n+1} \times \dfrac{(-1)^{n+2}}{n+3} = \dfrac{1}{(n+1)(n+3)}$이므로

$$\sum_{n=1}^\infty a_n a_{n+2} = \sum_{n=1}^\infty \frac{1}{(n+1)(n+3)}$$

$$= \lim_{n \to \infty} \sum_{k=1}^n \frac{1}{(k+1)(k+3)}$$

$$= \lim_{n \to \infty} \sum_{k=1}^n \frac{1}{2}\left(\frac{1}{k+1} - \frac{1}{k+3} \right)$$

$$= \lim_{n \to \infty} \frac{1}{2}\left\{ \left(\frac{1}{2} - \frac{1}{4} \right) + \left(\frac{1}{3} - \frac{1}{5} \right) + \left(\frac{1}{4} - \frac{1}{6} \right) \right.$$

$$\left. + \cdots + \left(\frac{1}{n} - \frac{1}{n+2} \right) + \left(\frac{1}{n+1} - \frac{1}{n+3} \right) \right\}$$

$$= \lim_{n \to \infty} \frac{1}{2}\left(\frac{1}{2} + \frac{1}{3} - \frac{1}{n+2} - \frac{1}{n+3} \right)$$

$$= \frac{1}{2}\left(\frac{1}{2} + \frac{1}{3} \right) = \frac{5}{12}$$

046 답 ④

$$\int_{\frac{\pi}{2}}^{\pi} \sin^5 x \, dx = \int_{\frac{\pi}{2}}^{\pi} (1 - \cos^2 x)^2 \sin x \, dx$$

이때 $\cos x = t$로 놓으면 $\dfrac{dt}{dx} = -\sin x$

$x = \dfrac{\pi}{2}$일 때 $t=0$, $x=\pi$일 때 $t=-1$이므로

$$\int_{\frac{\pi}{2}}^{\pi} (1 - \cos^2 x)^2 \sin x \, dx = \int_0^{-1} (1 - t^2)^2 \times (-1) \, dt$$

$$= \int_{-1}^0 (t^4 - 2t^2 + 1) dt$$

$$= \left[\frac{1}{5} t^5 - \frac{2}{3} t^3 + t \right]_{-1}^0$$

$$= -\left(-\frac{1}{5} + \frac{2}{3} - 1 \right) = \frac{8}{15}$$

047 답 $\ln 2$

$$\int_0^{\frac{\pi}{4}} \frac{1}{\cos^2 x (1 + \tan x)} dx = \int_0^{\frac{\pi}{4}} \frac{\sec^2 x}{1 + \tan x} dx$$

이때 $1 + \tan x = t$로 놓으면 $\dfrac{dt}{dx} = \sec^2 x$

$x=0$일 때 $t=1$, $x=\dfrac{\pi}{4}$일 때 $t=2$이므로

$$\int_0^{\frac{\pi}{4}} \frac{\sec^2 x}{1 + \tan x} dx = \int_1^2 \frac{1}{t} dt$$

$$= \left[\ln |t| \right]_1^2 = \ln 2$$

048 답 $e - \dfrac{1}{e}$

$\cos x = t$로 놓으면 $\dfrac{dt}{dx} = -\sin x$

$x=0$일 때 $t=1$, $x=\pi$일 때 $t=-1$이므로

$$\int_0^\pi f(\cos x) \sin x \, dx = \int_1^{-1} f(t) \times (-1) \, dt = \int_{-1}^1 f(t) \, dt$$

$$= \int_{-1}^1 e^t \, dt = \left[e^t \right]_{-1}^1 = e - \frac{1}{e}$$

049 답 ①

$$\int_0^{\frac{\pi}{2}} \cos 2x \cos x \, dx = \int_0^{\frac{\pi}{2}} (1 - 2\sin^2 x) \cos x \, dx$$

이때 $\sin x = t$로 놓으면 $\dfrac{dt}{dx} = \cos x$

$x=0$일 때 $t=0$, $x=\dfrac{\pi}{2}$일 때 $t=1$이므로

$$\int_0^{\frac{\pi}{2}} (1 - 2\sin^2 x) \cos x \, dx = \int_0^1 (1 - 2t^2) \, dt$$

$$= \left[t - \frac{2}{3} t^3 \right]_0^1 = 1 - \frac{2}{3} = \frac{1}{3}$$

050 답 ①

$x = 2\tan\theta \left(-\dfrac{\pi}{2} < \theta < \dfrac{\pi}{2} \right)$로 놓으면 $\dfrac{dx}{d\theta} = 2\sec^2\theta$

$x=2$일 때 $\theta = \dfrac{\pi}{4}$, $x = 2\sqrt{3}$일 때 $\theta = \dfrac{\pi}{3}$이므로

$$\int_2^{2\sqrt{3}} \frac{1}{x^2 + 4} dx = \int_{\frac{\pi}{4}}^{\frac{\pi}{3}} \frac{1}{4\tan^2\theta + 4} \times 2\sec^2\theta \, d\theta$$

$$= \int_{\frac{\pi}{4}}^{\frac{\pi}{3}} \frac{2\sec^2\theta}{4\sec^2\theta} d\theta = \int_{\frac{\pi}{4}}^{\frac{\pi}{3}} \frac{1}{2} d\theta$$

$$= \left[\frac{1}{2}\theta \right]_{\frac{\pi}{4}}^{\frac{\pi}{3}} = \frac{\pi}{6} - \frac{\pi}{8} = \frac{\pi}{24}$$

051 답 $\dfrac{\pi}{12}$

$x = 2\sin\theta \left(-\dfrac{\pi}{2} < \theta < \dfrac{\pi}{2} \right)$로 놓으면 $\dfrac{dx}{d\theta} = 2\cos\theta$

$x=1$일 때 $\theta = \dfrac{\pi}{6}$, $x = \sqrt{2}$일 때 $\theta = \dfrac{\pi}{4}$이므로

$$\int_1^{\sqrt{2}} \frac{1}{\sqrt{4 - x^2}} dx = \int_{\frac{\pi}{6}}^{\frac{\pi}{4}} \frac{1}{\sqrt{4 - 4\sin^2\theta}} \times 2\cos\theta \, d\theta$$

$$= \int_{\frac{\pi}{6}}^{\frac{\pi}{4}} \frac{2\cos\theta}{\sqrt{4\cos^2\theta}} d\theta = \int_{\frac{\pi}{6}}^{\frac{\pi}{4}} d\theta$$

$$= \left[\theta \right]_{\frac{\pi}{6}}^{\frac{\pi}{4}} = \frac{\pi}{4} - \frac{\pi}{6} = \frac{\pi}{12}$$

052 답 ④

$x = a\tan\theta \left(-\dfrac{\pi}{2} < \theta < \dfrac{\pi}{2} \right)$로 놓으면 $\dfrac{dx}{d\theta} = a\sec^2\theta$

$x=0$일 때 $\theta = 0$, $x=a$일 때 $\theta = \dfrac{\pi}{4}$이므로

$$\int_0^a \frac{1}{a^2 + x^2} dx = \int_0^{\frac{\pi}{4}} \frac{1}{a^2 + a^2\tan^2\theta} \times a\sec^2\theta \, d\theta$$

$$= \int_0^{\frac{\pi}{4}} \frac{a\sec^2\theta}{a^2\sec^2\theta} d\theta = \int_0^{\frac{\pi}{4}} \frac{1}{a} d\theta = \left[\frac{1}{a}\theta \right]_0^{\frac{\pi}{4}} = \frac{\pi}{4a}$$

따라서 $\dfrac{\pi}{4a} = \dfrac{\pi}{8}$이므로 $a=2$

053 답 8

$2x=\sin\theta\left(-\dfrac{\pi}{2}\le\theta\le\dfrac{\pi}{2}\right)$로 놓으면 $\dfrac{dx}{d\theta}=\dfrac{1}{2}\cos\theta$

$x=0$일 때 $\theta=0$, $x=\dfrac{1}{4}$일 때 $\theta=\dfrac{\pi}{6}$이므로

$\displaystyle\int_0^{\frac{1}{4}}\sqrt{1-4x^2}\,dx=\int_0^{\frac{\pi}{6}}\sqrt{1-\sin^2\theta}\times\dfrac{1}{2}\cos\theta\,d\theta$

$\qquad\qquad\qquad=\displaystyle\int_0^{\frac{\pi}{6}}\sqrt{\cos^2\theta}\times\dfrac{1}{2}\cos\theta\,d\theta=\int_0^{\frac{\pi}{6}}\dfrac{1}{2}\cos^2\theta\,d\theta$

이때 $\cos2\theta=2\cos^2\theta-1$에서 $\cos^2\theta=\dfrac{1+\cos2\theta}{2}$이므로

$\displaystyle\int_0^{\frac{\pi}{6}}\dfrac{1}{2}\cos^2\theta\,d\theta=\dfrac{1}{4}\int_0^{\frac{\pi}{6}}(1+\cos2\theta)\,d\theta$

$\qquad\qquad\qquad=\dfrac{1}{4}\left[\theta+\dfrac{1}{2}\sin2\theta\right]_0^{\frac{\pi}{6}}=\dfrac{1}{4}\left(\dfrac{\pi}{6}+\dfrac{\sqrt3}{4}\right)=\dfrac{\pi}{24}+\dfrac{\sqrt3}{16}$

따라서 $a=24$, $b=16$이므로 $a-b=8$

054 답 ③

$f(x)=x-1$, $g'(x)=e^{2x}$으로 놓으면 $f'(x)=1$, $g(x)=\dfrac{1}{2}e^{2x}$

$\therefore\displaystyle\int_0^3(x-1)e^{2x}\,dx=\left[\dfrac{1}{2}(x-1)e^{2x}\right]_0^3-\int_0^3\dfrac{1}{2}e^{2x}\,dx$

$\qquad\qquad\qquad=e^6+\dfrac{1}{2}-\left[\dfrac{1}{4}e^{2x}\right]_0^3$

$\qquad\qquad\qquad=e^6+\dfrac{1}{2}-\left(\dfrac{1}{4}e^6-\dfrac{1}{4}\right)=\dfrac{3}{4}e^6+\dfrac{3}{4}$

055 답 $-\dfrac{1}{4}$

$f(x)=\cos x$, $g'(x)=e^x$으로 놓으면 $f'(x)=-\sin x$, $g(x)=e^x$

$\therefore\displaystyle\int_0^{\frac{\pi}{2}}e^x\cos x\,dx=\left[e^x\cos x\right]_0^{\frac{\pi}{2}}+\int_0^{\frac{\pi}{2}}e^x\sin x\,dx$

$\qquad\qquad\qquad=-1+\displaystyle\int_0^{\frac{\pi}{2}}e^x\sin x\,dx$ ...... ㉠

$\displaystyle\int_0^{\frac{\pi}{2}}e^x\sin x\,dx$에서 $u(x)=\sin x$, $v'(x)=e^x$으로 놓으면

$u'(x)=\cos x$, $v(x)=e^x$

$\therefore\displaystyle\int_0^{\frac{\pi}{2}}e^x\sin x\,dx=\left[e^x\sin x\right]_0^{\frac{\pi}{2}}-\int_0^{\frac{\pi}{2}}e^x\cos x\,dx$

$\qquad\qquad\qquad=e^{\frac{\pi}{2}}-\displaystyle\int_0^{\frac{\pi}{2}}e^x\cos x\,dx$ ...... ㉡

㉡을 ㉠에 대입하면

$\displaystyle\int_0^{\frac{\pi}{2}}e^x\cos x\,dx=-1+e^{\frac{\pi}{2}}-\int_0^{\frac{\pi}{2}}e^x\cos x\,dx$

$2\displaystyle\int_0^{\frac{\pi}{2}}e^x\cos x\,dx=e^{\frac{\pi}{2}}-1$ $\therefore\displaystyle\int_0^{\frac{\pi}{2}}e^x\cos x\,dx=\dfrac{1}{2}e^{\frac{\pi}{2}}-\dfrac{1}{2}$

따라서 $a=\dfrac{1}{2}$, $b=-\dfrac{1}{2}$이므로 $ab=-\dfrac{1}{4}$

056 답 $10-2e$

$\displaystyle\int_0^1f(t)\,dt=k(k는\ 상수)$로 놓으면 $f(x)=4e^x-k$이므로

$\displaystyle\int_0^1f(t)\,dt=\int_0^1(4e^t-k)\,dt=\left[4e^t-kt\right]_0^1=(4e-k)-4$

즉, $4e-k-4=k$이므로 $k=2e-2$

따라서 $f(x)=4e^x-2e+2$이므로

$f(\ln2)=8-2e+2=10-2e$

057 답 ③

$\displaystyle\int_0^xf(t)\,dt=\cos x+x+a$의 양변을 x에 대하여 미분하면

$f(x)=-\sin x+1$ $\therefore f(\pi)=1$

$\displaystyle\int_0^xf(t)\,dt=\cos x+x+a$의 양변에 $x=0$을 대입하면

$0=1+a$ $\therefore a=-1$

$\therefore a+f(\pi)=-1+1=0$

058 답 -1

$\displaystyle\int_1^x(x-t)f(t)\,dt=x\ln x+ax+1$에서

$x\displaystyle\int_1^xf(t)\,dt-\int_1^xtf(t)\,dt=x\ln x+ax+1$

양변을 x에 대하여 미분하면

$\displaystyle\int_1^xf(t)\,dt+xf(x)-xf(x)=\ln x+1+a$

$\therefore\displaystyle\int_1^xf(t)\,dt=\ln x+1+a$

양변을 다시 x에 대하여 미분하면

$f(x)=\dfrac{1}{x}$ $\therefore f(1)=1$

한편 주어진 등식의 양변에 $x=1$을 대입하면

$0=a+1$ $\therefore a=-1$

$\therefore a\times f(1)=-1\times1=-1$

059 답 $-2\sqrt3\pi$

$f(x)=\displaystyle\int_0^x(2\cos t-\sqrt3)\,dt$의 양변을 x에 대하여 미분하면

$f'(x)=2\cos x-\sqrt3$

$f'(x)=0$에서 $\cos x=\dfrac{\sqrt3}{2}$

$\therefore x=\dfrac{\pi}{6}$ 또는 $x=\dfrac{11}{6}\pi$ $(\because 0<x<2\pi)$

$0<x<2\pi$에서 함수 $f(x)$의 증가, 감소를 표로 나타내면 다음과 같다.

x	0	$\cdots$	$\dfrac{\pi}{6}$	$\cdots$	$\dfrac{11}{6}\pi$	$\cdots$	2π
$f'(x)$		$+$	0	$-$	0	$+$	
$f(x)$		↗	극대	↘	극소	↗	

함수 $f(x)$는 $x=\dfrac{\pi}{6}$에서 극대이므로 극댓값은

$M=f\left(\dfrac{\pi}{6}\right)=\displaystyle\int_0^{\frac{\pi}{6}}(2\cos t-\sqrt3)\,dt$

$\qquad=\left[2\sin t-\sqrt3t\right]_0^{\frac{\pi}{6}}=1-\dfrac{\sqrt3}{6}\pi$

함수 $f(x)$는 $x=\dfrac{11}{6}\pi$에서 극소이므로 극솟값은

$m=f\left(\dfrac{11}{6}\pi\right)=\displaystyle\int_0^{\frac{11}{6}\pi}(2\cos t-\sqrt3)\,dt$

$\qquad=\left[2\sin t-\sqrt3t\right]_0^{\frac{11}{6}\pi}=-1-\dfrac{11\sqrt3}{6}\pi$

$\therefore M+m=\left(1-\dfrac{\sqrt3}{6}\pi\right)+\left(-1-\dfrac{11\sqrt3}{6}\pi\right)=-2\sqrt3\pi$

060 답 2π

$f(x)=\displaystyle\int_0^x (3+2\sin t)\cos t\,dt$의 양변을 x에 대하여 미분하면

$f'(x)=(3+2\sin x)\cos x$

$f'(x)=0$에서 $\cos x=0$ $(\because 3+2\sin x>0)$

$\therefore x=\dfrac{\pi}{2}$ $(\because 0<x<\pi)$

$0<x<\pi$에서 함수 $f(x)$의 증가, 감소를 표로 나타내면 다음과 같다.

x	0	$\cdots$	$\dfrac{\pi}{2}$	$\cdots$	π
$f'(x)$		$+$	0	$-$	
$f(x)$		$\nearrow$	극대	$\searrow$	

따라서 함수 $f(x)$는 $x=\dfrac{\pi}{2}$에서 극대이면서 최대이므로 $a=\dfrac{\pi}{2}$

$\therefore b=f\left(\dfrac{\pi}{2}\right)=\displaystyle\int_0^{\frac{\pi}{2}}(3+2\sin t)\cos t\,dt$

$\qquad=\displaystyle\int_0^{\frac{\pi}{2}}(3\cos t+2\sin t\cos t)\,dt=\int_0^{\frac{\pi}{2}}(3\cos t+\sin 2t)\,dt$

$\qquad=\left[3\sin t-\dfrac{1}{2}\cos 2t\right]_0^{\frac{\pi}{2}}=\left(3+\dfrac{1}{2}\right)-\left(-\dfrac{1}{2}\right)=4$

$\therefore ab=\dfrac{\pi}{2}\times 4=2\pi$

061 답 ⑤

함수 $f(x)$의 한 부정적분을 $F(x)$라 하면

$\displaystyle\lim_{h\to 0}\dfrac{1}{h}\int_{1-h}^{1+h}f(t)\,dt$

$=\displaystyle\lim_{h\to 0}\dfrac{F(1+h)-F(1-h)}{h}$

$=\displaystyle\lim_{h\to 0}\dfrac{F(1+h)-F(1)+F(1)-F(1-h)}{h}$

$=\displaystyle\lim_{h\to 0}\dfrac{F(1+h)-F(1)}{h}+\lim_{h\to 0}\dfrac{F(1-h)-F(1)}{-h}$

$=F'(1)+F'(1)=2F'(1)=2f(1)$

$=2\times\dfrac{e+e^{-1}}{2}=e+\dfrac{1}{e}$

062 답 6

$f(x)=2x$, $g'(x)=e^{-x}$으로 놓으면 $f'(x)=2$, $g(x)=-e^{-x}$

$\therefore \displaystyle\int_0^1 2xe^{-x}\,dx=\left[-2xe^{-x}\right]_0^1+\int_0^1 2e^{-x}\,dx$

$\qquad=-\dfrac{2}{e}+\left[-2e^{-x}\right]_0^1$

$\qquad=-\dfrac{2}{e}+\left(-\dfrac{2}{e}+2\right)=2-\dfrac{4}{e}$

따라서 $a=2$, $b=-4$이므로 $a-b=6$

063 답 ①

$f(x)=\ln x$, $g'(x)=\dfrac{1}{x^2}$로 놓으면 $f'(x)=\dfrac{1}{x}$, $g(x)=-\dfrac{1}{x}$

$\therefore \displaystyle\int_1^e \dfrac{\ln x}{x^2}\,dx=\left[-\dfrac{\ln x}{x}\right]_1^e+\int_1^e \dfrac{1}{x^2}\,dx=-\dfrac{1}{e}+\left[-\dfrac{1}{x}\right]_1^e$

$\qquad\qquad=-\dfrac{1}{e}+\left(-\dfrac{1}{e}+1\right)=1-\dfrac{2}{e}$

064 답 ②

$f(x)=\begin{cases}1-x & (x\geq 0)\\ 1 & (x\leq 0)\end{cases}$ 이므로

$\displaystyle\int_{-\pi}^{\pi}f(x)\sin x\,dx$

$=\displaystyle\int_{-\pi}^0 \sin x\,dx+\int_0^{\pi}(1-x)\sin x\,dx$

$=\displaystyle\int_{-\pi}^0 \sin x\,dx+\int_0^{\pi}\sin x\,dx-\int_0^{\pi}x\sin x\,dx$

$=\displaystyle\int_{-\pi}^{\pi}\sin x\,dx-\int_0^{\pi}x\sin x\,dx$

$=-\displaystyle\int_0^{\pi}x\sin x\,dx$ $\qquad$ ...... ㉠

$\displaystyle\int_0^{\pi}x\sin x\,dx$에서 $u(x)=x$, $v'(x)=\sin x$로 놓으면

$u'(x)=1$, $v(x)=-\cos x$

$\therefore \displaystyle\int_0^{\pi}x\sin x\,dx=\left[-x\cos x\right]_0^{\pi}+\int_0^{\pi}\cos x\,dx$

$\qquad\qquad=\pi+\left[\sin x\right]_0^{\pi}=\pi$ $\qquad$ ...... ㉡

㉡을 ㉠에 대입하면 $\displaystyle\int_{-\pi}^{\pi}f(x)\sin x\,dx=-\pi$

065 답 1

$\displaystyle\int_0^1 (e^x-3ax)^2\,dx=\int_0^1 (e^{2x}-6axe^x+9a^2x^2)\,dx$

$\qquad\qquad=\displaystyle\int_0^1 (e^{2x}+9a^2x^2)\,dx-6a\int_0^1 xe^x\,dx$

$\qquad\qquad=\left[\dfrac{1}{2}e^{2x}+3a^2x^3\right]_0^1-6a\int_0^1 xe^x\,dx$

$\qquad\qquad=\dfrac{1}{2}e^2+3a^2-\dfrac{1}{2}-6a\int_0^1 xe^x\,dx$ $\quad$ ...... ㉠

$\displaystyle\int_0^1 xe^x\,dx$에서 $f(x)=x$, $g'(x)=e^x$으로 놓으면

$f'(x)=1$, $g(x)=e^x$

$\therefore \displaystyle\int_0^1 xe^x\,dx=\left[xe^x\right]_0^1-\int_0^1 e^x\,dx$

$\qquad\qquad=e-\left[e^x\right]_0^1=e-(e-1)=1$ $\qquad$ ...... ㉡

㉡을 ㉠에 대입하면

$\displaystyle\int_0^1 (e^x-3ax)^2\,dx=\dfrac{1}{2}e^2+3a^2-\dfrac{1}{2}-6a$

$\qquad\qquad=3(a-1)^2+\dfrac{1}{2}e^2-\dfrac{7}{2}$

따라서 주어진 정적분의 값이 최소가 되도록 하는 상수 a의 값은 $a=1$

066 답 $\dfrac{2}{3}$

$\displaystyle\int_0^1 f(x)g'(x)\,dx$

$=\left[f(x)g(x)\right]_0^1-\displaystyle\int_0^1 f'(x)g(x)\,dx$

$=\{f(1)g(1)-f(0)g(0)\}-\displaystyle\int_0^1 \dfrac{x^2}{(1+x^3)^2}\,dx$

$=f(1)-\displaystyle\int_0^1 \dfrac{x^2}{(1+x^3)^2}\,dx$ $(\because g(1)=1, g(0)=0)$ $\quad$ ...... ㉠

$\displaystyle\int_0^1 \dfrac{x^2}{(1+x^3)^2}\,dx$에서 $1+x^3=t$로 놓으면 $\dfrac{dt}{dx}=3x^2$

$x=0$일 때 $t=1$, $x=1$일 때 $t=2$이므로

$$\int_0^1 \frac{x^2}{(1+x^3)^2}\,dx=\int_1^2 \frac{1}{t^2}\times\frac{1}{3}\,dt=\frac{1}{3}\left[-\frac{1}{t}\right]_1^2$$

$$=\frac{1}{3}\left(-\frac{1}{2}+1\right)=\frac{1}{6} \qquad \cdots\cdots\ \textcircled{\small L}$$

$\textcircled{\small L}$을 $\textcircled{\small ㄱ}$에 대입하면

$$\int_0^1 f(x)g'(x)\,dx=f(1)-\frac{1}{6}$$

따라서 $f(1)-\dfrac{1}{6}=\dfrac{1}{2}$이므로 $f(1)=\dfrac{2}{3}$

067 답 ②

$f(x)=\sin 2x$, $g'(x)=e^{-x}$으로 놓으면

$f'(x)=2\cos 2x$, $g(x)=-e^{-x}$

$$\therefore \int_0^\pi e^{-x}\sin 2x\,dx=\left[-e^{-x}\sin 2x\right]_0^\pi+2\int_0^\pi e^{-x}\cos 2x\,dx$$

$$=2\int_0^\pi e^{-x}\cos 2x\,dx \qquad \cdots\cdots\ \textcircled{\small ㄱ}$$

$\displaystyle\int_0^\pi e^{-x}\cos 2x\,dx$에서 $u(x)=\cos 2x$, $v'(x)=e^{-x}$으로 놓으면

$u'(x)=-2\sin 2x$, $v(x)=-e^{-x}$

$$\therefore \int_0^\pi e^{-x}\cos 2x\,dx=\left[-e^{-x}\cos 2x\right]_0^\pi-2\int_0^\pi e^{-x}\sin 2x\,dx$$

$$=-\frac{1}{e^\pi}+1-2\int_0^\pi e^{-x}\sin 2x\,dx \qquad \cdots\cdots\ \textcircled{\small L}$$

$\textcircled{\small L}$을 $\textcircled{\small ㄱ}$에 대입하면

$$\int_0^\pi e^{-x}\sin 2x\,dx=2\left(-\frac{1}{e^\pi}+1-2\int_0^\pi e^{-x}\sin 2x\,dx\right)$$

$$5\int_0^\pi e^{-x}\sin 2x\,dx=-\frac{2}{e^\pi}+2$$

$$\therefore \int_0^\pi e^{-x}\sin 2x\,dx=-\frac{2}{5e^\pi}+\frac{2}{5}$$

068 답 ④

$f(x)=x(x-1)=x^2-x$, $g'(x)=e^x$으로 놓으면

$f'(x)=2x-1$, $g(x)=e^x$

$$\therefore \int_{-1}^1 x(x-1)e^x\,dx=\int_{-1}^1 (x^2-x)e^x\,dx$$

$$=\left[(x^2-x)e^x\right]_{-1}^1-\int_{-1}^1 (2x-1)e^x\,dx$$

$$=-\frac{2}{e}-\int_{-1}^1 (2x-1)e^x\,dx \qquad \cdots\cdots\ \textcircled{\small ㄱ}$$

$\displaystyle\int_{-1}^1 (2x-1)e^x\,dx$에서 $u(x)=2x-1$, $v'(x)=e^x$으로 놓으면

$u'(x)=2$, $v(x)=e^x$

$$\therefore \int_{-1}^1 (2x-1)e^x\,dx=\left[(2x-1)e^x\right]_{-1}^1-\int_{-1}^1 2e^x\,dx$$

$$=e+\frac{3}{e}-\left[2e^x\right]_{-1}^1$$

$$=e+\frac{3}{e}-\left(2e-\frac{2}{e}\right)=-e+\frac{5}{e} \qquad \cdots\cdots\ \textcircled{\small L}$$

$\textcircled{\small L}$을 $\textcircled{\small ㄱ}$에 대입하면

$$\int_{-1}^1 x(x-1)e^x\,dx=-\frac{2}{e}-\left(-e+\frac{5}{e}\right)=e-\frac{7}{e}$$

따라서 $a=1$, $b=-7$이므로 $a-b=8$

069 답 -1

$$\int_0^{\frac{\pi}{2}} (x+1)^2\cos x\,dx+\int_0^{\frac{\pi}{2}} (x-1)^2\cos x\,dx$$

$$=\int_0^{\frac{\pi}{2}} (2x^2+2)\cos x\,dx$$

이때 $f(x)=2x^2+2$, $g'(x)=\cos x$로 놓으면

$f'(x)=4x$, $g(x)=\sin x$

$$\therefore \int_0^{\frac{\pi}{2}} (2x^2+2)\cos x\,dx$$

$$=\left[(2x^2+2)\sin x\right]_0^{\frac{\pi}{2}}-\int_0^{\frac{\pi}{2}} 4x\sin x\,dx$$

$$=\frac{\pi^2}{2}+2-4\int_0^{\frac{\pi}{2}} x\sin x\,dx \qquad \cdots\cdots\ \textcircled{\small ㄱ}$$

$\displaystyle\int_0^{\frac{\pi}{2}} x\sin x\,dx$에서 $u(x)=x$, $v'(x)=\sin x$로 놓으면

$u'(x)=1$, $v(x)=-\cos x$

$$\therefore \int_0^{\frac{\pi}{2}} x\sin x\,dx=\left[-x\cos x\right]_0^{\frac{\pi}{2}}+\int_0^{\frac{\pi}{2}} \cos x\,dx$$

$$=\left[\sin x\right]_0^{\frac{\pi}{2}}=1 \qquad \cdots\cdots\ \textcircled{\small L}$$

$\textcircled{\small L}$을 $\textcircled{\small ㄱ}$에 대입하면

$$\int_0^{\frac{\pi}{2}} (2x^2+2)\cos x\,dx=\frac{\pi^2}{2}+2-4=\frac{\pi^2}{2}-2$$

$$\therefore \int_0^{\frac{\pi}{2}} (x+1)^2\cos x\,dx+\int_0^{\frac{\pi}{2}} (x-1)^2\cos x\,dx=\frac{\pi^2}{2}-2$$

따라서 $a=\dfrac{1}{2}$, $b=-2$이므로 $ab=-1$

070 답 ①

$\displaystyle\int_0^2 f(t)\,dt=k$ (k는 상수)로 놓으면 $f(x)=e^x+x+k$이므로

$$\int_0^2 f(t)\,dt=\int_0^2 (e^t+t+k)\,dt=\left[e^t+\frac{1}{2}t^2+kt\right]_0^2$$

$$=(e^2+2+2k)-1=e^2+2k+1$$

즉, $e^2+2k+1=k$이므로 $k=-e^2-1$

따라서 $f(x)=e^x+x-e^2-1$이므로 $f(2)=1$

071 답 $f(x)=\sin x-1$

$\displaystyle\int_0^{\frac{\pi}{2}} f(t)\cos t\,dt=k$ (k는 상수)로 놓으면 $f(x)=\sin x+2k$이므로

$$\int_0^{\frac{\pi}{2}} f(t)\cos t\,dt=\int_0^{\frac{\pi}{2}} (\sin t+2k)\cos t\,dt$$

$$=\int_0^{\frac{\pi}{2}} \sin t\cos t\,dt+2k\int_0^{\frac{\pi}{2}} \cos t\,dt$$

$$=\frac{1}{2}\int_0^{\frac{\pi}{2}} \sin 2t\,dt+2k\int_0^{\frac{\pi}{2}} \cos t\,dt$$

$$=\frac{1}{2}\left[-\frac{1}{2}\cos 2t\right]_0^{\frac{\pi}{2}}+2k\left[\sin t\right]_0^{\frac{\pi}{2}}$$

$$=\frac{1}{2}\left(\frac{1}{2}+\frac{1}{2}\right)+2k=\frac{1}{2}+2k$$

따라서 $\dfrac{1}{2}+2k=k$이므로 $k=-\dfrac{1}{2}$

$$\therefore f(x)=\sin x-1$$

072 답 ①

$\int_1^3 f'(t)\,dt=k\,(k$는 상수$)$로 놓으면 $f(x)=x+\dfrac{1}{x}+k$이므로

$f'(x)=1-\dfrac{1}{x^2}$

$\therefore \int_1^3 f'(t)\,dt=\int_1^3\left(1-\dfrac{1}{t^2}\right)dt=\left[t+\dfrac{1}{t}\right]_1^3$

$\qquad\qquad\qquad\quad =\left(3+\dfrac{1}{3}\right)-(1+1)=\dfrac{4}{3}$

$\therefore k=\dfrac{4}{3}$

따라서 $f(x)=x+\dfrac{1}{x}+\dfrac{4}{3}$이므로

$\int_1^3 f(x)\,dx=\int_1^3\left(x+\dfrac{1}{x}+\dfrac{4}{3}\right)dx=\left[\dfrac{1}{2}x^2+\ln|x|+\dfrac{4}{3}x\right]_1^3$

$\qquad\qquad\quad =\left(\dfrac{9}{2}+\ln 3+4\right)-\left(\dfrac{1}{2}+\dfrac{4}{3}\right)=\dfrac{20}{3}+\ln 3$

즉, $a=\dfrac{20}{3}$, $b=3$이므로 $ab=20$

073 답 $-\dfrac{e^2+1}{3}$

$f(x)=\ln x-\int_1^{e^2}\dfrac{f(t)}{x}\,dt=\ln x-\dfrac{1}{x}\int_1^{e^2} f(t)\,dt$

$\int_1^{e^2} f(t)\,dt=k\,(k$는 상수$)$로 놓으면 $f(x)=\ln x-\dfrac{k}{x}$이므로

$\int_1^{e^2} f(t)\,dt=\int_1^{e^2}\left(\ln t-\dfrac{k}{t}\right)dt=\int_1^{e^2}\ln t\,dt-k\int_1^{e^2}\dfrac{1}{t}\,dt$

이때 $\int_1^{e^2}\ln t\,dt$에서 $u(t)=\ln t$, $v'(t)=1$로 놓으면

$u'(t)=\dfrac{1}{t}$, $v(t)=t$

$\therefore \int_1^{e^2}\ln t\,dt-k\int_1^{e^2}\dfrac{1}{t}\,dt=\left[t\ln t\right]_1^{e^2}-\int_1^{e^2}dt-k\left[\ln|t|\right]_1^{e^2}$

$\qquad\qquad\qquad\qquad\qquad =2e^2-\left[t\right]_1^{e^2}-2k$

$\qquad\qquad\qquad\qquad\qquad =2e^2-(e^2-1)-2k$

$\qquad\qquad\qquad\qquad\qquad =e^2+1-2k$

즉, $e^2+1-2k=k$이므로 $3k=e^2+1$ $\qquad\therefore k=\dfrac{e^2+1}{3}$

따라서 $f(x)=\ln x-\dfrac{e^2+1}{3x}$이므로 $f(1)=-\dfrac{e^2+1}{3}$

074 답 ②

$\int_\pi^x f(t)\,dt=x\sin x+kx-\pi$의 양변을 x에 대하여 미분하면

$f(x)=\sin x+x\cos x+k$

$\int_\pi^x f(t)\,dt=x\sin x+kx-\pi$의 양변에 $x=\pi$를 대입하면

$0=k\pi-\pi$ $\qquad\therefore k=1$

따라서 $f(x)=\sin x+x\cos x+1$이므로

$f\left(\dfrac{\pi}{2}\right)=1+1=2$

075 답 1

$f(x)=x\ln x+\int_1^x tf(t)\,dt$의 양변을 x에 대하여 미분하면

$f'(x)=\ln x+1+xf(x)$ $\qquad$ …… ㉠

$f(x)=x\ln x+\int_1^x tf(t)\,dt$의 양변에 $x=1$을 대입하면

$f(1)=0$

㉠의 양변에 $x=1$을 대입하면

$f'(1)=1+f(1)=1$

076 답 ④

$f(x)=e^x-\int_0^x f'(t)e^t\,dt$의 양변을 x에 대하여 미분하면

$f'(x)=e^x-f'(x)e^x$, $(e^x+1)f'(x)=e^x$

$\therefore f'(x)=\dfrac{e^x}{e^x+1}$

이때 $e^x+1=t$로 놓으면 $\dfrac{dt}{dx}=e^x$이므로

$f(x)=\int f'(x)\,dx=\int\dfrac{e^x}{e^x+1}\,dx=\int\dfrac{1}{t}\,dt$

$\qquad =\ln t+C=\ln(e^x+1)+C$

한편 $f(x)=e^x-\int_0^x f'(t)e^t\,dt$의 양변에 $x=0$을 대입하면

$f(0)=1$

즉, $\ln 2+C=1$이므로 $C=1-\ln 2$

따라서 $f(x)=\ln(e^x+1)+1-\ln 2$이므로

$f(1)=\ln(e+1)+1-\ln 2=\ln\dfrac{e(e+1)}{2}$

$\therefore e^{f(1)}=\dfrac{e(e+1)}{2}$

077 답 5

$\int_1^2 xg(x)\,dx$에서 $u(x)=g(x)$, $v'(x)=x$로 놓으면

$u'(x)=g'(x)$, $v(x)=\dfrac{1}{2}x^2$

$\therefore \int_1^2 xg(x)\,dx=\left[\dfrac{1}{2}x^2 g(x)\right]_1^2-\int_1^2\dfrac{1}{2}x^2 g'(x)\,dx$

$\qquad\qquad\qquad =8-\dfrac{1}{2}g(1)-\int_1^2\dfrac{1}{2}x^2 g'(x)\,dx$ $\qquad$ …… ㉠

$g(x)=\int_1^x\dfrac{f(t^2)}{t}\,dt$의 양변을 x에 대하여 미분하면

$g'(x)=\dfrac{f(x^2)}{x}$ $\qquad$ …… ㉡

$g(x)=\int_1^x\dfrac{f(t^2)}{t}\,dt$의 양변에 $x=1$을 대입하면

$g(1)=0$ $\qquad$ …… ㉢

㉠에 ㉡, ㉢을 대입하면

$\int_1^2 xg(x)\,dx=8-\int_1^2\dfrac{1}{2}xf(x^2)\,dx$

이때 $\int_1^2\dfrac{1}{2}xf(x^2)\,dx$에서 $x^2=k$로 놓으면 $\dfrac{dk}{dx}=2x$

$x=1$일 때 $k=1$, $x=2$일 때 $k=4$이므로

$\int_1^2\dfrac{1}{2}xf(x^2)\,dx=\int_1^4\dfrac{1}{2}f(k)\times\dfrac{1}{2}\,dk=\dfrac{1}{4}\int_1^4 f(k)\,dk$

$\qquad\qquad\qquad\qquad =\dfrac{1}{4}\times 12=3$

$\therefore \int_1^2 xg(x)\,dx=8-3=5$

078 답 e^2+1

$\displaystyle\int_0^x (x-t)f(t)\,dt=e^x-x-k$에서

$\displaystyle x\int_0^x f(t)\,dt-\int_0^x tf(t)\,dt=e^x-x-k$

양변을 x에 대하여 미분하면 $\displaystyle\int_0^x f(t)\,dt+xf(x)-xf(x)=e^x-1$

$\therefore \displaystyle\int_0^x f(t)\,dt=e^x-1$

양변을 다시 x에 대하여 미분하면 $f(x)=e^x$ $\quad\therefore f(2)=e^2$

한편 주어진 등식의 양변에 $x=0$을 대입하면 $0=1-k$ $\quad\therefore k=1$

$\therefore k+f(2)=e^2+1$

079 답 π

$\displaystyle\int_0^x (x-t)f(t)\,dt=x\cos x-x$에서

$\displaystyle x\int_0^x f(t)\,dt-\int_0^x tf(t)\,dt=x\cos x-x$

양변을 x에 대하여 미분하면

$\displaystyle\int_0^x f(t)\,dt+xf(x)-xf(x)=\cos x-x\sin x-1$

$\therefore \displaystyle\int_0^x f(t)\,dt=\cos x-x\sin x-1$

양변을 다시 x에 대하여 미분하면

$f(x)=-\sin x-\sin x-x\cos x=-2\sin x-x\cos x$

$\therefore f(\pi)=\pi$

080 답 ⑤

$\displaystyle\int_1^x (x+t)f(t)\,dt=e^x(\ln x+1)-e$에서

$\displaystyle x\int_1^x f(t)\,dt+\int_1^x tf(t)\,dt=e^x(\ln x+1)-e$

양변을 x에 대하여 미분하면

$\displaystyle\int_1^x f(t)\,dt+xf(x)+xf(x)=e^x(\ln x+1)+\dfrac{e^x}{x}$

$\therefore \displaystyle\int_1^x f(t)\,dt+2xf(x)=e^x\left(\ln x+\dfrac{1}{x}+1\right)$

양변에 $x=1$을 대입하면

$2f(1)=2e$ $\quad\therefore f(1)=e$

081 답 3

$\displaystyle\int_1^x (x-t)f(t)\,dt=x^2\ln x+ax+b$에서

$\displaystyle x\int_1^x f(t)\,dt-\int_1^x tf(t)\,dt=x^2\ln x+ax+b$

양변을 x에 대하여 미분하면

$\displaystyle\int_1^x f(t)\,dt+xf(x)-xf(x)=2x\ln x+x+a$

$\therefore \displaystyle\int_1^x f(t)\,dt=2x\ln x+x+a$ $\quad$ …… ㉠

양변을 다시 x에 대하여 미분하면

$f(x)=2\ln x+2+1=2\ln x+3$ $\quad\therefore f(e)=2+3=5$

㉠의 양변에 $x=1$을 대입하면 $0=1+a$ $\quad\therefore a=-1$

한편 주어진 등식의 양변에 $x=1$을 대입하면

$0=a+b$ $\quad\therefore b=1$

$\therefore a-b+f(e)=-1-1+5=3$

082 답 ②

$\displaystyle\int_0^x (t-x)f'(t)\,dt=e^{2x}+ae^x+1$에서

$\displaystyle\int_0^x tf'(t)\,dt-x\int_0^x f'(t)\,dt=e^{2x}+ae^x+1$

양변을 x에 대하여 미분하면

$xf'(x)-\left\{\displaystyle\int_0^x f'(t)\,dt+xf'(x)\right\}=2e^{2x}+ae^x$

$\therefore \displaystyle\int_0^x f'(t)\,dt=-2e^{2x}-ae^x$

$\Big[f(t)\Big]_0^x=-2e^{2x}-ae^x,\ f(x)-f(0)=-2e^{2x}-ae^x$

$\therefore f(x)=-2e^{2x}-ae^x+\dfrac{2}{e^4}\left(\because f(0)=\dfrac{2}{e^4}\right)$

한편 주어진 등식의 양변에 $x=0$을 대입하면

$0=1+a+1$ $\quad\therefore a=-2$

따라서 $f(x)=-2e^{2x}+2e^x+\dfrac{2}{e^4}$이므로

$f(a)=f(-2)=-\dfrac{2}{e^4}+\dfrac{2}{e^2}+\dfrac{2}{e^4}=\dfrac{2}{e^2}$

083 답 ⑤

$f(x)=\displaystyle\int_0^x (\cos 2t-\sin t)\,dt$의 양변을 x에 대하여 미분하면

$f'(x)=\cos 2x-\sin x$

$f'(x)=0$에서 $\cos 2x-\sin x=0$

$(1-2\sin^2 x)-\sin x=0,\ 2\sin^2 x+\sin x-1=0$

$(2\sin x-1)(\sin x+1)=0$

$\sin x=\dfrac{1}{2}$ 또는 $\sin x=-1$

$\therefore x=\dfrac{\pi}{6}$ 또는 $x=\dfrac{5}{6}\pi\ (\because 0<x<\pi)$

$0<x<\pi$에서 함수 $f(x)$의 증가, 감소를 표로 나타내면 다음과 같다.

x	0	$\cdots$	$\dfrac{\pi}{6}$	$\cdots$	$\dfrac{5}{6}\pi$	$\cdots$	π
$f'(x)$		$+$	0	$-$	0	$+$	
$f(x)$		↗	극대	↘	극소	↗	

함수 $f(x)$는 $x=\dfrac{\pi}{6}$에서 극대이므로 극댓값은

$M=f\left(\dfrac{\pi}{6}\right)=\displaystyle\int_0^{\frac{\pi}{6}}(\cos 2t-\sin t)\,dt$

$=\left[\dfrac{1}{2}\sin 2t+\cos t\right]_0^{\frac{\pi}{6}}=\left(\dfrac{\sqrt{3}}{4}+\dfrac{\sqrt{3}}{2}\right)-1$

$=\dfrac{3\sqrt{3}}{4}-1$

함수 $f(x)$는 $x=\dfrac{5}{6}\pi$에서 극소이므로 극솟값은

$m=f\left(\dfrac{5}{6}\pi\right)=\displaystyle\int_0^{\frac{5}{6}\pi}(\cos 2t-\sin t)\,dt$

$=\left[\dfrac{1}{2}\sin 2t+\cos t\right]_0^{\frac{5}{6}\pi}=\left(-\dfrac{\sqrt{3}}{4}-\dfrac{\sqrt{3}}{2}\right)-1$

$=-\dfrac{3\sqrt{3}}{4}-1$

$\therefore M-m=\left(\dfrac{3\sqrt{3}}{4}-1\right)-\left(-\dfrac{3\sqrt{3}}{4}-1\right)=\dfrac{3\sqrt{3}}{2}$

084 답 ③

$f(x)=\displaystyle\int_{1}^{x}\dfrac{4-t^2}{t}\,dt$의 양변을 x에 대하여 미분하면

$f'(x)=\dfrac{4-x^2}{x}$

$f'(x)=0$에서 $4-x^2=0$

$x^2=4$ $\therefore x=2\ (\because x>0)$

$x>0$에서 함수 $f(x)$의 증가, 감소를 표로 나타내면 다음과 같다.

x	0	$\cdots$	2	$\cdots$
$f'(x)$		$+$	0	$-$
$f(x)$		$\nearrow$	극대	$\searrow$

따라서 함수 $f(x)$는 $x=2$에서 극대이므로 극댓값은

$f(2)=\displaystyle\int_{1}^{2}\dfrac{4-t^2}{t}\,dt=\int_{1}^{2}\left(\dfrac{4}{t}-t\right)dt$

$\quad=\left[4\ln|t|-\dfrac{1}{2}t^2\right]_{1}^{2}=(4\ln2-2)-\left(-\dfrac{1}{2}\right)$

$\quad=4\ln2-\dfrac{3}{2}$

085 답 $\dfrac{1}{4}$

$f(x)=\displaystyle\int_{0}^{x}(2t+1)e^{t^2+t}\,dt$의 양변을 x에 대하여 미분하면

$f'(x)=(2x+1)e^{x^2+x}$

$f'(x)=0$에서 $2x+1=0\ (\because e^{x^2+x}>0)$

$\therefore x=-\dfrac{1}{2}$

함수 $f(x)$의 증가, 감소를 표로 나타내면 다음과 같다.

x	$\cdots$	$-\dfrac{1}{2}$	$\cdots$
$f'(x)$	$-$	0	$+$
$f(x)$	$\searrow$	극소	$\nearrow$

따라서 함수 $f(x)$는 $x=-\dfrac{1}{2}$에서 극소이므로 극솟값은

$f\left(-\dfrac{1}{2}\right)=\displaystyle\int_{0}^{-\frac{1}{2}}(2t+1)e^{t^2+t}\,dt=-\int_{-\frac{1}{2}}^{0}(2t+1)e^{t^2+t}\,dt$

이때 $t^2+t=k$로 놓으면 $\dfrac{dk}{dt}=2t+1$

$t=-\dfrac{1}{2}$일 때 $k=-\dfrac{1}{4}$, $t=0$일 때 $k=0$이므로

$f\left(-\dfrac{1}{2}\right)=-\displaystyle\int_{-\frac{1}{2}}^{0}(2t+1)e^{t^2+t}\,dt$

$\quad=-\displaystyle\int_{-\frac{1}{4}}^{0}e^{k}\,dk$

$\quad=-\left[e^{k}\right]_{-\frac{1}{4}}^{0}$

$\quad=-(1-e^{-\frac{1}{4}})=e^{-\frac{1}{4}}-1$

따라서 $a=-\dfrac{1}{4}$, $b=-1$이므로 $ab=\dfrac{1}{4}$

086 답 ①

$f(x)=\displaystyle\int_{0}^{x}\sin t\,(2\cos t-1)\,dt$의 양변을 x에 대하여 미분하면

$f'(x)=\sin x\,(2\cos x-1)$

$f'(x)=0$에서 $\sin x=0$ 또는 $\cos x=\dfrac{1}{2}$

$\therefore x=\dfrac{\pi}{3}\left(\because 0<x<\dfrac{\pi}{2}\right)$

$0<x<\dfrac{\pi}{2}$에서 함수 $f(x)$의 증가, 감소를 표로 나타내면 다음과 같다.

x	0	$\cdots$	$\dfrac{\pi}{3}$	$\cdots$	$\dfrac{\pi}{2}$
$f'(x)$		$+$	0	$-$	
$f(x)$		$\nearrow$	극대	$\searrow$	

따라서 함수 $f(x)$는 $x=\dfrac{\pi}{3}$에서 극대이면서 최대이므로 최댓값은

$f\left(\dfrac{\pi}{3}\right)=\displaystyle\int_{0}^{\frac{\pi}{3}}\sin t\,(2\cos t-1)\,dt$

$\quad=\displaystyle\int_{0}^{\frac{\pi}{3}}(2\sin t\cos t-\sin t)\,dt$

$\quad=\displaystyle\int_{0}^{\frac{\pi}{3}}(\sin 2t-\sin t)\,dt$

$\quad=\left[-\dfrac{1}{2}\cos 2t+\cos t\right]_{0}^{\frac{\pi}{3}}$

$\quad=\left(\dfrac{1}{4}+\dfrac{1}{2}\right)-\left(-\dfrac{1}{2}+1\right)$

$\quad=\dfrac{1}{4}$

087 답 2

$f(x)=\displaystyle\int_{0}^{x}(e^t-3)\,dt$의 양변을 x에 대하여 미분하면

$f'(x)=e^x-3$

$f'(x)=0$에서 $e^x=3$ $\therefore x=\ln 3$

함수 $f(x)$의 증가, 감소를 표로 나타내면 다음과 같다.

x	$\cdots$	$\ln 3$	$\cdots$
$f'(x)$	$-$	0	$+$
$f(x)$	$\searrow$	극소	$\nearrow$

따라서 함수 $f(x)$는 $x=\ln 3$에서 극소이면서 최소이므로

$a=\ln 3$

$\therefore b=f(\ln 3)=\displaystyle\int_{0}^{\ln 3}(e^t-3)\,dt=\left[e^t-3t\right]_{0}^{\ln 3}$

$\quad=(3-3\ln 3)-1=2-3\ln 3$

$\therefore 3a+b=3\ln 3+2-3\ln 3=2$

088 답 $\dfrac{7}{4}-4\ln 2$

$f(x)=\displaystyle\int_{2}^{x}(t+1)\ln t\,dt$의 양변을 x에 대하여 미분하면

$f'(x)=(x+1)\ln x$

$f'(x)=0$에서 $x=1\ (\because x>0)$

$x>0$에서 함수 $f(x)$의 증가와 감소를 표로 나타내면 다음과 같다.

x	0	$\cdots$	1	$\cdots$
$f'(x)$		$-$	0	$+$
$f(x)$		$\searrow$	극소	$\nearrow$

따라서 함수 $f(x)$는 $x=1$에서 극소이면서 최소이므로 최솟값은
$$f(1)=\int_2^1 (t+1)\ln t\,dt=-\int_1^2 (t+1)\ln t\,dt$$
이때 $u(t)=\ln t$, $v'(t)=t+1$로 놓으면
$$u'(t)=\frac{1}{t}, \; v(t)=\frac{1}{2}t^2+t$$
$$\therefore f(1)=-\int_1^2 (t+1)\ln t\,dt$$
$$=-\left[\left(\frac{1}{2}t^2+t\right)\ln t\right]_1^2+\int_1^2 \frac{1}{t}\left(\frac{1}{2}t^2+t\right)dt$$
$$=-4\ln 2+\left[\frac{1}{4}t^2+t\right]_1^2$$
$$=-4\ln 2+\left\{(1+2)-\left(\frac{1}{4}+1\right)\right\}$$
$$=\frac{7}{4}-4\ln 2$$

089 답 ⑤

함수 $f(x)$의 한 부정적분을 $F(x)$라 하면
$$\lim_{h\to 0}\frac{1}{h}\int_{e-h}^{e+2h} f(t)\,dt$$
$$=\lim_{h\to 0}\frac{F(e+2h)-F(e-h)}{h}$$
$$=\lim_{h\to 0}\frac{F(e+2h)-F(e)+F(e)-F(e-h)}{h}$$
$$=\lim_{h\to 0}\frac{F(e+2h)-F(e)}{2h}\times 2+\lim_{h\to 0}\frac{F(e-h)-F(e)}{-h}$$
$$=2F'(e)+F'(e)=3F'(e)=3f(e)$$
$$=3\times\frac{e(1+e)}{3e^2}=\frac{e+1}{e}$$

090 답 $4e^2$

함수 $f(t)$의 한 부정적분을 $F(t)$라 하면
$$\lim_{x\to 1}\frac{1}{x-1}\int_1^{x^2} f(t)\,dt=\lim_{x\to 1}\frac{F(x^2)-F(1)}{x-1}$$
$$=\lim_{x\to 1}\frac{F(x^2)-F(1)}{x^2-1}\times(x+1)$$
$$=F'(1)\times 2=2f(1)$$
$$=2\times 2e^2=4e^2$$

091 답 8

$f(t)=t\cos t+a$라 하고, 함수 $f(t)$의 한 부정적분을 $F(t)$라 하면
$$\lim_{x\to 0}\frac{1}{2x}\int_{\frac{\pi}{2}}^{x+\frac{\pi}{2}}(t\cos t+a)\,dt=\lim_{x\to 0}\frac{1}{2x}\int_{\frac{\pi}{2}}^{x+\frac{\pi}{2}} f(t)\,dt$$
$$=\lim_{x\to 0}\frac{F\left(x+\frac{\pi}{2}\right)-F\left(\frac{\pi}{2}\right)}{2x}$$
$$=\lim_{x\to 0}\frac{F\left(x+\frac{\pi}{2}\right)-F\left(\frac{\pi}{2}\right)}{x}\times\frac{1}{2}$$
$$=\frac{1}{2}F'\left(\frac{\pi}{2}\right)=\frac{1}{2}f\left(\frac{\pi}{2}\right)=\frac{a}{2}$$
따라서 $\frac{a}{2}=4$이므로 $a=8$

092 답 ①

함수 $g'(t)$의 부정적분은 $g(t)$이므로
$$\lim_{h\to 0}\frac{1}{h}\int_{e-h}^{e+h} g'(t)\,dt$$
$$=\lim_{h\to 0}\frac{g(e+h)-g(e-h)}{h}$$
$$=\lim_{h\to 0}\frac{g(e+h)-g(e)+g(e)-g(e-h)}{h}$$
$$=\lim_{h\to 0}\frac{g(e+h)-g(e)}{h}+\lim_{h\to 0}\frac{g(e-h)-g(e)}{-h}$$
$$=g'(e)+g'(e)=2g'(e)$$
$f(x)=x^{\ln x}$의 양변에 자연로그를 취하면
$$\ln f(x)=(\ln x)^2$$
양변을 x에 대하여 미분하면
$$\frac{f'(x)}{f(x)}=\frac{2\ln x}{x}, \; f'(x)=\frac{2\ln x}{x}\times f(x)$$
$$\therefore f'(x)=\frac{2\ln x}{x}\times x^{\ln x}$$
한편 $g(x)$는 함수 $f(x)$의 역함수이고 $f(e)=e$이므로
$$g'(e)=\frac{1}{f'(e)}$$
따라서 $f'(e)=\frac{2}{e}\times e=2$이므로
$$g'(e)=\frac{1}{f'(e)}=\frac{1}{2}$$
$$\therefore \lim_{h\to 0}\frac{1}{h}\int_{e-h}^{e+h} g'(t)\,dt=2g'(e)=2\times\frac{1}{2}=1$$

093 답 7

$f(x)=\frac{2x^2}{x+2}=2x-4+\frac{8}{x+2}$이므로
$$\int_{-1}^{e-2} f(x)\,dx=\int_{-1}^{e-2}\left(2x-4+\frac{8}{x+2}\right)dx$$
$$=\left[x^2-4x+8\ln|x+2|\right]_{-1}^{e-2}$$
$$=\{(e-2)^2-4(e-2)+8\}-(1+4)$$
$$=e^2-8e+15$$
따라서 $a=-8$, $b=15$이므로 $a+b=7$

094 답 ①

$$\int_0^1\left(ae^x+\frac{b}{e^x}\right)dx=\int_0^1 (ae^x+be^{-x})\,dx$$
$$=\left[ae^x-be^{-x}\right]_0^1$$
$$=\left(ae-\frac{b}{e}\right)-(a-b)$$
$$=ae-\frac{b}{e}-a+b$$
따라서 $ae-\frac{b}{e}-a+b=e+\frac{2}{e}-3$이므로
$$a=1, \; b=-2 \quad \therefore ab=-2$$

095 답 ④

$$\int_0^{\frac{\pi}{4}} \frac{1}{\sin x+1}\,dx + \int_{\frac{\pi}{4}}^0 \frac{1}{\sin x-1}\,dx$$

$$= \int_0^{\frac{\pi}{4}} \frac{1}{\sin x+1}\,dx + \int_0^{\frac{\pi}{4}} \frac{1}{1-\sin x}\,dx$$

$$= \int_0^{\frac{\pi}{4}} \left(\frac{1}{1+\sin x} + \frac{1}{1-\sin x} \right) dx$$

$$= \int_0^{\frac{\pi}{4}} \frac{1-\sin x+1+\sin x}{(1+\sin x)(1-\sin x)}\,dx$$

$$= \int_0^{\frac{\pi}{4}} \frac{2}{1-\sin^2 x}\,dx = \int_0^{\frac{\pi}{4}} \frac{2}{\cos^2 x}\,dx$$

$$= \int_0^{\frac{\pi}{4}} 2\sec^2 x\,dx$$

$$= \Big[2\tan x \Big]_0^{\frac{\pi}{4}} = 2$$

096 답 1

$$\left| \frac{x-1}{x+1} \right| = \begin{cases} \dfrac{x-1}{x+1} & (x<-1 \ \text{또는} \ x \ge 1) \\[2mm] -\dfrac{x-1}{x+1} & (-1<x \le 1) \end{cases} \ \text{이므로}$$

$$\int_0^3 \left| \frac{x-1}{x+1} \right| dx = \int_0^1 \left(-\frac{x-1}{x+1} \right) dx + \int_1^3 \frac{x-1}{x+1}\,dx$$

$$= \int_0^1 \left(\frac{2}{x+1} - 1 \right) dx + \int_1^3 \left(1 - \frac{2}{x+1} \right) dx$$

$$= \Big[2\ln|x+1| - x \Big]_0^1 + \Big[x - 2\ln|x+1| \Big]_1^3$$

$$= (2\ln 2 - 1) + \{3 - 2\ln 4 - (1 - 2\ln 2)\} = 1$$

097 답 $\dfrac{1}{2} + \dfrac{2}{e}$

$$S(n) = \int_0^n f(x)\,dx$$

$$= \int_0^1 \left(-x + \frac{1}{e} + 1 \right) dx + \int_1^n e^{-x}\,dx$$

$$= \Big[-\frac{1}{2}x^2 + \left(\frac{1}{e} + 1 \right)x \Big]_0^1 + \Big[-e^{-x} \Big]_1^n$$

$$= \left(-\frac{1}{2} + \frac{1}{e} + 1 \right) + \left\{ -\frac{1}{e^n} - \left(-\frac{1}{e} \right) \right\}$$

$$= \frac{1}{2} + \frac{2}{e} - \frac{1}{e^n}$$

$$\therefore \lim_{n \to \infty} S(n) = \lim_{n \to \infty} \left(\frac{1}{2} + \frac{2}{e} - \frac{1}{e^n} \right) = \frac{1}{2} + \frac{2}{e}$$

098 답 ④

$f(x) = 2^x - 2^{-x}$, $g(x) = 3^x + 3^{-x}$ 이라 하면

$f(-x) = 2^{-x} - 2^x = -(2^x - 2^{-x}) = -f(x)$

$g(-x) = 3^{-x} + 3^x = g(x)$

$$\therefore \int_{-1}^1 (2^x + 3^x - 2^{-x} + 3^{-x})\,dx = 2\int_0^1 (3^x + 3^{-x})\,dx$$

$$= 2\Big[\frac{3^x}{\ln 3} - \frac{3^{-x}}{\ln 3} \Big]_0^1$$

$$= 2\left(\frac{3}{\ln 3} - \frac{1}{3\ln 3} \right) = \frac{16}{3\ln 3}$$

099 답 $12-4\sqrt{3}$

$$\int_0^{\frac{\pi}{2}} f(x)\,dx = \int_0^{\frac{\pi}{6}} 3\sin x\,dx + \int_{\frac{\pi}{6}}^{\frac{\pi}{2}} \sqrt{3}\cos x\,dx$$

$$= \Big[-3\cos x \Big]_0^{\frac{\pi}{6}} + \Big[\sqrt{3}\sin x \Big]_{\frac{\pi}{6}}^{\frac{\pi}{2}}$$

$$= \left(-\frac{3\sqrt{3}}{2} + 3 \right) + \left(\sqrt{3} - \frac{\sqrt{3}}{2} \right)$$

$$= 3 - \sqrt{3}$$

이때 $f\left(x+\dfrac{\pi}{2} \right) = f(x)$이므로

$$\int_{-\pi}^{-\frac{\pi}{2}} f(x)\,dx = \int_{-\frac{\pi}{2}}^0 f(x)\,dx = \int_0^{\frac{\pi}{2}} f(x)\,dx = \int_{\frac{\pi}{2}}^{\pi} f(x)\,dx$$

$$\therefore \int_{-\pi}^{\pi} f(x)\,dx = 4\int_0^{\frac{\pi}{2}} f(x)\,dx = 4(3-\sqrt{3}) = 12-4\sqrt{3}$$

100 답 $2\sqrt{2}$

$f(x) = t$로 놓으면 $\dfrac{dt}{dx} = f'(x)$

$x=0$일 때 $t=f(0)=2$, $x=2$일 때 $t=f(2)=8$이므로

$$\int_0^2 \frac{f'(x)}{\sqrt{f(x)}}\,dx = \int_2^8 \frac{1}{\sqrt{t}}\,dt = \int_2^8 t^{-\frac{1}{2}}\,dt = \Big[2t^{\frac{1}{2}} \Big]_2^8$$

$$= 4\sqrt{2} - 2\sqrt{2} = 2\sqrt{2}$$

101 답 ②

$x^2 = t$로 놓으면 $\dfrac{dt}{dx} = 2x$

$x=-1$일 때 $t=1$, $x=0$일 때 $t=0$, $x=2$일 때 $t=4$이므로

$$\int_{-1}^2 e^{x^2} f(x)\,dx = \int_{-1}^0 (-x e^{x^2})\,dx + \int_0^2 2x e^{x^2}\,dx$$

$$= \int_1^0 \left(-e^t \times \frac{1}{2} \right) dt + \int_0^4 e^t\,dt$$

$$= \frac{1}{2}\int_0^1 e^t\,dt + \int_0^4 e^t\,dt = \frac{1}{2}\Big[e^t \Big]_0^1 + \Big[e^t \Big]_0^4$$

$$= \frac{1}{2}(e-1) + (e^4-1)$$

$$= e^4 + \frac{1}{2}e - \frac{3}{2}$$

따라서 $a=\dfrac{1}{2}$, $b=-\dfrac{3}{2}$이므로 $a+b=-1$

102 답 $\dfrac{5}{12}$

$\sin x = t$로 놓으면 $\dfrac{dt}{dx} = \cos x$

$x=0$일 때 $t=0$, $x=\dfrac{\pi}{2}$일 때 $t=1$이므로

$$\int_0^{\frac{\pi}{2}} \sin^n x \cos x\,dx = \int_0^1 t^n\,dt = \Big[\frac{1}{n+1} t^{n+1} \Big]_0^1 = \frac{1}{n+1}$$

따라서 $a_n = \dfrac{1}{n+1}$이므로

$$\sum_{n=1}^{10} a_n a_{n+1} = \sum_{n=1}^{10} \frac{1}{(n+1)(n+2)} = \sum_{n=1}^{10} \left(\frac{1}{n+1} - \frac{1}{n+2} \right)$$

$$= \left(\frac{1}{2} - \frac{1}{3} \right) + \left(\frac{1}{3} - \frac{1}{4} \right) + \left(\frac{1}{4} - \frac{1}{5} \right) + \cdots + \left(\frac{1}{11} - \frac{1}{12} \right)$$

$$= \frac{1}{2} - \frac{1}{12} = \frac{5}{12}$$

103 답 ②

$x = 3\sin\theta \left(-\dfrac{\pi}{2} \le \theta \le \dfrac{\pi}{2}\right)$로 놓으면 $\dfrac{dx}{d\theta} = 3\cos\theta$

$x = 0$일 때 $\theta = 0$, $x = 3$일 때 $\theta = \dfrac{\pi}{2}$이므로

$$\int_0^3 \sqrt{9 - x^2}\, dx = \int_0^{\frac{\pi}{2}} \sqrt{9 - 9\sin^2\theta} \times 3\cos\theta\, d\theta$$

$$= \int_0^{\frac{\pi}{2}} \sqrt{9\cos^2\theta} \times 3\cos\theta\, d\theta = \int_0^{\frac{\pi}{2}} 9\cos^2\theta\, d\theta$$

이때 $\cos 2\theta = 2\cos^2\theta - 1$에서 $\cos^2\theta = \dfrac{1 + \cos 2\theta}{2}$이므로

$$\int_0^{\frac{\pi}{2}} 9\cos^2\theta\, d\theta = \dfrac{9}{2} \int_0^{\frac{\pi}{2}} (1 + \cos 2\theta)\, d\theta$$

$$= \dfrac{9}{2} \left[\theta + \dfrac{1}{2}\sin 2\theta\right]_0^{\frac{\pi}{2}} = \dfrac{9}{2} \times \dfrac{\pi}{2} = \dfrac{9}{4}\pi$$

$$\therefore a = \dfrac{9}{4}$$

104 답 ③

$f(1) + f(2) + f(3) + \cdots + f(n)$

$= \displaystyle\int_1^2 xe^x\, dx + \int_2^3 xe^x\, dx + \int_3^4 xe^x\, dx + \cdots + \int_n^{n+1} xe^x\, dx$

$= \displaystyle\int_1^{n+1} xe^x\, dx$

이때 $u(x) = x$, $v'(x) = e^x$으로 놓으면 $u'(x) = 1$, $v(x) = e^x$

$\therefore \displaystyle\int_1^{n+1} xe^x\, dx = \left[xe^x\right]_1^{n+1} - \int_1^{n+1} e^x\, dx$

$= (n+1)e^{n+1} - e - \left[e^x\right]_1^{n+1}$

$= \{(n+1)e^{n+1} - e\} - (e^{n+1} - e) = ne^{n+1}$

$\therefore \dfrac{f(1) + f(2) + f(3) + \cdots + f(6)}{f(1) + f(2) + f(3)} = \dfrac{6e^7}{3e^4} = 2e^3$

105 답 $e^2 + e - 3$

$\displaystyle\int_1^{e^2} f(x)\, dx - \int_e^{e^2} f(x)\, dx = \int_1^{e^2} f(x)\, dx + \int_{e^2}^{e} f(x)\, dx$

$$= \int_1^e f(x)\, dx = \int_1^e (4x+1)(\ln x)^2\, dx$$

이때 $u(x) = (\ln x)^2$, $v'(x) = 4x + 1$로 놓으면

$u'(x) = \dfrac{2\ln x}{x}$, $v(x) = 2x^2 + x$

$\therefore \displaystyle\int_1^e (4x+1)(\ln x)^2\, dx$

$= \left[(2x^2 + x)(\ln x)^2\right]_1^e - \displaystyle\int_1^e (2x^2 + x) \times \dfrac{2\ln x}{x}\, dx$

$= 2e^2 + e - 2\displaystyle\int_1^e (2x+1)\ln x\, dx \quad \cdots\cdots \text{㉠}$

$\displaystyle\int_1^e (2x+1)\ln x\, dx$에서 $s(x) = \ln x$, $t'(x) = 2x + 1$로 놓으면

$s'(x) = \dfrac{1}{x}$, $t(x) = x^2 + x$

$\therefore \displaystyle\int_1^e (2x+1)\ln x\, dx = \left[(x^2 + x)\ln x\right]_1^e - \int_1^e (x+1)\, dx$

$= e^2 + e - \left[\dfrac{1}{2}x^2 + x\right]_1^e$

$= e^2 + e - \left\{\left(\dfrac{1}{2}e^2 + e\right) - \left(\dfrac{1}{2} + 1\right)\right\}$

$= \dfrac{1}{2}e^2 + \dfrac{3}{2} \quad \cdots\cdots \text{㉡}$

㉡을 ㉠에 대입하면

$\displaystyle\int_1^e (4x+1)(\ln x)^2\, dx = 2e^2 + e - 2\left(\dfrac{1}{2}e^2 + \dfrac{3}{2}\right) = e^2 + e - 3$

106 답 ③

$\displaystyle\int_1^4 f(t)\, dt = k$ (k는 상수)로 놓으면

$f(x) = \dfrac{x+1}{\sqrt{x}} + k = \sqrt{x} + \dfrac{1}{\sqrt{x}} + k$이므로

$\displaystyle\int_1^4 f(t)\, dt = \int_1^4 \left(\sqrt{t} + \dfrac{1}{\sqrt{t}} + k\right) dt$

$= \displaystyle\int_1^4 \left(t^{\frac{1}{2}} + t^{-\frac{1}{2}} + k\right) dt = \left[\dfrac{2}{3}t^{\frac{3}{2}} + 2t^{\frac{1}{2}} + kt\right]_1^4$

$= \left(\dfrac{16}{3} + 4 + 4k\right) - \left(\dfrac{2}{3} + 2 + k\right) = 3k + \dfrac{20}{3}$

즉, $3k + \dfrac{20}{3} = k$이므로 $k = -\dfrac{10}{3}$

따라서 $f(x) = \dfrac{x+1}{\sqrt{x}} - \dfrac{10}{3}$이므로 $f(1) = -\dfrac{4}{3}$

107 답 ①

$xf(x) = x^2 e^x + \displaystyle\int_1^x f(t)\, dt$의 양변을 x에 대하여 미분하면

$f(x) + xf'(x) = 2xe^x + x^2 e^x + f(x)$

$xf'(x) = x(x+2)e^x \quad \therefore f'(x) = (x+2)e^x$

이때 $u(x) = x + 2$, $v'(x) = e^x$으로 놓으면

$u'(x) = 1$, $v(x) = e^x$

$\therefore f(x) = \displaystyle\int f'(x)\, dx = \int (x+2)e^x\, dx = (x+2)e^x - \int e^x\, dx$

$= (x+2)e^x - e^x + C = (x+1)e^x + C$

$xf(x) = x^2 e^x + \displaystyle\int_1^x f(t)\, dt$의 양변에 $x = 1$을 대입하면

$f(1) = e$

즉, $2e + C = e$이므로 $C = -e$

따라서 $f(x) = (x+1)e^x - e$이므로

$f(2) = 3e^2 - e$

108 답 9

$\displaystyle\int_0^x f(t)\, dt = \int_0^x (x - t)f(t)\, dt + 3x$에서

$\displaystyle\int_0^x f(t)\, dt = x\int_0^x f(t)\, dt - \int_0^x tf(t)\, dt + 3x$

양변을 x에 대하여 미분하면

$f(x) = \displaystyle\int_0^x f(t)\, dt + xf(x) - xf(x) + 3$

$\therefore \displaystyle\int_0^x f(t)\, dt = f(x) - 3 \quad \cdots\cdots \text{㉠}$

양변을 다시 x에 대하여 미분하면

$f(x) = f'(x)$, $\dfrac{f'(x)}{f(x)} = 1$

따라서 $\displaystyle\int \dfrac{f'(x)}{f(x)}\, dx = \int dx$이므로

$\ln f(x) = x + C \quad \therefore f(x) = e^{x+C}$

㉠의 양변에 $x = 0$을 대입하면 $0 = f(0) - 3 \quad \therefore f(0) = 3$

즉, $e^C = 3$이므로 $C = \ln 3$

따라서 $f(x) = e^{x + \ln 3}$이므로 $f(\ln 3) = e^{2\ln 3} = 9$

109 답 −6

$f(x)=\int_{\frac{1}{e^2}}^{x}\dfrac{3\ln t}{t}\,dt$의 양변을 x에 대하여 미분하면

$f'(x)=\dfrac{3\ln x}{x}$

$f'(x)=0$에서 $\ln x=0$ $\quad\therefore x=1$

$x>0$에서 함수 $f(x)$의 증가, 감소를 표로 나타내면 다음과 같다.

x	0	$\cdots$	1	$\cdots$
$f'(x)$		$-$	0	$+$
$f(x)$		$\searrow$	극소	$\nearrow$

따라서 함수 $f(x)$는 $x=1$에서 극소이므로 극솟값은

$f(1)=\int_{\frac{1}{e^2}}^{1}\dfrac{3\ln t}{t}\,dt$

이때 $\ln t=k$로 놓으면 $\dfrac{dk}{dt}=\dfrac{1}{t}$

$t=\dfrac{1}{e^2}$일 때 $k=-2$, $t=1$일 때 $k=0$이므로

$f(1)=\int_{\frac{1}{e^2}}^{1}\dfrac{3\ln t}{t}\,dt=\int_{-2}^{0}3k\,dk=\left[\dfrac{3}{2}k^2\right]_{-2}^{0}=-6$

110 답 ⑤

$f(x)=\int_{x}^{x+1}\left(t+\dfrac{12}{t}\right)dt$의 양변을 x에 대하여 미분하면

$f'(x)=\left(x+1+\dfrac{12}{x+1}\right)-\left(x+\dfrac{12}{x}\right)$

$\qquad=1+\dfrac{12}{x+1}-\dfrac{12}{x}=\dfrac{(x+4)(x-3)}{x(x+1)}$

$f'(x)=0$에서 $(x+4)(x-3)=0$ $\quad\therefore x=3\ (\because x>0)$

$x>0$에서 함수 $f(x)$의 증가, 감소를 표로 나타내면 다음과 같다.

x	0	$\cdots$	3	$\cdots$
$f'(x)$		$-$	0	$+$
$f(x)$		$\searrow$	극소	$\nearrow$

따라서 함수 $f(x)$는 $x=3$에서 극소이면서 최소이므로 최솟값은

$f(3)=\int_{3}^{4}\left(t+\dfrac{12}{t}\right)dt=\left[\dfrac{1}{2}t^2+12\ln|t|\right]_{3}^{4}$

$\qquad=(8+12\ln 4)-\left(\dfrac{9}{2}+12\ln 3\right)=\dfrac{7}{2}+12\ln\dfrac{4}{3}$

111 답 ⑤

$f(t)=\left|\dfrac{t}{\pi}\tan\left(\dfrac{t}{2}+\dfrac{\pi}{4}\right)\right|$라 하고, 함수 $f(t)$의 한 부정적분을 $F(t)$라 하면

$\displaystyle\lim_{h\to 0}\dfrac{1}{2h}\int_{\pi-h}^{\pi+3h}\left|\dfrac{t}{\pi}\tan\left(\dfrac{t}{2}+\dfrac{\pi}{4}\right)\right|dt$

$=\displaystyle\lim_{h\to 0}\dfrac{1}{2h}\int_{\pi-h}^{\pi+3h}f(t)\,dt=\lim_{h\to 0}\dfrac{F(\pi+3h)-F(\pi-h)}{2h}$

$=\displaystyle\lim_{h\to 0}\dfrac{F(\pi+3h)-F(\pi)+F(\pi)-F(\pi-h)}{2h}$

$=\displaystyle\lim_{h\to 0}\dfrac{F(\pi+3h)-F(\pi)}{3h}\times\dfrac{3}{2}+\lim_{h\to 0}\dfrac{F(\pi-h)-F(\pi)}{-h}\times\dfrac{1}{2}$

$=\dfrac{3}{2}F'(\pi)+\dfrac{1}{2}F'(\pi)=2F'(\pi)$

$=2f(\pi)=2\left|\tan\dfrac{3}{4}\pi\right|=2$

001 답 ④

$\displaystyle\lim_{n\to\infty}\dfrac{1}{n}\left\{\left(2+\dfrac{1}{n}\right)^3+\left(2+\dfrac{2}{n}\right)^3+\left(2+\dfrac{3}{n}\right)^3+\cdots+\left(2+\dfrac{n}{n}\right)^3\right\}$

$=\displaystyle\lim_{n\to\infty}\sum_{k=1}^{n}\left(2+\dfrac{k}{n}\right)^3\times\dfrac{1}{n}=\int_{2}^{3}x^3\,dx$

$=\left[\dfrac{1}{4}x^4\right]_{2}^{3}=\dfrac{81}{4}-4=\dfrac{65}{4}$

002 답 ⑤

구하는 도형의 넓이는

$\displaystyle\int_{-2}^{0}\left(-\dfrac{2x}{x^2+2}\right)dx+\int_{0}^{1}\dfrac{2x}{x^2+2}\,dx$

$=\left[-\ln(x^2+2)\right]_{-2}^{0}+\left[\ln(x^2+2)\right]_{0}^{1}$

$=(-\ln 2+\ln 6)+(\ln 3-\ln 2)$

$=\ln\dfrac{9}{2}$

003 답 ②

곡선 $y=\ln(x+2)$와 y축의 교점의 y좌표는

$y=\ln 2$

$y=\ln(x+2)$에서 $x+2=e^y$

$\therefore x=e^y-2$

따라서 구하는 도형의 넓이는

$\displaystyle\int_{0}^{\ln 2}\{-(e^y-2)\}\,dy+\int_{\ln 2}^{\ln 4}(e^y-2)\,dy$

$=\left[2y-e^y\right]_{0}^{\ln 2}+\left[e^y-2y\right]_{\ln 2}^{\ln 4}$

$=(2\ln 2-1)+(2-2\ln 2)$

$=1$

004 답 $\ln 2-\dfrac{1}{2}$

곡선 $y=\dfrac{x}{x^2+1}$와 직선 $y=\dfrac{1}{2}x$의 교점의 x좌표는 $\dfrac{x}{x^2+1}=\dfrac{1}{2}x$에서

$2x=x(x^2+1)$, $x^3-x=0$, $x(x+1)(x-1)=0$

$\therefore x=-1$ 또는 $x=0$ 또는 $x=1$

따라서 구하는 도형의 넓이는

$\displaystyle\int_{-1}^{0}\left(\dfrac{1}{2}x-\dfrac{x}{x^2+1}\right)dx+\int_{0}^{1}\left(\dfrac{x}{x^2+1}-\dfrac{1}{2}x\right)dx$

$=\left[\dfrac{1}{4}x^2-\dfrac{1}{2}\ln(x^2+1)\right]_{-1}^{0}+\left[\dfrac{1}{2}\ln(x^2+1)-\dfrac{1}{4}x^2\right]_{0}^{1}$

$=\left(-\dfrac{1}{4}+\dfrac{1}{2}\ln 2\right)+\left(\dfrac{1}{2}\ln 2-\dfrac{1}{4}\right)$

$=\ln 2-\dfrac{1}{2}$

005 답 ③

두 곡선 $y=\dfrac{1}{x}$, $y=\sqrt{x}$의 교점의 x좌표

는 $\dfrac{1}{x}=\sqrt{x}$에서 $x\sqrt{x}=1$

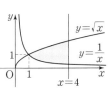

$x^3=1$, $(x-1)(x^2+x+1)=0$

$\therefore x=1$ $(\because x^2+x+1>0)$

따라서 구하는 도형의 넓이는

$$\int_1^4\left(\sqrt{x}-\dfrac{1}{x}\right)dx=\left[\dfrac{2}{3}x^{\frac{3}{2}}-\ln x\right]_1^4$$
$$=\left(\dfrac{16}{3}-\ln 4\right)-\dfrac{2}{3}$$
$$=\dfrac{14}{3}-2\ln 2$$

006 답 ①

$f(x)=\ln x$라 하면 $f'(x)=\dfrac{1}{x}$

점 $(e,1)$에서의 접선의 기울기는

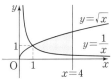

$f'(e)=\dfrac{1}{e}$이므로 접선의 방정식은

$y-1=\dfrac{1}{e}(x-e)$ $\therefore y=\dfrac{1}{e}x$

따라서 구하는 도형의 넓이는

$$\dfrac{1}{2}\times e\times 1-\int_1^e\ln x\,dx=\dfrac{e}{2}-\left(\left[x\ln x\right]_1^e-\int_1^e dx\right)$$
$$=\dfrac{e}{2}-\left(e-\left[x\right]_1^e\right)$$
$$=\dfrac{e}{2}-1$$

007 답 $\dfrac{4}{\pi}$

두 도형의 넓이가 서로 같으므로

$$\int_0^1\left(\cos\dfrac{\pi}{2}x-ax\right)dx=0$$
$$\left[\dfrac{2}{\pi}\sin\dfrac{\pi}{2}x-\dfrac{a}{2}x^2\right]_0^1=0$$
$$\dfrac{2}{\pi}-\dfrac{a}{2}=0 \qquad \therefore a=\dfrac{4}{\pi}$$

008 답 ③

곡선 $y=e^x$과 x축, y축 및 직선 $x=\ln 4$로 둘러싸인 도형의 넓이를 S_1이라 하면

$$S_1=\int_0^{\ln 4}e^x\,dx=\left[e^x\right]_0^{\ln 4}=4-1=3$$

곡선 $y=e^x$과 x축, y축 및 직선 $x=k$로 둘러싸인 도형의 넓이를 S_2라 하면

$$S_2=\int_0^k e^x\,dx=\left[e^x\right]_0^k=e^k-1$$

이때 $S_2=\dfrac{1}{2}S_1$이므로

$$e^k-1=\dfrac{3}{2}, \ e^k=\dfrac{5}{2} \qquad \therefore k=\ln\dfrac{5}{2}$$

009 답 ②

두 곡선 $y=f(x)$, $y=g(x)$는 직선 $y=x$에 대하여 대칭이다.

두 곡선의 교점의 x좌표는 곡선 $y=f(x)$와 직선 $y=x$의 교점의 x좌표와 같으므로

$\sqrt{5x-4}=x$에서 $5x-4=x^2$

$x^2-5x+4=0$, $(x-1)(x-4)=0$

$\therefore x=1$ 또는 $x=4$

두 곡선 $y=f(x)$, $y=g(x)$로 둘러싸인 도형의 넓이는 곡선 $y=f(x)$와 직선 $y=x$로 둘러싸인 도형의 넓이의 2배와 같으므로 구하는 도형의 넓이는

$$2\int_1^4\left(\sqrt{5x-4}-x\right)dx=2\left[\dfrac{2}{15}(5x-4)^{\frac{3}{2}}-\dfrac{1}{2}x^2\right]_1^4$$
$$=2\left(\dfrac{8}{15}+\dfrac{11}{30}\right)=\dfrac{9}{5}$$

010 답 $\dfrac{13}{3}$

$$\lim_{n\to\infty}\dfrac{1}{n}\left\{\left(\dfrac{n+2}{n}\right)^2+\left(\dfrac{n+4}{n}\right)^2+\left(\dfrac{n+6}{n}\right)^2+\cdots+\left(\dfrac{3n}{n}\right)^2\right\}$$
$$=\lim_{n\to\infty}\dfrac{1}{n}\left\{\left(1+\dfrac{2}{n}\right)^2+\left(1+\dfrac{4}{n}\right)^2+\left(1+\dfrac{6}{n}\right)^2+\cdots+\left(1+\dfrac{2n}{n}\right)^2\right\}$$
$$=\dfrac{1}{2}\lim_{n\to\infty}\sum_{k=1}^n\left(1+\dfrac{2k}{n}\right)^2\times\dfrac{2}{n}$$
$$=\dfrac{1}{2}\int_1^3 x^2\,dx=\dfrac{1}{2}\left[\dfrac{1}{3}x^3\right]_1^3$$
$$=\dfrac{1}{2}\left(9-\dfrac{1}{3}\right)=\dfrac{13}{3}$$

011 답 $\dfrac{10}{3}$

$$\lim_{n\to\infty}\dfrac{1}{n}\sum_{k=1}^n\sin\left(2+\dfrac{3k}{n}\right)=\dfrac{1}{3}\lim_{n\to\infty}\sum_{k=1}^n\sin\left(2+\dfrac{3k}{n}\right)\times\dfrac{3}{n}$$
$$=\dfrac{1}{3}\int_2^5\sin x\,dx$$

따라서 $a=\dfrac{1}{3}$, $b=2$, $c=5$이므로 $abc=\dfrac{10}{3}$

012 답 ㄴ, ㄷ

$$\lim_{n\to\infty}\sum_{k=1}^n\dfrac{1}{n}\left(2+\dfrac{k}{n}\right)^5=\int_2^3 x^5\,dx$$
$$=\int_0^1(x+2)^5\,dx$$
$$=\int_7^8(x-5)^5\,dx$$

따라서 보기 중 옳은 것은 ㄴ, ㄷ이다.

013 답 $2\ln 2-1$

$$\lim_{n\to\infty}\dfrac{1}{n}\left\{\ln\left(1+\dfrac{1}{n}\right)+\ln\left(1+\dfrac{2}{n}\right)+\ln\left(1+\dfrac{3}{n}\right)+\cdots+\ln\left(1+\dfrac{n}{n}\right)\right\}$$
$$=\lim_{n\to\infty}\sum_{k=1}^n\ln\left(1+\dfrac{k}{n}\right)\times\dfrac{1}{n}=\int_1^2\ln x\,dx$$
$$=\left[x\ln x\right]_1^2-\int_1^2 dx=2\ln 2-\left[x\right]_1^2$$
$$=2\ln 2-1$$

014 답 ③

$$\lim_{n \to \infty} \frac{1}{n^2}\left\{ f\left(\frac{2}{n}\right) + 2f\left(\frac{4}{n}\right) + 3f\left(\frac{6}{n}\right) + \cdots + nf\left(\frac{2n}{n}\right) \right\}$$

$$= \lim_{n \to \infty} \frac{1}{n^2} \sum_{k=1}^{n} kf\left(\frac{2k}{n}\right) = \lim_{n \to \infty} \frac{1}{4} \sum_{k=1}^{n} \frac{2k}{n} f\left(\frac{2k}{n}\right) \times \frac{2}{n}$$

$$= \frac{1}{4}\int_0^2 xf(x)\,dx = \frac{1}{4}\int_0^2 xe^x\,dx$$

$$= \frac{1}{4}\left(\left[xe^x \right]_0^2 - \int_0^2 e^x\,dx \right)$$

$$= \frac{1}{4}\left(2e^2 - \left[e^x \right]_0^2 \right) = \frac{e^2+1}{4}$$

015 답 ②

$$\lim_{n \to \infty} \frac{1}{n} \sum_{k=1}^{n} f\left(1+\frac{3k}{n}\right) = \frac{1}{3} \lim_{n \to \infty} \sum_{k=1}^{n} f\left(1+\frac{3k}{n}\right) \times \frac{3}{n}$$

$$= \frac{1}{3}\int_1^4 f(x)\,dx = \frac{1}{3}\int_1^4 (ax - 3\sqrt{x})\,dx$$

$$= \frac{1}{3}\left[\frac{a}{2}x^2 - 2x^{\frac{3}{2}} \right]_1^4$$

$$= \frac{1}{3}\left\{ (8a-16) - \left(\frac{a}{2}-2\right) \right\} = \frac{5}{2}a - \frac{14}{3}$$

따라서 $\frac{5}{2}a - \frac{14}{3} = \frac{16}{3}$이므로 $\frac{5}{2}a = 10$

$\therefore a = 4$

016 답 $\dfrac{4}{3}$

$\triangle OA_kB_k$는 $\angle OA_kB_k = \dfrac{\pi}{2}$인 직각삼각형이므로

$$\overline{A_kB_k}^2 = \overline{OB_k}^2 - \overline{OA_k}^2 = 1 - \left(\frac{k}{n}\right)^2$$

$$\therefore \lim_{n \to \infty} \frac{2}{n} \sum_{k=1}^{n-1} \overline{A_kB_k}^2 = \lim_{n \to \infty} \frac{2}{n} \sum_{k=1}^{n-1} \left\{ 1 - \left(\frac{k}{n}\right)^2 \right\}$$

$$= 2 \lim_{n \to \infty} \sum_{k=1}^{n-1} \left\{ 1 - \left(\frac{k}{n}\right)^2 \right\} \times \frac{1}{n}$$

$$= 2 \int_0^1 (1-x^2)\,dx = 2\left[x - \frac{1}{3}x^3 \right]_0^1 = \frac{4}{3}$$

017 답 $e + \dfrac{1}{e^2} - 1$

구하는 도형의 넓이는

$$\int_{-1}^0 (e^{-x}-1)\,dx + \int_0^2 \{-(e^{-x}-1)\}\,dx$$

$$= \left[-e^{-x}-x \right]_{-1}^0 + \left[e^{-x}+x \right]_0^2$$

$$= (e-2) + \left(\frac{1}{e^2}+1\right) = e + \frac{1}{e^2} - 1$$

018 답 ②

$\ln x = t$로 놓으면 $\dfrac{dt}{dx} = \dfrac{1}{x}$

$x=1$일 때 $t=0$, $x=e^2$일 때 $t=2$이므로 구하는 도형의 넓이는

$$\int_1^{e^2} \frac{\ln x}{x}\,dx = \int_0^2 t\,dt = \left[\frac{1}{2}t^2 \right]_0^2 = 2$$

019 답 ④

$y = \sin x + \sqrt{3}\cos x = 2\sin\left(x+\dfrac{\pi}{3}\right)$이고

곡선 $y = 2\sin\left(x+\dfrac{\pi}{3}\right)$와 x축의 교점의

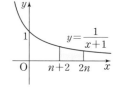

x좌표는 $2\sin\left(x+\dfrac{\pi}{3}\right) = 0$에서

$x = \dfrac{2}{3}\pi$ 또는 $x = \dfrac{5}{3}\pi$ $\left(\because 0 \le x \le \dfrac{5}{3}\pi \right)$

따라서 구하는 도형의 넓이는

$$\int_0^{\frac{2}{3}\pi} 2\sin\left(x+\frac{\pi}{3}\right)dx + \int_{\frac{2}{3}\pi}^{\frac{5}{3}\pi} \left\{ -2\sin\left(x+\frac{\pi}{3}\right) \right\}dx$$

$$= \left[-2\cos\left(x+\frac{\pi}{3}\right) \right]_0^{\frac{2}{3}\pi} + \left[2\cos\left(x+\frac{\pi}{3}\right) \right]_{\frac{2}{3}\pi}^{\frac{5}{3}\pi}$$

$$= (2+1) + (2+2) = 7$$

020 답 3

곡선 $y=f(x)$와 x축, y축 및 직선 $x=2$로 둘러싸인 도형의 넓이가 7이므로

$$\int_0^2 f(x)\,dx = 7 \qquad \cdots\cdots \ \unicode{x27E1}$$

$$\therefore \int_0^2 xf'(x)\,dx = \left[xf(x) \right]_0^2 - \int_0^2 f(x)\,dx$$

$$= 2f(2) - 7 \ (\because \ \unicode{x27E1})$$

$$= 2 \times 5 - 7 = 3$$

021 답 ②

$$S_n = \int_{n+2}^{2n} \frac{1}{x+1}\,dx = \left[\ln|x+1| \right]_{n+2}^{2n}$$

$$= \ln(2n+1) - \ln(n+3)$$

$$= \ln \frac{2n+1}{n+3}$$

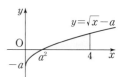

$$\therefore \lim_{n \to \infty} S_n = \lim_{n \to \infty} \ln \frac{2n+1}{n+3} = \ln 2$$

022 답 ③

곡선 $y = \sqrt{x} - a$와 x축의 교점의 x좌표는 $\sqrt{x} - a = 0$에서 $\sqrt{x} = a$

$\therefore x = a^2$

따라서 곡선 $y = \sqrt{x} - a$와 x축, y축 및 직선 $x=4$로 둘러싸인 도형의 넓이는

$$\int_0^{a^2} \{-(\sqrt{x}-a)\}\,dx + \int_{a^2}^4 (\sqrt{x}-a)\,dx$$

$$= \left[-\frac{2}{3}x^{\frac{3}{2}} + ax \right]_0^{a^2} + \left[\frac{2}{3}x^{\frac{3}{2}} - ax \right]_{a^2}^4$$

$$= \frac{1}{3}a^3 + \left(\frac{16}{3} - 4a + \frac{1}{3}a^3 \right)$$

$$= \frac{2}{3}a^3 - 4a + \frac{16}{3}$$

즉, $\dfrac{2}{3}a^3 - 4a + \dfrac{16}{3} = 2$이므로

$$a^3 - 6a + 5 = 0, \ (a-1)(a^2+a-5) = 0$$

이때 a는 유리수이므로 $a=1$

정답과 해설

023 답 ③

$y=-\ln(x+1)+1$에서 $\ln(x+1)=1-y$

$x+1=e^{1-y}$ $\therefore x=e^{1-y}-1$

따라서 구하는 도형의 넓이는

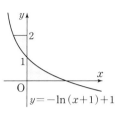

$\displaystyle\int_0^1 (e^{1-y}-1)\,dy+\int_1^2 \{-(e^{1-y}-1)\}\,dy$

$=\Big[-e^{1-y}-y\Big]_0^1+\Big[e^{1-y}+y\Big]_1^2$

$=e+\dfrac{1}{e}-2$

024 답 ①

$y=\dfrac{1}{x}$에서 $x=\dfrac{1}{y}$

따라서 구하는 도형의 넓이는

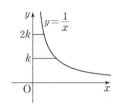

$\displaystyle\int_k^{2k}\dfrac{1}{y}\,dy=\Big[\ln|y|\Big]_k^{2k}=\ln 2k-\ln k$

$=\ln 2$

025 답 ③

곡선 $y=(x+2)^2$과 y축의 교점의 y좌표는

$y=4$

$y=(x+2)^2$에서 $\sqrt{y}=x+2\ (\because x\geq -2)$

$\therefore x=\sqrt{y}-2$

따라서 구하는 도형의 넓이는

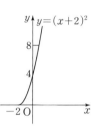

$\displaystyle\int_0^4 \{-(\sqrt{y}-2)\}\,dy+\int_4^8 (\sqrt{y}-2)\,dy$

$=\Big[-\dfrac{2}{3}y^{\frac{3}{2}}+2y\Big]_0^4+\Big[\dfrac{2}{3}y^{\frac{3}{2}}-2y\Big]_4^8$

$=\dfrac{8}{3}+\Big(\dfrac{32\sqrt{2}}{3}-\dfrac{40}{3}\Big)=\dfrac{32}{3}(\sqrt{2}-1)$

026 답 2

곡선 $y=\sqrt{x+1}-1$과 y축의 교점의 y좌표는 $y=0$

$y=\sqrt{x+1}-1$에서 $y+1=\sqrt{x+1}$

$(y+1)^2=x+1$ $\therefore x=y^2+2y$

따라서 구하는 도형의 넓이는

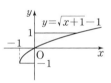

$\displaystyle\int_{-1}^0 \{-(y^2+2y)\}\,dy+\int_0^1 (y^2+2y)\,dy$

$=\Big[-\dfrac{1}{3}y^3-y^2\Big]_{-1}^0+\Big[\dfrac{1}{3}y^3+y^2\Big]_0^1=\dfrac{2}{3}+\dfrac{4}{3}=2$

027 답 $2e$

곡선 $y=\ln(x+a)$와 y축의 교점의 y좌표는 $y=\ln a$

$y=\ln(x+a)$에서 $x+a=e^y$

$\therefore x=e^y-a$

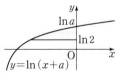

따라서 곡선 $y=\ln(x+a)$와 y축 및 직선 $y=\ln 2$로 둘러싸인 도형의 넓이는

$\displaystyle\int_{\ln 2}^{\ln a} \{-(e^y-a)\}\,dy=\Big[-e^y+ay\Big]_{\ln 2}^{\ln a}$

$=(-a+a\ln a)-(-2+a\ln 2)$

$=a\ln\dfrac{a}{2}-a+2$

즉, $a\ln\dfrac{a}{2}-a+2=2$이므로 $a\Big(\ln\dfrac{a}{2}-1\Big)=0$

$\ln\dfrac{a}{2}=1\ (\because a>2)$, $\dfrac{a}{2}=e$ $\therefore a=2e$

028 답 $\dfrac{2}{3}$

곡선 $y=\dfrac{2x}{x^2+2}$와 직선 $y=\dfrac{1}{3}x$의 교점의 x좌표는

$\dfrac{2x}{x^2+2}=\dfrac{1}{3}x$에서 $6x=x^3+2x$

$x^3-4x=0,\ x(x+2)(x-2)=0$

$\therefore x=-2$ 또는 $x=0$ 또는 $x=2$

따라서 구하는 도형의 넓이는

$\displaystyle\int_{-2}^0 \Big(\dfrac{1}{3}x-\dfrac{2x}{x^2+2}\Big)dx+\int_0^2 \Big(\dfrac{2x}{x^2+2}-\dfrac{1}{3}x\Big)dx$

$=\Big[\dfrac{1}{6}x^2-\ln(x^2+2)\Big]_{-2}^0+\Big[\ln(x^2+2)-\dfrac{1}{6}x^2\Big]_0^2$

$=\Big(-\ln 2-\dfrac{2}{3}+\ln 6\Big)+\Big(\ln 6-\dfrac{2}{3}-\ln 2\Big)$

$=2\ln 6-2\ln 2-\dfrac{4}{3}=2\ln 3-\dfrac{4}{3}$

즉, $a=2$, $b=-\dfrac{4}{3}$이므로 $a+b=\dfrac{2}{3}$

029 답 $\dfrac{9}{2}$

$y=x-3$에서 $x=y+3$

곡선 $x=y^2+1$과 직선 $x=y+3$의 교점의 y좌표는

$y^2+1=y+3$에서 $y^2-y-2=0$

$(y+1)(y-2)=0$ $\therefore y=-1$ 또는 $y=2$

따라서 구하는 도형의 넓이는

$\displaystyle\int_{-1}^2 \{(y+3)-(y^2+1)\}\,dy=\int_{-1}^2 (-y^2+y+2)\,dy$

$=\Big[-\dfrac{1}{3}y^3+\dfrac{1}{2}y^2+2y\Big]_{-1}^2$

$=\dfrac{10}{3}+\dfrac{7}{6}=\dfrac{9}{2}$

030 답 ③

곡선 $y=\dfrac{2}{x}\ (x>0)$와 직선 $y=2x$의 교점의 x좌표는 $\dfrac{2}{x}=2x$에서

$x^2=1$ $\therefore x=1\ (\because x>0)$

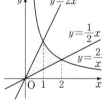

또 곡선 $y=\dfrac{2}{x}\ (x>0)$와 직선 $y=\dfrac{1}{2}x$의

교점의 x좌표는 $\dfrac{2}{x}=\dfrac{1}{2}x$에서 $x^2=4$ $\therefore x=2\ (\because x>0)$

따라서 곡선 $y=\dfrac{2}{x}\ (x>0)$와 두 직선 $y=2x$, $y=\dfrac{1}{2}x$로 둘러싸인 도형의 넓이는

$\displaystyle\int_0^1 \Big(2x-\dfrac{1}{2}x\Big)dx+\int_1^2 \Big(\dfrac{2}{x}-\dfrac{1}{2}x\Big)dx=\Big[\dfrac{3}{4}x^2\Big]_0^1+\Big[2\ln x-\dfrac{1}{4}x^2\Big]_1^2$

$=\dfrac{3}{4}+\Big(2\ln 2-\dfrac{3}{4}\Big)=2\ln 2$

즉, $\ln a=2\ln 2=\ln 4$이므로 $a=4$

031 답 $\dfrac{\pi^2}{2}-\pi$

곡선 $y=x\sin x$와 직선 $y=-x+\pi$의 교점의 x좌표를
$k\,(0<k<\pi)$라 하면
S_1-S_2
$=\displaystyle\int_0^k(-x+\pi-x\sin x)\,dx-\int_k^\pi\{x\sin x-(-x+\pi)\}\,dx$
$=\displaystyle\int_0^k(-x+\pi-x\sin x)\,dx+\int_k^\pi(-x+\pi-x\sin x)\,dx$
$=\displaystyle\int_0^\pi(-x+\pi-x\sin x)\,dx$
$=\left[-\dfrac{1}{2}x^2+\pi x\right]_0^\pi-\left(\left[-x\cos x\right]_0^\pi+\int_0^\pi\cos x\,dx\right)$
$=\dfrac{\pi^2}{2}-\left(\pi+\left[\sin x\right]_0^\pi\right)=\dfrac{\pi^2}{2}-\pi$

032 답 $2e^2+2$

두 곡선 $y=\ln x$, $y=\ln\dfrac{1}{x}$의 교점의 x좌

표는 $\ln x=\ln\dfrac{1}{x}$에서

$\ln x=-\ln x$, $2\ln x=0$ $\quad\therefore x=1$

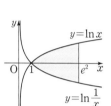

따라서 구하는 도형의 넓이는
$\displaystyle\int_1^{e^2}\left(\ln x-\ln\dfrac{1}{x}\right)dx=\int_1^{e^2}2\ln x\,dx$
$\qquad=2\left(\left[x\ln x\right]_1^{e^2}-\int_1^{e^2}dx\right)$
$\qquad=2\left(2e^2-\left[x\right]_1^{e^2}\right)$
$\qquad=2(e^2+1)=2e^2+2$

033 답 ④

$y=\dfrac{1}{x}$에서 $x=\dfrac{1}{y}$, $y=-\dfrac{2}{x}$에서 $x=-\dfrac{2}{y}$

따라서 두 곡선 $y=\dfrac{1}{x}$, $y=-\dfrac{2}{x}$와 두 직

선 $y=1$, $y=k$로 둘러싸인 도형의 넓이는

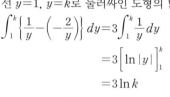

$\displaystyle\int_1^k\left\{\dfrac{1}{y}-\left(-\dfrac{2}{y}\right)\right\}dy=3\int_1^k\dfrac{1}{y}\,dy$
$\qquad=3\left[\ln|y|\right]_1^k$
$\qquad=3\ln k$

즉, $3\ln k=6$이므로

$\ln k=2$ $\quad\therefore k=e^2$

034 답 ⑤

두 곡선 $y=\sqrt{2}\sin x$, $y=\sin 2x$의 교점
의 x좌표는 $\sqrt{2}\sin x=\sin 2x$에서

$\sqrt{2}\sin x=2\sin x\cos x$

$\sin x(2\cos x-\sqrt{2})=0$

$\sin x=0$ 또는 $\cos x=\dfrac{\sqrt{2}}{2}$

$\therefore x=0$ 또는 $x=\dfrac{\pi}{4}$ 또는 $x=\pi$ $(\because 0\le x\le\pi)$

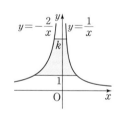

따라서 구하는 도형의 넓이는
$\displaystyle\int_0^{\frac{\pi}{4}}(\sin 2x-\sqrt{2}\sin x)\,dx+\int_{\frac{\pi}{4}}^\pi(\sqrt{2}\sin x-\sin 2x)\,dx$
$=\left[-\dfrac{1}{2}\cos 2x+\sqrt{2}\cos x\right]_0^{\frac{\pi}{4}}+\left[-\sqrt{2}\cos x+\dfrac{1}{2}\cos 2x\right]_{\frac{\pi}{4}}^\pi$
$=\left(\dfrac{3}{2}-\sqrt{2}\right)+\left(\sqrt{2}+\dfrac{3}{2}\right)=3$

035 답 $\dfrac{1}{3}$

$f(x)=\sqrt{1-x}$라 하면 $f'(x)=-\dfrac{1}{2\sqrt{1-x}}$

점 $(0,\,1)$에서의 접선의 기울기는 $f'(0)=-\dfrac{1}{2}$이므로 접선의 방

정식은

$y-1=-\dfrac{1}{2}x$ $\quad\therefore y=-\dfrac{1}{2}x+1$

따라서 구하는 도형의 넓이는

$\dfrac{1}{2}\times 2\times 1-\displaystyle\int_0^1\sqrt{1-x}\,dx$

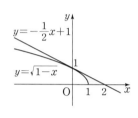

$=1-\left[-\dfrac{2}{3}(1-x)^{\frac{3}{2}}\right]_0^1$
$=1-\dfrac{2}{3}=\dfrac{1}{3}$

036 답 ②

$f(x)=e^{2x}$이라 하면 $f'(x)=2e^{2x}$

점 $\left(\dfrac{1}{2},\,e\right)$에서의 접선의 기울기는

$f'\left(\dfrac{1}{2}\right)=2e$이므로 접선의 방정식은

$y-e=2e\left(x-\dfrac{1}{2}\right)$ $\quad\therefore y=2ex$

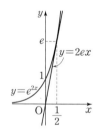

따라서 구하는 도형의 넓이는

$\displaystyle\int_0^{\frac{1}{2}}(e^{2x}-2ex)\,dx=\left[\dfrac{1}{2}e^{2x}-ex^2\right]_0^{\frac{1}{2}}=\dfrac{e}{2}-\dfrac{e}{4}-\dfrac{1}{2}=\dfrac{e-2}{4}$

037 답 $\dfrac{e}{2}-\dfrac{3}{2e}$

$f(x)=e^x$이라 하면 $f'(x)=e^x$

점 $(1,\,e)$에서의 접선의 기울기는

$f'(1)=e$이므로 접선의 방정식은

$y-e=e(x-1)$ $\quad\therefore y=ex$

이 접선과 수직이고 점 $\left(-1,\,\dfrac{1}{e}\right)$을 지

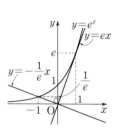

나는 직선의 방정식은

$y-\dfrac{1}{e}=-\dfrac{1}{e}(x+1)$ $\quad\therefore y=-\dfrac{1}{e}x$

따라서 구하는 도형의 넓이는

$\displaystyle\int_{-1}^0\left\{e^x-\left(-\dfrac{1}{e}x\right)\right\}dx+\int_0^1(e^x-ex)\,dx$
$=\left[e^x+\dfrac{1}{2e}x^2\right]_{-1}^0+\left[e^x-\dfrac{e}{2}x^2\right]_0^1$
$=\left(1-\dfrac{3}{2e}\right)+\left(\dfrac{e}{2}-1\right)=\dfrac{e}{2}-\dfrac{3}{2e}$

038 답 ②

$f(x)=\dfrac{\ln x}{x}$라 하면 $f'(x)=\dfrac{1-\ln x}{x^2}$

접점의 좌표를 $\left(t,\ \dfrac{\ln t}{t}\right)(t>0)$라 하면 이 점에서의 접선의 기울

기는 $f'(t)=\dfrac{1-\ln t}{t^2}$이므로 접선의 방정식은

$y-\dfrac{\ln t}{t}=\dfrac{1-\ln t}{t^2}(x-t)$ $\quad\therefore y=\dfrac{1-\ln t}{t^2}x+\dfrac{2\ln t-1}{t}$

이 직선이 원점을 지나므로 $2\ln t-1=0$

$2\ln t=1,\ \ln t=\dfrac{1}{2}$ $\quad\therefore t=\sqrt{e}$

따라서 구하는 도형의 넓이는

$\dfrac{1}{2}\times\sqrt{e}\times\dfrac{1}{2\sqrt{e}}-\displaystyle\int_1^{\sqrt{e}}\dfrac{\ln x}{x}dx$

$=\dfrac{1}{4}-\displaystyle\int_1^{\sqrt{e}}\dfrac{\ln x}{x}dx$

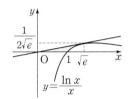

이때 $\ln x=t$로 놓으면 $\dfrac{dt}{dx}=\dfrac{1}{x}$

$x=1$일 때 $t=0$, $x=\sqrt{e}$일 때 $t=\dfrac{1}{2}$이므로

$\dfrac{1}{4}-\displaystyle\int_1^{\sqrt{e}}\dfrac{\ln x}{x}dx=\dfrac{1}{4}-\displaystyle\int_0^{\frac{1}{2}}t\,dt$

$\qquad\qquad\qquad\quad=\dfrac{1}{4}-\left[\dfrac{1}{2}t^2\right]_0^{\frac{1}{2}}$

$\qquad\qquad\qquad\quad=\dfrac{1}{4}-\dfrac{1}{8}=\dfrac{1}{8}$

039 답 $\dfrac{4\sqrt{3}}{9}$

두 도형의 넓이가 서로 같으므로

$\displaystyle\int_0^9(\sqrt{3x}-ax)dx=0$

$\left[\dfrac{2\sqrt{3}}{3}x^{\frac{3}{2}}-\dfrac{a}{2}x^2\right]_0^9=0$

$18\sqrt{3}-\dfrac{81}{2}a=0$ $\quad\therefore a=\dfrac{4\sqrt{3}}{9}$

040 답 ②

두 도형의 넓이가 서로 같으므로

$\displaystyle\int_0^k(4\sqrt{x}-2x)dx=0$

$\left[\dfrac{8}{3}x^{\frac{3}{2}}-x^2\right]_0^k=0$

$\dfrac{8}{3}k\sqrt{k}-k^2=0,\ k\sqrt{k}\left(\dfrac{8}{3}-\sqrt{k}\right)=0$

$\sqrt{k}=\dfrac{8}{3}\ (\because k>4)$ $\quad\therefore k=\dfrac{64}{9}$

041 답 ③

두 도형의 넓이가 서로 같으므로

$\displaystyle\int_0^4(\sqrt{x}-a)dx=0$

$\left[\dfrac{2}{3}x^{\frac{3}{2}}-ax\right]_0^4=0$

$\dfrac{16}{3}-4a=0$ $\quad\therefore a=\dfrac{4}{3}$

042 답 2

두 도형의 넓이가 서로 같으므로

$\displaystyle\int_0^k\{xe^x-(e^x+1)\}dx=0$

$\displaystyle\int_0^k\{(x-1)e^x-1\}dx=0$

$\left\{\left[(x-1)e^x\right]_0^k-\displaystyle\int_0^k e^x\,dx\right\}-\left[x\right]_0^k=0$

$\left\{(k-1)e^k+1-\left[e^x\right]_0^k\right\}-k=0$

$(k-2)e^k-k+2=0$

$(k-2)(e^k-1)=0$ $\quad\therefore k=2\left(\because k>\dfrac{3}{2}\right)$

043 답 $\sqrt{e}$

곡선 $y=\dfrac{2}{x}$와 x축 및 두 직선 $x=1$, $x=e$

로 둘러싸인 도형의 넓이를 S_1이라 하면

$S_1=\displaystyle\int_1^e\dfrac{2}{x}dx=\left[2\ln|x|\right]_1^e=2$

곡선 $y=\dfrac{2}{x}$와 x축 및 두 직선 $x=1$, $x=k$

로 둘러싸인 도형의 넓이를 S_2라 하면

$S_2=\displaystyle\int_1^k\dfrac{2}{x}dx=\left[2\ln|x|\right]_1^k=2\ln k$

이때 $S_2=\dfrac{1}{2}S_1$이므로

$2\ln k=1,\ \ln k=\dfrac{1}{2}$ $\quad\therefore k=\sqrt{e}$

044 답 ②

곡선 $y=\sqrt{x}$와 x축 및 직선 $x=4$로 둘

러싸인 도형의 넓이를 S_1이라 하면

$S_1=\displaystyle\int_0^4\sqrt{x}\,dx=\left[\dfrac{2}{3}x^{\frac{3}{2}}\right]_0^4$

$\quad=\dfrac{16}{3}$ $\qquad$ ...... ㉠

곡선 $y=\sqrt{ax}$와 x축 및 직선 $x=4$로 둘러싸인 도형의 넓이를 S_2

라 하면

$S_2=\displaystyle\int_0^4\sqrt{ax}\,dx=\sqrt{a}\displaystyle\int_0^4\sqrt{x}\,dx=\dfrac{16}{3}\sqrt{a}\ (\because ㉠)$

이때 $S_2=\dfrac{1}{2}S_1$이므로

$\dfrac{16}{3}\sqrt{a}=\dfrac{1}{2}\times\dfrac{16}{3},\ \sqrt{a}=\dfrac{1}{2}$ $\quad\therefore a=\dfrac{1}{4}$

045 답 $e-1$

곡선 $y=e^x$과 y축 및 직선 $y=e$로 둘러싸인 도형의 넓이를 S_1이라

하면

$S_1=\displaystyle\int_0^1(e-e^x)dx=\left[ex-e^x\right]_0^1=1$

직선 l과 y축 및 직선 $y=e$로 둘러싸인 도형의 넓이를 S_2라 하면

$S_2=\dfrac{1}{2}\times1\times(e-k)=\dfrac{e-k}{2}$

이때 $S_2=\dfrac{1}{2}S_1$이므로

$\dfrac{e-k}{2}=\dfrac{1}{2},\ e-k=1$ $\quad\therefore k=e-1$

046 답 $2-\sqrt{2}$

두 곡선 $y=2\sin x\cos x$, $y=a\sin x$의 교점의 x좌표를 k라 하면
$2\sin k\cos k=a\sin k$에서
$2\cos k=a$ $(\because \sin k\neq 0)$
$\therefore \cos k=\dfrac{a}{2}$ $\cdots\cdots$ ㉠

곡선 $y=2\sin x\cos x$와 x축으로 둘러싸인 도형의 넓이를 S_1이라 하면
$$S_1=\int_0^{\frac{\pi}{2}}2\sin x\cos x\,dx=\int_0^{\frac{\pi}{2}}\sin 2x\,dx=\left[-\frac{1}{2}\cos 2x\right]_0^{\frac{\pi}{2}}=1$$

곡선 $y=2\sin x\cos x$와 곡선 $y=a\sin x$로 둘러싸인 도형의 넓이를 S_2라 하면

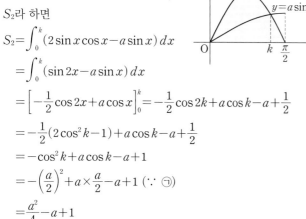

$$\begin{aligned}S_2&=\int_0^k(2\sin x\cos x-a\sin x)\,dx\\&=\int_0^k(\sin 2x-a\sin x)\,dx\\&=\left[-\frac{1}{2}\cos 2x+a\cos x\right]_0^k=-\frac{1}{2}\cos 2k+a\cos k-a+\frac{1}{2}\\&=-\frac{1}{2}(2\cos^2 k-1)+a\cos k-a+\frac{1}{2}\\&=-\cos^2 k+a\cos k-a+1\\&=-\left(\frac{a}{2}\right)^2+a\times\frac{a}{2}-a+1\ (\because ㉠)\\&=\frac{a^2}{4}-a+1\end{aligned}$$

이때 $S_2=\dfrac{1}{2}S_1$이므로
$\dfrac{a^2}{4}-a+1=\dfrac{1}{2}$, $a^2-4a+2=0$
$\therefore a=2-\sqrt{2}$ $(\because 0<a<\sqrt{2})$

047 답 ②

두 곡선 $y=f(x)$, $y=g(x)$는 직선 $y=x$에 대하여 대칭이다.
두 곡선 $y=f(x)$, $y=g(x)$의 교점의 x좌표는 곡선 $y=f(x)$와 직선 $y=x$의 교점의 x좌표와 같으므로
$\sqrt{4x-3}=x$에서 $4x-3=x^2$
$x^2-4x+3=0$, $(x-1)(x-3)=0$
$\therefore x=1$ 또는 $x=3$

두 곡선 $y=f(x)$, $y=g(x)$로 둘러싸인 도형의 넓이는 곡선 $y=f(x)$와 직선 $y=x$로 둘러싸인 도형의 넓이의 2배와 같으므로 구하는 도형의 넓이는
$$2\int_1^3(\sqrt{4x-3}-x)\,dx=2\left[\frac{1}{6}(4x-3)^{\frac{3}{2}}-\frac{1}{2}x^2\right]_1^3=2\times\frac{1}{3}=\frac{2}{3}$$

048 답 ①

함수 $y=f(x)$와 그 역함수 $y=g(x)$의 그래프는 직선 $y=x$에 대하여 대칭이므로 오른쪽 그림에서 $B=C$
$$\begin{aligned}\therefore &\int_0^1f(x)\,dx+\int_1^e g(x)\,dx\\&=A+B=A+C=1\times e=e\end{aligned}$$

049 답 ④

두 함수 $f(x)$와 $g(x)$는 서로 역함수이므로
$f\left(\dfrac{\pi}{6}\right)=\dfrac{\sqrt{3}}{3}$, $f\left(\dfrac{\pi}{3}\right)=\sqrt{3}$에서
$g\left(\dfrac{\sqrt{3}}{3}\right)=\dfrac{\pi}{6}$, $g(\sqrt{3})=\dfrac{\pi}{3}$

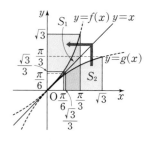

이때 $\displaystyle\int_{\frac{\pi}{6}}^{\frac{\pi}{3}}f(x)\,dx=S_1$,
$\displaystyle\int_{\frac{\sqrt{3}}{3}}^{\sqrt{3}}g(x)\,dx=S_2$라 하고, S_2에 해당하는 부분을 직선 $y=x$에 대하여 대칭이동하면 구하는 값은 오른쪽 그림의 색칠한 부분의 넓이와 같으므로

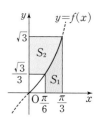

$$\begin{aligned}&\int_{\frac{\pi}{6}}^{\frac{\pi}{3}}f(x)\,dx+\int_{\frac{\sqrt{3}}{3}}^{\sqrt{3}}g(x)\,dx\\&=\frac{\pi}{3}\times\sqrt{3}-\frac{\pi}{6}\times\frac{\sqrt{3}}{3}\\&=\frac{5\sqrt{3}}{18}\pi\end{aligned}$$

050 답 e^4+3

밑면으로부터 높이가 x인 지점에서 밑면과 평행한 평면으로 자른 단면의 넓이를 $S(x)$라 하면
$S(x)=(\sqrt{e^x+1})^2=e^x+1$
따라서 구하는 용기의 부피는
$$\begin{aligned}\int_0^4 S(x)\,dx&=\int_0^4(e^x+1)\,dx\\&=\left[e^x+x\right]_0^4=e^4+3\end{aligned}$$

051 답 $\sqrt{3}$

점 $(x, 0)$ $(0\leq x\leq\pi)$을 지나고 x축에 수직인 평면으로 자른 단면의 넓이를 $S(x)$라 하면
$$S(x)=\frac{\sqrt{3}}{4}(\sqrt{2\sin x})^2=\frac{\sqrt{3}}{2}\sin x$$
따라서 구하는 입체도형의 부피는
$$\begin{aligned}\int_0^\pi S(x)\,dx&=\int_0^\pi\frac{\sqrt{3}}{2}\sin x\,dx\\&=\left[-\frac{\sqrt{3}}{2}\cos x\right]_0^\pi=\sqrt{3}\end{aligned}$$

052 답 ④

$0\leq t\leq\dfrac{1}{2}$일 때 $v(t)\geq 0$, $\dfrac{1}{2}\leq t\leq 1$일 때 $v(t)\leq 0$이므로 점 P가 움직인 거리는
$$\begin{aligned}\int_0^1|2\pi\cos\pi t|\,dt&=\int_0^{\frac{1}{2}}2\pi\cos\pi t\,dt-\int_{\frac{1}{2}}^1 2\pi\cos\pi t\,dt\\&=\left[2\sin\pi t\right]_0^{\frac{1}{2}}-\left[2\sin\pi t\right]_{\frac{1}{2}}^1\\&=2-(-2)=4\end{aligned}$$

053 답 5π

$\dfrac{dx}{dt}=3\cos t+4\sin t,\ \dfrac{dy}{dt}=-3\sin t+4\cos t$

따라서 시각 $t=0$에서 $t=\pi$까지 점 P가 움직인 거리는

$\displaystyle\int_0^\pi \sqrt{(3\cos t+4\sin t)^2+(-3\sin t+4\cos t)^2}\,dt$

$\displaystyle=\int_0^\pi \sqrt{25\cos^2 t+25\sin^2 t}\,dt$

$\displaystyle=\int_0^\pi 5\,dt=\Big[5t\Big]_0^\pi=5\pi$

054 답 $2\sqrt{3}-\dfrac{2}{3}$

$f(x)=\dfrac{2}{3}(x-2)\sqrt{x-2}$ 라 하면

$f'(x)=\sqrt{x-2}$

따라서 구하는 곡선의 길이는

$\displaystyle\int_2^4 \sqrt{1+(\sqrt{x-2})^2}\,dx=\int_2^4 \sqrt{x-1}\,dx$

$\displaystyle\qquad\qquad=\Big[\dfrac{2}{3}(x-1)^{\frac{3}{2}}\Big]_2^4=2\sqrt{3}-\dfrac{2}{3}$

055 답 ⑤

밑면으로부터 높이가 x인 지점에서 밑면과 평행한 평면으로 자른 단면의 넓이를 $S(x)$라 하면

$S(x)=\left(\sqrt{\dfrac{2x+3}{x+1}}\right)^2=\dfrac{2x+3}{x+1}$

따라서 구하는 입체도형의 부피는

$\displaystyle\int_0^2 S(x)\,dx=\int_0^2 \dfrac{2x+3}{x+1}\,dx=\int_0^2 \left(2+\dfrac{1}{x+1}\right)dx$

$\displaystyle\qquad=\Big[2x+\ln(x+1)\Big]_0^2$

$\displaystyle\qquad=\ln 3+4$

056 답 ③

물의 깊이가 $x\,\mathrm{cm}\,(0\le x\le 3)$일 때 수면의 넓이를 $S(x)$라 하면

$S(x)=\dfrac{\pi}{2}\left(\sqrt{\sin\dfrac{\pi}{4}x}\right)^2=\dfrac{\pi}{2}\sin\dfrac{\pi}{4}x\,(\mathrm{cm}^2)$

따라서 구하는 물의 부피는

$\displaystyle\int_0^2 S(x)\,dx=\int_0^2 \dfrac{\pi}{2}\sin\dfrac{\pi}{4}x\,dx$

$\displaystyle\qquad=\Big[-2\cos\dfrac{\pi}{4}x\Big]_0^2=2\,(\mathrm{cm}^3)$

057 답 4

깊이가 $x\,\mathrm{cm}$일 때 수면의 넓이가 $(e^{-x}+x)\,\mathrm{cm}^2$이므로 깊이가 $a\,\mathrm{cm}$일 때의 물의 부피는

$\displaystyle\int_0^a (e^{-x}+x)\,dx=\Big[-e^{-x}+\dfrac{1}{2}x^2\Big]_0^a$

$\displaystyle\qquad\qquad=-\dfrac{1}{e^a}+\dfrac{1}{2}a^2+1\,(\mathrm{cm}^3)$

따라서 $-\dfrac{1}{e^a}+\dfrac{1}{2}a^2+1=-\dfrac{1}{e^4}+9$이므로 $a=4$

058 답 $\dfrac{1}{2}$

점 $(x,\,0)\left(0\le x\le\dfrac{\pi}{4}\right)$을 지나고 x축에 수직인 평면으로 자른 단면의 넓이를 $S(x)$라 하면

$S(x)=(\sqrt{\cos 2x})^2=\cos 2x$

따라서 구하는 입체도형의 부피는

$\displaystyle\int_0^{\frac{\pi}{4}} S(x)\,dx=\int_0^{\frac{\pi}{4}} \cos 2x\,dx=\Big[\dfrac{1}{2}\sin 2x\Big]_0^{\frac{\pi}{4}}=\dfrac{1}{2}$

059 답 ②

점 $(x,\,0)\,(0\le x\le\ln 3)$을 지나고 x축에 수직인 평면으로 자른 단면의 넓이를 $S(x)$라 하면

$S(x)=\dfrac{\pi}{2}(\sqrt{e^x+2})^2=\dfrac{\pi}{2}(e^x+2)$

따라서 입체도형의 부피는

$\displaystyle\int_0^{\ln 3} S(x)\,dx=\int_0^{\ln 3}\dfrac{\pi}{2}(e^x+2)\,dx=\dfrac{\pi}{2}\Big[e^x+2x\Big]_0^{\ln 3}$

$\displaystyle\qquad\qquad=\dfrac{\pi}{2}(2+2\ln 3)=\pi(1+\ln 3)$

즉, $a=1$, $b=3$이므로 $a+b=4$

060 답 $\dfrac{26}{3\ln 3}$

점 P의 x좌표를 $x\,(-1\le x\le 2)$라 하면 $\overline{\mathrm{PH}}=3^{\frac{x}{2}}$

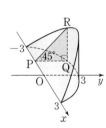

$\overline{\mathrm{PH}}$를 한 변으로 하는 정사각형의 넓이를 $S(x)$라 하면

$S(x)=\overline{\mathrm{PH}}^2=(3^{\frac{x}{2}})^2=3^x$

점 P의 x좌표가 -1에서 2까지 변하므로 구하는 입체도형의 부피는

$\displaystyle\int_{-1}^2 S(x)\,dx=\int_{-1}^2 3^x\,dx=\Big[\dfrac{3^x}{\ln 3}\Big]_{-1}^2=\dfrac{26}{3\ln 3}$

061 답 18

오른쪽 그림과 같이 구하는 입체도형의 밑면의 중심을 원점, 지름을 x축으로 정하자.

이때 점 $\mathrm{P}(x,\,0)\,(-3\le x\le 3)$을 지나고 x축에 수직인 평면으로 자른 단면을 $\triangle\mathrm{PQR}$라 하면

$\overline{\mathrm{QR}}=\overline{\mathrm{PQ}}=\sqrt{\overline{\mathrm{OQ}}^2-\overline{\mathrm{OP}}^2}=\sqrt{9-x^2}$

$\triangle\mathrm{PQR}$의 넓이를 $S(x)$라 하면

$S(x)=\dfrac{1}{2}(\sqrt{9-x^2})^2=\dfrac{1}{2}(9-x^2)$

따라서 구하는 입체도형의 부피는

$\displaystyle\int_{-3}^3 S(x)\,dx=\int_{-3}^3 \dfrac{1}{2}(9-x^2)\,dx$

$\displaystyle\qquad\qquad=\dfrac{1}{2}\Big[9x-\dfrac{1}{3}x^3\Big]_{-3}^3=18$

062 답 ③

$0 \le t \le 1$일 때 $v(t) \ge 0$, $1 \le t \le \dfrac{3}{2}$일 때 $v(t) \le 0$이므로 점 P가 움직인 거리는

$$\int_0^{\frac{3}{2}} |\sin \pi t|\, dt = \int_0^1 \sin \pi t\, dt - \int_1^{\frac{3}{2}} \sin \pi t\, dt$$
$$= \left[-\frac{1}{\pi} \cos \pi t \right]_0^1 - \left[-\frac{1}{\pi} \cos \pi t \right]_1^{\frac{3}{2}}$$
$$= \frac{2}{\pi} - \left(-\frac{1}{\pi} \right) = \frac{3}{\pi}$$

063 답 ⑤

처음 위치가 0이므로 시각 $t=2$에서의 점 P의 위치는

$$0 + \int_0^2 te^t\, dt = \left[te^t \right]_0^2 - \int_0^2 e^t\, dt$$
$$= 2e^2 - \left[e^t \right]_0^2 = 2e^2 - (e^2 - 1)$$
$$= e^2 + 1$$

064 답 ③

$v(t) = 0$에서 $\cos t - \cos 2t = 0$

$\cos t - (2\cos^2 t - 1) = 0$

$2\cos^2 t - \cos t - 1 = 0$

$(2\cos t + 1)(\cos t - 1) = 0$

$\cos t = -\dfrac{1}{2}$ 또는 $\cos t = 1$

$\therefore t = \dfrac{2}{3}\pi$ 또는 $t = \dfrac{5}{3}\pi$ 또는 $t = 2\pi$ $\cdots$ ($\because t > 0$)

따라서 점 P가 출발한 후 처음으로 운동 방향을 바꾸는 시각은 $t = \dfrac{2}{3}\pi$이고, $0 \le t \le \dfrac{2}{3}\pi$에서 $v(t) \ge 0$이므로 점 P가 움직인 거리는

$$\int_0^{\frac{2}{3}\pi} (\cos t - \cos 2t)\, dt = \left[\sin t - \frac{1}{2}\sin 2t \right]_0^{\frac{2}{3}\pi} = \frac{3\sqrt{3}}{4}$$

065 답 16

시각 t에서의 두 점 P, Q의 위치를 각각 x_P, x_Q라 하면

$$x_P = 0 + \int_0^t 2t\, dt = \left[t^2 \right]_0^t = t^2$$
$$x_Q = 0 + \int_0^t \left(\frac{3}{2}\sqrt{t} + t \right) dt$$
$$= \left[t^{\frac{3}{2}} + \frac{1}{2}t^2 \right]_0^t = t\sqrt{t} + \frac{1}{2}t^2$$

두 점 P, Q가 동시에 출발한 후 다시 만나려면 $x_P = x_Q$이어야 하므로

$$t^2 = t\sqrt{t} + \frac{1}{2}t^2, \quad t\sqrt{t}\left(1 - \frac{\sqrt{t}}{2} \right) = 0$$

$\therefore t = 4$ ($\because t > 0$)

따라서 두 점 P, Q가 처음으로 다시 만나는 시각은 $t = 4$이므로 그때의 위치는

$4^2 = 16$

066 답 $\dfrac{3}{4}$

$\dfrac{dx}{dt} = \dfrac{e^t - e^{-t}}{2}$, $\dfrac{dy}{dt} = 1$

따라서 시각 $t = 0$에서 $t = \ln 2$까지 점 P가 움직인 거리는

$$\int_0^{\ln 2} \sqrt{\frac{(e^t - e^{-t})^2}{4} + 1}\, dt = \int_0^{\ln 2} \sqrt{\frac{(e^t + e^{-t})^2}{4}}\, dt$$
$$= \frac{1}{2}\int_0^{\ln 2} (e^t + e^{-t})\, dt$$
$$= \frac{1}{2}\left[e^t - e^{-t} \right]_0^{\ln 2}$$
$$= \frac{1}{2} \times \frac{3}{2} = \frac{3}{4}$$

067 답 ②

$\dfrac{dx}{dt} = t - 1$, $\dfrac{dy}{dt} = 2\sqrt{t}$

따라서 시각 $t = 1$에서 $t = a$까지 점 P가 움직인 거리는

$$\int_1^a \sqrt{(t-1)^2 + (2\sqrt{t})^2}\, dt = \int_1^a \sqrt{(t+1)^2}\, dt = \int_1^a (t+1)\, dt$$
$$= \left[\frac{1}{2}t^2 + t \right]_1^a = \frac{1}{2}a^2 + a - \frac{3}{2}$$

즉, $\dfrac{1}{2}a^2 + a - \dfrac{3}{2} = \dfrac{5}{2}$이므로 $a^2 + 2a - 8 = 0$

$(a+4)(a-2) = 0$ $\quad \therefore a = 2$ ($\because a > 1$)

068 답 $\dfrac{7}{4}$

$\dfrac{dx}{dt} = e^{2t} - a$, $\dfrac{dy}{dt} = 2\sqrt{a}\,e^t$

따라서 시각 $t = 0$에서 $t = 2$까지 점 P가 움직인 거리는

$$\int_0^2 \sqrt{(e^{2t} - a)^2 + (2\sqrt{a}\,e^t)^2}\, dt = \int_0^2 \sqrt{(e^{2t} + a)^2}\, dt$$
$$= \int_0^2 (e^{2t} + a)\, dt$$
$$= \left[\frac{1}{2}e^{2t} + at \right]_0^2$$
$$= \frac{e^4}{2} + 2a - \frac{1}{2}$$

즉, $\dfrac{e^4}{2} + 2a - \dfrac{1}{2} = \dfrac{e^4}{2} + 3$이므로 $2a = \dfrac{7}{2}$

$\therefore a = \dfrac{7}{4}$

069 답 ③

$\dfrac{dx}{dt} = -3\cos^2 t \sin t$, $\dfrac{dy}{dt} = 3\sin^2 t \cos t$

따라서 점 P의 시각 t에서의 속력은

$$\sqrt{(-3\cos^2 t \sin t)^2 + (3\sin^2 t \cos t)^2}$$
$$= \sqrt{9\sin^2 t \cos^2 t\,(\sin^2 t + \cos^2 t)}$$
$$= 3\sin t \cos t = \frac{3}{2}\sin 2t$$

이때 $0 \le t \le \dfrac{\pi}{2}$에서 속력이 최대가 되는 때는 $t = \dfrac{\pi}{4}$일 때이다.

따라서 시각 $t = 0$에서 $t = \dfrac{\pi}{4}$까지 점 P가 움직인 거리는

$$\int_0^{\frac{\pi}{4}} \frac{3}{2}\sin 2t\, dt = \left[-\frac{3}{4}\cos 2t \right]_0^{\frac{\pi}{4}} = \frac{3}{4}$$

070 답 ③

$f(x)=\dfrac{1}{3}x^3+\dfrac{1}{4x}$이라 하면 $f'(x)=x^2-\dfrac{1}{4x^2}$

따라서 구하는 곡선의 길이는

$$\int_1^3 \sqrt{1+\left(x^2-\dfrac{1}{4x^2}\right)^2}\,dx=\int_1^3 \sqrt{\left(x^2+\dfrac{1}{4x^2}\right)^2}\,dx$$
$$=\int_1^3\left(x^2+\dfrac{1}{4x^2}\right)dx$$
$$=\left[\dfrac{1}{3}x^3-\dfrac{1}{4x}\right]_1^3=\dfrac{53}{6}$$

071 답 $\dfrac{8}{3}$

$\dfrac{dx}{dt}=e^t-e^{-t}$, $\dfrac{dy}{dt}=2$

따라서 구하는 곡선의 길이는

$$\int_0^{\ln 3}\sqrt{(e^t-e^{-t})^2+4}\,dt=\int_0^{\ln 3}\sqrt{(e^t+e^{-t})^2}\,dt$$
$$=\int_0^{\ln 3}(e^t+e^{-t})\,dt$$
$$=\left[e^t-e^{-t}\right]_0^{\ln 3}=\dfrac{8}{3}$$

072 답 ⑤

$f(x)=\dfrac{1}{8}x^2-\ln x$라 하면 $f'(x)=\dfrac{1}{4}x-\dfrac{1}{x}$

따라서 $1\le x\le a$에서 곡선의 길이는

$$\int_1^a\sqrt{1+\left(\dfrac{1}{4}x-\dfrac{1}{x}\right)^2}\,dx=\int_1^a\sqrt{\left(\dfrac{1}{4}x+\dfrac{1}{x}\right)^2}\,dx$$
$$=\int_1^a\left(\dfrac{1}{4}x+\dfrac{1}{x}\right)dx$$
$$=\left[\dfrac{1}{8}x^2+\ln|x|\right]_1^a$$
$$=\dfrac{1}{8}a^2+\ln a-\dfrac{1}{8}$$

즉, $\dfrac{1}{8}a^2+\ln a-\dfrac{1}{8}=\dfrac{15}{8}+2\ln 2$이므로 $a=4$

073 답 ①

$$\lim_{n\to\infty}\dfrac{1+\sqrt{2}+\sqrt{3}+\cdots+\sqrt{n}}{n\sqrt{n}}=\lim_{n\to\infty}\sum_{k=1}^n\dfrac{\sqrt{k}}{n\sqrt{n}}$$
$$=\lim_{n\to\infty}\sum_{k=1}^n\sqrt{\dfrac{k}{n}}\times\dfrac{1}{n}$$
$$=\int_0^1\sqrt{x}\,dx$$
$$=\left[\dfrac{2}{3}x^{\frac{3}{2}}\right]_0^1=\dfrac{2}{3}$$

074 답 $\dfrac{5}{2}\pi-1$

곡선 $y=x\cos x$와 x축의 교점의 x좌표는 $x\cos x=0$에서

$x=0$ 또는 $\cos x=0$

$\therefore x=0$ 또는 $x=\dfrac{\pi}{2}$ 또는 $x=\dfrac{3}{2}\pi$ $\left(\because 0\le x\le\dfrac{3}{2}\pi\right)$

따라서 구하는 도형의 넓이는

$$\int_0^{\frac{\pi}{2}}x\cos x\,dx+\int_{\frac{\pi}{2}}^{\frac{3}{2}\pi}(-x\cos x)\,dx$$
$$=\left(\left[x\sin x\right]_0^{\frac{\pi}{2}}-\int_0^{\frac{\pi}{2}}\sin x\,dx\right)$$
$$+\left\{\left[-x\sin x\right]_{\frac{\pi}{2}}^{\frac{3}{2}\pi}-\int_{\frac{\pi}{2}}^{\frac{3}{2}\pi}(-\sin x)\,dx\right\}$$
$$=\left(\dfrac{\pi}{2}+\left[\cos x\right]_0^{\frac{\pi}{2}}\right)+\left(2\pi-\left[\cos x\right]_{\frac{\pi}{2}}^{\frac{3}{2}\pi}\right)$$
$$=\dfrac{\pi}{2}-1+2\pi=\dfrac{5}{2}\pi-1$$

075 답 3

곡선 $y=\dfrac{1}{1-x}$과 y축의 교점의 y좌표는

$y=1$

$y=\dfrac{1}{1-x}$에서 $1-x=\dfrac{1}{y}$

$\therefore x=1-\dfrac{1}{y}$

따라서 곡선 $y=\dfrac{1}{1-x}$과 y축 및 직선 $y=a$로 둘러싸인 도형의 넓이는

$$\int_1^a\left(1-\dfrac{1}{y}\right)dy=\left[y-\ln|y|\right]_1^a$$
$$=a-1-\ln a$$

즉, $a-1-\ln a=2-\ln 3$이므로 $a=3$

076 답 $\dfrac{1}{2}\ln 3-\dfrac{1}{6}$

곡선 $y=\dfrac{1}{2x+1}\left(x>-\dfrac{1}{2}\right)$과 직선

$y=\dfrac{1}{3}x$의 교점의 x좌표는

$\dfrac{1}{2x+1}=\dfrac{1}{3}x$에서 $2x^2+x-3=0$

$(2x+3)(x-1)=0$

$\therefore x=1\left(\because x>-\dfrac{1}{2}\right)$

따라서 구하는 도형의 넓이는

$$\int_0^1\left(\dfrac{1}{2x+1}-\dfrac{1}{3}x\right)dx=\left[\dfrac{1}{2}\ln(2x+1)-\dfrac{1}{6}x^2\right]_0^1$$
$$=\dfrac{1}{2}\ln 3-\dfrac{1}{6}$$

077 답 ⑤

두 곡선 $y=\cos x$, $y=\cos 2x$의 교점의

x좌표는 $\cos x=\cos 2x$에서

$\cos x=2\cos^2 x-1$

$2\cos^2 x-\cos x-1=0$

$(2\cos x+1)(\cos x-1)=0$

$\cos x=-\dfrac{1}{2}$ 또는 $\cos x=1$

$\therefore x=0$ 또는 $x=\dfrac{2}{3}\pi$ 또는 $x=\dfrac{4}{3}\pi$ $\left(\because 0\le x\le\dfrac{4}{3}\pi\right)$

따라서 구하는 도형의 넓이는
$$\int_0^{\frac{2}{3}\pi}(\cos x-\cos 2x)\,dx+\int_{\frac{2}{3}\pi}^{\frac{4}{3}\pi}(\cos 2x-\cos x)\,dx$$
$$=\left[\sin x-\frac{1}{2}\sin 2x\right]_0^{\frac{2}{3}\pi}+\left[\frac{1}{2}\sin 2x-\sin x\right]_{\frac{2}{3}\pi}^{\frac{4}{3}\pi}$$
$$=\frac{3\sqrt 3}{4}+\frac{3\sqrt 3}{2}=\frac{9\sqrt 3}{4}$$

078 답 ①

$f(x)=ke^{x-1}$이라 하면 $f'(x)=ke^{x-1}$

$g(x)=2x$라 하면 $g'(x)=2$

곡선 $y=f(x)$와 직선 $y=g(x)$의 접점의 좌표를 $(t,\,ke^{t-1})$이라 하면

$f'(t)=g'(t)$에서 $ke^{t-1}=2$ …… ㉠

점 $(t,\,ke^{t-1})$은 곡선 $y=f(x)$와 직선 $y=g(x)$의 교점이므로

$f(t)=g(t)$에서 $ke^{t-1}=2t$ …… ㉡

㉠, ㉡을 연립하여 풀면

$t=1,\,k=2$

따라서 구하는 도형의 넓이는

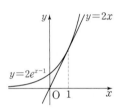

$$\int_0^1(2e^{x-1}-2x)\,dx=\left[2e^{x-1}-x^2\right]_0^1$$
$$=1-\frac{2}{e}$$

079 답 e

두 도형의 넓이가 서로 같으므로
$$\int_{\frac{1}{e}}^a\frac{2\ln x}{x}\,dx=0$$

$\ln x=t$로 놓으면 $\dfrac{dt}{dx}=\dfrac{1}{x}$

$x=\dfrac{1}{e}$일 때 $t=-1$, $x=a$일 때 $t=\ln a$이므로
$$\int_{-1}^{\ln a}2t\,dt=0,\ \left[t^2\right]_{-1}^{\ln a}=0$$
$$(\ln a)^2-1=0,\ (\ln a)^2=1,\ \ln a=\pm 1$$
$$\therefore a=e\ (\because a>1)$$

080 답 ⑤

곡선 $y=e^x$과 x축, y축 및 직선 $x=\ln 2$
로 둘러싸인 도형의 넓이를 S_1이라 하면
$$S_1=\int_0^{\ln 2}e^x\,dx=\left[e^x\right]_0^{\ln 2}=1$$
곡선 $y=ae^{3x}$과 x축, y축 및 직선 $x=\ln 2$
로 둘러싸인 도형의 넓이를 S_2라 하면
$$S_2=\int_0^{\ln 2}ae^{3x}\,dx=\left[\frac{a}{3}e^{3x}\right]_0^{\ln 2}=\frac{7}{3}a$$

이때 $S_2=\dfrac{1}{2}S_1$이므로
$$\frac{7}{3}a=\frac{1}{2}\qquad\therefore a=\frac{3}{14}$$

081 답 ②

두 곡선 $y=f(x)$, $y=g(x)$는 직선
$y=x$에 대하여 대칭이다.

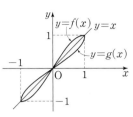

두 곡선 $y=f(x)$, $y=g(x)$의 교점의
x좌표는 곡선 $y=f(x)$와 직선 $y=x$
의 교점의 x좌표와 같으므로 오른쪽
그림에서

$x=-1$ 또는 $x=0$ 또는 $x=1$ $(\because -1\le x\le 1)$

따라서 두 곡선 $y=f(x)$, $y=g(x)$로 둘러싸인 도형의 넓이는 곡
선 $y=f(x)$와 직선 $y=x$로 둘러싸인 도형의 넓이의 2배와 같으
므로 구하는 도형의 넓이는

$$2\int_{-1}^1\left|\sin\frac{\pi}{2}x-x\right|dx=4\int_0^1\left(\sin\frac{\pi}{2}x-x\right)dx$$
$$=4\left[-\frac{2}{\pi}\cos\frac{\pi}{2}x-\frac{1}{2}x^2\right]_0^1$$
$$=4\left(\frac{2}{\pi}-\frac{1}{2}\right)$$
$$=\frac{8}{\pi}-2$$

082 답 8

밑면으로부터 높이가 $x\,\mathrm{cm}$인 지점에서의 수면의 넓이를 $S(x)$라
하면

$$S(x)=(\sqrt{xe^x+1})^2=xe^x+1\,(\mathrm{cm}^2)$$

따라서 물통의 부피는
$$\int_0^4 S(x)\,dx=\int_0^4(xe^x+1)\,dx$$
$$=\left[xe^x\right]_0^4-\int_0^4 e^x\,dx+\left[x\right]_0^4$$
$$=4e^4-\left[e^x\right]_0^4+4$$
$$=3e^4+5\,(\mathrm{cm}^3)$$

즉, $a=3$, $b=5$이므로 $a+b=8$

083 답 1

점 $(x,\,0)$ $(1\le x\le e)$을 지나고 x축에 수직인 평면으로 자른 단면
의 넓이를 $S(x)$라 하면 단면인 직각이등변삼각형의 빗변의 길이

가 $\dfrac{2}{\sqrt x}$이므로 빗변이 아닌 두 변의 길이는

$$\frac{1}{\sqrt 2}\times\frac{2}{\sqrt x}=\sqrt{\frac{2}{x}}$$
$$\therefore S(x)=\frac{1}{2}\left(\sqrt{\frac{2}{x}}\right)^2=\frac{1}{x}$$

따라서 구하는 입체도형의 부피는
$$\int_1^e S(x)\,dx=\int_1^e\frac{1}{x}\,dx$$
$$=\left[\ln|x|\right]_1^e=1$$

084 답 ①

$v(t)=0$에서 $e-e^t=0$

$e^t=e$ $\quad$ $\therefore$ $t=1$

따라서 점 P가 출발한 후 처음으로 운동 방향을 바꾸는 시각은 $t=1$이고, $0\le t\le 1$에서 $v(t)\ge 0$이므로 점 P가 움직인 거리는

$$\int_0^1 (e-e^t)\,dt=\Big[et-e^t\Big]_0^1=1$$

085 답 11

$\dfrac{dx}{dt}=e^t\cos t-e^t\sin t$, $\dfrac{dy}{dt}=e^t\sin t+e^t\cos t$

따라서 시각 $t=0$에서 $t=\ln 6$까지 점 P가 움직인 거리는

$$\int_0^{\ln 6}\sqrt{(e^t\cos t-e^t\sin t)^2+(e^t\sin t+e^t\cos t)^2}\,dt$$

$$=\int_0^{\ln 6}\sqrt{2e^{2t}\cos^2 t+2e^{2t}\sin^2 t}\,dt=\int_0^{\ln 6}\sqrt{2}\,e^t\,dt$$

$$=\Big[\sqrt{2}\,e^t\Big]_0^{\ln 6}=6\sqrt{2}-\sqrt{2}=5\sqrt{2}$$

시각 $t=\ln 6$에서 $t=\ln a$까지 점 P가 움직인 거리는

$$\int_{\ln 6}^{\ln a}\sqrt{(e^t\cos t-e^t\sin t)^2+(e^t\sin t+e^t\cos t)^2}\,dt$$

$$=\Big[\sqrt{2}\,e^t\Big]_{\ln 6}^{\ln a}=a\sqrt{2}-6\sqrt{2}=(a-6)\sqrt{2}$$

따라서 $(a-6)\sqrt{2}=5\sqrt{2}$이므로 $a-6=5$ $\quad$ $\therefore$ $a=11$

086 답 $\dfrac{25}{9}$

$f(x)=\ln(1-x^2)$이라 하면 $f'(x)=\dfrac{-2x}{1-x^2}$

따라서 $-\dfrac{1}{4}\le x\le \dfrac{1}{4}$에서 곡선의 길이는

$$\int_{-\frac{1}{4}}^{\frac{1}{4}}\sqrt{1+\left(\frac{-2x}{1-x^2}\right)^2}\,dx=\int_{-\frac{1}{4}}^{\frac{1}{4}}\sqrt{\left(\frac{x^2+1}{1-x^2}\right)^2}\,dx$$

$$=\int_{-\frac{1}{4}}^{\frac{1}{4}}\frac{x^2+1}{1-x^2}\,dx$$

$$=\int_{-\frac{1}{4}}^{\frac{1}{4}}\left(-1+\frac{2}{1-x^2}\right)dx$$

$$=-\int_{-\frac{1}{4}}^{\frac{1}{4}}dx-\int_{-\frac{1}{4}}^{\frac{1}{4}}\frac{2}{x^2-1}\,dx$$

$$=-\Big[x\Big]_{-\frac{1}{4}}^{\frac{1}{4}}-\int_{-\frac{1}{4}}^{\frac{1}{4}}\left(\frac{1}{x-1}-\frac{1}{x+1}\right)dx$$

$$=-\frac{1}{2}-\Big[\ln|x-1|-\ln|x+1|\Big]_{-\frac{1}{4}}^{\frac{1}{4}}$$

$$=-\frac{1}{2}-\left(\ln\frac{3}{5}-\ln\frac{5}{3}\right)$$

$$=-\frac{1}{2}-\ln\frac{9}{25}$$

$\therefore$ $k=-\dfrac{1}{2}-\ln\dfrac{9}{25}$

$\therefore$ $e^{k+\frac{1}{2}}=e^{-\ln\frac{9}{25}}=\dfrac{25}{9}$

MeMo